U0615581

中国文学编年史

现代卷

主编◇陈文新

本卷主编◇於可训　叶立文

湖南人民出版社

本卷撰稿人（按姓氏笔画排序）

叶立文　於可训等

☆国家社会科学基金项目

☆武汉大学人文社会科学重大攻关项目

总 序

纪传体、编年体是中国传统史书的两种主要体裁，而编年体的写作远较纪传体薄弱。《四库全书总目》卷四七史部编年类小序已明确指出这一事实：“司马迁改编年为纪传，荀悦又改纪传为编年。刘知幾深通史法，而《史通》分叙六家，统归二体，则编年、纪传均正史也。其不列为正史者，以班、马旧裁，历朝继作。编年一体，则或有或无，不能使时代相续。故姑置焉，无他义也。”① 与古代历史著作的这种体裁格局相似，在20世纪的中国文学史写作中，也是纪传体一枝独秀，不仅在数量上已多到难以屈指，各大专院校所用的教材也通常是纪传体，这类著作的核心部分是作家传记（包括作家的创作经历和创作成就）。编年类的著作，则虽有陆侃如、傅璇琮、曹道衡、刘跃进等学者做了卓有成效的工作，但就总体而言，仍有大量空白，尤其是宋、元、明、清、现、当代部分，历时一千余年，文献浩繁，而相关成果甚少。这样一种状况，自然是不能令人满意的。这套十八卷的《中国文学编年史》的编纂出版，即旨在一定程度地改变这种状况。

文学史是在一定的空间和时间中展开的。纪传体的空间意识和时间意识以若干个焦点（作家）为坐标，对文学史流程的把握注重大体判断。其优势在于，常能略其玄黄而取其隽逸，对时代风会的描述言简意赅，达到以少许胜多许的境界。若干重要的文学史术语如“建安风骨”、“盛唐气象”、“大历诗风”等，就是这种学术智慧的凝

① 永瑢等撰：《四库全书总目》，第418页，北京，中华书局，1965。

结。但是，由于风会之说仅能言其大概，“个别”和“例外”（即使是非常重要的“个别”和“例外”）往往被忽略，不免留下遗憾。一些跨时代的作家，如李煜、刘基、张岱等人，在文学史中的时代归属与其代表作的实际创作年代也常有不吻合的情形。例如，李煜被视为南唐作家，而他最好的词写在宋初；刘基被视为明代作家，而他最好的诗、文写在元末；张岱被视为明代作家，而其代表作多写于清初。比上述情形更具普遍性的，还有下述事实：我们讲罗贯中的《三国志通俗演义》，往往以毛宗岗修订本为例；我们讲施耐庵的《水浒传》，往往以百回繁本为例；我们讲兰陵笑笑生的《金瓶梅》，往往以崇祯本为例。这就出现了两方面的问题：第一，我们讲的并不是作家的原著；第二，我们忽略了读者的接受情形。这类涉及风会与例外、作家时代归属与作品实际创作、传播与接受两方面的问题，以纪传体来解决，由于受到体例的限制，往往力不从心，采用编年体，解决起来就方便多了：不难依次排列，以展开具体而丰富多彩的历史流程。

与纪传体相比，编年史在展现文学历程的复杂性、多元性方面获得了极大的自由，但在时代风会的描述和大局的判断上，则远不如纪传体来得明快和简洁。作为尝试，我们在体例的设计、史料的确认和选择方面采用了若干与一般编年史不同的做法，以期在充分发挥编年史长处的同时，又能尽量弥补其短处。我们的尝试主要在三个方面：其一，关于时间段的设计。编年史通常以年为基本单位，年下辖月，月下辖日。这种向下的时间序列，可以有效发挥编年史的长处。我们在采用这一时间序列的同时，另外设计了一个向上的时间序列，即：以年为基本单位，年上设阶段，阶段上设时代。这种向上的时间序列，旨在克服一般编年史的不足。具体做法是：阶段与章相对应，时代与卷相对应，分别设立引言和绪论，以重点揭示文学发展的阶段性特征和时代特征（现当代文学因时间周期较短，拟省略阶段，不设引言）。其二，历史人物的活动包括“言”和“行”两个方面，“行”（人物活动、生平）往往得到足够重视，“言”则通常被忽略。而我们认为，在文学史进程中，“言”的重要性可以与“行”相提并论，特殊情况下，其重要性甚至超过“行”。比如，我们考察初唐的文学，不读陈子昂的诗论，对初唐的文学史进程就不可能有真正的了解；我们考察嘉靖年间的文学，不读唐宋派、后七子的文论，对这一时期的文学景观就不可能有准确的把握。鉴于这一事实，若干作品序跋、友朋信函等，由于透露了重要的文学流变信息，我们也酌情收入。其三，较之政治、经济、军事史料，思想文化活动是我们更加关注的对象。中国文学进程是在中国历史的背景下展开的，与政治、经济、军事、思想文化等均有显著联系，而与思想文化的联系往往更为内在，更具有全局性。考虑到这一点，我们有意加强了下述三方面材料的收录：重要文化政策；对知识阶层有显著影响的文化生活（如结社、讲学、重大文化工程的进展、相关艺术活动等）；思想文化经典的撰写、出版和评论。这样处理，目的是用编年的方式将中国文学进程及与之密切相关的中国思想文化变迁一并展现在读者面前。

《中国文学编年史》是一个基础性的重大学术工程，文献的广泛调查和准确使用是做好编纂工作的首要前提。《四库全书》、《续修四库全书》、《四库存目丛书》、《四库禁毁书丛刊》、《丛书集成》、《笔记小说大观》等是我们经常使用的典籍，近人和今人整理出版的别集、总集，大量年谱（如徐朔方《晚明曲家年谱》），以及文、史、哲方面的编年史，均在参考范围之内，限于体例，未能一一注明，谨此一并致谢。在使用上述文献的过程中，我们采取的是一种如履薄冰、如临深渊的谨慎态度。这是因为，相当一部分典籍是由我们第一次标点，这一工作的难度是不言而喻的。即使是前人已经整理的典籍，我们也并不直接采用，而是根据自己的理解再整理一次。这样做当然增加了工作量，但确有许多好处，若干错误就是在这一过程中得到纠正的，有些错误的纠正涉及基本事实的澄清。比如，张大复《皇明昆山人物传》卷八记梁辰鱼晚年情形，有云："（梁氏）当除夕遇大雪，既寝不寐。忽令侍者遍邀诸年少，载酒放歌，绕城一匝而后就睡。曰：'天为我辈雨玉，可令俗人蹴踏之耶?'时年已七十矣。亡何，中恶，语不甚了。有老奴李用者，颇省其说，尚有注记。得岁七十有三。"一位学者将"中恶，语不甚了"标点为"中恶语，不甚了"，并就此推论说："梁辰鱼七十岁时遭遇暧昧不明的事件。""《皇明昆山人物传》的上述记载本意是为贤者讳，事实上倒很可能为统治者隐盖了迫害异己文人的一件罪行。"这就不免弄错了事实。"中恶"即突然患急病，正所谓"老健春寒秋后热"，老年人得急病是常见的情形。而"中恶语"的表述，明显不符合古人的语言习惯。再如，陈田《明诗纪事》将正德时期的傅汝舟与明末的傅汝舟混为一人，将两人的生平搅在一起，其按语云："丁戊山人诗初矜独造，晚遁荒诞，择其入格者录之，亦是幽弦孤调。山人享大年，具异才，谈佛谈仙，亦作北里中艳语。初与郑少谷游，晚乃与茅止生、卓去病、张文寺、文太青倡和，支离怪诞，无所不有。少谷集中无是也。论者乃专谓山人刻意学少谷，何哉?”《明诗纪事》近三百万言，卓有建树，是研究明诗的必备案头书。但关于傅汝舟，陈田的确弄错了。郑善夫（1485—1523）号少谷，以学杜著称，学郑少谷的是正德年间的傅汝舟；文翔凤号太青，万历三十八年（1610）进士，与文太青等唱和的是明末的傅汝舟。两个傅汝舟之间相距约百年，陈田想当然地将二者合为一人，说他“享大年”，又说他前期学郑少谷，后期学竟陵派，曲意弥缝，令人哑然失笑。其他种种，如部分文学家辞典对作家生卒年的误注，若干点校本的断句错误等，我们都在力所能及的范围内做了纠正。提到这些情况，不是想证明我们的水平有多高，而意在告诉读者：我们的工作态度是认真的，有志于为读者提供一部值得信赖的编年史著述。

《中国文学编年史》的编纂得到了北京大学、武汉大学、南京大学、中国人民大学、中国社会科学院、中国艺术研究院、中华书局、陕西师范大学、西北师范大学、华中师范大学、山东师范大学、山东曲阜师范大学、中南民族大学、中南财经政法大学等单位专家和领导，尤其是武汉大学领导的支持；湖南省新闻出版局、湖南出版投资控股集团及湖南人民出版社鼎力支持编年史的编纂出版，所有这些，我们将永远铭记在心。

陈文新

2006 年 7 月 23 日于武汉大学

凡　例

一、《中国文学编年史》以编年形式演述中国文学发展历程，凡十八卷：第一卷周秦、第二卷汉魏、第三卷两晋南北朝、第四卷隋唐五代（上）、第五卷隋唐五代（中）、第六卷隋唐五代（下）、第七卷宋辽金（上）、第八卷宋辽金（中）、第九卷宋辽金（下）、第十卷元代、第十一卷明前期、第十二卷明中期、第十三卷明末清初、第十四卷清前中期（上）、第十五卷清前中期（下）、第十六卷晚清、第十七卷现代、第十八卷当代。

二、编年史各卷据文学发展的不同阶段划分为若干章（如无必要，或不分章）。章的标目方式是："××章　××年至××年，共××年"。关于某一阶段文学的总体评论放在该章的首年之前，如明前期卷"第一章　洪武元年至建文四年，共35年"，在章目下，"洪武元年"之前，单列明前期卷"引言"一目。关于某一时代文学的综合论述，放在卷首。如元代卷，在第一章前，单列元代文学"绪论"。

三、编年史各卷所收录内容的构架大体统一，重点包括七个方面：1. 重要文化政策；2. 对文学发展有显著影响的文化生活（如结社、讲学、重大文化工程的进展、相关艺术活动等）；3. 作家交往（唱和、社团活动等）；4. 作家生平事迹；5. 重要作品的创作、出版和评论；6. 争鸣（团体之间、个人之间在重要问题上的论辩等）；7. 其他。

四、叙事以纲带目，即在征引相关文献之前有一句或数句概述。如，先总叙一句"俞宪编《盛明百家诗》成书"，再征引相关序跋、著录、评议。前者为纲，后者为目，纲、目配合，旨在完整地呈现文学史事实。少量见于常用工具书的重要史实，或不必展开的文学史事实，则列纲而略目，以省篇幅。

五、公历纪年年初与中国传统纪年年末不属同一年份，如公元1899年元月1日至12月31日对应于光绪二十四年戊戌十一月二十七日至光绪二十五年己亥十一月二十九日，而不对应于光绪二十五年己亥正月初一至十二月三十日。我们采用变通的处理方法，以公历纪年，而以农历纪月，比如，凡光绪二十五年己亥正月至十二月之内的内容均置于公元1899年下。作家生卒年，仍据公历标注，其他以此类推。现、当代文学部分，纪年、纪月均据公历。

六、同一年内之文学史实，按月份先后顺序排列。月份不详而仅知季度的，春季置于三月之后，夏季置于六月之后，其他以此类推。季度、月份均不详者，另设“本年”目统之。

七、一部分重要文学史实，年月不详而仅知大体时段者，在年号之末另设“××年间”目统之，如嘉靖四十五年之后另设“嘉靖年间”一目。

八、引用序跋，一般采用“作者+篇名”的方式，如“臧懋循《唐诗所序》”。引用序跋之外的诗文等作品，一般采用“集名+卷次+篇名”的方式，如“《有学集》卷三一《隐湖毛君墓志铭》”，采用“作者+篇名”的方式，如“钱谦益《隐湖毛君墓志铭》”。无篇名者则省略，如“《艺苑卮言》卷三”。某作者集中所收为他人别集所作的序跋，亦采用这一方式，如“《太函集》卷二二《弇州山人四部稿序》”。引用正史，一般采用“正史名+本传或××传”的方式，“如《明史》本传”或“《明史》李攀龙传”，不标卷次。引用《四库全书总目提要》，或用全称，或简称“四库提要”，只标明卷次。如“四库提要卷一五三”。引用地方志，标明纂修年代，如“光绪《乌程县志》卷三一”。据类书转引时，注明原出处，如“《太平广记》卷二〇《阴隐客》（出《博异志》）”。引用报刊，注明年月日或卷次。

九、作者小传一般置于生年。有些作家，虽生年在上一卷，但在上一卷无文学活动，其小传酌情移入本卷首次出现时。如杨士奇，元亡时才4岁，其小传置于明前期卷，出生时只交代：“杨士奇（1365—1444）生”，不列小传。现、当代作者，因传记资料常见，相关作家小传酌情收录。

十、对于某一作家的总体评论和重要著录一般置于卒年。某作者卒年在下一卷，但在下一卷无重要文学活动，主要评论材料酌情置于本卷。如易顺鼎（1858—1920），其评论材料集中于晚清卷，不入现代卷。

十一、作家代表作一般不录原文，但收录重要评论材料，并酌情说明相关选本收录情形。

十二、需要补充交待而占用篇幅较大的文学史事实，设少量“附录”。对若干需要辨证的史实，设按语加以说明。以提供文献线索为主，不详加征引。

目 录

总序 …… 1
凡例 …… 1
绪论 …… 1

1912 年 …… 1
1913 年 …… 12
1914 年 …… 23
1915 年 …… 34
1916 年 …… 43
1917 年 …… 54
1918 年 …… 65
1919 年 …… 76
1920 年 …… 96
1921 年 …… 108
1922 年 …… 121
1923 年 …… 141
1924 年 …… 160
1925 年 …… 172
1926 年 …… 188
1927 年 …… 204
1928 年 …… 223

1929 年 …………………………………………………………… 237
1930 年 …………………………………………………………… 249
1931 年 …………………………………………………………… 260
1932 年 …………………………………………………………… 273
1933 年 …………………………………………………………… 284
1934 年 …………………………………………………………… 305
1935 年 …………………………………………………………… 321
1936 年 …………………………………………………………… 332
1937 年 …………………………………………………………… 357
1938 年 …………………………………………………………… 371
1939 年 …………………………………………………………… 392
1940 年 …………………………………………………………… 406
1941 年 …………………………………………………………… 426
1942 年 …………………………………………………………… 440
1943 年 …………………………………………………………… 457
1944 年 …………………………………………………………… 470
1945 年 …………………………………………………………… 486
1946 年 …………………………………………………………… 509
1947 年 …………………………………………………………… 525
1948 年 …………………………………………………………… 538
1949 年 …………………………………………………………… 552

参考文献 …………………………………………………………… 559
人名索引 …………………………………………………………… 567
后　记 …………………………………………………………… 581

绪 论

一、中国现代文学的概念

《中国新的文学运动》：欧洲近代文化，都从复兴时代演出，而这时代所复兴的，为希腊罗马的文化，是人人所公认的。我国周季文化，可与希腊罗马比拟，也经过一种烦琐哲学时期，与欧洲中古时代相埒，非有一种复兴运动，不能振发起衰，五四运动的新文学运动，就是复兴的开始。……我国的复兴，自五四运动以来不过十五年，新文学的成绩，当然不敢自诩为成熟。其影响于科学精神、民治思想及表现个性的艺术，均尚在进行中。但是吾国历史，现代环境；督促吾人，不得不有奔轶绝尘的猛进。吾人，至少应以十年的工作抵欧洲各国的百年。所以对于第一个十年先作一番审查，使吾人有以鉴既往而策将来，希望第二个十年与第三个十年时，有中国的拉飞儿与中国的莎士比亚等应运而生呵！（蔡元培：《中国新的文学运动》，《中国新文学大系导论集》，上海良友复兴图书印刷公司 1940 年版）

《中国新文学史稿》：中国新文学的历史，是从“五四”的文学革命开始的。它是中国新民主主义革命三十年来在文学领域中的斗争和表现，用艺术的武器来展开了反帝反封建的斗争，教育了广大的人民；因此它必然是中国新民主主义革命史的一部分，是和政治斗争密切结合着的。（王瑶：《中国新文学史稿》，上海文艺出版社 1982 年修订版。）

《中国现代文学三十年》：“中国现代文学三十年”，以 1917 年 1 月《新青年》第 2 卷第 5 号发表胡适《文学改良刍议》为开端，而止于 1949 年 7 月第一次全国文学艺术工作者代表大会在北京的召开。在这个意义上，“现代文学”仅是一个时间概念。……“现代文学”同时还是一个揭示这一时期文学的“现代”性质的概念。所谓“现代文学”，即是“用现代文学语言与文学形式，表达现代中国人的思想、感情、心理的文学”。（钱理群、温儒敏、吴福辉：《中国现代文学三十年》修订本，北京大学出版社 1998 年版）

《中国现代文学史》：现代文学是新民主主义革命时期现实土壤上的新的产物，同时又是旧民主主义革命时期文学的一个发展。……“五四”以后，中国社会自近代以来所有的基本矛盾和革命任务并未改变，但无产阶级登上了历史舞台，它所领导的人民大众的反帝反封建斗争蓬勃展开，历史已经进入了新民主主义革命时期。因此，一方面，社会内部的各个阶级和各种矛盾比近代更显得错综复杂，另一方面，解决这些矛盾的具体历史条件却也渐次具备并且趋于成熟。“五四”之后的中国现代文学，正带上了这样一种深刻的时代历史的印记。

现代文学，作为中国现代复杂的阶级关系在文学上的反映，所包含的成分也是复杂多样的。新起的白话文学本身，并不是单一的产物；它是文学上无产阶级、革命小资产阶级和资产阶级三种不同力量的新时期实行联合的结果，其各个组成部分之间有着原则的区分。资产阶级文学，包含了相当复杂的既有积极方面也有消极方面的思想因素，不仅同无产阶级文学有质的不同，而且同小资产阶级革命民主主义文学也有很大的区别。一部分资产阶级右翼在文学上的代表，反封建时固然极为软弱，同帝国主义更有千丝万缕的联系，而在斗争深入之后，很快倒戈成为反动势力的维护者。此外，在整个新民主主义革命时期，也还有若干其他的文学成分。封建旧文学虽已遭到沉重的打击，但远未绝迹；鸳鸯蝴蝶派作品则改穿起了白话的衣装，在市民阶层中有所流传；作为国民党反动派法西斯政策在文学上的产物，30 年代以及稍后一个时期，还曾出现过法西斯“民族主义文艺”、“战国策”派和所谓“戡乱文学”——这些都是文学上的逆流。现代文学里各种成分的纷然杂陈和相互斗争，正推进了文学上不同力量之消长，显示了错综复杂的情势。（唐弢：《中国现代文学史》，人民文学出版社 1979 年版）

《中国新文学史初稿》：我们所说的新文学，实质上就是指的那种符合于中国人民的革命利益、反帝反封建、具有社会主义的因素，而且是随着中国革命形势的发展不断地向着社会主义现实主义的方向前进的文学。（刘绶松：《中国新文学史初稿》，人民文学出版社 1979 年版）

二、中国现代文学的分期

《中国新文学史稿》：中国新文学的发展到现在，可分为四个时期：第一期是 1919 到 1927 年，相当于毛主席在《新民主主义论》里所分的第一、第二两时期；第二时期是 1927 年到 1937 年的十年，相当于“新民主主义论”的第三时期；第三时期是 1937 年到 1942 年的五年，即从抗战开始到“在延安文艺座谈会上的讲话”的发表，抗战期间前五年的文学；第四时期是 1942 年到 1949 年的七年。即自《在延安文艺座谈会上的讲话》的发表到中华全国文学艺术工作者代表大会的召开。

现代文学各个分期的文学成就：第一时期是 1919 年到 1927 年，相当于毛泽东同志在《新民主主义论》里所分的第一第二两个时期。“五四”初期，还没有纯粹文艺性质的社团和期刊，许多主张都发表在《新青年》上，然而从全体看来，《新青年》到底是一个综合性的文化批判的刊物，它也注重文学，但主要是为了反封建而攻击旧文艺，这正和为了反封建而攻击旧礼教一样；因此不可能有更多的力量和篇幅来照顾到文学，尤其是创作。所以在1919年到1921年的两年中，就文学史说，就值不得分为一个独立的时期。1921年在政治领域里的大事是中国共产党的成立，这标志着中国新民主主义革命运动的第一次分化，激进的革命知识分子更激进了，而温和改良一派的则趋于和封建势力及帝国主义势力妥协。中国共产党的成立可以说是承继和发展了《新青年》（“五四”时期）的政治性质的斗争。当北洋军阀横暴地压迫《新青年》的作者和读者的时候，后期《新青年》由共产党人直接主持，第一篇发表的就是瞿秋白所译的《国际歌》，而性质也全是政治的了。同样在文学领域，承继和发扬了《新青年》的反对旧文学与建设新文学的传统的，是也成立于1921年的文学研究会。这时对新文学的意义更明确了，强调时代与环境对于作家的影响，强调文学之为人生及改造人生的意义。1922年《创造季刊》的出版，基本性质也是暴露与反抗现实人生的。以后经过了五卅、大革命到1927年革命阵营的分化，在文学领域里也有同样的表现。因此我们可以说从1919年到1927年是第一个时期。从政治情势上或文学理论上固然可以说明是如此，从作家与作品的表现和主要倾向上看也是如此。

第二时期是1927年到1937年的十年，相当于《新民主主义论》的第三时期。在文学领域，经过了1928年至1929年的关于革命文学的论争，1930年3月左翼作家联盟成立了。在左联的工作下，已提出了建设无产阶级革命文学的新任务，马列主义的文艺思想已在文学界占有绝对优势的领导地位。虽然在今天看来，当时的工作仍有不够或值得批判的地方，但那时确是在文化围剿之中战斗过来并发生了广泛影响的。到了末期，因为新形势的到来，“抗日民族统一战线”的提出，又对宗派主义与关门主义作了清算，1936年春自动将左联组织解散了，努力团结一切有爱国意识与民族思想的作家为民族解放斗争服务。左联的组织形式虽然从成立到解散只有六年，但这十年期间整个可以说是由左联来领导的；无论从文学理论或创作来说，都是如此，其中最杰出的领导者便是鲁迅。

第三时期是1937年到1942年的五年。即从抗战开始到《在延安文艺座谈会上的讲话》的发表，抗战期间前五年的文学。从1936年的西安事变起，在全国广大人民的抗日要求的压力下，这时停止了内战，取得了一般的国内和平；1937年起便开始了全国性的抗日战争。抗日民族统一战线在相当程度上形成了，国共两党又有了某种形式的合作，而在文学领域，团结的工作也有了一定的成就，组织成了以进步作家为骨干的，包括所有赞成抗日的作家的中华全国文艺界抗敌协会。由文协的组织发动了广泛的文艺力量来为民族解放战争服务，发动“文章下乡，文章入伍”，使过去一些比较落后的作家也开始接触了现实，受到进步文学思想的领导；一些在大都市住惯的作者也开始和农民兵士有了初步的接近。但就文学的中心领导思想说，则较之左联时期比较退守了；批评的工作在强调团结的影响下没有很好地展开，作品中的思想性一般也不是很高。但是作家们为抗日服务的激越情绪是有的，也有了一些通俗形式的作品；一般的是以歌颂抗战促成团结为作品主要内容的。这时期作家们的情绪很高，而且活动普遍到各个地方区域，文艺运动是相当发展的。

第四时期是1942年到1949年的七年。即自《在延安文艺座谈会上的讲话》的发表到中华全国文学艺术工作者代表大会的召开的时期。我们不以抗战八年为一期，而以《在延安文艺座谈会上的讲话》为分期的界线，就因为这讲话实在太重要了；解决了新文学运动以来的许多问题，使文学运动和作家的实践都有了一个明确的方向。而且历史证明了这讲话的正确性，我们已有了好多优秀的善于为工农兵服务的作家和作品。这是新文学发展的方向问题，也是由左联提倡大众化以来，进步作家们努力企图解决而没有得到彻底解决的问题。这是新文学建设上的关键，只有为什么人服务的问题得到解决，新文学才有可能走上健全发展的大道。但在毛泽东文艺思想的领导下，在抗日根据地已经建立了人民民主政权的条件下，这问题不只在思想上弄明确了，而且立刻使作家们开始了实践；从工作实践与创作实践中具体地体验了毛泽东文艺思想的正确，使文艺工作者与文艺的面貌较之过去有了根本的改变。到 1949 年全国解放战争基本结束时召开的全国规模的文学艺术工作者代表大会时为止，仅收到《人民文艺丛书》中的优秀作品就有 177 种，这些都是实践了毛泽东文艺思想以后的作品，都是用新的语言形式写出的新的主题和新的人物；这些作品充分证明了“文学的工农兵方向”的正确。

不只解放区的作品自然地以 1942 年划分界线最合适，国统区的作品也是如此。一切有民族意识和希望抗战胜利的作家都对国民党感到了失望与痛恨，不再寄托任何的希望，因此表现在作品中的题材和主题的基本倾向也与抗战初期大不相同了。歌颂抗战进步的作品减少了，多的是暴露国统区黑暗统治和争取民主自由的作品；一些比较落后的作家苦闷了，而大多数的进步作家则自然把他们的目光投向了人民的武装和人民的政权。毛泽东同志的著作经常秘密而又普遍地流传于国统区，新的文艺方向大大鼓舞了作家们追求进步与光明的意向，因而也出现了许多思想性很强的作品。党的领导自来是有全国意义和全国影响的，绝不仅局限于已解放的地区。虽然国统区的作家们遭受着统治者的压迫，没有直接与工农结合的方便和条件，但群众的民主运动也经常地用文艺作品和文艺的形式作为武器，作家们并不是没有战斗的任务和岗位的。这种情况在抗战胜利后的解放战争期间，基本上也还是没有大的改变；在反美、反饥饿、反内战、反迫害各种运动中，文艺工作者都贡献了很大的力量。因此这七年中基本上是新文学获得了毛泽东文艺思想直接领导的时期，“一切危害人民群众的黑暗势力必须暴露之，一切人民群众的革命斗争必须歌颂之，这就是革命文艺家的基本任务。”这一时期文学的活动方向是遵循着这一原则的。

1949 年 7 月召开的中华全国文学艺术工作者代表大会，是在中国革命已经取得基本胜利的时候在人民的首都北京举行的。这样空前的大会表示着人民对于文艺的重视和需要，表示着全国文艺工作者的团结和会师，也表示着此后将又是一个新的开始。这次大会不只产生了中华全国文学艺术界联合会的组织，而且分别部门成立了文学、戏剧、电影等工作者的协会；以后各地方也陆续召开了文代大会，产生了地方组织。全国的文艺工作者从此有组织地团结起来了，而且自中央人民政府成立后，政务院中也设立了领导全国文艺工作的文化部，文学的方向与活动都明确而有计划性了，作家们又自觉努力地学习马列主义和毛泽东思想，对于新中国建设中的文艺工作，文艺工作者一定会有辉煌的贡献。大会闭幕后各方面的实践，取得了丰富的收获。无论就群众文艺的展开、旧艺人的改造、普及工作或创作的成绩说，都说明了文艺工作者是努力担负人民赋予他们的任务的。中国的新文学史由“五四”到文代大会恰好三十年，随着中华人民共和国的成立，以后将另起一个新时期，将会有其更灿烂丰硕的果实的。（王瑶：《中国新文学史稿》，上海文艺出版社 1982 年修订版）

《中国现代文学三十年》：第一个十年：1917 年—1927 年。1915 年 9 月《青年杂志》在上海创刊（第二卷起，易名为《新青年》），新文化运动即以此为肇始。特别是 1917 年迁京后，《新青年》集结了一批推进新文化和新文学运动的先驱人物，并且在 1919 年借“五四”运动的大势，将整个新文化运动推向高潮。……文学革命发动后，很快便形成规模和声势，产生广泛的社会效应，取得重大的实绩。首先是白话文的全面推广。第二，是外国文学思潮的广泛涌入和新文学社团的蜂起，呈现出我国历史上空前未有的思想大解放的局面。第三，是文学理论建设取得了初步的成果。第四，创作取得了引人注目的实绩。文学革命是我国历史上前所未有的一次伟大而彻底的文学革新运动，不同于历史上包括近代产生过的文学变革或文学改良，它所带来的是文学观、内容形式各方面全方位的大革新、大解放。……新文学社团的纷纷建立，标示着新文学运动已从初期少数先驱者侧重破坏旧文学，而转向大批文学生力军致力建设新文学了。在众多的新文学社团中，文学研究会和创造社成立最早，影响和贡献最大，也最有代表性。第一个十年的文学发展大致可分为三个阶段：1917 年 1 月到 1919 年“五四”运动爆发，是文学革命初期……实际上这是一个准备阶段。“五四”到 1926 年“三・一八”惨案，这一段思想最解放，创作也最活跃。……“三・一八”惨案到 1927 年“四・一二”事变，革命形势急剧发展变化，许多新文学作家投身到南方革命阵营和北伐战争中，创作一度沉寂，但这一时期开始的对于“革命文学”的理论提倡和创作的最初试验，都为下一时期无产阶级文学的兴起奠定了基础。……纵观这一时期的创作，也可以发现某些共同的文学兴趣与归趋：一是理性精神的显现。二是感伤情调的流行。三是个性化的追求。四是多样创作方法的尝试。……到了第一个十年的后期，一般新文学作者在进行了各种创作方法的尝试之后，逐渐都转向现实主义。这种转变，对于小说创作来说收获更大一些。如偏于客观写实的乡土小说的兴起，作品表现的角度从个人圈子转向社会底层，从提问题或重抒情转向人物形象的刻画，艺术上显然更加成熟了。诗歌的发展路向比较复杂。第一个十年中期出现的新月派对诗歌艺术美和形式美的强调，后期蒋光慈等人关于革命现实主义诗歌的提倡，以及李金发等人象征派诗歌的理论提倡与艺术试验，都预示着在第二个十年诗歌艺术将有一个更加多元的发展。

第二个十年：1928 年—1937 年 6 月。现代文学在结束了“第一个十年”之后，经过仅一年的思想的酝酿准备，队伍的重新组合，又进入了新的历史发展时期，通常称之为“第二个十年”。这个时期显著的特征有三：其一是“五四”所开启的有相对思想自由的氛围消失了，文学主潮随着整个社会的变革而变得空前的政治化；二是无产阶级革命文学运动推进了马克思主义文艺理论的传播与初步的运用，并在相当程度上决定着此后二三十年间的面貌；三是在左翼文学兴发的同时，自由主义作家的文学及其他多种倾向文学彼此颉颃互竞，共同丰富着 30 年代的文学创作。……30 年代文艺思想领域呈现出极为活跃的状态：第一个十年里纷纷传入中国的各种文艺思潮经过历史的

筛选，与本国文艺实践运动相结合，形成了马克思主义与自由主义两大文艺思想相对立的局面。两大思潮之内论争频繁展开，其激烈程度远远超过第一个十年。这是与这一时期政治斗争尖锐化程度相适应并由其所决定、制约的。由此决定了这一时期两大思潮论争的特点：论争始终集中在文学艺术发展的外部关系——诸如文艺与阶级的关系，文艺与政治革命的关系，文艺与生活、时代的关系，文艺与人民的关系上，而文学艺术内部关系问题、美学范畴问题，却未能得到全面的探讨；每一个提上日程的争论问题，都未能充分展开，问题的讨论显得浮光掠影。马克思主义文艺思想在与自由主义文艺思想论争的过程中，在不断克服自身的左倾幼稚病的过程中，不仅成为无产阶级文学运动的指导思想，而且对众多追求革命的文学家产生巨大的吸引力，构成30年代文学的主潮；而自由主义文艺思潮在理论和创作实践上也有不可忽视的实绩，并在文学史发展的大的背景下对主流派文学起某种补充的作用。30年代中国社会的大变动，以及由此产生的现代都市与传统农村的对立、相互冲突与渗透，引发与激化了知识分子在传统农业文明与现代工业文明、东方文明与西方文明之间选择的矛盾与困惑，反映在文学与审美层次上，便形成了这一时期“左翼”、“京派”、“海派”三大文学派别（潮流）之间的对峙与互渗。……三大文学派别（潮流）创造了不同的文学景观，但又统一生存于30年代社会、思想、文化的大背景之下，因而在整体文学的张力场上又显示出某些共同的趋向，在整个现代文学历史发展中展现出一种时代文学的特征。……如果说注重个性解放与思想解放的“五四”是抒情的时代，着重社会解放的现代文学第二个十年就是叙事的时代。……中国现代文学到第二个十年已经逐渐形成了自己的历史特点，即：广阔的社会历史内容、对民族灵魂开掘的历史深度，以及从沸腾的历史潮流中所汲取的战斗激情与壮阔、厚实的力的美，这同样也是中国现代文学日趋成熟的重要标志。

第三个十年：1937年7月—1949年9月。这十二年的文学（通常又称40年代文学）最显著的特征就是和战争与救亡发生紧密的联系。战时特殊的政治文化氛围，包括思维方式与审美心态，促成了许多唯战时所特有的文学现象；战争直接影响到作家的写作心理、姿态、方式以及题材、风格。……和其他历史时期不同之处在于，战时形成的地缘政治文化，对文学的发展、风貌形成了强有力的制约。这一时期全国划分为几个不同的政治区域，即：国统区（国民党统治的地区）、解放区（共产党领导的抗日敌后根据地）、沦陷区（日本侵略军占领的地区）及上海“孤岛”（指1937年11月日军占据上海后，租界处于被包围之中的特殊地区，直到1941年12月珍珠港事件发生，日军进入租界为止）。……不同区域社会制度与政治文化背景直接影响和制约着文坛的状态，各个区域的文学面貌也有所不同。由于国统区在全国所占面积最大，拥有作家最多，而且有不同的流派倾向，文学思潮与创作都比较活跃，所以比起其他区域文学来，也更能代表“40年代文学”的主潮。

从1937年7月7日芦沟桥事变到1938年10月武汉失守，是抗战初期，整个国统区文学的基调表现为昂扬激奋的英雄主义。“救亡”压倒了一切，文学活动也就转向以“救亡”的宣传动员为轴心。……文学创作有了共同的爱国主义的主题和共同的思想追求：表现民族解放战争中新人的诞生，新的民族性格的孕育与形成。甚至情绪与风格上也彼此相同，无不在热诚地渲染昂奋的民族心理与时代气氛，英雄主义的调子贯穿一切创作，表现出来的统一的色彩，鲜明而单纯。……1938 年 10 月武汉失守之后，抗日战争进入相持阶段，特别是以 1941 年皖南事变为标志，国内政治形势发生急剧逆转，社会心理与时代气氛、情绪也为之一变。……人们开始正视战争的残酷性和取得胜利的艰巨性，正视由于战争而沉渣泛起的各种封建文化的积垢及现实中的腐败现象。作家们随着这种时代心理的变化而转为沉郁苦闷。……这种“新的苦闷和抑郁”不仅仅是个人的，更是民族的、时代的，是抛掉廉价乐观之后的清醒，是对战争前途、民族命运的忧虑，具体来说，则又包含着对于战争中暴露出来的中国社会痼疾的正视与思考，本质上反映了一种民族精神的觉醒。……作家在苦闷和抑郁中开始了更加深刻的思索——出于一种对民族命运、祖国前途的责任感和使命感，重新认识我们的民族，重新认识自己，为民族的振兴寻找新的出路。这意味着在作家的观察与描写视野中，“民族命运”仍然处于前景地位，但“社会”与“个人”都从不被注目的后景成为前景中不可或缺的层次。这是向多层次思维、全方位观察的一个重要转变；文学的艺术表现也必然要追求其应有的丰富性、复杂性与深刻性。……纵观这一时期的创作，可以看到现代文学一面向着民族现实与历史土壤的深层深入，一面重又获得了前一时期曾经失去（至少是部分失去）的文学品格，无论文学内容，还是美学风格都呈现出了多样化趋向，显示出特定的历史时代所特具的沉郁、凝重而博大的风采。如果说抗战及其后国统区创作基调是沉郁凝重，或间杂有喜剧性的批判色彩，那么解放区创作的基调则是明朗、素朴，两者形成鲜明的比照。……解放区文学运动基本上是一种在政治的直接推动下单向突进式发展的文学运动，强调了配合和服务于政治，相对忽视了文学自身的艺术规律；强调了工农兵方向，却又出现了轻视知识分子的倾向；强调了对农民的传统的艺术形式的继承，却放松了对艺术形式手法现代化的要求；强调了作品通俗易懂，却忽视了文艺发展格局中也应有高雅优美的部分。……1941 年 12 月太平洋战争爆发，结束了上海孤岛文学的时代，纳入了沦陷区文学的轨道。在此之前，已经有了 1931 年“九一八”事变后的东北沦陷区文学，1937 年“七七”事变以后以北平为中心的华北沦陷区文学，统称为“沦陷区文学”。……在夹缝中进行艰苦的挣扎，坚守着文学的阵地的一些作家努力坚持“五四”新文学的传统，另一些作家则从个体的战争体验出发，转向对作家（知识者）自我的平凡性，对于“软弱的凡人”的历史价值，对于人的日常平凡生活的重新发现与肯定。（钱理群、温儒敏、吴福辉：《中国现代文学三十年》修订本，北京大学出版社 1998 年版）

《新文学史纲》：1918 年、1919 年到 1927 年、1928 年的十年间是新民主主义文学的第一期。新文学史第一期可以分为两个阶段。第一阶段是“五四时期”，第二阶段是“第一次国内革命战争前后”。

1918 年、1919 年到 1927 年、1928 年的十年间是新民主主义文学的第一期。这一时期的作品，主要部分是革命的小资产阶级民主主义文学家的富于革命性的批判的现实主义和积极的浪漫主义作品。这时候已有初步的马克思主义者的作品和初步的马克思主义文学理论出现。有时代代表性亦即代表着当时社会本质及其发展趋向的作品，是反映工人农民城市贫民的生活，反映苏俄革命现实，表达共产主义理想的作品。先有在第一次帝国主义大战和十月社会主义革命后发生的五四运动，后来又有在中国共产党成立、劳动运动展开后发生的五卅运动和北伐战争，这些斗争中的反帝反封建的彻底性和坚决性是本时期的进步文学的反帝反封建的思想内容的彻底性和坚决性的社会基础。无产阶级登上政治舞台；劳动运动展开；共产党人和工农兵大众在革命中的英勇斗争；革命知识青年之投入革命斗争：这些是进步文学作品内容的积极性社会性人民性的来源。这时期的作品的良好的倾向是：主题所体现的反帝反封建的彻底性和坚决性，同情工农大众，憧憬社会主义革命，偏重于社会问题的分析和人民生活的反映。承继着优良的历史传统而在新的历史阶段中新的条件下发展起来的鲁迅的批判的现实主义，是这一时期的最进步的创作方法。这一时期里有了“新”的文学形式出现。就是用口头语写的新诗新小说新散文新戏剧。鲁迅的杂文尤其是这一时期所开始的新的文体。

在第一个阶段即“五四时期”中，马克思主义在一般的文化思想领域起了直接的影响和直接的领导作用。（还没有马克思主义的文学理论在文学领域直接地指导创作活动。）这种作用给进步的文学家和他们的文学以很大的影响。这一阶段中的进步的文学作品，动员了广大的中下层知识青年读者参加新民主主义革命；向知识青年介绍工人农民和城市贫民，转变知识分子轻视下层劳动人民的思想；向知识青年指出压迫阶级的虚伪无耻，指出小资产阶级的庸俗和软弱无能，指出知识分子的没落的地位：这样就奠定了小资产阶级知识青年接受无产阶级思想的初步基础。这一阶段中的进步的文学创作活动，又使许多非无产阶级出身的文学家成为实际革命工作的参加者，更由此开始有可能逐渐从资产阶级思想的影响下摆脱出来，向无产阶级思想靠拢。

在第二个阶段即“第一次国内革命战争前后”，马克思主义在文学领域起了更直接的领导作用。这，主要表现在两方面：一方面，革命作家参加了无产阶级所领导的革命斗争。马克思主义理论和苏俄的社会主义政策等直接影响了这些革命作家的思想，使他们有意识地接受马克思主义。他们试以马克思主义分析问题，以马克思主义进行思想斗争和自我改造，并以他们的作品宣传共产主义的理想。一方面，有了初步的马克思主义文学理论出现。文学家们在马克思主义的基础上改造了“为人生而艺术”的文学理论。这一阶段中的进步作品，除了完成在前一阶段所承担的任务即革命的民主主义教育外，还开始以初步的马克思主义理论和共产主义理想教育读者。这一阶段中许多作家的创作活动的特点是：他们有意识地摆脱资产阶级文学思想，学习马克思主义，初步改造了自己的文学观点和思想感情。这一个阶段里，文学界的重要现象是革命的小资产阶级文学家开始向无产阶级文学家转变。

在第一阶段中，新文学阵营统一在“为人生而艺术”的创作思想下。第二阶段中，这阵营进行着深刻的分化。资产阶级文学家大多数走到反动方面去。文学运动的发展路上展开了两条道路：资产阶级的道路和无产阶级的道路。文学家在这两条道路间分化着。革命的小资产阶级文学家向马克思主义者转变这一现象代表着这分化的本质。（张毕来：《新文学史纲》，人民文学出版社 1985 年版）

《中国新文学史初稿》：中国的新文学运动，在中华人民共和国成立以前，是中国新民主主义革命的有机的部分，它的发生和发展是与整个革命运动的发生和发展相一致的。所以，中国新文学史上，各个时期的划分，就应该主要依据中国革命史各个历史时期的划分来进行。中国新文学运动的历史——从“五四”运动时期起，到中华人民共和国成立的时候——大致可以分成五个时期：五四运动时期、第一次国内革命战争时期、第二次国内革命战争时期（即左联时期）、抗日战争时期、解放战争时期。从整个历史进程来看，又可以划成两个阶段，即延安文艺座谈会以前是一个阶段，延安文艺座谈会以后又是一个阶段。第一个时期是五四运动时期——包括1917年到1921年的这一段时间。第二个时期是第一次国内革命战争时期——包括从1921年到1927年的这一段时间。第三个时期是第二次国内革命战争时期——包括从1927年到1937年的这一段时间。第四个时期是抗日战争时期——包括从1937年到1945年的这一段时间。第五个时期是解放战争时期——包括从1945年到1949年的这一段时间。

新文学史各个时期的成就：第一个时期是五四运动时期——包括1917年到1921年的这一段时间。这是中国新文学运动的开始时期，也是中国社会主义现实主义文学的萌芽时期。在文学上这时提出了“文学革命”的口号，向封建复古主义者展开了剧烈的斗争。各种新的文学形式在开始产生和成长着。第二个时期是第一次国内革命战争时期——包括从1921年到1927年的这一段时间。这是中国新文学运动的开展和深入的时期，也是中国社会主义现实主义文学逐渐发展的时期。新文学运动的阵营发生了第一次分化，作为运动右翼的资产阶级知识分子，投向了帝国主义和封建军阀的怀抱，走向了反动的道路。鲁迅在这时期，对于旧中国统治者所提出的抗议和抨击，仍然是很猛烈的。他在不停的战斗中探索着前进的道路。写实主义的文学研究会和浪漫主义的创造社同时并存着，对中国新文学的发展起了很大的推动作用，而后来都统一在“革命文学”这一共同的要求和口号上。

第三个时期是第二次国内革命战争时期——包括从1927年到1937年的这一段时间。这是中国新文学运动空前高涨的时期，也是中国社会主义现实主义文学迅速发展的时期。新文学运动的革命作家的组织——“中国左翼作家联盟”成立了。以上海为中心的无产阶级革命文学成为了中国革命运动中有力的一翼。鲁迅从一个革命民主主义者发展成为一个坚强的共产主义战士，成为了中国无产阶级革命文学运动的最伟大的导师。他在本时期写下的近十本杂文，为中国社会主义现实主义文学打下了巩固的基础，开辟了广阔的道路。在与各种反动思想的剧烈斗争中，他的犀利精悍的笔锋，扫开了革命文学前进道路上的障碍。其他作家们的产品的质量也显著地提高了。我们有了像《子夜》这样规模巨大的作品。报告文学也开始蓬勃地产生着。在这时期里，中国文学界和中国人民一起，承担了丧失鲁迅的无比重大的损失。由于中国人民一致的抗日要求和党的正确号召，文学界的抗日民族统一战线初步地成立了。

第四个时期是抗日战争时期——包括1937年到1945年的这一段时间。抗战期间，为了团结文艺界一切抗日力量，成立了“中华全国文艺界抗敌协会”（简称“全国文协”），这是一条广泛的文艺界的统一战线。本时期的文艺运动仍是在党的领导之下，是以社会主义现实主义为其主流的，文艺界有过“下乡”、“入伍”的运动，展开过关于大众化问题和民族形式问题的论争；对于“抗战无关论”和“为艺术而艺术”的腐朽的文艺思想进行过斗争。在1942年，毛泽东同志发表了他的天才的论著——《在延安文艺座谈会上的讲话》，正确地圆满地解决了中国新文学运动史上许多不曾解决的重要问题，向作家们提出了极其辉煌、完整的社会主义现实主义纲领。从此以后，中国新文学运动跨进了一个崭新的年代。群众性的文艺运动热火朝天地展开着。在长期的实际斗争中，作家们改造了自己，也丰富了自己，创造出了许多能够反映社会生活，鼓舞和推动革命斗争，而又为广大人民群众所喜闻乐见的作品。贺敬之、丁毅的《白毛女》，赵树理的《李有才板话》和《李家庄的变迁》，就是其中优秀的例子。国统区作家们的作品，在争取民族战争的胜利与为民主自由而进行的长期斗争中，也发挥了巨大的战斗作用。

第五个时期是解放战争时期——包括从1945年到1949年的这一段时间。中国新文学运动，遵循着毛泽东同志《在延安文艺座谈会上的讲话》中所指示的为工农兵服务的正确方向，继续向前飞跃地进展着，取得了巨大的成就。在创作上，我们有了比上一时期更为丰盛的收获：周立波的《暴风骤雨》以及李季的《王贵与李香香》等，真实具体地反映了这一历史时期社会生活中的主要矛盾和斗争——在广大农村中所进行的翻天覆地的伟大变革，显示了人民革命的日益广阔与日益辉煌的胜利前途。这是我国社会主义现实主义文学的伟大胜利，也是毛泽东文艺思想的伟大胜利。从以上各个时期文学发展的历史看来，可以很清楚地认识到两点：第一，中国的新文学运动，是始终地在中国共产党和马克思列宁主义的领导和影响之下，伴随着中国革命形势的进展而逐步地生长和壮大起来的，它反映了各个历史时期的人民的生活、愿望和他们在党的领导之下所进行的剧烈的革命斗争；因此，第二，中国新文学的历史，也就不能不是社会主义现实主义的发生和发展的历史。（刘绥松：《中国新文学史初稿》，人民文学出版社1979年版）

《中国现代文学史》：在20世纪中国社会痛苦焦虑、忧患不断的历史进程中，贯穿着一个“走向现代化”的总主题。这必然会深刻影响到“中国现代文学”（1919—1949）的基本面貌和走势，赋予它现代化的文化内涵及其历史性格。正是因为1937年抗战的突然爆发，一度中止了中国社会现代化的进程，把这个有纪年含义的历史符号带入到20世纪民族的集体记忆之中，对文化结构和心理产生了根本性影响，中国现代文学的研究格局似乎可以考虑作这样的调整：从“五四”新文化运动到抗战爆发，构成了中国现代文学的前半期；抗战爆发到中华人民共和国建立，则形成了它的后半期。……真正导致中国社会现代化进程中断与变异，以致改变了中国现代文学的基本格局和走向的，是1937年抗日战争的全面爆发。……既然民族矛盾凸现为时代的最大矛盾，中国现代文学基本观念就会发生由西方化（现代化）向本土化（民族化）的转换，并引起艺术思维方式、文学观念、风格和形式等方面的一系列大幅度调整。例如巴金、茅盾早期的小说多半是从西方价值观的视角看待个人生存的悲剧的，后来又由此产生了以封建式大家庭和民族资本家为对象的社会剖析；到了《寒夜》和《腐蚀》，人生的悲剧不再直接缘发于个人与封建礼教传统的激烈冲突，而是缘发于民族矛盾之下的伦理学危机和人的精神的萎缩。又例如，国统区先是出现了标榜外来艺术形式的“街头诗”、“街头剧”、“朗诵诗”的创作，但接着在解放区进行了吸收民族、民间艺术形式的又一轮尝试。这一民族化文学的新潮流，被胡风形象地概括为“民族的、大众的”

文学倾向，它后来又被总结为“喜闻乐见的民族形式”，并在更大更深阔的领域里推广。这就是说，1937 年以后的文学发展从总体上看，是个人叙事让位于民族叙事，个人的现代化让位于救亡保种的民族化。起于晚清梁启超等改良派思想家，然后在周氏兄弟手里趋于成熟的中国现代化文学的现代化主题及其文学形式的探索，至此发生了根本的变化。……抗战不仅中断了现代文学对现代化问题的思考，而且促使其发生了复杂的变异，在此基础上形成中国现代文学后半期的最大特色。如前所述，抗战爆发后的现代文学格局中出现了各具特色的三个文学空间（沦陷区文学、国统区文学、解放区文学）。与前期现代文学基本是在批判封建主义旧文学，吸收、借鉴西方文学，借以同世界文学保持同步的基础上形成自己人的总体特点不同的是，后期现代文学的思想特色与艺术追求可以说是多元的、复调性的。在后期现代文学的发展进程中，既有在黑暗与光明两大时代之间的抗争与诉求，同时又充满了各种难以言说的困惑与矛盾。……20世纪上半叶后一阶段中国社会的命运、思想、感情、心理的变化，都进入了现代作家的思想视野和艺术表现领域。在此基础上形成了中国现代文学后半期“复调”与“对话”的基本特征。（程光纬、吴晓明、孔庆东、郜元宝、刘勇主编：《中国现代文学史》，中国人民大学出版社 2000 年版）

三、中国现代文学的性质

《中国新文学的源流》：自甲午战争后，不但中国的政治上发生了极大的变动，即使在文学方面，也在时时动摇，处处变化，正好像是上一个时代的结尾，下一个时代的开端。新的时代所以还不能立即产生者，则是如《三国演义》上所说的：“万事齐备，只欠东风”。所谓“东风”，在这里却正改作“西风”，即是西洋的科学、哲学、和文学各方面的思想。到民国初年，那些东西都已渐渐输入得很多，于是而文学革命的主张便正式提出来了。我已屡次地说过，今次的文学运动，其根本方向和明末的文学运动完全相同，对此，我觉得还须加以解释。有人疑惑：今天的文学革命运动者主张用白话，明末的文学运动者并没有如此的主张，他们的文章依旧是用古文写作，何以二者会相同呢？我以为：现在的用白话的主张也只是从明末诸人的主张内生出来的。……现在用白话，并不是因为古文是死的，而是尚有另外的理由在：（1）因为要言志，所以用白话——我们写文章是想将我们的思想、感情表达出来的。能够将思想和感情多写出一分，文章的艺术分子即增加一分，写出得愈多便愈好。……要想将我们的思想感情，尽可能地多写出来，最好的办法是如胡适之先生所说的：“话怎么说，就怎么写”，必如此，才可以“不拘格套”，才可以“独抒性灵”。……（2）因为思想上有了很大的变动，所以须用白话——假如思想还和以前相同，则可仍用古文写作，文章的形式是没有改革的必要的。现在呢，由于西洋思想的输入，人们对于政治、经济、道德的概念，和对于人生、社会的见解，都和从前不同了。应用这新的观点去观察一切，遂对一切问题又都有了新的意见要说要写。然而旧的皮囊盛不下新的东西，新的思想必须用新的文体以传达出来，因而便非用白话不可。（周作人：《中国新文学的源流》，北平人文书店 1932 年版）

《论民族形式问题》：五四文学革命运动，确曾提倡过《水浒》、《红楼梦》等“白话”章回小说，它的理论活动也确曾把“桐城谬种”、“选学妖孽”当作主要对象，但这里有几个问题。第一，文学革命运动是先通过文学的用语问题发难的，战斗者不能不向社会指出，被鄙视的白话（引车卖浆者流的言语）正可以而且已经写出了杰出的作品，第二，当时对阵的劲敌正是在朝的“古文派”，因而不得不向“桐城谬种”、“选学妖孽”集中了火力，第三，这虽然只是打击敌人的理论活动的一面，但还是依然包含有创作态度（“八不主义”，反“文以载道”）上的，文艺形式（反对模仿古人题材）上的见解，第四，最主要的，在建设的理论活动上介绍了易卜生主义，现代短篇小说等；这都是和传统的文学见解截然异质的东西，不但和古文相对立，而且也和民间文艺相对立。所以，要理解五四的“文艺史观”，不能仅仅看它说出了什么，重要地还应该要看它反映了什么。……而且，对于一代文艺思潮，不能仅仅从理论表现上，更重要地是从实际创作过程上去理解；或者说，理论表现只有在创作过程上取得了实践意义以后才能够成为一代文艺思潮的活的性格。那么，我们可以说，五四“作为新形式而提倡者”，就绝不是今天所说的“旧形式”。……我们都知道，五四新文化运动阵营里面，原有彻底的民主革命和妥协的民主改良这两派，旧的形式的残留现象正是后者的社会基础和它在文化问题上的妥协性在文艺创作上的反映；反映到理论上，就是表现在“文艺史观”上的所谓“本格的立场”。依然占着优势的封建文艺对于新文艺保有强大的压迫作用，这作用不能不反映到新文艺里面的脆弱部分的形式（以及内容）上面。这是每一新的文艺运动里面所附随的必然现象，它的意义是负的而不是正的；对于这一现象的脱离，正像何其芳先生的正确估计，是“一种进步”，虽然我们应该强调地指出，当时的主潮正是取了和这相反的方向。这只要看一看这些不能摆脱旧文艺束缚的作家，不但在当时没有发生过领导的影响，而且后来差不多完全走上了没落的道路，问题的意义就更加明显了。

所以，以市民为盟主的中国人民大众的五四文学革命运动，正是市民社会突起了以后的、累积了几百年的、世界进步文艺传统的一个新拓的支流。那不是笼统的“西欧文艺”，而是：在民主要求的观点上，和封建传统反抗的各种倾向的现实主义（以及浪漫主义）文艺；在民族解放的观点上，争求独立解放的弱小民族文艺；在肯定劳动人民的观点上，想挣脱工钱奴隶的命运的自然生长的新兴文艺。五四新文艺从它们接受了思想、方法、形式，由那思想更坚定了被现实社会斗争所赋予的立场，由那方法开拓了创作上认识中国现实的路向，由那形式养成了组织形象的能力。在民主革命的实践要求里面接受了它们，使它们在民主革命的实践要求里面化成了血肉。作为基础或“内在根据”的，是活的社会诸关系，而不是“当作内在根据的中华民族现有文艺形式”。五四新文艺由这获得了和封建文艺截然异质的、崭新的姿态，内容上的“表现的深切”和形式上的“格式的特别”，这正是它能够成功了伟大的革命运动的所以。说它不“是从火星上跳下的形式”（方白），说它“和中国固有的文学传统划着一道巨大的鸿沟”（夏照滨），都是对的。……事实上我们说到五四新文艺的时候，从未离开过文艺运动的立场，没有离开过反帝反封建的进步文艺这个心照不宣的含义，有时还特别用“五四革命文艺”或者“五四革命文艺传统”和笼统的“五四新文艺”这说法表示了区别。

反帝反封建的现实主义的文艺，经过了20年的发展，这发展都是通过文艺运动的大事变、大斗争（包含了对于新文艺自己阵营内的落伍或倒退现象的斗争）而达到的。创作、理论、大众化运动，这三个侧面的发展的内在关联，就形成了我们今天所说的“革命文艺传统”。显然地，在今天的情势下面，我们的任务是争取这一传统的高度的发展，而不是它的否定。（胡风：《论民族形式问题》，《胡风全集》第二卷，湖北人民出版社1999年版）

《中国新文学史稿》：中国新文学史既是中国新民主主义革命史的一部分，新文学的基本性质就不能不由它所担负的社会任务来规定；一切企图用资本主义社会文艺思潮的移植，或严格的无产阶级的社会主义文学内容来作概括说明的，都必然会犯错误。因此虽然我们不能说新文学中完全没有代表资产阶级的文学，但那不只不是主要的，而且是愈来愈少的，比重与地位都是很轻微的，绝对不能说是新文学的基本性质。因此，从文学内容的性质说，我们的新文学是反映了中国人民新民主主义革命的历史要求和政治斗争的，它们基本性质是新民主主义的。但无产阶级所领导的新民主主义革命的主要内容固然是团结并领导各民主阶级进行彻底的反帝反封建的民主革命，但这也是为社会主义扫清道路的必需工作，因此也正是无产阶级的历史任务。所以从世界历史的发展和新文学的领导阶级的历史任务说，我们的新文学已是世界无产阶级革命文学的一部分，因为它是为无产阶级所领导，而且是有利于无产阶级的解放的。但这并非说我们的新文学已经都是无产阶级的阶级文学，虽然无产阶级思想一贯是新文学的领导思想，而苏联作品又给了中国新文学的发展以极其巨大的影响，但中国新文学还不可能为社会主义的政治经济服务，而且文学作品中所反映的立场观点也不只是无产阶级的。因此我们只能说新文学在文学史的时代划分上应该属于无产阶级革命时代的范围，而不能说新文学内容的性质就是无产阶级的阶级文学。……它是为新民主主义的政治经济服务的，又是新民主主义革命的一部分，因此它必然是由无产阶级思想领导的，人民大众的、反帝反封建的民主主义的文学。它的性质和方向是由新民主主义革命的任务和方向来决定的。……当我们就新文学内容的历史性质说时，那就仍然应该说它的性质是新民主主义的；因为我们的新文学本来是为新民主主义革命以及新民主主义社会的建设服务的。（王瑶：《中国新文学史稿》，上海文艺出版社1982年版）

《中国现代文学三十年》：这样的“文学的现代化”，是与20世纪中国所发生的“政治、经济、科技、军事、教育、思想、文化的全面现代化”的历史进程相适应，并且是其不可或缺的有机组成部分，而在促进“思想的现代化”与“人的现代化”方面，文学更是发挥了特殊的作用。因此，20世纪中国围绕“现代化”所发生的历史性变动，特别是人的心灵的变化，就自然构成了现代文学所要表现的主要历史内容。而中国的现代化所具有的历史特点，例如，其实现现代化的过程同时又是反抗帝国主义的侵略与控制，争取民族独立与统一的过程；现代化进程中城与乡、沿海与内地的不平衡，所出现的“现代都市与乡土中国”的对峙与互渗；以及现代化本身所产生的新的矛盾、困惑……都对这三十年的现代文学的面貌（从内容到形式）产生深刻的影响。不仅现代政治（其核心是国家的文化体制，国家与政党的文化政策、意识形态）、经济

（特别是市场经济所产生的商业文化与消费文化）、军事（包括现代战争），而且现代出版文化、现代教育、学术与现代科技都深刻地影响与制约着现代文学的发展。而如何处理“文学与政治”、“文学启蒙与民族救亡”、“文学与市场”……的关系，更是中国现代作家必须面对，并时感困惑的历史课题，在现代文学发展的三十年中，在这方面既有深刻的教训，也积累了宝贵的经验。“文学的现代化”自然意味着对中国传统文学的历史性变革与改造，同时，作为民族文学的有机组成部分，现代文学也与传统文学存在着深刻的血肉联系。而中国文学的现代化，受到了西方与东方国家文学的深刻启示与影响，也是一个无须回避的事实，与世界文学的血肉联系正是文学现代性的一个重要表征。同样重要的是中国现代作家对外来文学资源的利用、改造、变异与融化，这汲取与创造的过程也是中国现代文学参与20世纪世界文学的创造，成为其有机组成部分的过程。“文学的现代化与民族化”成为中国现代文学必须解决的历史性课题，在某种意义上，现代文学三十年正是在这二者的矛盾张力中发展的。中国的作家为此展开了持续的论争，并做了大量的艺术探索与实践，同样积累了丰富的经验与教训。（钱理群、温儒敏、吴福辉：《中国现代文学三十年》修订本，北京大学出版社1998年版）

《中国现代文学史》：在这多种复杂的文学成分中，居于主导地位、占有绝对优势并获得了巨大成就的，则是无产阶级领导的人民大众的反帝反封建的文学，亦即新民主主义性质的文学。这是一种完全新型的真正属于人民大众自己的文学，同历史上一切具有民主性进步性的文学都有极大区别。这种文学一方面在阶级基础上仍不是单一的，它具有新民主主义的统一战线的性质，其中也包括了一部分曾经起过一定进步作用有着反帝反封建要求的资产阶级民主主义文学。另一方面，“新民主主义的政治、经济、文化，由于其都是无产阶级领导的缘故，就都具有社会主义的因素，并且不是普通的因素，而是起决定作用的因素”，反映到文学上，就有了彻底反帝反封建的思想内容，有了社会主义方向，也有了体现这些特点的现代文学的主流——无产阶级文学和处于无产阶级领导影响下的革命民主主义文学。在“五四”以后的新民主主义革命时期里，无产阶级文学，最初虽然只是作为因素而存在，但随着革命的发展和无产阶级影响的扩大，随着作家接受马克思主义思想和参加革命实践的增多，随着共产主义知识分子和少数革命工农参与文学创作，特别是随着左翼文学运动的蓬勃展开，无论在量的方面或者质的方面，都有增长和提高。而在延安文艺座谈会后，作品中以无产阶级思想教育人民的作用愈益显著，这种文学也就得到了更多更坚实的发展。至于革命民主主义文学，在我国的具体历史条件下，始终作为无产阶级在文学战线上的可靠同盟军，以英勇无畏的姿态参加了反帝反封建斗争，并且逐渐转换自身的性质，朝着社会主义方向发展，最终汇合到无产阶级文学的洪流之中。历史驳斥了那些把“五四”以来的新文学说成只是明朝“公安派”、“竟陵派”的继承和发展，或是西欧资产阶级文艺的“一个新拓的支流”等不符事实的言论。无产阶级领导并以革命民主主义文学和无产阶级文学这两种力量为中坚，保证了我国现代文学具有前所未有的崭新的性质。

文学上的无产阶级领导，主要是通过无产阶级思想影响及其政党共产党的政策来实现的，它要求文学成为无产阶级领导的人民革命事业的一个组成部分。我国“五四”以后出现的以革命民主主义文学和无产阶级文学为主力的新文学，自觉地体现了这一要求。它从诞生的时候起，就担负着为中国革命服务的崇高使命。“五四”文学革命运动使文学以新的形式和内容——反对文言文提倡白话文，反对旧道德提倡新道德——跟人民接近了一大步。“桐城谬种、选学妖孽”、“打倒孔家店”等口号的提出，一部分作品中对帝国主义本质的揭露和对十月革命的向往，也都体现了新的历史时期里人民革命的战斗要求；而现代文学奠基人鲁迅的创作，则更是遵奉“革命的前驱者的命令”，彻底反封建并且充满民族觉醒精神的“遵命文学”。中国共产党成立以后，随着革命的日益发展和深入，文学为革命服务也更为鲜明和自觉。在各个革命阶段中，大批作家不仅以各种形式、题材、风格的作品直接间接地促进革命事业，而且还积极投身实际斗争，直至为革命献出鲜血和生命；也还有许多实际革命者和工农群众用文艺创作来从事革命宣传，对革命和文学本身的发展都做出了积极的贡献。党所领导和影响下的革命文学，不论在第一次国内革命战争期间配合反军阀斗争和“五卅”反帝斗争方面，或是在第二次国内革命战争期间粉碎反动文化“围剿”、揭露国民党罪恶统治、配合土地革命方面，以及在“九一八”以后从事救亡宣传和“七七”以后鼓舞全国人民坚持团结抗日、反对分裂投降方面，都有巨大的功绩。特别是毛泽东文艺思想直接指引下的民主革命后期的文学，更成为紧密配合革命斗争，“团结人民，教育人民，打击敌人，消灭敌人”的有力武器。为革命服务，为现实斗争服务，为劳动人民的根本利益服务，这是中国现代文学史上一个最宝贵的传统。

与此同时，现代革命文学既然是无产级领导的人民革命事业的一个组成部分，它在各个阶段的变化和发展，自然又不能离开革命的各个阶段的变化和发展，不能离开革命深入对文学所提出的新要求。作为现代文学开端的文学革命，在五四运动前夕已为运动做了思想准备，但只有通过五四运动，它才形成了巨大的声势，扩大了社会影响，并与革命斗争密切结合起来。第一次国内革命战争前夕“革命文学”的提出，第二次国内革命战争时期无产阶级革命文学运动的开展，也都与当时形势相适应，是无产阶级及其学说在整个中国革命运动中的作用和影响日益强大的反映。而 1942 年毛泽东同志在延安文艺座谈会上所作的具有伟大历史意义的讲话，为革命文艺运动开辟了新阶段，这也首先是和党不再处于幼年时期、马克思列宁主义的普遍真理和中国革命的具体实践日益结合、无产阶级领导的政治军事力量已经空前地发展壮大诸条件相联系的。现实生活和革命形势的变化发展，更使各个阶段的文学创作从主题、题材、人物形象直到语言和表现方法，无不深深打上时代的烙印。整整三十年的现代革命文学，始终与革命同命运，共呼吸，有着一致的步伐。

与人民革命事业血肉相连、休戚与共，对帝国主义封建主义彻底揭露、坚决斗争，对社会主义前途衷心向往、热情追求，这就是无产阶级登上历史舞台的新时代所赋予革命文学的鲜明思想印记，也是现代文学之所以有别于近代文学的根本标志。（唐弢：《中国现代文学史》，人民文学出版社 1979 年版）

《新文学史纲》：新民主主义文学运动诚然是反帝反封建的民主主义文学运动，但它同时对资产阶级文学思想进行批判。因此，它在反帝反封建的坚决性和彻底性上就与一般的民主主义文学革命运动不同。这是整个新民主主义文学运动的根本特点之一。（张毕来：《新文学史纲》，人民文学出版社 1985 年版）

《中国新文学史初稿》：五四以后的新文学与过去时代的文学究竟有着什么本质上的不同之点呢？我们是这样来理解和回答这个问题的：因为在五四时期开始的新民主主义革命是在伟大的十月社会主义革命的影响和激荡之下发生的，它属于世界无产阶级社会革命的一部分。而从五四时期开始的中国新文学运动，则从来就是中国新民主主义革命的一部分，以彻底的不妥协的反帝反封建的英勇姿态出现在中国革命思想战线的最前线上的；而在中华人民共和国成立以后，则又是我国社会主义革命事业的有机组成部分，是我们党以社会主义思想和共产主义思想教育人民的强有力的思想武器。这是一个方面。另外，中国的新民主主义革命既然为无产阶级所领导，属于世界社会主义革命的一部分，则"新民主主义的政治、经济、文化，由于其都是无产阶级领导的缘故，就都具有社会主义的因素，并且不是普通的因素，而是起决定作用的因素"。中国的新文学运动是五四以来新文化运动的有力的一翼，因此，它也就不可能不在思想内容上具有社会主义的因素，而在创作方法上则也不可能不是沿着社会主义现实主义的方向前进的。总体来说，我们所说的新文学，实质上就是指的那种符合于中国人民的革命利益、反帝反封建、具有社会主义的因素，而且是随着中国革命形势的发展不断地向着社会主义现实主义的方向前进的文学。（刘绶松：《中国新文学史初稿》，人民文学出版社 1979 年版）

四、中国现代文学的特征与成就

《五十年来中国之文学》：这五十年来在中国文学史上可以算是一个很重要的时期。综括来说，这五十年来的重要有几点：（1）50 年前，《申报》出世的一年（1872），便是曾国藩死的那一年，曾国藩是桐城派古文中兴的第一大将。但是他的中兴事业，虽然是很光荣灿烂的，可惜都没有稳固的基础，故都不能有长久的寿命。（2）古文学的末期，受了形势的逼迫，也不能不翻个新的花样。这 50 年的下半便是古文学逐渐变化的历史，这段古文学的变化史又可分作几个小段落：（一）严复、林纾的翻译的文章。（二）谭嗣同、梁启超一派的议论的文章。（三）章炳麟的述学的文章。（四）章士钊一派的政论的文章。这一段古文学勉强求应用的历史，乃是新旧文学过渡时期不能免的一个阶段。古文学幸亏有这么一个时期，勉强支持了二三十年的运命。（3）在这 50 年之中，势力最大，流行最广的文学——说是奇怪：并不是梁启超的文章，也不是林纾的小说，乃是许多白话的小说。（4）这 50 年的白话小说史仍旧是与一千年的白话文学有同样的一个缺点：白话的采用，仍旧是无意的，随便的，并不是有意的。民国六年以来的"文学革命"便是一种有意的主张。……近五年的文学革命，便不同了。他们老老实实的宣告古文学是已经死的文学，他们老老实实的宣言"死文学"不能产生"活文学"，他们老老实实的主张现在和将来的文学都非白话文不可。这个有意的主张，便是文学革命的特点，便是五年来这个运动所以能成功的最大原因。以上四项，便是这 50 年中国文学的变迁大势。

……1916 年以来的文学革命运动，方才是有意的主张白话文学，这个运动有两个要点与那些白话报或者字母的运动绝不相同。第一，这个运动没有"他们"，"我们"

的区别。白话乃是创造中国文学的唯一的工具。第二，这个运动老老实实的攻击古文的权威，认他做“死文学”。……文学革命的主张，起初只是几个私人的讨论，到民国六年（1917）一月方才正式在杂志上发表。第一篇胡适的《文学改良刍议》还是很平和的讨论。……文学革命的进行，最重要的急先锋是胡适的朋友陈独秀。陈独秀接着《文学改良刍议》之后，发表《文学革命论》，正式举起“文学革命”旗子。……这一年的文学革命，在建设方面。有两件事可记，第一，是白话诗的实验。……第二，是欧洲新文学的提倡。……民国九年十年（1902—1921），白话公然叫做国语了。但是反对的声浪虽然不曾完全消灭。……《学衡》的议论，大概是反对文学革命的尾声了。我可以大胆说，文学革命已经过了讨论的时期，反对党破产了。从此以后，完全是新文学的创造时期。至于这五年来白话文学的成绩，因为时间过近，我们还不便一一的下评价。但是人们从大势上看来，也可以指出几个要点：第一，白话诗可以算是上了成功的路子了。诗体解放时，工具还不成熟，技术还不精熟，故还免不了过渡时代的缺点。但最近两年来的新诗，无论是韵诗，是无韵诗，或是新兴的“短诗”，都有许多成熟的作品。第二，短篇小说也渐渐的成立了。这一年多的《小说月报》已经成了一个提倡“创作”的重要机关。内中也曾有几篇很好的小说。但成绩最大的却是……鲁迅的。他的小说……差不多没有不好的。第三，白话散文很进步了，长篇议论文的进步，那是显而易见的，可以不论。这几年来，散文方面最可注意的发展乃是周作人等提倡的“小品散文”。第四，戏剧与长篇小说的成绩最坏。戏剧还有人试做；长篇小说不但没人做，几乎连译本都没有了。……以上略述文学革命的历史和新文学的大概。至于详细的举例和详细的评判，我们只好等到《申报》60周年纪念时再补出吧。（胡适：《五十年来中国之文学》，《胡适文存》2集卷2，亚东图书馆1924年版）

《中国近代文学之变迁》：自从戊戌维新党人谭嗣同等倡“诗界革命”（1897年左右），接着梁启超倡“新文体”与“小说界革命”。这可算是近代初期的文学革命运动。到了民国四年（1915），陈独秀办《青年杂志》（《新青年杂志》第一卷尚名《青年》），他提倡新思想，反对孔教，反对帝制，总之反抗当时自袁世凯以下一般腐败分子所掀起的复古潮流。同时他作的《现代欧洲文艺史谈》，介绍现代欧洲文艺思想（《青年杂志》一卷三号~四号）。他说：“欧洲文艺思想之变迁，由古典主义（Classicalism）一变而为理想主义（Romanticism），此在18、19世纪之交。文学者反对模拟希腊、罗马古典文体。所取材者，中世之传奇，此抒其理想耳。此盖影响于18世纪政治社会之革新，黜古以崇今也。19世纪以来，科学大兴，宇宙人生之真相，日益暴露。……文学艺术亦顺此潮流由理想主义再变而为写实主义（Realism），更进而为自然主义（Naturalism）。”他又在《通信》里答张永言道：“吾国文艺犹在古典主义理想主义时代，今后当趋向写实主义。……庶足挽今日浮华颓败之恶风。”……但他同时仍登古典主义的诗……引起胡适之的通信责难。并且说出——“近日欲言文学革命，须从八事入手。八事者何？一曰不用典；二曰不用陈套语；三曰不讲对仗（自注：文当废骈，诗当废律）；四曰不避俗字俗语（自注：不嫌以白话作诗词）；五曰须讲求文法结构；此皆形式上之革命也。六曰不作无病之呻吟；七曰不摹仿古人，语语须有个我在；八曰须言之有物；此精神上之革命也。”不久，他又作《文学改良刍议》，修正了上次所

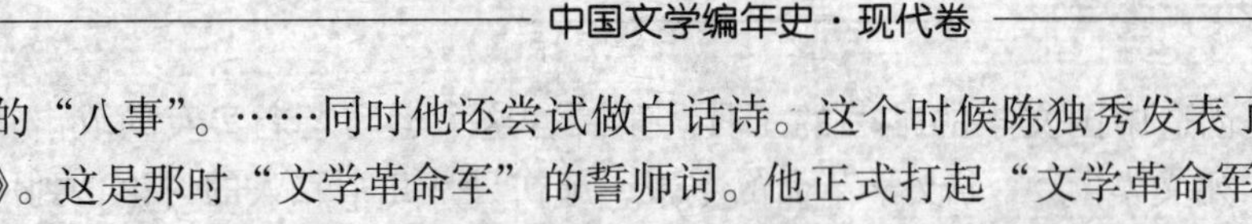

说的"八事"。……同时他还尝试做白话诗。这个时候陈独秀发表了他的《文学革命论》。这是那时"文学革命军"的誓师词。他正式打起"文学革命军"的旗子。他说："余甘冒全国学究之敌，高张文学革命军大旗，以为吾友之声援。旗上大书特书吾革命军三大主义：曰，推倒雕琢的阿谀的贵族文学，建设平易的抒情的国民文学。曰，推倒陈腐的铺张的古典文学，建设新鲜的立诚的写实文学。曰，推倒迂晦的艰涩的山林文学，建设明了的通俗的社会文学。"

钱玄同极赞成胡适之、陈独秀的主张，挺身加入这支仓头特起的文学革命军旗帜之下。他和陈、胡通信讨论，他补正了胡氏的许多主张。……刘复则作《我之文学改良观》。他提出文学的界说问题。……胡适之再作《历史的文学观念论》。他说："吾辈之攻古文家，正以其不明文学之趋势，而强欲作一千年二千年以上之文。此说不破，则白话文学无有列为文学正宗之一日。而世之文人将犹鄙薄之，以为小道邪径而不肯以全力经营造作之。……夫不以全副精神造文学，而望文学之发生，此犹不耕而求获，不食而求饱也，亦终不可得矣。"这个时候讨论文学革命的人渐渐多了，赞成的反对的两方面都有。……有胡适之平心静气与人讨论研究之态度，文学革命的理论因以大明；有陈独秀必不容反对者有讨论余地之精神，文学革命的实行因而猛进。无论何种革命，总是一方面破坏，一方面建设。……这次文学革命运动，从民国四年到七年（1915—1918），三四年之间，破坏旧文学的工作已经做得不少了，自是不得不需要建设的工作。胡适之的《建设的文学革命论》、《答盛北雄论文学改革的进行程序》、《论短篇小说》、《易卜生主义》、《文学进化观念与戏剧改良》、《老洛伯》译诗，《尝试集》里的许多诗，都在这个时候做成。周作人则作有《日本近三十年小说之发达》、《人的文学》，并翻译了一些外国短篇小说和小诗，结集起来，成为后来出版的《点滴》与《陀螺》。同时还有其他的人介绍西洋文学。鲁迅就开始写小说，《狂人日记》便于这个年头写成发表。……这个时候的文学革命运动已经快要鼓荡成为一时弥漫全国的思潮了。

……"五四运动"的狂潮，打破了中国古旧闷沉的空气，唤起了一般青年对于时代思潮的醒觉。遂由"爱国运动"扩大而为"新文化运动"。……文学革命为新文化运动的重要的一部分，自是进行尤为猛烈。这个时候提倡新文化的刊物，采用白话文提倡新文学的刊物，好像雨后春笋遍地丛生。……总之，从民国八年到九年十年（1919—1921）这三年之中，文学革命的运动，一面破坏，一面建设，进展最速最猛。同时得到学术界舆论界的提倡；又因国语教育的需要，得到政治上的保障，教育家的赞助；文学革命的基础，自是已臻巩固不可动摇了。（陈子展：《中国近代文学之变迁》，中华书局 1929 年版）

《中国文学小史》：最近十余年，在文学上新开辟了一块园地，便是以语体作文；无论散文、诗歌、小说、戏曲，都用语体来作。说起这一次新文学运动来，自然应该感谢胡适，他是语体作文的提倡者，虽然古代的白话作品很多，但都未曾作有意的运动，所以胡适的功绩是不可淹没的。运动是像这样开始：林纾给蔡元培一封信，大意不外攻击两点：一，覆孔孟，乱伦常；二，尽废古书，行用土语为文字；经蔡元培一一驳覆。林纾又在《新申报》作短篇小说《荆生》，语皆暗指钱玄同胡适等北大教授。后胡适作《文学改良刍议》，便是第一次宣言。接着他又作《建设的文学革命论》，陈独秀作《文学革命论》，新文学便立定脚跟了。后来诗歌、散文、小说、戏剧便陆续出版。欧洲文学也介绍的很多，但以近代为主，其中尤以屠格涅夫、托尔斯泰、柴霍夫、高尔基、王尔德、莫泊桑、辛克莱等家的译文为最多，古代作品很少有人翻译。今分述创作一斑于后：

一，诗歌。诗歌分为五个时期：第一时期可称为草创时期。这一时期的诗人对于旧诗词大都很有根底，年龄也较长，可说是诗坛的前辈。我暂举胡适、刘复、刘大白三家为代表，余如《三弦》的作者沈伊默、《十五娘》的作者沈玄庐亦俱有名。胡适的诗甚工稳，很难找出十分好的，也难找到十分坏的；大部分的《尝试集》，如他自己所说，是放大了的小脚。刘复的诗颇有白描之美；他的《扬鞭集》中，如《无聊》、《雨》、《一个小农家的暮》、《在一家印度饭店里》等篇都是好诗。刘大白有诗集《丁宁》、《再造》、《秋之泪》、《卖布谣》、《垂吻》等。他的诗以叠句见长，《卖花女》和《西湖秋泛》十足的显示了这种长处。第二时期可称为无韵诗时期。这一时期可说是新诗的黄金时代，注意新诗的人既多，作家亦风起云涌。姑举康白情、俞平伯、朱自清、王统照、汪静之、周作人、刘延陵、焦菊隐这八个作家为代表。此外尚有《湖畔》的作者冯雪峰、潘漠华、应修人等。康白情的《草儿》，俞平伯的《冬夜》是最早出版的，康作多率意为之，惟写景亦有佳处，俞作喜谈哲理，以其中的第一首《春水船》为最好。汪静之的《蕙的风》以情诗著，曾引起长久的笔战；后来的《寂寞的国》是应归入第四时期的。周、刘、朱三家诗均编入《雪朝》，后来周另单行，出《过去的生命》，朱继出《踪迹》。刘、焦均以婉约缠绵见长，为一般少男少女所喜爱。焦有《夜哭》和《他乡》。第三时期是小诗时期。因了日报副刊的发达，嚣市也随之大盛；如《晨报副刊》、《觉悟》、《学灯》都登了很多的小诗。如《晨副》的冰心、孙席珍、何植三。《觉悟》的刘大白、何心冷，《学灯》的宗白华、汪鳢泉，《小说月报》的梁宗岱，都发表了很多的小诗。我们举冰心的《春水》、《繁星》和宗白华的《流云》为代表。第四时期是西洋律体诗时期。此时新诗讲究押韵，注重音节。各行的字书相等；于是，《晨报》出《诗刊》；北平开“读诗会”；上海新月书店刊行诗集，续出诗刊。一切都应运而生。诗体如英体十四行、意体十四行、三叠令等，也无不加尝试。除了郭沫若以外，这一群诗人都与徐志摩不无关系。徐志摩成了这个时期诗坛的盟主，我们简直可以称为“徐志摩及其 cycle”了。这时期虽然不是新诗的黄金时代，却是新诗最精粹的年代；现代中国四大诗人：郭沫若，徐志摩，朱湘，闻一多都在这一时期射出他们最明亮的光芒，此外则有于赓、饶孟侃、刘梦苇、蹇先艾等。郭沫若有《女神》、《星空》、《瓶》、《前茅》、《恢复》等。他的诗如万马奔腾，如钱塘夜潮，其气象之雄浑澎湃，实为新诗坛所罕见。他受了惠特曼很大的影响。他的《晨安》就很像《草叶集》里的世界的敬礼。徐志摩有《志摩的诗》、《猛虎集》、《雪游》等。他的确是一个多方面的天才作家。他的诗有浓艳的，有清丽的，也有质朴的；有时用北平话，有时用加石土白，有时又加了几个西文字。不过他最擅长的还是浓丽的情歌。朱湘有《夏天》、《草莽集》、《石门集》等，他的诗很清俊，音节也极和谐，像《采莲曲》这样优美的诗，我还不曾看见第二个人作过，即擅用叠句的刘大白亦有所不及。闻一多有《红烛》和《死水》。他的诗极肯卖力，大有“语不惊人死不休”之慨，因此奇特的比拟和想象触目皆是。于赓有《晨曦之前》、《魔鬼的舞蹈》、《孤灵》、《世纪的脸》等。他的诗阴森沉郁，常以夜鬼枯骨等为题材，他颇向往于波德莱耳。第五时期为象征派时期。此时已到了新诗的衰落期。诗人大都停止了他们的彩笔，因此诗也做得更加凝练。我们在外表看来，新诗好像是退步；但在实质看来，诗的艺术实已逐渐的高深。可举李金发、王独清、冯乃超、穆木天、戴望舒、蓬子为代表。李金发初出《微雨》时，即已仿法国魏尔伦，后又续出《为幸福而歌》、《食客与凶年等》。胡也频的《也频诗选》，即是摹拟李金发的。这一派的诗有诗料而无组织，又时杂文言，为世人所诟病。冯乃超作《红纱灯》，多用朦胧字眼，如《氤氲》、《轻绡》之类。穆木天作《旅心》，则直接声明他的诗是学法国象征派拉佛格（lafargue）的。王独清有《圣母像前》、《死前》、《埃及人》、《锻炼》等。他本为浪漫派，常称道拜伦，因常与冯、穆并称，故附及于此。戴望舒《我的记忆》则学法国耶麦的，后又续出《望舒草》。蓬子有《银铃》。此外，梁宗岱喜欢哇莱荔，石民喜欢波德莱耳，也都是属于这一派的。

二，散文。可举周作人、朱自清、俞平伯、叶绍钧、丰子恺、孙福熙、徐志摩、冰心、绿漪为代表。周作人所作多清涩，耐于咀嚼，有《雨天的书》、《泽泻集》、《永日集》、《看云集》、《周作人书信》、《苦雨斋序跋文》、《夜读抄》、《苦茶随笔》等。朱自清所作极清新柔婉，有《背影》、《欧游杂记》等。俞平伯较周作人尤涩，且喜参禅说笑，兜圈子说话，有《燕知草》和《杂拌儿》。叶绍钧所作多谨严凝练，有《脚步集》，及与俞合出的《剑鞘》。丰子恺善写小孩，文亦流丽婉转如朱子清，有《缘缘堂随笔》、《随笔二十篇》、《车厢社会》等。孙福熙所作多细琢细磨之笔，有《大西洋之滨》、《山野掇拾》、《归航》、《北京》、《三湖游记》等。徐志摩所作多浓丽的骈偶句，有《自剖》、《落叶》、《巴黎的鳞爪》等。冰心所作也很清丽，有《寄小读者》、《南归》、《闲情》等。绿漪也是朱、丰、谢一派的，有《绿天》。其他如钟敬文、徐蔚南、梁遇春等亦俱有名。

三，小说。现代文学以小说为最盛，也最难叙述。今姑略据胡云翼的选择来略加论列：第一时期有鲁迅、叶绍钧、郁达夫、谢冰心、落花生、张资平等。鲁迅作品有《呐喊》、《彷徨》，被誉为自然主义的杰作；《呐喊》有俄、法、英、日等国译本，其中的《阿Q正传》尤为著名。《呐喊》中如《故乡》、《社戏》、《鸭的喜剧》等颇有诗意。《彷徨》中如《高老夫子》、《肥皂》、《幸福家庭》等极为幽默。叶绍钧最初作《隔膜》，多写儿童的生活；及作《稻草人》，则以美丽的笔写幻想的故事，渗入平民思想；后作《火灾》则更扩大其写作范围及于社会。《线下》与《城中》复由日本白桦派的风味改而为柴霍夫式的幽默；《未厌集》分析心理，更为透彻。《倪焕之》是作者唯一的长篇。前半部细腻，且写夫妇间琐事，其可爱之处有如沈复的《浮生六记》。郁达夫的小说多写变态性欲，兼及穷与偷，所作有《达夫全集》，《壂余集》、《她是一个弱女子》、《迷羊》等。冰心有《超人》、《往事》、《姑姑》、《去国》等，后辑集为《冰心小说集》，她的小说多写小孩、母亲和海，而不涉及两性恋爱。张资平有《资平小说集》，起初他的小说写家庭间的琐事尚好，后来似乎创作量极丰富，写三角恋爱有些堕于公式中了。第二时期有茅盾、老舍、沈从文、巴金、凌叔华、冯沅君、冯文炳、刘大杰、鲁彦、彭家煌等。茅盾所作多为长篇，如《蚀》（内收《幻灭》、《动摇》、

《追求》三部曲）、如《虹》，均曾轰动文坛，所描写的多武汉革命生活。近作《子夜》则写交易所。其他短篇有《宿莽》、《野蔷薇》、《茅盾散文选》等。中篇有《三人行》等。老舍本名舒庆春，所作多幽默，且运用北平语甚为圆熟，有《赵子曰》、《老张的哲学》、《二马》、《猫城记》、《离婚》、《小坡的生日》、《赶集》等。沈从文作品极多，几难列举。有《鸭子》、《神巫之爱》、《老实人》、《从文甲集》、《从文子集》、《都市一妇人》、《阿黑小史》等，多写兵士生活和苗族的风俗人情。巴金亦为多产作家。著有《灭亡》、《新生》、《沙丁》、《死去的太阳》、《海底梦》、《雪》、《雾》、《将军》、《家》等。凌叔华被称为闺秀，作有《花之寺》。冯沅君以大胆的写《隔绝》著名。作有《春痕》和《劫灰》。冯文炳所作多不合文法处，用字常省略。据说沈从文是学他的。他作有《桃园》、《枣》、《桥》、《竹林的故事》等。刘大杰作有《渺茫的西南风》、《昨日之花》、《盲诗人》、《她病了》、《支那女儿》等。鲁彦所作喜欢讽刺，且用笔简练，多拟鲁迅，所作有《柚子》、《黄金》、《童年的悲哀》、《小小的心》、《屋顶下》等。彭家煌亦喜欢写家庭间琐事，惟多抑郁不平之气。所作有《怂恿》、《皮克的情书》、《平淡的事》等。第三时期有丁玲、张天翼、杜衡、靳以等。丁玲初以大胆写《莎菲女士的日记》著名，作有《在黑暗中》、《一个女人》、《夜会》、《一个人的诞生》、《自杀日记》、《法网》等。余亦各有所作，不及备述。

四，戏剧。田汉、丁西林、洪深、熊佛西、余上沅、欧阳予倩、袁牧之、马彦祥等俱有名。尤以田汉的《田汉戏曲集》五卷为著。（赵景深：《中国文学小史》，大光书局 1936 年版）

《五四以来文学上的论争》：在这“伟大的十年间”，我们看出了不很迟缓的进步的情形。这很可乐观。在这短短的十年间，无论在诗、小说、戏曲以及散文方面都有了长足的进步。朱自清的《踪迹》是远远的超过《尝试集》里的任何最好的一首。功力的深厚，已决不是“尝试”之作，而是用了全力来写着的。——周作人的《小河》却终于不易超越！在戏曲方面，像胡适《终身大事》那样的淡泊无味的“喜剧”也已经无人再问津了。徐志摩在北平《晨报》上发刊了《诗刊》和《剧刊》，虽没有多大的成就，却颇鼓励了一时的写作的空气。散文和小说更显着极快的极明白的发展，尤其是小说，技巧更见精密了。《新潮》上所刊登的初期的短篇小说，幼稚的居多数。但立刻便有了极大的进步。冰心女士，落华生，叶绍钧，郁达夫，淦女士的创作都远远的向前迈进而去。也还只有鲁迅的诸作是终于还没有人追越过去过！长篇小说在这时期颇不发达，只有王统照，张资平在试写着。杨振声的《玉君》却是旧气息过重的一部东西。（郑振铎：《五四以来文学上的论争》，《中国新文学大系导论集》，上海良友复兴图书印刷公司 1940 年版）

《现代中国文学史》：胡适之创白话文也，所持以号于天下者，曰：“平民文学也，非士大夫阶级文学也。”一时景附以有大名者，周树人以小说，徐志摩以诗，最为魁能冠伦以自名家。而树人著小说，工为写实，每于琐细见精神，读之者哭笑不得。志摩为诗，则喜堆砌，讲节奏，尤贵震动，多用叠句排句，自谓本之希腊；而欣赏自然，富有玄想，亦差似之；一时有诗哲之目。树人善写实，志摩喜玄想，取径不同，而皆揭“平民文学”四字以自张大。后生小子始读之而喜，继而疑，终而诋曰：“此小资产阶级文学也，非真正民众也。树人颓废，不适于奋斗。志摩华靡，何当于民众。志摩沉溺小己之享乐，漠视民之惨沮，唯心而非唯物者也。至树人所著，只有过去回忆，而不知建设将来；只抒小己愤慨，而不图福利民众。若而人者，彼其心目中，何尝有民众耶！”若其渐由小而转向民众以为青年所推者，曰郭沫若、郁达夫。郭沫若代表青年抵抗一派；而郁达夫代表青年颓废一派；而其所以可贵，则要在意趣之转向劳动阶级。而于是所谓新文艺之新而又新者，盖莫如第四阶级之文艺，谥之曰普罗文学，其精神则愤怒亢进，其文章则震动咆哮，以唯物主义树骨干，以阶级斗争奠基石，急言极论，即此可征新文艺之极左倾向。而周树人、徐志摩，则以文艺之右倾，而失热血青年之望。其集会结社，则有文学研究会、新月社以代表右倾。而左倾者，则有所谓左翼作家联盟、自由运动大同盟、无产阶级文艺俱乐部、国际文化研究会、马克思主义文艺理论研究会、普罗诗社、社会科学作家联盟，风起云涌，万窍怒号；其不知者，尚阙如也。既以普罗文学不容于政府，而幽默大师林语堂因时崛起，倡幽默文学以为天下号；其为文章，微言讽刺，以嬉笑代怒骂，出刊物，号曰《论语》……语堂又本周作人《新文学源流》，取袁中郎“性灵”之说，名曰“言志派”。呜呼，斯文一脉，本无二致；无端妄谈，误尽苍生！十数年来，始之非圣反古以为新，继之欧化国语以为新，今则又学古以为新矣。人情喜新，亦复好古，十年非久，如是循环；知与不知，俱为此“时代洪流”疾卷以去，空余戏狎忏悔之词也。（钱基博：《现代中国文学史》）上海世界书局 1933 年版）

《中国现代文学三十年》：“文学现代化”所发生的最深刻并具有根本意义的变革是文学语言与形式的变革，以及与此相联系的美学观念与品格的变革。这是一个空前复杂的艺术课题，不仅存在着如何处理诸如“文学内容与形式”、“文学的俗与雅”、“形式的大众化与先锋性，平民化与贵族化”、“文学风格的时代性与个人化”的关系这类艺术难题，而且在创作方法的选择，诗歌、小说、散文、戏剧各个文体内部的不同样式、流派、风格的创造，如诗歌方面的格律诗与自由诗，散文的闲话风与独语，小说方面的诗化小说与心理分析小说，戏剧方面的广场艺术与剧场艺术……等等，都需要以极大的艺术匠心去进行创造性的实验。也正是在这样的探索过程中，终于产生了鲁迅这样的世界与民族的现代文学大师，以及一大批各具特色的著名小说家、散文家、戏剧家、诗人、文艺理论家与批评家，他们所创造的现代文学经典，已经成为中国读者的文学养料，大、中、小学文学教育的重要内容，并且成为现代民族语言（现代汉语）的典范，为中国与世界文学宝库增添了新的内容。尽管现代文学还存在着许多问题，特别是所付出的代价与收获的不成比例，但它已经在现代中国的土地上深深地扎根，却是一个不争的事实；而它所创造的文学创作实绩、已经形成的现代文学新传统，也足以使其成为独立的文学史的研究与学习对象。（钱理群、温儒敏、吴福辉：《中国现代文学三十年》修订本，北京大学出版社 1998 年版）

《中国现代文学史》：现代文学以“五四”以来的革命现实生活为土壤，却也吸收了历史的营养：一方面跟我国民族文学遗产保持承续的关系，一方面吸收了世界文学中有益的成分。现代文学的历史，正是在新的基础上批判地吸收古典遗产和异域的营养以建设我国民族的新文学的历史。“五四”文学革命时期，为了反对封建文学并使文学适应于新的社会现实，曾经着重介绍和学习了西方近代文学。这是一个前进的运动。当时的新文学，从思想倾向到形式、结构、表现方法，都曾广泛接受了外国文学尤其是俄国文学的积极影响。欧洲进步文学，从歌德、易卜生、托尔斯泰、契诃夫到高尔基，可以说哺育了我国新文学的最初一代作家。这种情况是和近代中国“向西方找真理”（十月革命发生后则是“走俄国人的路”）的要求相一致的。在某一特定阶段特别是一个运动开始的时候较多地接受外来影响，原是历史上并不鲜见的正常现象。一个发展着的向上的民族，不仅能够对人类和文化的发展做出贡献，而且也总是勇于和善于接受一切有价值的外来事物。因此，初期新文学受过较多的外国文学影响，这并不意味着它就和本民族的文学遗产割断或没有联系。事实上，正是最勇敢地主张学习外国文学长处的先驱者，同时也就是民族优秀文学遗产的精深研究者和积极革新者。鲁迅早在“五四”时期就慨叹“中国之小说自来无史”而着手这方面的整理研究。他自己的小说创作颇受俄国和东欧一些进步作家的影响，但同时也对我国古典白话小说（如《儒林外史》）作了创造性的继承，具有鲜明的民族特色和浓郁的地方色彩。他的杂文更和“魏晋文章”的风格特色有密切关系。其所以如此，固然是因为作家本身所受的古典文学的深厚滋养，不可能不渗透到创作中而有所表现；但从根本上说，作家与劳动人民在精神上的深刻联系，对人民生活、心理、地方风习等的熟悉以及在这些方面所作的真实描绘，对民族语言的驾驭自如，则是作品深具民族烙印的重要原因。如果说最初的《狂人日记》、《药》等小说还由于吸收异域营养而显出“格式的特别”，那么，稍后的作品就如作者自己所说，“脱离了外国作家的影响”，技巧圆熟，形式也民族化了。郭沫若的《女神》，外来影响是十分明显的，但也仍然保持了同屈原、李白等我国古典浪漫主义诗歌之间的民族血缘。而到了《前茅》以后，在诗歌形式上已使外来成分得到了更多的消融。

但是，在新的基础上正确地继承遗产、学习外国而使文学民族化，不仅需要一个过程，往往还要经历一番曲折，付出一些代价。在“五四”时期，不少人由于缺乏马克思主义的批判精神，犯过形式主义的错误，“所谓坏就是绝对的坏，一切皆坏；所谓好就是绝对的好，一切皆好。”既不以分析态度对待外来事物，又不能确切地鉴别古典遗产中的封建糟粕和民主精华；一部分人甚至提出过在文化上、文学上“全盘西化”的错误主张；也有人介绍肯定过西方一些颓废、没落乃至反动的作家和作品。所有这些，对许多作家尤其是一些与劳动人民缺少联系的资产阶级、小资产阶级作家，确曾造成深远的不良后果，助长了创作上脱离群众、脱离民族传统、也脱离时代需要的“欧化”倾向。为了克服新文学脱离群众的倾向，“左联”曾作过努力。大众文艺的讨论和提倡，各种通俗形式作品的出现，创作上由反映生活的深度、实感的增强而具有更多的民族色彩，都使“左联”时期文学在民族化的道路上有了进展。在一些杰出的作品（如《子夜》）中，更可看出作家对中外文学遗产的创造性的吸收。“左联”在介绍外国文学方面所做的许多工作，也已经在较大程度上摆脱了“五四”时期不少人所犯的无选择无分析的盲目性。当时着重介绍苏联文学和各国无产阶级文学，这从总的方面来看具有偷火给人类、私运军火给造反的奴隶的革命意义。鲁迅在这一时期提出的关于继承中外文化遗产的“拿来主义”主张，正是一个极为宝贵的具有理论深度的见解。但是，“左联”时期在文学民族化方面的进展，毕竟同问题的整个解决仍有很大距离。作家生活上与群众隔离尤其是思想感情上与群众还显得格格不入，阻碍了文学民族化问题的根本解决。当时在继承古典文学传统和创造民族化的新文学使之在本民族群众中生根等问题上，远没有形成明确的认识和普遍的自觉。“左联”本身所带有的“五四”形式主义向“左”发展的成分，也妨碍它去彻底克服同时根源于形式主义的欧化的倾向。真正在马克思主义思想基础上明确地认识这个问题，逐步推动我国文学自觉地走上民族化、群众化的康庄大道，则是在抗战前期毛泽东同志就文化的民族特点及遗产的批判继承问题作了一系列英明指示之后。“离开中国特点来谈马克思主义，只是抽象的空洞的马克思主义。因此，使马克思主义在中国具体化，使之在某一表现中带着必须有的中国的特性，即是说，按照中国的特点去应用它，成为全党亟待了解并亟待解决的问题。洋八股必须废止，空洞抽象的调头必须少唱，教条主义必须休息，而代之以新鲜活泼的，为中国老百姓所喜闻乐见的中国作风和中国气派。”在学习毛泽东同志这一指示的基础上，文艺界展开了民族形式问题的讨论。延安文艺座谈会后毛泽东文艺路线的贯彻，随之而来的作家和群众从生活到思想感情的结合，以及对遗产尤其是民间文艺的批判的吸收继承，使整个解放区文学在短短的几年时间里发生了极大的变化。作品面目一新，“欧化”现象大为减少，从语言形式到思想内容都开始做到真正为群众所喜闻乐见，形成比较鲜明的民族特色。赵树理正是这方面的一个突出的代表。他的小说不仅思想、感情、语言都是地道群众化而有着深厚的民族特点的，而且在作品结构、表现手法等方面也无不从我国古典小说、评话弹词、民间说唱文学中摄取了有益的滋养。解放区的其他小说，或沿用民间传统的旧形式而加以革新，或表现群众生活的新内容而深具情趣，也都为人民所欢迎。对民间文艺的注重吸收，推动了新形式、新风格的形成和发展。新歌剧正是在群众性的新秧歌和秧歌剧的基础上，避免完全搬用西洋歌剧却也吸收了它的某些成分、特别是话剧的某些成分而创制的。诗歌也在学习民歌、运用民间形式以形成新的风格方面取得了可喜的成绩。对旧戏曲进行的改革，则在批判地继承民族戏曲遗产方面建立了一个良好的开端。所有这些，对于促使新文学自觉地走上民族化道路都具有重要的意义。文学的民族化是一个民族的文学趋于成熟的重要标志。而这种民族化的文学的真正形成，既有赖于深深植根在革命现实生活的土壤之中，也有赖于对古典文学遗产的批判地继承和对外国进步文学的创造性吸收。以新的现实为基础，继承古典文学传统而使之适合于现代需要，吸收外国文学营养而使之民族化，这就是现代文学的发展历史，特别是延安文艺座谈会后文学发展历史所证明了的正确的道路。（唐弢：《中国现代文学史》，人民文学出版社1979年版）

《中国新文学史初稿》：为人民的，也就是反帝反封建的文艺思想，是我国新文学运动当中一切进步作家和作品的共同倾向，我们所有的好作家和好作品都是属于这一个范畴的。那些反人民的，为帝国主义和其他反动阶级的利益服务的作家和作品，只是新文学运动历史上的几股反动的逆流，而且是很快地就被时代的洪流所淹没了的。……我们说社会主义现实主义的方向是五四以来新文学运动发展的方向，但是不是说从五四以来——特别是在延安文艺座谈会以后，一切具有进步倾向的文学作品都是属于社会主义现实主义的呢？很显然不是这样的。在一些为人民的，也就是反帝反封建的作家当中，由于思想和生活的限制，他们有的还不可能很快地就接受和掌握社会主义现实主义的创作方法，在他们的作品中还不可能预示出中国人民革命力量的必然的胜利，还不能以社会主义思想教育和鼓舞广大的读者。但是他们正视了而且在作品中反映了旧的不合理的现实，暴露和谴责了旧中国统治者的罪行，在一定程度内有助于中国革命的进展。他们是无产阶级革命文学的一支有力的同盟军。在全国解放的胜利形势下，他们受到了党的教育与培养，认真地学习马克思列宁主义，深入工农兵的斗争生活，也很快地走上了社会主义现实主义的正确道路。没有疑问，社会主义现实主义的文学，是我国新文学运动的主流，它的发展和壮大的道路将是我们叙述新文学历史的主要线索；而其他具有进步倾向的作家和作品，则是这个主流的一支同盟的力量，而且最终将汇合到主流中来。这就是我们新文学运动历史上的主、从问题。（刘绥松：《中国新文学史初稿》，人民文学出版社 1979 年版）

《中国现代文学史》：中国现代文学现代化的特征，最突出也最集中地体现在文学形式（叙事态度、语言实践）的剧烈变革中。现代文学形式变革的实践，是建立现代民族国家的重要组成部分，然而变革的实践势必折射着民族、民众的心理情绪，说到底依然是一个文化的问题，因此，文学形式变革的实践很大程度又是民族国家的自主性的体现。……现代文学的变迁既是国家意识形态及文化变迁的一个组成部分，又反映了文学观念变化的要求；国家的现代化从总体上而言，既对现代文学的发展带有历史的规定性和推动作用，但二者之间往往又是互动的，甚至后者有时预示了国家现代化的某种前景以及潜在的危机。（程光炜、吴晓明、孔庆东、郜元宝、刘勇主编：《现代文学史》，中国人民大学出版社 2000 年版）

《新文学史纲》：新民主主义文学运动诚然是反帝反封建的民主主义文学运动，但它同时对资产阶级文学思想进行批判。因此，它在反帝反封建的坚决性和彻底性上就与一般的民主主义文学革命运动不同。这是整个新民主主义文学运动的根本特点之一。（张毕来：《新文学史纲》，人民文学出版社 1985 年版）

1912 年

一月

1 日，以孙中山为首的资产阶级革命派在南京成立中华民国临时政府，孙中山宣誓就任临时大总统，中华民国宣告成立。

孙中山在宣誓就职时向全国发布了《中华民国大总统孙文宣言书》，提出中华民国临时政府的任务为："尽扫专制之流毒，确定共和，以达革命之宗旨"，"民族之统一、军政之统一、内治之统一、财政之统一"，"满清时代辱国之举措及排外之心理，务一洗而去之；持平和主义，与我友邦益增睦谊，将使中国见重于国际社会，且将使世界渐趋于大同。"

3 日，南京临时政府成立，丘逢甲被推选为临时参议院议员，蔡元培任教育总长。

3 日，黎元洪当选副总统。中华民国临时政府组成，确定了各部总次长名单。

4 日，章太炎等人在上海成立中华民国联合会，与孙中山为首的同盟会公开分裂。同时，章太炎又在上海创办了《大共和日报》，自任社长兼总编辑。该报实为中华民国联合会的机关报。《大共和日报》为日刊，报馆设上海英租界福州路 20 号。该报的发刊辞称："专制非无良规，共和非无秕政"，反对孙中山和黄兴等人的政治立场。主要栏目有：专件、丛录、小说、传奇、文苑、来稿、杂俎等。该报早期言论直接受章氏指导。章太炎为该报撰写了《发刊词》、《宣言》、《时评》、《与张謇论政书》和《布告反对汉冶萍抵押之真相》等 20 多篇文章，发表了许多批评孙中山、黄兴以及南京临时政府的言论，因而引起了旧同盟会会员的不满。1912 年 5 月该报转为共和党的报纸，后又成为进步党的报纸。1912 年 6 月，曾与《太平洋报》展开过论战。1915 年 6 月 30 日停刊，共出 1251 号。该报最早的一批办报人员是杜杰风（经理）、马叙伦（总编辑）、汪东（编辑）等，以后相继在该报担任编辑记者的还有王伯群、钱芥尘、张丹斧、余大雄、胡霖（政之）等。该报在当时具有广泛的社会影响。

19 日，国民政府下令"小学堂读经一律废止"。

30 日，《中华教育界》月刊杂志在上海创刊，由中华教育界社编，中华书局发行。16 开本。由顾树森、沈颐等编辑，后由余家菊、陈启天、左舜生先后接任。"一·二八"事变后由倪文宙主持。该刊以"研究教育，促进文化"为宗旨，围绕教育制度的改革，广泛探讨和介绍了西方的教育思想、教育内容、教育政策和教育方法。刊物在前期设有教育评论、教育论著、中小学研究、国外教育译述、国内外教育新闻等栏目。主要撰稿人有范源濂、黄炎培、黎锦熙、周建人、陆费逵等。1937 年 8 月停刊。1947 年 1 月在上海复刊，由姚绍华主编，主要致力于"教育普及于全国，文化深入民间"的工作，重点传播新的教育观点和方法，宣传西方国家和苏联的教育理论和实践，提倡科学教育、电化教育和生活教育等。胡适、黄炎培、陶行知是该刊主要撰稿人。1950 年 12 月出版新的第 4 卷第 12 期后停刊。共出 322 期。

南京大总统府印铸局编的《临时政府公报》在南京创刊。

由孙武、刘成禺等发起的"民社"在上海成立。该社以卢梭的《民约论》为号召，反对南京临时政府，拥护黎元洪集团。民社以《中华民国公报》为其舆论阵地，与蒋翊武的《民心报》、张振武的《震旦民报》笔战经年。5月，民社与其他党派合作改组为共和党，以《中华民国公报》为其机关报。1913年，由于“二次革命”爆发，黎元洪又继之北上，孙武政治势力衰弱，《中华民国公报》遂告停刊，民社的影响也随之趋弱。

二月

2日，上海女子参政同志会刘舜英等创刊《国民女报》（半月刊）。

5日，何其芳（原名何永芳）出生在重庆市万州区。

11日，南京临时政府教育总长蔡元培的《对于新教育之意见》发表于《临时政府公报》第13号。

蔡元培在文中指出：“教育有二大别：曰隶属于政治者，曰超轶乎政治者。专制时代（兼立宪而含专制性质者言之），教育家循政府之方针，以标准教育，常为纯粹之隶属政治者。共和时代，教育家得立于人民之地位，以定标准，乃得有超轶政治之教育。”接着他提出了五种必须进行的教育：一、军国民教育：“清之季世，隶属政治之教育，腾于教育家之口者，曰军国民教育。夫军国民教育者，与社会主义僢驰，在他国已有道消之兆。然在我国则强邻交逼，亟图自卫，而历年丧失之国权，非凭借武力，势难恢复。且军人革命以后，难保无军人执政之一时期，非行举国皆兵之制，将使军人社会，永为全国中特别之阶级，而无以平均其势力。则如所谓军国民教育者，诚今日所不能不采者也。”二、实利主义教育：“虽然，今之世界，所恃以竞争者，不仅在武力，而尤在财力。且武力之半，亦由财力而孳乳。于是有第二之隶属政治者，曰实利主义之教育，以人民生计为普通教育之中坚。其主张最力者，至于普通学术，悉寓于树艺、烹饪、裁缝及金木土工之中。此其说创于美洲，而近亦盛行于欧陆。我国地宝不发，实业界之组织尚幼稚，人民失业者至多，而国甚贫。实利主义之教育，固亦当务之急者也。”三、公民道德教育：军国民教育、实利主义教育“所谓强兵富国之主义也”，“顾兵可强也，然或溢而为私斗，为侵略，则奈何？国可富也，然或不免知欺愚，强欺弱，而演贫富悬绝、资本家与劳动家血战之惨剧，则奈何？曰教之以公民道德。”此即“公民道德教育之所有事者也”，而“公民道德之教育，犹未能超轶乎政治者也。”四、世界观教育：在阐明此种教育之前，蔡元培首先提出了世界的二分法，即“盖世界二方面，如一纸之有表里：一为现象，一为实体。现象世界之事，为政治，故以造成现世幸福为鹄的；实体世界之事，为宗教，故以摆脱现世幸福为作用。而教育者则立于现象世界，而有事于实体世界者也。故以实体世界之观念，为其究竟之大目的，而以现象世界之幸福，为其达于实体观念之作用。”“以现世幸福为鹄的者，政治家也，教育家则否。”“循思想自由言论自由之公例，不以一流派之哲学一宗门之教养梏其心，而唯时时悬一无方体无始终之世界观以为鹄。如是之教育，吾无以名之，名之曰世界观教育。”五、美感之教育：“虽然，世界观教育，非可以旦旦而聒之也。且其与现象世界之关系，又非可以枯槁单简之言说袭而取之也。然则何道之由？曰美感之教育。美感者，合美丽与尊严而言之，介乎现象世界与实体世界之间，而为津梁……故教育家欲由现象世界而引以到达于实体世界之观念，不可不用美感之教育。”最后蔡元培进一步强调：“五者，皆今日教育所不可偏废者也。军国民主义、实利主义、德育主义三者，为隶属于政治之教育。（吾国古代之道德教育，则间有兼涉世界观者，当分别论之。）世界观、美育主义二者，为超轶政治之教育”。在蔡元培看来，这种教育理念不可偏废的理由是：“譬之人身，军国民主义者，筋骨也，用以自卫；实利主义者，胃肠也，用以营养；公民道德者，呼吸机循环机也，周贯全体；美育者，神经系也，所以传导；世界观者，心理作用也，附丽于神经系而无迹象之求。此即五者不可偏废之理也。”

12 日，清朝的隆裕皇太后被迫宣布清末代皇帝、6 岁的溥仪退位，统治中国 2000 年的封建君主专制自此结束。

13 日，孙中山辞去临时大总统。

15 日，南京临时参议院选举袁世凯为临时大总统。

25 日，丘逢甲去世。丘逢甲（1864—1912），字仙根，号仓海，台湾苗栗县人，光绪进士。1894 年中日战争之后，任义军大将军，率领台湾民众抵抗日军侵占台湾。兵败离台内渡，在广东各书院主讲，创办新学堂，推行新学，同情康梁变法。后随革命之发展，倾向民主革命。辛亥革命以后，赴南京参加组织临时政府，任参议员。作诗甚多，仅内渡后存诗即有一千多首，大多表现因台湾沦陷而发的思乡悲国之情，诗作多受杜甫、陆游的影响，而又有散文化倾向，是新派诗人中比较突出的一个，有《岭云海日楼诗钞》等。梁启超曾评曰：“吾尝推公度、穗卿、观云为近世诗家三杰，此言其理想之深邃闳远也。若以诗人之诗论，则丘仓海（逢甲）其亦天下健者。”又说他“以民间流行最俗最不经之语入诗，而能雅驯温厚乃尔，得不谓诗界革命一钜子耶！”（梁启超：《饮冰室诗话》，人民文学出版社 1959 年版）

27 日，蔡元培等抵北京，迎袁世凯南下。

28 日，《民立报》刊登《国学会缘起》。该会以章太炎为会长。

29 日，袁世凯密令曹锟部在北京发动兵变。3 月 6 日，参议院允袁在北京就职。

《越社丛刊》创刊，在浙江绍兴出版，由越铎日报社发行，为不定期刊物。体例仿《南社》，分文录、诗录，提倡民族主义，鼓吹民主革命。鲁迅编《越社丛刊》第一集，陈去病作序。鲁迅在本集上以“乔峰”为笔名发表了《辛亥游录》，后又以“周作人”的名义发表了《〈古小说钩沉〉序》，载于是年 2 月《越社丛刊》第 1 集。

在《〈古小说钩沉〉序》中，鲁迅说：“小说者，班固以为‘出于稗官’，‘闾里小知者之所及，亦使缀而不忘，如或一言可采，此亦刍荛狂夫之议’。是则稗官职志，将同古‘采诗之官，王者所以观风俗知得失’矣。顾其条最诸子，判列十家，复以为‘可观者九’，而小说不与；所录十五家，今又散失。惟《大戴礼》引有青史氏之记，《庄子》举宋钘之言，孤文断句，更不能推见其旨。去古既远，流裔弥繁，然论者尚墨守故言，此其持萌芽以度柯叶乎！余少喜披览古说，或见讹敚，则取证类书，偶会译文，辙亦写出。虽从残多失次第，而涯略故在。大共琐语支言，史官末学，神鬼精物，数术波流；真人福地，神仙之中驷，幽验冥征，释氏之下乘。人间小书，致远恐泥，而洪笔晚起，此其权舆。况乃录自里巷，为国人所白心；出于造作，则思士之结想。心行曼衍，自生此品，其在文林，有如舜华，足以丽尔文明，点缀幽独，盖不第为广视听之具而止。然论者尚墨守故言。惜此旧籍，弥益零落，又虑后此闲暇者尟，爰更比辑，并校定昔人集本，合得若干种，名曰《古小说钩沉》。归魂故书，即以自求说释，而为谈大道者言，乃曰：稗官职志，将同古‘采诗之官，王者所以观风俗知得失’矣。”

黎元洪主办的《民声日报》在上海创刊，宣传拥护袁世凯，反对孙中山领导的临时政府。后为民社机关报。

宁调元去上海，参与发起组织“民社”，主编《民声日报》。后回湘奔祖母丧。返回上海时，民社已与统一党等合并为共和党，反对同盟会的倾向更加明显。8月，宁调元登报脱离民社和《民声日报》，赴广东任三佛铁路总办。

柳亚子由邹亚云、陈布雷介绍进《天铎报》（总编辑李怀霜）任主笔。间日撰社论一篇，著论抨击南北议和。后从《天铎报》转入《民声日报》，主持文苑，作随笔式文章，题“上天下地栏”。后从《民声日报》转入《太平洋报》专编文艺。

柳亚子和李叔同办“文美会”，发行《文美杂志》，数月后停刊。此时，在上海由南社社员参与主办或撰稿的报纸有八种之多，是南社在新闻界之全盛时代。

上海京剧艺人行会组织——上海伶界联合会在上海成立，夏月润任会长。

刘半农因不满军队内部的混乱，旋回乡参加演文明戏，筹款支援革命。

2月底至3月初，鲁迅应教育总长蔡元培邀请到南京中华民国临时政府教育部任部员，但政权随即为北洋军阀袁世凯篡夺。

三月

1日，《民权报》在上海创刊。周浩为发行人，戴季陶、何海鸣等任主编，自称“系自由党全体同人组成”，和同盟会——国民党各报的观点接近，公开揭露袁世凯的假共和、真帝制的丑恶面目。该报与《中华民报》、《民国新闻》在同一时期出版发行，并以言论激烈著名，因其报头横立而在报界有“横三民”之称。言论以戴季陶（天仇）所撰的措辞激烈的论说、时评最为突出。该报日出对开三大张，副刊占一整版，不标刊名，由蒋著超、吴双热等担任主编，除发表一些小品文字外，还刊有大量的长篇连载小说，其中著名的有徐枕亚的《玉梨魂》、吴双热的《孽冤镜》、《兰娘哀史》，李定夷的《賈玉怨》、《红粉劫》等。这些小说用华丽的文字，描述卿卿我我的爱情故事。后来在中国现代文学史上称之为“鸳鸯蝴蝶派”的文学，就是从该报副刊所载的这些言情小说开始的。该报于民国2年（1913）第二次反袁运动失败后被袁世凯政府下令禁售，被迫停刊。停刊后曾印《民权素》期刊18集。

2日，南京政府内务部颁布《详定暂行报律》。次日，上海《申报》、《新闻报》、《时报》、《民立报》、《天铎报》等11家报社致电孙中山表示反对，后孙中山令内务部取消了该项规定。

3日，中国同盟会在南京召开本部全体大会。宣布其宗旨为“巩固中华民国，实行民生主义”，并举孙中山为总理，黄兴、黎元洪为协理。

10 日，袁世凯在北京就任临时大总统；13 日，任唐绍仪为国务总理。

11 日，孙中山颁布《中华民国临时约法》。《中华民国临时约法》分总纲、人民、参议院、临时大总统、副总统、国务员、法院、附则等共 7 章 56 条，总纲规定：“中华民国由中华人民组织之”，“中华民国之主权属于国民全体”，国民有人身、财产、言论、通信、居住和信教等自由，有请愿、选举、被选举的权利。全国的立法权属于参议院；临时大总统行使职权须有国务员到署；法官有独立审判的权利。在国家机构体制上，规定实行内阁制，内阁总理由议会的多数党产生，总理对总统要办的事项，如不同意，可以驳回，总统颁布命令须由内阁总理副署才能生效。附则中规定“宪法未施行以前，本约法之效力与宪法等。”

萧山湘灵子作《鉴湖女侠》传奇（又名《秋瑾含冤》），计八出，写秋瑾生平事迹，上海振新图书社发行。

春柳社成员陆镜若、欧阳予倩等自日本回上海成立“新剧同志会”，该会曾在上海、无锡、长沙等地演出了为纪念黄花岗烈士殉难的《黄花岗》，讽刺民国新贵腐败堕落的《运动力》，以及家庭悲剧《家庭恩怨记》等，演出后颇为人们所重视。在艺术风格上，春柳社的剧目较前期（1907）也有变化，即民族化的成分加重，日本新派剧的影响则日趋淡化。1914 年，正当进化团一派开始走下坡路时，原春柳社同仁再次重聚上海，以“春柳剧场”的名义继续进行话剧活动，其骨干成员有欧阳予倩、吴我尊、马绛士等。春柳社的演出以态度严谨著称，它的剧目虽不多，但多数有完整的剧本，这与进化团系统的幕表戏大不相同。在春柳社的演出剧目中，外国戏剧较多，特别是欧美的戏剧，如《茶花女》、《黑奴吁天录》、《热血》、《鸣不平》、《社会钟》、《不如归》、《猛回头》等（编者注：《猛回头》系陆镜若根据日本新派剧作家佐藤红绿的剧本《潮》改编，与陈天华的《猛回头》为同名异作）。这些剧本有的是从日本新派剧移植过来，但整体而言，春柳社是注意向西方戏剧学习的。春柳派的戏剧注重人物形象的塑造，不大采用新剧演出中“言论派老生”的宣传方式，也不用“幕外戏”，而是严格遵守分幕制度。春柳派演出的台词均用国语，禁用方言，这也是它的一个特点。春柳社的戏剧演出反映了民主革命的要求，是新剧中表演风格相当严肃、健康的一派，他们的演出也使得在“辛亥革命”前夕因清政府严防新剧鼓吹革命而禁止新剧演出、压抑新剧发展所形成的局面得到了改变，新剧出现了短暂的复兴。

刘半农和弟弟刘天华同往上海，先后任开明剧社编辑、《中华新报》特约编译员、中华书局编译员，发表了《玉簪花》、《髯侠复仇记》等小说。

四月

1 日，孙中山正式解除临时大总统之职。

1 日，由宋教仁、姚雨平主办的《太平洋报》在上海创刊，社长姚雨平，经理朱少屏，总编辑叶楚伧。协助编撰工作的有柳亚子、苏曼殊、李叔同、余天遂、林一厂、胡朴安、姚鹓雏、胡寄尘等，绝大部分都是南社社员。这是同盟会于民国成立后在上海创办的第一家大型日报。日出对开三大张，其中第一张第三版有1/3左右的篇幅刊载英文新闻。它的全部印刷设备，来自光复前同盟会在公共租界马霍路（今黄陂北路）办的一个秘密印刷所，是由当时担任沪军都督的陈其美调拨的，报馆的日常经费开支也由陈其美负责提供。该报馆的言论倾向于鼓吹资产阶级民主政治，反对袁世凯出卖国家民族利益，复辟帝制，反对封建军阀。副刊由柳亚子、李叔同（后出家，法号弘一）担任主编，是南社社员的主要阵地。苏曼殊应《太平洋报》聘，主笔政，撰《太平洋话》、《冯春航谈》，并开始创作中篇小说《断鸿零雁记》。该报出版仅半年左右，即因经费困难，于同年10月18日停刊。

8日，女子参政同盟会在南京成立，该会以争取女子国民参政权为宗旨。

27日，陈独秀任安徽都督府秘书长兼任安徽高等学堂教务长。

《共和言论报》在上海创刊，由余姚、徐媚梁等编辑。

五月

1日，因辛亥革命而停顿的清华学堂，本日重新开学，学生返校者360人。10月，改称清华学校，监督改称校长，由唐国安任校长，周诒春为副校长。

3日，中华民国教育部呈报临时大总统袁世凯，提议将京师大学堂改名为北京大学校，大学堂总监督改称大学校校长，并请大总统任命原总监督兼文科学长严复署理北京大学校长，当天经袁世凯批准并发布临时大总统令正式任命。

3日，黄世仲逝世。黄世仲（1872—1912），字小配，号荪棣，广东番禺人，近代资产阶级民主革命宣传家和文学家。《洪秀全演义》是黄世仲写的第一部小说，也是他的代表作，在当时即有很大影响：该作“出版后风行海内外，南洋美洲各地华侨几乎家喻户晓，且有编作戏剧者，其发挥种族观念之影响，可谓至深且巨。”（冯自由：《〈洪秀全演义〉作者黄世仲》，《革命逸史》（二）第42页，中华书局1981年版）

5月初，鲁迅随教育部北迁，在北洋军阀政府教育部任部员，属社会教育司第二科。

7日，临时参议院议决，国会采取两院制，定名为参议院和众议院。

19日，中国社会党绍兴支部在上海创办《新世界》，半月刊。自第1期起连载施仁荣译弗勒特立克恩极尔斯（恩格斯）的《理想社会主义与实行社会主义》（即《社会主义从空想到科学的发展》第一节、第二节和第三节的一部分）。

24日，袁世凯通令禁售排满及诋毁前清各项书籍。

30日，《民立报》刊登《留法俭学会缘起及会约》。不久，在北京、四川等地均有预备学校设立。

《女权》杂志（月刊）在上海创刊，由张亚昭编辑。该刊是同盟会女会员发起女子参政运动中出现的刊物，以争取女权为宗旨，刊载有关女子参政的文章和女英雄的事迹。设有论说、事业、文苑、传记、小说等栏目。停刊日期不详。

新剧团体“开明社”在上海成立，由朱旭东主持，本月至四川演出，此年从四川返回上海，后又到过南洋、日本等地演出。该社是当时上海六大文明剧团之一。

瞿秋白由张太雷介绍加入俄共党组织，1922 年 2 月转为中国共产党党员。

苏曼殊著中篇小说《断鸿零雁记》在《太平洋报》上发表。魏秉恩称赞该书写得波澜起伏，富于变化，“能于悲欢离合之中，极尽波谲云诡之致。”（魏秉恩：《〈断鸿零雁记〉序》，柳亚子编：《曼殊全集》第 4 册第 51 页，上海北新书局 1928 年版）

后来，姚雪垠在写给茅盾的信中也曾谈到《断鸿零雁记》，称：“我读他的《断鸿零雁记》至今近半个世纪，仍然印象很深，有些地方使我感动。他的《断鸿零雁记》是带有自传性质的作品，写法上已经突破了唐宋以来文人传奇小说的传统，而吸收了外国近代小说的表现手法。就艺术水平说，他比‘五四’以来同类写爱情悲剧题材的白话小说要高明许多。其所以成为名作，并非偶然。”（姚雪垠：《中国现代文学史的另一种编写方法》，《社会科学战线》第 246 页，1980 年第 2 期）

六月

1 日，李大钊写《隐忧篇》，表示对国家前途的担忧。在篇末的“按语”中，李大钊介绍了写作此文的缘由，他说：“斯篇成于民国元年六月，迄今将及一纪，党争则日激日厉，省界亦愈划愈严。近宋案发生，借款事起，南北几兴兵戎，生民险遭涂炭。人心诡诈，暗杀流行，国士元勋，人各恐怖，而九龙、龙华诸会匪，又复蠢蠢欲动，匪氛日益猖炽，环顾神州，危机万状。抚今思昔，斯文着笔时，犹是太平时也。呜呼！记者附识。”

在文中，李大钊既肯定了民国初创时各界人士的努力，但同时也对国家现状深感忧虑，他说：“国基未固，百制抢攘，自统一政府成立以迄今日，凡百士夫，心怀兢惕，殷殷冀当世贤豪，血心毅力，除意见，群策力，一力进于建设，隆我国运，俾巩固于金瓯，撼此大难，肩此巨艰，斯固未可以简易视之。而决未意其扶摇飘荡，如敝舟深泛溟洋，上有风雨之摧淋，下有狂涛之荡激，尺移寸度，原望其有彼岸之可达，乃迟迟数月，固犹在惶恐滩中也。”在李大钊看来，中国的现状是“蒙藏离异，外敌伺隙，领土削蹙，立召瓜分，边患一也；军兴以来，广征厚募，集易解难，饷糈罔措，兵忧二也；雀罗鼠掘，财源既竭，外债危险，废食因噎，财困三也；连年水旱，江南河北，庚癸之呼，不绝于耳，食艰四也；工困于市，农叹于野，生之者敝，百业彫瘵，业敝五也；顽梗未净，政俗难革，事繁人乏，青黄不接，才难六也。凡此种种，足以牵滞民国建设之进行，矧在来兹，隐忧潜伏，创国伊始，不早为之所，其贻民国忧者正巨也。悬测逆睹，厥要有三：一党私　党非必祸国者也。且不惟非祸国者，用之得当，相为政竞，国且赖以昌焉。又不惟国可赖党以昌，凡立宪国之政治精神，无不寄于政党，是政党又为立宪政治之产物矣。而何以吾国政党甫萌，遽龈龈焉警之、惕之、箴之、戒之、诋之、祺之，甚至虑为亡国之媒者。岂吾华历代君主失国之际，均豫有党争为之朕，而有以促其亡，俾后之人受历史之迷惑，一闻党字，遂谈虎色变，而以旧历史之眼光，视今之政党欤？非也。唐之清流，宋之蜀、洛、朔，明之东林、复社，均一时干国英杰，使在今日，吾人且铸金事之。徒以君子小人，有如水火。一方既以道义相号召，则嬖幸之流，恐不见容，遂而荧惑诽谤，以泄其私举，正人义士，排挤倾轧于无余。私心党见之足以祸国，讵以时之今古而殊耶？试观今日之政党，争意见不争政见，已至于此，且多假军势以自固。则将来党争之时，即兵争之时矣。党界诸君子，其有见及此者乎？二省私　中华建国，版舆辽阔。昔者山川睽隔，交通尼阻，风俗之异，言语之差，胥以地理之关系，为疏通结络之梗，则界域之见，存乎其间，势必然也。然以中央权重，集中于一，前此省见，殊未与政治上以影响。逮满清末叶，各省督抚握权渐重，益以政运趋新，地方日增活动，省见因以稍启。革命军兴，各省以次脱离满清羁绊，宣告独立，自举都督，此不过一时革命行军之计画也。而孰知省界之分，以是及于人心者匪鲜耶。试思一国设省，一省设县，纯因地理人情之便而划之政治区域，其土地犹是国家之领土，其人民犹是国家之国民，宁可省自私之。乃近顷用人行政，省自为治，畛域日深，循是以往，数年或数十年后，势至各省俨同异国，痛痒不关，即军事财政之协助，系乎国家兴亡者，将亦有所计较而不为矣。至神州粉碎，同归于尽，始追悔痛恨于向者省见之非，晚矣！三匪氛　历稽载籍，一代兴亡之交，其先必匪乱丛起，良以失政之朝，民多怨之，加之饥馑荐臻，灾异迭见，于是枭雄乘之，狐鸣篝火，愚惑斯民，凡以欲遂其帝王事业之私图也。明之亡也，流寇遍天下，即无满清之西侵，亦决不能永其国祚，而黎元之遭其糜躏，亘数十年，亦不堪矣！民国之兴，基于大义，用兵不过三阅月，成功之速，为东西历史未所有，吾华之幸，抑亦吾民之幸也。然窃有忧者，则匪氛之起，不在满清末运，而在民国初年。何则？战后之兵，蛮野浮动，在伍时既大肆劫掠，退伍后仍将流为盗寇，则今日之兵，即他日之匪，其因一；愚民不识共和为何物，教育不克立收成效，责以国民义务，群惊为苛法虐政，起而抗变，其因二；一度战乱，元气大丧，民间愁苦怨嗟，实为乱阶，其因三；左道之流，造谣惑众，此次革命，引起此辈帝王思想，其因四。”因此，李大钊感叹云：“怅望前途，不寒而栗，黯黯中原，将沦为盗贼世界，吾民尚有噍类耶！”（李大钊：《隐忧篇》，《言治》月刊第1年第3期。）

5日，《真相画报》创刊，旬刊，由高奇峰编辑。16开本。载有辛亥革命的图片，还曾报道过宋教仁被刺的真相。1913年3月1日终刊。这是国内出版的最早以新闻摄影为主的画报。

10日—12日，鲁迅以教育部部员身份，由北京往天津考察新剧，在广和楼观看新编话剧《江北水灾记》，鲁迅评论该剧时说：“勇可嘉而识与技均不足。”（鲁迅：《鲁迅日记》1912年6月10日—12日，人民文学出版社1976年版）

七月

8日，《中国同盟会杂志》在广州创刊发行，为中国同盟会粤支部的机关刊物。该刊积极宣传民族和种族“同化”论，强调“今日共和成立，五族联合，昔日之恶感已泯，至程度不齐之故，苟普及教育实行之后，此问题当亦解决矣”，认定“合汉、满、蒙、回、藏五族而同化之，今日之唯一政策也”。为使民族同化思想深入人心，他们还自觉地研究和宣传民族同化的历史。该刊连载陈仲山的《民族同化史》，就是因此而作。它“先序欧西民族由战争而同化者，以为借镜，次序中国历代民族由战争而同化

者，以为楷模”，冀望于对“励行民族同化之政策，不无小补。”

10 日，教育部在蔡元培主持下，于北京召开临时教育会议，重订学制，规定初小 4 年、高小 3 年、中学 4 年、大学预科 3 年、本科 3 年或 4 年。

14 日，蔡元培辞去教育总长职，26 日由范源濂继任。

15 日，上海《新世界》杂志第 5 期刊载了施仁荣译的恩格斯著作《社会主义从空想到科学的发展》，该刊译文题目为《理想社会主义与实行社会主义》。

20 日，《中华民报》在上海创办，由邓家彦创办，刘文畏等担任笔政。该刊以“拥护共和进行，防止专制复活”为宗旨，是同盟会系统各报中反对袁世凯、拥护孙中山最坚决的一份报纸。创办人邓家彦（孟硕）为广西人，日本法政学校毕业，曾任同盟会成都分会负责人。南京临时参议院成立，邓是代表广西的议员。选举第二任临时大总统时，邓力排众议，独投孙中山一票，因此遭袁世凯忌恨。民国元年（1912）8 月，因揭发袁世凯未经国会同意私自向五国银行团借款 2500 万英镑真相，被袁世凯政府向上海会审公廨起诉，邓被监禁半年和罚金 500 元。该报自邓家彦被捕后，由汪洋接办，因经济困难，同年 9 月 17 日被迫停刊。

25 日，《民国新闻》报在上海创刊。由同盟会会员吕志伊、徐肃、陈泉清、吴敬恒等人发起，社长蔡元培，总编辑原拟请汪兆铭（精卫）担任，因故未成，后由吕志伊主持报务，其后又由吴敬恒、邵元冲先后任总编辑。该报日出三大张，以“保障共和政体、宣扬民主主义”为宗旨，宣传资产阶级民主政治。创办不久即与《民立报》、《民权报》等 7 家报馆联名致电临时参议院及临时总统黎元洪，对黎元洪查封汉口《大江报》，缉拿何海鸣一事提出严正抗议，痛斥其“违背国宪、蔑视人权”，接着又抗议袁世凯杀害湖北军政府军务司张振武及将校团团长方维。民国 2 年（1913）3 月宋教仁被刺身亡，该报增刊“公论”，详细揭露袁世凯等人杀害革命人士的卑劣真相，反对袁世凯媚外卖国行径，态度鲜明。同年 7 月反袁战役兴起，但不久各地起义均被袁世凯挫败，同年 9 月“二次革命”失败以后，袁世凯下令禁止该报发行。

八月

1 日，《生活杂志》（半月刊）在上海创刊，由陈训正主办，生活杂志社编辑，平民共济会发行。主要撰稿人有东阜、畏垒（陈布雷）等。共出 14 期。

11 日，同盟会、统一共和党、国民公党、国民共进会和共和实进会五个政团集会于北京安庆会馆，就合并为国民党一事达成协议。25 日下午 1 时，国民党成立大会在湖广会馆举行，由前一日刚刚抵京的孙中山主持，孙中山被选举为理事长。

管达如撰论文《说小说》，载《小说月报》第 3 年第 5、第 7 ~ 11 期。

张资平赴日留学。到日本后接触了大量日本和欧美的文学作品，并在一定程度上接受了新思想。1916 年曾加入以“科学救国”为宗旨的丙辰社（后更名为中华学艺社）。后经过高等学校预科和高等学校的学习之后，1919 年考入东京帝国大学理学院地质系。

九月

20 日，《四川国学杂志》（月刊）创刊，在成都出版，由四川国学院主办。

20 日，袁世凯下令“崇伦常”，提倡“礼教”。他说：“中华立国以孝悌忠信、礼义廉耻为人道之大经。政体虽更，民彝无改”，“唯愿全国人民恪守礼法，共济时难……本大总统痛时局之阽危，怵纲纪之废弛，每念今日大患，尚不在国势，而在人心。苟人心有向善之机，即国本有底安之理。”（《正宗爱国报》，1912 年 9 月 20 日。）

在政府提倡礼教的号召下，社会上出现了许多尊孔的团体，如孔教会、孔社、宗圣会、孔道会，形成了一股尊孔读经、恢复封建礼教的逆流。其中以康有为任会长的孔教会影响最大。该会在袁世凯政府支持下创办《孔教会杂志》月刊，孔教会的副会长陈焕章担任主编。从 1913 年 2 月到 1914 年 1 月，《孔教会杂志》共出版 12 期，有图画、论说、讲演、学说、政术、专著、历史、传记、译件、丛录、文苑、书评、孔教新闻等栏目，刊登孔子塑像、孔庙、孔府、孔林的照片，研究孔子的历史、考证孔子弟子的身世，阐发儒家经典的精义，发出了尊孔读经、定孔教为国教的喧嚣声。作者大都是当时文化界的名流，如孔令贻（衍圣公）、王嬺运、康有为、严复、廖平，其中还有一个美国人——袁世凯政府顾问古德诺，此人于 1915 年 8 月写了一篇《共和与君主论》，上呈袁世凯，声称中国实行君主制适合国情。在这样的声势下，孔教会大为发展，各省各县纷纷成立孔教会支会，一些重要城市也成立了孔教支会。

在尊孔“舆论”刚出笼的时候，袁世凯就用政府的命令推波助澜。他于 1913 年 6 月 22 日颁发“尊崇孔圣文”，1914 年 9 月 25 日又颁发《祭孔令》，公开恢复了清朝的祀孔制度，并规定每年旧历仲秋上丁中央的地方政府一律举行“祀孔曲礼”。1914 年 11 月 3 日，袁世凯又下了一道“箴规世道人心”的告令，把清朝就存在的腐败现象和封建士大夫看不惯的新现象，一概说成是民主共和造成的，他说：民国初年“一二桀黠之徒（编者按：指孙中山等民主派人物），利用国民弱点，遂倡无秩序之平等，无界说之自由，谬种流传，人禽莫辨，举吾国数千年之教泽扫地无余。求如前史所载忠孝节义诸大端，几几乎如凤毛麟角之不可多得。”接着又说：“一个国家不必愁贫，不必忧弱，唯独国民道德丧亡，则必鱼烂土崩而不可救。”袁世凯最后说：既然国民把国家“付托”给他，他就要“改良社会”，“以忠孝节义四者为中华民族之特性，为立国之精神”。并传谕内务部、教育部把这个告令悬挂于学校讲堂，刊印于课本的封面，令学生天天观看，“以资警惕”，“务期家喻户晓，俾人人激发其天良”。（参见《爱国白话报》1914 年 11 月 5 日。）袁世凯发起的“尊孔读经”运动，其实就是他为自己当皇帝所做的舆论准备。

22 日，《独立周报》（周刊）在上海创刊，由章行严（秋桐，即章士钊）编辑。发行人王无生。从 1912 年 9 月创刊到 1913 年 7 月章士钊投身“二次革命”时终刊，历时 10 个月，出版发行 40 期，37 本（28 期与 29 期、30 期与 31 期、32 期与 33 期是合刊）。《独立周报》初设有纪事、政论、专论、投函、评论之评论、文苑等栏目，从 15 期开始改为纪事部、论说部、文艺部、杂俎部。宋教仁案发生以前，章士钊几乎在每期政论栏或专论栏中都发有重要文章，有时甚至一期多达五篇，为《独立周报》奠定了基本的编辑方针和政论基调。故这一时期《独立周报》所发议论、所持主张，实际上就是章士钊关于时局的看法和主张。

25 日，端木蕻良出生于辽宁省昌图县鹙鹭树村一贵族地主家庭。

《文艺俱乐部》（半月刊）在上海创刊，由扪虱谈虎客（韩文举）和孤愤生主编，文艺俱乐部发行，停刊时间不详，今见一至三号，撰稿者有章太炎、黄兴、谭人凤、黄宗仰、黄侃、汪家驹等。内容以诗词、短篇小说、随笔为主，兼及有关时局、历史方面的杂文，比如批评参议院议员的三病、表彰陶焕卿（陶成章）等革命先烈等。

汤云秋创办《中华女报》，周刊，后改月报。后并入《万国女子参政会旬报》，由张汉英、任丽璠任经理兼编辑主任。

曾天宇译德国壳乃士著的小说《孤岛姻缘》，载《独立周报》第 15 ~ 18 期。

天僇生著《血海花魂记》，载《独立周报》第 19 ~ 35 期。

十月

月初，梁启超回国。梁启超自 1898 年戊戌维新失败后一直流亡国外，回国后于本月 31 日下午，出席北京大学师生欢迎会并作讲演。在演讲中，梁启超阐发了大学的宗旨与精神，批判了读书做官论和不良学风等。

14—16 日，孙中山在上海中国社会党（该党于 1911 年 11 月 5 日在上海成立，发起人为江亢虎）本部连续 3 日发表演说，评论社会主义学说及其派别。

《女子白话旬报》在北京创刊，由唐群英、沈南雅等编辑。后改称《女子白话报》，并和《亚东丛报》一起作为女子参政的宣传阵地。唐群英在“启事”中写道：“鄙人于京师创办《女子白话报》，专为开通女习而设，凡关于女界事实，无不广辑搜罗，编成俚语，以补我女同胞阅报之不逮。”在《简章》中又说：“本报专为普及女界知识起见，故以至浅之言引申至真之理，务求达到男女平权目的为宗旨。”唐群英既当经理，又亲自担任编辑，每期内容分政治教育、实业、时事及丛录等栏目，后又添设谐谈、小说、时评等。

康有为、陈焕章等在上海组织孔教会。

周作人作《童话研究》，译丹麦作家安徒生童话《公主》。周作人在《丹麦诗人安兑尔然传》一文中说：“安兑尔然（编者注：今译安徒生）童话，欧土各国，传写殆遍，日本亦有二三译本，中国尚鲜有知之者，故为绍介其行业如此。”全文约 3000 字，大约是我国最早介绍安徒生的文字，文中又说：“故论者谓安兑尔然七十生涯，未脱童时，短于常识而富于神思，其所著童话，即以小儿之目，观察万物，而以诗人之笔写之，可称神话，真前无古人，后亦无来者也……童话一级，出于自然，入于艺术，而实安兑尔然诗中之醇华也。”（转引自陈子善、张铁荣编：《周作人集外文》上集第 148 页，海南国际新闻出版中心 1995 年版）

《南社丛刻》第 6 集出版。南社在上海举行第 7 次雅集，会上，柳亚子提议修改《南社条例》，未能成议。柳亚子在《民主报》登报宣布退出南社。

十一月

《民誓杂志》（月刊）在北京出版，由湖南黄藻编辑。兰眉居士撰小说《长安梦》，载《民誓杂志》第1、2期。

《中国学报》（月刊）在北京创刊，1913年7月停刊，1916年复刊，由刘师培编辑。

王国维在日本京都，以三月之力整理历年研究所得的宋元戏曲资料，撰成《宋元戏曲考》，计16章。以论述宋、金、元戏剧的渊源、戏剧文学以及对后世的影响为主，兼及曲调和演出，对宋以前、元以后的情况以及元代的南戏也附作介绍。商务印书馆出版时，将该书改名为《宋元戏曲史》。

郭沫若评价该书“是有价值的一部好书”，并称：“王国维的《宋元戏曲史》和鲁迅的《中国小说史略》，毫无疑问，是中国文艺史研究上的双璧。不仅是拓荒的工作，前无古人；而且是权威的成就，一直领导着百万的后学。”（郭沫若：《历史人物》第212页，人民文学出版社1979年版）

林纾译述英国哈葛德著《古鬼遗金记》，并序。

默意译英国魏翰谡著侦探小说《童影案》，载《神州女报》第1～7期。

十二月

1日，学术刊物《庸言》杂志在天津创刊，梁启超主编，吴贯因、黄远庸编辑，天津庸言版馆发行。开始为半月刊，自第三卷三期起改为月刊，分建言、译述、艺林、佥载四大部分。梁启超的巨大声望和刊物的丰富内容，使得《庸言》一创刊即发行万份，第七期后激增至1.5万份，是当时中国发行量最大的刊物，也是中国第一份发行量超过1.5万份的刊物，这在民国初年堪称奇迹。后于1914年停刊。陈衍撰《石遗室诗话》，载《庸言》第1卷第1～24号，第2卷第1～5号。姚华的《菉漪室曲话》，最早也是发表在这里。

1日，文典、乐勤等发起的《女权月报》创刊于上海。

27日，章士钊辞去北京大学校长职，由何燏时继任。

《南社丛刻》第7集出版，仍由柳亚子编校。此后有二年柳亚子不复问南社社事。

《亚东丛报》（月刊）在北京出版，由唐群英创办，亚东丛报社编辑发行，该刊系《亚东新报》停刊后改组而成。其宗旨为“提倡女权，发挥民生主义，促进个人自治。”

闻一多入清华学校读书。在清华十年间，他既广泛地学习西方文化知识，又大量地阅读中国的历史文化典籍，尤醉心于中国古代诗歌。同时积极参加学校各种社会活动，更是热情地投身到“五四”运动中，表现出强烈的爱国热情。

1913年

一月

《国民汇报》（半月刊）创刊。徐血儿、邵力子编辑，该刊为综合性文摘刊物，选录范围较广，停刊日期不详。

二月

4 日，北京参众两院复选（上年 12 月初选），国民党获 392 席，占绝对多数。

15 日，全国教育会召开读音统一会。

22 日，《不忍》杂志在上海创刊。翌年出第 8 期后停刊。由康有为的门人陈逊宜、麦鼎华、康思贯等先后任主编，1917 年 12 月复刊，由潘其旋编辑。停刊日期不详。广智书局印刷发行。《发刊词》说："见诸法律之蹂躏，睹政党之争乱，慨国粹之丧失，而皆不能忍，此所以为不忍杂志"，认为"共和政体不能行于中国"。康有为在创刊号上作序文以阐其旨，云："亲生民之多艰，吾不能忍也；哀国土之沦丧，吾不能忍也；嗟纪纲之亡决，吾不能忍也；视政治之溃败，吾不能忍也；伤教化之陵夷，吾不能忍也；亲政党之争乱，吾不能忍也；惧国命之分亡，吾不能忍也。愿言极之。恻恻沈详，余意也。此所以为《不忍》杂志也。"鼓吹尊孔教为国教，复辟清室，实行君主立宪。该刊内容分为政论、教说、艺林（内分短文与诗）等。采用孔子纪年。多刊康有为著作。发表过康有为著《大同书》的部分内容。关于这份刊物，陈独秀曾一针见血地指出："《不忍》杂志，不啻为筹安会导其先河"。（陈独秀：《驳康有为致总统总理书》，《新青年》第 2 卷第 2 号，1916 年 10 月 1 日。）

28 日，《孔教会杂志》（月刊）在上海创刊。陈焕章主编，孔教会杂志社发行，第 2 卷起由纪景福主编，共出 13 期，是当时宣传孔教的主要刊物。

鲁迅发表《儗播布美术意见书》，载二月《教育部编纂处月刊》第一卷第一册，后收入《集外集拾遗》。这是鲁迅的第一篇美术论文，论述了"何为美术"、"美术之类别"、"目的与效用"等问题，是"五四"前比较全面论述和倡导美术的文章，体现了鲁迅早期的美学观点。在"何为美术"中，鲁迅认为美术有三要素："一曰天物，二曰思想，三曰美化"。在解释这三要素时，鲁迅说："作者出于思，倘其无思，即无美术"，"所见天物，非必圆满，华或槁谢，林或荒秽，再现之际，当加改造，俾其得宜，是曰美化，倘其无是，亦非美术"。谈到"美术之类别"时，鲁迅又认为美术"即用理想以美化天物"，"则无间外状若何，咸得谓之美术；如雕塑，绘画，文章，建筑，音乐皆是也。"文章还具体描述了希腊、法国、德国、英国等关于美术的不同分类方法。而"言美术之目的"，则是"美术可以表见文化"，"美术可以辅翼道德"，"美术可以救援经济"。文章最后，鲁迅还谈到了"播布美术之方"，即通过"建设事业"，"保存事业"，"研究事业"等三个方面传播美术。

姚华的《菉猗室曲话》开始在《庸言》杂志发表。该书分四卷，从《庸言》第一卷第六号起陆续刊载到二十四号。除卷一概述词曲同异之处的变迁外，其余三卷似有囊括《六十种曲》全书之意，分别论其所收明代诸传奇，而专论《琵琶记》、《南西厢》又各有一卷之多。该书虽与王国维的《宋元戏曲史》约略同时，但它"却有精密独到之处，如用治经史的校勘、辑佚的朴学方法来治戏曲，虽其成就不及近人，但首先运用这方法治戏曲的，当以姚氏为第一人。又与姚氏曲话同时或稍后的近人所作曲话，也有几种，如吴梅《顾曲尘谈》、王季烈《螾庐曲谈》等，虽也是有系统的曲话，但它们的主旨是在于作曲、度曲……而此书则纯然是学人的论学之作。”（叶德均：《戏曲小说丛考》第478～483页，中华书局1979年版）

康有为拟《中华民国宪法草案》。

三月

11日，外籍基督教传教士大会在上海召开。大会决定在中国进一步调整、扩大教会大学。

16日，南社在上海愚园举行第八次雅集。

20日，宋教仁被刺于上海车站，22日在医院身亡。

民国初建，中国翻开了带有部分自由主义和宪政民主色彩的历史篇章：新闻不受管制，各县、市、省选举出了自己的议会（咨议局）代表，国会由不同党派的议员组成。但是，袁世凯对议会制度、各省自治以及言论自由怀有强烈敌意。以同盟会和一些小的团体新组成的国民党，在1913年大选中获胜，从而在国会中占有多数席位，因此国民党的领袖宋教仁便成了国会领袖，也因此成为袁世凯的眼中钉。1913年3月，属于袁世凯北洋系的、当时任内阁总理的赵秉钧派人在上海火车站暗杀了宋教仁，举国哗然。当时的中国，罕见的政务比较公开、司法相对独立，江苏都督程德全、民政长应德闳在收到租界会审公堂移交的证据后，把罪犯应桂馨和国务总理赵秉钧、内务部秘书洪述祖之间来往的秘密电报和函件的要点以“通电”的形式向海内外公布，迫使赵秉钧不得不发出公开电报为自己辩解。与此同时，上海地方检察厅也公开传讯在位的国务总理赵秉钧。虽然赵氏拒绝到上海应讯，但一个地方法院传讯总理和地方官员公布政府最高官员与杀人罪犯密切来往的证据，确为20世纪中国司法史上空前的大事。在社会舆论的强大压力下，袁世凯被迫批准赵秉钧辞去总理，由段祺瑞代理。宋教仁的被害，使孙中山悲愤难抑，他断然力排众议，拒绝依法解决，发动了“二次革命”。但革命不久就失败了。于是，袁世凯以军事实力为后盾，以“叛党”之名解散了国民党，进而于12月解散了国会。1914年1月19日，袁为灭口，派人将宋案凶犯应桂馨暗杀于京津路上的火车内。同年2月4日，袁世凯又撤销了各省的咨议局和地方自治机构，这些机构是在1912—1913年根据扩大选举法（占成年男性人口1/4）重新选举的，并在辛亥之后控制了地方的权力。袁世凯解散它们后，自己控制了地方官吏的任命权，从而掌握了国家行政管理的实权，由大总统变成了终身大总统，巩固了自己的独裁，使民国初年的民主宪政尝试奄奄一息，名存实亡了。

宋教仁遇刺后，柳亚子特撰《哭宋钝初》一诗予以悼念。诗云：“忽复吞声哭，苍凉到九泉。斯人如此死，吾党复何言？危论天应忌，神奸世所尊。来岑今已矣！努力殓公孙。不应吾谋恨，当年计岂迂？操刀悭一割，滋蔓已难图。小抽空婴槛，元凶尚负嵎。伤心邦国瘁，不独恸黄垆。”

25日，《小说月报》第3卷第12号登载了一则《特别广告》。广告云：“本社所出《小说月报》，已阅三载。发行以来，颇蒙各界欢迎。迩来销数日增，每期达一万以上。

同人欣幸之余，益加奋勉。咨从四卷一号起，凡长篇小说，每四期作一结束；短篇每期四篇以上。情节则择其最离奇而最有趣味者，材料则特别丰富，文字力求妩媚，文言、白话兼擅其长。读者鉴之。本社谨启。”同期还登载了一篇《征求短篇小说》的广告：“本社现在需用短篇，倘蒙海内文坛惠教，曷胜欣幸。谨拟章程如下：一、每篇字数，一千至八千为率。二、誊写稿纸，每半页十六行，每行四十二字。三、稿尾请注明姓名、住址。四、酬赠照普通投稿章程，格外从优。五、投稿如不合用，即行寄还。合用之稿，由本社酌定酬赠，通告投稿人。如不见允，原稿奉璧。本社谨启。”

26 日，孙中山自日本返回上海。就宋教任遇刺一案与黄兴、陈其美、居正、戴季陶等人商量对策。黄兴最初的主张是以暗杀报复暗杀，黄兴在后来给孙文的信中说：“宋案发生以来，弟即主以其制人之道，还制其人之身。先生由日归来，极为反对。”（黄兴：《复孙中山书 》，《黄兴集》第 357 页，中华书局 1981 年版）孙中山则主张起兵讨伐袁世凯，他在 1915 年给黄兴的信中谈到：“犹忆钝初（宋教仁）死后之五日，英士、觉生等在公寓所讨论国事及钝初刺死之由。公谓民国已经成立，法律非无效力，对此问题宜持以冷静态度，而待正当之解决。时天仇（戴季陶）在侧，力持不可。公非难之至再，以为南方武力不足恃，苟或发难，必致大局糜烂。文当时颇以公言为不然，公不之听。”（孙文：《致黄兴书》，《孙中山选集》第 109 页，人民出版社 1981 年版）随后不久，孙中山即发动了讨袁的“二次革命”，筹划起兵讨伐袁世凯。6 月，袁世凯通令各省尊孔祭孔，为复辟帝制大造舆论。7 月，江西都督李烈钧在孙中山指示下兴兵讨袁，发动“二次革命”。但因国民党内部涣散，脱离人民，此举于 9 月失败。

《文史杂志》在武昌创刊出版，同年 8 月停刊，共出 10 期。由文史社编辑发行，王葆心、李希如编辑。分设有社论、经学、子学、史学、词章（包括文录、诗录两类）、六书、目录学、杂俎、选录等栏目。

四月

1 日，由北洋法政学会编辑的《言治》月刊在天津创刊，由李大钊负责出版，开始为月刊，后改为季刊，共出版 6 期。李大钊在该刊第 1 期上发表《大哀篇》一文。他在文中抨击袁氏政府的“共和”制度是“以暴易暴，传袭至今，敲吾骨，吸吾髓；北洋军阀拾先烈之血零肉屑，涂饰其面，傲岸自雄，不可一世，此辈肥而吾民瘠矣。专制都督之淫威，乃倍于畴昔之君主，民之受其患也重矣。以致农夫失其田，工失其业，商失其源，父母兄弟妻子离散茕焉，不得安其居，刀兵水火，天灾乘之。人祸临之，荡析离居，转死沟洫，尸骸暴露，饿殍横野。所谓民政者，少数豪暴狡狯者之窃权，非吾民自得之权也；幸福者，少数豪暴狡狯者掠夺之幸福，非吾民安享之幸福也。共和自共和，幸福何有于吾民也!”

8 日，中华民国第一届正式国会开会。

9 日，是传统的“修禊日”，北京、上海同光体诗人陈衍、易顺鼎、樊增祥、沈曾植等和梁启超、严复等分别集会，吟诗唱和，陈衍撰有《京师万生园修禊传序》。

25 日，鲁迅在《小说月报》第四卷第一号上发表他的第一篇文言小说《怀旧》，署名“周逴”，后编入《集外集拾遗》。小说以辛亥革命为背景，通过“秃先生”这个人物，揭露封建地主阶级对革命的恐惧和封建教育的腐朽。时任《小说月报》主编的恽铁樵对小说精彩处逐一加以评点，并在篇末赞曰：“曾见青年才解握管，便讲词章，卒致满纸饾饤，无有是处，亟宜以此等文字药之。”

26日，袁世凯政府为筹备战费，指使赵秉钧、陆徵祥等与英、法、德、俄、日五国银行团代表签订《善后借款合同》。该合同共有21款，主要内容是：借款总额为2500万英镑，年息5厘；以盐税、海关税和冀、鲁、豫、苏4省的中央税为担保，47年还清等。

《说报》（月刊）在日本东京创刊出版。该刊原为留日共和党党员所主办，不久因共和党与民主、统一两党合并为进步党，即成为该党东京支部的机关刊物。先后由方宗鳌、杨赫坤等主编。分设图画、论说、译述、丛录、艺林、记载、附录等栏。停刊时间不详，所见最后一期是1914年8月出的第13、14期合刊。

泖东一蟹编《小说丛考》，载《小说月报》第4卷第1~11号。

东吴旧孙撰《欧美小说丛谈》，载《小说月报》第4卷第1号。

林纾翻译《罗刹雄风》，英国希洛著，连载于《小说月报》第4卷第1~4号（1913. 4. 25—8. 25）

五月

28日，北大预科学生反对预科毕业生须经入学试验方可升入本科之规定。上海《民立报》自6月2日起连续发表评论，声援北大预科学生。

29日，共和、民主、统一党正式合并为进步党。

《大同周报》在上海创刊。大同学社编辑及发行。大同学社由吕凤痴、姜可生等人发起，柳亚子、姚鹓雏等先后加入。同月停刊，共出3期。分图画、言论、纪事、文艺、丛录、附载等6部。

《新神州杂志》（月刊）在杭州创刊出版，新神州杂志社编辑发行。仅见一期。设开宗、社说、时评、文苑、译丛、长篇小说、传奇、短篇小说、片鳞只锦等栏目。

《国是》（月刊）在北京创刊，政治研究会发行。吴佳侠编校。仅见2期。设言论、译述、丛录、文苑、说部等栏目，文学类占全刊一半。

《国民月刊》在上海创刊。月刊。系国民党上海交通部的机关刊物。仅出2期。分设图画、言论、专载、纪事、丛录五大部分。孙文、黄兴分别撰《国民月刊出世辞》。发表了烈士传略、诗词、小说等。

六月

1日，魏易译英国迭更司所著《二城故事》，载《庸言》第1卷第13号至第2卷第1、2号合刊（1913. 6. 1—1914. 2. 15）。

9日，林纾译毕《离恨天》一书，该书由商务印书馆出版。在《〈离恨天〉译余剩语》中，林纾说：“著是书者，为森彼得，卢骚友也。其人能友卢骚，则其学术可知矣。及门王石孙庆骥，留学法国数年，人既聪睿，于法国文理复精深，一字一句，皆出之以伶牙利齿。余倾听而行以中国之文字，颇能阐发哲理……而此书复多伤心之语，而又皆出诸王氏。然则法国文字之名家，均有待于王氏父子而川耶!”……“书本为怨女旷夫而言。其不幸处，如蒋藏园之《香祖楼传奇》……书中葳晴之死，则为祖姑所厄，历千辛万苦而归，几与其夫相见，而浪高船破，仅得其尸，至于家人楚痛葳晴之死，举室亦尽死，并其臧获亦从殉焉。文字设想之奇，殆哲学家唤醒梦梦，殊足令人悟透情禅矣……凡小说家立局，多前苦而后甘，此书反之。然叙述岛中天然之乐，一花一草，皆涵无怀、葛天时之雨露。又两少无猜，往来游衍于其中，无一语涉及纤亵者。用心之细，用笔之洁，可断其为名家。”“读此书者，当知森彼得之意，不为男女爱情言也；实将发宣其胸中无数之哲理，特借人间至悲至痛之事，以聪明与之抵敌，以理胜数，以道力胜患难，以人胜天，味之实增无穷阅历。”

15 日，章太炎与吴兴（现浙江湖州）汤国梨于上海哈同公园举行婚礼。

22 日，袁世凯发布《尊孔祀孔令》，鼓吹“孔学博大”。1914 年又发布《祭圣告令》，通告全国举行“祀孔典礼”。

清末民初，康有为等人对传统儒学进行了宗教化改革，以使儒家传统适应时代的变化，并冀望借孔教凝聚人心，推动变法运动。康有为等人的倡导引起了士绅阶层的赞同和响应。在民国初年政治腐败、社会混乱、道德失范和信仰危机的情况下，他们把改良政治、挽救中华民族和中国传统文化危亡的事业系于立孔子为教主，立孔教为国教，进行了一系列活动，产生了很大的社会反响，引发了各方面不同的反应以及激烈的论战。1912 年中华民国成立，孙中山任临时大总统，由蔡元培任教育总长的教育部公布了《普遍教育暂行办法》，规定“小学读经科一律废止”。后来，教育部又一再重申“废止读经”的规定。蔡元培认为“忠君与共和政体不合，尊孔与信教自由相违。”“孔子之学术与后世所谓儒教、孔教者当分别论之，嗣后，教育界何以处孔子，及何以处孔教，当特别讨论之。”（蔡元培：《对教育方针之意见》，参见《评孔纪年》第 3 页，山东教育出版社 1985 年版）这些做法遭到了康有为的反对，他哀叹民国成立以后，政府未把孔教定为国教，“经传不立于学官，庙祀不奉于有司，向来民间崇祀孔子，自学政吴培过尊孔子，停禁民间之祀，于是自郡县文庙外，民间无祀孔者。夫民既不敢奉，而国又废之，于是经传道息，俎豆礼废，拜跪不行，衿缨不并绝，则孔子之大道，一旦扫地耗矣，哀哉!”（康有为：《孔教会序》，《孔教会杂志》第 1 卷第 2 号）同年，南京临时政府颁布的《临时约法》规定“人民有信教之自由”。这一规定自然是取之于西方的，并没有立孔教为独尊，却也没有否定孔教。然而由于孔子及儒学在两千年来历史上所具有的“独尊”地位，使许多人接受不了这种现实。因此，在思想文化界掀起了一股重振孔教的思潮。许多孔教人士在山东、上海、北京等地相继成立了“孔道会”、“孔教会”、“孔社”，各地的政要名流更是推波助澜，极力支持。上海“孔教会”影响最大，康有为任会长，陈焕章任总干事，并创办《孔教会杂志》，其宗旨是拜圣读经，昌明孔教。后康有为又创办《不忍》杂志，自任主编，公开鼓吹复辟帝制。后来发表《以孔教为国教配天议》，建议国会将孔教认作国教，并在全国各地孔庙举行每周性的宗教仪式。与此同时，全国各地的孔教人士彼此呼应，发表文章，宣扬“孔教大一统论”，“孔教乃中国之基础论”，“孔子受命立教论”，探讨“论废弃孔教与政局之关系”等，寻求新形势下孔教与社会发展、政治变革的适应性，形成了后来大受挞伐的所谓“尊孔复古”浪潮。对于这股思想逆流，鲁迅曾深刻指出：“从二十世纪的开始以来，孔夫子的运气是很坏的，但到袁世凯时代，都又被从新记得，不但恢复了祭典，还新做了古怪的制服，使奉祀的人们穿起来。跟着这事而出现的便是帝制。”（鲁迅：《在现代中国的孔夫子》，《杂文》月刊第2期，1935年7月）

《公论》（半月刊）在北京创刊，仅见4期，刘小云编辑，发行人为刘晦君。设建言、杂说、时论、人物月旦、介绍名著、谈丛、文艺、小说等栏。

柳亚子赴上海，以《春航集》稿付胡寄尘，并偕访冯春航于其寓所。

七月

12日，李烈钧在江西湖口宣布独立，“二次革命”爆发。15日，黄兴在南京宣布独立，任江苏讨袁军总司令。17日，柏文蔚在安徽宣布独立，任安徽讨袁军总司令。18日，上海、广东分别宣布独立。19日，福建宣布独立。25日，湖南宣布独立。

21日，苏曼殊的《讨袁宣言》发表于上海《民立报》。苏曼殊在文中说：“昔者，希腊独立战争时，英吉利诗人拜伦投身戎行以助之，为诗以励之，复从而吊之曰：Greece！Change thy lords，thy state is still the same；Thy glorious day is o'er，but not thy years of suame……呜呼！衲等临瞻故园，可胜怆恻！自国民创造，独夫袁氏作孽作恶，迄今一年。擅屠操刀，杀人如草；幽、蓟冤魂，无帝可诉。诸等平生，杀人者抵；人讨未申，天殛不逭。况辱国失地，蒙边夷亡；四维不张，奸回充斥。上穷碧落，下极黄泉；新造共和，故不知今真安在也？独夫祸心愈固，天道愈晦；雷霆之威，震震斯发。普国以内，同起伐罪之师。衲等随托身世外，然宗国兴亡，岂无责耶？今直告尔：甘为元凶，不恤兵连祸结，涂炭生灵，即衲等虽以言善习静为怀，亦将起而褫尔之魂！尔谛听之。”

八月

孔教会代表陈焕章、夏曾佑、梁启超、王式通等，上书参众两院，请于宪法中规定孔教为国教。

袁世凯颁布《通令尊孔圣文》。康有为在《不忍》杂志上宣扬孔丘是“中国之教主”，掀起尊孔读经之风。

郑正秋创办新剧团“新民剧社”，继起的有民鸣社、启民社、移风社等。是年，在上海演出的新剧剧团又陆续增多，辛亥革命后的新剧又兴盛于上海，新剧多为家庭剧。三大剧团建立之后，开明社从四川迁回上海，演剧同志会也从湖南迁回上海。从苏曼殊是年发表在上海《生活日报》的《燕影剧谈》中，可见新剧演出的一斑。苏曼殊在文中说：“余羁沪向不观新剧。间尝被校书辈强余赴肇明观《拿破仑》一出，节奏支离，茫无神采；新剧不昌，亦宜然矣。前数年，东京留学者创春柳社，以提倡新剧自命，曾演《黑奴吁天录》、《茶花女遗事》、《新蝶梦》、《血蓑衣》、《生相怜》诸剧，都属幼稚，无甚可观，兼时作粗劣语句，盖多浮躁少年羼入耳。今海上梨园所排新戏，俱漫衍成篇；间有动人之处，亦断章取义而已，于世道人心何补毫末？……沪上闻改良新剧之声久矣；然其所谓社会教育者，果安在耶？迹彼心情，毋必以布景胡装，兼浅学诸生抄自东籍诸新名辞，为改良耳；于导世诱民之本旨何与焉？世衰道微，余实为叹。曩者友人言新民社剧颇能感人，余昨夕病稍脱体，姑往观之。趣剧名《弃旧怜新》，尚多牵强之处。正剧名《张诚》，亦能描摹社会情态……以新民社诸君俱有憨人之至意，相彼昧者，其有昭乎！闻有《恶家庭》一剧，为药风君杰作，余病未能往观；普愿沪上善男善女，莫以新剧尽不合时宜而忽之可耳。”（苏曼殊：《燕影剧谈》，《曼殊全集》第 1 册第 169 ~ 170 页，上海北新书局 1928 年版）

《神州丛报》（月刊）在上海创刊。神州丛报社编辑，神州编译社发行，仅见 2 期。设图绘、言论、漫画、文艺、稗乘、杂俎、报余等栏目。发表小说、散文、旧体诗歌等。

九月

1 日，张勋攻陷南京，“二次革命”失败，孙中山流亡日本。

20 日，上海申报馆刊行《自由杂志》月刊。童爱楼编辑。仅刊出两期便被迫停刊。《申报》创办于 1872 年 4 月，至 1949 年 5 月停业。《自由谈》是该报文学副刊，创始于 1911 年 8 月，也和《申报》相始终。《自由谈》的创办者为王钝根，另有主编陈蝶仙、周瘦鹃等，均属于“礼拜六派”。他们办报时固然遵循报社的商业路线，但身为“报人”，也有自身的政治立场和道德守则。在使报纸副刊发挥现代都市消闲功能的同时，时时切入社会、政治和文化的课题，同民国初期的政坛风云、欧美摩登新潮或市井风尚息息相关。尤其是他们大多接续了晚清改革派的思想底线，对于实现民主立宪的方面仍深怀梦想，所以在连续不断的社会危机中，《自由谈》或直言诛伐，或冷嘲热讽，或明或晦地传达了民意之所向。

29 日，我国近代第一部电影故事片《难夫难妻》（又名《洞房花烛》）上映。该片由郑正秋编剧，张石川、郑正秋两人导演。

徐枕亚的小说《玉梨魂》由民权出版部出版。该作在《民权报》连载时即轰动一时，单行本再版数十次，发行达几十万册之多。吴双热为该书作序，云：“嗟嗟！情种都成眷属，问阿谁如愿以偿？孽冤浪说风流，知几辈同声相应？愧我辈攀登恨海，爱潮随心血俱平；怜君坐困愁城，急泪与情灰共热。怪春风燕鸟，闲窥失意之人；看明月梨花，悄作可怜之色。天涯沦落，举目无亲；客况萧条，只身有影。托幽兰以写恨，可歌可泣；挑咏絮之吟才，且惊且喜。从此春光漏泄，赠来及第之花；诗思蒙茸，抽尽相思之草。快向词场树帜，战娥眉不惜才华；更从香国望尘，印鸿爪都成艳迹。忽陷爱魔之窟，暗暗无光；且登孽债之台，摇摇欲坠。两地多愁多病，不药春心；大家宜笑宜嗔，难为人面。嗟嗟！撮合山功亏一篑，欲罢不能；如意珠价值千金，何修而得？毕竟羞为薄幸，敢始乱终弃之乎？居然强作庄严，期发乎情止乎礼耳。未许文君志夺，调红粉而重整恩情；宁教司马魂销，抚青衫以徒捐涕泪。无可奈何，报知己除非一死；必不得已，续良缘誓以来生。好事销磨，美人憔悴；至于此极，夫复何言！何幸移花接木，了其未了之情；那知云散风流，空作太空之梦。薄命花双枝递萎，可怜虫百足皆僵。尔乃马勒悬崖，不堕英雄之气；鹏搏大野，忽攀定远之风。是七尺奇男，死当为国；作千秋雄鬼，生不还家。岂不壮哉！亦可哀矣。从此玉梨成卅章之史，有心人替雪不平；火枣炙一味之哀，普天下同声一哭。”

周作人评价该书时说：“近时流行的《玉梨魂》虽文章很是肉麻，为鸳鸯蝴蝶派小说的祖师，所记的事，却可算是一个问题。”（周作人：《中国小说里的男女问题》，《每周评论》第7号，1919年2月）

沈雁冰考入北京大学预科。1916年毕业后进上海商务印书馆编译所任职，从此开始他的文学生涯。

老舍考入免费供给膳宿、制服、书籍的北京师范学校。时年15岁。

十月

1日，林纾的长篇小说《剑腥录》由都门印书馆出版，署名“冷红生”。1923年12月商务印书馆出版该书时，易名为《京华碧血录》。在《序》中，林纾说：“嗟夫！桃花插扇，云亭自写风怀；桂林陨霜，藏园兼贻史料。作者之意，其在斯乎？虽然阎浮世界，固有种民；而摩诘因缘，但归法喜。终以荼毗一炬，脱众生于三劫之论；从兹面壁十年，求样本作无缝之塔。”（畏庐［林纾］：《〈剑腥录〉序》，《平报》1913年5月25—26日。）

6日，袁世凯威逼国会选其为正式总统。

15日，作为对尊孔读经逆流的无声抗议，鲁迅开始校对《嵇康集》，用明丛书堂刊本校勘《全三国文》刊本。20日，校对完成，作短跋。

21日，袁世凯部下、安徽都督倪嗣冲发出通缉令，捉拿革命党人，陈独秀名列第一批20人“要犯”之首。后陈独秀逃往上海。在上海，陈独秀本拟闭户读书，以编辑为生，但书业销路不景气。故陈独秀为日后谋生之计，曾写信给远在日本的章士钊求教。

新剧团体“启民社”成立，由孙玉声主持，演出《钗光剑影》、《薄幸郎》、《恶嫂嫂》、《爱之害》、《启民钟》、《女丈夫》、《阿珍》等家庭戏。

《法政学报》（月刊）在北京创刊、出版。由北京法政同志研究会主办。名誉社长梁启超，经理王郁骏（仲公），编辑蒯晋德（旭人），发行朱颐年（隰苓）。分设社论、选论、译论、评林、法令、公度、中外大事记、文苑、谈丛、小说、附录等栏目，其中文学类内容占全刊1/4。发表小说、诗词等。停刊时间不详，所见1卷共3期，2卷共10期。

十一月

4日，袁世凯下令解散国民党，并收缴国民党议员证书。

5日，袁世凯与沙俄签订《中俄声明》，承认外蒙自治权和沙俄在外蒙的特权。

15 日，林纾的《践卓翁小说》第一辑由北京都门印书局出版，自署践卓翁。该书序文作于是年 10 月。在该文中，林纾说："翁年六十以外，万事皆视若传舍。幸自少至老，不曾为官，自谓无益于民国，而亦未尝于有害。屏居穷巷，日以卖文为生。然不喜论政，故着意为小说。"而晦涩难读、文笔奇古的作品尤为林纾所推崇，他说："计小说一道，自唐迨宋，百家辈出，而翁特重唐之段柯古。柯古为文昌子，文笔奇古，乃过其父，浅学者几不能句读其书，斯诚小说之翘楚矣。宋人如江邻几，为欧公所赏识者，其书乃似古而非古，胶沓绵覆，不审何以有名于时。"此外，林纾对于小说的纪实性也颇为看重。他说："盖小说一道，虽别于史传，然间有纪实之作，转可备史家之采摭。如段氏之《玉格》、《天咫》，唐书多有取者。余伏匿穷巷，即有闻见，或且出诸传讹，然皆笔而藏之。能否中于史官，则不敢知。然畅所欲言，亦足为敝帚之飨。"

25 日，王笠民等在上海创办《歌场新月》月刊，歌场新月社编辑，民友社发行。停刊期未详。该刊专门登载戏剧评论及剧本。

曾朴译嚣俄（雨果）著《九十三年》；由上海有正书局出版。该书是曾朴应狄平子之约而译，曾连载于《时报》。译者署名"东亚病夫"。在书中所附评语中，曾朴说："嚣俄著书，从不空作，一部书有一部书的大主意。主意都为着世界。如《钟偻［楼］守》为宗教，《噫无情》为法律，《海国劳人记》（即《小说时报》所载《噫无情》）为生活，《笑面人》为阶级。然则《九十三年》何为？曰'为人道'。《九十三年》千言万语，其实只写得一句话曰'不失其赤子之心'。人说《九十三年》是纪事文，我说《九十三年》是无韵诗。何以故？以处处都用比兴故。只看卷一第五、六章叙炮祸，卷四第一、二章述三童戏嬉，意何所指，不要被作者瞒过。《百科全书》评《九十三年》，谓之诗体之散文，是搔着痒处语。无宗教思想者，不能读我《九十三年》；无政治智识者，不欲读我《九十三年》；无文学观念者，直不敢读我《九十三年》。盖作者固大文学家，而实亦宗教家、政治家也。《九十三年》，当头棒也，当代伟人，不可不读。《九十三年》，亦导火线也，未来英雄，尤不可不读。译者识。"

焦木（恽铁樵）著《工人小史》载于《小说月报》第 4 卷第 7 号。

《游戏杂志》（月刊）创刊，由王钝根、天虚我生（陈蝶仙）主编，中国书局发行。内容分为滑稽文、诗词曲、译林、谈丛、剧谈、说部、传奇等。1915 年 6 月停刊，共出 19 期。主要撰稿人有瘦鹃、剑秋、天虚我生、钝根。《游戏杂志》第一期有《序》，其《序》云："祖德宗功，上下五千年，其肇造之初，不过游戏之偶而已。由是言之，游戏岂细微事哉。故游戏不独其理极玄，而其功亦伟。""故本杂志搜集众长，独标一格，冀藉淳于微讽，呼醒当世。故此虽名署游戏，岂得以游戏目之哉。且今日之所谓文字游戏，他日进为规人之必要，亦未可知也。"

周作人撰《童话略论》，载《绍兴县教育会月刊》第 2 号。文章就童话的起源、分类、解释、变迁、评薮、人为童话等各方面对童话进行描述。

周作人在绪言中说："儿童教育与童话之关系，近已少少有人论及，顾不揣其本而齐其末，鲜有不误者。童话研究当以民俗学为据，探讨其本原，更益以儿童学，以定其应用之范围，乃为得之。聊举所知，以与留意斯事者一商兑焉。"

在周作人看来，童话的起源与神话较为接近："童话（Marchen）本质与神话（Mythos）、世说（Saga）实为一体。上古之时，宗教初萌，民皆拜物，其教以为天下万物各有生气，故天神地祇，物魅人鬼，皆有定作，不异生人。本其时之信仰，演为故事，而神话兴焉。其次亦述神人之事，为众所信，但尊而不威，敬而不畏者，则为世说。童话者，与此同物，但意主传奇，其时代人地皆无定名，以供娱乐为主，是其区别。盖约言之，神话者原人之宗教，世说者其历史，而童话则其文学也。"在神话的分类中，周作人认为"童话大要可分为二部：（一）纯正童话，即从世说出者，中分二类。甲代表思想者。乙代表习俗者。（二）游戏童话，非出于世说，但以娱悦为用者，中分三类。甲动物谈。乙笑话。丙复叠故事。"对于童话的解释，周作人则比较认同英国的安特路朗的看法，他说："英有安特路朗（Andrew lang）始以人类学法治比较神话学，于是世说童话乃得真解。其意以为今人读童话不能解其意，然考其源流来自上古，又傍征蛮地，则土人传说亦有类似，可知童话本意今人虽不能知，而古人知之，文明人虽不能知，而野人知之，今考野人宗教礼俗，率与其有世说童话中事迹两相吻合，故知童话解释不难于人类学中求而得之，盖举凡神话世说以至童话，皆不外于用以表见原人之思想与其习俗者也。"因此，在谈到童话的变迁时，周作人说："故童话者，本于原始宗教以及相关之习俗以成，故时代既遥，亦因自然生诸变化，如放逸之思想，怪恶之习俗，或凶残丑恶之事实，与当代人心相抵触者，自就删汰，以成新式。今之以童话教儿童者，多取材于传说，述而不作，但删繁去秽，期合于用，即本此意，贤于率意造作者远矣。"周作人认为童话主要应用于儿童教育方面。对于童话的评论标准，"民族童话大抵优劣杂出，不尽合于教育之用，当抉择取之。今举其应具之点，约有数端：（一）优美。（二）新奇。（三）单纯。（四）匀齐。"从此标准出发，周作人特别推崇安徒生的童话创作，他说："天然童话亦称民族童话，其对则有人为童话，亦言艺术童话也。天然童话者，自然而成，具种之特色。人为童话则由文人著作，具其个人之特色，适于年长之儿童，故各国多有之。但著作童话，其事甚难，非熟通儿童心理者不能试，非自具儿童心理者不能善也。今欧土人为童话唯丹麦安徒生（Anderson）为最工，即因其天性自然，行年七十，不改童心，故能如此，自郐以下皆无讥矣。"

在文末，周作人总结道："上来所述，已略明童话之性质，及应用于儿童教育之要点，今总括之，则治教育童话，一当证诸民俗学，否则不能成为童话，二当证诸儿童学，否则不合于教育，且欲治教育童话者，不可不自纯粹童话入手，此所以于起源及解释不可不三致意，以求其初步不误者也。"

康有为被拥为孔教会会长，袁世凯再次下令尊孔。

十二月

1日，《新社会日报》创刊，日出横六开四版一张，单面印刷。设有社说、戏谈、小说等栏。内容以戏剧评论与花事为主。仅见数张，停刊时间不详。

综合性学术刊物《雅言》在上海创办。章太炎弟子康宝忠主编，上海古文社发行。

内容分为论说、纪事、文艺、杂录等栏。章太炎的诗文经常在此发表，有针对康有为所办《不忍》月刊之意。第一期就有章太炎的《驳建立空交易》、《木喜赋》和《章太炎先生最近诗》。主要撰稿人有刘师培、剑心、张靖、黄侃等。1915 年2 月停刊，共出12 期。

胡寄尘编《香艳小品》月刊，为鸳鸯蝴蝶派刊物，同时编不定期刊《香艳集》，仅出两集，广益书局发行。内容分说部、文坛、诗苑、词林、纪事、杂著等类。

1914 年

一月

1 日，《中华小说界》（月刊）在上海创刊。32 开本，中华书局印行。共出版3 卷6 期30 册。1916 年6 月停刊。主编为沈瓶庵。主要撰稿者有许指严、包天笑、周瘦鹃、刘半农、徐枕亚、林纾、徐卓呆、天虚我生、泪囚等。设画苑、短篇、长篇、笔记、新剧、文苑、名著、传奇、国闻、谈丛、谈瀛、谈荟、武库、邮乘、艺术史、美术史、杂录、来稿俱乐部等栏目。该刊主要发表的是言情、滑稽、警世、侦探、义侠类小说。曾刊载过梁启超的《告小说家》，周作人的《艺文杂话》，钱基博的轶事小说《克宝桥》，叶灵凤的《顽童日记》、《愚民术》、《艺文杂记》等。《中华小说界》停刊后，又曾续出《中华新小说界》，不数期即停。

在《中华小说界》的“发刊词”中，主编沈瓶庵（署名“瓶庵”）以问答形式，概述了小说的进步作用，他说：“《中华小说界》第一期，编辑既成，校印方毕，客有造予而问者曰：‘方今国家多故，外患日逼，民穷财尽，岌岌不可终日。而子乃研墨调朱，糜宝贵之光阴，损有用之精力，嘶嘶孳孳，日从事于小说，毋乃急其所缓，而缓其所急，是亦不可以已乎？’予曰：‘……夫蒙叟成书，半是寓言之体；虞初著目，始垂小说之名。厥后五总发函，《十洲》作纪，《搜神志怪》，流衍遂繁。顾言不齿于缙绅，名不列于四部，斥同鸩毒，视等俳优。下笔误征，每贻讥于博雅；背人偷阅，辄见责于明师。凡诸滑稽游戏之谈，绳以诲盗诱淫之罪。洎于甇近，西籍东输，海内文豪，从事译述，遂乃绍介新著，裨贩短章，小说一科，顿辟异境。然而言情、侦探，花样日新；科学、哲理，骨董罗列。一编假我，半日偷闲；无非瓜架豆棚，供野老闲谈之料，茶余酒后，备个人消遣之资。聊寄闲情，无关宏旨。此由吾国人士，积习相沿，未明小说之体裁，遂致失小说之效用也。夫荟萃旧闻，羽翼正史，运一家之杼轴，割前古之膏腴：则小说者，可称之曰已过世界之陈列所。影拓都之现状，笔代然犀，贡殊域之隐情，文成集锦；支渠兼纳，硅步不遗：则小说者，可称之曰现在世界之调查录。地心海底，涌奇境于灵台，磁电声光，寄遐想于哲理；精华宣泄知末日之必届，文物发展，冀瀛海之大同：则小说者，可称之曰未来世界之实验品。包括三界，奄有众长，聚鬼谈而不嫌，食仙字而自喜。诙谐嘲讽，本乎自然；熏、刺、浸、提……极其能事：以言效用，伟矣多矣。兹编之作，尤抱有三大主义，以贡献于社会：一曰作个人之志气也。小说界于教育中为特别队，于文学中为娱乐品。促文明之增进，深性情之戟刺……一曰祛社会之习染也。穿耳缠足，有妨体育；迎神赛会，浪掷金钱；谈星相则妄邀天幸，虐奴婢则惨无人理；尔虞我诈，信誓皆虚；积垢从污，卫生不讲：凡兹恶点，相习成风。《小说界》以罕譬曲喻之文，作默化潜移之具，冀以挽回末俗，输荡新机。一曰救说部之流弊也。凡事不能有利而无害。自说部发达，其势力遍于社会……极其所至，狭邪倾心接席……模仿泰西形式，花冠雪服，结婚竟可自由；崇拜虚无党员，炸弹手枪，广座居然暗杀……艳情本以警世，而恋爱益深；神怪本属寓言，而迷信增剧。《小说界》务循正轨，取鉴前车，力矫往昔之非，稍尽一分之责。虽然，见仁见知，视乎其人；为毁为誉，期于定论；亦何敢妄自夸诞，见诮于大方哉？’客称善而退。爰笔其说，以志简端。”

15日，《正谊》月刊创刊，谷钟秀主编。译载大仲马的《侠骨忠魂》（即《三个火枪手》）等作品。1915年6月停刊。

章太炎被袁世凯软禁于北京龙泉寺。1916年6月获释。

周作人撰《小说与社会》（署名启明），载《绍兴教育会月刊》第5号。

该文借助中西小说异同之比较，阐述了改良中国小说的愿望。周作人在文章中认为：“世界小说皆起源于诗歌。上古之时，文字未兴，故艺文草创，诗先于文，以其节句调整，取整记诵。其最古者为史诗，综其国之神话。世说古英雄事迹编为歌吟，随歌人之踪，流行遍于国中，此实小说之祖也。及后，几经变迁，乃有散文、小说，复渐以进化，其范围亦转隘，由普遍而为单一，由通俗而化正雅。著作之的，不依社会之嗜好之所在，而以个人艺术之趣味为准，故近世小说，不复尽人可解，而凡众之所赏，又于文史为无值。人知不齐，上下殊绝，正无可如何，抑亦谓非进化之惠，益不可也。”而“中国小说，其源流乃无可考。”周作人认为，“《诗经》中《国风》正犹他国之民歌，而不闻有史诗，即神人传说亦复稀有，则小说之萌芽且尽焉。”“唐时所作小说，多述鬼神儿女事，审其趣向，颇近西方小说，而目为一变，顾与近世说部，如元明以来章回体小说，犹大有径庭，不可骤相联结。元时，说部忽起，其体例文词，皆前此所未有推测源流，当在异地，非中国文学之产物也。”在简略考证了中国小说的流变后，周作人概括道：“西方小说已多历更革，进于醇文。而中国则犹在元始时代，仍犹市井平话，以凡众知识为标准，故其书多芜秽。盖社会之中不肖者，恒多于贤，使务为悦俗，以一般趣味为主，则自降而愈下。流弊所至，有不可免者，因以害及人心，斯亦其所也。或欲利用其力，以辅益群治，虑其效，亦未可期。盖欲改革人心，指教以道德，不若陶熔其性情。文学之益，即在于此。第通俗小说缺陷至多，未能尽其能事。往昔之作存之，足备研究。若在方来，当别辟道涂，以雅正为归，易俗语而为文言，勿复执著社会，使艺术之境萧然独立。斯则其文虽离社会，而有益于人间甚多。浅鲜此为言，改良小说者所宜知者也。”

二月

5日，鲁迅为好友许寿裳的长子许世瑛“开蒙”。许寿裳说：“吾越乡风，儿子上学，必定替他选一位品学兼优的做开蒙先生，给他认方坊字，把笔写字，并在教本面上替他写姓名，希望他能够得到这位老师品学的熏陶和传授。一九一四年，我的儿子

世瑛年五岁，我便替他买了《文字蒙求》，敦请鲁迅做开蒙先生。鲁迅只给他认识二个方块字：一个是‘天’字，一个是‘人’字，和在书面上写了‘许世瑛’三个字。我们想一想，这天人两个字的含义实在广大的很，举凡一切现象（自然和人文），一切道德（天道和人道）都包括无遗了。”（许寿裳：《亡友鲁迅印象记·和我的友谊》，转引自鲁迅博物馆、鲁迅研究室编：《鲁迅年谱》增订本第 312 页，人民文学出版社 1981 年版）

李涵秋的小说《广陵潮》在上海的《大共和日报》《神州日报》连载，80 回，原名《过渡镜》。

吴双热的小说《孽冤镜》由上海民权出版部出版。

在《自序》中，吴双热表达了对现代自由婚姻的肯定，他说：“嗟乎！《孽冤镜》胡为乎作哉？予无他，欲普救普天下之多情儿女耳；欲为普天下之多情儿女，向其父母之前乞怜请命耳；欲鼓吹真确的自由结婚，从而淘汰情世界种种之痛苦，消释男女间种种之罪恶耳。孟子曰：‘不从父母之命，媒妁之言，钻穴隙相窥，窬墙相从，则父母国人皆贱之。’此数语，界说未清也。后之人未尝清其界说，而遽丑诋今日之自由婚，真笨伯矣。”……“以故婚嫁问题，万不可从父母之命，媒妁之言。盖父母眼底，惟知富贵耳；媒妁口头，无非造谎耳。”“由于结婚不自由，夫妇双方不能满意，却又不能制欲，于是而奸淫之风盛矣。其能制欲者，则女为怨女，夫为旷夫，于是而伦常之乐亡矣。奸淫之风盛，而种种之罪恶以胎；伦常之乐亡，而种种之痛苦以朕。欲矫其弊，非自由结婚不可。自由婚之真谛，须根乎道德，依乎规则，乐而不淫，发乎情而止乎义。”吴双热最后说：“愿普天下为人父母者，对于子女之婚嫁，打消‘富贵’两字，打消‘专制’两字……则情世界中，顿造无量幸福，当无复有王可青、薛环娘如是等等之情鬼矣。”徐枕亚在《孽冤镜》序中说：“吴子双热，鬼才也。为人豪放而善滑稽，似趋于乐观一派者。顾其谈吐与文章，乃不相符，长于言情，必极其哀。吾与之相交最谂，而知其人盖伤心人也，能以至情发为妙文以赚人眼泪者也……吾知是书一出，阅者必尽移其哭兰娘之泪而哭环娘也。”

三月

周恩来与常策欧、张瑞峰共同发起成立“敬业乐群会”，发表《〈敬业〉创刊词》。该会是一个团结青年学习文化科学，探求救国真理和从事文艺活动，以挽救祖国“积弱不振”、“外侮日逼”形势的青年团体。

《章太炎文抄》五册出版，署名静庵编辑，上海中国图书馆石印本。

四月

25 日，《民权素》在上海创刊。初为季刊，自 1915 年 5 月 15 日出版的第 6 集起，改为月刊。每月 15 日出版。该刊前身为《民权报》，因触犯袁世凯而被禁售，于是另设“民权出版部”，出版《民权素》。由《民权报》副刊编辑刘铁冷、蒋箸超编纂；第 2 集起改由蒋箸超编辑。前数期材料，大都取诸《民权报》，自第 4 集开始征求新稿。

共出17集，每集约200页，24开本。1916年4月15日终刊。

《民权素》反映资产阶级革命党激进派的观点，以反袁坚决、言论激烈而闻名于世。该刊内容分名著、艺林、游记、诗话、说海、谈丛、瀛闻、剧趣、碎玉等栏。作品多文言体，多创作。撰稿人除原《民权报》的编辑外，尚有康有为、唐才常、章太炎、邹容、戴天仇、于右任、柳亚子、杨了公、刘申叔、王壬秋、林琴南、孙仲容、钱基博、苏曼殊、周瘦鹃等。该刊重点栏目为“说海”，多刊登鸳鸯蝴蝶派作品。曾因连载徐枕亚的《玉梨魂》而风靡一时，被认为是鸳鸯蝴蝶派的发祥地，成为鸳鸯蝴蝶派早期主要刊物之一。在该刊发表的长篇小说还有权予的《铁血鸳鸯记》，倏然的《双鸯冢》，碧痕的《桃花泪》，杨南村的《红冰碧血录》，蒋箸超的《白骨散》、《满腹干戈》，芙岑的《茉莉花》，吴双热的《女儿红》、《花开花落》、《冬烘先生》，秋心的《梅仙外传》，徐枕亚的《屈贞女》，悟痴的《刺马记》，天醉的《莽和尚之姊》，周瘦鹃翻译的《万里飞鸿记》等。滑稽短篇小说《家天下》和《敬瘟神》，则是讽刺袁世凯及其政权的，嬉笑怒骂，入木三分。“诗话”栏中，苏曼殊的《燕子龛诗话》，陈匪石的《旧时月色斋词谭》，曾连载若干集。“艺林”栏中，有康有为、章太炎、严几道、樊山、梦秋、君木、晦闻等诗词。“谈丛”栏中，有南村的《呵冻小记》，《寻花日记》，肝岩的《琴心剑气楼忆墨》等。“碎玉”栏中，有惨佛的《醉余随笔》，逸梅的《慧心集》，天醉的《玩世语》，箸超的《敝庐谈屑》、《过瘾》，藜青的《心》，志渭的《敢问》等。

袁世凯公布“报纸条例”，规定各种报纸，应于发行日递送警察官署存查；凡涉及“淆乱政体”，“妨害治安”等项，一律不准登载，违者重惩。

《中华杂志》（半月刊）在北京创刊，丁佛言主编，由中华杂志社发行，1915年1月停刊。

《浙江兵事杂志》（月刊）在杭州创刊、出版。林之夏、厉家福等主持。浙江军事编辑处编辑。约1926年4月停刊，共出144期。设图画、论说、学术、战史、别录、诗词、小说、杂俎等栏目。文学内容占全刊1/4，尤其突出军事小说。

上海六大文明新戏剧团新民社（主持人郑正秋）、名鸣社（主持人张石川等）、开明社、文明社、春柳社（陆镜若负责）组成新剧公会，联合公演，获得了很高的盈利。由于和政治紧密联系的早期话剧在辛亥革命失败后陷入低谷，故此次话剧的繁荣被称之为“甲寅中兴”。以上海为中心，以“职业化”与“商业化”为主要特色的职业剧团在一年之内即成立了数十个。此次“中兴”是以演出家庭戏为主的，欧阳予倩认为，“家庭剧”的演出，“创造出许多鲜明的人物形象”：“中上家庭的老爷、太太、姨太太、少爷、少奶奶、丫头、男女佣人；妓女，流氓，巡捕；买办、商人、摊贩、城市贫民——卖花的、倒马桶的、扫街的；三教九流人物——和尚、导师、医生、卜卦算命的、三姑六婆；男女学生、私塾的先生等等”，这“就把新剧从只注重言论的类似活报式化装演讲式的表演，引到了反映日常生活，刻画人物，这是一个进步。这样就把新剧作为一个新型的剧种肯定下来了”。（欧阳予倩：《谈文明戏》，《中国话剧运动50年史料集》1辑第81、82页，中国戏剧出版社1985年版）

五月

1 日，鸳鸯蝴蝶派刊物《小说丛报》（月刊）在上海创刊。16 开本。第一年出 12 期，第二年 10 期，第三年 12 期，第四年 6 本 9 期，共计 45 册（其中增刊 2 册）。1919 年 5 月终刊。共 44 期。创刊时由国华书局发行。第 2 期起改由小说丛报社自行发行。该刊系由刘铁冷等原《民权报》编辑人员合资创办的，是当时鸳鸯蝴蝶派影响较大的刊物之一，被称为鸳鸯蝴蝶派的大本营。经理兼编译员署名水心。编辑主任第一、二年署名徐枕亚，第三年起署名吴双热、徐枕亚。主要撰稿人有徐枕亚、李定夷（兼诗词）、吴双热、刘铁冷（兼笔记、杂谈）、沈东纳、倪灏森、徐啸天等；补白则由警众、逸梅、慕韩等执笔。内容有图画、长篇小说、短篇小说、文苑、译丛、谐林、笔记、传奇、弹词、新剧、余兴等。其中，小说占主要部分，小说分言情小说、社会小说、历史小说、侠义小说、滑稽小说、侦探小说等。第三年起，栏目名称又换成小说海、翰墨林、海客谈、记事珠、香艳集、莲花舌、歌舞台、碎锦坊等。该刊发表的作品，以言情小说即描写才子佳人的哀情小说为主。主要有定夷的《潘郎怨》，双热的《燕语》、《断肠花》，杨南村的《翡翠芙蓉》，箸超的《琵琶泪》，鸳雏的《桃李姻缘》、《玉楼珠网》，独鹤的《小说迷》，绮缘的《冷红日记》，逸如的《剩水残山录》，枕亚的《刻骨相思记》、《棒打鸳鸯录》、《雪鸿泪史》等。

徐枕亚在《小说丛报》《发刊词》中说："嗟嗟！江山献媚，狮梦重酣，笔墨劳形，蚕丝自绕。冷雨凄风之夜，鬼唱新声。落花飞絮之天，人温旧泪。如意事何来八九，春梦无痕。伤心人还有二三，劫灰共话。多难平生，难得又逢海上。不详名字，何妨再落人间。马生太贱，他日应无买骨之人。豹死诚甘，此时且作留皮之计。此小说丛报所由刊也。"而在谈到小说的功用时，徐文集中表达了鸳鸯蝴蝶派小说以游戏、消遣至上的文学主张："原夫小说者，俳优下技，难言惊世文章；茶酒余闲，只供清谈资料。滑稽讽刺，徒托寓言；说鬼谈神，更滋迷信。人家儿女，何劳替诉相思；海国春秋，毕竟干卿底事？至若诗篇透赠，寄美人香草之思；剧本翻新，学依样葫芦之画。嬉笑成文，莲开舌底；见闻随录，珠散盘中。凡兹入选篇章，尽是蹈虚文字。吾辈佯狂自喜，本非热心励志之徒；兹编错杂纷陈，难免游手好闲之诮。天胡此醉，斯人竟负苍生；客到穷愁，知己惟留斑管。有口不谈家国，任他鹦鹉前头；寄情只在风花，寻我蠹鱼生活。"

1 日，《雪鸿泪史》在《小说丛报》第 1 ~ 18 期（1914. 5. 1—1916. 1. 10）上连载。上海清华书局 1916 年 1 月 1 日出版，台湾文光图书公司 1978 年 3 月订正出版。该作托言为《玉梨魂》主角何梦霞的日记，共 14 章。徐枕亚评校。

1 日，《新剧杂志》（双月刊）在上海创刊。发行人张蚀川，编辑人为夏秋风。出 2 期。由新剧杂志社编辑发行。内容多为戏剧评论。

10 日，《甲寅杂志》在上海发行。政论性刊物，月刊。该刊由章士钊在日本东京创办，旨在宣传民主、共和思想。秋桐（章士钊）主编。创刊号宣布该刊"以条陈时弊朴实说理为宗旨"。初为月刊，自 5 期起迁至上海出版，后在北京续出《甲寅周刊》，卷期另起，从 37 期起改在天津出版。1927 年 2 月停刊。共出 45 期。该刊内容分为时评、论评、通信、文艺诸栏，以条陈时弊，朴实说理为宗旨，同时也宣传封建复古思想，反对新文化运动。发表的政论文较多，代表了民初政论文发展的一个方面。初期的月刊具有进步性，陈独秀、李大钊、胡适等曾为其撰稿。周刊则多宣传封建复古思想，反对新文化和新文学，为当时的执政段祺瑞张目。还登载政府公文，被鲁迅讥为“自己广告性的半官报”。（参见陆耀东、孙党伯、唐达晖主编：《中国现代文学大辞典》第437页，高等教育出版社1998年版）

袁世凯废除《临时约法》，公布《中华民国约法》。

章士钊的《读严几道民约平议》一文发表在《甲寅杂志》第1期第1号上。该文系章士钊为回答严复的《民约平议》一文而作。

胡适在《五十年来中国之文学》中评介章士钊的政论文时说：“自一九〇五年，这十年是政论文章的发达时期。这一个时代的代表作家是章士钊。章士钊曾著有一部中国文法书，又曾研究伦理学；他的文章的长处在于文法谨严，论理充足。他从桐城派出来，又受了严复的影响不少；他又很崇拜他家太炎，大概也逃不了他的影响。他的文章有章炳麟的谨严与修饰，而没有他的古辟；条理可比梁启超，而没有他的堆砌。他的文章与严复最接近；但他自己能译西洋政论家、法理学家的书，故不须模仿严复。严复还是用古文译书，章士钊就有点倾向‘欧化’的古文了；但他的欧化，只在把古文变精密了，变繁复了；使古文能勉强直接译西洋书，而不消用原意来重做古文；使古文能曲折达繁复的思想而不必用生吞活剥的外国文法。”（胡适：《胡适文存》二集卷二，亚东图书馆1924年版）

《民国》（月刊）在日本东京创刊、出版。民国社发行，编辑兼发行人东辟（即居正）。分设论说、译述、文艺、中外大事记、杂著等栏目。全刊侧重政论、诗词、笔记。约于同年12月停刊，共见6期。

《消闲钟》（半月刊）于上海创刊，至1915年3月停刊，共出3卷，各12期。李定夷主编，国华书局发行。设说部、志林、谐乘、杂俎四类。

李定夷在《消闲钟》第1集第1期《〈消闲钟〉发刊词》中说：“嗟嗟！南部烟花，余香犹在，东山丝竹，真相荡然，花国徵歌，何如文酒行乐？梨园顾曲，不若琴书养和。仗我片言，集来尺幅，博人一噱，化去千愁。此消闲钟之所由刊也。或述齐语，或译夷文，或拟毛颖母传，或属游仙说鬼辞。大则鲲化鹏搏，小则螟巢蛮国。巧则承蜩贯虱，怪则煮鹤屠龙。以东坡嘻笑，当曼倩诙谐。以匡鼎解颐，代丰干饶舌。世上非想非非想，作如是观。人家上乘上上乘，得未曾有。气象万千，不必苛求实事。寓言八九，只须省除浮文。一字贬扬，尽凭如椽之笔。五花错杂，敢说不朽之编。作者志在劝惩，请自伊始。诸君心存游戏，盍从吾游。发刊日，是为词。”（转引自芮和师、范伯群、郑学弢、徐斯年、袁沧洲编：《鸳鸯蝴蝶派文学资料》（上、下册）第6～7页，福建人民出版社1984年版）

苏曼殊的小说《天涯红泪记》发表于《国民杂志》，署名“三郎”。同月，苏曼殊删订的《燕子龛随笔》重新刊行。

六月

6 日，《礼拜六》在上海创刊。王钝根、孙剑秋编辑，中华图书馆发行，1916 年 4 月 29 日出版第 100 期后停刊。1921 年 3 月 19 日复刊，周瘦鹃、王钝根编辑。1923 年 4 月停刊，共出 200 期。同年改由礼拜六报馆编辑、出版，期数另起。1937 年 8 月出至第 703 期停刊。1945 年 10 月复刊，期数又另起（复刊第一期即总期号第 704 期）。1948 年 7 月出至复刊第 135 期终刊。前后共出 1038 期。由王钝根执笔的《礼拜六 · 出版赘言》说："买笑耗金钱，觅醉碍卫生，顾曲苦喧嚣，不若读小说之省俭而安乐也。且买笑、觅醉、顾曲，其为乐转瞬即逝，不能继续以至明日也。读小说则以小银元一枚，换得新奇小说数十篇，游倦归斋，挑灯展卷，或与良友抵掌评论，或伴爱妻并肩互读，意兴稍阑，则以其余留于明日读之。晴曦照窗，花香入坐，一编在手，万虑都忘，劳瘁一周，安闲此日，不亦快哉"。"故人有不爱买笑，不爱觅醉，不爱顾曲，而未有不爱读小说者。况小说之轻便有趣如《礼拜六》者乎？《礼拜六》名作如林，皆承诸小说家之惠。诸小说家夙负盛名于社会，《礼拜六》之风行，可操券也。"（转引自芮和师、范伯群、郑学弢、徐斯年、袁沧洲编：《鸳鸯蝴蝶派文学资料》（上、下册）第 628 页，福建人民出版社 1984 年版）

周瘦鹃后来说："我年青时和《礼拜六》有血肉不可分开的关系，是个十十足足、不折不扣的'礼拜六'派。""《礼拜六》虽不曾高谈革命，但也并没有把诲淫诲盗的作品来毒害读者。""至于鸳鸯蝴蝶派和写四六句的骈俪文章的，那是以《玉梨魂》出名的徐枕亚的一派，当然，在二百期《礼拜六》中，未始捉不出几对鸳鸯几对蝴蝶来，但还不至于满天乱飞，遍地皆是吧？"（周瘦鹃：《花前新记 · 闲话礼拜六》，转引自杨义：《中国现代小说史》第 1 卷第 49 页，人民文学出版社 1986 年版）

10 日，徐枕亚的《侠僧》发表于《小说丛报》第 2 期。

17 日，胡适从美国康乃尔大学毕业，得文学学士学位。

19 日，《春申艺报》创刊于上海。日出六开八版一张。创办人及主编章痴魂、赵心养。停刊日期不详。载有小说、戏剧、评论、杂文、笑话、时事、随笔等等。

29 日，《戏剧新闻》报创刊于北京。戏剧新闻社出版。创办人尊匏、警民。编辑主任陈优优曾任北京《民宪日报》社剧评员，在剧界甚有影响。设有剧评、传记、谈薮、小评、余兴、纪事栏。

《黄花旬报》在上海创刊，徐天啸、吴双热、徐枕亚编辑。内容分社论、记载、说海、艺林、风月谈、庄谐录 6 栏。黄花旬报社发行。停刊日期不详。

《国学丛刊》在北京创刊，仅见一期。清华国学研究会刊行。系清华大学学生创办的文史刊物。是年王国维 38 岁，受罗振玉之托，负责编辑《国学丛刊》。

《文艺杂志》在上海创刊，松江雷瑨（君曜）主编，内容以诗词为主，兼及杂文，论评中国古典长篇小说等。由文艺杂志社发行。

《夏星》在上海创刊、出版。夏星杂志社编辑及发行。仅见 2 期。分设言论、法令部、纪事部、专件部、学艺部、杂录部栏。学艺部约占全刊的 1/3。下设学说、史料、文谈、词选、诗话、词话、笔记、小说类目。

叶匋（圣陶）的短篇小说《穷愁》在《礼拜六》周刊发表。

七月

4 日，周瘦鹃的小说《真假爱情》在《礼拜六》第 5、6 期上连载。

8 日，孙中山在东京召集部分国民党激进派，另组中华革命党。

孙中山在中华革命党成立大会上公布宣言，“以扫除专制政治，建设完全民国为目的”，力主武装讨袁。

12 日，《五铜圆》（周刊）在上海创刊，同年 12 月停刊。吴双热等编辑，五铜圆周刊社（即小说丛报社）发行。设有“或曰放焉”、“说苑新声”、“阿要热昏”、“骚坛倒运”、“鸡零狗碎”5 栏，5 铜元 1 册，故为刊名。

《娱闲录》（半月刊）在成都创刊，为《四川公报》的增刊，由昌福公司印刷并代发行。停刊时间不详，今见 1 ~24 期，第二卷 1 ~3 号。内容有小说、诗词、剧本、杂俎等。

《学生杂志》（月刊）在上海创刊出版。学生杂志社编辑，商务印书馆发行。原名为《学生月刊》，在上海出版，自 1920 年改用本名。18 卷 11 期 1931 年 11 月后曾停刊，1938 年 12 月在香港复刊，卷期续前。21 卷 11 期 1941 年 11 月后又停刊，1944 年 12 月在重庆复刊，卷期续前，1946 年迁至上海出版。第 1 卷出 6 期。1947 年 8 月停刊。共出 24 卷。

《国学》在日本东京创刊，仅见一期。国学扶危社发行，吕学沅主编。分设学篇、文衡、杂笔、诗辞、社诗、拾遗、谐隐、记录等栏。

郭沫若得长兄资助，东渡日本留学，并考入东京第一高等学校预科。

郁达夫考入东京第一高等学校预科，并获得官费生资格。初读一部（文科），后遵兄意转入三部（医科）。与郭沫若结识，成为好友。

陈独秀到日本，进东京的雅典娜法语学校学习法文，同时帮助章士钊编辑《甲寅杂志》。

李定夷著《賈玉怨》出单行本，初在《民权素》上发表。全书三十回，为哀情小说。

王国维撰《人间词话稿》，载《夏星杂志》第 2 期。

八月

欧洲第一次世界大战爆发，中国宣布中立。

15 日，清华学校男生 100 名，女生 10 名，以及自费男女生若干人，乘船赴美留学。从本年起，清华每隔 1 年选派 10 名女生赴美留学。

16 日，严独鹤改革新闻报馆原有副刊，16 日起，《庄谐杂录》改名为《快活林》，“一·二八”国难后，又改名《新园林》。该刊曾连载很多长篇小说，如李涵秋的《战地莺花录》、《好青年》等七、八种，以及平江不肖生的小说，程瞻庐的弹词、笔记等等。

22 日，鲁迅与许寿裳同至钱粮胡同，谒见被袁世凯软禁的章太炎。他们又于次年 1 月 31 日、2 月 14 日、5 月 29 日等多次看望章太炎。［参见鲁迅博物馆、鲁迅研究室

编：《鲁迅年谱》（增订本）（第一卷）第318页，人民文学出版社1981年版]

《快活世界》（月刊）在上海创刊，庄乘黄编辑，和记中国图书公司（中国图书公司和记）发行，10月停刊。

《好白相》（旬刊）在上海创刊，治安（陈耕渔）、池龙（嵇中散）编，新剧小说社发行，11月停刊。

《余兴》（月刊）在上海创刊，系《时报》附刊《余兴》一栏的作品选刊，1917年7月停刊，共出数十期。时报馆编辑，有正书局发行。

九月

2日，日军以对德宣战为借口，在山东黄县龙口登陆，25日侵占潍县车站，10月6日占领济南，11月7日占领青岛，攫取了德国在山东的权益。

《繁华杂志》（月刊）在上海创刊，海上漱石生编，内容分为图画部、文艺志、谭薮、译丛、小说林、新剧潮等。锦章图书局发行。1915年2月停刊。

《白相朋友》（旬刊）在上海创刊，胡寄尘编，广益书局发行，12月停刊，共出8期。内容分演说的朋友、看戏的朋友、说闲话的朋友、做诗的朋友等。

《小说旬报》在上海创刊，英蜚、羽白、剪瀛编辑。内容以小说为主，兼及弹词，戏剧。国华书局总发行。今见一至三期。内容以长短篇小说为主，兼及弹词、戏剧。

《俳优杂志》半月刊在上海创刊。编辑及发行人冯叔鸾（笔名马二），文汇图书书局总发行。停刊时间不详，今见第一期。内容多关新剧的议论。

《织云杂志》在上海创刊，由席悟奕创办，痴燀编辑。刊期及停刊期均不详，今见一至二期。内容以诗词为主，兼及短篇小说及杂文。

镜若、叔鸾撰《伊蒲生（易卜生）之剧》，载《俳优杂志》第1期。同期载马二撰《自由演剧之将来》、《演剧之等级》、《俳优新志》等评论。

李涵秋的小说《广陵潮》由震亚图书局出版。

老谈评论此书时说："《广陵潮》一书，为李君涵秋所著，结构穿插，固能尽小说之能事，而于扬州社会情状，曲曲传来，矫正习俗，庄谐杂见，洵有功社会之作，非寻常小说比也。故虽眼前极寻常事，而以灵活之笔，变化写之，便能使阅者欣赏不置，写生妙手，吾无间。"（老谈：《广陵潮》"弁言"，《广陵潮》，1915年国学书室版）

十月

《眉语》（月刊）在上海创刊，高剑华主编，新学社会发行，1916年出至第十八期停刊。《眉语》杂志第一卷第一号刊登《〈眉语〉宣言》说："花前扑蝶宜于春；槛畔招凉宜于夏；倚帷望月宜于秋；围炉品茗宜于冬。璇闺姐妹以职业之暇，聚钗光鬓影能及时行乐者，亦解人也。然而踏青纳凉赏月话雪，寂寂相对，是亦不可以无伴。本社乃集多数才媛，辑此杂志，而以许啸天夫人高剑华女士主笔政。锦心绣口，句香意雅，虽曰游戏文章、荒唐演述，然谲谏微讽，潜移默化于消闲之余，亦未始无感化之功也。每当月子弯时，是本杂志诞生之期，爰名之曰《眉语》，亦雅人韵士花前月下之良伴也。”

《公言》在长沙创刊出版，综合性月刊。公言杂志社编辑及发行。仅见3期。全刊不设栏目，内容侧重论说、谈丛、诗词与小说。

十一月

10日，陈独秀的《爱国心与自觉心》发表在《甲寅杂志》上。

陈独秀在文中说：“今之中国，人心散乱，感情智识，两无可言。惟其无情，故视公共之安危，不关己身之喜戚，是谓之无爱国心。惟其无智，既不知彼，复不知此，是谓之无自觉心。国人无爱国心者，其国恒亡。国人无自觉心者，其国亦殆。二者俱无，国必不国。呜呼！国人其已陷此境界否耶？”陈独秀认为，欧美诸国的强盛之道，在于国民的国家观念，他说：“近世欧美人之视国家也，为国人共谋安宁幸福之团体。人民权利，载在宪章，犬马民众，以奉一人，虽有健者，莫敢出此。欧人之视国家，既与邦人大异，则其所谓爱国心者，与华语名同而实不同。欲以爱国诏国人者，不可不首明此义也。”

在解释爱国心与自觉心的内涵时，陈独秀说：“爱国心，情之属也。自觉心，智之属也。爱国者何？爱其为保障吾人权利谋益吾人幸福之团体也。自觉者何？觉其国家之目的与情势也。是故不知国家之目的而爱之则罔，不知国家之情势而爱之则殆，罔与殆，其蔽一也。”“为他人侵犯其自由而战者，爱国主义也。为侵犯他人之自由而战者，帝国主义也。爱国主义，自为主义也，以国民之福利为目的者也，若塞、比是矣。帝国主义，自为主义也。君若想利用国民之虚荣心以增其威权为目的者也，若德、奥是矣。”据此，陈独秀对于中国的前途深怀期望，他说：“假令前说为不谬，吾国将来之时局，可得而论定矣。自爱国心之理论言之，世界未跻于大同，御侮善群，以葆其美，谁得而非之。为国尽瘁，万死不辞，此爱国烈士之行，所以为世重也。然其理简，其情直。非所以应万事万变而不惑。应事变而不惑者，其惟自觉心乎？爱国心，具体之理论也。自觉心，分别之事实也。具体之理论，吾国人或能言之；分别之事实，鲜有慎思明辨者矣。此自觉心所以为吾人亟需之智识，予说之获已也。”

《剧场月报》创刊于上海，编辑发行人为王笠民，民友社总发行。停刊时间不详，今见第一卷一至三号。内容于论说部分则有《论戏剧与文学之关系》、《新剧之前途》、《编剧之方针》等。

冰心的小说《半个滑头》载于《共和杂志》第3、4期。

十二月

10日，天虚我生（陈蝶仙）主编的《女子世界》（月刊）在上海创刊，共出6期，1915年7月6日停刊，中华图书馆发行。内容有诗词及著译小说，也有笔记、诗话、弹词、剧本及音乐、美术等。文学占全刊的3/4。

《上海滩》（旬刊）在上海创刊，《上海滩》编辑部编，夏星社发行。插图都是名妓近影，内设短篇小说、长篇小说等栏，以文言居多。次月即停刊。

《销魂语》（月刊）在上海创刊，鸳鸯蝴蝶派刊物，终刊时间不详。戚饭牛、奚燕子、汪野鹤编辑。

《十日新》杂志创刊，改良小说社主办，仅出 4 期。

文明书局出版《马君武诗稿》，收诗 97 首，又译诗 38 首，大多写于 1912 年至 1913 年间的“南社时代”。马君武自序云：“此寥寥短篇，断无文学存在之价值，惟十年以前，君武于鼓吹新学思潮，标榜爱国主义，固有微力焉，以作个人之纪念而已。”

30 日，鲁迅助湖北赈捐两元，收观剧券一枚。1915 年 1 月 1 日晚鲁迅持此券与许季上同至第一舞台观剧。他这次观剧的印象，后来在小说《社戏》里有所反映。鲁迅曾说“这一夜，就是我对于中国戏告了别的一夜，此后再没有想到他，即使偶而经过戏园，我们也漠不相关，精神上早已一在天之南一在地之北了”。[转引自鲁迅博物馆、鲁迅研究室编：《鲁迅年谱》（增订本）（第一卷）第 322 页，人民文学出版社 1981 年版]

教育部拟定《整理教育方案》，大力提倡尊孔读经。

本年程小青开写“霍桑探案”系列。秋，上海《新闻报·快乐小品》征文，程小青写了小说《灯光人影》应征。这是他首次用“程小青”的笔名写的小说，也是他的第一篇以霍桑为主人公的作品。1919 年，他发表文言侦探小说《江南燕》，书中首次出现私人侦探霍桑这个人物形象。从此之后，他在近 30 年的创作中，共创作 30 种“霍桑探案小说”，1946 年世界书局陆续出版了《霍桑探案全集袖珍丛刊》，共计 30 种：《朱项圈》、《黄浦江中》、《八十四》、《轮下血》、《裹棉刀》、《恐怖的话剧》、《最后的归宿》（又名《雨夜枪声》）、《白衣怪》、《催命符》、《矛盾圈》、《索命钱》、《魔窟双花》、《两粒珠》、《灰衣人》、《夜半呼声》、《霜刃碧血》、《新婚劫》、《难兄难弟》、《江南燕》、《活尸》、《案中案》、《青春之火》、《五福党》、《舞宫魔影》、《狐裘女》、《断指团》、《沾泥花》、《逃犯》、《血手印》、《黑地牢》。

有评论者指出，《霍桑探案》“由若断若续的 80 多个中短篇组成，300 余万字。《霍桑探案》的主要人物是私人侦探霍桑，另一个次要人物包朗为霍桑的助手兼书记。小说也是用第一人称叙事，以增强作品的真实感，连小说主人公的办公地点、个人嗜好、办案方式都有明显的模仿痕迹……故人称霍桑为‘东方的福尔摩斯’”。（郭延礼：《中国近代文学发展史》第三卷第 355 页，高等教育出版社 2001 年版）尽管《霍桑探案》明显借鉴了《福尔摩斯》，但“《霍桑探案》的出现在中国文学史上有着重要的影响，它标志着中国文坛第一次出现了真正意义上的‘侦探小说’”。而且，作者程小青“第一次系统地总结了侦探小说的美学特征，以他的创作和理论为中国侦探小说争取到了文学的地位。更深的是，程小青可以称得上是真正懂得侦探小说创作的中国作家。”（范伯群主编：《中国近现代通俗文学史》第 818 页，江苏教育出版社 1999 年版）

本年《雅言》第 1 卷第 7 期发表梦生的《小说丛话》。

该文的一些观点与后来文学革命的主张颇多暗合之处。文章首先肯定了以白话入小说，称：“小说最好用白话体，以用白话方才能描写得尽情尽致，‘之乎也哉’一些也用不着。或谓小说不必全用白话，白话不足发挥文学特长，为此说者，必是不曾读过小说者，必是不曾领略得小说兴味者。小说难做处，全在白话。白话小说作得佳者，

便是小说中圣手。”文章认为：“小说之为好小说，全在结构严密，描写逼真。能如此者，虽白话亦是天造地设之佳文。”而在评论中国古典小说时，梦生说：“中国小说最佳者，曰《金瓶梅》，曰《水浒传》，曰《红楼梦》三部，皆用白话体，皆不易读。《水浒传》写豪杰义气，《红楼梦》写儿女私情，《金瓶梅》则写奸盗邪淫之事。故《水浒》、《红楼》难读，《金瓶梅》尤难读。能读此三书而大彻大悟者，便是真能读小说书人，便是真能读一切书人。”此外，文章还进一步分析了读者的阅读活动：“吾所谓能读小说者，非粗识几字，了解其中事实如何如何也。”“善读小说者，赏其文；不善读小说者，记其事。善读小说者是一副眼光，不善读小说者又是一副眼光。《水浒》评的好，《金瓶》评的亦好，圣叹以真能读小说之眼光，指示天下读者不少。圣叹读小说得法处，全在能识破作者用意用笔的所在，故能一一指出其篇法章法句法，使读者翕然有味。评《红楼》者即远不如。”该文还谈到了小说评论的乐趣，称：“与其作小说，不如评小说。盖以我之作者，不知费几许经营筹画，尚远不能如前人所作，不如举前人所已经营筹画成就者，由我评之，使我评而佳，则通身快乐，当与作书相等。与其评寻常小说，不如评最佳最美之小说。盖评寻常小说，既需我多少思量，且感得一身不快，不如评最佳最美之小说，头头是道，不觉舞之蹈之也。”

本年《小说月报》第5卷第9号发表了孙毓修的《二万镑之奇赌》一文。文章概括了中国小说科学精神的阙失，称：“吾国小说亦多矣，综其流别，不外三例：女子怀春，吉士诱之，是为诲淫之书；牛鬼蛇神，善恶果报，是为迷信之书；忠义堂中，替天行道，是为诲盗之书。近五百年来，作者如鲫，而其范围，不逾此数者，亦已陋矣。”文章同时称赞了西方的“理想小说”：“自来天下事，不如意者常八九。文人恃其狡狯之笔，称心结撰，弥人世之缺憾，此理想小说 Imaginative Tales 之所由来也。吾国文人极其理想，不过尔尔，此进化之所以不闻也。第十八世纪之间，正欧西科学萌芽之代，而为科学之先导者，乃在区区之理想小说，其意境之奇辟，寄托之高深，实有卢牟六合、驰骋古今之概。发明家读之，因得开拓心胸，暗室之中，孤灯远照，依此曙光，终达彼岸。其文甚趣，其文更伟。”

1915 年

一月

1 日，《小说海》（月刊）由中国图书公司和记在上海创刊，黄山民编辑。1917 年 12 月停刊，共出 3 卷，每卷 12 期，出 36 期。内容多为鸳鸯蝴蝶派的作品，有长短篇小说、诗词、杂文、弹词、传奇及笔记等等。长篇小说刊有林纾的《拿云手》、王无为的《艳拾掇佚》、李涵秋的《玉华惨史》等；短篇小说有姚鹓雏的《玉珰缄札》、孤桐的《吴笺》、刘半农的《女侦探》、徐卓呆的《名马》等。笔记有王西神的《西神客话》、孑余的《京华尘梦录》、公鹤的《上海闲话》等。

1 日，《中华小说界》第 2 卷第 1 期发表梁启超的《告小说家》。作者秉其一贯的“新小说”理论，对小说家提出了很多忠告。梁启超在文中说：“小说家者流，自昔未尝为重于国也。汉志论之曰：‘小道可观，致远恐泥’。扬子云有言：‘雕虫小技，壮夫不为。’凡文皆小技矣，矧于文之支与流裔如小说者？然自元明以降，小说势力入人之深，渐为识者所共认。盖全国大多数人之思想业识，强半出自小说，言英雄则《三国》、《水浒》、《说唐》、《征西》，言哲理则《封神》、《西游》，言情绪则《红楼》、《西厢》，自余无量数之长章短帙，樊然杂陈，而各皆分占势力之一部分。此种势力，蟠结于人人之脑识中，因而发为言论行事，虽具有过人之智慧、过人之才力者，欲其思想尽脱离小说之束缚，殆为绝对不可能之事。”在分析了小说为何具有“熏染感化”之力后，梁启超又肯定了小说在社会教育界中所占的位置，并说：“质言之，则十年前之旧社会，大半由旧小说之势力所铸成也。忧世之士，睹其险状，乃思执柯伐柯为补救之计，于是提倡小说之译著以跻诸文学之林，岂不曰移风易俗之手段莫捷于是耶？今也其效不虚。所谓小说文学者，亦既蔚为大国，自余凡百述作之业，殆为所侵蚀以尽。试一浏览书肆，其出版物，除教科书外，什九皆小说也。”

尽管小说已经十分兴盛，但在梁启超看来，却因各种弊端而急需改良。他说：“然则今后社会之命脉，操于小说家之手者泰半，抑章章明甚也。而还观今之所谓小说文学者何如？呜呼！吾安忍言！吾安忍言！其什九则诲盗与诲淫而已，或则尖酸轻薄毫无取义之游戏文也，于以煽诱举国青年子弟，使其桀黠者濡染于险诐距作奸犯科，而模拟某种侦探小说中之节目。其柔靡者浸淫于目成魂与窬墙钻穴，而自比于某种艳情小说之主人者。于是其思想习于污贱龌龊，其行谊习于邪曲放荡，其言论行于诡随尖刻。近十年来，社会风气，一落千丈，何一非所谓新小说者阶之厉？循此横流，更阅数年，中国殆不陆沉焉不止也。”梁启超在文末劝戒小说家勿再写“诲盗诲淫”之作，他指出：“呜呼！世之自命小说家者乎，吾无以语公等，惟公等须知因果报应，为万古不磨之真理。吾侪操笔弄舌者，造福殊艰，造孽乃至易。公等若犹是好作为妖言以迎合社会，直接瞯陷全国青年子弟使堕无间地狱，而间接戕贼吾国性使万劫不复，则天地无私，其必将有以报公等：不报诸其身，必报诸其子孙；不报诸今世，必报诸来世。呜呼！吾多言何益？吾惟愿公等各还诉诸其天良而已。若有闻吾言而惕然戒惧者，则吾将更有所言也。”

5 日，《妇女杂志》（月刊）创刊，1931 年 12 月停刊，共出 17 卷，每卷 12 期。商务印书馆编辑发行。王蕴章、胡彬夏（女）先后任主编。内容偏于消闲。内容分图画、论说、学艺、家政、小说、译海、文苑、美术、杂俎、传记、通讯、余兴十二栏。作者多为南社成员。一年之后，相继由胡彬夏、章锡琛、杜就田等编辑，谈论妇女问题内容逐步增加。

11 日，鲁迅将历来所购石印名人手书及石刻小册，清理汇聚，请工人装订成册，并开始大量搜集古碑和研究金石。此时正值袁世凯复辟帝制时期，鲁迅抄录古碑可以避人注意，也可以研究中国字体史、了解中国文学史的风俗习惯。［鲁迅博物馆、鲁迅研究室编：《鲁迅年谱》（增订本）第 1 卷第 327 页，人民文学出版社 1981 年版］

18 日，日驻华公使日置益向袁世凯提出二十一条要求。其主要内容是：承认日本继承德国在山东享有的一切权利，并加以扩大；延长旅顺、大连的租借期限等。袁世凯为换取日本对其称帝的支持，派陆徵祥、曹汝霖同日本代表秘密谈判。5 月 9 日，袁世凯政府除对一部分内容声明“容日后协商”外，均予承认。后因全国人民的反对，日本这些要求未能全部实现。

20日，《大中华》杂志（月刊）在上海创刊。1916年12月20日终刊。共出2卷24期。梁启超任主任撰述。大中华杂志社编辑及发行，上海中华书局发行。主要撰稿人有康有为、章太炎、吴贯因、任致远、谢无量、蓝公武、陈霆锐、王宠惠、张君劢、张东荪、马君武、张謇、林纾等。分设政治、专题论文、文苑（文、诗、词）、时事日记、要牍、选报、余录等栏目，而以前二项为主，并有不少翻译文章。

《大中华》为欧战后出版的重要学术刊物。创刊号上，陆费逵在《宣言书》中宣布办刊的目的有三："一曰养成世界智识；二曰增进国民人格；三曰研究事理真相，以为朝野上下之南针。"梁启超在《发刊辞》中提出该刊的宗旨是："注重社会教育，使读者能求得立身之道与治生之方，并能了然于中国与世界之关系，以免陷于绝望苦闷之域；次则论述世界之大势，战争之因果及吾国将来之地位，与夫国民之天职，以为国民之指导。"对袁世凯复辟帝制和日本强迫中国接受"二十一条"，该刊旗帜鲜明地表示了反对态度，并就国家的政治体制、宪政的具体实施、国会制度、经济问题，以及欧战的起因、发展趋势及影响等问题，展开了讨论。该刊还发表探讨各种学术问题的论文，诸如文化通论、中外哲学、宗教、历史、经济史、文学史、社会学、教育学、卫生学等论文。还译载了少量有关自然科学的论文，选登了多篇中外长短篇小说。

25日，小说《西学东渐记》开始在《小说月报》第6卷1～8号上连载（1915.1.25—8.25）。该作由容纯甫先生自叙，凤石译述，铁樵（恽树珏）校订。

章太炎仍被袁世凯幽禁在北京，鲁迅、钱玄同、许寿裳等前往探望。

二月

12日，梁启超被袁世凯聘为政治顾问。

留日学生总会集会，李大钊代表中国留日学生总会起草《警告全国父老书》，文章首先分析了当时的国内国际局势，认为中国"所以不即亡者，惟均势之故。"而"吾国民今日救国之责维何？曰：首须认定中国者为吾四万万国民之中国，苟吾四万万国民不甘于亡者，任何强敌，亦不能亡吾中国于吾四万万国民未死以前。必欲亡之，惟有与国同尽耳。顾外交界之变幻，至为诡谲，吾国民应以锐敏之眼光，沉毅之实力，策政府之后，以为之盾。决勿许外敌以虚喝之声，愚弄之策，诱迫我政府，以徇其情。盖政府于兹国家存亡之大计，实无权以命我国民屈顺于敌。此事既已认定，则当更进而督励我政府，俾秉国民之公意，为最后之决行，纵有若何之牺牲，皆我国民承担之。智者竭其智，勇者奋其勇，富者输其财，举国一致，众志成城。胜则此锦绣之江山可保，而吾祖宗袭传之光荣历史，从此益可进展于无穷。败则锦绣之江山虽失，而吾祖宗袭传之光荣历史，遂结束于此。葆有全始全终之名誉，长留于宇宙之间，虽亡国杀身，亦可告无罪于我黄帝以降列祖列宗之灵也。河岳镇地，耀灵炳天，血气在人，至刚至大。九世之深仇未复，十年之胆薪何在！往者不谏，来者可追，愿我国民，从兹勿忘此弥天之耻辱可耳。泣血陈辞，不知所云。留日学生总会，李大钊撰，1915年。"（李大钊：《警告全国父老书》，《李大钊文集》第115页，人民文学出版社1984年版）

三月

15日，《双星杂志》（月刊）在上海创刊。共出8期。上虞人倪羲抱主编，双星杂志社编辑及发行，文明书局发行。首载西神残客、姚鹓雏的《发行词》各一。内容设有长短篇小说、传奇、文苑、话剧和京剧方面的论说、剧本及野史、剧评、杂俎、词话、曲话、艳屑、弹词、美术、谐海、幻术等栏。

19日夜，中国留美学生纷纷反对日本提出的“二十一条”，主张对日作战。胡适发表《致留学界公函》，认为“当务之急，实在应该是保持冷静。让我们各就本分，尽我们自己的责任；我们的责任便是读书学习。我们不要让报章上所传的纠纷，耽误了我们神圣的任务。我们要严肃、冷静、不惊、不慌的继续我们的学业。……在目前的条件下，对日作战，简直是发疯”。此函一登出，中国留美学生群起驳斥。（胡适：《藏晖室札记》卷九，《胡适的自传》第四章“青年时期的政治训练”。转引自曹伯言、季维龙编著：《胡适年谱》第82页，安徽教育出版社1986年版）

《戏剧丛报》（月刊）在上海创刊，仅出一期。由戏剧出版社编辑，新小说社发行。夏秋风主编，编者有胡寄尘、俞剑尘、钱化佛等人，内容有话剧、京剧、论说、剧本、剧评、译作等。载有夏秋风撰的《旧剧与历史》、《新旧剧之比较》，暗夫撰的《李太白》（历史新剧），白苹撰《外国人之论中国旧剧》等文章。

《小说新报》（月刊）在上海创刊。该刊由《小说丛报》蜕化而来，国华书局发行。初由李定夷任编辑主任。自第5卷第8期起，改由许指严任编辑主任。第6卷第1期～12期，编辑兼校订为包醒独。第7卷1期至12期，由贡少芹任编辑。第8卷第1期至9期起，由天台山农（刘音）任编辑主任，朱大可、陈逸民为编辑。1921年停刊一年。1923年9月终刊。共出版8卷9期，94册。为鸳鸯蝴蝶派期刊中出版时间较长、影响较大的大型刊物之一。设有长短篇小说、传奇、弹词、笔记、艳藻、艺府、谐薮、花史、谜海、风俗、剧话、剧本、译丛等栏目，拟与《小说丛报》相抗衡。撰稿者先后有陈蝶仙、周瘦鹃、吴双热、江山渊、胡寄尘、吴绮缘、刘哲庐、许廑父、姚民哀、林琴南、程小青、徐卓呆、张碧梧、郑逸梅、包醒独、李涵秋、徐哲身、赵眠云、朱瘦菊、王西神、严独鹤、范烟桥等。刊登的小说有《同命鸟》、《新上海现形记》（定夷）、《无边风月传》（双热）、《恐怖党》（瘦鹃译）、《鹦鹉晚香》（蝶衣），还有《星剑侠传奇》（东园）、《钿影钗光录》（廑父）、《冤海燃犀》（好事、轶池）等。

四月

梅兰芳从上海观摩学习时装新戏和京剧之后回到北京，自本月起至1916年9月编演了如《孽海波澜》、《一缕麻》等11出时装新戏，推动了京剧改革。

《国学杂志》（月刊）在上海创刊，1917年1月停刊，共出8期。名为月刊，实为不定期刊，由国学昌明社发行。倪羲抱编辑。分设总论、经学、小学、史学、舆地学、兵学、文学、学术、附录栏。

五月

7日，日本政府向北京政府提出最后通牒，要求袁世凯不加任何修改，立即接受“二十一条”，并限于9日6时前给以答复，否则，日本帝国将采取“必要手段”。5月9日，袁世凯正式承认丧权辱国的“二十一条”修正案。外交总长陆徵祥、次长曹汝霖亲往日使馆递交复文，对日本最后通牒予以承认。是日，全国教育联合会规定每年5月9日为国耻纪念日。同日，上海各群众团体约四五万人召开国民大会，誓死反对“二十一条”。与此同时，全国各地均出现抵制日货的高潮。后国民将5月7日和9日视为国耻日。当时，身处湖南的毛泽东，在湖南第一师范学校刊印的《明耻篇》中题词曰：“5月7日，民国奇耻，何以报仇，在我学子。”

7日，为抗议日本帝国主义向中国提出的“二十一条”不平等条约，郭沫若从日本回国。但他在上海的客栈里呆了三天，毫无结果，只好再回日本。当时，郭沫若曾作七律一首，表明自己的态度，其诗云：“哀的美顿书已西，冲冠有怒与天齐；问谁牧马侵长塞？我欲屠蛟上大堤！此日九天成醉梦，当头一棒破痴迷！男儿投笔寻常事，归作沙场一片泥！”［郭沫若：《创造十年》)，转引自王继权、童炜钢编：《郭沫若年谱》（上）第59页，江苏人民出版社1983年版］

26日，田汉的戏曲剧本《新桃花扇》在本日至29日的上海《时报》副刊《余兴》上连载，署名“汉儿倚声”。

《光华学报》（双月刊）在武昌创刊，停刊时间未详，仅见5期。恽代英、陈时等编辑，武昌中华大学发行。全刊分设图集、论丛、学海、评玄、艺苑（内分文、诗两类）、思潮等栏目。恽代英在本刊写下了一系列的政论文、随笔和诗词。

《哀吹录》出版，林纾、陈家麟合译，商务印书馆印行。收录巴尔扎克短篇小说《猎者斐里朴》、《耶稣显灵》、《红楼冤狱》和《上将夫人》。译本注明原著者是法国“巴鲁萨”，这是巴尔扎克在中国最早的汉译名。

六月

7日，沙俄与袁世凯政府签订《中俄蒙协约》，其内容主要有：沙俄承认中国对外蒙古的宗主权，北京政府承认外蒙的“自治”和沙俄在外蒙的各种特权等。

郁达夫开始在上海的《神州日报》上发表旧体诗作。

蔡元培、李石曾等在法国发起组织勤工俭学会。

七月

10日，昙鸾（苏曼殊）的小说《绛纱记》发表于《甲寅杂志》第1卷第7号。

八月

1日，《小说大观》（季刊）由文明书局在上海创刊，共出15集，1921年6月停刊。包天笑主编。由文明书局、中华书局共同发行。是中国较早的大型文学期刊，为鸳鸯蝴蝶派刊物。其《例言》云：“所载小说，均选择精严，宗旨纯正，有益于社会，有功于道德之作，无时下浮薄狂荡诲盗导淫之风。”“所载小说，均当世有名文家，所有撰译，皆负责任，决无东钞西袭改头换面之弊。”“无论文言俗语，一以兴味为主，凡枯燥无味及冗长拖沓者皆不采。”“每集之首，有种种插画，如近世之美人，各地之风俗，佳胜之风景，珍秘之名画，搜罗咸备，洵称大观。”包天笑在《小说大观》第一集《小说大观宣言短引》中说：“向之期望过高者，以为小说之力至伟，莫可伦比，乃其结果至于如此，宁不可悲也耶！客曰：否。子将以小说能转移人心风俗耶，抑知人心风俗亦足以转移小说！有此卑劣浮薄纤佻媟荡之社会，安得而不产出卑劣浮薄纤佻媟荡之小说！供求有相需之道也。则将应之曰：如子所言，殆如患传染病者，不能防护扑灭之，而反为之传播菌毒，势必至于蔓延大地不可救药人种灭绝而后止。人即冥顽何至自毒以毒人哉！兹以小说大观之初出版也，敢贡其愚于读者，用以自勉。”

该刊多登载长短篇小说或笔记，每集刊长篇小说三四种，短篇小说10余篇。除篇幅长达10余万字或20余万字的作品进行连载以外，其余均一次刊登。小说杂志采用季刊的形式出版，此为创始。内容有政治、外交、历史、社会、伦理、家庭、学校、言情、纪实、警世、军事、侦探、神怪、滑稽、科学等各类小说，亦有译作。除小说外，尚有剧本、笔记、日记、宫词、外传、蠹余录等栏目。各种作品多为文言。每集篇首有铜版插图10余幅，内容为仕女、名画、风俗、名胜风景等。除主编每集提供长短篇各一篇外，主要撰稿者还有叶楚伧、陈蝶仙（天虚我生）、范烟桥、周瘦鹃、张毅汉、毕倚虹等。发表的作品，有包天笑的《冥鸿》、《牛棚絮语》、《影梅忆语》、《天竺礼佛记》，苏曼殊的《非梦记》，苏子由（苏曼殊）、陈由己（陈独秀）翻译的法国作家维克多·雨果的《悲惨世界》，以及陆士锷的《孝钦后外传》、毕几庵的《光绪宫词》等。

10日，《甲寅杂志》第一卷第八号发表李大钊的《厌世心与自觉心》一文。本文系对陈独秀《爱国心与自觉心》一文的回应。李大钊在文章中指出，文人的任务是“以先觉之明，觉醒斯世”。在谈到陈独秀的观点时，李大钊说：“是则世人于独秀君之文，赞可与否，似皆误解，而人心所蒙之影响，亦且甚巨。盖其文中，厌世之辞，嫌其泰多，自觉之义，嫌其泰少。愚则自亡其无似，僭欲申独秀君言外之旨，稍进一解。”李大钊在文章中分析了当时国内的局势，提出“今欲遏之，惟望政治及社会，各宜痛自忏悔；而在个人，则对之不可蔽于物象，猥为失望，致丧厥本能，此即自觉之机，亦即天堂天国之胚种也。尤有进者，文学为物，感人至深，俄人困于虐政之下，郁不得伸，一二文士，悲愤满腔，诉吁无所，发为文章，以诡幻之笔，写死之趣，颇足摄人灵魄。中学少年，智力单纯，辄为所感，因而自杀者日众。文学本质，固在写现代生活之思想，社会黑暗，文学自畸于悲哀，斯何与于作者？然社会之乐有文人，为其以先觉之明，觉醒斯世也。方今政象阴霾，风俗卑下，举世滔滔，沉溺于罪恶之中，而不自知。天地为之晦冥，众生为之厌倦，设无文人，应时而出，奋生花之笔，扬木铎之声，人心来复之几久塞，忏悔之今，更何由发，将与禽兽为侣，暴掠强食以自灭也。若乃耽于厌世之思，哀感之文，悲人心骨，不惟不能唤人与罪恶之迷梦，适以益其愁哀。驱聪悟之才，悲愤以戕厥生，斯又当代作者之责，不可不慎也。”

3日，鲁迅被教育总长汤化龙指定为通俗教育研究会会员。

10 日，苏曼殊的小说《焚剑记》发表于《甲寅杂志》第 1 卷第 8 号。

20 日，梁启超在《大中华》杂志上发表《异哉所谓国体问题》一文，驳斥杨度的《君宪救国论》，反对恢复帝制。

《通俗杂志》（半月刊）在上海创刊，李辛白编辑，汪建刚发行。全刊分设演说、时事、特著、译丛、小说、戏曲、词林、杂录栏。通俗杂志社发行。

《世界观杂志》（月刊）在成都创刊，由该杂志社编辑发行。发行人傅股弼。分设图画、论说、学艺、文苑、杂史、传奇、小说等栏。大约于同年底停刊，共见 5 期。

针对陈独秀创办《新青年》和宣扬新文化，章士钊在《甲寅杂志》上发表《评新文化运动》、《评新文学运动》两文，反对新文化、新文学。认为“近年士习日非，文词鄙俚，国家未灭文字先亡”，“白话文体盛行而后……诲盗诲淫，无所不至，此诚国命之大创，而学术之深忧”，并在广告中宣布“文字须求雅驯，白话恕不刊登”。（转引自袁景华：《章士钊先生年谱》第 94 页，吉林人民出版社 2001 年版）

秋魂撰《新剧刍议》，载《民权素》第 9、10 集。

夏，梁实秋考入清华学校，1923 年毕业于清华学校高等科，后赴美留学三年，获哈佛大学研究院文学硕士学位。

九月

6 日，教育部设立通俗教育演讲会，鲁迅任该会小说股主任，次年 2 月辞职。

袁世凯政府在教育部设立通俗教育研究会，在《章程》中规定，意欲“挽颓俗而正心”，“研究通俗教育事项，改良社会，普及教育”。通俗教育研究会实际上是袁世凯政府加强思想文化统治的工具。下设小说、戏曲、讲演三股。要求小说股严禁妨害风俗之新旧小说，编译审核“寓忠孝节义之意”的小说。小说股也建议“劝导改良及查禁小说办法”四条。1 日，鲁迅被教育部指派为小说股主任。他主张“有权在手，便当任意作之”（鲁迅 1918 年 8 月 20 日致许寿裳的信），没有照办，而是另立标准。强调小说应当理想高尚纯洁，有益于改良社会，能增进国民常识，取材要精审，词义要精美。次年 2 月，鲁迅借故辞去小说股主任的职务。

鲁迅在任小说股主任期间，一方面以大量时间讨论各种条例、规则，没有进行多少通俗教育研究会所规定的实际工作，抵制了袁世凯妄图利用该会为其复辟帝制服务的阴谋；另一方面，在制定查禁及改良小说的条例中，打击了当时风靡一时的鸳鸯蝴蝶派小说，对普及科学知识的读物则加以提倡。[转引自鲁迅博物馆、鲁迅研究室编：《鲁迅年谱》（增订本）（第一卷）第 335 页，人民文学出版社 1981 年版。]

15 日，《青年杂志》月刊在上海创刊。陈独秀主编，上海群益书社发行。《青年杂志》于 1916 年 2 月 15 日出版至 1 卷 6 号后休刊半年。9 月 1 日自 2 卷 1 号起复刊，更名《新青年》，同时成立《新青年》杂志社。1917 年 1 月迁北京。1918 年 1 月第四卷起改为同人刊物，由陈独秀、钱玄同、高一涵、胡适、李大钊、沈尹默等轮流编辑。不久，鲁迅加入编辑部。“五四”运动后休刊半年。1919 年 10 月前后迁返上海。陈独秀复任主编。该刊倡导新文化运动，提倡科学与民主，反对旧道德，提倡新道德，反对旧文学，提倡新文学。刊发了许多在中国现代思想文化史上具有重要影响的文章和文艺作品，同时还大量译介国外重要学说和文艺作品，并宣传和传播了马克思和社会主义思想。自 1920 年 9 月 1 日第八卷起，成为上海共产主义小组的刊物，反对无政府主义和伪社会主义思潮。1922 年 7 月休刊。1923 年 6 月改为季刊。成为中国共产党中央委员会的理论性机关刊物，迁广州出版，由瞿秋白主编。出四期后休刊。1925 年 4 月复刊，为不定期刊。出五期，次年 7 月停刊。

《青年杂志》自创刊之日起就高举反对封建文化的旗帜。主编陈独秀在创刊号上发表《敬告青年》一文，称："青年如初春，如朝阳，如百卉之萌动，如利刃之新发于硎，人生最可宝贵之时期也。青年之于社会，犹新鲜活泼细胞之在人身。新陈代谢，陈腐朽败者，无时不在天然淘汰之途，与新鲜活泼者以空间之位置及时间之生命。人身遵新陈代谢之道则健康，陈腐朽败之细胞充塞人身则人身亡；社会遵新陈代谢之道则隆盛，陈腐朽败之分子充塞社会则社会亡。"而在陈独秀眼中，今日中国之青年"……青年其年龄，而老年其身体者十之五焉；青年其年龄或身体，而老年其脑神经者十之九焉。华其发，泽其容，直其腰，广其膈，非不俨然青年也；及叩其头脑中所涉想，所怀抱，无一不与彼陈腐朽败者为一丘之貉。其始也未尝不新鲜活泼，寖假而为陈腐朽败分子所同化者，有之；寖假而畏陈腐朽败分子势力之庞大，瞻顾依回，不敢明目张胆作顽狠之抗斗者，有之。充塞社会之空气，无往而非陈腐朽败焉，求些少之新鲜活泼者，以慰吾人窒息之绝望，亦杳不可得。"因此，在陈独秀看来，欲拯救青年之衰亡，"非太息咨嗟之所能济，是在一二敏于自觉、勇于奋斗之青年，发挥人间固有之智能，抉择人间种种之思想，——孰为新鲜活泼而适于今世之争存，孰为陈腐朽败而不容留置于脑里，——利刃断铁，快刀理麻，决不作牵就依违之想，自度度人，社会庶几其有清宁之日也。青年乎！其有以此自任者乎？若夫明其是非，以供抉择，谨陈六义，幸平心察之。"据此，陈独秀向青年提出了"自主的而非奴隶的"、"进步的而非保守的"、"进取的而非退隐的"、"世界的而非锁国的"、"实利的而非虚文的"、"科学的而非想象的"六点希望。该文实际上已包含了后来所提倡的"民主"和"科学"两方面的要求，是号召思想革新的宣言。此外，陈独秀在文中还鲜明地提出了"人权、平等、自由"的思想，确认"人权平等之说兴"与"科学之兴"，"若舟车之有两轮焉"，是推进现代社会进化的基本条件。

此后，《新青年》大力提倡民主、科学和新文学，是新文化运动和文学革命的倡导者和主要阵地。该刊发表的大量文章，都以攻击专制主义和封建道德，宣传民主政治和"人格独立"为己任。另针对康有为等人大肆鼓吹孔教，奉孔教为"国教"的呼吁，《新青年》还展开了对孔子学说的批判，掀起了被称之为"打倒孔家店"的思想运动。

郭沫若在《文学革命之回顾》一文中，曾对《新青年》及其主编陈独秀评价说："文学革命的泉水经过了一段长久的伏流时期，在五四运动的前后才突然爆发出来，成了一个划时期的运动。主持这个运动的机关，谁也知道是《新青年》，主持《新青年》的人，谁也知道是陈独秀。陈独秀本来并不是一个文学家，他的行径同梁任公、章行严相同，他只是一个文化批评家，或者文化运动的启蒙家。他的起初其实也不外是一个资产阶级的代言人。对于封建社会旧文化的抨击，梁任公、章行严辈所不曾做到乃至不敢做到的，到了《新青年》时代才毅然决然的下了青年全体的总动员令。”（郭沫若：《文学革命之回顾》，《文艺讲座》第一册。转引自郑方泽编：《中国近代文学史事编年》第349~350页，吉林人民出版社1983年版）

21日，胡适抵达哥伦比亚大学（他从康乃耳大学文学院正式转入哥伦比亚大学乃从6月20日算起），自述“我转学哥大的原因之一便是因为康乃耳哲学系基本上被‘新唯心主义’（New Idealism）学派所占据了的缘故”，转学哥大，即是为了追随杜威学习哲学。（胡适：《藏晖室札记》卷十一，《胡适的自传·哥伦比亚大学和杜威》。转引自曹伯言、季维龙编著：《胡适年谱》第91页，安徽教育出版社1986年版）

商务印书馆出版王国维著《宋元戏曲史》（一名《宋元戏曲考》）。

郭沫若从一高预科毕业，被分派到冈山的六高医科继续学习，广泛阅读泰戈尔、屠格涅夫、歌德、海涅等人的作品，并极为倾慕斯宾诺莎的哲学思想。此时，与郭沫若同学的还有创造社另一重要成员成仿吾。两人在冈山同住了将近两年，从此结下了深厚的友谊。

陈嘏译的俄国屠格涅夫小说《春潮》发表于《青年杂志》创刊号。

十月

1日，《新中华》（月刊）创刊。该刊反对帝制复辟，力主联邦自治，警惕险恶之经济侵略，呼唤新道德文明。共出6期。

15日，陈独秀在《青年杂志》1卷2号上发表《今日之教育方针》。文章认为：“教育家之整理教育，其术至广，而大别为三：一曰教育之对象，一曰教育之方针，一曰教育之方法。教育之对象者，即受教育者之生理的及心理的性质也；教育之方针者，应采何主义以为归宿也；教育之方法者，应若何教授陶冶以实施此方针也。三者之中，以教育之方针为最要：如矢之的，如舟之柁。不此是图，其他设施，悉无意识。”随后，陈独秀又对教育的意义加以了说明：“窃以理无绝对之是非，事以适时为兴废。吾人所需于教育者，亦去其不适以求其适而已。盖教育之道无他，乃以发展人间身心之所长而去其短，长与短即适与不适也。以吾昏惰积弱之民，谋教育之方针，计惟去短择长，弃不适以求其适；易词言之，即补偏救弊，以求适世界之生存而已。外览列强之大势，内鉴国势之要求，今日教学相期者，第一当了解人生之真相，第二当了解国家之意义，第三当了解个人与社会经济之关系，第四当了解未来责任之艰巨。”至于具体的教育方针，则是与意义分别对应的四种主义，如“现实主义”了解人生之真相，“惟民主义”了解国家之意义，“职业主义”了解个人与社会经济之关系，“兽性主义”了解未来责任之艰巨。

15日，薛琪瑛译英国王尔德的戏剧《意中人》，发表于《青年杂志》1卷2号。

《中华新报》在上海创刊，由欧阳振声（骏民）任总经理，谷钟秀、徐溥霖、李述膺、吕复任编辑。

章士钊主办的《甲寅杂志》被禁停刊。

周作人辑《异域文谈》（含《希腊之小说》、《希腊之诗人》、《希腊之牧歌》等），由小说月报社出版。

墨泪词人编的《花月痕传奇》载商务《妇女杂志》第 1 卷 10 ~ 12 期。

商务印书馆于 1908 年开始编撰的《辞源》出版。

十一月

陈独秀针对国内文坛的现状，在《青年杂志》1 卷 3 号上发表了《现代欧洲文艺史谭》，专门介绍西方现代文艺思潮。

《大夏丛刊》（月刊）在上海创刊，龚时苇编辑，包括政论、学术论著、小说、诗词等，由大夏丛刊编辑部发行。

十二月

《复旦》杂志在上海创刊、出版，初为半年刊，第 8 期起改为季刊。内容以文艺作品居多，哲学、社会科学著译次之。先后设有文选、别史、诗词、小说、著述、文苑、记事等栏。由复旦公社（第 7 期改复旦大学）编辑发行。全刊于 1923 年 9 月停刊，共出 17 期。

曾杰著《波兰女之自由》，载《留美学生季报》第 2 卷第 4 期。

陈独秀在《青年杂志》1 卷 4 号的通讯中，表达文学改革的愿望："吾国文艺，犹在古典主义、理想主义时代，今后当趋向写实主义。文章以纪事为重，绘画以写生为重，庶足挽今日浮华颓败之恶风。"还就统一语言，"采用国语"进行了讨论，酝酿文学革命。

袁世凯复辟称帝，改国号为"中华帝国"。25 日，蔡锷等人宣布云南独立，组织护国军讨袁，护国运动爆发。反袁运动首先在西南各省展开。孙中山随即发表《讨袁宣言》。

梁启超见国事日变，由天津南下，在沪筹划云南、贵州、广西三省之义举运动。

许地山从缅甸回国。

1916 年

一月

15 日，陈独秀在《新青年》第 2 卷第 5 号发表《1916 年》一文，批判纲常名教。

陈独秀在文章中认为："然生斯世者，必昂头自负为二十世纪之人，创造二十世纪之新文明，不可因袭十九世纪以上文明为止境。人类文明之进化，新陈代谢，如水之逝，如矢之行，时时相续，时时变易。二十世纪之第十六年之人，又当万事一新，不可因袭二十世纪之第十五年以上之文明为满足。"陈独秀接着说明了何谓"一九一六年之青年"："一九一五年与一九一六年间，在历史上画一鸿沟之界：自开辟以讫一九一五年，皆以古代史目之，从前种种事，至一九一六年死；以后种种事，自一九一六年生。吾人首当一新其心血，以新人格；以新国家；以新社会；以新家庭；以新民族；

必迨民族更新，吾人之愿始偿，吾人始有与晰族周旋之价值，吾人始有食息此大地一隅之资格。青年必怀此希望，始克称其为青年而非老年；青年而欲达此希望，必扑杀诸老年而自重其青年；且必自杀其一九一五年之青年而自重其一九一六年之青年。”

据此，陈独秀认为1916年的青年，当如他所说“昂头”做人：“第一，自居征服To Conquer地位，勿自居被征服Be Conquered地位。”“第二，尊重个人独立自主之人格，勿为他人之附属品。以一物附属一物，或以一物附属一人而为其所有，其物为无意识者也。若有意识之人间，各有其意识，斯各有其独立自主之权。若以一人而附属一人，即丧其自由自尊之人格，立沦于被征服之女子奴隶捕虏家畜之地位。此白晰人种所以兢兢于独立自主之人格，平等自由之人权也。集人成国，个人之人格高，斯国家之人格亦高；个人之权巩固，斯国家之权亦巩固。而吾国自古相传之道德政治，胥反乎是。儒者三纲之说，为一切道德政治之大原：君为臣纲，则民于君为附属品，而无独立自主之人格矣；父为子纲，则子于父为附属品，而无独立自主之人格矣；夫为妻纲，则妻于夫为附属品，而无独立自主之人格矣。率天下之男女，为臣，为子，为妻，而不见有一独立自主之人者，三纲之说为之也。缘此而金科玉律之道德名词，——曰忠，曰孝，曰节，——皆非推己及人之主人道德，而为以己属人之奴隶道德也。人间百行，皆以自我为中心，此而丧失，他何足言？奴隶道德者，即丧失此中心，一切操行，悉非义由己起，附属他人以为功过者也。自负为一九一六年之男女青年，其各奋半以脱离此附属品之地位，以恢复独立自主之人格！”“第三，从事国民运动，勿囿于党派运动。人生而私，不能无党；政治运用，党尤尚焉。兹之非难党见者，盖有二义。”“其一，政党政治，将随一九一五年为过去之长物，且不适用于今日之中国也。”“其二，吾国年来政象，惟有党派运动，而无国民运动也。”作者最后发出这样的预言：“自负为一九一六年之男女青年，其各自为勉为强有力之国民，使吾国民党派运动进而为国民运动。自一九一六年始，世界政象，少数优秀政党政治，进而为多数优秀国民政治，亦将自一九一六年始。此予敢为吾青年诸君预言者也。”

22日，叶楚伧和邵力子在上海创办《民国日报》。该报为孙中山所组建的中华革命党（后来改组为中国国民党）创办的报纸，1924年成为国民党的机关报。1931年停刊。

白话诗酝酿产生。本年胡适在美国留学，曾写信给陈独秀，讨论“实地试验”白话诗说：“适去秋因与友人讨论文学，颇受攻击，一时感奋，自誓三年之内专作白话诗词，私意欲借此地试验，以观白话之是否可为韵文之利器。”同时又在《答叔永信》中说：“白话之能不作诗，此一问题全待吾辈解决。解决之法，不在乞怜古人，谓古人之无，今必不可有，而在于吾辈实地试验。一次‘完全失败’，何妨再来？若一次失败，便‘其以为不可’，此科学之精神所许乎？”（胡适：《我为什么做白话诗》，《新青年》第6卷第5号。）

李大钊为反袁事回国。2月初到上海，两月后又去日本。

蔡元培撰《石头记索隐》，载《小说月报》第7卷第1~6号。

蔡元培著《哲学大纲》一书，由上海商务印书馆出版。

曾朴在上海参与讨袁军事会议，曾以筹款之责自任，后捐其私蓄以充军实。

徐枕亚所著《雪鸿泪史》由上海清华书局出 2 版，共 14 章，此书是作者 1914 年发表的小说《玉梨魂》的姐妹篇。其《〈雪鸿泪史〉例言》云：“是书主旨，在矫正《玉梨魂》之误，就其事而易其文，一为小说，一为日记，作法截然不同。”“书中人物，悉仍《玉梨魂》原本，间有加入者，情节较《玉梨魂》增加十之三四；诗词书札，较《玉梨魂》增加十之五六，两书牴牾处，附注评话以清眉目。”另外，徐枕亚还在《〈雪鸿泪史〉例言》中说：“小说家言，多半空中楼阁，此书情节较奇，著者即以寓言自解，阅者未必肯信，顾即为事实，亦未必遂是真相。阅者可毋事深求。”

二月

3 日，《春声》创刊，本年 6 月停刊，共出 6 期。姚鹓雏主编，文明书局发行。内容设有长短篇小说、剧本、笔记、诗词选等。撰稿人包括部分南社社员，另外则是较为知名的小说家。该刊主张不以词藻典实来炫人，而要求文章平易浅近。内容以长短篇小说为主，兼及剧本、笔记、诗词选等。

15 日，《新青年》杂志第 1 卷第 6 号发表易白沙的《孔子平议》（连载两期），开新文化运动批判孔子之先声。

作者开篇就谈到了世人对孔子思想的不同态度，称：“天下论孔子者约分两端，一谓今日风俗人心之坏，学问之无进化谓孔子为之厉阶。一谓欲正人心，端风俗，励学问，非人人崇拜孔子无以收拾末流。此瞽说也。国人为善为恶当反求之自身。孔子未尝设保险公司岂能替我负此重大之责。国人不自树立一一推委孔子，祈祷大成至圣之默祐，是谓惰性。不知孔子无此权力，争相劝进，奉为素王，是谓大愚。”作者认为：“中国二千余年尊孔之大秘密。既揭破无余，然后推论孔子，以何因缘被彼野心家所利用，甘作滑稽之傀儡，是不能不归咎孔子之自身矣。试分举之。”如“孔子尊君权漫无限制，易演成独夫专制之弊。”“孔子讲学不许问难，易演成思想专制之弊。”“孔子少绝对之主张易为人所藉口。”“孔子但重作官，不重谋食，易入民贼牢笼。”

在文章的下篇中，易白沙又从孔子学说与学术的关系出发，阐明了独尊儒学的不合理性。他指出：“以孔子统一古之文明，则老庄杨墨管晏申韩长沮桀溺许行吴虑，必群起否认，开会反对。以孔子网罗今之文明，则印度欧洲一居南海一居西海，风马牛不相及。闭户时代之董仲舒用强权手段罢黜百家，独尊儒术，开关时代之董仲舒，用牢笼手段附会百家，归宗孔氏，其悖于名实，摧沮学术之进化，则一而已矣。”“尊孔子者又以古代文明创自孔子，即古文奇字亦出诸仲尼氏之手，沮诵仓颉，失其功用。”“夫文化由人群公同焕发睿思幽渺灵耀精光非一时一人之力所能备，文字一切文化之结晶，尤难专功于一人。故西方言希腊罗马文字者，不详始作之人。中国文字亦复如是。”“古代学术胚胞既早，流派亦歧，不仅创造文字不必归功孔子，即各家之学，亦无须定尊于一人。孔子之学，只能谓为儒家一家之学，必不可称以中国一国之学。盖孔学与国学绝然不同。非孔学之小实国学范围之大也。朕即国家，不可施于政治，尤不可施于学术。三代文物炳然大观，岂一人所能统治以列国之时言。孔子之学，举诸子之学，门户迥异。”文章最后认为：“千载以后，遂无人敢道孔子革命之事，微言大义，湮没不章了。愚诚冒昧敢为阐发，使国人知独夫民贼利用孔子，实大悖孔子之精神。孔子宏愿，诚欲统一学术，统一政治，不料为独夫民贼作百世之傀儡。惜哉。”

15日，陈独秀在《青年杂志》第1卷第6号发表《吾人最后之觉悟》。该文旨在宣传资产阶级民主思想，号召人们积极参与政治，不要把希望寄托在所谓的“善良政府、贤人政治”上。陈独秀在文章中列举了中西文明的冲突，指出：“数百年来，吾国扰攘不安之象，其由此两种文化相触接相冲突者，盖十居八九。凡经一次冲突，国民即受一次觉悟。惟吾人惰性过强，旋觉旋迷，甚至愈觉愈迷，昏瞆糊涂，至于今日，综计过境，略分七期”。“第一期在有明之中时，西教西器初入中国，知之者乃极少数之人，亦复惊为‘河汉’，信之者为徐光启一人而已。”“第二期在清之初世，火器历法，见纳于清帝，朝野旧儒，群起非之，是为中国新旧相争之始。”“第三期在清之中世。鸦片战争以还，西洋武力，震惊中土，情见势绌，互市局成，曾、李当国，相继提倡西洋制械练兵之术，于是洋务西学之名词发现于朝野。”“第四期在清之末季。”“第五期在民国初元。”“第六期则今兹之战役也。三年以来，吾人于共和国体之下，备受专制政治之痛苦。政治根本解决问题，犹待吾人最后之觉悟。此谓之第七期民国宪法实行时代。”

陈独秀所谓的“最后之觉悟”，即是指反对专制政治，实施民国之宪法。他认为，反对专制政治，“不得不待诸第七期吾人最后之觉悟。”“此觉悟维何?”陈独秀认为，首先应是“政治的觉悟”：“吾国专制日久，惟官令是从。人民除纳税诉讼外，与政府无交涉。国家何物，政治何事，所不知也。积成今日国家危殆之势，而一般商民，犹以为干预政治，非分内之事；国政变迁，悉委诸政府及党人之手；自身取中立态度，若观对岸之火，不知国家为人民公产，人类为政治动物。斯言也，欧美国民多知之。此其所以莫敢侮之也。是以吾人政治的觉悟之第一步。”而在陈独秀看来，国民政治觉悟的第二步是采用“自由的自治的国民政治”。他说：“古今万国，政体不齐，治乱各别，其拨乱为治者，罔不舍旧谋新，由专制政治，趋于自由政治；由个人政治，趋于国民政治；由官僚政治，趋于自治政治：此所谓立宪制之潮流，此所谓世界系之轨道也。”“吾国欲图世界的生存，必弃数千年相传之官僚的专制的个人政治，而易以自由的自治的国民政治也。是为吾人政治的觉悟之第二步。”至于国民政治觉悟的第三步，就是以自觉自愿的态度，拥护国民政治：“所谓立宪政体，所谓国民政治，果能实现与否，纯然以多数国民能否对于政治，自觉其居于主人的主动的地位为唯一根本之条件。第以共和宪政，非政府所能赐予，非一党一派人所能主持，更非一二伟人大老所能负之而趋。共和立宪而不出于多数国民之自觉与自动，皆伪共和也，伪立宪也，政治之装饰品也，与欧美各国之共和立宪绝非一物。以期于多数国民之思想价格无变更，与多数国民之利害休戚无切身之观感也。是为吾人政治的觉悟之第三步。”

其次，陈独秀所谓的“最后之觉悟”还包括“伦理的觉悟”：“伦理思想，影响于政治，各国皆然，吾华尤甚。儒者三纲之说，为吾伦理政治之大原，共贯同条，莫可偏废。三纲之根本义，阶级制度是也。所谓名教，所谓礼教，皆以拥护此别尊卑明贵贱制度者也。近世西洋之道德政治，及以自由平等独立之说为大原，与阶级制度极端相反。此东西文明之一大分水岭也。”在分析了伦理对政治的影响后，陈独秀将国民觉悟的希望寄托在“伦理之觉悟”上：“吾人果欲于政治上采用共和立宪制，复欲于伦理上保守纲常阶级制，以收新旧调和之效，自家冲撞，此绝对不可能之事。盖共和立宪制，以独立平等自由为原则，与纲常阶级制为绝对不可相容之物，存其一必废其一。倘于政治否认专制，于家族社会仍保守旧有之特权，则法律上权利平等经济上独立生产之原则，破坏无馀，焉有并行之馀地。”“自西洋文明输入吾国，最初促吾人之觉悟者为学术，相形见绌，举国所知矣；其次为政治，年来政象所证明已有不克守缺抱残之势。继今以往，国人所怀疑莫决者，当为伦理问题。此而不能觉悟，则前之所谓觉悟者，非彻底之觉悟，盖犹在惝恍迷离之境。吾敢断言曰：伦理的觉悟，为吾人最后觉悟之觉悟。”

18 日，中华革命党在武昌、长沙起事失败。革命党人蔡济民等于武昌、两湖策动马队起义失败。

21 日，革命党人杨王鹏等率百余人去长沙袭击将军署及警署，以失败告终，杨等十余人被捕遇害。

朱希祖著《中国文学史要略》，由北京大学出版部出版。

汤忠永所著的小说《斯巴达之女子》发表于《浙江兵事杂志》第 23、24 期。

胡寄尘编小说《慕凡女儿传》发表于商务《妇女杂志》第 2 卷第 1 号至 11 号。

三月

22 日，袁世凯被迫取消帝制，仍称大总统，废除“洪宪”年号。

刘半农编家庭剧《小伯爵》，载《中华小说界》第 3 卷第 3 ~ 5 期。

春，郁达夫在日本结识日本汉文学家服部担风，遂经常参加由服部担风主持的“佩兰吟社”的定期集会，并开始在他编辑的《新爱知新闻》汉诗栏上发表旧体诗作。

四月

27 日，孙中山由日本返抵上海。

钱静方（泖东一蟹）所著的《小说丛考》单行本由商务印书馆出版。

吴梅的《奴泪碑传奇》发表于《小说月报》第 7 卷第 4、5 号。

汤忠永所著小说《爱情与敌忾》发表于《浙江兵事杂志》第 25、27 号。

五月

6 日，鲁迅从原来居住的绍兴会馆内藤花馆移居入补树书屋，《狂人日记》、《孔乙己》、《药》等作品后来皆在此写成。

9 日，孙中山在上海发表了《讨袁第二次宣言》。

广仓学窘出版《学术丛编》月刊，王国维主编，发表王国维的《殷周制度论》等著名论文。共 24 册。后来编印为《广仓学窘丛书》甲类，又称《学术丛书》。同时出版《艺术丛编》双月刊，邹景叔主编。共 24 册，后来编印为《广仓学窘丛书》乙类。

又称《艺术丛书》。

《民彝杂志》在日本东京创刊出版。不定期刊。留日学生总会发行，第2期起改由上海泰东图书馆发行。李大钊任编辑主任。分设撰著、评论、通讯、论坛、译述、杂俎等栏目。1917年2月停刊，共见3期。

李大钊自日本回国抵上海。

梁启超回肇庆，护国军政府军务院在肇庆成立。

不肖生（向逵）著《留仙外史》由上海民权出版部刊行单行本，至1922年出齐，共10集160章。同年，上海世界书局刊行。

曾朴著《孽海花》第3册由望云小房刊行，附录有《孽海花考证》长文。

英国柯南道尔所著小说《福尔摩斯侦探案全集》，分由严独鹤、程小青、陈小蝶、田虚握生、刘半农、周瘦鹃等10人翻译出版。收长短篇侦探小说44案，汇成文言译本12册。上海中华书局刊行。前有半农（刘半农）的《序》，认为："柯氏此书，虽非正式的教科书，实隐隐有教科书的编法。"

六月

6日，袁世凯在北京病死，7日，副总统黎元洪任代理大总统。黎元洪下令恢复《临时约法》，并任段祺瑞为国务总理。

6日，《小说日报》出版试销性的第一号。次日正式创刊。16开3张12版。创办人兼主编徐枕亚，发行人黄玉汝，印刷人何庚声。初创时内容分小说、艺文、杂纂三大类，报末附诗钟、文虎。自16号起，新增俱乐部专版，加添趣闻、剧谈、花史三栏。后因徐枕亚忙于主编《小说丛报》，于次月3日停刊，共出28号。

15日，《民铎》（季刊）在日本东京创刊，自第5号起（1918年12月1日）迁上海出版。1929年11月出版第10卷第5号后停刊。留日学生学术研究会主办，1919年起由李石岑主编。该刊以阐扬平民精神，介绍现代思潮为宗旨。

16日，胡适往绮色佳，共8天，住在韦莲司家。在此期间同任叔永、杨杏佛、唐擘黄谈文学改良问题，极力主张以白话作文作诗作戏曲小说。他把自己的意思概括为九点：（一）今日之文言乃是一种半死的文字，因不能使人听得懂之故。（二）今日之白话是一种活的语言。（三）白话并不鄙俗，俗儒乃谓之俗耳。（四）白话不但不鄙俗，而且甚优美适用。（五）凡文言之所长，白话皆有之。而白话之所长，则文言未必能及之。（六）白话并非文言之退化，乃是文言之进化。（七）白话可产生第一流文学。（八）白话的文学为中国千年来仅有之文学。（九）文言的文字可读而听不懂；白话的文字既可读，又听得懂。并特别指出："今日所需，乃是一种可读、可听、可歌、可讲、可记的言语。要读书不须口译，演说不须笔译；要施诸讲台舞台而皆可，诵之村妪妇孺而皆懂。不如此者，非活的语言也，决不能成为吾国之国语也，决不能产生第一流的文学也。"（胡适：《藏晖室札记》卷十三。转引自曹伯言、季维龙编著：《胡适年谱》，第101~102页，安徽教育出版社1986年版）

章太炎解除"幽禁"。《中华新报》6月27日、29日连载欢迎章太炎的报道。

涵秋的长篇小说《玉华惨史》发表于《小说海》第2卷6号、10号。

七月

26日，胡适写长信答任叔永。任的来信说，胡适提倡的文学革命如果成功，“将令吾国作诗者皆京调高腔，而陶谢李杜之流，永不复见于神州”。胡适便用这些话来表述自己“梦想中文学革命之目的”：“（一）文学革命的手段，要令国中的陶谢李杜皆敢用白话高腔京调做诗；又须令彼等皆能用白话高腔京调做诗。（二）文学革命的目的，要令中国有许多白话高腔京调的陶谢李杜。换言之，则要令陶谢李杜出于白话高腔京调之中。（三）今日决用不着‘陶谢李杜的’陶谢李杜。若陶谢李杜生于今日而为陶谢李杜当日之诗，必不能成今日之陶谢李杜。何也？时世不同也。（四）我辈生于今日，与其作不能行远不能普及的《五经》、两汉、六朝、八家文字，不如作家喻户晓的《水浒》、《西游》文字。与其作似陶似谢似李似杜的诗，不如作不似陶不似谢不似李杜的白话高腔京调。与其作一个作‘真诗’，走‘大道’，学这个，学那个的陈伯严……不如作一个‘实地试验’‘旁逸斜出’‘舍大道而不由’的胡适。”他把这四条看作他“梦想中文学革命之宣言书”。（胡适：《藏晖室札记》卷十四，转引自曹伯言、季维龙编著：《胡适年谱》，第104页，安徽教育出版社1986年版）

《清诗话》刊行。丁福保汇辑，首有丙辰（1916）五月初十日仪征严伟序。共收清人诗话中的代表作品43种，是规模较大的一部诗话丛书。

茅盾从北京大学预科毕业回家。

八月

1日，田汉跟随赴日本任湖南留日学生经理员的舅父易象离开长沙启程前往日本。到达东京后，田汉起先在湖南驻日留学生经理处当抄写员，一度想学做海军，后考入东京高等师范外语系学习英文。在此期间，田汉通过日本知识分子的介绍，开始了解欧洲现实主义的近代剧和电影艺术。

15日，北京《晨钟报》创刊，1918年12月改名为《晨报》，该报是以梁启超、汤化龙为首的进步党（后改为宪法研究会，即研究系）的机关报。李大钊任总编辑。

李大钊在创刊号上发表《〈晨钟〉之使命——青春中华之创造》一文，通过介绍“青年德意志”运动对德国统一振兴的贡献，认为“由来新文明之诞生，必有新文艺为之先声，而新文艺之勃兴，尤必赖有一二哲人，犯当世之不韪，发挥其理想，振其自我之权威，为自我觉醒之绝叫，而后当时有众之沉梦，赖以惊破。”（李大钊：《〈晨钟〉之使命——青春中华之创造》，《晨钟报》创刊号。）希望和有志青年一起发动类似“青年德意志”那样的思想文艺运动，反对旧文学，提倡新文学，以期振兴中华。

本年上半年，李大钊由日本回国后，汤化龙请他主编该报。后因意见不合，李大钊担任编辑不到两个月即行辞职。1918年9月，该报因披露段祺瑞向日本大借款的消息而遭封闭；同年12月改名为《晨报》继续出版，至1928年6月终刊。

19日，胡适写信给朱经农，提出文学革命的八个条件，即：“（一）不用典。（二）

不用陈套语。（三）不讲对仗。（四）不避俗字俗语（不嫌以白话作诗词）。（五）须讲求文法。——以上为形式的方面。（六）不作无病之呻吟。（七）不摹仿古人。（八）须言之有物。——以上为精神（内容）的方面。"（胡适：《藏晖室札记》卷十四，转引自曹伯言、季维龙编著：《胡适年谱》第106页，安徽教育出版社1986年版）

茅盾经人介绍进入上海商务印书馆编译所英文部，在新设立的"英文函授学校"任职，9月被调到国文部工作，9月到12月译述完了美国卡本脱的有关衣、食、住的三本书（其中《衣》为续译），这是公开发表的茅盾最初译著。

九月

1日，《新青年》第2卷第1号出版，发表李大钊的《青春》。李大钊指出青春是"无尽"的、"无初无终"、"无限无极"、"无方无体"，号召青年要"冲决过去历史之网罗，破坏陈腐学说之囹圄，勿令僵尸枯骨，束缚现在活泼泼地之我"，"进前而勿顾后，背黑暗而向光明"。

7日，教育部通俗教育研究会通令查禁鸳鸯蝴蝶派的《眉语》月刊，以其提倡"聚钗光鬓影能及时行乐"的淫乱思想，毒害青年而查禁。随后还查禁了《金屋梦》、《鸳鸯梦》等小说。通俗教育研究会于本年曾订审核小说标准，分小说为教育、政事、哲学及宗教、史地、实质科学、社会情况、寓言及谐语、杂记八类。每类分上、中、下三等，上等者设法提倡，中等者听任，下等者限制或禁止，大要均以适合国情，有益学识，辅助道德为归。又议决《良好小说目录议案》，同时颁布《奖励小说章程》六条，发布《褒奖条例》三条，《审核小说杂志条例》七条。计本年审核的小说、杂志有《孤雏感遇记》、《块肉余生述》、《新西游记》及《新小说汇编》、《说林》等265种。

13日，梁启超、汤化龙等进步党人组织"宪法研究会"。

20日，康有为发表《致总统总理书》，要求将孔教"编入宪法"，祀孔行拜跪礼。

夏秋之交，郭沫若作《死的诱惑》、《Venus》、《别离》、《新月与白云》，这是他最早的白话新诗。其中，《别离》原为古体诗《残月黄金梳》，后于1919年三四月间，被作者改译为白话诗，题名《别离》，收入1921年《女神》第3辑。据郭沫若自己回忆说，在阅读了泰戈尔和海涅的诗歌以后，"自然受了不小的影响，在一六、一七、一八几年间便摹仿他们，偶然地写过一些口语形态的诗。"（郭沫若：《凫进文艺的思想》，《文哨》第1卷第2期。转引自郑方泽编：《中国近代文学史事编年》第353页，吉林人民出版社1983年版）

十月

1日，胡适在《新青年》第2卷第2号通信栏发表书信《胡适—致独秀》，反对用典，针对当时的文学现实，提出了自己改革文学的八项主张："足下之言曰：'吾国文艺犹在古典主义理想主义时代，今后当趋向写实主义。'此言是也。然贵报三号登谢无量君长律一首，附有记者按语，推为'希世之音。'又曰：'子云相如而后，仅见斯篇，虽工部亦只有此工力，无此佳丽……吾国人伟大精神，犹未丧失也欤，於此征之。'细检谢君此诗，至少凡用古典套语一百事。”胡适指出：“稍读元白柳刘（禹锡）之长律者，皆将谓贵报案语之为厚诬工部而过誉谢君也。适所以不能已於言者，正以足下论文学已知古典主义之当废，而独啧啧称誉此古典主义之诗，窃谓足下难免自相矛盾之诮矣。”胡适认为古诗中“其最可传之作，皆其最不用典者也。”“总之，以用典见长之诗，决无可传之价值。”“尝谓今日文学之腐败极矣。其下焉者，能押韵而已矣。稍进，如南社诸人，夸而无实，滥而不精，浮夸淫琐，几无足称者。”“更进，如樊樊山陈伯严郑苏庵之流，视南社为高矣。然其诗皆规摹古人，以能神似某人某人为至高目的，极其所至，亦不过为文学界添几件赝鼎耳。”因此，胡适说：“综观文学堕落之因盖可以‘文胜质’一语包之文胜质者。有形式而无精神，貌似而神亏之谓也。欲救此文胜质之弊，当注重言中之意，文中之质，躯壳内之精神。古人曰：‘言之不文，行之不远。’应之曰：若言之无物，又何用文为乎?”针对以上这种情况，胡适认为“今日欲言文学革命，须从八事入手。”“一曰不用典。”“二曰不用陈套语。”“三曰不讲对仗。文当废骈诗当废律。”“四曰不避俗字俗语。不嫌以白话作诗词。”“五曰须讲求文法之结构。”“此皆形式上之革命也。”另有“六曰不作无病之呻吟。”“七曰不摹仿古人。语语须有个我在。”“八曰须言之有物。”“此皆精神上之革命也。”

胡适信后附有陈独秀的复信。陈独秀对杂志刊登谢诗的原由作了解释，针对胡适提出的改革文学的八事提出了自己的意见。陈独秀表示“除五八二项，其余六事，仆无不合十赞叹，以为今日中国文界之雷音。”陈独秀进而提出了自己的见解，指出“第五项所谓文法之结构者，不知足下所谓文法，将何所指?仆意中国文字，非合音无语尾变化，强律以西洋之 Gramma，未免画蛇添足。”“若谓为章法语势之结构，汉文亦自有之。此当属诸修辞学，非普通文法。且文学之文，与应用之文不同，上未可律以论理学，下未可律以普通文法。其必不可忽视者修辞学耳。”又针对第八项“须言之有物”，提出“或者足下非古典主义，而不非理想主义乎？鄙意欲救国文浮夸空泛之弊，只第六项‘不作无病之呻吟’一语足矣。若专求‘言之有物’，其流弊将毋同於‘文以载道’之说。以文学为手段为器械，必附他物以生存。窃以为文学之作品，与应用文字作用不同。其美感与伎俩，所谓文学美术自身独立存在之价值，是否可以轻轻抹杀，岂无研究之余地?况乎自然派文学，义在如实描写社会，不许别有寄托，自堕理障。盖写实主义之与理想主义不同也以此。”

1 日，《新青年》第 2 卷第 2 号，陈独秀发表《驳康有为致总统总理书》。康有为和张勋为制造尊孔复辟的舆论，曾上书请求将孔教定为“国教”，列入“宪法”。

陈文首先对康有为的历史功绩作了一点说明，认为：“吾辈今日得稍有世界知识，其源泉乃康、梁二先生之赐。是二先生维新觉世之功，吾国近代文明史所应大书特书者矣。”但是，“厥后任公先生且学且教，贡献于国人者不少，而康先生而则无闻焉。不谓辛亥以还，且于国人流血而得之共和，痛加诅咒。‘不忍’杂志，不啻为筹安会导其先河。天下之敬爱先生者，无不为先生惜之!”“近且不惜词费，致书黎、段二公，强词夺理，率肤浅无常识，识者皆目笑存之，本无辩驳之价值。然中国人脑筋不清，析理不明，或震其名而惑其说，则为害于社会思想之进步也甚巨，故不能已于言焉。”随后，陈独秀对康有为信的内容逐一进行了批驳，如谈到宗教问题时，认为：“吾华宗教，本不隆重；况孔教绝无宗教之实质（宗教实质，重在灵魂之救济，出世之宗也。孔子不事鬼，不知死，文行忠信，皆入世之教，所谓性与天道，乃哲学，非宗教）与仪式，是教化之教，非宗教之教。乃强欲平地生波，惑民诬孔，诚吴稚晖先生所谓‘鑿孔栽须’者矣!”“信教自由，已为近代政治之定则。强迫信教，不独不能行之本国，且不能施诸被征服之属地人民。其反抗最烈，影响最大者，莫如英国之‘清教徒’，以不服国教专制之故，不惜移住美洲，叛母国而独立。康先生蔑视佛、道、耶、回之信仰，欲以孔教专利于国中，吾故知其所得于近世文明史，政治史之知识必甚少也。”陈独秀进而指出：“孔教与帝制，有不可离散之因缘；若并此二者而主张之，无论为祸中国与否，其一贯之精神，固足自成一说。不图以曾经通电赞成共和之康先生，一面又推尊孔教；既推尊孔教矣，而原书中又期以‘不与民国相抵触者，皆照旧奉行。’主张民国之祀孔，不啻主张专制国之祀华盛顿与卢梭，推尊孔教者而计及抵触民国与否？是乃自取其说而根本毁之耳，此矛盾之最大者也!”最后，陈独秀说：“吾最后尚有一言以正告康先生曰：吾国非宗教国，吾国人非印度犹太人，宗教信仰心，由来薄弱。教界伟人，不生此土，即勉强杜撰一教宗，设立一教主，亦必无何等威权，何种荣耀。若虑风俗人心之漓薄，又岂干禄作伪之孔教所可救治？古人远矣！近代贤豪，当时耆宿，其感化社会之力，至为强大；吾民之德敝治污，其最大原因，即在耳目头脑中无高尚纯洁之人物为之模范，社会失其中枢，万事循之退化。‘法国社会学者孔特，谓人类进化，由其富于模仿性，英雄硕学，乃人类社会之中枢，资其模仿者也。’若康先生者，吾国之耆宿，社会之中枢也，但务端正其心，廉洁其行，以为小子后生之模范，则裨益于风俗人心者，至大且捷，不必远道乞灵于孔教也。”

10日，上海《时事新报》开辟《上海黑幕》专栏，此后两三年间，“黑幕小说”风行一时。代表作品有《绘图中国黑幕大观》及其续集。内容分为军、政、学、商及会党、匪类、报界、僧道、慈善事业等类。其内容是专门揭人隐私，进行人身攻击，即所谓“秘密史”、“风流史”、“艳史”、“趣史”之类。约3年左右即从文坛消失。

30日，鲁迅接待因神经错乱由山西逃来的大姨母之子阮久荪，并照顾其就医，据说此事为后来鲁迅在《狂人日记》中塑造“狂人”的形象提供了生活素材。［鲁迅博物馆、鲁迅研究室编：《鲁迅年谱》（增订本）（第一卷），第351～352页，人民文学出版社1981年9月。］

梁启超的《饮冰室全集》，共48册，由上海中华书局再版。

十一月

1日，《新青年》第2卷第3号发表陈独秀的《宪法与孔教》一文，驳宪法草案中关于尊孔的规定。

陈文首先提出了孔教问题的重要性：“盖孔教问题不独关系宪法，且为吾人实际生活及伦理思想之根本问题也。”“盖伦理问题不解决，则政治学术，皆枝叶问题。纵一时舍旧谋新，而根本思想，未尝变更，不旋踵而仍复旧观者，此自然必然之事也。”“孔教之精华曰礼教，为吾国伦理政治之根本。其存废为吾国早当解决之问题，应在国体宪法问题解决之先。”陈独秀认为，宪法草案中的尊孔决定是“效汉武之术，罢黜百家，独尊孔氏，则学术思想之专制，其湮塞人智，为祸之烈，远在政界帝王之上。”随后，陈独秀指出尊孔必将横生事端，祸国殃民。他说：政府“今乃专横跋扈，竟欲以四万万人各教信徒共有之国家，独尊祀孔氏，竟欲以四万万人各教信徒共有之宪法，独规定以孔子之道为修身大本。呜呼！以国家之力强迫信教，欧洲宗教战争，殷鉴不远。即谓吾民酷爱和平，不至激成战斗，而实际生活，必发生种种撞扰不宁之现象。”在陈独秀看来，宪法是“全国人民权利之保证书也，决不可杂以优待一族一教一党一派人之作用。”“故今之讨论者，非孔教是否宗教问题，且非但孔教可否入宪法问题，乃孔教是否适宜于民国教育精神之根本问题也。此根本问题，贯彻于吾国之伦理政治社会制度日常生活者，至深且广，不得不急图解决者也。欲解决此问题，宜单刀直入，肉搏问题之中心。”“其中心问题谓何？即民国教育精神果为何物，孔子之道又果为何物，二者是否可以相容是也。”“惟明明以共和国民自居，以输入西洋文明自励者，亦于与共和政体西洋文明绝对相反之别尊卑明贵贱之孔教，不欲吐弃，此愚之所大惑也。以议员而尊孔子之道，则其所处之地位，殊欠斟酌；益律以庶人不议，则代议政体，民选议院，岂孔敏之所许？”文章指出，假若“以宪法而有尊孔条文，则其余条文，无不可废”。原因在于“今之宪法，无非采用欧制，而欧洲法制之精神，无不以平等人权为基础。吾见民国宪法草案百余条，其不与孔子道相抵触者，盖几希矣，其将何以并存之？”接着，陈独秀再次申明了国民觉悟的重要性：“吾人倘以中国之法，孔子之道，足以组织吾之国家，支配吾之社会，使适于今日竞争世界之生存，则不徒共和宪法为可废，凡十余年来之变法维新，流血革命，设国会，改法律，（民国以前所行之大清律，无一条非孔子之道。）及一切新政治，新教育，无一非多事，且无一非谬误，应悉废罢，仍守旧法，以免滥费吾人之财力。万一不安本分，妄欲建设西洋之新国家，组织西洋之新社会，以求适今世之生存，则根本问题，不可不首先输入西洋式社会国家之基础，所谓平等人权之新信仰，对于与此新社会新国家新信仰不可相容之孔教，不可不有彻底之觉悟，猛勇之决心；否则不塞不流，不止不行！”

26 日，蔡元培由欧洲回国后去绍兴，是日在浙江第 5 师范学校发表演说。12 月 11 日，又应邀去江苏教育会发表演说，同月又在上海爱国女校发表演说。

苏曼殊著《碎簪记》，连载于《新青年》第 2 卷第 3 ~ 4 号（1916 年 11 月 1 日—12 月 1 日）。

十二月

1 日，陈独秀的《孔子之道与现代生活》发表于《新青年》第 2 卷第 4 号。

陈独秀在文中分析了清末以来社会思潮的一些变化，认为：“宇宙间精神物质，无时不在变迁即进化之途。道德彝伦，又焉能外？‘顺之者昌，逆之者亡，’史例具在，不可谓诬。此亦可以阿斯特瓦尔特之说证之：一种学说，一种生活状态，用之既久，其精力低行至于水平，非举其机械改善而更新之，未有不失其效力也。此‘道与世更’之原理，非稽之古今中外而莫能破者乎？”陈文认为，现代生活“以经济为之命脉”，而“个人独立主义，乃为经济学生产之大则，其影响遂及于伦理学。故现代伦理学上之个人人格独立，与经济学生之个人财产独立，互相证明。”陈独秀在文中批判了孔子学说与时代的背离：“孔子……所提倡之道德，封建时代之道德也；所垂示之礼教，即生活状态，封建时代之礼教，封建时代之生活状态也；所主张之政治，封建时代之政治也。封建时代之道德，礼教，生活，政治，所心营目注，其范围不越少数君主贵族之权利与名誉，于多数国民之幸福无与焉。”有鉴于此，陈独秀在文末呼吁道：“吾愿世之尊孔者勿盲目耳食，随声附和，试揩尔目，用尔脑，细察孔子之道果为何物，现代生活果作何态，诉诸良心，下一是非善恶进化或退化之明白判断，勿依违，勿调和——依违调和为真理发见之最大障碍！”

14日，《新世界报》在上海创刊，1919年6月17日至1920年2月5日改名为《药风日刊》。至1927年3月，受北伐战事影响而终刊。为上海大型游乐场出的报纸，始于新世界，故《新世界报》是近代第一份游戏场文艺报纸。编辑主任郑正秋。历任总编有奚燕子（号莲侬）、杨尘因。五四运动期间，该报与刊有小说、笔记、诗话、戏剧等内容。

26日，黎元洪任命蔡元培为北京大学校长，次年1月4日就职。自蔡元培执掌北大后，“循自由思想原则，取兼容并包主义”，聘请一些提倡新文化的知识分子前往该校任教，南方的文人、学者纷纷北上，北大成为传播新文化的一个阵地，北京遂成为当时的文化中心。同月，经沈尹默推荐，蔡元培邀请陈独秀来校任教，并答允可把《新青年》“带到学校里来办。”［参见鲁迅博物馆、鲁迅研究室编：《鲁迅年谱》（增订本）（第一卷）第341页，人民文学出版社1981年版。］蔡元培的自由主义的教育思想，在其出任上海南洋公学特班总教习时，便有所萌芽。黄炎培回忆说，蔡元培所教的中文课程，是在哲学、文学、政治等二三十门类中，“让个人认定一门，蔡师就这一门出示应读的主要次要书目，嘱向学校图书馆借书阅读。每天须写笔记送师批阅”，“蔡师不但亲手批阅，还每夜轮流召二三学生到蔡师房里面谈，或就笔记、或就今天日报所载时事消息指示种种，学生也可以提出意见请教”。（黄炎培：《八十年来》第55页，文史资料出版社1982年版）蔡元培当时非常注意启发学生的民族意识和关心时事的精神，并强调自由、切实的教学。他每天出题给学生作文，“题材是不拘的”。为培养学生传播知识的能力，他“成立演说会，定期轮流学习演说”。（黄炎培：《八十年来》第57页，文史资料出版社1982年版）

蔡元培应通俗教育研究会的邀请发表演说，阐述小说、戏曲、影戏等与通俗教育的关系。

本年暑假期间，郭沫若在东京和日本少女佐藤富子（即安娜）相识，两人开始恋爱，作日文通信，12月两人在冈山同居。

1917年

一月

1日，胡适的《文学改良刍议》发表于《新青年》第2卷第5号，这是倡导文学革命的第一篇理论文章。胡适在这篇文章中提出文学改良“须从八事入手”：“一曰，须言之有物。二曰，不摹仿古人。三曰，须讲求文法。四曰，不作无病之呻吟。五曰，务去滥调套语。六曰，不用典。七曰，不讲对仗。八曰，不避俗字俗语。”文章逐一论述了这八个方面的问题。

在论述第一条“须言之有物”时，胡适指出：“吾国近世文学之大病，在于言之无物”，进而又提出“吾所谓‘物’，约有二事”：一曰情感，“情感者，文学之灵魂。文学而无情感，如人之无魂，木偶而已，行尸走肉而已。”二曰思想，“吾所谓‘思想’，盖兼见地、识力、理想三者而言之”，“思想之在文学，犹脑筋之在人身。”文章批评“近世文人沾沾于声调字句之间，既无高远之思想，又无真挚之情感，文学之衰微，此其大因矣。此文胜之害，所谓言之无物者是也。”胡适对此提出的解决办法是“欲救之弊，宜以质救之。质者何，情与思二者而已。”

第二条，“不摹仿古人”。胡适指出“文学者，随时代而变迁者也，一时代有一时代之文学。”文章简要勾勒了中国文学的发展线索，运用进化论的观点，指出“既明文学进化之理，然后可言吾所谓‘不摹仿古人’之说。今日中国当造今日之文学，不必摹仿唐宋，亦不必摹仿周秦也。”胡适高度评价了白话小说，称“吾每谓今日之文学，其足与世界‘第一流’文学比较而无愧色者，独有白话小说（我佛山人，南亭亭长，洪都百炼生三人而已）一项，此无他故，以此种小说皆不摹仿古人，（三人皆得力于《儒林外史》《水浒》《石头记》。然非模仿之作也。）而惟实写今日社会之情状，故能成真正之文学。”

第三条，“须讲求文法”。胡适认为，“今之作文作诗者，每不讲求文法之结构”，“尤以作骈文律诗者为尤甚”，“不讲文法，是谓‘不通’”。

第四条，“不作无病之呻吟”。胡适列举当时文坛种种无病呻吟之情状，加以针砭。他说：“今之少年往往作悲观。其别号则曰‘寒灰’、‘无生’、‘死灰’。其作为诗文，则对落日而思暮年，对秋风而思零落，春来则惟恐其速去，花发又惟恐其早谢。此亡国之哀音也。其流弊所至，遂养成一种暮气……此吾所谓无病之呻吟也。”

第五条，“务去滥调套语”。胡适指出，“今之学者，胸中记得几个文学的套语，便称诗人。其所谓诗文处处是陈言滥调。”而“吾所谓务去滥调套语者，别无他法，惟在人人以其耳目所亲见、亲闻、所亲身阅历之事物，一一自己铸词以形容描写之。但求其不失真，但求能达其状物写意之目的，即是工夫。”

第六条，“不用典”。胡适区分了“广义”与“狭义”之典，又具体分析了何谓用典与非用典：“（一）广义之典非吾所谓典也。”“（甲）古人所设譬喻，其取譬之事物，含有普通意义，不以时代而失其效用者，今人亦可用之。”“（乙）成语”，“成语者，合字成辞，别为意义。其习见之句，通行已久，不妨用之。”“（丙）引史事，与今所议论之事相比较，不可谓为用典也。”“（丁）引古人作比，此亦非用典也。”引史事“（戊）引古人之语，此亦非用典也。”胡适总结道：“以上五种为广义之典，其实非吾所谓典也。若此者可用可不用”。胡适进而又提出何谓狭义之典，“狭义之典吾所主张不用也。吾所谓‘用典者’，谓文人词客不能自己铸词造句以写眼前之景，胸中之意，故借用或不全切，或全不切之故事陈言以代之，以图含混过去，是谓‘用典’”。关于用典的方面，胡适总结为："上所述广义之典，除戊条外，皆为取譬比方之辞。但以彼喻此，而非以彼代此也。狭义之用典。则全为以典代言，自己不能直言，故用典以言之耳。此吾所谓用典与非用典之别也。狭义之典，亦有工拙之别，其工者偶一用之，未为不可。其拙者则当痛绝之己。"

第七条，"不讲对仗"。胡适先以老子、孔子之文为例，认为"此皆近于言语之自然，而无牵强刻削之迹；尤未有定其字之多寡，声之平仄，词之虚实者也。""至于后世文学末流，言之无物，乃以文胜。文胜之极，而骈文律诗兴焉，而长律兴焉。骈文律诗之中非无佳作，然佳作终鲜。"胡适认为"今日而言文学改良，当'先立乎其大者'，不当枉废有用之精力于微细纤巧之末。此吾所以有废骈废律之说也。即不能废此两者，亦但当视为文学末技而已，非讲求之急务也。"同时，胡适又大力推举白话小说为文学之正宗："今人犹有鄙夷白话小说为文学小道者。不知施耐庵、曹雪芹、吴研人皆为文学正宗，而骈文律诗乃真小道耳。"

第八条，"不避俗语俗字"。胡适提出"吾惟以施耐庵、曹雪芹、吴研人为文学正宗，故有'不避俗字俗语'之论也"。在分析了中国文学历代以来的言文关系后，胡适呼吁："今日作文作诗，宜采用俗语俗字。与其用三千年前死文字，不如用二十世纪活文字。与其作不能行远不能普及之秦汉六朝文字，不如作家喻户晓之《水浒》《西游》文字也。"

胡适该文之主张，以融会前人，特别是晚清文学改良运动者的意见而成。其"白话文学之为中国文学之正宗"说事实上深刻影响了新文学的发展方向。

包天笑在自己主编的《小说画报》第1期发表《小说画报·例言》，主张"小说以白话为正宗"，"文学进化之轨道，必由古语之文学而变为俗语之文学"。

陈独秀被蔡元培任命为北京大学文科学长。

二月

1日，陈独秀的《文学革命论》发表于《新青年》第2卷第6号。

陈独秀在文中首先谈到了欧洲文明兴盛的原因，他说："今日庄严灿烂之欧洲，何自而来乎？曰：革命之赐也。"他认为"近代欧洲文明史，宜可谓之革命史。"尽管中国"政治界虽经三次革命，而黑暗未尝稍减。其原因之小部分，则为三次革命，皆虎头蛇尾，未能充分以鲜血洗净旧污。其大部分，则为盘踞吾人精神界根深蒂固之伦理、道德、文学、艺术诸端，莫不黑幕层张，垢污深积，并此虎头蛇尾之革命而未有焉。"在分析了革命失败的原因后，陈独秀接着指出，"孔教问题，方喧呶于国中。此伦理道德革命之先声也。文学革命之气运，蕴酿已非一日。其首举义旗之急先锋，则为吾友胡适。余甘冒全国学究之敌，高张'文学革命军'大旗，以为吾友之声援。旗上大书吾革命军三大主义：曰推倒雕琢的阿谀的贵族文学，建设平易的抒情的平民文学；曰推倒陈腐的铺张的古典文学，建设新鲜的立诚的写实文学；曰推倒迂晦的艰涩的山林文学，建设明了的通俗的社会文学。"

为充分论证文学革命，陈独秀还从文学史的源流开始，分析了中国文学的发展及种种弊端。如他认为“国风多里巷猥辞，楚辞盛用土语方物，非不斐然可观，承其流者两汉赋家，颂声大作。雕琢阿谀，词多而意寡。此贵族之文、古典之文之始作俑也。魏晋以下之五言，抒情写事，一变钱袋板滞堆砌之风。在当时可谓文学一大革命，即文学一大进化；然希托高古，言简意晦，社会现象，非所取材，是犹贵族之风，未足以语通俗的国民文学也。齐梁以来，风尚对偶，演至有唐，遂成律体。无韵之文，亦尚对偶。尚书周易以来，即是如此。”“东晋而后，即细事陈启，亦尚骈丽。演之有唐，遂成骈体。诗之有骈，皆发源于南北朝，大成于唐代。更进而为排律，为四六。”此外，陈独秀还认为韩愈“变八代之法，而宋元之先，自是文界豪杰之士。”但又提出“吾人今日所不满于昌黎者二事”，“一曰文犹师古”，“二曰误于‘文以载道’之谬见。”据此，陈独秀提出了“今日中国之文学，委琐陈腐，原不能与欧洲比肩”的观点。

陈独秀认为，造成今日中国文学之“委琐陈腐”的罪魁祸首，即为复古派这些“文坛妖魔”：“此妖魔为何？即明之前后七子，及八家文派之归方刘姚是也。此十八妖魔辈，尊古蔑今，咬文嚼字，称霸文坛。”“若夫七子之诗，刻意模古，直谓之抄袭可也。归方刘姚之文，或希荣慕誉，或无病呻吟，满纸之乎者也矣焉哉。每有长篇大作，摇头摆尾，说来说去，不知道说些什么。此等文学，作者既非创造才，胸中又无物，其伎俩惟在仿古欺人，直无一字有存在之价值。虽著作等身，与其时之社会文明进步无丝毫关系。”

在分析完中国文学的流变后，陈独秀进一步审视了“今日吾国文学”，他认为“今日吾国文学，悉承前代之敝。所谓桐城派者，八家与八股之混合体也。所谓骈体文者，思绮堂与随园之四六也。所谓西江派者，山谷之偶像也。求夫目无古人，赤裸裸的抒情写世，所谓代表时代之文豪者，不独全国无其人，而且举世无此想。”

陈独秀最后总结全文道：“际兹文学革新之时代，凡属贵族文学、古典文学、山林文学，均在排斥之列。以何理由而排斥此三种文学耶？曰，贵族文学，藻饰依也，失独立自尊之气象也。古典文学，铺张堆砌，失抒情写实之旨也。山林文学，深晦艰涩，自以为名山著述，于其群之大多数无所裨益也。其形体则陈陈相因，有肉无骨，有形无神，乃装饰品而非实用品。其内容则目光不越帝王权贵，神仙鬼怪，及其个人之穷通利达。所谓宇宙，所谓人生，所谓社会，举非其构思所及。此三种文学公同之缺点也。此种文学，盖与吾阿谀夸张、虚伪迂阔之国民性，互为因果。今欲革新政治，势不得不革新盘踞于运动此政治者精神界之文学，失吾人不张目以观世界社会文学之趋势及时代之精神，日夜埋头故纸堆中，所目注心营者，不越帝王权贵，鬼怪神仙与夫个人之穷通利达，以此而求革新文学、革新政治，是缚手足而敌孟贲也。”陈独秀还呼吁“吾国文学界豪杰之士，有自负为中国之虞哥、左喇、桂特、郝卜特曼、狄铿士、王尔德者乎？（编者注：此处人名今译为雨果、左拉、歌德、霍普特曼、狄更斯、王尔德）有不顾迂儒之毁誉，明目张胆，以与十八妖魔宣战者乎？予愿拖四十二生的大炮，为之前驱！”

自此，《新青年》就文学革命的问题展开了热烈讨论。

对于陈独秀这篇文章的影响，胡适后来在《五十年来中国之文学》中评价说：“第一篇胡适的《文学改良刍议》，还是很和平的讨论。胡适对于文学的态度，始终只是一个历史进化的态度……文学革命的进行，最重要的急先锋是他的朋友陈独秀。陈独秀接着《文学改良刍议》之后，发表了一篇《文学革命论》，正式举起文学革命的旗子。胡适当时承认文学革命还在讨论的时期……他这种态度太和平了，若照他这个态度做去，文学革命至少还需经过十年的讨论与尝试。但陈独秀的勇气恰好补救了这个太持重的观点……”“但当日若没有陈独秀‘必不容反对者有讨论之余地’的精神，文学革命的运动决不能引起那样大的注意。反对即是注意的表示。”（胡适：《五十年来中国之文学》，《胡适文存》二集卷二，亚东图书馆 1924 年版）

1 日，《新青年》第 2 卷第 6 号还发表了胡适的《白话诗八首》。分别为《朋友》、《赠朱经农》、《月》三首、《他》、《江上》、《孔丘》等。

1 日，《新青年》第 2 卷第 6 号的“通信”部分发表了钱玄同致胡适的信。在信中，钱玄同表示对胡适的《文学改良刍议》一文“极为佩服”：“斯骈文不通之句，及主张白话体文学说最精辟”。此外，钱玄同还就文学史的分期问题提出了自己的看法，他说：“日前见公所拟大学文科中国文学门课程表，似以魏晋至唐宋为第二期，元明清为第三期，鄙意宋世文学实为启后，非是承前，词开曲先，固不待言，即欧苏之文，实启归方，其与昌黎柳州，谅为貌同而心异，又如说理之文，以语录为大宗，以白话说理，尤前此所无。”“故鄙意中国文学，当以自魏至唐为一期，自宋至清为一期。”

周瘦鹃译《欧美名家短篇小说丛刻》由中华书局出版。全书共分三册，介绍了包括一些弱小民族国家在内的欧美 14 国的短篇小说作品。该书收入了高尔基作品的名篇《大义》（原题作《叛徒的母亲》），周瘦鹃因此是中国最早译介高尔基的翻译家。鲁迅、周作人曾推荐此书，并加赞语云：“凡欧美 47 家著作，国别计十有四，其中意、西、瑞典、荷兰、塞尔维亚，在中国皆属创见，所选亦多佳作，又每一篇署著者名氏，并附小像略传，用心颇为恳挚，不仅志在娱悦人耳目，足为近来译事之光。”认为该书所录作品为“纯洁之作”，“则固亦昏夜之微光，鸡群之鸣鹤矣。”（周树人、周作人：《周瘦鹃译〈欧美名家短篇小说丛刻〉评语》，《教育公报》第 4 卷第 15 期，1917 年 11 月 30 日。编者注：此文系鲁迅任“通俗教育研究会”小说股主任时，决定为该书授奖而写的评语，由周作人起草。转引自《鲁迅佚文集》第 115 页，四川人民出版社 1979 年版）

三月

1 日，钱玄同在给《新青年》第 3 卷第 1 号的信中，表达了对胡适《文学改良刍议》一文的拥护，其中许多主张都比胡适更加激进坚决。

如钱玄同主张废除一切典故：“文学之文用典已为下乘，若普通应用之文尤须老老实实讲话，务期老妪能解，如有妄用典故以表象语代事实者，尤为恶劣”。“惟用典一层确为后人劣于前人之处，事实昭彰不能为讳也。”关于“不用典”，钱玄同还提出废除古人称谓，对于事物的名称也应该“文中所用事物名称，道古时事自当从古称，若道现代事必当从今称。”

在谈到骈散句的使用时，钱玄同主张遵循“自然”的原则：“一文之中，有骈有散，悉由自然。凡作一文，欲其句句相对，与欲其句句不相对者，皆妄也。”钱玄同提倡以白话入文，认为“语录以白话说理，词曲以白话为美文。此为文章之进化，实今后言文一致之起点。此等白话文章，其价值远在所谓‘桐城派之文’‘江西派之诗’之上。”

关于小说的历史地位和作品的评点上，钱玄同则和胡适的意见相同。另外，钱玄同还认为中国戏剧应当彻底革新：“若今之京调戏，理想既无，文章又极恶劣不通，固不可因其为戏剧之故，遂谓有文学上之价值也。”“弟尝为滑稽之比喻，谓中国旧戏如骈文，外国之新戏如白话小说，以骈文外貌虽极炳烺，而叩其实质，固空无所有，即其敷引故实，泛填词藻之处，苟逐字逐句为之解释，则事理文理不通者殊多，旧戏仅以唱工见长，而扮相布景举不合于实人实事，正同此例。白话小说能曲折达意，某也贤某也不肖，俱可描摹其口吻神情。故读白话小说，恍如与书中人面语，新剧讲究布景，人物登场语言神气务与其真者酷肖，使观之者几忘其为舞台扮演，故曰与白话小说为同例也。”

此外，钱玄同在文章中还谈到了梁启超。他认为梁启超“实为创造新文学之一人”，“输入日本新体文学，以新名词及俗语入文。视戏曲小说与论记之文平等。此皆其识力过人处。鄙意论现代文学之革新，必数梁君。”

在文末，钱玄同继续抨击“桐城派”和“选学家”。他指出：“至于当世所谓桐城巨子，能作散文，选学名家，能作骈文。做诗填词，必用陈套语，所造之句，不外如胡君所举旅美某君所填之词。此等文人，自命典赡古雅，鄙夷戏曲小说，以为猥俗不登大雅之堂者，自仆观之公等所撰皆高等八股耳。（此尚是客气话，据实言之，直当云变形之八股。）”

1 日，陈独秀的论文《儒教与家庭》发表于《新青年》第 3 卷第 1 号。

四月

《艺文杂志》出版，该刊为本年创设的上海艺文函授社出版的社刊。社长兼主编是曾任《杭州潮报》编辑主任的倪轶池。上海国光书局印刷。此社“以保存国粹言，承先启后，返朴还真，立为本刊”。该刊开设三科：词章、说部、函牍。词章专授散文、骈文、诗词、歌曲；说部专讲小说、传奇、弹词；函牍科讲解公文、状词、尺牍。分设散骈文、诗词、歌曲、小说、传奇、弹词、公文、状词、尺牍、同学录数栏。

《学生周刊》（半月刊）在上海创刊。同年 10 月停刊，共出 11 期。该刊系上海中华编译社附设的中国学生联合会会刊，上海中国学生联合会联合发行。苦海余生（刘哲庐）编辑，自谓本刊是“研究文学之机会，自修之良导师”。1～3 期分设社说、名著、文艺、日记、小说、碎锦等栏。第四期起该刊改良，栏目有所增减，内容有所变化，以发表名人文章为主。该刊主要作者有林纾、蔡孑民、梁任公、沈家桢、徐世端等人。

林纾论文《论古文白话之相消长》发表于《文艺丛刊》杂志。

蔡元培在《东方杂志》第14卷第4号发表《在北京通俗教育研究会演说词》。

五月

1日，《新青年》第3卷第3号发表胡适致陈独秀信，讨论文学革命事宜。胡适在信中说："适所主张八事及足下所主张之三大主义者，此事之是非，非一朝一夕所能定，亦非一二人所能定。甚愿国中人士能平心静气与吾辈同力研究此问题。讨论既熟，是非自明。吾辈已张革命之旗，虽不容退缩，然亦决不敢以吾辈所主张为必是而不容他人之匡正也。"

陈独秀在给胡适的回信中说："改良文学之声，已起于国中，赞成反对者各居其半。鄙意容纳异义，自由讨论，固为学术发达之原则；独至改良中国文学，当以白话为文学正宗之说，必不容反对者有讨论之余地，必以吾辈所主张者为绝对之是，而不容他人之匡正之。"（《新青年》第3卷第3号，1917年5月1日。）

陈独秀的看法，得到了钱玄同的赞同。他在《新青年》第3卷第6号上发表致胡适的信中表示："玄同对于用白话说理抒情，最赞成独秀先生之说，亦以为'其是非甚明，必不容反对者有讨论之余地，必以吾辈所主张者为绝对之是而不容他人之匡正。'此等论调，虽若过悍，然对于迂谬不化之选学妖孽与桐城谬种，实不能不以如此严厉面目加之；因此辈对于文学之见解，正与反对开学堂，反对剪辫子，说'洋鬼子脚直，跌倒爬不起'者见解相同；知识如此幼稚，尚有何种商量文学之话可说乎！"

但是，胡适却认为陈独秀"答书说文学革命一事，是'天经地义'，不容更有异议……这话似乎太偏执了。我主张欢迎反对的言论，并非我不信文学革命是'天经地义'。我若不信这是'天经地义'，我也不来提倡了。但是人类的见解有个先后迟早的区别。……舆论家的手段全在用明白的文字，充足的理由，诚恳的精神，要使那些反对我们的人不能不取消他们的'天经地义'，来信仰我们的'天经地义'。"（《胡适复汪懋祖》，《新青年》第5卷第5号。）

1日，刘半农的《我之文学改良观》发表在《新青年》第3卷第3号。

该文对文学革命提出了许多具体意见。刘半农在文章中说："除于胡君所举八种改良，陈君所揭示三大主义，及钱君所指旧文学种种弊端，绝端表示同意外，复举平时意中所欲言者，拉杂书之，草为此文。"刘文分为"文学之界说如何乎"，"文学与文字"，"散文之当改良者二"，"韵文之当改良者三"，"形式上的事项"，"结语"六个部分。

在"文学之界说如何乎"这一部分中，刘半农指出文学的界定，必须要用西方的分类法，"故就不佞之意，欲定文学之界说，当取法于西文，分一切作物为文字 Language 与文学 Literature 二类。"

在"文学与文字"这一部分中，刘半农分别讨论了"何处当用文字何处当用文学"，"必如何始可称文字如何始可称文学"。在"何处当用文字何处当用文学"一节中，刘半农区分了"文学之文"与"应用之文"，认为"凡科学上应用之字，无论其为实质与否，皆当归入文字范围"，还认为"胡陈钱三君及不佞今兹所草论文之文，亦系文字而非文学”，“此外，他种科学，更不宜破此定例以侵略文学之范围。”在批评了通信、颂词、寿序、祭文、挽联、墓志等酬世之文为“文学废物”后，刘半农认为文学实际上“只诗歌戏曲、小说杂文二种也。”此外，刘半农特地强调“文学为有精神之物，其精神即发生于作者脑海之中。故必须其作者能运用其精神，使自己之意识、情感、怀抱，一一藏纳于文中。而后所为之文，始有真正之价值，始能稳立于文学界中而不摇。否则精神既失，措辞虽工，亦不过说上一大番空话，实未曾做得半句文章也。”至于在新名词的使用问题上，刘半农则认为滥用新名词实与滥用古典相同：“自造新名词及输入外国名词，诚属势不可免。然新名词未必尽通，亦未必吾国竟无适当代用之字。若在文字范围中，取其行文便利，而又为人人所习见，固不妨酌量采用。若在文学范围，则用笔以漂亮雅洁为主，杂入累赘费解之新名词，其讨厌必与滥用古典相同。”

在“散文之当该良者二”和“韵文之当改良者三”这两部分中，刘半农提出了许多明确的意见，如他宣称，“非将古人作文之死格式推翻，新文学决不能脱离老文学之窠臼。”“吾谓白话自有其缜密高雅处，施曹之文，亦仅能称雄于施曹之世。吾人自此以往，但能破除轻视白话之谬见，即以前此研究文言之工夫研究白话，虽成效之迟速不可期，而吾辈意想中之白话新文学，恐尚非施曹所能梦见。”“尝谓诗律愈严，诗体愈少，则诗的精神所受之束缚愈甚，诗学决无发达之望”。这些观点都集中表达了刘半农废除旧文学、创立新文学的主张。

在“形式上的事项”这一部分之中，刘半农强调了形式的重要性，他说：“然文字既为一种完全独立之科学，即无论何事，当有一定之标准，不可随随便便含混过去”，而形式问题在刘半农看来，“其事有三”：（一）分段，“无论长篇短章，一一于必要之处划分段落。”“（二）句逗与符号，”作者具体分析了几种标号的使用方法。“（三）圈点。”认为“用之适当，可以醒目”。

在“结语”部分，刘半农又提出了三项主张，“（一）余于用典问题，一概不用。即用引证，除至普通者外，亦当注明出自何书，或何人所说。（二）余于对偶问题，主张自然。亦如钱君所谓‘凡作一文，欲其句句相对，与欲其句句不对者，皆妄也。’（三）余赞成小说为文学之大主脑，而不认为今日流行之红男绿女之小说为文学。”《新青年》主编陈独秀在该文后附有评语，称：“刘君此文，最足唤起文学界注意者二事，一曰改造新韵，一曰以今语作曲。至于刘君所定文字与文学之界说，似与鄙见不甚相远。鄙意凡百文字之共名，皆谓之文。文之大别有二，一曰应用之文，一曰文学之文。刘君以诗歌戏曲小说等列入文学范围，是即余所谓文学之文也。以评论文告日记信札等列入文字范围，是即余所谓应用之文也。‘文字’与‘应用之文’名词虽不同，而实质似无差异。质之刘君及读者诸君以为如何。”

1 日，胡适的《历史的文学观念论》一文发表于《新青年》第 3 卷第 3 号。

胡适在文中提出了“一时代有一时代之文学”的观点，他说：“居今日而言文学改良，当注重‘历史的文学观念’。一言以避之，曰：一时代有一时代之文学。此时代与彼时代之间，虽皆有承前启后之关系，而决不容完全钞袭，其完全钞袭者，决不成为真文学。愚惟深信此理，故以为古人已造古人之文学，今人当造今人之文学。至于今日之文学与今后之文学究竟当为何物，则全系于吾辈之眼光视力与笔力，而非一二人所能逆料也。”胡适在简述了中国白话文学的历史源流后，郑重提出以白话文学为正宗：“夫白话之文学，不足以取富贵，不足以邀声誉，不列于文学之‘正宗’，然卒不能废绝者，岂无故耶？岂不以此为吾国文学趋势，自然如此，故不可禁遏而以昌达耶？愚深信此理，故又以为今日之文学，当以白话文学为正宗。然此但是一个假设之前提，在文学史上，虽已有许多证据，如上所云，而今后之文学之果出于此与否，则犹有待于今后文学家之实地证明。若今后之文人不能为吾国造一可传世之白话文学，则吾辈今日之纷纷议论，皆属枉费精力，决无以服古文家之心也。”随后胡适分析了历史上的文学大家，认为他们在当时“皆为文学革命之人”。而明代前后七子和清代的归方刘姚等复古派，都是摹拟前人“欲强作一千年二千年以上之文”，因此，胡适认为，不反对复古派，白话文则永无被列为正宗的可能。

六月

9 日，胡适从纽约起程回国，结束了在美 7 年的留学生活。7 月 10 日到达上海，旋即回安徽绩溪家中小住。8 月，胡适到达北京，应聘就任北京大学文科教授，时年尚不满 27 岁。北大教授是胡适理想中的职业，他在 9 月 30 日致母亲的信中说：“教者英文学、英文修辞学及中国古代哲学三科，每礼拜共有十二点钟。事体本不甚繁，本可兼任外间工课。但此番来京已迟了，各学堂都已聘定了教员。且适初任教科，亦不愿太忙。因此且就此二百六十元过了半年再说。适现尚暂居大学教员宿舍内，居此可不出房钱。饭钱每月九元，每餐两碟菜一碗汤，饭米颇不如南方之佳，但尚可吃得耳。适意俟拿到钱时，将移出校外居住，拟与友人六安高一涵君。”（胡适：《胡适书信集》第 107 页，北京大学出版社 1996 年版）

29 日，柳亚子的《答野鹤》一文发表于《民国日报》。柳亚子在文中明确提出：“欲中华民国之诗学有价值，非扫尽江西派不可。”

陈衡哲的小说《一日》发表于《留美学生季报》新 4 卷夏季 2 号。

黎元洪总统府与段祺瑞国务院因是否参加第一次世界大战发生“府院之争”。6 月，黎免去段国务院总理职，召张勋进京共商国是，张勋遂以调解“府院之争”为名，率辫子军 3000 人由徐州北上入京，阴谋复辟。6 月 30 日，张勋偕其同党潜入清宫，召开“御前会议”，决定当晚发动政变。深夜，辫子兵占据车站、邮局等要地，并派代表劝黎元洪“奉还大政”。7 月 1 日，张勋换上清朝冠服，率三百余人涌入清宫，拥溥仪“登极”，接受朝拜，连续发布“上谕”，改民国六年为宣统九年，易五色旗为龙旗，恢复前清官制。中央设议政大臣、内阁，各省督军改称巡抚或总督。张勋自封议政大臣兼直隶总督、北洋大臣，集军政大权于一身，并通电各省，劝告响应，黎元洪被迫逃入日本使馆避难。复辟消息传出后，激起全国各阶层人民强烈反对，孙中山在上海发表《讨逆宣言》，段祺瑞于 7 月 3 日在天津乘机组织讨逆军，由天津马厂率师迅速攻入北京。7 月 12 日，张勋兵败逃入荷兰使馆，溥仪再次宣布退位。段祺瑞于 7 月 14 日重新执掌政府大权。这就是历史上“张勋复辟”的闹剧。复辟前后仅 12 天，即告失败。

七月

17 日，孙中山乘军舰由沪抵穗，倡导“护法运动”。

林纾、陈家鳞翻译的俄国作家托尔斯泰的小说《人鬼关头》在《小说月报》第 8 卷第 7 号至第 9 号上发表。

八月

14 日，北京段祺瑞政府正式通告对德意志帝国、奥匈帝国宣战。废除中德、中奥条约，收回天津、汉口德奥租界。

陈独秀因受聘北京大学文科学长，由沪赴京。《新青年》杂志停刊约 4 个月。

陈独秀在《新青年》第 3 卷第 6 号上发表《复辟与尊孔》。

蔡元培在北京大学提倡学术研究，主张劳工神圣，并作《以美育代宗教说》，该文载于《新青年》第 3 卷第 6 号，又载《学艺》杂志第 2 号。

九月

广州非常国会选举孙中山为中华民国军政府海陆军大元帅，护法军政府成立。

周作人译古希腊谛阿克列多思的《牧歌》第十，题为《古诗今译》，载《新青年》第 4 卷第 2 号。

柳亚子编《南社丛刻》第 20 集出版，在本集上公布驱逐朱鸳雏出社，又以南社主任名义在《民国日报》上登载驱朱广告，遭社员成舍我抗议后，又宣布驱逐成舍我出南社。蔡哲夫以南社广东分社同人名义，在广州发表启事，指斥柳亚子驱逐朱鸳雏、成舍我事，又与成舍我等人在上海成立“南社临时通讯处”。田梓琴（桐）、叶楚伧、胡朴安等 34 人，在上海《民国日报》发表《南社旅沪同人启事》，表示柳亚子“处置南社，一切皆极正当”。

陈去病等 203 人，发表《南社社友公鉴》启事，绝不承认所谓“南社临时通讯处”，并建议柳亚子连任。

《兰言》（周刊）在江苏常州创刊出版，同年 11 月停刊，共出 8 期。该刊为江苏文学同人社团“苔岑社”社刊。武进晨钟报社发行。常州日进印刷所代印。编辑主任余信芳（余希澄）。全刊分设文苑、谐著、笔记、小说栏。

十月

1 日，《珍珠帘》（月刊）创刊于上海，文学社团一社的社刊。上海一社出版部发行。32 开本。主编黄花奴。编撰吴虞公、谪花、玄一、梦梦、左丹、醉樵、月斧、履冰、药聋。载有社员的小说、散文、诗词、游记、杂文等。共出 4 期，1918 年 1 月停刊。

护法战争开始，南北两军在湖南衡阳一带激战。

南社举行每年之例行改造，柳亚子仍当选主任，在《民国日报》上宣布选举结果。

以论诗引起的南社内部分化，虽得到大多数社友的支持，但因柳亚子不愿意再参加社务，而致南社逐渐衰落，维持数年后，于1923年停止活动。

王国维著《永观堂海内外杂文集》在上海印行。

十一月

《青声周刊》在上海创刊。共出10期。创办人严芙孙。严自任编辑，另聘凤文、芝轩任编辑。逢星期日出版一期。刊内设16个栏目，为小言、社电、社会琐闻、学界琐闻、谈丛、解颐录、聚谈、文苑、小说、杂俎等。其重点是小说、诗词、剧谈、谐杂文。

十二月

《申报》登载了关于“黑幕小说”的征文启事。启事称：“中国自改革以后，法令更张，奸豪纷起，自政府以至庶民，莫不黑幕高张，作暗无天日之事，长此不已，为患不堪，设想本公司目击心伤，联合同志组织改良社会研究所六载于兹，将中国各省各界黑幕之事业探缉真实，编辑成书，以行于世，名其书曰中国黑幕大观。盖举中国万般黑幕无不载入是书也，本所并非心存刻薄好为摘奸发覆之言，实以莠草不除，良苗难植，欲成光明之世界，不得不将黑幕撤除，本所作是书中之旨，盖为此耳，知我罪我，听之而已。”黑幕小说实为近代小说之流派，约盛行于1915—1918年间，与鸳鸯蝴蝶派一样在上海颇有市场。黑幕小说与鸳鸯蝴蝶派的小说都是具有游戏消遣性质的趣味主义的文学流派。当时各种杂志、小报、大报副刊均刊载此类小说，如《时事新报》就开辟有“上海黑幕”专栏。1918年由中国图书集成公司编辑出版的《中国黑幕大观》及其续集，充分反映了黑幕小说的盛行。该书分为12大纲，分别为政界、军界、商界、学界、社会、家庭、婚姻、富翁、娼妓、赌博、帮匪、讼棍、游民、僧道等部分。

《申报》副刊编辑、鸳鸯蝴蝶派文人王钝根为《中国黑幕大观》作序，提倡黑幕小说。王文称：“世教衰微，道德堕落；益以内乱外患，商业凌夷，国人生计困难，遂相率为卑污残忍诈伪欺罔之事，以求幸获。受其祸者无所得伸，或泄其愤于口舌，文人笔而存之，是为时下流行之黑幕。黑幕者，摘奸发核之笔记也。”作者提出了黑幕小说之功能：“故《中国黑幕大观》，学校以外教科书也，使天真烂漫之少年，忠厚朴实之君子，读之而知所戒备，尤使贫困之士，勿歆小利而隳其身家，厥功伟哉！”（王钝根：《〈中国黑幕大观〉序》，《中国黑幕大观》，中国图书集成公司1918年版）

由于黑幕小说的作者毫无取舍地记录各种丑恶现象，其社会作用往往适得其反，变成了教人为恶的“犯罪教科书”。有的作品更成为军阀、政客之间相互中伤、攻讦的工具。所以鲁迅说这类作品“丑诋私敌，等于谤书；又或有谩骂之志而无抒写之才，则遂堕落而为‘黑幕小说’”。（鲁迅：《中国小说史略》，《鲁迅全集》第9卷第292页，人民文学出版社1981年版）

1918 年

一月

18 日，刘半农在北京大学文科研究所小说科作题为《通俗小说之积极教训与消极教训》的演讲。讲稿载于 1918 年 7 月《太平洋》月刊第 1 卷第 10 号。

刘半农在演讲中说："本文所讨论的，是上中下三等社会共有的小说。若要在中国旧小说中举几个例出来：则《今古奇观》，《七侠五义》，《三国演义》等，都是通俗小说；《燕山外史》，《花月痕》，《聊斋志异》等，都是'发牢骚的小说'；——此等小说，实在并无本领可卖，不过作小说者，有卖本领之心而已，——若问'交换思想意志'的小说，中国有了几种，我却回答不出！"接着，刘半农解释了演讲的题目寓意，他说："题中'教训'二字，是说此项小说出版后，对于世道人心的影响如何。所谓'积极教训'，便是记述善事，描摹善人，使世人生羡慕心，摹仿心；'消极教训'，便是记述恶事，描摹恶人，使世人生痛恨心，革除心。这两种教训，各有各的好处：第一种是合乎'见贤思齐''当仁不让'的道理；第二种也合乎'有则改之，无则加勉'的道理；粗粗一看，决难判别孰好孰坏。"在刘半农看来，"1. 作通俗小说，与其用消极的教训，不如用积极的教训；2. 如其不能，则与其谩骂，不如婉讽；与其从正面直写其恶，不如从侧面曲绘其愚；3. 否则混善恶与一之，用诙谐之笔，以促阅者自己之辨别与觉悟。"演讲还说"做积极小说虽非绝对的不可能，却已证明十分之八九是不容易做好的；要在这不容易之中找些方法出来，大约有五种；——第一种是化消极为积极……，第二种是以积极衬托消极……，第三是以消极打消消极，……第四是以积极打消消极……，第五是消极积极循环打消"。在列举了这五种做积极小说的方法之后，刘半农又说："试看世界各国的近世小说家，凡是有魄力，有主张的，人人都有一部两部反抗强权，刺激社会的小说；非但不说那'须有含蓄'的腐败话，便连积极消极，也不成问题。然就小说的全体说是如此；若只就通俗小说一部分说，究竟要有些斟酌。所以今天我所说的话……然为目前时势之所需要，不得不如此说。到将来人类的知识进步，人人可以看得陈义高尚的小说，则通俗小说自然消灭了，我这话也就半钱不值了。"

《新青年》第 4 卷第 1 号出版。从这一期开始，改用白话与新式标点符号。同时编辑部扩大，由有鲁迅、李大钊等参加的《新青年》编委会同仁轮流值编。

胡适的《鸽子》、刘半农的《相隔一层纸》、沈尹默的《月夜》等第一批现代白话新诗发表于《新青年》第 4 卷第 1 号。

二月

北京大学歌谣研究会成立，发起征集全国民间歌谣。3 月，《新青年》第 4 卷第 3 号刊出《北京大学征集全国近世歌谣简章》，宣布将编印《中国近世歌谣汇编》和《中国近世歌谣选粹》两书，并说明歌谣材料征集的方法、取材时段、相关要求等，承担此次征集工作的人员有沈尹默、刘复、周作人、沈兼士、钱玄同等。

平江不肖生的小说《留东外史》由民权出版部出版，1 ~ 10 册，到 1927 年 8 月出

齐。

2月至3月，叶绍钧在《妇女杂志》第4卷第2号、第3号上连载发表小说《春宴琐谭》，这是他的第一篇白话小说。

三月

4日，上海《时事新报》综合性副刊《学灯》创刊，约1926年2月终刊。刊期和版式几度变更，初为周刊，后改为每周出2次或3次。1919年1月起改为日刊（逢该报其他副刊出版时停）。1922年2月起按月出版单行合订本，从1923年出版的第5卷起，以后每年1卷，每月1册。先后由张东荪、匡僧、俞颂华（澹庐）、郭虞裳、宗白华、李石岑、郑振铎、柯一岑、徐六儿、郭梦良等担任编辑。该刊系“五四”时期四大报纸副刊之一，其宗旨在于促进文化教育。《时事新报》是研究系在上海的机关报，在研究系中又属于梁启超、张东荪一派。内容起初以教育为主，注重探讨学校教育和青年修养，通过议论教育问题宣传新文化。1921年9月以后，内容逐步扩展到哲学、教育学、文艺理论和文艺创作等方面。文艺方面著译并重。郭沫若、郁达夫、田汉、谢六逸、洪为法等人都常为该刊撰稿。

15日，《新青年》第4卷第3号以《文学革命之反响》为题，发表了钱玄同以王敬轩名义写的《给〈新青年〉编者的一封信》，模仿封建文人的口吻，写出了旧文人攻击新文学的种种论调（作于1月14日）。同时，又发表了刘半农以《新青年》记者名义所写的批驳文章《复王敬轩书》（作于2月19日），以嬉笑怒骂的笔调，对王敬轩信的谬论作了痛快淋漓的批驳。此即新文学史上著名的“双簧信”。

在《给〈新青年〉编者的一封信》中，王敬轩认为“提倡新学流弊甚多”，反对“排斥孔子废灭纲常”、白话行文和新式标点，抨击《新青年》崇拜西洋文明、丑诋中国文豪，“林先生渊懿之古文则目为不通”，“周君蹇涩之译笔则为之登载”，“又贵报之白话诗则尤堪发噱”。认为《新青年》众人欧化而国学功底不深，推崇中国古人的造字。此外，该信还认为“论文学而以小说为正宗”是“荒伧幼稚”，“文有骈散各极其妙惟中国能之”，“今之真能倡新文学者实推严几道林琴南两先生”。王敬轩在信中还提出，应当“反对贵报诸子之排斥旧文学而言新文学”，“能笃于旧学者始能兼采新知”，终要“中学为体西学为用”。

刘半农在《复王敬轩书》中，逐条批驳了王敬轩的观点，阐述了排斥孔丘、不排西教，以及采用西式句读符号的原因。刘半农指出林琴南所译的小说“半点儿文学的意味也没有”，翻译上也存在着种种问题。此外，刘半农还驳斥了王敬轩指责周作人注重翻译小说和胡适、沈尹默、刘半农创作白话诗的观点，主张“作文的时候，但求行文之便与不便，适当之与不适当，不能限定只用那一种文字”。而王敬轩在中国文字上的谬误和对小说的偏见，实因其不懂新知，故刘半农认为，“非富于新知，具有远大眼光者，断断没有研究旧学的资格”。

“双簧信”发表后，立即引起了强烈反响。有一位自称为“崇拜王敬轩先生者”写信质问《新青年》编者：“王先生之崇论宏议，鄙人极为佩服；贵志记者对于王君的议论，肆口侮骂，自由讨论学理，固应又是乎？”陈独秀则回答说：对于妄人“闭眼胡说，则唯有痛骂之一法”。(《新青年》第 4 卷第 6 号。）读者 YZ 则致信刘半农，称赞他对于谬论“驳得清楚，骂得爽快”，并说“有糊涂的崇拜王敬轩者等出现实在奇怪得很”。(《新青年》第 5 卷第 3 号。）后来的新文学诗人朱湘则回忆说：“是刘半农的那封《答王敬轩书》，把我完全赢到新文学方面来了。现在回想起来，刘氏与王氏还不也是有些意气用事；不过刘氏说来，道理更为多些，笔端更为带有情感，所以有许多的人，连我也在，便被他说服了。将来有人要编文学史，这封刘答王的价值，我想，一定是很大的。”（转引自贺炳铨编：《新文学家传记 · 朱湘自传》，上海旭光社 1934 年版）

15 日，胡适在北京大学国文研究所小说科做《论短篇小说》的讲演。讲稿原载于《北京大学日刊》，后经作者略加修改，发表于同年 5 月 15 日刊行的《新青年》第 4 卷第 5 号。全文共 3 节。

胡适在文中认为“短篇小说是用最经济的文学手段，描写事实中最精采的一段，或一方面，而能使人充分满意的文章”。文章追溯了中国短篇小说略史：“中国最早的短篇小说……要数先秦诸子的寓言。”“自汉到唐这几百年中”，“散文短篇小说还该数到陶潜的《桃花源记》”，韵文中《孔雀东南飞》、《木兰辞》、《上山采蘼芜》都是很好的例子。唐朝“韵文散文中都有很好的短篇小说”，韵文中有杜甫的《石壕吏》、白居易的《新乐府》50 首等，散文短篇有张说的《虬髯客传》。至于“宋朝的‘杂记小说’颇多好的，但都不配称做‘短篇小说’”，因其缺乏局势结构。胡适认为，“明清两朝的‘短篇小说’，可分白话与文言两种”，“白话的‘短篇小说’可用《今古奇观》作代表”。“唐人的小说大都属于理想主义”，而“《今古奇观》中大多数的小说，写的都是些琐细的人情世故”，“近于写实主义”，“写物写情”，“更能曲折详尽”，更由文言变为白话，“大有进步”。但“白话的短篇小说发达不久，便中止了”，原因在于：“第一，因为白话的‘章回小说’发达了，做小说的人往往把许多短篇略加组织，合成长篇。如《儒林外史》和《品花宝鉴》名为长篇的‘章回小说’，其实都是许多短篇凑拢来的。这种杂凑的长篇小说的结果，反阻碍了白话短篇小说的发达。”“第二，是因为明末清初的文人，很做了一些中上的文言短篇小说。如《虞初新志》、《虞初续志》、《聊斋志异》等书里面，很有几篇可读的小说。比较看来，还该把《聊斋志异》来代表这两朝的文言小说。《聊斋》里面，如《续黄粱》、《胡四相公》、《青梅》、《促织》、《细柳》……诸篇，都可称为‘短篇小说’。”文章最后认为，“最近世界文学的趋势，都是由长趋短，由繁多趋简要”。“小说一方面，自十九世纪中段以来，最通行的是‘短篇小说’。长篇小说如托尔斯泰的《战争与和平》，竟是绝无而仅有的了。所以我们简直可以说，‘写情短诗’，‘独幕剧’，‘短篇小说’，三项，代表世界文学最近的趋向。”胡适进而批评了中国文学的现状，认为：“今日中国的文学，最不讲‘经济’。那些古文家和那‘《聊斋》滥调’的小说家，只会记‘某时到，某地遇，某人作某事’的死账，毫不懂状物写情是全靠琐屑节目的。那些长篇小说家又只会做那无穷无极《九尾龟》一类的小说，连体裁布局都不知道，不要说文学的经济了。若要救这两种大错，不可不提倡那最经济的体裁，——不可不提倡真正的‘短篇小说’。”

四月

5日，穆旦生于天津。

15日，《新青年》第4卷第4号起开辟《随感录》专栏。该专栏能及时对各种时事问题、社会问题和思想文化问题表示反响与抗争，兼之文章形式短小精悍，自由活泼，在表述作者见解和发扬作者个性等方面均有独到之处，因而逐渐流行开来。继《新青年》之后，《每周评论》、《民国日报》的副刊《觉悟》，还有《新生活》、《新社会》等报刊杂志，也相继开辟了《随感录》专栏，推波助澜之下，遂使此种文体逐步兴盛。

15日，胡适的《建设的文学革命论》发表于《新青年》第4卷第4号。胡适在文中将“建设新文学论”的唯一宗旨概括为十个大字：“国语的文学，文学的国语。”

在描述这一宗旨时，胡适说：“我们所提倡的文学革命，只是要替中国创造一种国语的文学”。他断言：“死文字决不能产生活文学”，“中国若想有活文学，必须用白话”。他希望“有志于新文学的人，都应该发誓不用文言作文。”胡适在文中积极提倡历史进化的文学观念，对创造“国语的文学的”必要性、重要性阐述得较为透彻。他提出创造新文学的次序为：（一）工具，（二）方法，（三）创造。该文还主张扩大创作材料的区域：写工农小商贩的痛苦，写家庭、社会的种种问题；提出要注重实地的观察和个人的经验，写人要有个性的区别，写情要真等等。但同时，胡适也在该文中对古代文学几乎做了全盘否定：“中国文学的方法实在不完备……戏本更在幼稚时代，但略能记事掉文，全不懂结构；小说好的只不过三四部，这三四部之中，还有许多疵病。”

19日，周作人在北京大学作《日本近三十年小说之发达》讲演，讲稿发表于同年7月《新青年》第5卷第1号。

周作人在演讲中认为，日本文学界“能有诚意的去‘模仿’，所以能生出许多独创的著作，造成二十世纪的新文学。”接着，周作人介绍了“日本近三十年来小说变迁的大概”。“日本最早的小说，是一种物语类”，随后经过了武士文学和平民文学的阶段。明治初年，坪内逍遥首先发起新文学运动，“做了一部《小说神髓》指示小说的作法”，又做了一部小说《一读三叹当世书生气质》，“提倡写实主义”，小说的发达从此而起。二叶亭四迷是“人生的艺术派”，尾崎红叶等发起的砚友社与之相对，是“艺术的艺术派”，也“奉写实主义；但是不重在真，只重在美”。幸田露伴与红叶相反，“一个是主观的理想派，一个是客观的写实派；可是他们的思想，都不彻底”。“一样是主观的倾向，却又与露伴不同的，有北村透谷的文学界一派。露伴的主观，是主意的；透谷是主情的。”中日战后，“砚友社派的人，就发起一种观念小说”，观念小说再进一步，“便变了悲惨小说”。

周作人分析道：“观念小说以来，文学渐同社会接触，但终未十分切实。”鲁庵的创作，“是社会小说的发端”，“有一种家庭小说，也在这时候兴起”。“砚友社写实派，兴了悲惨小说以来，渐同现实生活接近”，只是“渐荒废了”。小栗风叶脱离砚友社转

向自然主义，"只将实在人生模写出来，便已满足"，小杉天外"用科学的态度，将人当作一个生物来描写他"，永井荷风又进了一步。国木田独步、岛崎藤村同田山花袋都是自然派小说兴盛的前驱，"到了藤村的《破我》花袋的《蒲团》出现，可算是极盛时代"。"日本自然派小说，直接从法国 Zola 与 Maupassant 一派而来"，"一重客观不重主观，二尚真不尚美，三主平凡不主奇异"。而"这非自然主义的文学中，最有名的，是夏目漱石。"他主张"低徊趣味"，"缓缓的，从从容容的赏玩人生"，又称"有余裕的文学"。森鸥外的遣兴文学与之相类。对自然主义的反动，产生了"新主观主义"，可分作"享乐主义"和"理想主义"，白桦派也因此得到了极大的发展。

周作人将中国新小说的发展与日本比较，认为两者之间有类似的情形，但"现代的中国小说，还是多用旧形式者，"它并未摆脱旧思想、旧形式："我们要想救这弊病，须得摆脱历史的因袭思想。真心的先去模仿别人。随后自能从模仿中，蜕化出独创的文学来，日本就是个榜样。照上文所说，中国现时小说情形，仿佛明治十七八年的样子；所以目下切要办法，也便是提倡翻译及研究外国著作。但其先又须说明小说的意义，方才免得误会，被一般人拉去归入子部杂家，或并入《精忠岳传》一类闲书。——总而言之，中国要新小说发达，须得从头做起；目下所缺第一切要的书，就是一部讲小说是什么东西的小说神髓。"

五月

2 日，苏曼殊去世。

苏曼殊（1884—1918），名戬。法号曼殊，别署燕子山僧、昙鸾等。祖籍广东香山恭常都沥溪乡（今属珠海）。出生于日本横滨。父为旅日华商，母为日本人。6 岁返乡读书。13 岁至上海，始习英文。1898 年赴日本，入横滨大同学校。1902 年入东京早稻田大学高等预科，参加革命团体青年会。翌年，改入成城学校学陆军，并加入拒俄义勇军及军国民教育会。同年辍学回国，入苏州吴中公学任教。旋至上海任《国民日日报》翻译，在该报连载半译半作的小说《惨世界》。报纸被封后赴香港，又至惠州削发为僧。1904 年曾欲暗杀康有为，随即南游暹罗、锡兰，习梵文。返国后，先后执教长沙湖南实业学堂、南京陆军小学、长沙明德学堂、芜湖皖江中学。1907 年东渡日本，与章炳麟等发起组织"亚洲和亲会"，并与鲁迅等人筹办文艺刊物《新生》未果。1908 年出版《文学因缘》。次年，所译《拜伦诗选》成书。同年南游新加坡诸岛，1912 年回国，入南社。发表《断鸿零雁记》。1913 年冬，赴日本。1914 年刊布《天涯红泪记》（未完），出版编译中英诗歌合集《汉英三昧集》。随后两年，《绛纱记》、《焚剑记》、《碎簪记》陆续刊发。1917 年，《非梦记》发表，为最后之小说作品。1918 年卒于上海。诗集有《燕子龛遗诗》（1920），散文集有《岭海幽光录》（1908）、《燕子龛随笔》（1913）等。小说除《惨世界》外俱用文言。遗作辑为《曼殊全集》。

15 日，鲁迅的第一篇白话小说《狂人日记》（后收入《呐喊》集）及他的第一批白话新诗《梦》、《爱之神》、《桃花》等三首，以"唐俟"为笔名发表于《新青年》第 4 卷第 5 号。

鲁迅在《致许寿裳（1918年8月20日）》一文中说："《狂人日记》实为拙作，……偶阅《通鉴》，乃悟中国人尚是食人民族，因成此篇。此种发见，关系亦甚大，而知者尚寥寥也。"[鲁迅：《致许寿裳（1918年8月20日）》，《鲁迅全集》第11卷第353页，人民文学出版社1981年版]

这篇小说发表后，在思想界和文学界均引起广泛反响。如孟真（傅斯年）在1919年4月《新潮》第1卷第4号发表《一段疯话》，认为"疯子是我们的老师"，并希望"我们带着孩子，跟着疯子走，——走向光明去"。

吴虞则说："我觉的他这日记，把吃人的内容和仁义道德的表面看得清清楚楚。那些戴着礼教假面具吃人的滑头伎俩，都被他把黑幕揭破了。"（吴虞：《吃人与礼教》，《新青年》第6卷第6号）

凤兮则在《我国现在之创作小说》中对《狂人日记》评价颇高。他说："鲁迅先生《狂人日记》一篇，描写中国礼教好行其吃人之德，发千载之覆，洗生民之冤，此篇殆真为志意创作小说，置之世界诸大小说家中，当无异议，在我国则唯一无二矣。"（凤兮：《我国现在之创作小说》，《申报·自由谈》，1921年2月27日。）

16日，日本政府派陆军少将斋藤季治郎与段祺瑞北京政府的代表在北京秘密签订《中日陆军共同防敌军事协定》。其主要内容是：规定中、日采取共同防敌的行动；日军在战争期间可以进入中国境内；日军在中国境外作战时，中国应派出军队声援；作战期间，两国互相供给军器、军需品等条款。该协定使日本在中国取得了更多的侵略权益，故受到中国人民的反对。

19日，日本海军少将吉田增次郎等和段祺瑞政府代表沈寿等在北京签订《中日海军共同防敌军事协定》。

六月

15日，《新青年》第4卷第6号的《易卜生专号》出版。载有胡适的《易卜生主义》（作于5月16日）。该文介绍了易卜生的个性主义和现实主义的文学思想。

胡适在文章中认为："易卜生的文学，易卜生的人生观，只是一个写实主义"，"他能把社会种种腐败龌龊的实在情形写出来叫大家仔细看。"在胡适看来，社会三种大势力中，法律成了死板的东西，宗教只是被人利用，道德不过是陈腐的旧习惯，"社会与个人互相损害"，社会"用强力摧折个人的个性"、"压制个人自由独立的精神"，重赏驯服的人，惩罚反抗的人，造成"多数党总在错的一边，少数党总在不错的一边"。"易卜生起初完全是一个主张无政府主义的人"，"后来渐渐的改变了"，想"要把国中无权的人民联合成一个大政党"，"但是他终究不曾加入政党"，认为"最要紧的是人心的大革命"。"易卜生生平却也有一种完全积极的主张。他主张个人须要充分发达自己的才性，须要充分发展自己的个性。"胡适指出，所谓的易卜生主义，强调一种"为我主义"："你要想有益于社会，最好的法子莫如把你自己这块材料铸造成器"。胡适认为，既然"社会最大的罪恶莫过于摧折个人的个性，不使他自由发展"，那么"世上最强有力的人就是那个最孤立的人！"据此，胡适认为须"发展个人的个性"。至于发展个性时，个人必须有“自由意志”，“须使个人担干系，负责任”。易卜生对社会“开了脉案，说出病情，让病人各人自己去寻医病的药方”，并“告诉我们一个保卫社会健康的卫生良法”。假如社会常有这种“永不知足，永不满意，时刻与罪恶分子龌龊分子宣战”的精神，那么“社会决没有不改良进步的道理”。

此外，《易卜生专号》还发表了《易卜生传》及易卜生的《娜拉》、《国民之敌》等剧。该专号对发扬易卜生的个性解放思想起到了巨大作用，“易卜生主义”遂逐渐成为“五四”时期一股强大的新思潮。

王光祈、李大钊、曾琦等发起成立少年中国会，1919 年 7 月正式成立于北京。

七月

郭沫若免试升入九州帝国大学医学部学习。

郁达夫入东京帝国大学经济科学习。

八月

15 日，鲁迅的《我之节烈观》发表于《新青年》第 5 卷第 2 号。文章抨击国民以“表彰节烈”作为挽救“人心日下”的方法，“却是专指女子，并无男子在内”。但“不节烈的女子，如何害了国家?”“何以救世的责任，全在女子?”社会的种种黑暗，和男子有关，和不讲新道德新学问、没有新智识有关，男子应负起应有的责任。对节烈的表彰，不会产生效果。因此，鲁迅认为，“所谓节烈”，“决不能认为道德，当作法式”；“多妻主义的男子”，也没有“表彰节烈的资格”。节烈是受儒学影响的社会历史发展出来的畸形道德，是“极难，极苦，不愿身受，然而不利自他，无益社会国家，于人生将来又毫无意义的行为，现在已经失了存在的生命和价值”。要哀悼“做了无主名的牺牲”的节烈的女人，必须“要除去世上害己害人的昏迷和强暴”，使“人类都受正当的幸福”。

15 日，《新青年》第 5 卷第 2 号发表陈独秀的《偶像破坏论》。文章指出，“凡是无用而受人尊重的，都是废物，都算是偶像，都应该破坏”，认为“偶像这种用处，不过是迷信的人自己骗自己，非是偶像自身真有什么能力”。“一切宗教”、“君主”、“国家”、“世界上男子所受的一切勋位荣典，和我们中国女子的节孝牌坊”，都是一种骗人的虚伪的偶像，都应该予以破坏。故陈独秀主张“以真实的合理的为标准”，反对“宗教上政治上道德上自古相传的虚荣欺人不合理的信仰”，以达到真理和信仰的合一。

徐志摩从上海启程，乘船横渡太平洋。9 月，进美国克拉克大学历史系学习。

九月

《东方杂志》第 15 卷第 9 号发表《教育部通俗教育研究会劝告小说家勿再编写黑幕小说一类函稿》。原文如下：“敬启者：小说家言，能使初知文字者，无不乐于观览，于通俗教育最有关系。在小说之良者，提倡道德，辅助文艺，悉属有益于教育。即或援主文谲谏主义，成嬉笑怒骂之词，言者无罪，闻者足戒，有识之士，亦所不讥。若乃意恉不正，体例未纯，暴扬社会之劣点，诱导国民之恶性，流弊所至，殊难测想。夫吾国教育尚未普及，不乏程度幼稚之人。故良小说劝导社会之力，常不敌不良小说之诱惑社会之力。本会成立以来，对于不良小说，迭经呈准教育部，咨行内务部，通行查禁。……近时黑幕一类之小说，此行彼效，日盛月增。核其内容，无非造作暧昧之事实，揭橥欺诈之行为。名为托讽，实违本恉。况复辟多附会，有关写实之义；语涉猥亵，不免诲淫之讥。此类之书，流布社会，将使儇薄者视诈骗为常事，谨愿者为人类如恶魔。且使觇国之人，谓吾国人民之程度，其卑劣至于如此，益将鄙夷轻蔑，以为与文明种族不足比伦。作者诸君，孰非国民，孰非子弟，自反良心，何忍出此！本会为此滋惧。用敢敬告今日之小说家，尊重作者一己之名誉，保存吾国文学之价值，勿逞一时之兴会，勿贪微薄之赢利。将此日力，多著有益之小说，庶于风俗人心，不无裨益。敢布悃忱，诸希采纳是幸。”

鲁迅的《随感录二十五》发表于《新青年》第5卷第3号。后共在此刊发表“随感录”27篇，收入《热风》。

十月

《新青年》第5卷第4号出戏剧改良专号，刊登胡适、傅斯年、欧阳予倩等人讨论改良戏剧的文章。

胡适在《文学进化观念与戏剧改良》一文中，强调“文学进化的观念”，认为“人类生活随时代变迁，故文学也随时代变迁”；“每一类文学……须是从极低微的起原，慢慢的，渐渐的，进化到完全发达的地位”；“一种文学的进化，每经过一个时代，往往带着前一个时代留下的许多无用的纪念品”；“一种文学有时进化到一个地位，便停住不进步了；直到他与别种文学相接触，有了比较，无形之中受了影响，或是有意的吸收人的长处，方才再继续有进步”。因此，胡适认为，中国戏剧须从西洋戏剧中吸取益处，如“悲剧的观念”、“文学的经济方法”。而“现在的中国文学已到了暮气攻心，奄奄断气的时候”，须“赶紧灌下西方的‘少年血性汤’”。

傅斯年的《戏剧改良各面观》（作于9月5日至6日）则针对中国旧戏，指出“真正的戏剧纯是人生动作和精神的表象”，“不是各种把戏的集合品”。“中国戏剧里的观念，是和现代生活，根本矛盾的。”中国旧戏缺乏“美学的价值”，“颇难当得起文学两字”，“文章里头的哲学是没有的”，因此必须改革旧戏，创造新剧启发国人的觉悟。在旧戏改良方面，提倡“改演‘过渡戏’”，旧戏要“改变体式”，“退到歌曲的地步”。而新剧在新剧创造的预备时代，要参考西洋剧本，发展中国的编剧，进行新剧主义的鼓吹。需要改良中国戏评界“不批评”、“不在大处批评”、“评伶和评妓一样”以及“党见”之争等弊病。

欧阳予倩的《予之戏剧改良观》一文，认为在世界艺术界，“中国无戏剧，故不得其位置”。“须组织关于戏剧之文字”，“须养成演剧之人才”。“剧本文学为中国从来所无，故须为根本的创设”，“正当之剧评者，必根据剧本，根据人情事理以立论”，并应倡导正确之剧论。

《新青年》第 5 卷第 5 号发表刘半农的《作揖主义》。刘半农的“作揖主义”自称来自于黄老之学的“听其自然”和 Tolstoj 的“不抵抗主义”，认为“我们要办事有成效，假使不实行这主义，就不免了消费精神于无用之地。我们要保存精神，在正当的地方用，就不得不在可以不必的地方节省些。这就是以消极为积极；不有消极，就没有积极。”作揖之后，“我仍旧做我的我；要办事，还是办我的事，要有主张，还仍旧是我的主张。”

陈衡哲在《新青年》第 5 卷第 4 号上发表小说《老夫妻》。

十一月

15 日，周作人《论中国旧戏之应废》（作于 11 月 1 日）发表于《新青年》第 5 卷第 5 号。文章声称“中国旧戏没有存在的价值”。这是因为“第一，我们从世界戏曲发达上看来，不能不说中国戏是野蛮”，文化程度尚低，“在现今时代，已不甚相宜”。“旧戏应废的第二理由，是有害于‘世道人心’”，“内中有害分子，可分作下列四类：淫杀，皇帝，鬼神”。“在中国民间传布有害思想的”，“还要算戏的势力最大”。“至于建设一面，也只有兴行欧洲式的新戏一法”了，“既然拿到本国，便是我的东西，没有什么欧化不欧化了”。

16 日，李大钊在天安门庆祝协约国胜利讲演会上，以《庶民的胜利》为题发表演讲。同月，李大钊又撰《BOLSHEVISM 的胜利》。两文同时发表于本月 15 日的《新青年》第 5 卷第 5 号。

《庶民的胜利》指出一战是“全世界的庶民”的胜利。大战的政治结果，是代表专制、用强力欺压他人的“大……主义”的失败，是民主主义的胜利。大战的社会结果，则“是资本主义失败，劳工主义战胜”。这两者都是庶民的胜利，“我们对于这等世界的新潮流，应该有几个觉悟。第一，须知一个新命的诞生，必经一番苦痛，必冒许多危险。……第二，须知这种潮流，是只能迎，不可拒的。……第三，须知此次平和会议中，断不许持‘大……主义’的阴谋政治家在那里发言。……第四，须知今后的世界，变成劳工的世界。”

《BOLSHEVISM 的胜利》则指出，“这次战局终结的真因”，“乃是德国的社会主义战胜德国的军国主义”，“是民主主义的胜利”，“是社会主义的胜利”，“是世界劳工阶级的胜利”，“是廿世纪新潮流的胜利”。“Bolshevism 就是俄国 Bolsheviki 所抱的主义”，“是革命的社会主义”，“奉德国社会主义经济学家马客士（marx）为宗主”，目的“在把现在为社会主义的障碍的国家界限打破，把资本家独占利益的生产制度打破”，主张组成“劳工联合的会议，什么事都归他们决定”，“一切产业都归在那产业里作工的人所有”，“要联合世界的无产庶民，拿他们最大最强的抵抗力，创造一自由乡土”。李大钊指出，在俄国革命的引导下，世界各国人民怀着热烈的感情，形成强大的群众运动，形成 20 世纪世界革命的潮流。文章高呼“试看将来的环球，必是赤旗的世界！”“Bolshevism 的胜利，就是廿世纪世界人类人人心中共同觉悟的新精神的胜利！”

16日，蔡元培在天安门前庆祝协约国取得世界大战胜利的讲演大会上，提出了“劳工神圣”的口号。该讲演刊载于《新青年》第5卷第5号。蔡元培还在1920年5月《新青年》第7卷第6号的“劳动节纪念专号”上题写了“劳工神圣”的题词。

新潮社正式在北京大学成立。该社由北大学生傅斯年、罗家伦、徐彦之等发起，成员多为该校学生，也有少数教员及校外人士，主要成员有：毛子水、汪敬熙、俞平伯、张崧年、康白情、杨振声、潘家洵、谭鸣谦、顾颉刚、叶绍钧、江绍原、何思源、王星汉、王钟麒、李荣弟、孟寿椿、高尚德、郭希汾（郭绍虞）、孙福源（孙伏园）、朱自清、冯友兰、孙福熙、周作人等。该社请胡适任顾问。最初以出版《新潮》杂志为主要活动，1920年8月改为学会，除杂志外，还发行《新潮丛书》和《新潮社文艺丛书》多种。《新潮》杂志以“介绍西洋近代思潮，批评中国现代学术上、社会上各问题”为宗旨，宣传白话文和新文学运动，提倡“伦理革命”，与《新青年》相呼应，在新文化运动初期产生过较大影响，但也传播了现代资产阶级的社会政治学说和哲学思潮。1920年后，主要骨干大多出国留学。

鲁迅在《新青年》第5卷第5号“通讯”栏发表《渡河与引路》，署名“唐俟”。认为“灌输正当的学术文艺，改良思想，是第一事”，不必过多纠缠于世界语问题。

大约两个月后，周作人在《每周评论》第11号上发表《思想革命》一文，正式提出“思想革命”的口号，内容大致重复鲁迅《渡河与引路》文章中的观点。周作人在文中说：“我想文学这事务，本合文字与思想两者而成。表现思想的文字不良，固然足以阻碍文学的发达。若思想本质不良，徒有文字，也有什么用处呢？……这单变文字不变思想的改革，也怎能算是文学革命的完全胜利呢？”因此，他主张“文学革命上，文字改革是第一步，思想改革是第二步，却比第一步更为重要。我们不可对于文字一方面过于乐观了，闲却了这一面的重大问题。”

十二月

15日，《新青年》第5卷第6号发表了周作人的《人的文学》。

周作人在文中提出“我们现在应当提倡的新文学，简单的说一句，是‘人的文学’。应该排斥的，便是反对的非人的文学。”周作人解释“人的文学”，即是以合乎人性的人的灵肉一致的生活为是的文学。“我们所说的人”，是“从动物进化的人类”；所谓“肉”，是“相信人的一切生活本能，都是美的善的，应得完全满足”；所谓“灵”，是指“逐渐向上，有能够改造生活的力量”，“能达到高上和平的境地”的人的“内面生活”。“须营一种利己而又利他，利他即是利己”的“人”的理想生活。他把“人的文学”定义为“用这人道主义为本，对于人生诸问题，加以记录研究的文字”。这种“人道主义”并非是慈善主义，而是“一种个人主义的人间本位主义”，“这理由是，第一，人在人类中，正如森林中的一株树木。森林盛了，各树也都茂盛。但要森林盛，却仍非靠各树各自茂盛不可。第二，人爱人类，就只为人类中有了我，与我相关的缘故。墨子说‘兼爱’的理由，因为‘己亦在人中’，便是最透彻的话。”“所以我说的人道主义，是从个人做起。要讲人道，爱人类，便须先使自己有人的资格，占得人的位置。耶稣说，‘爱邻如己’。如不先知自爱，怎能‘如己’的爱别人呢?”“用这人道主义为本，对于人生诸问题，加以记录研究的文字，便谓之‘人的文学’”。

在解释了“人的文学”的定义后，周作人又进而分析了“人的文学”的具体内容。他认为，“人的文学”“可以分作两项，（一）是正面的，写这理想生活，或人间上达的可能性。（二）是侧面的，写人的平常生活，或非人的生活，都很可以供研究之用。”文章指出，人的文学与非人的文学的区别，不在于材料方法，而在于“著作的态度”，是以“人的生活为是呢”，还是以“非人的生活为是呢”。因此，描写非人的生活，怀着悲哀或愤怒，是人的文学；带着满足，带着玩弄与挑拨，是非人的文学。周作人随后以这种理论批评了违反人性的礼法制度和兽性的遗留，进而把违反人性和人道主义的旧文学作为“非人的文学”加以排斥。在周作人看来，中国文学中“从儒教道教出来的文章，几乎都不合格。”在列举了十类“妨碍人性的生长，破坏人类的平和”的文学之后，周作人指出，“人的文学，当以人的道德为本”。道德问题，“譬如两性的爱，我们对于这事，有两个主张。（一）是男女两本位的平等，（二）是恋爱的结婚。世间著作，有发挥这意思的，便是绝好的人的文学。”据此，周作人提出，“我们立论，应抱定‘时代’这一个观念，又将批评与主张，分作两事。批评古人的著作，便认定他们的时代，给他们一个正直的评价，相应的位置。至于宣传我们的主张，也认定我们的时代，不能与相反的意见通融让步，惟有排斥的一条方法。”而“对于中外这个问题，我们也只须抱定时代这一个观念，不必再划出什么别的界限。”据此，周作人又进一步说明了中国文学与世界文学接轨的必要性，“因为人类的运命是同一的，所以我要顾虑我的运命，便同时须顾虑人类共同的运命。所以我们只能说时代，不能分中外。我们偶有创作，自然偏于见闻较确的中国一方面，其余大多数都还须介绍译述外国的著作，扩大读者的精神，眼里看见了世界的人类，养成人的道德，实现人的生活。”

《人的文学》一文对新文学初期的理论建设和创作都产生了重大的影响。胡适在《新文学的理论建设》中说：新文学运动的“中心理论只有两个：一个是我们要建立一种“活的文学”，一个是我们要建立一种“人的文学”，“前一个理论是文字工具的革新，后一个是文学内容的革新。”鲁迅也在《〈草鞋脚〉小引》中说，在新文学的第一个十年里，“文学革命者的要求是人性的解放”。（鲁迅：《〈草鞋脚〉小引》，《鲁迅全集》第六卷第 20 页，人民文学出版社 1981 年版）

22 日，《每周评论》（周刊）在北京创刊。该刊为五四时期著名进步刊物。1919 年 8 月 30 日被北洋军阀政府查封。共出 37 期。陈独秀、李大钊等编辑，第 26 期起胡适任主编。小型报纸形式，每星期日出 4 开 1 张，间出增刊。《每周评论》第一号的《发刊词》宣称：“凡合乎平等自由的，就是公理。倚仗自家强力、侵害他人平等自由的，就是强权。”“我们发行这每周评论的宗旨，也就是‘主张公理、反对强权’八个大字，只希望以后强权不战胜公理，便是人类万岁！本报万岁！”前 25 期以“主张公理，反对强权”为宗旨，为国、为民争取自由平等的权力，坚持反对军阀和反对日本帝国主义，宣传反封建的文化思想，初步介绍了社会主义思想。胡适担任主编后，开始刊载反对马克思主义和宣传实用主义的文章。胡适在第 31 期发表的《多研究些问题、少谈些“主义”》，曾引起“问题与主义”之争。该刊登载过的重要文章还有：蔡元培的

《劳工神圣》，陈独秀的《尊孔与复辟》以及他用“只眼”作笔名发表的许多文章，李大钊的《新旧思潮之激战》以及他用“守常”、“常”署名的许多文章，还有署名“舍”摘译的《共产党宣言》。该刊设有国外大事述评、国内大事述评、社论、文艺时评、随感录、新文艺、国内劳动状况、通信、评论之评论、读者言论、新刊批评、选论、名著等专栏，轮流刊出，讨论战争、和平、法律、道德等重要政治、思想问题。主要撰稿人除编者外，有高一涵（涵庐）、周作人（仲密）、王光祈（若愚）、张申府（赤）等，并刊登过李大钊、陈独秀的许多“随感录”。

《晨报副刊》改组为《晨报》。《晨报副刊》系北京《晨报》文艺副刊，系“五四”时期“四大副刊”之一。《晨报》的前身为《晨钟报》，是以梁启超、汤化龙为首的进步党（后改为宪法研究会，即研究系）的机关报。1916 年 8 月 15 日创刊。1918 年 12 月改组为《晨报》。该报创刊之日起，即有副刊性的第 7 版刊载小说、诗歌、小品文和学术讲演录等，称《晨报副刊》。1920 年 7 月第 7 版由孙伏园主编。1921 年 10 月 12 日改为 4 开 4 版单张，定名为《晨报副镌》，着重宣传新文学，按月出版合订本。1925 年“新月派”诗人徐志摩接任主编。1928 年 6 月终刊。从出合订本算起，历时 81 个月。主要撰稿人有周作人、鲁迅、胡适、刘半农、杨振声、冰心、许钦文、蹇先艾、叶绍钧等。鲁迅的《阿 Q 正传》于 1921 年 12 月 4 日开始在该刊连载，署名“巴人”。

1919 年

一月

1 日，《新潮》（月刊）在北京创刊。1922 年 3 月出至第 3 卷第 2 号后停刊。第 1、2 卷各五期，共出 12 期。北京大学新潮社创办。初由傅斯年、罗家伦先后主编。1920 年 10 月改组后，推选周作人主编，毛子水、顾颉刚、陈达材、孙伏园为编辑。该刊是“五四”时期传播新思潮的重要综合性刊物之一，以 The Renaissance（“文艺复兴”）为英文译名。编辑人员除北大学生外，也有少数教员和部分校外人士。撰稿人多为文学革命初期的著名作家或翻译家。

在创刊号上的《〈新潮〉发刊旨趣》一文中，《新潮》表明了刊物的宗旨：“一则以吾校之真精神喻于国人。二则为将来之真学者鼓动兴趣。”同时，《〈新潮〉发刊旨趣》还指出了刊物所负的四大责任，即渐渐导引“中国同浴于世界文化之流”、“为不平之鸣，兼谈所以因革之方”、“鼓动学术上之兴趣”以及尽力研求“修学立身之方法与途径”。该刊因此在创办中得到了陈独秀、李大钊、胡适等人的多方面支持。《新潮》以文艺复兴相号召，屡次探讨中国新文学的问题，并刊发了多部有影响的新文学作品，如鲁迅的《明天》、叶绍钧的《这也是一个人?》、杨振声的《渔家》、汪敬熙的《雪夜》等，此外，还刊登有翻译的易卜生、萧伯纳、托尔斯泰等人的作品。

1 日，《新潮》第 1 卷第 1 号发表志希（罗家伦）的《今日中国之小说界》。文章表达了对中国小说现状的失望之情，并重点批判了三派“新出的小说”：“第一派是罪恶最深的黑幕派。这一种风气，在前清末年已经有一点萌孽。待民国四年上海《时事新报》征求《中国黑幕》之后，此风遂以大开。现在变本加厉，几乎弥漫全国小说界的统治区域!”“推求近来黑幕小说派发达的原因，有最重要的两个。第一是因为近十几年来政局不好，官僚异常腐败。一般恨他们的人，故意把他们的生活，他们的家庭，描写得淋漓尽致，以舒作者心中的愤闷……第二个原因是为了近来时势不定，高下二等游民太多。那高等多占出身寒素，一旦得志，恣意荒淫。等到一下台，想起从前从事的淫乐，不胜感慨。于无聊之中，或是把从前‘勾心斗角’的事情写出来做小说，来教会他人……或者专看这种小说，以味余甘，——所谓‘虽不得肉过屠门而大嚼’的便是。那下等游民，因为生计维艰，天天在定谋设计，现在有了这种阴谋诡计的教科书，为什么还不看呢？从这两个大原因，于是发生出许多的黑幕小说来。”而黑幕小说尽管打着“言之者无罪闻之者足戒”的招牌，却实行着“骗取金钱教人为恶的主义。”

“第二派的小说就是滥调四六派。这一派的人只会套来套去，做几句滥调的四六，香艳的诗词。他们的祖传秘本，只有《燕山外史》《疑雨集》等两三部书。论起他们的词藻来，不过把几十条旧而不旧的典故颠上倒下。一篇之中‘翩若惊鸿宛若游龙’‘芙蓉其面杨柳其眉’的句子，不知重复到多少次。”文章呼吁教育部对“这种遗误青年的书籍”应“从速取缔”。

而罗家伦批判的第三派小说，就是“笔记派”。“这派的源流很古，但是到清初而大盛。”“这派的祖传，是《聊斋志异》《阅微草堂笔记》《池北偶谈》等书。近来这派小说的内容，大约可以分为四支。一支是言情的。他这种言情的方法，于我方才所说徐振亚李定夷一班人的差不多……一支是神怪的。这支之中更可分为两小支。一小支是求仙式。这种所说的，是某人运气某人辟谷，后来‘入山不知所终’的故事。害得一般青年，都去发丹田泥丸功的痴想，书也不愿意读了。另一小支是狐鬼式，这种所说的都是某处有艳狐，某处有情鬼，其发生之结果，正如刘半农先生所说的：‘我在十五六岁情窦初开的时候看了他，心中明知狐鬼之可怕，却存一个怪想，以为照蒲留仙说，天下狐鬼多至不可胜纪，且都是凿凿有据的，为什么我家屋子里，不也走出几个仙狐艳鬼来，同我顽顽呢？’一支是技击的，这支所说大都是‘某翁设肆某处，龙钟伛偻若承蜩叟……一日，遇不平，矍然起，击某少年败之……请问这种小说虽没有何等害处，却在今日社会中有何等影响呢？最后一支是轶事的；现在最为流行……这支也无甚害处，或者还可以灌输人民一点‘掌故知识’。但是做的人，大半都无学问，而且迷信‘人治’。附会大多于‘法治’的精神，在无形中颇有一点妨害。是很有可以改良的余地。总之此派的小说，第一大毛病，是无思想。”文章还呼吁“做这派小说的人有点觉悟；登这派小说的《小说月报》等机关，也要留意才好。”

15 日，《新青年》第 6 卷第 1 号发表陈独秀的《本志罪案之答辩书》，回答对新文化运动的非难。陈独秀说：《新青年》自发行以来，“所说的都是极平常的话”，却遭来了“非难”，被看作是“邪说”、“怪物”、“离经叛道的异端”、“非圣无法的叛逆”。“社会上非难本志的人约分两种：一是爱护本志的，一是反对本志的。这第一种人对于本志的主张原有几分赞成，惟看见本志上偶然指斥那世界公认的废物，便不必细说理由，措词上又未装出绅士的腔调，恐怕本志因此在社会上减了信用。”“这第二种人对于本志主张是根本立在反对地位了。他们所非难本志的，无非是破坏孔教，破坏礼法，

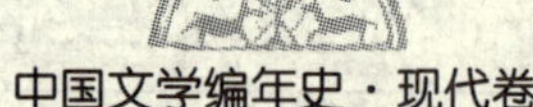

破坏国粹，破坏贞节，破坏旧伦理（忠孝节），破坏旧艺术（中国戏），破坏旧宗教（鬼神），破坏旧文学，破坏旧政治（特权人治）这几条罪案。”“这几条罪案，本社同人当然直认不讳。但是追本溯源，本志同人本来无罪，只因为拥护那德莫克拉西（Democracy）和赛因斯（Science）两位先生，才犯了这几条滔天大罪。要拥护那德先生，便不得不反对孔教、礼法、贞节、旧伦理、旧政治。要拥护那赛先生，便不得不反对旧艺术旧宗教。要拥护德先生又要拥护赛先生，便不得不反对国粹和旧文学。大家平心细想，本志除了拥护德赛两先生之外，还有别项罪案没有呢？若是没有，请你们不用专门非难本志，要有气力有胆量来反对‘德赛’两先生，才算是好汉，才算是‘根本的办法’。社会上最反对的，是钱玄同先生废汉文的主张。钱先生是中国文字音韵学的专家，岂不知道语言文字自然进化的道理？（我以为只有这一个道理可以反对钱先生。）他只因为自古以来汉文的书籍，几乎每本每页每行，都带着反对德赛两先生的臭味；又砸着许多老少汉学大家，开口一个国粹，闭口一个古说，不啻声明汉学家是德赛两先生天造地设的对头；他愤极了才发出激切的议论，像钱先生这种用石条压驼背的医法，本志同人多半是不大赞同的。但是社会上有一班人，因此怒骂他，讥笑他，却不肯发表意见和他辩驳，这又是什么道理呢？难道你们能断定汉文是永远没有废去的日子吗？”

陈独秀在文中最后重申了坚持“民主”和“科学”的决心：“西洋人因为拥护德赛两先生，闹了多少事，流了多少血；德赛两先生才渐渐从黑暗中把他们救出，引到光明世界。我们现在认定只有这两位先生，可以救治中国政治上道德上学术上思想上一切的黑暗。若因为拥护这两位先生，一切政府的迫压，社会的攻击笑骂，就是断头流血，都不推辞。”

15 日，《新青年》第 6 卷第 1 号以《“黑幕”书》为题，发表了宋云彬于 1918 年 10 月 25 日致钱玄同的信。宋云彬在信中说：“近来黑幕小说日出不穷，每天报纸上黑幕出版的广告，总有三四起之多。有一位书业中人对我说，黑幕书销路之广，出人意外。那些正当杂志，如《科学》等，购者反寥寥无几。唉！先生！我国人看书的程度低到这样，真可令人痛哭！这些黑幕小说所叙的事实，颇与现在之恶社会相吻合，一般青年到了无聊的时候，便要去实行摹仿，所以黑幕小说，简直可称作杀人放火奸淫拐骗的讲义。先生对于《灵学业志》曾经大加指斥；对于这种流毒无穷的黑幕，何以尚无反对的表示呢？”

钱玄同于 1919 年 1 月 9 日复信，说：“‘黑幕’书之贻毒于青年，稍有识者皆能知之。然人人皆知‘黑幕’书为一种不正当之书籍，其实与‘黑幕’书同类之书籍正复不少：如《艳情尺牍》，《香闺韵语》，及‘鸳鸯蝴蝶派的小说’等等，皆是。此等书籍，从一九一四年起盛行。四年以来，凡变过几种面目，其实十六两还是一斤，内容之腐败荒谬是一样的，贻毒于青年是一样的。此种书籍盛行之原因，起初由于洪宪皇帝不许腐败官僚以外之人谈政，以致一班‘学干禄’的读书人无门可进，乃做几篇旧式的小说，卖几个钱，聊以消遣；后来做做，成了习惯，愈做愈多。别人见其有利可图，于是或剪‘小时报探海灯’之类，或抄旧书，或随意胡诌，专拣那秽媟的事情来描写，以博志行薄弱之青年之一盼。适值政府厉行复古政策，社会上又排斥有用之科学，而会得做几句骈文，用几个典故的人，无论那一方面都很欢迎，所以一切腐臭淫猥的旧诗旧赋旧小说复见盛行；研究的人于用此来敷衍政府社会之余暇，亦摹仿其笔墨，做些小说笔记之类。此所以贻毒于青年之书日见其多也。本志即以革新青年头脑为目的，则排斥此类书籍，自是应尽之职务，此后当著论及之，惟不欲专斥以‘黑幕’为名一种耳。自一九一三年袁皇帝专政以来，复古潮流一日千里；今距袁皇帝之死已二年有余，而复古之风犹未有艾。‘黑幕’书之类亦是一种复古，即所谓‘淫书者’之嫡系。此外如算命书，看相书，风水书，中国医书，万年历，用做八股试帖法论诗文之书，层出不穷；从前烂板造纸卖十几个铜钱者，今改用洋纸铅印卖几毛钱或一二元，居然会有销路，这也可见现在社会的智识了。清末之时，国人尚有革新之思想；到了民国成立，反来提倡复古，袁政府以此愚民，国民不但不反抗，还要来推波助澜，我真不解彼等是何居心。”

仲密（周作人）的论文《论“黑幕”》发表于《每周评论》第4号的“文艺时评”栏。周作人在文中追寻了黑幕小说的由来，称：“记得从前流行的，有讲‘左文襄’‘彭刚直’的笔记小说，同说‘某生’‘某女’的艳情小说，据我想，这两种便是‘黑幕’的根蚸。原来中国人到现在，还不明白什么是小说，只晓得天下有一种‘闲书’，看的人可以拿它消闲，做的人可以发挥自己的意见，讲大话，报私怨，叹今不如古，胡说一番。”做这类书的人“思想本来简单，只晓得饮食男女，富贵鬼神这几件事。头脑又不清晰，夸张而且散乱。所以做成的书，若不是长张大页的说大话，自命不凡的说什么才子佳人，造成万言肉麻书，便枝枝节节记些不相干的小事，说是讲‘国朝’或先朝的掌故。这两种人原只是一而二，二而一，合起来便成了一部艳情掌故的黑幕闲书。”

周作人认为，“这种风气，并非近时才有，却是‘古已有之’。”中国本有章回体小说，“欧洲文学的小说与中国闲书的小说，根本全不相同，译了进来，原希望可以纠正若干旧来的谬想，岂知反被旧思想同化了去，所以译了迦茵小传，当泰西飞烟传红楼梦看，译了鬼山狼侠传，当泰西虬髯客传七侠五义看……这种情形虽然可笑，却还该颂扬他大度。因为满肚子圣经贤传的人，居然肯拿点外国东西来附会，在中国还算希罕。”“到了洪宪时代，上下都讲复古。外国的东西，便又不值钱了。大家卷起袖子，来做国粹的小说。”于是，“艳情小说”、“笔记小说”又“大大的流行”，再加上“讲清朝真正掌故的书”，“将这两三种的分子合成一体”，便成了“艳情的掌故，换一句话说便是笔记体的淫书”。“同这一样淫书，本来分不出什么好。但这种实录的东西（这单说所指的实有其人，描写的事自然也是虚构），比虚构的更为恶劣，因为中国人好谈人家闺阃的这个坏脾气，十足发露了。”而“不但单喜讲下流话，并且喜说人家坏话，这正是一种堕落的国民性。”

在分析了黑幕小说的源流后，周作人进而主张“黑幕极应披露。我们揭起黑幕，并非专心要看这幕后有人在那里做什么事，也不是专心要看做那样事的是甚么人。我们要将黑幕里的人，和他所做的事，连着背景，并作一起观。”他们“所做的奸盗诈伪，背景便是中国的社会。我们要看这中国民族在中国现在社会里，何以做出这类不长进的事来……我们最要注意的点，是人与社会交互的关系，换一句话，便是人的遗传与外缘的关系。”但“这个黑幕研究，可是极难。”因为“第一，做这样事的人须得有极高深的人生观的文人配”，第二，“研究的范围”也大了，“必用一副医学者看病的方法，这更不是患先天性的精神梅毒的人所能了。这事所以极难。”

18日，《巴黎和会》在巴黎凡尔赛宫举行。美国、英国、法国、中国等27个国家的代表出席了会议。《和会》讨论了关于建立国际联盟、签订对德和约问题、关于中国山东问题，最后在美、英、法等国的控制下通过了《凡尔赛和约》。该和约无视中国人民的强烈反对，将德国在中国山东的特权交给日本。

19日，周作人在《每周评论》第5号上发表《平民文学》（署名“仲密”）。在文中，周作人提出“平民的文学正与贵族的文学相反”，平民文学“乃是研究平民生活——人的生活——的文学”，“应以普通的文体，写普通的思想与事实”，“以真挚的文体，记真挚的思想与事实”。至于平民文学的目的，“乃是想将平民的生活提高，得到一个适当的地位。凡是先知或引路的人的话，本非全数的人尽能懂得，所以平民的文学，现在也不必个个‘田夫野老’都可领会。”周作人还指出，“平民文学决不是慈善主义的文学。在现在平民时代，所有的人都只应守着自立与互助两种道德，没有什么叫慈善……伪善的慈善主义，根本里全藏着傲慢与私利，与平民文学的精神，绝对不能相容，所以也非排除不可。”

关于“平民文学”，毛泽东后来在《新民主主义的文化》中说：“这个文化运动（指五四新文化运动——编者注）……提出了‘平民文学’的口号，但是当时的所谓‘平民’，实际上还只能限于城市小资产阶级和资产阶级知识分子，即所谓市民阶级的知识分子”。（毛泽东：《新民主主义的文化》第47页，《延安文艺丛书·文艺理论卷》，湖南人民出版社1984年版）

二月

17日，林纾（林琴南）的文言小说《荆生》发表于《新申报》，连载至18日；3月19—20日，林纾又在该报发表文言小说《妖梦》，影射和攻击新文化运动与文学革命的倡导者。在《荆生》中，他以田其美、金心异、狄莫三个人物分别影射陈独秀、钱玄同和胡适。《妖梦》则写书生郑思康梦中随长髯人游“阴曹”的故事，书中影射了蔡元培、陈独秀、胡适等人。

傅斯年在《新潮》第1卷第2期发表《怎样做白话文》。

仲密（周作人）的论文《中国小说里的男女问题》发表于《每周评论》第7号。周作人在文中指出：“问题小说，是近代平民文学的出产物。这种著作，照名目所表示，就是论及人生诸问题的小说。所以形式内容上，必须具备两种条件，才可当得这个名称。一、必具小说体裁。二、必涉及一问题。中国从来对于人生问题，不大关心，又素以小说为闲书，这种小说，自然难以发生。但也不能说全然没有，不过种类不多，意见不甚高明罢了。中国人向来以道德第一自命，大抵喜欢作教训小说。那种劝善戒恶的淫书，不必说了。即使真正讲教训的小说，我们也须细心将他分别，使他勿与问题小说相混。凡标榜一种教训，借小说来宣传他，教人遵行的，是教训小说。提出一种问题，借小说来研究他，求人解决的，是问题小说。问题小说有时也说出解决的方法，但与教训小说截然不同。教训小说所宣传的，必是已成经立的，过去的道德。问题小说所提倡的，尚未成立，却不可不有的将来的道德。一个是重申旧说，一个是特创新例，大不相同。”

周作人的新诗《小河》在《新青年》第 6 卷第 2 号发表。他在诗前的小引中写道：“有人问我诗是什么体，连自己也回答不出。法国波特来尔（Baudelaire）提倡起来的散文诗，略略相像，不过他是用散文格式，现在却一行一行的分写了。内容大致仿那欧洲的俗歌；俗歌本来要叶韵，现在却无韵。或者不算是诗也未可知；但这是没有什么关系。”

由于此诗彻底抛弃了旧诗词的格律体，而追求自然的节奏，因此，胡适对该诗给予了高度的评价：“五七言八句的律诗决不能容丰富的材料，二十八句的绝句决不能写精密的观察，长短一定的七言五言决不能委婉达出高深的理想与复杂的情感。最明显的例就是周作人君的《小河》长诗（新青年六卷二号）。这首诗是新诗中的第一首杰作，那样细密的观察，那样曲折的理想，决不是那旧式的诗体词调所能达出的。”（胡适：《谈新诗——八年来的一件大事》，《星期评论》1919 年 10 月 10 日“双十节纪念号”第 5 号。）

胡适的这一评价，也得到了朱自清的首肯，他在《现代诗歌导论》里说：“自然音节和诗可无韵的说法，似乎也是外国‘自由诗’的影响。但给诗找一种新语言，决非容易，况且旧势力也太大。多数作者急切里无法甩掉旧诗词的调子……只有鲁迅氏兄弟全然摆脱了旧镣铐，周启明氏简直不大用韵。他们另走上欧化一路。走欧化一路的后来越来越多。——这里说的欧化，是在文法上。‘具体的做法’不过用比喻说理，可还是缺少余香兴味的多。能够浑融些精悍些的便好。像周启明氏的《小河》长诗，便融景入情，融情入理。”（朱自清：《现代诗歌导论》，见蔡元培等著《中国新文学大系导论集》第 351 页，上海良友复兴图书印刷公司 1940 年版）

阿英后来在谈到《小河》时也说：“《小河》一篇，尤为当时文坛推重，盖完全反映五四期间新力量向旧社会冲决之精神也。”（鹰隼阿英：《周作人诗纪》，《文汇报》，1938 年 5 月 27 日。）

汪敬熙的小说《一个勤学的人》发表于《新潮》第 1 卷第 2 号。该小说刻画了热心于仕途者的心理，具有强烈的讽刺意味。但如鲁迅所说，汪敬熙“装着笑容”，“揭露了好学生的秘密和苦人的灾难”，然而“究竟不免伸缩于描写身边琐事和小民生活关系之间。”（鲁迅：《中国新文学大系・小说二集・导言》第 2 页，上海良友图书公司 1935 年版）

三月

1 日，叶绍钧的小说《“这也是一个人?”》发表于《新潮》第 1 卷第 3 号。后收入小说集《隔膜》时改题为《一生》。在后来谈到这部作品时，叶绍钧说：“‘五四’前后，反帝反封建的思想正在广为传播，人们提出了很多问题，其中也包括妇女解放的

问题。《一生》也可以说是在这种思想影响之下写成的。由于神权、君权、父权、夫权长期的统治，她们甚至很愚昧。我了解她们，我不能不同情她们。”（吕剑：《在叶圣陶家里》，《新文学史料》第1期，1981年2月22日。）

化鲁（胡愈之）则认为，叶绍钧“对于小说的肉体—结构—和灵魂—思想感情—是双方兼顾的。像《一生》《一个朋友》《苦菜》《隔膜》这几篇结构的完密，很可同近代名家短篇小说比拟。《一生》不过是二千字的短篇，却把一个可怜的农家妇女的非人的生活都描写尽了。”（化鲁：《最近的出产：〈隔膜〉》，《文学旬刊》第38期，1922年5月21日。）

顾颉刚也说“《一生》、《一个朋友》、《隔膜》——是从骨子里看出人与人之冥漠无情的。”（顾颉刚：《〈隔膜〉序》，《隔膜》，商务印书馆1922年3月。）

4日，守常（李大钊）的《新旧思想之激战》发表于《晨报》第7版“自由论坛”栏，连载至5日。文章对林纾以文言小说《荆生》攻击新文化运动进行了批驳。

李大钊说：“宇宙的进化，全仗新旧二种思潮，互相蜕进，互相推演。”“我确信这二种思潮，都是人群进化所必要的，缺一不可。”但在李大钊看来，今日中国的思想界却陷入了“死气沉沉”的境地。而造成这种现象的原因，“全在惰性太深，奴性太深，总是不肯用自己的理性，维持自己的生存，总想用个巧法，走个捷径。靠他人的力量，摧除对面的存立，这种靠人不靠己、信力不信理的民族，真正可耻！真正可羞！”

李大钊在文中义正辞严地指出：“我正告那些顽固鬼祟，抱着腐败思想的人：你们应该本着你们所信的道理，光明磊落的出来同这新派思想家辩驳讨论。”让公众来判断谁是谁非，“总是隐在人家的背后，想抱着那位伟丈夫的大腿，拿强暴的势力压倒你们所反对的人，替你们出出气，或是作篇鬼话妄想的小说快快口，造段谣言宽宽心，那真是极无聊的举动。须知中国今日如果有真正觉悟的青年，断不怕你们那伟丈夫的摧残。你们的伟丈夫，也断不能摧残这些青年的精神。”由此出发，李大钊在文末期盼：“这样滔滔滚滚的新潮，一决不可复遏，不知道那些当年摧残青年、压制思想的伟丈夫那里去了。我很盼望我们中国真正的新思想家或旧思想家，对于这种事实，都有一种觉悟。”

18日，北京《公言报》发表《请看北京学界思潮变迁之近状》的社论，批评北大思想的“五花八门”。文章开篇即指出：“北京近日教育虽不甚发达，而大学教师各人所鼓吹之各式学说，则五花八门，颇有足纪者。”“国立北京大学自蔡孑民氏任校长后，气象为之一变，尤以文科为甚。文科学长陈独秀氏以新派首领自居，平昔主张新文学甚力，教员中与陈氏沆瀣一气者，有胡适、钱玄同、刘半农、沈尹默等，学生闻风兴起，服膺师说，张大其辞者亦不乏人”。

文章接着批评了陈独秀的打倒“贵族文学”、“古典文学”、“山林文学”，而代之以“平民的抒情的国民文学，新鲜的立诚的写实文学，明了的通俗的社会文学”的“文学革命之主旨”，并特别批评了新文学的阵地《新青年》、《新潮》、《每周评论》：“顾同时与之对峙者，有旧文学一派，旧派中以刘师培氏为首，其他如黄侃马叙伦等则与刘氏结合互相得声援者也，加以国史馆之耆先生如屠敬山张相文之流，亦复而深表同情于刘黄。”“在姚叔節林琴南辈目击刘黄诸后生之皋比坐拥，已不免有文艺衰微之感……然若视新文学派之所主张，更当认为怪诞不经，似为其祸及于人群，直无异于洪水猛兽。转顾太炎新派，反若涂轨之犹能接近矣。”为和新派对抗，刘黄诸氏组织了《国故》，“组织之名义出于学生，而主笔政之健将，教员实居多数。盍学生中固亦分旧新两派，而各主其师说者也。”面对此状，特刊林琴南致蔡孑民的“于学界前途深致悲悯”的信，此即《致蔡鹤卿书》。

18 日，北京《公言报》发表林琴南的《致蔡鹤卿书》。文章写道：“大学为全国师表，五常之所系属。近者，外间谣诼纷集，我公必有所闻，即弟亦不无疑信，或者且有恶乎龍茸之徒，因生过激之论，不知救世之道，必度人所能行；补偏之言，必使人以可信。若尽反常轨，侈为不经之谈，则毒粥既陈，旁有烂肠之鼠；明燎宵举，下有聚死之虫。”林琴南在信中指责新文化运动“必覆孔孟、铲伦常为快。”在他看来，新文化运动的反对文言，提倡白话之举尤为荒谬。他说：“若尽废古书，行用土语为文字，则都下引车卖浆之徒，所操之语，按之皆有文法，不类闽广人为无文法之啁啾，据此则凡京津之稗贩，均可用为教授矣。”总之，在林琴南看来，“非读破万卷，不能为古文，亦并不能为白话……近来尤有所谓新道德者，斥父母为自感情欲，于己无恩，此语曾一见之随园文中，仆方以为拟于不伦，斥袁枚为狂谬。不图竟有用为讲学者！人头畜鸣，辩不屑辩，置之可也……若凭位分势力，而施趋怪走奇之教育，则惟穆默德左执刀右传教，始可如其愿望。今全国父老，以子弟托公，愿公留意以守常为是，况天下溺矣，藩镇之祸迫在眉睫，而又成为南北美之争，我公为南士所推，宜痛哭流涕，助成和局，使民生有所苏息。乃以清风亮节之躬，而使议者纷纷集，甚为我公惜之。”

21 日，杨振声的小说《渔家》和罗家伦的小说《是爱情还是苦痛》发表于《新潮》第 1 卷第 5 号，

鲁迅在评价《新潮》上所发表的部分小说时说道：“《新潮》里的……《是爱情还是苦痛》（起首有点小毛病），都是好的。上海的小说家梦里也没有想到过。这样下去，创作很有点希望。”（鲁迅：《对于〈新潮〉一部分的意见》，《新潮》第 1 卷第 5 号，1919 年 5 月。）但鲁迅同时也指出了这些年轻作家创作上的不足，比如说罗家伦“稍嫌浅露，但正是当时许多智识青年们的公意。”（鲁迅：《中国新文学大系·小说二集·导言》第 2 页，上海良友图书印刷公司 1935 年版）

28 日，刘师培、黄侃等编的《国故》月刊第 1 卷第 1 期出版。出版之前曾在 1 月 28 日的《北京大学日刊》上登载了《国故月刊社成立会纪事》，称“国故月刊社于二十六号（星期日）下午一时在刘申叔先生宅内开成立大会。教员到者六人，同学数十人。”据《国故》月刊第一期介绍，成立该社是因为新文化运动使得“功利昌而廉耻丧，科学尊而礼仪亡，以放荡为自由，以攘夺为责任，斥道德为虚伪，低圣贤为国愿”，因而“慨然于国学沦夷”，以“昌明中国固有之学术”为宗旨，“欲发起学报，以图挽救”。创办的提议起自国文系的学生俞士镇、薛祥绥、杨湜生、张煊等人，是他们“首谒教员，次向校长陈述”，才得以成立《国故》月刊社。月刊的总编辑为刘师培、黄侃，教员编辑在《北京大学日报》上列名的是陈汉章、朱希祖、马叙伦、屠孝寔、梁漱溟、康宝忠、陈钟凡，并声明“尚拟请编辑数人，俟得同意后再布”。等到 3 月 20

日《国故》第一期出版，特别编辑中去掉了朱希祖、梁漱溟，增补了吴梅、黄节、林损。学生编辑则为《北京大学日报》上列出的张煊、薛祥绥、俞士镇等九人，《国故》出版后增补了胡文豹一人。该刊第一期的本社投稿简章声明："本月刊以研究学术推求真理为主旨。既不肆击他人，亦不妄涉诽骂。凡我社员暨投稿诸君当共守此旨。"

《新青年》第6卷第3号刊发了周作人的《两个扫雪的人》、《微明》、《路上所见》、《北风》等诗。

胡适的独幕剧《终身大事》在《新青年》第6卷第3号刊出。《终身大事》又名《游戏的喜剧》，系胡适为几位美国留学的朋友参加一个宴会而写，英文名为Farce，后译成中文。该剧在中国现代话剧的形成时期产生了很大影响，以胡适的《终身大事》为滥觞，易卜生的"社会问题剧乃跟着'新潮'而流行一时"，成为整个20世纪20年代话剧创作的主流。（参见罗芳洲：《现代中国戏剧选·序》，上海亚细亚书局，1933年版）

30年代，洪深在编选《中国新文学大系·戏剧集》时将《终身大事》作为第一篇选入，并认为，在当时"理论非常丰富，创作却十分贫乏。只有胡适底《终身大事》一部剧本，是值得称道的。""因为这戏里的田女士跟人跑了"，所以"竟没有人敢扮演田女士"，"在封建势力仍然强盛的中国，是没有女子敢'做'娜拉的！但这正说明了这出戏的意义。"（洪深：《中国新文学大系·戏剧集·导言》，赵家璧主编、洪深编选：《中国新文学大系·第九集：戏剧集》第23页，上海良友图书印刷公司1935年版）

40年代欧阳予倩等主持全国戏剧界在桂林举办的"西南剧展"中，在精选的中国戏剧运动前期代表作里，胡适的《终身大事》也是名列榜首。

四月

1日，蔡元培在北京《公言报》发表《答林君琴南函》，回答林纾对新文化运动的非难，为新文化运动辩护。他指出："原公之所责备者，不外两点：一曰，'覆孔孟，铲伦常。'二曰，'尽废古书文字，行用土语为文字。'请分别论之。"在驳斥林琴南的观点时，蔡元培说："对于第一点，当先为两种考察：（甲）北京大学教员曾有以'覆孔孟铲伦常'教授学生者乎？（乙）北京大学教授，曾有于学校以外，发表其'覆孔孟铲伦常'之言论者乎？"蔡元培特别指出："若大学教员，于学校以外，自由发表意见，于学校无涉，本可置之不论。当如进一步考察之，则惟有新青年杂志中，偶有对于孔子学说之批评，然亦对于孔教会等托孔子学说以攻击新学说而发，初非直接与孔子为敌也。""对于第二点"，蔡元培指出：北京大学并没有"尽废古书而专用白话"，白话可以"达古书之义"，在讲授古书时，有时使用白话也是必需的。况且"大学少数教员所提倡之白话的文字"，并不与"引车卖浆者所操之语相等"，"白话与文言，形式不同而已，内容一也。"接着他阐明了自己的两点主张："（一）对于学说，仿世界各大学通例，循'思想自由'原则，取兼容并包主义……无论为何种学派，苟其言之成理，持之有故，尚不达自然淘汰之运命者，虽彼此相反，而悉听其自由发展。此义已于《月刊》发刊词言之，抄奉一览。""（二）对于教员，以学校为主。在校讲授，以无背于第一种主张为界限。其在校外之言动，悉听自由，本校从不过问，亦不能代负责任。”

15 日，鲁迅的小说《孔乙己》发表于《新青年》第 6 卷第 4 号。鲁迅在篇末的“附记”中特别指出：“这是篇很拙的小说，还是去年冬天做成的。那时的意思，单在描写社会上的或一种生活，请读者看看，并没有别的深意。”但在发表时，“便是忽然有人用了小说盛行人身攻击的时候。”所以鲁迅“在此声明，免得发生猜度，害了读者的人格。”

据孙伏园在《孔乙己》一文中回忆，他曾询问鲁迅在自作的短篇小说中最喜欢哪一篇，鲁迅回答说是《孔乙己》。主要原因在于，《孔乙己》“是在描写一般社会对于苦人的凉薄。”（孙伏园：《孔乙己》，《鲁迅先生二三事》第 16、17 页，湖南人民出版社 1980 年。）

巴金也极为推崇鲁迅的这篇小说，称赞说：“他那篇《孔乙己》写得多么好！不过两千几百字！还有《故乡》和《祝福》，都是用第一人称写的。”（巴金：《谈我的短篇小说》，《巴金全集》第 20 卷第 524 页，人民文学出版社 1993 年版）

沈雁冰则在《读〈呐喊〉》一文中说道：“继《狂人日记》来的，是笑中含泪的短篇讽刺《孔乙己》；于此，我们第一次遇到了鲁迅君爱用的背景——鲁镇和咸亨酒店。这和《药》，《明天》，《风波》，《阿 Q 正传》等篇，都是旧中国的灰色人生的写照。”（沈雁冰：《读〈呐喊〉》，《文学周报》第 91 期，1923 年 10 月 8 日。）

张定璜评论《孔乙己》时说：“读《呐喊》，读那篇那里面最可爱的小东西《孔乙己》，我们看不见调色板上的糊涂和广告单上的丑陋，我们只感到一个干净。”（张定璜：《鲁迅先生（下）》，《现代评论》第 1 卷第 8 期，1925 年 1 月 31 日。）

15 日，胡适的论文《实验主义》发表于《新青年》第 6 卷第 4 号。

30 日，在中国代表缺席的情况下，巴黎和会议定了《凡尔赛和约》关于山东问题的条款，规定德国在山东的全部权益由日本承袭。由于中国人民的强烈反对，中国专使团未在和约上签字。

李大钊致信胡适，强调《新青年》同人团结的重要性，他说：“适之吾兄先生：听说《新青年》同人中，也多不愿我们办《新中国》；既是国人不很赞成，外面人有种种传说，不办也好。我的意思，你与《新育年》有不可分的关系，以后我们就决心把《新青年》、《新潮》和《每周评论》的人结合起来，为文学革新的奋斗。在这团体中，固然也有许多主张，不尽相同，可是要再想找一个团结像这样颜色相同的，恐怕不太容易了。从这回谣言看起来，《新青年》在社会上实在是占了胜利。不然，何以大家都为我们来抱不平呢？平素尽可不赞成《新青年》，而听说他那里边的人被了摧残，就大为愤慨，这真是公理的援助。所以我们应该结合起来向前猛进，我们大可以仿照日本‘黎明会’；他们会里的人，主张不必相同，可是都要向光明一方面走，是相同的。我们《新青年》的团体，何妨如此呢？刚才有人来谈此事，我觉得外面人讲什么，尚可不管，《新青年》的团结，千万不可不顾。”（李大钊：《李大钊文集》下册第 936 页，人民文学出版社 1984 年版）

俞平伯的小说《花匠》发表于《新潮》第 1 卷第 4 号。鲁迅说：“俞平伯的《花

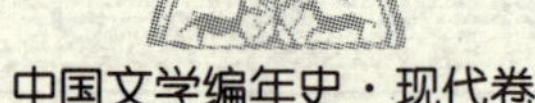

匠》以为人们应该屏绝矫揉造作，任其自然，罗家伦之作则在诉说婚姻不自由的苦痛，虽然稍嫌浅露，但正是当时许多智识青年的公意”。（鲁迅：《中国新文学大系·小说二集·导言》第2页，上海良友图书公司1935年版）

五月

4日，北京5000学生举行集会，呼吁“外争国权，内惩国贼”，“取消二十一条”，“拒绝和约签字”等口号，并进行游行示威。军阀政府派兵镇压，逮捕学生30多人。“五四”运动爆发。第二天，北京学生实行总罢课，全国各地学生纷纷响应。7日，济南各界召开3万余人参加的国耻日纪念大会，30多人相继演说，表示誓争青岛，否则虽牺牲身家性命，亦在所不惜。11日，民众爱国组织救国十人团在上海成立。其宣言声明，该组织的目的在于持久地开展反日爱国运动，并规定以不买日货、不用日币、不乘日船、不被日人雇用等作为入团者必遵“约言”。此后，各省纷纷成立救国十人团，并在上海组成中华救国十人团联合会。6月3、4日，军阀政府逮捕学生近千人，更激起全国人民的愤慨。5日，上海日商内外棉第三、四、五厂等纱厂6000余工人首先罢工，支援学生的反帝爱国斗争。至11日，参加罢工的工人达15万人，上海商人举行罢市，致使水陆交通均断绝。南京、天津、杭州、武汉、济南等地的工人、商人纷纷罢工、罢市。在民众的压力下，军阀政府被迫释放被捕学生，撤掉了曹汝霖、陆宗舆、章宗祥的职务，宣布拒绝在和约上签字。27日，北京、天津等地各界代表500余人至总统府请愿，要求拒签和约，恢复南北和会等。次日，徐世昌出见，被迫电令中国参加巴黎和会的代表拒绝签字。6月28日 中国代表拒绝在巴黎和约上签字。北京无线电台的收报员利用交通部在北京东便门外架设的无线电接收设备，直接收到巴黎的消息，立即通知正在新华门总统府前静坐的大、中学生。“五四运动”获得了阶段性的胜利。

傅斯年在《新潮》第1卷第5期发表《白话文学与心理的改革》。

《新青年》第6卷第5号辟《马克思研究》专栏，李大钊在其中发表论文《我的马克思主义观》（上）。文章分为如下七个部分：一、介绍写作此文的原因：李大钊指出，“马克思主义既然随着这世界的大变动，惹动了世人的注意”，也“招了很多的误解”，我国对马克思主义的研究“极其贫弱”，故在此把各国学者研究马克思主义的零碎资料“稍加整理”，借此出“马克思研究号”的机会介绍给读者。二、介绍了马克思主义在经济思想史上的地位：“从前经济学正统是个人主义，现在正是社会主义经济学、人道主义经济学”取代“个人主义”的时候了。“马克思是社会主义经济学的学祖，现在正是社会主义经济学改造世界的新纪元，马克思主义在经济思想史上的地位如何重要也就可以知道了。”三、介绍了马克思主义学说的体系：“一为关于过去的理论，就是他的历史论，也称社会组织进化论。二为关于现在的理论，就是他的经济论，也称资本主义的经济论。三为关于将来的理论，就是他的政策论，也称社会主义运动论，就是社会民主主义。”三部理论“有不可分的关系，而阶级竞争说恰如一条金线，把这三大原理从根本上联络起来。所以他的唯物史观说，既往的历史都是阶级竞争的历史”。

四、论述了“唯物史观”：“唯物史观也称历史的唯物主义”，它的要领在于，“经济构造是社会的基础构造，全社会的表面构造，都依着他迁移变化。”这是“历史的唯物论者共同一致的论旨”。五、论述了马克思独特的历史观：李大钊首先摘录了马克思有关历史观方面的论述，然后得出了马克思唯物史观的两个要点：“其一是关于人类文化的经验的说明，其二即社会组织进化论”。“其一是说人类社会生产关系的总和，构成社会经济的构造。这是社会的基础构造。一切社会上政治的，法制的，伦理的，哲学的，简单说，凡是精神上的构造，都是随着经济的构造变化而变化。”“其二是说生产力与社会组织有密切关系。生产力一有变动。社会组织必须随着他变动。社会组织即社会关系……生产力在那里发展的社会组织，当初虽然助长生产力发展，后来发展的力是到那社会组织不能适应的程度，即社会组织不但不能助他，反倒束缚他妨碍他了。”这种“冲突愈迫”，“结局这社会组织非至崩坏不可。这就是社会革命。”六、介绍与马克思的唯物史观有密切联系的“阶级竞争说”：在分析了各阶级的阶级竞争源自于他们特殊的经济要求后，李大钊也指出，马克思“并非承认这阶级竞争是与人类历史相终始的”，他只是把它应用于“人类历史的前史”，是“对于过去历史的一个应用”，“不是通用于过去现在未来的全部。”七、先列举了一些外界对马克思学说的评价，接着指出“马克思学说受人非难的地方狠多，这唯物史观与阶级竞争说的冲突，算是一个最重要的点”。从马克思主义出发，李大钊进而提出了自己的意见：“我们主张以人道主义，改造人类精神；同时以社会主义，改造经济组织。不改造经济组织，单求改造人类精神，必致没有效果。不改造人类精神，单等改造经济组织也怕不能成功。我们主张物心两面的改造，灵肉一致的改造。”

《我的马克思主义观（下）》则发表于《新青年》第 6 卷第 6 号。该文分四个部分：一、概述了马克思的经济论，指出“马氏的论旨，不在诉说资本家的贪婪，而在揭破资本主义的不公”。工人把自己贱价卖给资本家，所得“仅抵自己生产价值之半，或者不及其半，在法律上在经济上全没有自卫之道，而自己却视若固然。这不是资本家的无情，全是资本主义的罪恶。”二、平均利润论：用详细的论述剖析了余值怎样变成利润的道理。三、马克思“资本说”：“马克思分资本为不变和可变两种”，接着详细解释了何为可变资本，何为不变资本，最后指出“不变可变资本说是支撑马氏余值论的柱子，余值论又是他的全部经济学说的根本观念”，很多人攻击马克思不变可变资本说，“我们殊为马氏不平”。四、论述了资本集中论的要旨，描述了工人的悲惨情形以及与资本家的不平等关系，最后指出：无产阶级本是“资本主义的产物”，到现在却成了“灭资本主义”的力量。并预言“现今各国经济的形势，大概都向这一方面走。”该文在“五四”运动中为介绍、传播马克思主义起到了重要的作用。

胡适的论文《我为什么要做白话诗?》发表于《新青年》第6卷第5号。作为《尝试集》的自序，胡适在文中介绍了自己做白话诗的直接原因，他说：早在“民国四年八月，我作一文论《如何可使吾国文言易于教授》”时已意识到“文言是半死之文字，不当以教活文字之法教之”。和任叔永、梅觐庄（梅光迪）的论战又“逼我把诗界革命的方法表示出来”。那么，如何才能改变中国文学的面貌呢，胡适说：“今日欲救旧文学之弊，先从涤除‘文胜质’之弊入手。今人之诗，徒有铿锵之韵，貌似之辞耳。其中实无物可言。其病根在于重形式而去精神，在于以文胜质。诗界革命当从三事入手：第一，须言之有物；第二，需讲求文法；第三，当用‘文之文字’时不可故意避之。三者皆以质救文之弊也。”胡适进而列举中国文学至今以来所发生的“五次文学革命”，试图证明“文学革命，在吾国史上非创见也”。凭借自己创作白话诗的经验，胡适认为：“若要做真正的白话诗，若要充分采用白话的字，白话的文法，和白话的自然音节，非做长短不一的白话诗不可。这种主张，可以叫做‘诗体的大解放’。诗体的大解放就是要把从前一切束缚自由的枷锁镣铐，一切打破：有什么话，说什么话；话怎么说，就怎么说。”在该文的最后，胡适重申了坚持白话文运动的决心：“我们认定文字是文学的基础，故文学革命的第一步就是文字问题的解决。我们认定死文字决不能产生活文学，故我们主张若要造一种活的文学，必须用白话来做文学的工具。我们也知道单有白话未必就能造出新文学；我们也知道新文学必须要有新思想做里子。但是我们认定文学革命须有先后的程序：先要做到文字体裁的大解放，方才可以用来做新思想新精神的运输品。我们认定白话实在有文学的可能，实在是新文学的唯一利器。”“我这本集子里的诗，不问诗的价值如何，总都可以代表这点实验的精神。”胡适最后引“尝试篇”作这篇长序的结论：“尝试成功自古无！放翁这话未必是。我今为下一转语：‘自古成功在尝试！’请看药圣尝百草，尝了一味又一味。又如名医试丹药，何嫌六百零六次？莫想小试便成功，哪有这样容易事！有时试到千百回，始知前功尽抛弃。即使如此已无愧，即此失败便足记。告人‘此路不通行’，可使脚力莫枉费。我生求师二十年，今得‘尝试’两个字。作诗作事要如此，虽未能到颇有志。作‘尝试歌’颂吾师，愿大家都来尝试。”

鲁迅的小说《药》发表于《新青年》第6卷第5号“马克思主义研究专号”。孙伏园说：“《药》描写群众的愚昧，和革命者的悲哀；或者说，因为群众的愚昧而来的革命者的悲哀；更直接说，革命者为愚昧的群众奋斗而牺牲了，愚昧的群众并不知道这牺牲为的是谁，却还要因了愚昧的见解，以为这牺牲可以享用，增加群众中的某一私人的福利。”（孙伏园：《孔乙己》，《鲁迅先生二三事》第9页，湖南人民出版社1980年版）

天用则在《桌话之六——〈呐喊〉》中称赞《药》“写得好”，如“秋天的后半夜，月亮下去了，——一片乌蓝的天，除了夜游的东西，什么都睡着——街上黑沉沉一无所有，只有一条灰白的路”等背景描写“与济慈 Brushing the Cobwsbs With his Lofty 一类的描写同有不朽的价值。”（天用：《桌话之六——〈呐喊〉》，《文学周报》第145期，1924年10月。）

六月

8日，《星期评论》（周刊）在上海创刊，戴季陶、沈玄庐主编。该刊在孙中山及其政党的指导与支持下出版，先由中华革命党主办；同年10月，中华革命党改组为中国国民党后，即由后者主办。一般每期四开一张，除随《民国日报》免费附送外，另单独销行1000份，后激增至数千份。该刊在第1号的“欢迎投稿”中表明了刊物的基本倾向："我们一面是用自己的观察，批评世界上的事事物物，一面并且希望诸君要批评我们的批评"，并且表示希望读者多在该刊发表"工场工人的生活状态，各处农夫的生活状态，各学校的学生对于他们学校的观察感想，和在校内校外的生活状态"方面的文章。设有评论、记事、世界思潮、世界大势、创作、杂录、随便谈、主张、研究资料、书报介绍等栏目。主要撰稿人有孙中山、廖仲恺、胡汉民、朱执信、李大钊、陈独秀、李汉俊、沈仲九、胡适、刘大白等。1920 年 4 月 11 日，全文刊登《俄罗斯劳农政府给我们中国人民的通告》，指出此为世界历史上空前的消息。5 月 1 日，该刊出版《星期评论劳动纪念号》增刊，随《民国日报》赠送读者。5 月 16 日，发表李汉俊《浑朴的社会主义者底特别的劳动意见》，批驳张东荪的社会主义论调。该刊还曾约请早期共产主义者陈望道翻译了《共产党宣言》，并邀请共产国际代表魏金斯基到该社访问。此外一些新文学的重要作品，如刘大白的《卖布谣》、胡适的《乐观》等都发表于此刊。后来由于形势的变化，该刊在 1920 年 6 月 6 日第 53 期发表《星期评论刊行中止的宣言》，宣称"本社言论受无形禁止"，宣布"中止刊行，暂时以刊行本志同样的努力，致力于学术的研究"。加上第 18、19 两期间插入的 1919 年双十节纪念号，前后共计出版 54 期。该刊因发扬"五四"精神，探索社会改造，支持学生运动，提倡妇女解放，宣传新思潮，研究介绍马克思主义特别是世界和中国的劳工运动，同情俄国十月革命，反对北洋军阀统治，因而在当时的进步知识分子中有很大影响。

12 日，陈独秀在北京城南"新世界"娱乐场所散发反政府传单时被警察拘捕入狱。后来在安徽同乡和朋友的营救下于 8 月间保释出狱。

16 日，上海《民国日报》副刊《觉悟》创刊。该刊为五四时期四大报纸副刊之一。由邵力子主编，1931 年 12 月 31 日停刊。该刊在前 5 年版式多次发生变化，篇幅逐渐扩大。1919 年时各期不分栏目，1920 年扩版后开始分设专栏，包括评论、讲演、通信、选录、译著、文艺批评、诗、小说、剧本、随感录、社会研究、劳动问题、妇女问题、平民血泪、哲学科学等，其中文艺评论和作品占很大的篇幅，几乎每期都有新诗和小说，内容多为表现改造社会的愿望和对劳动人民表示同情，同时也刊登译作。1924 年改版后，论文比重加大，文艺作品减少。文艺方面的撰稿人主要有沈玄庐、徐蔚南、叶楚伧、张静庐、邵力子、叶圣陶、刘大白、陈望道、夏丏尊、孙俍工、孙伏园、周作人、沈雁冰、胡适、鲁迅、冯雪峰等。蒋光赤、沈泽民组织的春雷社，曾于 1924 年 11 月在该刊办过两期"文学专号"，发表了蒋光赤的论文《现代中国的文学界》和诗歌《哀中国》等。该刊在创刊之初表现了较彻底的民主主义思想和初步的社会主义倾向，在宣传新文化运动以及配合马克思主义者批判无政府主义和其他反社会主义思潮的斗争中起过积极的作用，但自从 1925 年改版后，《民国日报》为国民党右派所把持，该刊也随之发生变化，失去了进步的作用。

郭沫若在日本福冈发起组织反日团体夏社。其他成员还有夏禹鼎、钱潮、徐诵明、刘先登、陈中、余霖等人。该社议决组织一个义务通信社，专门搜集翻译日本侵略者的文字，油印之后投寄国内各学校和报馆，以进行爱国反日宣传。因为集会时间是在夏天，与会者都是中国人，中国原称华夏，而结社地点又是在夏禹鼎家里，所以郭沫若便建议给这个团体取名为"夏社"。由于没有活动经费，便只好自己捐款买了油印机、纸张、油墨等。鉴于成员大多是学医的，不善于做文章，郭沫若便一人承担了翻译和撰述的任务。后来，该社的《同文同种辨》、《抵制日货之究竟》等文章，都在上海《黑潮》杂志上刊登了出来，在当时的反帝爱国运动中起到了一定的作用。

七月

1日，李大钊、王光祈、张尚龄等在北京成立少年中国学会。这是“五四”时期出现的历史最久、会员最多、分布最广、分化也最明显的一个文化团体。会员包括李大钊、康白情等120多人。该会以“集合全国青年，为中国创造新生命，为东方辟一新纪元”，“创造适于二十世纪之少年中国”为宗旨，除了在北京设立了总会外，还在成都、南京、法国巴黎设立了分会。由于成员思想状况复杂，学会内部一开始即存在着信仰上的分歧。随着中国共产党的成立和革命运动的发展，分歧日益扩大，1923年以后，以邓中夏、恽代英为代表的共产党人与曾琦、左舜生等发生公开论战。之后曾琦、左舜生等人另外组成国家主义派，创办《醒狮》周刊，与学会公开决裂。在存在了六年多以后，学会于1925年底停止活动。学会还出版了许多刊物，如《少年中国》、《少年中国学会会务报告》、《少年世界》等，其中以《少年中国》影响最大。

14日，《湘江评论》（周刊）在湖南长沙创刊。1919年8月上旬被查封。毛泽东主办。该刊在《本报启事》里明确声明“以宣传新思潮为旨”。《创刊宣言》中说：“自世界革命的呼声大倡，人类解放的运动猛进……时机到了！世界的大潮卷的更急了！洞庭的闸门动了，且开了！浩浩荡荡的新思潮业已奔腾澎湃于湘江两岸！顺他的生，逆他的死！”该刊认为文学革命应该是“由贵族的文学、古典的文学、死形的文学变为平民的文学、现代的文学、有生命的文学。”每刊分四版，设有东西方大事评述、湘江大事述评、放言新文艺等栏。文章宣传马克思主义，抨击反动势力，语调尖锐，通俗易懂，富有反抗斗争精神。毛泽东著名的《民众的大联合》即发表于此。该刊影响波及全国，《每周评论》、《晨报》等都曾向读者予以介绍，称颂其内容完备，魄力充足。

15日，《少年中国》在北京创刊。1924年5月出至第4卷第12期后停刊，共出4卷48期。少年中国学会主办，先后由王光祈、左舜生编辑。该刊提倡新思想，宣传爱国，主张“本科学的精神，为社会的活动，以创造少年中国”。刊物内容主要分两部分，一部分是会员所写关于自然科学、文学、社会学和哲学的论著与译文；另一部分是阐发学会的方针及会务消息和会员通讯。此外，还刊发了150余首新诗，连续出版了两期诗学研究专号。新诗的主要撰稿人有田汉、郑伯奇、康白情等。同时也发表部分文艺批评和译作。曾刊载田汉的处女作《环娥琳与蔷薇》，张闻天的剧作《青春的梦》，以及李大钊、邓中夏、沈泽民等人的作品。

20日，胡适在《每周评论》第31号发表文章《多研究些问题，少谈些“主义”》。

胡适开篇即说：“现在舆论界的大危险，就是偏向纸上的学说，不去实地考察中国今日的社会需要究竟是什么东西。”“要知道舆论家第一天职就是要细心考察社会的实在情形。一切学理，一切‘主义’，都只是这种考察的工具。有了学理作参考材料，便可使我们容易懂得所考察的情形，容易明白某种情形有什么意义，应该用什么救济的

方法。”胡适接着指出：“第一、空谈好听的‘主义’，是极容易的事，是阿猫阿狗都能做的事，是鹦鹉和留声器都能做的事。第二、空谈外来进口的‘主义’，是没有什么用处的。一切主义都是某时某地的有心人对于那时那地的社会需要的救济方法。我们不去实地研究我们现在的社会需要，单会高谈某某主义，好比医生单记得许多汤头歌诀，不去研究病人的症候，如何能有用呢？第三、偏向纸上的‘主义’，是很危险的。这种口头禅很容易被无耻政客利用来做种种害人的事……现在中国的政客又要利用某种某种主义来欺人了。罗兰夫人说，‘自由！自由！天下多少罪恶都是借你的名做出的！’一切好听的主义，都有这种危险。”

胡适据此总结说：“这三条合起来看，可以看出‘主义’的性质。凡‘主义’都是应时势而起的……”“我因为深觉得高谈主义的危险，所以我奉劝现在新舆论界的同志道：‘请你们多提出一些问题，少谈一些纸上的主义’。更进一步说：‘请你们多多研究这个问题如何解决，那个问题如何解决，不要高谈这种主义如何新奇，那种主义如何奥妙。’”“现在中国应该赶紧解决的问题真多得很”，要多多研究一些诸如“人力车夫的生计问题”，“大总统权限问题”，“卖淫问题”，“卖官卖国问题”等等。在胡适看来，那些“高谈主义，不研究问题的人，只是畏难求易，只是懒。”胡适进而指出：“凡是有价值的思想，都是从这个那个具体的问题下手的。先研究了问题的种种方面的种种事实，看看究竟病在何处，这是思想的第一步功夫。然后根据于一生的经验学问，提出种种解决的方法，提出种种医病的丹方，这是思想的第二步功夫。然后用一生的经验学问，加上想象的能力，推想每一种假定的解决方法该有什么样的效果，推想这种效果是否真能解决眼前这个困难问题。推想的结果，拣一种假定的解决，认为我的主张。这是思想的第三步功夫。凡是有价值的主张，都是先经过这三步工夫来的。”胡适最后强调：“我并不是劝人不研究一切学说和一切‘主义’。学理是我们研究问题的一种工具……种种学说和主义，我们都应该研究。有了许多学理做材料，见了具体的问题方才能寻出一个解决的方法。但是我希望中国的舆论家把一切‘主义’摆在脑背后做参考资料，不要挂在嘴上做招牌，不要叫一知半解的人拾了这半生不熟的主义去做口头禅。”

25 日，苏联政府发表《俄罗斯苏维埃联邦社会主义共和国对中国人民和中国南北政府的宣言》，即苏俄政府第一次对华宣言。其主要内容是：声明苏维埃政府已放弃了沙皇政府从中国攫取的满洲和其他地区；拒绝接受中国因 1900 年义和团运动所负的赔款；废弃一切特权，废弃俄国商人在中国境内的一切商站等。同时，表示苏维埃政府准备与中国人民的全权代表就一切其他问题达成协议。

八月

17 日，李大钊在《每周评论》第 35 号发表《再论问题与主义》，从四个方面对胡适进行反驳。他在文章中说：“我觉得‘问题’与‘主义’有不能十分分离的关系。因为一个社会问题的解决，必须靠着社会上多数人，共同的运动。那么我们要想解决一个问题，应该设法使他成了社会上多数人共同的问题。要想使一个社会问题，成了

社会上多数人共同的问题，应该使这个社会上可以共同解决这个那个社会问题的多数人，先有一个共同趋向的理想、主义，作他们实验自己生活上满意不满意的尺度（即是一个工具）。那共同感觉生活上不满意的事实，才能一个一个的成了社会问题，才有解决的希望。不然，你尽管研究你的社会问题，社会上多数人，却一点不生关系。那个社会问题，是仍然永没有解决的希望，那个社会问题的研究，也仍然是不能影响于实际。所以我们的社会运动，一方面固然要研究实际的问题，一方面也要宣传理想的主义。这是交相为用的，这是并行不悖的。"李大钊进而为社会主义进行辩护，他说：布尔什维主义的流行，"实在是世界文化上的一大变动。我们应该研究他，介绍他，把他的实象，昭布在人类社会，不可一味听信人家为他们造的谣言，就拿凶暴残忍的话抹煞他们的一切。""我们惟有一面认定我们的主义，用他作材料，作工具，以为实际的运动。一面宣传我们的主义，使社会上多数人都能用他作材料，作工具，以解决具体的社会问题，那些猫、狗、鹦鹉、留声机，一尽管他们在旁边乱响。过激主义哪，洪水猛兽哪，邪说异端哪，尽管任他们乱给我们作头衔。那有闲工夫去理他?"在驳斥了胡适的观点后，李大钊指出，对于各类社会问题，只有"经济问题的解决，是根本的解决。"他同时也指出，马克思的"阶级竞争说"极为重要，若"丝毫不去用这个学理作工具，为工人联合的实际运动"，"那经济的革命，恐怕永远不能实现。"而在当前，"我们应该承认遇着时机，因着情形，或须取一个根本解决的方法，而在根本解决以前，还须有相当的准备活动才是。"李大钊和胡适的"问题与主义"之争，实际上是一场马克思主义与实验主义的论争。

19日，鲁迅散文诗《自言自语》等文在《国民公报》"新文艺"栏发表，署名"神飞"。包括《序》、《火与冰》、《古城》、《螃蟹》、《波儿》、《我的父亲》、《我的兄弟》7首，后来被称之为"独语"体散文。

24日，小型综合性通俗周刊《新生活》在北京创刊，由李辛白（褚素）主编，北京新生活社出版。1921年5月20日出完第51期后停刊。该刊试图探讨在新的世界潮流中如何开始新的生活。所登载的文学作品语言通俗，简短。除征集和发表了大量的儿歌、谚语外，几乎每期都刊登小说、白话诗、通讯、随感录，撰稿人除主编外还有胡适、周作人、高一涵等，李大钊也曾为该刊撰写时评等短文。

九月

16日，天津学生联合会、天津妇女界爱国同志会成员周恩来、马骏、邓颖超等发起成立觉悟社。该社本着"革新"精神，组织讲演、出版刊物《觉悟》，引导学生、青年开展各种爱国活动，反对帝国主义和封建军阀。1920年秋，因部分社员赴法勤工俭学而停止活动。

冰心在《晨报》上发表小说《两个家庭》，这是她的第一篇白话小说，也是她第一次使用"冰心"这个笔名。

十月

7－10 日，冰心的小说《斯人独憔悴》在《晨报》副刊上连载。

茅盾说“冰心最初的作品例如选在这里的《斯人独憔悴》，是‘问题小说’。”（茅盾：《中国新文学大系·小说一集·导言》，《中国新文学大系》上海良友图书印刷公司，1935 年 7 月。）后来茅盾在《冰心论》中又专门论及该小说，称“那时的人生观问题，民族思想，反封建运动，使得冰心女士同‘五四时期’所有作家一样‘从现实出发’！然而‘极端派’思想，她是不喜欢的；……在《斯人独憔悴》中，她勇敢地提出‘父与子的冲突’来了，可是她使得那‘子’——‘五四’式青年的颖铭，终于屈伏在旧官僚的‘父’的淫威下，只斜倚在一张藤椅上，低徘欲绝地吟着：‘出门搔白首，若负平生志，冠盖满京华，斯人独憔悴。’……她的问题小说里的人物就是那样软脊骨的好人。”（茅盾：《冰心论》，《文学》1934 年 8 月第 3 卷第 2 号。）

冰心的这部小说连载后在当时社会上引起了极大反响。同月 17 日，北京《国民公报》的《寸铁栏》就发表了署名“晚霞”的短评。短评说：“我的朋友在《晨报》上看见某女士作的《斯人独憔悴》那篇小说，昨天又看见本报上李超女士的痛史，对我蹙眉顿足骂旧家庭的坏处，我以为坏处是骂不掉的，还请大家努力改良，就从今日起。”将近三个月之后，学生剧团在北京新明戏院演出话剧，第一个剧目就是《斯人独憔悴》。1920 年 1 月 13 日，《晨报》发表署名“止水”的剧评《观学生剧团演剧底私论》说：“《斯人独憔悴》是根据《晨报》上冰心女士底小说排演的，编制作三幕，情节都不错，演的也好。”

10 日，胡适的论文《谈新诗——八年来一件大事》在《星期评论》双十节“纪念号第五号”发表。

胡适在该文中主要谈了以下五个方面的问题：（一）“文学革命的目的是要替中国创造一种‘国语的文学’——活的文学。这两年来的成绩，国语的散文是已过了辩论的时期，到了多数人实行的时期了。只有国语的韵文——所谓‘新诗’——还脱不了许多人的怀疑。但是现在做新诗的人也就不少了……这种文学革命预算是辛亥革命以来的一件大事。”（二）“文学革命的运动，不论古今中外，大概都是从‘文的形式’一方面下手，大概都是先要求语言文字文体等方面的大解放……这一次中国文学的革命运动，也是先要求语言文字文体的大解放。新文学的语言是白话的，新文学的文体是自由的，是不拘格律的。初看起来，这都是‘文的形式’一方面的问题，算不得重要。却不知道形式和内容有密切关系。形式上的束缚，使精神不能自由发展，使良好的内容不能充分表现。若想有一种新内容和新精神。不能不先打破那些束缚精神的枷锁镣铐。因此，中国近年的新诗运动可算得是一种‘诗体的大解放’。因为有了这一层诗体的解放，所以丰富的材料，精密的观察，高深的理想，复杂的感情，方才能跑到诗里去。五七言八句的律诗决不能容丰富的材料，二十八句的绝句决不能写精密的观察，长短一定的七言五言决不能委婉达出高深的理想与复杂的情感。”为证明“诗体解放后诗的内容之进步”，胡适还列举了自己创作的《应该》、周作人的《小河》，以及康白情的《窗外》等白话诗为例。（三）胡适认为，新体诗是从中国诗进化而来的，“这种议论很可以从现有的新体诗里寻出许多证据。我所知道的‘新诗人’，除了会稽周氏弟兄之外，大都是从旧式诗、词、曲里脱胎出来的。”（四）胡适分析了新体诗的音节，认为“诗的音节全靠两个重要分子：一是语气的自然节奏，二是每句内部所用字的自然和谐。”尽管“新体诗中也有用旧体诗词的音节方法来做的”，但“这是新旧过渡时代的一种有趣味的研究，并不是新诗音节的全部。新诗大多数的趋势，依我们看来，是朝着一个公共方向走的。那个方向便是‘自然的音节’。”胡适在具体解说了新诗的“音节”后，提倡新诗用韵的“三种自由”：“第一，用现代的韵，不拘古韵，不拘平水韵。第二，平仄可以互相押韵，这是词曲通用的例，不单是新诗如此。第三，有韵的固然好，没有韵也不妨。”（五）胡适在谈到做新诗的方法时说，“做新诗的方法根本上就是做一切诗的方法；新诗除了‘诗体的解放’一项外，别无他种特别的做法。”并认为“诗须要用具体的做法，不可用抽象的说法。凡是好诗，都是具体的；越偏向具体的，越有诗意诗味。凡是好诗，都能使我们的脑子里发生一种——或许多种——明显逼人的影像。这便是诗的具体性。”“再进一步说，凡是抽象的材料，格外应该用具体的写法。”胡适因此批评那些不尽人意的诗“犯的都是一个大毛病，——抽象的问题且用抽象的写法。”《谈新诗》是一篇具有纲领性的文章，对于“五四”新诗运动的深入具有重要的指导意义。

十一月

1日，由宋介主编的《曙光》杂志在北京创刊。该刊为综合性刊物，北京曙光杂志社出版。初为月刊，1卷6期后改为不定期刊，1921年6月出至2卷3号后终刊，共出了9期。该刊“发愿根据科学的研究，良心的主张，唤醒国人彻底的觉悟”，明确其宗旨是“本科学的精神，为社会的活动，以促进社会改革之动机”，因而成为五四运动以后在北京出版的重要青年学生刊物之一。其中小说、诗歌、杂感、通讯等文艺作品占较大篇幅。主要撰稿人除主编外，有郑振铎、王统照、王晴霓、刘静君、耿济之、瞿秋白等，其中刊载王统照的译著尤多。

1日，瞿秋白、郑振铎、耿济之等主办的《新社会》旬刊在北京创刊。1920年5月1日出至第19期被查封。后又于1920年8月5日改出月刊《人道》，但仅出了一期即停止。由瞿秋白、郑振铎、耿匡（耿济之）、许地山、瞿世英等担任编辑和主要撰稿人，以北京“社会实进会”名义出版和发行。该刊在《发刊词》中说明了办刊的原因及宗旨：“中国旧社会的黑暗，是到了极点了！他的应该改造，是大家知道了。”但是改造的具体目的、方法和态度等这些“改造的先决问题”是该“慎重又慎重决定的”，“我们社会实进会，现在创办小小的期报——新社会——的意思，就是想尽力于社会改造的事业”，而“我们的改造的目的和手段就是：考察旧社会的坏处，以和平的，实践的方法，从事于改造的运动，以期实现德莫克拉西的新社会。”同时该刊的《本报简章》还指出，刊物内容以“（一）提倡社会服务（二）讨论社会问题（三）介绍社会学说（四）研究平民教育（五）记载社会事情（六）批评社会缺点（七）述写社会实况（八）报告本会消息”为主，间或登些文艺作品，辟有新文艺、随感录专栏，载有瞿秋白的杂感《自杀》、王统照的小说《卖饼人》以及许地山的论文和郑振铎的译文等。

1 日，鲁迅的杂文《我们现在怎样做父亲》在《新青年》第 6 卷第 6 号发表。

15 日，郭沫若的小说《牧羊哀话》发表于北京《新中国》杂志第 1 卷第 7 号，这是他最早问世的小说。作者在《创造十年》中谈到《牧羊哀话》的创作背景时说："转瞬便是一九一九年了，绵延了五年的世界大战告了终结，从正月起，在巴黎正开着分赃的和平会议，因而'山东问题'又闹得甚嚣尘上来了。我的第二篇创作《牧羊哀话》便是在这时候产生的。"由此可见这篇小说实际写于 1919 年的二三月间。在小说中，他"借朝鲜为舞台，把排日的感情移到了朝鲜人的心里。"（郭沫若：《创造十年》，《沫若文集》第 7 卷第 54 页，人民文学出版社 1958 年版）

十二月

1 日，胡适在《新青年》第 7 卷第 1 号上发表《"新思潮"的意义》一文，全面提出了"整理国故"的主张。他说："我们对于旧有的学术思想，积极的只有一个主张，——就是'整理国故'。整理就是从乱七八糟里面寻出一个条理脉络来；从无头无脑里面寻出一个前因后果来；从胡说谬解里面寻出一个真意义来；从武断迷信里面寻出一个真价值来。为什么要整理呢？因为古代的学术思想向来没有头绪，没有系统，故第一步是条理系统的整理。因为前人研究古书，很少有历史进化的眼光的，故从来不讲究一种学术的渊源，一种思想的前因后果。所以第二步是要寻出每种学术思想怎样发生，发生之后有什么影响效果。因为前人读古书，除极少数学者以外，大都是以讹传讹的谬说……故第三步是要用科学的方法，作精确的考证，把古人的意义弄得明白清楚。因为前人对古代的学术思想，有种种武断的成见，有种种可笑的迷信……故第四步是综合前三步的研究，各家都还他一个本来真面目，各家都还他一个真价值。""若要知道什么是国粹，什么是国渣，先须要用评判的态度，科学的精神，去做一番整理国故的工夫。"

1 日，《新青年》第 7 卷第 1 号发表陈独秀执笔的《本志宣言》，公开申明"本志具体的主张"。在谈到发表《宣言》的原因时，陈独秀说："本志的具体主张，从来未曾完全发表。社员各人持论，也往往不能尽同。读者诸君或不免怀疑，社会上颇因此发生误会。现当第七卷开始，敢将全体社员的公共意见，明白宣布。就是后来加入的社员，也共同担负此次宣言的责任。"陈独秀在宣言中指出：我们要抛弃"世界上的军国主义和金力主义"，抛弃"因袭的旧观念中""阻碍进化而且不合情理的部分"，"综合前代贤哲和我们自己所想的，创造政治上道德上经济上的新观念，树立新时代的精神，适应新社会的环境"。"我们理想的新时代新社会，是诚实的，进步的，积极的，自由的，平等的，创造的，美的，善的，和平的，相爱互助的，劳动而愉快的，全社会幸福的。"新社会的青年应"尊重劳动"，应"随个人的才能兴趣，把劳动放在自由愉快艺术化的地位"，不能把它当作"维持衣食的条件"。"我们相信人类道德的进步，应该扩张到本能（侵略性及占有心）以上的生活；所以对于世界上各种民族，都应该表示友爱互助的情谊。但是对于侵略主义占有主义的军阀财阀，不得不以敌意相待。""我们主张的是民众运动社会改造，和过去及现在各派政党，绝对断绝关系。""我们虽不迷信政党万能，但承认政治是一种重要的公共生活；而且相信真的民主政治，必会把权利分配到人民的全体。就是有限制，也是拿有无职业为标准，不拿有无财产做标准。”因此，陈独秀鼓吹“我们相信政治道德科学艺术宗教教育，都应该以现在及将来社会生活进步的实际需要为中心。”“我们相信尊重自然科学实验哲学，破除迷信妄想，是我们现在社会进化的必要条件。”“我们相信尊重女子的人格和权利，已是现在社会生活进步的实际需要，并且希望他们个人自己对于社会责任有彻底的觉悟。”“我们欢迎有意识有信仰的反对，不欢迎无意识无信仰的随声附和。”

8 日，守常（李大钊）在成都《星期日》周刊“社会问题号”发表《什么是新文学》一文，指出了当时“文学界、思想界莫大的危机”，并阐明了什么是真正的新文学。他认为：“‘什么是新文学?’我的意思以为刚是用白话作的文章，算不得新文学；刚是介绍点新学说，新事实，叙述点新人物，罗列点新名词，也算不得新文学。我们所要求的新文学，是为社会写实的文学，不是为个人造名的文学；是以博爱心为基础的文学，不是以好名心为基础的文学；是为文学而创作的文学，不是为文学本身以外的什么东西而创作的文学。现在的新文学作品中，合于我们这种要求的，固然也有，但是终占少数。一般最流行的文学中，实含有很多缺点。概括讲来，就是浅薄，没有真爱真美的质素。不过摭拾了几点新知新物，用白话文写出来，作者的心理中，还含有科举的、商贾的旧毒新毒，不知不觉的造出一种广告的文学。试把现在流行的新文学的大部分解剖来看，字里行间，映出许多恶劣心理的斑点，夹托在新思潮、新文艺的里边……刻薄、狂傲、狭隘、夸躁，种种气氛，充塞满幅。长此相嘘以气，必致中干，种种运动，终于一空，适以为挑起反动的因子。此是今日文学界、思想界莫大的危机，吾辈应速为一大反省。”李大钊在文中呼吁道：“我们若愿园中花木长得美茂，必须有深厚的土壤培植他们。宏深的思想、学理，坚信的主义，优美的文艺，博爱的精神，就是新文学运动的土壤、根基。在没有深厚美腴的土壤的地方培植花木，偶然一现，虽是一阵热闹，外力一加摧凌恐怕立萎!”

1920 年

一月

4 日，《北京大学学生周刊》创刊，由北京大学学生会出版，共出版 17 期。因北洋政府干涉于 1920 年 5 月 23 日暂时停刊。卷首《我们的旨趣》一文介绍说：“我们校里的杂志，虽然不少，但究竟不出一部分的同学所组织的；所以我们学生会现在创办这个周刊，作全体同学共同发表思想的机关。”“我们的思想主张，不必求其一致，也不能求其一致。我们惟有希望他在各方面有尽量发展的机会。”“我们的周刊，因为抱了种种态度，故以能‘兼容并包’‘广纳众流’为贵，不鼓吹一种主义不主张一种学说。”《我们的旨趣》总结《周刊》的办刊目的时说：“我们的精神是革新的精神，批评的精神，创造的精神，互助的精神，奋斗的精神，还要有坚贞的精神。”“我们要增进人类幸福，改良社会生活，要中国随世界潮流以俱进，愿以最纯洁高尚的精神，领着大家走到进化的路上去!”

5 日，沈雁冰的论文《尼采的学说》（署名“雁冰”）一文发表于《学生杂志》第 7 卷第 1 号至第 4 号。全文共分引言、尼采传略及著作、尼采的道德论、尼采的进化论、社会学者的尼采和结论 6 个部分。文章指出：“尼采学说的全部，很有许多自相矛盾的地方，便一部书中，也很有自相矛盾的话。”“尼采又是难得机会住在平民队里的，平民的能力和情形，他全然不明白。他只是一个人在屋子里想，纯任冲动和反动——是反对周围趋势的反动。”“我们读尼采的著作，应该处处留心，时常用批评的眼光去看他；切不可被他犀利骇人的文字所动。”沈雁冰认为，尼采最好的见识，是要“把哲学上一切学说，社会上一切信条，一切人生观道德观，从新称量过，从新把他们的价值估定。”“这便是尼采思想卓绝的地方。”“我们读尼采的书，需要分别得出，那是极有用，极受益，决无流弊的。”“德国人一向是崇拜尼采学说的，但这次大战，人都归咎到尼采的学说；究竟是尼采的学说害人呢？还是德人误解了尼采学说的害处呢？我相信明白的读者多领悟得来。不过有一句话要说的，就是大战之后，德国人反更动了研究尼采学说的兴味，正和近年来研究马克思的兴味重振一般。”

6 日，周作人应邀前往北平少年中国学会讲演，讲题为《新文学的要求》，讲稿载 1 月 8 日《晨报·副刊》，及 1 月 10 日《民国日报·觉悟》和 1 月 20 日《时事新报·学灯》。周作人在讲演中谈到：“从来对于艺术的主张，大概可以分作两派：一是艺术派，一是人生派。艺术派的主张，是说艺术有独立的价值。”“人生派说艺术要与人生相关，不承认有与人生脱离关系的艺术。”周作人认为“正当的解说，是仍以文艺为究极的目的；但这文艺应当通过了著者的情思，与人生有接触。换一句话说，便是著者应当用艺术的方法，表现他对于人生的情思，使读者能得艺术的享乐与人生的解释。”因而说新文学所要求的“就是个人以人类之一的资格，用艺术的方法表现个人的感情，代表人类的意志，有影响于人间生活幸福的‘人道主义的文学’，或称‘人生的文学’”。

12 日，北洋军阀政府教育部通令全国国民学校一、二年级国文教材改用语体文（白话文）。在“五四”运动的推动下，北洋政府接受了当时全国教育联合会和国语统一筹备会议的建议，教育部训令全国各小学校一二年级先改文言文为现代语体文，并规定两年内小学全部教科书将旧时文言文课本改为语体文。同年又下令，至 1922 年一律废止中学各年级用文言文编写的教科书。“自本年秋季起，凡国民学校一、二年级，先改国文为语体文，以期收言文一致之效。”从此，白话文取代文言文成为中国学校的通行语言，教育开始向国民普及。

胡适在《国语讲习所同学录序》中说：“这个命令是几十年来第一件大事。他的影响和结果，我们现在很难预先计算。但我们可以说，这一道命令，把中国教育革新，至少提早了二十年。”同年 5 月 17 日，胡适为《国语讲习所同学录》作序，题为《国语标准与国语》。《序》中说：“今年四月，教育部召集各省有志研究国语的人，在北平办了一个国语讲习所。我也在这里面讲演了十几次。现在国语讲习所的诸君将要毕业了，他们刻了一本同学录，要我做一篇序。我想诸君是第一次传播国语的先锋，这回回省去，负的责任很大。我们对于诸君的临别赠言，没有别的……总括一句话：‘推行国语便是国语标准的唯一方法；等到定了标准再推行国语，是不可能的事。’”（胡适：

《国语标准与国语》，1921 年 1 月《新教育》第 3 卷第 1 期。后又改题为《国语讲习所同学录序》，收入《胡适文存》一集卷一，上海亚东图书馆 1921 年版）

18 日，郭沫若写作《致宗白华（1920 年 1 月 18 日）》，强调“诗意诗境的纯真的表现”。

26 日，孙中山在回答北京《益世报》记者时说：“《二十一条》应作废，山东问题不问可知。此次日本通牒可置之不理。吾国既已拒签德约，自无再与日本直接交涉之理。”

沈雁冰的《现在文学家的责任是什么?》（署名“佩韦”）一文，发表于《东方杂志》第 17 卷第 1 号。沈雁冰在文中指出：“自来一种新思想发生，一定先靠文学家做先锋队，借文学的描写手段和批评手段去‘振聋发聩’。”“中国现在正是新思潮勃发的时候，中国文学家应当有传播新思潮的志愿，有表现正确的人生观在著作中的手段。”文中，沈雁冰极力宣传为人生的文学，他说：“文学是为表现人生而作的。文学家所欲表现的人生，决不是一人一家的人生，乃是一社会一民族的人生。不过描写全社会的病根而欲以文学小说或剧本的形式，便不得不请出几个人来做代表。他们描写的虽只是一二人一二家，而他们在描写之前所研究的一定是全社会全民族。从这里研究得普遍的弱点，用文字描写表现出来，这才是表现人生的文学；这是现在研究文学的人不可不知道的。”因此，沈雁冰认为，现在文学家的责任“是在将西洋的东西一毫不变动的介绍过来，而在介绍之前，自己得先研究他们的思想史，他们的文艺史，也要研究到社会人生哲学。”“积极的责任是欲把德谟克拉西充满在文学界，使文学成为社会化，扫除贵族文学的面目，放出平民文学的精神。下一个字是为人类呼吁的，不是供贵族阶级赏玩的；是‘血’和‘泪’写成的，不是‘浓情’和‘艳意’做成的，是人类中少不得的文章，不是茶余酒后消遣的东西!”

沈雁冰的《新旧文学评议之评议》一文，发表于《小说月报》第 11 卷第 1 号，署名“冰”。沈雁冰在文中指出：“新文学就是进化的文学。进化的文学有三件要素：一是普遍的性质；二是有表现人生指导人生的能力；三是为平民的非为一般特殊阶级的人的。”他认为，新文学“唯其是为平民的，所以要有人道主义的精神，光明活泼的气象。”因此，沈雁冰说：“我们该拿进化二字来注释‘新’字，不该拿时代来注释；所谓新旧在性质，不在形式。”

沈雁冰主持《小说月报》的《小说新潮》栏。在《小说新潮栏宣言》中，沈雁冰说：“现在新思想一日千里，新思想是欲新文艺去替他宣传鼓吹的，以一时间便觉得中国翻译的小说实在是都‘不合时代’，况且西洋的小说已经由浪漫主义（Romanticism）进而为写实主义（Realism）、表象主义（Symbolicism）、新浪漫主义（New Romanticism），我国却还是停留在写实以前，这个又显然是步人后尘。所以新派小说的介绍，于今实在是很急切的了。”沈雁冰还分析了文学与思想、艺术的关系，指出“思想能够一日千里的猛进，艺术怕不是‘探本穷源’便办不到。因为艺术都是根据旧张本而美化的。不探到了旧张本按次做去，冒冒失失‘唯新是摹’，是立不住脚的……中国现在要介绍新派小说，应该先从写实派、自然派介绍起。”接着，沈雁冰表达了对新旧两种文学的态度：“最新的不就是最美的、最好的。凡是一个新，都是带着时代的色彩，适应于某时代的，在某时代便是新；唯独‘美’‘好’不然。‘美’‘好’是真实（Reality）。真实的价值不因时代而改变。旧文学也含有‘美’‘好’的，不可一概抹煞。所以我们对于新旧文学并不歧视；我们相信现在创造中国的新文艺时，西洋文学和中国的旧文学都有几分的帮助。我们并不想仅求保守旧的而不求进步，我们是想把旧的做研究材料，提出他的特质，和西洋文学的特质结合，另创一种自有的新文学提出来。我们现在辟这一栏，便本此意，不是徒然‘慕欧’。这是希望大家明白，并希望大家本着这层意思猛力进行的。”（沈雁冰：《小说新潮栏宣言》，《小说月报》第 11 卷第 1 号，1920 年 1 月。）

同年 4 月 25 日，沈雁冰又在《小说月报》第 11 卷第 4 号上发表了《答黄君厚生〈读小说新潮栏宣言的感想〉》（署名“冰”）一文。同期发表的黄厚生的《读〈小说新潮栏宣言〉的感想》一文认为，“介绍人家小说，不如写自家的实，说自家的事”，即便译介外国文学，也不要“专取这几家的小说”。沈雁冰则认为：“现在中国研究文学的人，都先想从介绍入手，取西洋写实自然的往规，做个榜样，然后自己着手创造；与黄君所说‘写自己之实’，目的同，不过步骤有异罢了。”至于介绍的范围，沈雁冰再次强调“应该（是）普遍的、主要的”。

1—2 月，郭沫若在上海《时事新报·学灯》副刊发表了一系列新诗：《立在地球边上放号》（1 月 5 日）、《地球，我的母亲》（1 月 6 日）、《匪徒颂》（1 月 23 日）、《凤凰涅槃》（1 月 30、31 日）、《炉中煤——眷念祖国的情绪》（2 月 3 日）、《天狗》（2 月 7 日）等。

朱湘在《郭君沫若的诗》一文中，称郭沫若的诗是“单色的想象诗”。这种诗让读者在阅读的时候“很紧张”，而造成这种阅读效果的根源即在于“单色的想象”是“构成这种紧张之特质的一个重要分子。”至于“构成郭君诗中紧张之质的第二个分子”，“在诗行上有《天狗》、《晨安》、《我是一个偶像崇拜者》一类的篇章。在诗章上有《凤凰涅槃》、《匪徒颂》一类的几篇。”此外，朱湘称赞《炉中煤——眷念祖国的情绪》、《地球，我的母亲》等诗的某些段落“在艺术上都是无懈可击的。”（朱湘：《郭君沫若的诗》，《中书集》，上海生活书店 1934 年版。转引自《郭沫若专集》第一卷第 386、391 页，四川人民出版社 1984 年版）

《新诗集》（第一编）出版，新诗社编。收入诗歌《吾们为什么要印新诗集》，说明了编纂目的和方法，附录胡适的《我为什么要做白话诗》、《谈新诗》，刘半农的《诗的精神上之革新》。诗作分四类：“写实类”34 首，“写景类”16 首，“写意类”29 首，“写情类”24 首。作者有胡适、刘半农、寒星、辛白、罗家伦、周作人等 50 人。该诗集系中国第一本新诗集。

二月

北京大学首次允许女生到校听课，开创大学男女同校之先河。《女子共学的先声现在已有三位女旁听生》一文说：“男女共学已为国内学者多数的主张，本校即先行开放，以为各校倡。但因未得教育部许可，暂时不招正科生，只设女生旁听席，即有王兰、奚滇、查晓园三位女士入本校旁听。现在还有许多来报名的，闻从今年秋季招生起实行兼收女生云。”（《女子共学的先声 现在已有三位女旁听生》；《北京大学学生周刊》第9号第11版“本校要闻”，1920年2月27日。）

张静庐、王靖等在上海成立“新潮社”，时间约在本年1月底、2月初，是“五四”时期第一个专门从事文学活动的社团。陆续加入的成员有20余人，其中包括曹靖华、王无为、陈建雷等。于本年3月15日出版“社刊”《新的小说》杂志，该杂志共出版3卷2期。第3卷第1期易名《新晓》。第1卷6期，从第1期至第2卷第3期，为月刊，第2卷第4期至第5期，为双月刊。第3卷易名后，仅出一期。此后，“新潮社”也未见活动。《新的小说》创刊伊始，编者便明确宣布，该刊“趋旨”是“不和旧的小说一样”，所谓的“新的小说”，要履行“通俗教育的补助品”责任，要用“‘新的’文化来改造旧社会”、“‘新的’思想来建设新道德”。该刊第2卷第5期所载的一则《本刊特别启事》再次声明：“吾国自受西洋文学的思想震荡之后，思想界已有‘日新月异’的趋势，本志能力虽薄，也愿逐步改革，应世界文学潮流以新国人耳目；或者于新文艺前途能够尽些天职。”

三月

5日，沈雁冰的《我们该怎样预备了去谭妇女解放问题》发表于《妇女杂志》第6卷第3号（2月2日作，署名“雁冰”）。沈雁冰认为，当时“妇女解放的种种活动，都是浮面的，无系统的，无秩序的；进而言之，竟可说是无方法，不彻底，无目的”。究其原因，不外两点：一、“少研究”；二、“是缺乏实地观察，问题研究，普遍调查”。沈雁冰提出的改进办法是：“一方面仍是要从学问着手，做工具；一方面从实地调查入手，做材料。”

胡适的新诗集《尝试集》（附《去国集》）由上海亚东图书馆出版，这是中国出版的第一本白话新诗集。《尝试集》初版本共收诗46题52首，分两编，第一编作于胡适留学美国期间（1916—1917年8月），第二编作于自美国回来以后（1917年9月—1919年底）。其中的第一编还未跳出旧诗藩篱，多采五、七言律绝形式。第二编则开始打破了律绝体的束缚，自创新制，面目与第一编大异。1922年10月，出第4版增订本，分成三编，删去初版中的一些诗，收入1920年—1921年的新作14首，计45首。1922年10月刊行经作者增删的增订四版。

胡适在序言中谈到了作这部诗集的本意。他说：“我的第一个理由是因为这一年以来白话散文虽然传播得很快很远，但是大多数的人对于白话诗仍旧很怀疑；还有很多人不但怀疑，简直持反对的态度。因此，我觉得这个时候有一两种白话韵文的集子出来，也许可以引起一般人的注意，也许可以供赞成和反对的人作一种参考的资料。第二，我实地试验白话诗已经三年了，我很想把这三年试验的结果贡献给国内的文人，作为我的试验报告。我很盼望有人把我试验的结果，仔细研究一番，加上平心静气的批评，使我也可以知道这种试验究竟有没有成绩，用的试验方法，究竟有没有错误。第三，无论试验的成绩如何，我觉得我的《尝试集》至少可以有一件事贡献给大家的。

这一件可贡献的事就是这本书所代表的‘实验的精神’。”“……所以我大胆把这本《尝试集》刻出来，要想把这本集子所代表的‘实验的精神’贡献给全国的文人，请他们大家都来尝试尝试。”（胡适：《我为什么要做白话诗（〈尝试集〉自序）》，《新青年》第6卷第5号。）

胡适在序中还说：“我的朋友钱玄同曾替《尝试集》做了一篇长序，把应该用白话做文章的道理说得很痛快透彻。我现在自己作序只说我为什么要用白话来做诗。这一段故事，可以算是《尝试集》产生的历史，可以算是我个人主张文学革命的小史。”在分析完自己的诗歌后，胡适还提到了诗集名字的来历及其原因：“诗还不曾做得几首，诗集的名字已定下了，那时我想起陆游有一句诗：‘尝试成功自古无’。我觉得这个意思恰和我的实验主义反对，故用‘尝试’两字作我的白话诗集的名字，要看‘尝试’究竟是否成功。那时我已打定主意，努力做白话诗的试验。心里只有一点痛苦，就是同志太少了，‘须单枪匹马而往’，我平时所最敬爱的一班朋友都不肯和我同去探险。但是我若没有这一班朋友和我打笔墨官司，我也决不会有这样的尝试决心。”胡适认为这部诗集的意义，主要在于《尝试集》代表了一种“实验精神”：“我们这一班人的文学革命论所以同别人不同，全在这一点试验的态度。近来稍稍明白事理的人，都觉得中国文学有改革的必要。”（胡适：《我为什么要做白话诗（〈尝试集〉自序）》，《新青年》第6卷第5号。）

钱玄同则在《尝试集·序》中热情地肯定了胡适的尝试，他说：“适之是现在第一个提倡新文学的人。我以前看见他做的一篇《文学改良刍议》，主张用俗语俗字入文，现在又看见这本《尝试集》，居然就采用俗字俗语，并且有通篇用白话做的。‘知’了就‘行’，以身作则，做社会的先导。我对于适之这番举动，非常佩服，非常赞成。”（钱玄同：《尝试集·序》，《新青年》第4卷第2号。）

在《尝试集》出版后不久，即1920年4月和7月，胡怀琛就分别在上海《神州日报》和《时事新报·学灯》上发表《〈尝试集〉批评》和《〈尝试集〉正谬》，对《尝试集》中的8首诗作了修改和批评，从而引起一场论争。这场论争，从1920年4月起到1921年1月止，先后有十多人在《神州日报》、《时事新报》、《星期评论》等报刊发表论辩文章。胡怀琛后来把这些论辩文章汇编成《〈尝试集〉批评与讨论》一书，于1921年3月由泰东图书局出版。在该书的《序》中，胡怀琛明确表示：“这本册子，是我批评尝试集，及和他人讨论尝试集的通信。”“我的批评，是标明旗帜，反对胡适之一派的诗；和我讨论的人，又反对我；大家笔战了一场，到底谁胜谁败，现在还没有定，还要等最后的解决。”

同年8月4日，胡适在南京高等师范学校作《〈尝试集〉再版自序》。文中谈到了为何要再版《尝试集》的原因：“我的理由是：第一，这本书含有点历史的兴趣……第二，我这几十首诗代表二三十种音节上的试验，也许可以供新诗人的参考。”该文后收入《胡适文存》一集卷一。（转引自曹伯言、季维龙编：《胡适年谱》第181页，安徽教育出版社1986年版）

9月12日，胡适在上海《时事新报·学灯》发表《答胡怀琛先生九月一日的信》。信中答复了胡怀琛对他的批评，并提出“以后我们尽可以各人实行自己的‘主张’，我做我的‘新诗’，先生做先生的‘合修词物理的精华共组成’的‘另一种新诗’”。

9月，《尝试集》（附《去国集》）由上海亚东图书馆再版。再版较初版增加6首，即：《示威》、《纪梦》、《蔚蓝的天上》、《许怡荪》、《外交》、《一笑》。

20日，鲁迅作《〈域外小说集〉序》。《域外小说集》在1919年年底由群益书社决定再版，鲁迅为其再版写了这篇序。发表时署名周作人。序中，鲁迅谈到了自己翻译文学作品的动机：“文艺是可以转移性情，改造社会的，因为这意见，便自然而然的想到介绍外国新文学这一件事”。鲁迅在序言中还自我批评说：“这书的译文，不但句子生硬，‘诘倔聱牙’，而且也有极不行的地方”。但是“他的本质，却在现在还有存在的价值，便在将来也该有存在的价值”。

程瞻庐的小说《茶寮小史》由商务印书馆出版。

李大钊在北京大学发起组织马克思学说研究会。

四月

1日，陈独秀在《新青年》第7卷第5号上发表了《新文化运动是什么?》一文，阐明新文化运动的内涵，指出现存的误解与缺点，并提出了在新文化运动中应该注意的一些问题。

陈独秀在文中说：“要问‘新文化运动’是什么，先要问‘新文化’是什么；要问‘新文化’是什么，先要问‘文化’是什么。”所谓的新文化运动，在陈独秀看来，“是觉得旧的文化还有不足的地方，更加上新的科学、宗教、道德、文学、美术、音乐等运动。”接着，陈独秀详细解释了“科学”的内涵。他说：“科学有广狭二义：狭义的是指自然科学而言，广义的是指社会科学而言……凡用自然科学方法来研究、说明的都算是科学；这乃是科学最大的效用……现在新文化运动声中，有两种不祥的声音：一是科学无用了，我们应该注重哲学；一是西洋人现在也倾向东方文化了。各国政治家资本家固然利用科学做了许多罪恶，但这不是科学本身底罪恶；科学无用，这句话不知从何说起？我们的物质生活上需要科学，自不待言；就是精神生活离开科学也很危险。哲学虽不是抄集各种科学结果所能成的东西，但是不用科学的方法下手研究、说明的哲学，不知道是什么一种怪物！……西洋文化我们固然不能满意，但是东方文化我们更是领教了，他的效果人人都是知道的，我们但有一毫一忽羞恶心，也不至以此自夸。”因此，陈独秀提醒主张新文化运动的青年，万万不可为“科学无用了”和“西洋人倾向东方文化”这等呓语所误。陈独秀进而就反对旧道德和提倡白话文等新文化运动的主张发表了自己的看法。他认为：“我们不满意于旧道德，是因为孝弟底范围太狭了……所以现代道德底理想，是要把家庭的孝弟扩充到全社会的友爱。现在有一班青年却误解了这个意思。”“通俗易解是新文学底一种要素，不是全体要素。现在欢迎白话文的人，大半只因为他通俗易解；主张白话文的人，也有许多只注意通俗易解。文学、美术、音乐，都是人类最高心情底表现，白话文若是只以通俗易解为止境，不注意文学的价值，那便只能算是通俗文，不配说是新文学，这也是新文化运动中一件容易误解的事。”

在分析了各种对于新文化运动的误解之后，陈独秀说还应该注意三件事："一、新文化运动要注重团体的活动。""二、新文化运动要注重创造的精神。创造就是进化，世界上不断的进化只是不断的创造，离开创造便没有进化了。我们不但对于旧文化不满足，对于新文化也要不满足才好；不但对于东方文化不满足，对于西洋文化也要不满足才好；不满足才有创造的余地。我们尽可前无古人，却不可后无来者；我们固然希望我们胜过我们的父亲，我们更希望我们不如我们的儿子。""三、新文化运动要影响到别的运动上面。新文化运动影响到军事上，最好能令战争止住，其次也要叫他做新文化运动底朋友不是敌人。新文化运动影响到产业上，应该令劳动者觉悟他们自己的地位，令资本家要把劳动者当做同类的'人'看待……新文化运动影响到政治上，是要创造新的政治理想，不要受现实政治底羁绊。"（陈独秀：《新文化运动是什么?》《新青年》第 7 卷第 5 号，1920 年 4 月 1 日。）

5 日，沈雁冰译《情敌》（司脱林勃著）、《女子的觉悟》（海尔夫人著），发表于《妇女杂志》第 6 卷第 4 号。

8 日，全国报界联合会致函苏俄人民和苏维埃政府，对苏维埃政府于本月 4 日宣布废止中俄不平等条约及将俄帝政府以掠夺手段向中国取得的各项权利一律无偿交还中国一事表示热烈欢迎。

17 日，周作人作《点滴·序》，收《点滴》、《苦雨斋序跋文》等。周作人在序中说，收入这译本中的"并非同派的小说中间，却仍有一种共通的精神——这便是人道主义的思想。无论乐观，或是悲观，他们对于人生总取一种真挚的态度，希求完全的解决。"对此，周作人特别指出："这多面多样的人道主义的文学，正是真正的理想的文学。"（转引自张菊香主编：《周作人年谱》第 101 ~ 102 页，南开大学出版社 1985 年版）

共产国际代表魏金斯基来华，先后与李大钊、陈独秀会晤，商讨建党问题。

马克思、恩格斯的《共产党宣言》（全译本）由上海社会主义研究出版社出版。

陈锦的戏剧《人力车夫》发表于《新青年》第 7 卷第 5 号。

五月

郭沫若、宗白华、田寿昌（田汉）合著的书信集《三叶集》由上海亚东图书馆出版。三位作者分别作《序》。收 1920 年 1 月至 3 月的书信 20 余则。田寿昌的《序》说："大体以歌德为中心；此外也有论诗歌的；也有论近代剧的；也有论婚姻问题、恋爱问题的；也有论宇宙观和人生观的。"

洪北平编辑的《白话文苑》（一、二册）由商务印书馆出版。

六月

26 日，鲁迅、周作人兄弟赴北京大学出版部。周作人在当天的日记中说："同大哥至大学出版部，得陈望道君 22 日函。"陈望道的信是寄给鲁迅和周作人两人的，与此同时，又将他所译的《共产党宣言》一书寄给鲁迅。信的大意说：因为在《新潮》上看到鲁迅主张“现在偏要发议论，而且讲科学”的意见，极表赞同，所以特地寄赠《共产党宣言》的译本并请指正。又据周作人回忆：鲁迅在接到该书后当天就翻阅了一遍，并称赞“这个工作做的很好，现在大家都在议论什么‘过激主义’来了，但就是没有人切切实实地把这个‘主义’真正介绍到国内来，其实这倒是当前最要紧的工作。望道……这次埋头苦干，把这本书翻译出来，对中国做了一件好事。我看望道这个人就比北京那些吃五四饭的人要强得多，他是真正肯为大家着想的。”鲁迅后来给陈望道写了复信，并赠以《域外小说集》作为答谢。（参见鲁迅博物馆、鲁迅研究室编：《鲁迅年谱》增订本第22页，人民文学出版社1981年版）

七月

6日，留法勤工俭学的新民学会会员蔡和森、蔡畅、向警予等13人在蒙达尼召开会议，10日结束。会上就中国革命的道路问题开展讨论。蔡和森主张组织共产党，实行无产阶级专政，走俄国革命的道路。

14日，郁达夫在母亲和孙荃家的要求下自日本横滨回国结婚。24日，郁达夫在富阳与孙荃完婚。他对这桩旧式婚姻并不满意，在婚后给长兄的信中说“弟婚事已毕，一切均从节省。拜堂等事，均不执行，花轿鼓手，亦皆不用。”（转引自郁云：《郁达夫传》第39～40页，福建人民出版社1984年版）

八月

2日，鲁迅被北京大学聘为讲师。据蔡元培回忆：“自陈独秀君来任学长，胡适之、刘半农、周豫才、周岂明诸君来任教员，而文学革命，思想自由的风气，遂大流行。”（蔡元培：《我在教育界的经验》，1937年12月《宇宙风》第55期。）

11日—14日，胡适在上海《时事新报·学灯》发表《白话文法》一文。他认为研究白话文法应当采用的方法，最重要的有三个：“第一，归纳法”；“第二，历史的方法”；“第三，比较的方法。”研究文法应该着重的地方，从历来讲文法的人来看，“可以分两大派别：一、分析法，分析文句，注意它的字性，如纳氏文法就是这种讲法；二、图解法，用图解文句，注意各部的作用，最新的英文法书多用此法。”本文是胡适在南京高等师范暑期学校的讲演稿，由陈启天记录。

许德邻编辑的《分类白话诗选》由上海崇文书局出版。收胡适、玄庐、康白情、沈尹默、刘半农、沫若、田汉、黄仲苏、鲁迅、俞平伯、罗家伦、季陶、刘大白、傅斯年、沈兼士、周作人、辛白等74人（以收诗多少为序）及未署名者的诗共235首。前有《自序》、《刘半农诗序》、宗白华《新诗略谈》等。全书所选诗作分为写景、写实、写情、写意四类。

阿英称“此集为初期新诗之最完备的选集。”（阿英编：《中国新文学大系·史料索引》，上海良友图书印刷公司1936年版）

陈望道译的《共产党宣言》作为“社会主义研究丛书第一种”在上海出版。1920年4月末，陈望道译完《共产党宣言》全文后，经陈独秀与李汉俊二人校阅，当年8

月便在上海首次出版印刷1000本。由于排印疏忽，封面上的《共产党宣言》印成了《共党产宣言》。所印1000本很快售尽，当即再版，仍然售空。到1926年5月止，已经达到了重印17版之多。

九月

1日，冰心的小说《一个忧郁的青年》发表于《燕京大学季刊》第1卷第3期，署名谢婉莹。该作通过人物彬君之口，提出了作者对于社会和人生的种种疑问："从前我们可以说都是小孩子，无论何事，从幼稚的眼光看去，都不成问题，也都没有问题。从去年以来，我的思想大大的变动了！也可以说是忽然觉悟了。眼前的事事物物，都有了问题，满了问题……现在是要明白人生的意义，要创造我的人生观，要解决一切的问题。""世界上一切的问题，都是相连的。要解决个人的问题，连带着要研究家庭的各问题，社会的各问题。要解决眼前的问题，连带着要考察过去的事实，要想象将来的状况。——这千千万万，纷如乱丝的念头，环绕着前前后后，如何能不烦躁?"(谢婉莹:《一个忧郁的青年》,《燕京大学季刊》第1卷第3期，1920年9月1日。)

5日，沈雁冰在《学生杂志》第7卷第9号发表《文学上的古典主义浪漫主义和写实主义》（署名雁冰）一文。沈雁冰在文中指出："（一）是想用不偏颇的眼光解说这三个主义的意义和本身的价值；（二）是想用'鸟瞰'……的记述，说明文艺进化之大路线；（三）是想为古典主义浪漫主义鸣冤，为写实主义声明不受过分之誉。"文章在比较了古典主义、浪漫主义、写实主义各自的长处和局限后指出："一年以来，浪漫文学为国人唾弃到地，写实文学为国人高抬到天，这都不是能懂得文学进化的道理的人说的话。浪漫文学所本有的思想自由，勇于创造的精神，到万世之后，尚是有价值，永为文学进化之原素，这一句话是我可断言的；写实文学中所包有的批评精神和平民化的精神，我也敢决言永为文学中添出新气象的。所以恭维写实文学到极点的话，写实文学实在不敢当；而轻蔑浪漫文学到极点的话，浪漫文学实也太委屈。"

15日，沈雁冰在《改造》第3卷第1号发表《为新文学研究者进一解》。沈雁冰在文中说："中国自有文化运动，遂发生了新思潮新文学两个词，现在差不多妇孺皆知了……现在中国提倡新思潮的，当然不想把唯物主义科学万能主义在中国提倡，则新文学一面也当然要和他步伐一致，要尽力提倡非自然主义的文学，便是新浪漫主义了。"据此，沈雁冰提出："能够帮助新思潮的文学该是新浪漫主义的文学，能引我们到真确人生观的文学该是新浪漫主义的文学，不是自然主义的文学，所以今后的新文学运动该是新浪漫主义的文学。"

17日，胡适在北京大学第23年开学日典礼上作演说，批评新文化运动"就是新名词运动。拿着几个半生不熟的名词，什么解放、改造、牺牲、奋斗、自由恋爱、共产主义、无政府主义……你递给我，我递给他"。并说："我自己是赌咒不干的，我也不希望你们北大同学加入。"胡适认为新文化运动有两个方面，一是"普及"，二是"提高"，他希望"北大的同人一齐用全力向'提高'这方面做工夫。要创造文化、学术及思想，惟有真提高才能真普及。"(《胡适之先生的演说词》:《北京大学日刊》1920年

9月18日。)

21日，胡适写信给《晨报》记者，指出“豪先生”在9月16日《晨报》第7版上发表的《对于胡适之先生在北大开学典礼时演说的感言》，“有许多错误的地方”。胡适要求把“演说原文登载出来，使人知道我反对的‘普及运动’并不是平民教育一类的事业，乃是‘拿着几个半生不熟的名词，你递给我，我递给他’的‘互钞运动’”。胡适希望全国有志青年仔细思考他所说的“只有提高才能真普及”这句话。（胡适：《提高与普及》，《晨报》1920年9月23日。）

27日，《新青年》编辑部迁返上海，自8卷1号起，《新青年》成为上海共产主义小组的机关刊物，开始系统地宣传马克思主义。

30日，张爱玲在上海出生。

鲁迅的小说《风波》发表于《新青年》第8卷第1号，收入《呐喊》集。

沈雁冰在《评四五六月的创作》一文中高度评价了该小说，他认为《风波》“把农民生活的全体做创作的背景，把他们的思想强烈地表现出来”，这部作品，“在这三月里是寻不出了。”（沈雁冰：《评四五六月的创作》，《小说月报》第12卷第8期，1921年8月10日。）

陈衡哲的小说《小雨点》发表于《新青年》第8卷第1号。陈衡哲后来将几篇白话短篇小说结集为《小雨点》一书。胡适在该书的序言中说：“我和沙菲、叔永，人家都知道是《尝试集》里所谓‘我们三个朋友’”。“民国五年七八月间，我同梅、任诸君讨论文学问题最多，又最激烈……她虽然没有加入讨论，她的同情却在我的主张的一方面。她是我的一个最早的同志。”胡适对于陈衡哲的创作也作了较高的评价，他说：“当我们还在讨论新文学问题的时候，沙菲却已开始用白话作文学了。《一日》便是文学革命讨论初期中的最早的作品。《小雨点》也是《新青年》时期最早的创作的一篇。民国六年以后，沙菲也作了不少的白话诗。我们试回想那时期新文学运动的状况，试想鲁迅先生的第一篇创作——《狂人日记》——是何时发表的，试想当日有意做白话文学的人怎样稀少，便可以了解沙菲的这几篇小说在新文学运动史上的地位了。”

叶圣陶的散文《伊和他》发表于《新潮》第2卷第5号。

杨振声的小说《贞女》发表于《新潮》第2卷第5号。

巴金考入成都外语专门学校。读书期间，在“五四”新思潮影响下，参加《半月》、《平民之声》等进步刊物编辑工作，加入进步青年组织“均社”。

十月

10日，郭沫若的诗剧《棠棣之花》发表于上海《时事新报·学灯增刊》，收入《女神》。

该剧取材于战国时代聂政刺杀韩相侠累的故事，这里所写的只是在聂母墓前姐弟诀别的一幕。向培良认为该剧算不上成功之作，他在《所谓历史剧》一文中指出：“因为他不是一个剧作家，他不能了解戏剧底独立和尊严，所以他所写的，或者是诗似的东西，或者是宣传主义小册子：前者如《湘累》和《棠棣之花》，后者如他的历史剧。”（向培良：《所谓历史剧》，选自李霖编：《郭沫若评传》，上海时代书局 1932 年版。转引自《郭沫若专集》第 1 卷第 611 页，四川人民出版社 1984 年版）

英国哲学家罗素来华讲学，研究系张东荪、梁启超借此在《改造》杂志上鼓吹基尔特社会主义。

由著名的文明戏演员汪仲贤主持，在上海新舞台剧场演出了一部《新青年》所提倡的西方现代话剧：萧伯纳的名作《华伦夫人之职业》，却遭到了意外的失败。此事间接促成了次年上海民众剧社的诞生。

沈雁冰由李汉俊介绍加入上海共产党小组。

十一月

中国社会主义青年团在马克思主义学会领导下在上海成立。

孙中山由上海返回广州，重整军政府。

文学研究会由郑振铎等人发起筹备。

十二月

《新青年》第 8 卷第 4 号出版。该号辟有《社会主义讨论》专栏，批判基尔特社会主义，掀起社会主义问题论战。

胡适对于《新青年》刊登关于马克思主义和十月革命的文章表示不满，两次写信给有关编辑人员，要求在刊物上“声明不谈政治”。在给陈独秀的信中，胡适说：“《新青年》‘色彩过于鲜明’，兄言‘近亦不以为然’，但此是已成之事实，今虽有意抹淡，似亦非易事。北京同人抹淡的工夫决赶不上上海同人染浓的手段之神速。现在想来，只有三个办法：1. 听《新青年》流为一种有特别色彩之杂志，而另创一个哲学文学的杂志，篇幅不求多，而材料必求精。我秋间久有此意，因病不能作计划，故不曾对朋友说。2. 若要《新青年》‘改变内容’，非恢复我们‘不谈政治’的戒约，不能做到。但此时上海同人似不便做此一着，兄似更不便，因为不愿示人以弱。但北京同人正不妨如此宣言。故我主张趁兄离沪的机会，将《新青年》编辑的事，自九卷一号移到北京来。由北京同人于九卷一号内发表一个新宣言，略根据七卷一号的宣言，而注重学术思想艺文的改造，声明不谈政治。孟和说，《新青年》既被邮局停寄，何不暂时停办，此是第三办法。但此法与‘新青年社’的营业似有妨碍，故不如前两法。总之，此问题现在确有解决之必要。望兄质直答我，并望原谅我的质直说话。”（耿云志、欧阳哲生编：《胡适书信集》，第 258 ~ 259 页，北京大学出版社 1996 年版）此信发出前曾给鲁迅等人传阅征求意见。（参见鲁迅：《致胡适》，《鲁迅全集》第 11 卷第 371 ~ 372 页，人民文学出版社 1981 年版）

后来，陈独秀、李大钊、鲁迅、钱玄同、陈望道等人都各自在书信中对此事发表了意见。陈独秀在 1921 年 2 月 15 日致鲁迅、周作人的信中表示：《新青年》“除移粤出版无他法。”鲁迅和周作人则认为三个方法皆可。鲁迅于 1921 年 1 月 3 日致胡适的信中说：“第二个方法更为顺当，至于发表新宣言说明不谈政治，我却以为不必，这固然小半在‘不愿示人以弱’，其实则凡《新青年》同人所作的作品，无论如何宣言，官场总是头痛，不会优容的。”钱玄同于1921年1月11日致鲁迅、周作人的信中说：“初不料陈、胡二公已到短兵相接的时候……我对于此事绝不愿为左右袒。若问我的良心，则以为适之所主张较为近是。但适之反对谈‘宝雪维几’（即布尔什维克，编者注），这层我不敢以为然。”陈望道于1921年2月13日致周作人的信中说：“适之先生底态度，我却敢断定说，不能信任。”“胡先生总说内容不对，其实何尝将他们文章撇下不登。他们不做文章，自然觉得别人的文章多；别人的文章多，自然他有些看不入眼了。”（本段通信参见《胡适、刘半农、陈独秀、钱玄同、郑振铎、傅斯年、陈望道、吴虞、孙伏园书信选（一九一七年九月——一九二三年八月）》，鲁迅研究室手稿组选注，《中国现代文艺资料丛刊》第五辑，上海文学出版社，1980年4月。）这标志着新文化统一战线开始走向分化。

老舍被任命为教育部通俗教育研究会会员。

1921年

一月

4日，中国最早的新文学团体——文学研究会在北京中山公园来今雨轩正式成立（第一次筹备会于1920年11月在北京大学召开）。发起人有郑振铎、王统照、沈雁冰、叶绍钧、郭绍虞、周作人、孙伏园、朱希祖、瞿世英、蒋百里、耿济之、许地山12人。后来会员发展到170多人，其中有朱自清、俞平伯、冰心、庐隐、鲁彦、老舍、丰子恺等著名作家。

由周作人起草的《文学研究会宣言》称：“我们发起这个会，有三种意思，要请大家注意。一、是联络感情。本来各种会章里，大抵都有这一项；但在现今文学界里，更有特别注重的必要。中国向来有‘文人相轻’的风气，因此现在不但新旧两派不能协和，便是治新文学的人里面，也恐因了国别派别的主张，难免将来不生界限。所以我们发起本会，希望大家时常聚会，交换意见，可以互相理解，结成一个文学中心的团体。二、是增进知识。研究一种学问，本不是一个人关了门可以成功的；至于中国的文学研究，在此刻正是开端，更非互相补助，不容易发达。整理旧文学的人也须应用新的方法，研究新文学的更是专靠外国的资料；但是一个人的见闻及经济力总是有限，而且此刻在中国要搜集外国的书籍，更不是容易的事。所以我们发起本会，希望渐渐造成一个公共的图书馆研究室及出版部，助成个人及国民文学的进步。三、是建立著作工会的基础。将文艺当作高兴时的游戏或失意时的消遣的时候，现在已经过去了。我们相信文学是一种工作，而且又是于人生很切要的一种工作；治文学的人也当以这事为他终身的事业，正同劳农一样。所以我们发起本会，希望不但成为普通的一个文学会，还是著作同业的联合的基本，谋文学工作的发达与巩固：这虽然是将来的事，但也是我们的一个重要的希望。因以上的三个理由，我们所以发起本会，希望同志的人们赞成我们的意思，加入本会，赐以教诲，共策进行，幸甚。”（《文学研究会宣言》：《小说月报》第12卷第1号，1921年1月10日。）文学研究会对文学的这种态

度，“在当时是被理解作文学应该反映社会的现象，表现并且讨论一些有关人生一般的问题。”（茅盾：《〈中国新文学大系·小说一集〉导言》，《中国新文学大系导论集》第87页，上海书店1982年影印本。）

文学研究会会刊为《小说月报》。1921年1月，沈雁冰接手主编《小说月报》，并发表《改革宣言》，自此《小说月报》成为了文学研究会的代用机关报。除《小说月报》外，《文学旬刊》（后改为《文学周报》）也是文学研究会的会刊。文学研究会出版文学研究会丛书，在上海、广州等地设有分会，分会也都出版刊物。

10日，在革新后由沈雁冰接任主编的《小说月报》第12卷第1号上，发表了《文学研究会简章》。《简章》提出文学研究会的宗旨是“研究介绍世界文学，整理中国旧文学，创造新文学”。同时，《文学研究会宣言》还制定了三条基本原则：（一）“联络感情”，使从事新文学事业的人能够“互相理解”，“结成一个文学中心的团体”；（二）“增进知识”，特别是外国文学方面的知识；（三）“建立著作工会的基础”，使文学不再是一种游戏或消遣，而是一种“终身的事业”。

10日，沈雁冰的《〈小说月报〉改革宣言》发表于《小说月报》第12卷第1号。该文开宗明义，宣称革新后的《小说月报》“将于译述西洋名家小说而外，兼介绍世界文学界潮流之趋向，讨论中国文学革进之方法。”《小说月报》栏目因此也有较大改动。此外，《〈小说月报〉改革宣言》还阐述了一些重要的编辑意见，主要内容如下：其一，在介绍西方文学流派的同时尤为重视译介西欧名著，“使读者见某派面目之一斑”；其二，提倡大力介绍外国文艺思潮，称“不论如何相反之主义咸有研究之必要。故对于为艺术的艺术与为人生的艺术，两无所袒，必将忠实介绍，以为研究之材料。”“译西洋名家著作，不限于一国，不限于一派”；其三，特意提倡写实主义：“然就国内文学界情形言之，则写实主义之真精神与写实主义之真杰作实未尝有其一二，故同人以为写实主义在今日尚有介绍之必要；而同时非写实的文学亦应充其量输入，以为进一层之预备。”其四，既提倡批评主义，又尊重自由创造精神；其五，提倡反映国民性的文艺；其六，愿意发表“治旧文学者研究所得之见，俾得与国人相讨论。惟平常诗赋等项，恕不能收。”该宣言在某种程度上也代表了文学研究会对刊物的编辑方针。

关于《小说月报》与文学研究会的关系，据茅盾后来回忆说：“《小说月报》自我主编后，稿件大部分为文学研究会会员所撰译，因而外间遂称《小说月报》为文学研究会的代用机关刊物。事实上，它始终是商务印书馆的刊物；如果《小说月报》的言论为商务印书馆董事会中的守旧派所不能容忍时，商务当局就要横加干涉。”（茅盾：《革新〈小说月报〉的前后》，《新文学史料》第三辑，人民文学出版社1979年版）

10日，沈雁冰的《文学和人的关系及中国古来对文学者身份的误认》发表于《小说月报》第12卷第1号。沈雁冰在文中谈到了对中国文学的三点感想：其一，认为“在中华的历史里，文学者久矣失却独立的品格，被人认作附属品装饰物了”，而且大多数“肯辱没肯自认”；其二，文人自己也把文学当作载道的工具或者当作消遣品，抒发“作者一己的一时的偶然的情感”，因此他们的文学“是和人类隔绝的，是和时代隔绝的”；其三，“文学家对于文学本意的误认及社会上对于文学家责任的误认”是我国文学不发达的根本原因。沈雁冰指出，应该认识到，文学家是为人类服务的，人的文

学才是真的文学："文学者现在是站在文化进程中的一个重要分子；文学作品是沟通人类感情代全人类呼吁的唯一工具……而在我们中国的文学者呢，更有一个先决的重大责任，就是创造我们的国民文学！"

周作人在《新青年》第8卷第5号上发表《文学上的俄国与中国》，这篇文章是1920年11月周作人在北京师范学校及协和医学校的讲演。

王统照的小说《沉思》发表于《小说月报》第12卷第1号。

蹇先艾评论说："《沉思》是一篇含着深炙隐痛的小说。解剖官吏画师新闻记者之流的心理和态度，都极精微。处处令我们愤慨激昂。本篇的背景，是极清晰的常常出没于社会之中，不过我们不大留意罢了。往往如此：一个清白的女子，在这灰色的人间，无谓的作了一场不知为谁的牺牲。所谓官吏以及品性高洁之画师等等，皆一丘之貉，兽性之狂人。"（蹇先艾：《〈春雨之夜〉所激动的》，1924年5月21日《文学旬刊》第36号。）

许地山的小说《命命鸟》发表于《小说月报》第12卷第1号。

茅盾在《论地山的小说》一文中，称该作充满了"异域情调"。小说的青年主人公则在佛教之邦的背景下，"反抗着现实的压迫"，他们"以宗教虔诚的对于死后乐园无条件的自由快乐为反抗现实的最后有效的手段"，因此，茅盾认为，"我们不能不承认这一对青年男女是一种'理想主义者'罢"。（茅盾：《论地山的小说》，1941年9月21日香港《大公报·文艺综合版》第1187期。）

陈炜谟认为《命命鸟》"是一篇好小说"，"有人说他容易诱惑烦闷的青年厌世，但我还是相信施蘅君的话：'《命命鸟》是烦闷青年的一服兴奋剂，因为他是可以资现实青年借鉴的一件事实'"。（陈炜谟：《读〈小说汇刊〉》，《小说月报》第13卷12期，1922年12月。）

成仿吾则批评《命命鸟》的观察、技术和人物都是旧的，并从作品的细节出发，具体指出了许地山在创作上的欠缺。他认为，这篇小说"他的背景是异乡的，他的人物也是异乡的。本来真的艺术，决不为地方色彩所污损，并且为补救国民艺术的单调起见，这种异乡的情调，也实不可少。不过这篇小说，不幸被地方的与时代的色彩蒙蔽了，他所写的东西，是在地方与时代的薄膜上出了假象，他丝毫没有把这层薄膜下的实在教给我们；而最不幸的，是我们由这篇作品，寻不出作者自己想揭起这层薄膜的何等的努力。所以这篇作品，不仅在技术上是旧的，即观察也是旧的，他的人物不仅于我们是异乡的，而且都是还没有发见人性的旧的人物。"据此，成仿吾提出了自己的意见，他说："在狂热与神秘的氛围气之外，我们希望一切的现象，由人性的各种本能发展；我们决不能把现象的暂时满足，我们要求作者把现象里面的人性的本能之发展进行，也写给我们看。这篇作品从这些地方说起来完全失败了，而他所预想的宗教的色彩，也没有可以挽救的实力。"（成仿吾：《〈命命鸟〉的批评》，《创造》季刊第2卷第1期，1923年5月1日。）

此外，还有评论者认为这篇小说在艺术上"是窃取《石头记》的笔法和结构"，可称是"佛教小说"，其佛教思想"容易诱惑烦闷的青年厌世。"（潘垂统：《对于〈超人〉、〈命命鸟〉、〈低能儿〉的批评》，《小说月报》第12卷第11期，1921年11月。）

二月

10 日，《小说月报》第 12 卷第 2 号刊登了沈雁冰回复周作人关于翻译西方文学讨论的通信。周作人在 1920 年 12 月 27 日的来信中说："陈胡诸君主张翻译古典主义的著作，原也很有道理；不过我个人的意见，以为在中国此刻，大可不必……我以为我们可以在世界文学上分出不可不读的及供研究的两项：不可不读的（大抵以近代为主）应译出来；供研究的应该酌量了。"这是因为"中国此刻人手缺乏，连译点近代的东西还不够"。沈回信同意周的意见，并且建议找几个人合编"一个目录"，"少取讽刺性的及主观浓的作品，多取全面表现的，普通呼吁的作品"，同时认为"文学上分什么主义，实是多事，我们定目录的时候，自然更不可分"。

11 日，上海法国巡捕房以"言词激烈，有违租界章程"为由，查封了新青年社，并对该社经理处以 50 元罚款。

老舍发表了自己最早的一部短篇小说《她的初恋》。年初，老舍投稿日本广岛高等师范留日学生主办的中文刊物《海外新声》。《海外新声》第 1 卷第 1、2 期分别发表署名"舍予"的小说《她的失败》和新诗《海外新声》。这是目前发现最早的老舍的白话文小说和新诗。新诗的来稿日期是 1921 年 2 月 5 日。当时，老舍在北京师范学校的同班同学屈振骞、杨金垚、关桐华、祁森焕都正在广岛高等师范留学。《海外新声》的编辑兼发行便是这些留日学生组成的"中华留广新声社"。国内总代售处设在翊教寺的北师附小第二部，负责人是卢榕林。

三月

14 日，北京大学、高等工业专门学校、农业专门学校全体教职工因为经费拮据，被迫举行同盟罢工。次日，法政专门学校、医学专门学校、高等师范学校、女子高等师范学校、美术专门学校的教职员工也加入了同盟罢工。

15 日，《五七》月刊第 4 期转载鲁迅的小说《风波》。该刊系由江苏无锡的五七团编辑，1920 年 9 月 25 日创刊，共出 8 期。

21 日，文学研究会集会讨论成立读书会事宜。沈雁冰被定为读书会小说组、戏剧组成员。

四月

10 日，冰心的小说《超人》发表于《小说月报》第 12 卷第 4 号。

《超人》发表后立刻在知识分子读者中引起了强烈的反响。为《超人》审稿的沈雁冰，特地在发表这篇小说时用"冬芬"作笔名，专写了一篇《超人·附注》，沈雁冰在文中说："雁冰把这篇小说给我看过，我不禁哭起来了！谁能看了何彬的信不哭？如果有不哭的啊，他不是超人，他是不懂得吧！冬芬附注。"在这篇小说发表 14 年后，沈雁冰在他的《中国新文学大系·小说一集·导言》里，再次提到了《超人》："《超人》

发表于1921年，立刻引起了热烈的注意，而且引起了摹仿（刘纲的《冷冰冰的心》，见《小说月报》第13卷3号），并不是偶然的事。因为人生究竟是什么？支配人生的，是爱呢，还是憎？在当时一般青年的心里，正是一个极大的问题。冰心在《超人》中间的回答是：世界上人都是互相牵连，不是互相遗弃的。她把小说题名为《超人》，但是主人公的何彬实在并不是超人，冰心她不相信世上有超人。"（茅盾：《中国新文学大系·小说一集·导言》，《中国新文学大系》上海良友图书印刷公司1935年版）

成仿吾则在《评冰心女士的〈超人〉》一文称赞了《超人》的出色之处，他说："当我们把《超人》仔细读过一遍的时候，奔涛一般起伏的诸印象之中，超群出类的共有三个：第一，没有爱的（孤独的）生活；第二，过去的追忆；第三，爱的实现（Realization）。它们的关系是：没有爱的生活——过去的追忆——爱的实现，就是从没有爱的（孤独的）生活，由过去的追忆，达到爱的实现的一种经过。我在这里提出过去的追忆，或者有人不赞成，然而我敢说《超人》的最重要的内容就在这里。我想作者当时的意思，也不外是想描写我们与过去的关系——永远相牵，永无中绝的关系。我不想在这里说及我们一个人怎样忘不了自己的过去，怎样眷念，怎样渴想；然而我们一生的历史，很无情地一页页翻过来了，永无回复的可能性，事愈不能，我们越想，只在我们这种想念之中，我们回复了多少过去了的我们。寻着了多少过去了的悲哀与欢喜——都一样地要求我们感激的！当我们表出这种陶醉的感激的时候，谁能不被波起狂热的共鸣？《超人》得力的地方，就在这里。"至于《超人》的艺术缺点，则在于"她写没有爱的生活，也只就客观的现象描写，也错在把何彬写到了极端的否定；她写过去的追忆，也很安插得勉强；她写爱的实现，也是热有而力不足。并且作者似乎没有把爱的真谛看出。真的纯洁的爱，在授而不在受，在与（to give）而不在取（to take）。爱好比黄昏时分的飞鸟，是要寻出可以栖息的一枝的，不得其所，是不能安息的，然而何彬是何等的无气力，何等的冰冷！此外还有最后的，或者真与作者的本意一致的一种观察。何彬的信中说：'你深夜的呻吟，使我想起了许多的往事，头一件就是我的母亲'，'她带了你的爱来感动我'。就这些地方看起来，似乎作者的意思，不过是想描写一个没有爱的人，如何想起了慈母的爱情的一种经过。如果作者的意思真是这般的，那就未免更琐碎了。"（成仿吾：《评冰心女士的〈超人〉》，《创造》季刊第1卷第4期，1923年2月。）

10日，许地山的小说《商人妇》发表于《小说月报》第12卷第4号。

有评论者认为，《商人妇》"虽对于人生含有无限的悲哀与痛恨，却又处处含勇往奋斗的精神，于人生究竟应该怎样的问题，以正确完满的解答。"（方兴：《〈商人妇〉与〈缀网劳珠〉的批评》，《小说月报》第13卷第9期，1922年9月。）

11日，鲁迅收到沈雁冰、郑振铎来信。沈雁冰当时在上海编辑《小说月报》，来信向鲁迅约稿。这是沈雁冰与鲁迅的第一次通信联系。

26日，《短篇小说作法》一书由北京共和印刷局出版。该书是由清华小说研究社7名社员合写而成的，这7人是李涤镜、顾一樵、翟毅夫、吴届三、梁实秋、张疑我、齐锡愚。全书分上中下三篇，上篇两章主要讲短篇小说的性质，中篇15章主要讲短篇小说的结构，下篇两章主要讲小说作者的预备。

程小青的小说《江南燕》由华亭书局出版。

老舍病倒，昏迷不醒，母亲请医生诊治。病好后，头发全部脱落。到西山卧佛寺去静养了一个短时期。对这次病的起因，老舍在1938年写的《小型的复活（自传之一章)》（1938年2月1日《宇宙风》第60期）中有过分析，其中心理上的压力是由于抗婚而和母亲有了隔阂与矛盾。病后，老舍决定重新安排自己的生活。他搬到京师儿童图书馆去居住。它是京师学务局设立的，由老舍兼任其管理，卢榕林负责具体的业务，并每星期给儿童做一次科学试验。老舍借住在儿童图书馆的西屋里，南屋便是儿童借览图书的地方。儿童图书馆的所在地在西直门大街上，路南，原系刘寿绵的马厩，正对刘宅大门。刘寿绵当时在自己的住宅的西跨院办了“贫儿学校”和“地方中学”，聘请罗莘田、童布、卢榕林和老舍作义务教员。在这个期间老舍常帮刘寿绵做些慈善事业，来往比较密切。也正是在这个时期前后，老舍对刘寿绵的大女儿产生了爱恋之情。1933年老舍曾以这段初恋为素材，创作了他自己最喜欢的短篇小说《微神》。

五月

10日，《文学周报》在上海创刊。该刊为20年代影响最大的现代文学期刊之一。初名《文学旬刊》，8开2页，附上海《时事新报》发行。创刊一周年后，即1922年5月11日的第37期，公开声明该刊是文学研究会的定期刊物。到第80期作为第1卷。从1923年7月30日第81期起，作为第2卷，改名《文学周刊》。1925年5月10日第172期起定名《文学周报》，开始按期分卷独立发行，16开4页。第4卷起由开明书店出版，改出32开本。第8卷改由远东图书公司印行。1929年12月23日出版第9卷第5期后休刊，第9卷各期均为16开4页。前后共出版380期。首任主编郑振铎。1922年12月由谢六逸接任主编。1923年5月12日第73期起，改由沈雁冰、叶绍钧、郑振铎、谢六逸等12人共同负责编辑。同年12月24日第102期起，由叶绍钧主编。1927年7月，由赵景深任主编。1929年1月8日第351期起，又改由赵景深、郑振铎、谢六逸、耿济之、傅东华、李青崖、徐调孚、樊仲云等8人集体负责编辑，直至终刊。

创刊号《文学旬刊宣言》声明，该刊“为中国文学的再生而奋斗，一面努力介绍世界文学到中国，一面努力创造中国的文学，以贡献于世界的文学界中。”独立发行前，撰稿者多系文学研究会会员，主要发表文学评论和理论研究文章，并致力于介绍外国文学。内容多是倡导为人生的艺术，进一步揭起了写实主义的旗帜。同时，该刊也刊登少量诗歌、散文、小说等作品。在对鸳鸯蝴蝶派的斗争和与“学衡”派的论争中起过较大的作用，并曾与创造社就文学的性质和作用等问题展开讨论。独立发行后，扩充篇幅，创作和评论分量有所增加，并涉及一般社会问题。在“五卅”运动及其后的“三一八”惨案时，曾刊载大量反帝爱国文章，产生过广泛的影响。创作方面有短篇小说、诗歌、游记、译丛、传记、剧本、漫画等，评论则有文艺论文、文艺丛谭、文学随笔、书评、特载、中外作家研究等，并在较长时间里开展了有关翻译问题的讨论，在翻译的目的、内容、态度等方面都提出了一些建设性意见。此外，还曾出版“悼念王国维专号”、“托尔斯泰百年纪念专号”、“世界民间故事专号”、“苏俄小说专

号”、“茅盾三部曲批评号”等专辑。

民众戏剧社成立。由汪仲贤倡议，并联合了陈大悲及新文学界中的沈雁冰、郑振铎、熊佛西等人，在上海组成民众戏剧社。该社在宣言中明确提出：“萧伯纳曾说：‘戏剧是宣传主义的地方’，这句话虽然不能一定是，但是我们至少可以说一句：当看戏是消闲的时代，现在已经过去了。戏院在现代社会中确是占着重要的地位，是推动社会使前进的一个轮子，又是搜寻社会病根的X光镜；他又是一块正直无私的反射镜；一国人民程度的高低也赤裸裸地在这面大镜子中反照出来，不得一毫遁形。”（《民众戏剧社宣言》，《戏剧》第1卷第1期。）民众戏剧社因此反对“把外国最新的象征剧、神秘剧输入到中国戏剧界来”，主张“艺术上的功利主义”，提倡“写实的社会剧。”（蒲伯英：《戏剧如何适应国情》，《戏剧》1卷4期，1921年8月31日。）

该社创办的《戏剧》月刊是新文学运动中第一个讨论新戏运动的刊物，共出6期，于1922年停刊。31日，《戏剧》第1卷1期发表明悔（汪仲贤）的《与创造新剧诸君商榷》一文，在总结《华伦夫人之职业》演出失败的教训时，指出借用西洋著名剧本不过是我们过渡时代的一种方法，并不是我们创造戏剧的真精神：“中国戏剧要想在世界文艺中寻一个立锥地，应该赶紧造成编剧本的人才，创造几种与西洋相等或较高价值的剧本，这才算真正的创造新剧”。该文明确提出了创造“适合我们社会的戏剧”反对“摹仿与复制别人的东西”的主张与目标。

鲁迅的小说《故乡》发表于《新青年》第9卷第1号。

六月

8日，周作人的《美文》发表于《晨报副刊》。该文从理论上确认了文学性散文的地位。周作人将那种以抒情叙事为主的艺术性的散文视作美文，将其摆到了与小说、诗歌、戏剧并列的位置。他倡导于议论性的杂文之外，多写“记述性的”、“艺术性”的美文，“给新文学开辟出一块新土地”。这种“叙事与抒情”的美文后来被称为小品文，或散文小品，又被看作是狭义的散文。周作人在给“美文”做理论界说时，首先注目的是这种文体所产生的文化背景及由此产生的文化精神。他指出：“文艺发生的次序大抵是先韵文，次散文，韵文之中又是先叙事抒情，次说理。散文则是先叙事，次说理，最后才是抒情。”因此，“美文”（散文小品）是“文学发达的极致，它的兴盛必须在王纲解纽的时代。”（周作人：《看云集·〈冰雪小品选〉·序》，开明书店1932年版）这就是说，“美文”（散文小品）不仅是个性解放、心灵相对自由时代的产物，而且是一种最个性化的文体，周作人称之为“个人的文学之尖端”（周作人：《看云集·〈冰雪小品选〉·序》，开明书店1932年10月。）而“美文”（散文小品）的本质特征在于，它是“言志的散文，它集合叙事说理抒情的分子，都浸在自己的性情里”，“是真实的个性的表现”，真实性情的流露。（周作人：《永日集·〈杂拌儿〉跋》，北新书局1929年版）

8日，冰心的《文学家的造就》发表于《时事新报·学灯》。

鲁迅翻译的日本芥川龙之介短篇小说《罗生门》发表在《晨报副刊》16、17日。

王统照的小说《春雨之夜》发表于《小说月报》第 12 卷第 6 号。

蹇先艾评价说："《春雨之夜》好像一篇很美丽的诗的散文，读后得到无限的凄清幽美之感。那一夜，那两个旅行的小姑娘，还亲切地仿佛在我眼前飘动呢。由这篇不由我便想到剑三描写小说的两个优点——写情写景，都十分美妙动人。这篇自然是一个很好的代表了。"（蹇先艾：《〈春雨之夜〉所激动的》，《文学旬刊》第 36 号，1924 年 5 月 21 日。）

庐隐的小说《一封信》发表于《小说月报》第 12 卷第 6 号。

七月

中旬，郭沫若、郁达夫、张资平等在东京郁达夫寓所聚会，商讨酝酿已久的筹组文学团体事宜，决定创办《创造》季刊。这次聚会被视为创造社正式成立的会议。列名于创造社发起人的有 7 人，即郭沫若、郁达夫、成仿吾、张资平、郑伯奇、田汉（后自办南国社，脱离创造社）、穆木天，当时都是留日学生。主要成员还有王独清、周全平、潘汉年、叶灵凤、冯乃超、阳翰笙等。该社先后出版有《创造季刊》、《创造周报》、《创造日》、《洪水》、《创造月刊》、《文化批判》等刊物和创造社丛书。文艺思想上倾向于浪漫主义和唯美主义。

下旬，郭沫若由日本回到上海，接替成仿吾担任泰东图书局编译所编辑职务，开始筹办《创造社丛书》及《创造季刊》出版工作。

23—31 日，中国共产党第一次全国代表大会在上海秘密召开（后因故移至浙江嘉兴南湖举行）。出席大会的有毛泽东、何叔衡、李达等 12 名代表，代表全国的 50 多名党员。大会的中心任务是讨论中国共产党成立的问题，通过了党的第一个纲领和第一个实际工作计划的决议。

郑振铎在《戏剧》月刊第 1 卷第 3 期发表《光明运动的开始》，认为"无论自己编或是译取别国的著作，他的精神必须是平民的。并且必须是带有社会问题的色彩与革命的精神的。"

沈雁冰的《社会背景与创作》发表于《小说月报》第 12 卷第 7 号，署名"郎损"。

耿匡、沈颖等翻译的《俄罗斯名家短篇小说集》第一集由北京新中国杂志社出版。瞿秋白和郑振铎为此书作序。

瞿秋白在序言中分析了中国热衷于介绍俄罗斯文学的原因，他说："最主要的原因就是：俄国布尔什维克的革命在政治上、经济上、社会上生出极大的变化，掀天动地，使全世界的思想都受它的影响。大家要追溯他的远因，考察他的文化，所以不知不觉全世界的视线都集中于俄国，都集中于俄国的文学；而在中国这样黑暗悲惨的社会里，人都想在生活的现状里开辟一条新道路，听着俄国旧社会崩溃的声浪，真是空谷足音，不由得不动心。因此大家都要来讨论研究俄国。于是俄国文学就成了中国文学家的目标。"

郑振铎则主要从中国和俄国的文学比较中分析介绍俄罗斯文学的意义："第一，我们三四十年来的西欧文学介绍，大多是限于英法的古典主义、罗曼主义及其他消遣主义的小说，永不能是世界近代文学的真价。俄罗斯的文学是近代的世界文学的结晶。”“第二，我们中国的文学，最乏于‘真’的精神，俄罗斯文学则不然，他是专以‘真’字为骨的。”“第三，俄罗斯的文学是人的文学，是切于人生关系的文学，是人类的个性表现的文学……”“第四，俄罗斯的文学是平民的文学。”“第五，我们的文学久困于‘团圆主义’支配之下，而俄国的文学，则独长于悲痛的描写，多凄苦的声音。”因此，郑振铎认为极有必要介绍俄罗斯文学。

八月

5 日，郭沫若的诗集《女神》由上海泰东图书局出版，列为《创造社丛书》第一种。这也是中国现代新诗的奠基之作。

田汉在给郭沫若的信中评价《女神》时说：“你的诗首首都是你的血，你的泪，你的自叙传，你的忏悔录呵，我爱读你这样的纯真的诗。”（郭沫若、宗白华、田汉：《三叶集》第 79 页，上海书店 1982 年版）

31 日，沈雁冰的《中国旧戏改良我见》发表于《戏剧》第 1 卷第 4 号。作者承认“二十年以来，中国旧剧刻刻在变换，这变换的趋向是摹仿西洋”，而且“这变化是出于自然的要求，很有继续性”，但“在思想方面，那就是一丝一毫都不曾变”，“也就是现在的‘文明戏’始终还是‘旧戏’一般的东西，或更不及‘旧戏’的重要原因”！作者以为“若不先从思想方面根本改革中国的戏剧，舞台艺术等等都只是一个空架子，实际上没有多大益处”。

郎损（沈雁冰）的评论文章《评四五六月的创作》发表于《小说月报》第 12 卷第 8 号。在文中，作者力图通过对 3 个月的创作进行题材、表现技法的分类。他首先指出“有什么样的社会背景便会有什么样的文学”，接着分析批评者的职责“不重在指出这篇好，那篇歹，而重在指出：……现在的创作坛（从事创作的人们）所忽略的是哪方面，所过重的是哪方面。”经过统计，在 3 个月的创作中，描写男女恋爱的有 70 篇以上，描写农民生活的有 8 篇，描写城市劳动者生活的有 3 篇，描写家庭生活的有 9 篇，描写学校生活的有 5 篇，描写其他生活的有 20 篇左右。家庭生活、学校生活、其他生活中又有许多可以归于恋爱题材的“描写男女恋爱的小说占了百分之八九十”，“最少的却是描写城市劳动者生活的创作”。据此，沈雁冰推想当时社会的大概状况为：（一）“知识阶级和城市劳动者，还是隔膜得厉害”；（二）“一般青年对于社会上各种问题……的眼光还不能深入”，“只有切身的恋爱问题能刺激他们”；（三）“从传统主义的束缚中解放出来，因了个人主义的趋势。特流于强烈的享乐主义的倾向。”而且，“他们的描写也是大概相同的，他们的作品都像是一个模型里铸出来的。”此外，沈雁冰还对其中的一些代表作品进行了略评，如对鲁迅的《故乡》评价最高，认为《故乡》的中心思想是“悲哀那人与人中间的不了解，隔膜。造成这不了解的原因是历史遗传的阶级观念。”因此，沈雁冰并未对现今的创作失去信心，他建议创作者“到民间去”，“先造出中国的自然主义文学来”。

九月

29、30 日，郁达夫在《时事新报》刊发《纯文学季刊〈创造〉出版预告》，批评文学研究会作家“垄断文坛”。

郁达夫应郭沫若之邀回到上海，负责《创造》季刊编辑出版事宜。

十月

9 日，《民国日报·觉悟》发表沈雁冰（署名冯虚）的《〈对于介绍外国文学的我见〉底我的批评》。《学灯》9 月 27 日登载了高卓的《对于介绍外国文学的我见》，提出三条意见：先介绍作品，后介绍作家；不应忽视对前代的外国文学的研究；反对尽量摹仿外国文的句法和语法。对此，沈雁冰逐条批评如下：第一，“‘介绍’是广义的，于翻译作品而外，并有述说该作者的身世、思想、作品的大概面目，等等义务，就是要把批评家对于该作者的批评撮要的叙述出来，庶可使读者能够领会该作品的意义。”第二，“文学不是科学，也不是历史”，没有必要从头介绍。第三，高卓所言“用中国文固有的语法”来翻译西方文学不能成立。

10 日，《小说月报》第 12 卷第 10 号出“被损害民族的文学号”，介绍北欧、东欧诸国的作品及文学概况，其中有鲁迅译文 4 篇。

12 日，《晨报》副刊改称《晨报副镌》，以 4 开 4 版的单张出版，名噪一时。该刊为“五四”时期四大报纸副刊之一。《晨报》的第 7 版原为专登小说、诗歌、小品文的副刊，1920 年由孙伏园主编。这时改出 4 开单张，题名《副镌》，每日一张，每月合订一册，名《晨报副镌》合订本，销行颇广。在《晨报》副刊改革的影响下，一些报纸也纷纷改革副刊。如《民国日报》取消原有的副刊《国民闲话》，改出《觉悟》；《时事新报》副刊《学灯》，也实行革新，开始宣传西方新知识和新思想。这些副刊与稍后出版的《京报副刊》一起，并称为五四时期“四大副刊”。1925 年后，《晨报》副刊为新月派所掌握，1928 年 6 月停刊。

15 日，郁达夫的第一本小说集《沉沦》由上海泰东图书局出版，列为郭沫若主编的“创造社丛书”的第三种（第一种《女神》，郭沫若著；第二种《革命哲学》，朱谦之著）。这是中国最早出版的白话短篇小说集。该书收入了郁达夫 1921 年在日本写的三个短篇小说：《银灰色的死》、《沉沦》和《南迁》。其中，《银灰色的死》写于 1921 年 2 月，曾于同年 7 月连载于《时事新报》副刊《学灯》。《沉沦》写于 5 月 9 日，《南迁》写于 7 月。《沉沦》出版后，因其“惊人的取材与大胆的描写”（成仿吾：《〈沉沦〉的评论》，《创造季刊》第 1 卷第 4 期，1923 年 2 月）震动文坛，引起了强烈反响。泰东图书局将此书接连出了十余版，出版数量达二万余册，这在当时来说是十分可观的。

但该书的出版也引起了不少非议。如谭国棠认为：“《沉沦》等三篇，亦未见佳；虽然篇中加了许多新名词，描写的手法还是脱胎于《红楼梦》、《水浒》、《金瓶梅》等几部老‘杰作’。”（《谭国棠致〈小说月报〉记者信》，《小说月报》第 13 卷第 2 号。）针对这种看法，沈雁冰指出：“《沉沦》中三篇，我曾看过一遍，除第二篇《银灰色的死》而外，余二篇似皆作者的自传（据友人富阳某君说如此），故能言之如是真切。第一篇《沉沦》主人翁的性格，描写得很是真，始终如一，其间也约略表示主人翁心理状态的发展，在这点上，我承认作者是成功的；但是作者自叙中所说的灵肉冲突，却描写得失败了。《南迁》中主人翁即是《沉沦》的主人翁，性格方面看得出来。这两篇结构上有个共同的缺点，就是结尾有些‘江湖气’，颇像元二年的新剧动不动把手枪做结束。”（《沈雁冰复谭国棠信》，《小说月报》第13卷第2号。）

周作人则于1922年3月26日在《晨报副镌》上发表了署名“仲密”的评论文章《沉沦》。该文对郁达夫《沉沦》集进行了精辟的分析。

在评论郁达夫的小说集《沉沦》之前，周作人首先讨论了所谓的“不道德的文学”。他认为，“据美国莫台儿（Mordell）在《文学上的色情》里所说，所谓不道德的文学共有三种，其一不必定与色情相关的，其余两种都是关于性的事情的。第一种不道德的文学实在是反因袭思想的文学，也就可以说是新道德的文学。例如易卜生或托尔斯泰的著作，对于社会上各种名分的规律加以攻击，要重新估定价值，建立更为合理的生活。在他的本意原是‘道德的’，然而从因袭的社会看来，却觉得是‘离经叛道’，所以加上他一个不道德的名称。这正是一切革命思想的共通的运命。”“第二种的不道德的文学应该称作不端方的文学，其中可以分作三类。（一）是自然的，……正如现在乡下人的粗鄙的话，……实在只是放诞，并没有什么故意的挑拨。（二）是反动的，禁欲主义或伪善的清净思想盛行之后，常有反动的趋势，大抵倾向于裸露的描写……（三）是非意识的，这一类文学的发生并不限于时代及境地，乃出于人性的本然。虽不是端方的而也并非不严肃的，虽不是劝善的而也并非诲淫的；所有自然派的小说与颓废派的著作，大抵属于此类。”“第三种不道德的文学才是真正的不道德文学，……如赞扬强暴诱拐的行为，或性的人身卖买者皆是。”

据此，周作人认为郁达夫的小说集《沉沦》“显然属于第二种的非意识的不端方的文学，虽然有猥亵的分子而并无不道德的性质。”而且，“这集内所描写是青年的现代苦闷……生的意志与现实之冲突，是这一切苦闷的基本；人不满足于现实，而复不肯遁于空虚，仍旧这坚冷的现实之中，寻求其不可得的快乐与幸福。现代人的悲哀与传奇时代的不同者即在于此。理想与现实社会的冲突当然也是苦闷之一，但我相信他未必能完全独立，所以《南归》的主人公的没落与《沉沦》的主人公的忧郁病终究还是一物，著者在这个描写上实在是很成功了。所谓灵肉的冲突原只是说情欲与迫压的对抗，并不含有批判的意思，以为灵优而肉劣；老实说来超凡入圣的思想倒反于我们凡夫觉得稍远了，难得十分理解。比如中古诗里的‘柏拉图的爱’，我们如不将他解作性的崇拜，便不免要疑是自欺的饰词。我们鉴赏这部小说的艺术地写出这个冲突，并不要他指点出那一面的胜利与其寓意。他的价值在于非意识的展览自己，艺术地写出升化的色情，这也就是真挚与普遍的存在。至于所谓猥亵部分，未必损伤文学的价值；即使或者有人说不免太有东方气，但我以为倘在著者觉得非如此不能表现他的气氛，那么当然没有可以反对的地方。但在《留东外史》，其价值本来只足与《九尾龟》相比，却不能援这个例，因为那些描写显然是附属的，没有重要的意义，而且态度也是不诚实的。《留东外史》终是一部‘说书’，而《沉沦》却是一件艺术的作品。”

在文章的结尾处，周作人郑重声明："《沉沦》是一件艺术的作品，但他是'受戒者的文学'（Literature for the initiated），而非一般人的读物……再已经受过人生的密戒，有他的光与影的性的生活的人，自能从这些书里得到希有的力。"

由于该文的分析和论断颇具说服力，兼之周作人在当时是一位极有影响力的新文学家，因此，该文一出，种种攻击和否定《沉沦》的声音才尘埃落定。这叫郁达夫感慨系之，并对周作人感激不尽。他曾说："《沉沦》印成了一本单行本出世，社会上因为还看不惯这一种畸形的新书，所受的讥评嘲骂，也不知有几十百次。后来周作人先生，在北京的《晨报》副刊上写了一篇为我申辩的文章，一般骂我诲淫，骂我造作的文坛壮士，才稍稍收敛了他们痛骂的雄词。"（郁达夫：《〈鸡肋集〉题辞》，《郁达夫文集》第 7 卷第 171 页，花城出版社 1982 年版）

27 日，严复逝世。严复（1854—1921），初名体乾、传初，改名宗光，字又陵，后又易名复，字几道，晚号愈野老人，别号尊疑，又署天演哲学家。福建福州人。特赐文科进士出身，中国近代资产阶级启蒙思想家、翻译家、教育家。1866 年以第一名考入马尾船政学堂，5 年后以最佳成绩毕业后上军舰实习。1877 年作为首批海军留学生入英国皇家海军学院学习，在英国期间除学习海军专业外，还精心研读西方哲学、社会政治学著作，并到英国法庭考察审判过程，作中西异同比较。学成归国后任福建船政学堂教习，翌年调任天津北洋水师学堂总教习，后升会办、总办。甲午战败后严复感于时事弥艰，开始致力译著，并在天津《直报》上连续发表《论世变之亟》、《原强》、《辟韩》、《救亡决论》等政论，斥责历代帝王是"大盗窃国者"，力主变法图强，以西方科学取代八股文章。1896 年帮助张元济在北京创办通艺学堂，次年又与王修植、夏曾佑等在天津创办《国闻报》和《国闻汇编》。1998 年，又撰《上光绪皇帝万言书》，极力倡导维新变法；同年，他翻译的第一部西方资产阶级学术名著《天演论》正式出版。至 1909 年，先后又译出亚当·斯密的《 原富》、斯宾塞的《群学肄言》、约翰·穆勒的《群己权界论》、《穆勒名学》、甄克斯的《社会通诠》、孟德斯鸠的《法意》和耶方斯的《名学浅说》等西方名著，达 160 多万字。他是近代中国系统翻译介绍西方资产阶级学术思想的第一人。通过翻译《天演论》，将科学进化论带到中国，并使之超越达尔文进化论的生物学范畴而具有了世界观的意义。又通过翻译《穆勒名学》和《名学浅说》，将逻辑归纳法和演绎法介绍到中国，其中对培根的经验归纳法尤为重视，并猛烈抨击陆、王学派主观唯心主义的"心成之说"。因此，严复是将中国哲学建立在近代科学基础之上、使中国近代哲学真正摆脱古代"经学"形式的划时代人物。除译著外，他还倾心于教育事业。1902 年受聘为京师大学堂编译局总办；1905 年参与创办复旦公学，并于次年一度任校长；1906 年赴任安徽省师范学堂监督；1912 年又任京师大学堂总监督，兼文科学长。他在《与外交报主人论教育书》（1902）中，提出一个比较详细的学校教育制度蓝图，并对各级学校教学内容和教学方法提出自己的主张和要求，为中国资产阶级新式教育作出贡献。但辛亥革命后，严复思想日趋保守。1912 年袁世凯任临时大总统时他于翌年被委为总统府外交法律顾问，同年参与发起孔教会，极力主张尊孔读经。1914 年 5 月任参政院参政及宪法起草委员，并任海军部一等参谋官。1915 年列名于拥护袁世凯复辟帝制的筹安会，为该会理事。1918 年回到福州养病。“五四”时期又反对学生运动。晚年他主要靠译书为生。1921 年 10 月 27 日卒于故里。他的著述有《严几道文集》、《愈懋堂诗集》及《严译名著丛刊》等。

十一月

11 日，《文学旬刊》第 19 号发表俞平伯的《与佩弦讨论“民众文学”》，开始了一场关于“民众文学”的讨论。该刊第 26 期及以后的连续几期都发表了讨论文章。参与讨论的有朱自清、郑振铎、叶圣陶等。《小说月报》第 13 卷第 8 号（1922 年 8 月 10 日）发表了张侃、沈雁冰等《关于怎样提高民众的文学鉴赏力?》的通信。

北京学生业余剧团的联合组织北京实验剧社（李健吾等主持）成立。

十二月

4 日起，鲁迅的小说《阿 Q 正传》开始在北京《晨报副刊》连载，至 1922 年 2 月 12 日刊完，每周或隔周刊登一次，署名“巴人”。第一章在“开心话”栏发表，第二章起移至“新文艺”栏发表。鲁迅自己曾在《俄文译本〈阿 Q 正传〉序及著者自叙传略》中，披露自己塑造阿 Q 典型的动机，他说：“我也只得依了自己的觉察，孤寂地姑且将这些写出，作为在我的眼里所经过的中国的人生”，并“要画出这样沉默的国民的魂灵来”，“作为在我的眼里所经过的中国的人生。”（鲁迅：《俄文译本〈阿 Q 正传〉序及著者自叙传略》，《语丝》周刊第 31 期，1925 年 6 月 15 日。）

《阿 Q 正传》发表后，在当时引起了很大反响，沈雁冰在给一位读者的回信中这样评价《阿 Q 正传》：“至于《晨报副刊》所登巴人先生的《阿 Q 正传》，虽只登到第四章，但以我看来，实是一部杰作。你先生以为是一部讽刺小说，实未为至论。阿 Q 这人要在现社会中去实指出来，是办不到的；但是我读这篇小说的时候，总觉得阿 Q 这人很是面熟，是呵，他是中国人品性的结晶呀！我读了这四章，忍不住想起俄国龚伽洛夫的《Oblomov》了。”（《小说月报》第 13 卷第 2 号，1922 年 2 月 10 号。）

仲密（周作人）在《晨报副刊》“自己的园地”专栏中发表了《阿 Q 正传》一文，肯定了茅盾关于阿 Q“是中国人品性的结晶”的观点，并作了进一步的发挥：“阿 Q 这人是中国一切的谱——新名词称作传统的结晶，没有自己的意志而以社会的因袭的惯例为其意志的人，所以在实社会里是不存在又到处存在。”据此，周作人认为，“阿 Q 却是一个民族的类型……实在是中国人品性的混合照相。”（仲密：《阿 Q 正传》，《自己的园地》，《晨报副刊》，1923 年 3 月 19 日。）

此外，法国著名作家罗曼·罗兰在给鲁迅的信中也高度评价了《阿 Q 正传》，他说：“……阿 Q 传是高超的艺术底作品，其证据是在读第二次比第一次更觉得好。这可怜的阿 Q 底惨像遂留在记忆里了……”（出自罗曼·罗兰给敬隐渔的回信，此信已丢失，这一段是敬隐渔 1926 年 1 月 24 日给鲁迅信中的对罗曼·罗兰信的回忆。转引自饶鸿競等编：《创造社资料》第 821 页，福建人民出版社 1985 年版）

15 日，孙中山就北京政府与日本直接谈判山东问题事发表文告，宣布徐世昌及其党羽的卖国罪行，号召全国人民“共起诛之”。

《胡适文存》一集由上海亚东图书馆出版。

1922 年

一月

9 日，华侨留滇讲武堂学生 200 余人抵粤，志愿加入北伐军，孙中山准之。13 日，上海留日学生救国团等七团体通电，痛斥徐世昌身兼帝制、复辟、内乱、卖国、僭窃五罪，历举应推倒之理由八条。全国各界联合会等电广州政府，请求北伐。

9 日，胡先骕、梅光迪、吴宓等人主办的《学衡》杂志创刊，1933 年 7 月终刊。原为月刊，1928 年自第 61 期起改为双月刊，共出 79 期。“学衡派”成员都曾留学美国，熟悉西洋文学，多受当时带保守和清教色彩的新人文主义的影响。他们相信靠伦理道德的理论足可凝聚中国，所以对“五四”新文化与新文学运动的激进行为甚为反感，并试图以学理立言，在中外文化比较中坚持“昌明国粹，融化新知”的宗旨。

《学衡》第一期登载了《〈学衡〉杂志简章》。该简章提出《学衡》的具体宗旨为“论究学术，阐求真理，昌明国粹，融化新知。以中正之眼光，行批评之职事，无偏无党，不激不随。”此外，《简章》还就杂志的体裁及办法提出三点意见：“（甲）本杂志于国学则主以切实之工夫，为精确之研究。然后整理而条析之。明其源流，著其旨要，以见吾国文化，有可与日月争光之价值。而后来学者，得有研究之津梁，探索之正轨。不至望洋兴叹，劳而无功。或盲肆攻击，专图毁弃，而自以为得也。（乙）本杂志于西学则主博极群书，深窥底奥。然后明白辨析，审慎取择。庶使吾国学子，潜心研究，兼收并览。不至道听途说，呼号标榜，陷于一偏而昧于大体也。（丙）本杂志行文则力求明畅雅洁。既不敢堆积饾饤，古字连篇，甘为学究。尤不敢故尚奇诡，妄衿创造。总期以吾国文字，表西来之思想。既达且雅，以见文字之效用。实系于作者之才力。苟能运用得宜，则吾国文字，自可适时达意了。固无须更张其一定之文法，摧残其优美之形质也。”（《〈学衡〉杂志简章》，《学衡》第 1 期，1922 年 1 月。）

9 日，梅光迪的《评提倡新文化者》发表于《学衡》第 1 期。文章抨击新文化运动“甫一启齿，而弊端丛生，恶果立现，为有识者所诟病，惟其难也。故反易开方便之门，作伪之途，而使浮薄妄庸者，得以附会诡随，窥时俯仰，遂其功利名誉之野心。夫言政治法制者之失败，尽人皆知。无待余之哓哓。独所谓提倡‘新文化’者。犹以工于自饰，巧于语言奔走，颇为幼稚与流俗之人所趋从。”

梅光迪在文中指责新文化运动提倡者“非思想家乃诡辩家也”、“非创造家乃模仿家”、“非学问家乃功名之士”、“非教育家乃政客”。他说：“夫建设新文化之必要，孰不知之。吾国数千年来，以地理关系，凡其邻近，皆文化程度远逊于我。固孤行创造，不求外助，以成此灿烂伟大之文化……而欧西文化，亦源远流长，自希腊以迄今日。各国各时，皆须先有彻底研究。加以至明确之评判，副以至精当之手续，合千百融贯中西之通儒大师，宣导国人，蔚为风气，则四五十年后，成效必有可睹也，今则以政客诡辩家与夫功名之士，创此大业，标袭喧攘，侥幸尝试。乘国中思想学术之标准未立，受高等教育者无多之时，挟其伪欧化，以鼓起学力浅薄血气未定之年少。故提倡

方始，衰象毕露。明达青年，或已窥底蕴，觉其无有。或已生厌倦，别树旗鼓。其完全失败，早在识者洞鉴之中。夫飘风不终朝，骤雨不终日，势所必然，无足怪者……”（梅光迪：《评提倡新文化者》，《学衡》1922年第1期。）

学衡派其他人士，如吴宓著有《论新文化运动》，胡先骕则不仅重刊《中国文学改良论》，还写有《评〈尝试集〉》。《评〈尝试集〉》一文长达2万余言，认为《尝试集》的“价值与效用，为负性的”，“其形式精神，皆无可取”，“不能运用声调格律以泽其思想”，“多摭拾一般欧美所谓新诗人之余唾”，“《尝试集》，死文学也，以其必死必朽也”。胡先骕对胡适有关提倡白话诗与白话文的主张，大都持否定态度，并称胡适借白话文主张“以图眩世欺人。”（胡先骕：《评〈尝试集〉》，《中国新文学大系第二集·文学论争集》第267～295页，上海良友图书印刷公司1935年版）

同年3月10日，胡适撰写了《〈尝试集〉四版自序》，回击了胡先骕的《评〈尝试集〉》。胡适认为，“现在新诗的讨论时期，渐渐的过去了。——现在还有人引了阿狄生、强生、格雷、辜勒律己的话来攻击新诗的运动，但这种‘诗云子曰’的逻辑，便是反对论破产的铁证。”胡适在文中又说，他初读了胡先骕评《尝试集》的话，“觉得很像是骂我的话”，但“无论如何，我自己正在愁我的解放不彻底，胡先骕教授却说我‘卤莽灭裂趋于极端’，这句话实在未免过誉了。至于‘必死必朽’的一层，倒也不在我的心上。况且……胡先骕教授居然很大度地请陀司妥夫士忌来陪我同死同朽，这更是过誉了，我更不敢当了。”（胡适：《〈尝试集〉四版自序》，《尝试集》，上海亚东图书馆1922年版）

12日，香港海员为反对英帝国主义压迫，争取改善待遇，在苏兆征、林伟民等领导下举行大罢工。3月1日，香港10多万工人实行总罢工。3月5日，英国资本家被迫答应工人的要求，罢工胜利结束。

叶圣陶、朱自清、俞平伯、刘延陵等以中国新诗社名义编辑的《诗》月刊创刊，这是中国新诗史上第一个新诗专门刊物。1923年5月出至2卷2期终刊。月刊，但未按期付印。先以“中国新诗社”后以“文学研究会”名义编辑。

郑振铎主编的《儿童世界》创刊。这是中国最早出版的专供儿童阅读的定期刊物。

浅草社在上海成立，主要成员有林如稷、陈炜谟、陈翔鹤、冯至等。于1923年3月创办《浅草》季刊。

郑振铎《论散文诗》发表于《文学旬刊》第24期。

沈雁冰的《陀思妥以夫斯基在俄国文学史上的地位》一文发表于《小说月报》第13卷第1号，署名“郎损”。

冰心的小诗《繁星》连载于18日至20日、22日、23日上海的《时事新报·学灯》。

化鲁（胡愈之）认为，自冰心的《繁星》发表后，“小诗颇流行一时”，“在杂志报章上散见的短诗，差不多全是用这种新创的Style写成的”。“小诗的长处是在于能捉住一瞬间稍纵即逝的思潮，表现出偶然涌现到意识城的幽微的情绪。我们读了这些，虽然不能得到惊异，得到魁伟的印象，然能使我们的心灵得到一时间的感通，正如在广漠无垠的大洋中忽然望见扁舟驶过一般。”具体到《繁星》，胡愈之评价说：“从一位天真的富于玄想的女作家的‘冷静的心’里所发出的每个字，都暗示我们以一个更深微的世界。”（化鲁：《繁星》，转引自范伯群编《冰心研究资料》第 361 ~ 362 页，北京出版社 1984 年版）

赵景深高度评价了《繁星》的艺术成就，他说：“任意的一个时候翻阅她的《繁星》中的几首，即使在极严热的夏天，也能感到一种沁人肺腑、清新凉爽的感觉，虽然是有一些儿严冷，但终觉和蔼。”并指出《繁星》有两个特点，“一是用字的清新，一是回忆的甜蜜。”在赵景深看来，“冰心的用字极其清新，使人能感到美妙柔婉的情绪；即使在含有教训的几句小诗里也能很纤巧地用别一种艺术化的方法叙出来……她的回忆的情绪极其丰富，引起了我深深的共鸣。”（赵景深：《冰心的〈繁星〉》，《近代文学丛谈》，新文化书社 1925 年版）

草川未雨则对《繁心》持批评意见，他认为文学“不在明言或劝解，而在含蓄和暗示”，“要有理智的成分在内”。因此，如果以这种眼光“去看冰心女士的《繁星》、《春水》中的诗，其表现是犹疑恍惚的，是模糊的，对于人生、社会及自然未曾敢肯定过一下儿，只是站在一旁说话，因之不敢肯定，所以说出来的话多是离开现世的玄想，因之走到恍惚的路上。”据此，草川未雨概括说：“冰心女士诗中思想离着现实人生太远，使人读了足以倒在一种虚无缥缈之乡。”（草川未雨：《〈繁星〉和〈春水〉》，转引自李希同：《冰心论》，北新书局 1932 年版）

二月

4 日，《中日解决山东悬案条约及附约》签订。其主要内容是：日将原胶州德国租借地交还中国，中国将该地开为商埠；日本撤退驻青岛与沿胶济铁路及其支线的军队；青岛海关归还中国，胶济铁路及其支线归还中国，但中国应照铁路产业的现值以国库券偿还日本等项条款。

6 日，美、英、日、法、意、中等 9 国，根据美国的所谓“中国门户开放”和“各国在华机会均等”的原则，在华盛顿会议上签订九国公约，即《九国关于中国事件应适用各原则及政策之条约》。该条约全文共 9 条，它使中国从被日本独占发展到受几个帝国主义国家共同支配的局面。

9 日，鲁迅在《晨报副刊》发表《估〈学衡〉》一文，署名“风声”。鲁迅在文中列举了“学衡”派的一系列错误，称：“夫所谓《学衡》者，据我看来，实不过聚在‘聚宝之门’左近的几个假古董所放的假毫光；虽然自称为‘衡’，而本身的称星尚且未曾订好，更何论于他所衡的轻重的是非。所以，决用不着较准，只要估一估就明白了……总之诸公掊击新文化而张皇旧学问，倘不自相矛盾，倒也不失其一种主张。可惜的是于旧学并无门径，并主张也还不配。倘使字句未通的人也算是国粹的知己，则国粹更要惭惶煞人！‘衡’了一顿，仅仅‘衡’出了自己的铢两来，于新文化无伤，于国粹也差得远。我所佩服诸公的只有一点，是这种东西也居然会有发表的勇气。”

10 日，《小说月报》第 13 卷第 2 号发表许地山的小说《缀网劳蛛》。

沈从文指出：《缀网劳蛛》这部小说“全篇意思在人类纠纷，有情的人在这类纠纷

上发现缺陷，各处的弥补，后来作者忍受不来，加以追究的疑问了。缺处的发现，以及对手缺处的位置，作者是更东方的把事情加以自己意见了的。”（沈从文：《论落花生》，《读书月刊》第1卷第1期，1930年11月。）

茅盾则在《论地山的小说》一文中认为：《命命鸟》是理想主义的，《缀网劳蛛》则逐渐转向了现实主义，他说：“‘理想主义’在这里让位给市民的‘人生哲学’，坚强的生之欲求，借锲而不舍的补缀生活之网的破绽表现出来，但是人生的意义何在，并没浪漫主义的给以解答。这一移向写实主义的过程，到了《黄昏后》，我们就看见了顶点。”（茅盾：《论地山的小说》，转引自周俟松、杜汝淼编：《许地山研究集》第195页，南京大学出版社1989年版）

21日，郎损（沈雁冰）在《时事新报·文学旬刊》第29期发表《评梅光迪之所评》一文。该文全面批评了“学衡”派的保守主义文学主张。沈雁冰在文中说：“《学衡》第一第二两期登著梅光迪君的两篇文字，（一）《评提倡新文化者》，（二）《评今人提倡学术之方法》，中间有些进到近代文学的话；梅君极力慕古，甚至说模仿古人‘时亦得其神髓’，以此自满，所以我不想和他讨论古文学与今文学孰善的问题，只根据梅君批评近代文学那些话里的‘不尽不实’之处，指出来，请大家明白一下。”

沈雁冰认为：“文学嗜好，个人有绝对的自由：我笃信此言。故对于梅君之没头崇拜古人，不要深讥；但嗜好是嗜好，真理是真理，不能以一人之嗜好，抹煞普天下之真理；岂料梅君竟要以自己的嗜好抹煞西洋半世纪来评论界的‘定评’，肆意而谈，很犯了颠倒系统，见一隅而不见全体的大毛病；在识者观之，原能一目了然，但‘群众中幼稚分子，如中小学生之类’难免受其‘盲聋’，所以不能不一评了。”

那么，“何以见梅君之颠倒系统”呢？沈雁冰认为，“梅君说：‘文学进化至难言者，西国名家（如英国十九世纪散文及文学评论大家韩士立 Hazilitt）多斥文学进化论为流俗之错误，而吾国人乃迷信之。’我们看了这一段，几乎要疑心梅君未曾看过一本一八四零年以后出版的书！”在沈雁冰看来，文学进化论大致有两种解释：“一是指文学的形式的进化，如叙事诗歌之于歌剧等等。一是把达尔文的进化论的原理应用在文艺上，把文艺看作一个生物。这两说：前者由来以久，众说纷呶，现尚未有定论；（梅君文中只混指文学进化论，未曾分言之，已觉太含糊。）梅君引韩士立为证，未免类乎‘灯草撞钟’。因为韩士立逝世将及百年，这百年中，各大家对于文学进化论的研究，又精深了许多，梅君引百年前人对于当时文学进化论的批评以驳百年后的见解，非颠倒系统而何？”

沈雁冰进而又说：“何以见梅君之见一隅而不见全体；梅君于痛骂彼等‘言西洋文学，则独取最晚出之短篇小说独幕剧及堕落派之著作，而于各派思想艺术发达变迁之历史与其比较之得失，则茫无所知’，并引钱斯德顿（G. K. Chesterton）之言为证。梅君既知言文学当研究‘各派思想艺术发达变迁之历史’，而‘比较其得失’，亦知钱斯德顿乃现代最有名的反对新思想的怪杰乎？梅君可引一极端的钱斯德顿以为痛骂新思想的‘人证’，则他人亦可引克鲁泡特金之言以为西洋皆无政府党，或引德国 Georg Kaisei 以为德国皆表现派；未免找错了人，未免陷于‘见一隅而不见全体’的谬误！”据此，沈雁冰批评梅光迪“‘见一隅而不见全体’，想来总不是学者精神所应有罢！”

（郎损：《评梅光迪之所评》，载《文学旬刊》第 29 期。）

24 日，俄国盲诗人爱罗先珂到达北京，暂住于八道湾鲁迅和周作人的寓所。1922 年 4 月 16 日回国。他曾以世界语和日语作童话多篇。在中国期间，鲁迅曾和他多有交往。他的《桃色的云》等著作由鲁迅译成中文出版。1922 年 12 月，鲁迅作《鸭的喜剧》，记述爱罗先珂在中国的生活片断。

张资平的小说《冲积期化石》由泰东图书局出版。

成仿吾认为这部小说写法上"有大毛病，首尾的顾应，因为中间的补叙太长，力量不足，并且尾部的悲哀情调，勉强得很。作者的议论也过多，内容也散漫得很。"（成仿吾：《致郭沫若》，《创造季刊》第 1 卷第 3 期。）

三月

9 日，上海非基督教学生同盟发表宣言，指出各国资本家在中国设立教会，无非是要中国接受资本主义；在中国设立基督教青年会，无非是要培养资本家的良善走狗，目的在于吮吸中国人民的膏血。

15 日，创造社的《创造》季刊在上海创刊。由郭沫若、成仿吾、郁达夫编辑，上海泰东图书局发行。共出版 6 期，至 1924 年 1 月停刊。《创造季刊》的出版，是创造社作为一个团体从事文学运动的开始。

15 日，郭沫若的《〈少年维特之烦恼〉序引》发表于《创造季刊》第 1 卷第 1 期。从本文对于歌德思想的评述中，可以得见郭沫若自己的文学观念。郭沫若在文章中首先谈到了自己对于诗歌的理解，他说："拘于因袭之见的人，每每以为'无韵者为文，有韵者为诗'，而所谓韵又几乎限于脚韵。这种皮相之见，不知何以竟能深入人心而牢不可拔。最近国人论诗，犹有兢兢于有韵无韵之争而诋散文诗之名为悖理者，真可算是出人意外。不知诗的本质，不在乎脚韵的有无。有脚韵者可以为诗，而有脚韵者不必都是诗……诗可以有韵，而诗不必一定有韵。"至于《少年维特之烦恼》，郭沫若说"我存心移译已经四五年了"。在他看来，歌德与自己的思想"有种种共鸣之点"，"此书主人公维特的性格，便是'狂飙突进时代'（Sturm and Drang ）少年歌德自己的性格，维特的思想，便是少年歌德自己的思想。歌德是个伟大的主观诗人，他所有的著作，多是他自己的经验和实感的集成。"至于自己和歌德思想的共鸣点，郭沫若总结为以下五个方面："第一，是他的主情主义……他对于宇宙万汇，不是用理智去分析，去宰割，他是用他的心情去综合，去创造。他的心情在他的身之周围随处可以创造出一个乐园；他在微虫细草中，随时可以看出'全能者的存在'，'兼爱无私'者的彷徨。""第二，便是他的泛神思想。泛神便是无神。一切的自然只是神的表现，自我也只是神的表现。我即是神，一切自然都是自我的表现。人到无我的时候，与神合体，超绝时空，而等齐生死。人到一有我见的时候，只看见宇宙万汇和自我之外相，变灭无常而生生死无常的悲感。万物必生必死，生不能自持，死亦不能自阻，所以只见得'天与地与在他们周围生动着的力，除是一个永远贪婪、永远反刍的怪物而外，不见有别的'。此力即是创生万汇的本源，即是宇宙意志，即是物自体（Ding an sich）。能与此力暝合时，则只见其生而不见其死，只见其常而不见其变。体之周遭，随处都是乐园，随时都是天国，永恒之乐，溢满灵台。‘在无限之前，在永恒的拥抱之中，我与你永在’”。“第三，是他对于自然的赞美。他认为自然是唯一神之表现。自然便是神体之庄严相，所以他对于自然绝不否定。他肯定自然，以自然为慈母，以自然为友朋，以自然为爱人，以自然为师傅。”“第四，是他对于原始生活的景仰……在井泉之旁，觉得有古代精灵之浮动。岩穴幽栖，毛织衣，棘带，是他灵魂所渴慕着的慰安……要这种人才有真实的至诚，虔敬的努力，热烈的慈爱，能以全部精神贯注于一切，是刹那主义、全我生活的楷模！”“第五，是他对小儿的尊崇……小儿如何可以有尊崇之处？我们请随便就一个小朋友来观察吧，你看他终日之间无时无刻不是在倾倒全我以从事于创造、表现、享乐。小儿的行径正是天才生活的缩型，正是全我生活的规范！”

15 日，《创造季刊》第 1 卷第 1 期还发表了郁达夫的《艺文私见》和郭沫若的《海外归鸿》两文。郁达夫在《艺文私见》中呼唤中国大批评家的出现，他说：“文艺是天才的创造物，不可以规矩来测量的。”“文艺批评有真假的二种，真的文艺批评是为常人而作的一种‘天才的赞词’。因为天才的好处，我们凡人看不出来。”“目下中国，青黄未接，新旧文艺闹作了一团，鬼怪横行，无奇不有。在这混沌的苦闷时代，若有一个批评大家出来叱咤叱咤，那些恶鬼，怕同见了太阳的毒物一般，都要抱头逃命去呢！”“现在那些在新闻杂志上主持文艺的假批评家，都要到清水粪坑里去和蛆虫争食物去。那些被他们压下的天才，都要从地狱里升到子午白羊宫里去呢！”“真的天才，和那些假批评家假文学家是冰炭不相容的，真的天才是照夜的明珠，假批评家假文学家是伏在明珠上面的木斗。木斗不除去，真的天才总不能放他的灵光，来照耀世人。除去这木斗的仙手是谁呀！就是真正的大批评家的铁笔！”

郭沫若则在《海外归鸿》中说：“我们国内的创作界，幼稚到十二万分”，“我国的批评家——或许可以说是没有——也太无聊，党同伐异的劣等精神，和卑陋的政客者流不相上下，是自家人的做作译品或出版物，总是极力捧扬，简直视文艺批评为广告用具；团体外的作品或与他们偏颇的先入见不相契合的作品，便一概加以冷遇而不理。他们爱以死板的主义规范活体的人心，什么自然主义啦，什么人道主义啦，要拿一个主义来整齐天下的作家，简直可以说是狂妄了。我们可以各人自己表现一种主义，我们可以批评某某作家的态度是属于何种主义，但是不能以某种主义来绳人，这太蔑视作家的个性，简直是专擅君主的态度了。”

郁达夫和郭沫若的批判矛头实际上指向的是沈雁冰和郑振铎的，因此，这两篇文章自然引起了文学研究会的批评，而创造社与文学研究会的论争也由此而起。

15 日，田汉的独幕剧《咖啡店之一夜》发表于《创造》季刊第 1 卷第 1 期。

叶绍钧（圣陶）的第一个短篇小说集《隔膜》由商务印书馆出版。后来陆续出版了他的小说集《火灾》（1923）、《线下》（1925）、《城中》（1926）、《未厌集》（1928）。这些小说多以他自己熟悉的小市民和教育界生活为题材，主调是暴露和谴责，在当时有较大影响。

俞平伯诗集《冬夜》由亚东图书馆出版。收 1918 年至 1921 年所作诗 58 首。另有作者《自序》和朱自清的《序》各一篇。

康白情诗集《草儿》由亚东图书馆出版。收新诗 114 首，附录旧体诗 74 首、《新诗短论》1 篇，写于 1919 年至 1920 年，另有《自序》和俞平伯的《序》。在《自序》中，康白情说："《草儿》是去、前年间新文化运动里随着群众的呼声，是时代的产物……平伯以创造的精神许我，谢不敢当！我不过剪裁时代的东西，表个人的冲动罢了。"俞平伯在《序》中称赞《草儿》："许多作品，为诗国开许多新疆土。"

《冬夜》和《草儿》这两部诗集出版后，得到了胡适等人的好评，但闻一多和梁实秋却有不同意见。闻一多和梁实秋分别作《冬夜评论》和《草儿评论》，批评了这两部诗集的创作倾向。

在《冬夜评论》中，闻一多首先肯定了《冬夜》在音节安排上的特色，他说："《冬夜》给我最深刻的印象是它的音节。关于这点，当代诸作家，没有能同俞君比的。这也是俞君对新诗的一个贡献。凝炼、绵密、婉细是他的音节特色。这种艺术本是从旧诗和词曲里蜕化出来的。词曲的音节当然不是自然的音节；一属人工，一属天然，二者是迥乎不同的。一切的艺术应以自然作原料，而参以人工，一以修饰自然的粗率，二以渗渍人性，使之更接近于吾人，然后易于把捉而契合之。诗——诗的音节亦不外此例。一切的用国语作的诗，都得着相当的原料了。但不是一切的语体都具有人工的修饰。别的作家间有少数修饰的产品，但那是非常的事。俞君集子里几乎没有一首音节不修饰的诗，不过有的太嫌音节过火些。（或许这'修饰'两字用得有些犯毛病。我应该说'艺术化'，因为要'艺术化'才能产出艺术，一存心'修饰'，恐怕没有不流于'过火'之弊的。）"

由此出发，闻一多批评了胡适主张自然音节的见解及其诗作。他说："胡适之先生自序再版《尝试集》，因为他的诗中词曲的音节进而为纯粹的'自由诗'的音节，很自鸣得意。其实这是很可笑的事。旧词曲的音节并不全是词曲自身的音节，音节之可能性寓于一种方言中，有一种方言，自有一种'天赋的'（inherent）音节。声与音的本体是文字里内含的质素；这个质素发之于诗歌的艺术，则为节奏、平仄、韵、双声、叠韵等表象。寻常的言语差不多没有表现这种潜伏的可能性的力量，厚载情感的语言才有这种力量。诗是被热烈的情感蒸发了的水汽之凝结，所以能将这种潜伏的美十足地、充分地表现出来。所谓'自然音节'最多不过是散文的音节。散文的音节当然没有诗的音节那样完美。俞君能熔铸词曲的音节于其诗中，这是一件极合艺术原则的事，也是一件极自然的事，用的是中国的文字，作的是诗，并且存心要作好诗，声调铿锵的诗，怎能不收那样的成效呢？我们若根本地不承认带词曲气味的音节为美，我们只存两条路可走：甘心作坏诗——没有音节的诗，或用别国的文字作诗。但是前面讲到旧词曲的音节，并不'全'是词曲自身的音节。然则有一部分是词曲自身的音节吗？是的，有一小部分。旧词曲所用的是'死文字'。（却也不全是的，词曲文字已渐趋语体了。）如今这种"死文字"中有些语助辞应该摒弃不用，有些文法也该摒弃不用。这两部分删去，于我们文字的声律（prosody）上当然有些影响；但这种影响并不能及于词曲音节的全部。所以我们不好说因为其中有些语助辞同文法不当存在，词曲的音节便当完全推翻。总括一句，词曲的音节在新诗的国境里并不全体是违禁物，不过要经过一番查验拣择罢了。"

至于《冬夜》，闻一多评论其“优点是它音节上的赢获，劣点是他意境上的亏损。因为太拘泥于词曲的音节，便不得不承认词曲的音节之两大条件：中国式的词调及中国式的意象。中国的意象是怎样的粗率简单，或是怎样的不敷新文学的用。”该文深入分析了《冬夜》的诗，指出了俞诗在幻想和情感等方面所存在的问题，并概括道：“大体上看来，《冬夜》的长处在它的音节，它的许多弱点也可以推源而集中于它的音节。它的情感也不挚，因为太多教训理论。——一言以蔽之，太忘不掉这人间世。但追究其根本错误，还是那‘诗的进化的还原论’。俞君不是没有天才，也不是没有学力，虽于西洋文学似少精深的研究，但是他那谬误的主义一天不改掉，虽有天才学力，他的成功还是疑问。培根讲，‘诗中有一点神圣的东西，因它以物之外象去将就灵之欲望，不是同理智和历史一样，屈灵于外物之下，这样，它便能抬高思想而使之以入神圣。’所以俞君！不作诗则已，要作诗决不能还死死地贴在平凡琐俗的境域里！”此文由梁实秋寄给《晨报副刊》后，一直杳无音讯。直到 1922 年 8 月梁实秋另作一篇《草儿评论》后，才与之合为《冬夜草儿评论》一书，列为“清华文学丛书”第一种，于同年 11 月由琉璃厂公记印书局出版。

同年 8 月，梁实秋作《草儿评论》一文，对康白情的《草儿》诗集进行了批评。梁实秋指出：“《草儿》全集 53 首诗，只有一半算得是诗，其余一半是真算不得诗。”他肯定了康白情擅长于写景的诗，如《日观峰看浴日》、《江南》和《晚晴》等诗尤为值得读者鉴赏。那么，为什么说有一半的诗算不得诗呢？在梁实秋看来，有的诗像“演说词”，如《别北京大学同学》、《植树节杂诗》等；有的诗近似“小说”，如《醉人的荷风》，尽是描写人物动作的话；有的诗像“记事文”，如《日光纪游》是一段简洁的“日记”等等。此外，梁实秋还批评康白情写诗感情太薄弱，想象太肤浅，忽视了诗的音节和韵脚。针对《草儿》所存在的问题，梁实秋探讨并阐发了有关诗歌艺术本身的特性问题。他认为，“诗的主要职务是抒情”，“原来诗的成就，即是以情感为中心的”。诗人写诗必须要有充沛的情感，“或是特别的委婉，或是特别的壮烈”，切忌在诗中说理议论，或客观的记事写景。另外，诗还要“情缘境生”。之所以在诗中不宜客观写景，是因为客观写景充其量不过是描绘出一幅“测量图”，而“情缘境生”则“把客观的景物主观的写出来”，“能把情景渗透，相融而莫分”。如杜甫的“感时花溅泪，恨别鸟惊心”等诗句便是主观写景，做到了“景真情挚，浑然莫辨”。而更重要的是，诗歌要有想象，“凭着想象，创造出美来，这是一切艺术美的原则，诗当然逃不出这个例去。”此外，梁实秋还特别指出诗要有音乐美，以及诗人要有“昂首天外的神情”和“潇洒的心胸”等等。

西谛（郑振铎）在同年 11 月 11 日的《时事新报·文学旬刊》上登出两篇短评，指摘梁实秋《草儿评论》中的有些说法是要诗人“超出现实”。而郭沫若则从日本写信给梁实秋，热情地赞扬了梁实秋的文章，他说：“如在沉黑的夜里得见两颗明星，如在蒸天的炎天得饮两杯清水……在海外得读两君评论，如逃荒者得闻人足者跫然。”（转引自徐静波：《梁实秋——传统的复归》，复旦大学出版社 1992 年版）

四月

1 日，歌德《少年维特之烦恼》（郭沫若译）由上海泰东图书局出版，列为《世界名家小说》第二种。

16 日，《晨报副镌》发表仲密（周作人）的《文艺上的异物》。该文援引安特来夫在《七个绞死者的故事》的序中名句：“我们的不幸，便是大家对于别人的心灵生命苦痛习惯意向愿望，都很少理解，而且几于全无。我是治文学的，我之所以觉得文学可尊者，便因其最高上的功业是拭去一切的界限与距离。”周作人以此为感，在本文中讨论了较为少见的“文艺异物”。周作人在文章中说：“古今的传奇文学里，多有异物——怪异精灵出现，在唯物的人们看来，都是些荒唐无稽的话，即使不必立刻排除，也总是了无价值的东西了。但是唯物的论断不能为文艺批评的标准，而且赏识文艺不用心神体会，却‘胶柱鼓瑟’的把一切叙说的都认作真理与事实，当作历史与科学去研究他，原是自己走错了路，无怪不能得到正当的理解。传奇文学尽有他的许多缺点，但是跳出因袭轨范，自由的采用任何奇异的材料，以能达到所欲得的效力为其目的，这却不能不说是一个大的改革，文艺进化上的一块显著的里程碑。”

周作人为证其说，遂以中外小说中出现的“僵尸”为例，说明了中外文学的某些不同。他说：“中国的僵尸故事大抵很能感染恐怖的情绪，舍意义而论技工，却是成功的了；《聊斋志异》里有一则‘尸变’……这可以算是一篇有力的鬼怪故事了。”

至于“外国的僵尸思想，可以分作南欧与北欧两派，以希腊及塞耳比亚为其代表。北派的通称凡披耳（Vampyr），从墓中出，迷魇生人，吸其血液，被吸者死复成凡披耳；又患狼狂病（Lycanthropia）者，俗以为能化狼，死后亦成僵尸，故或又混称‘人狼’（Vljkcdlak），性质凶残，与中国的僵尸相似。南派的在希腊古代称亚拉思妥耳（Alastor），在现代虽袭用斯拉夫的名称‘苻吕科拉加思’（Vrykolakas，原意云人狼），但从方言‘鼓状’（Tympaniaios）‘张口者’（Katachanas）等名称看来，不过是不坏而能行动的尸身，虽然也是妖异而性质却是和平的，民间传说里常说他回家起居如常人，所以正是一种‘活尸’罢了。他的死后重来的缘因，大抵由于精气未尽或怨恨未报，以横死或夭亡的人为多。古希腊的亚拉思妥耳的意思本是游行者，但其游行的目的大半在于追寻他的仇敌，后人便将这字解作‘报复者’，因此也加上多少杀伐的气质了。希腊悲剧上常见这类的思想，如爱斯吉洛思（Aischylos）的‘慈惠女神’（Eumenides）中最为显著，厄林奴思（Erinys）所歌‘为了你所流的血，你将使我吸你活的肢体的红汁。你自身必将为我的肉，我的酒，’即是好例。阿勒思德斯（Orestes）为父报仇而杀其母，母之怨灵乃借手厄林奴思以图报复，在民间思想图报者本为其母的僵尸，唯以艺术的关系故代以报仇之神厄林奴思，这是希腊中和之德的一例，但恐怖仍然存在，运用民间信仰以表示正义，这可以说是爱斯吉洛思的一种特长了。”

周作人认为，“近代欧洲各国亦有类似‘游行者’的一种思想，易卜生的戏剧《群鬼》里便联带说及，他这篇名本是《重来者》（Gengangere），即指死而复出的僵尸，并非与肉体分离了的鬼魂，第一幕里阿尔文夫人看见儿子和使女调戏，叫道‘鬼，鬼！’意思就是这个，这鬼（Ghosts）字实在当解作‘从〔死人里〕回来的人们’（Revenants）。条顿族的叙事民歌（Popular ballad）里也很多这些‘重来者’，如《门子井的妻》一篇，记死者因了母子之爱，兄弟三人同来访问他们的老母；但是因恋爱

而重来的尤多，《可爱的威廉的鬼》从墓中出来，问他的情人要还他的信誓，造成一首极凄婉美艳的民歌。威廉说，‘倘若死者为生人而来，我亦将为你而重来。’这死者来迎娶后死的情人的趣意，便成了《色勿克的奇迹》的中心，并引起许多近代著名的诗篇，运用怪异的事情表示比死更强的爱力。在这些民歌里，表面上似乎只说鬼魂，实在都是那‘游行者’一类的异物，《门子井的妻》里老母听说她的儿子死在海里了，她诅咒说，‘我愿风不会停止，浪不会平静，直到我的三个儿子回到我这里来，带了〔他们的〕现世的血肉的身体’，便是很明白的证据了。”

周作人在分析了中外文学中的异物之后，特别指出科学与文艺的不同，他说：“民间的习俗大抵本于精灵信仰（Animism），在事实上于文化发展颇有障害，但从艺术上平心静气的看去，我们能够于怪异的传说的里面瞥见人类共通的悲哀或恐怖，不是无意义的事情。科学思想可以加入文艺里去，使他发生若干变化，却决不能完全占有他，因为科学与艺术的领域是迥异的。明器里人面兽身独角有翼的守坟的异物，常识都知道是虚假的偶像，但是当作艺术，自有他的价值，不好用唯物的判断去论定的。文艺上的异物思想也正是如此。我想各人在文艺上不妨各有他的一种主张，但是同时不可不有宽阔的心胸与理解的精神去赏鉴一切的作品，庶几能够贯通，了解文艺的真意。”

浙江青年诗人冯雪峰、应修人、潘漠华、汪静之等在杭州组织湖畔诗社，出版了第一部诗集《湖畔》，次年年底又出版了《春的歌集》。朱自清在评价《湖畔》诗集时说：“大体说来，《湖畔》里的作品都带着些清新和缠绵底风格；少年的气氛充满在这些作品里。这因作者都是二十上下的少年，都还剩着些烂漫的童心；他们住在世界里，正如住在晨光来时的薄雾里。他们究竟不曾和现实相肉搏，所以还不至十分颓唐，还能保留着多少清新的意态。就令有悲哀底景闪过他们的眼前，他们坦率的心情也能将他融合，使他再没有回肠荡气底力量；所以他们便只有感伤而无愤激了。——就诗而论，便只见委婉缠绵的叹息而无激昂慷慨的歌声了。但这正是他们之所以为他们，《湖畔》之所以为《湖畔》。有了‘成人之心’的朋友们或许不能完全了解他们的生活，但在人生底旅路上走乏了的，却可以从他们的作品里得着很有力的安慰；仿佛幽忧的人们看到活泼泼的小孩而得着无上的喜悦一般。”（朱自清：《读〈湖畔〉诗集》，《朱自清全集》第4卷第57页，江苏人民出版社1996年版）

五月

7日，综合性周刊《努力周报》创刊。英文名为“The Endeavor”。由胡适发起。1923年10月21日停刊。共出75期。北京努力周报社编。创刊号的“发刊词”为胡适所作的《努力歌》。其中写道：“朋友们，/我们唱个‘努力歌’：/‘不怕阻力！/不怕武力！/只怕不努力！/努力！努力！’//‘阻力少了！/武力倒了！/中国再造了！/努力！努力！’”据胡适说，《努力周报》的创办与丁文江有莫大关系：“在君是最早提倡的人，他向来主张，我们有职业而不靠政治吃饭的朋友应该组织一个小团体，研究政治，讨论政治，作为公开的批评政治或提倡政治革新的准备。”（胡适：《丁文江的传记》，转引自欧阳哲生编：《胡适文集》第7卷第442～443页，北京大学出版社1998

年版）

《努力周报》第 2 期推出了由胡适起草，蔡元培领衔，王崇惠、李大钊等 16 人签署的《我们的政治主张》，宣传“好政府”的政治主张。该文是以胡适、丁文江为首的小群体矢力于政治的纲领性文件，该主张宣示的改革道路，“第一步在于好人需有奋斗精神”，“凡是社会上的优秀分子，应该为自卫计，为社会国家计，出来和恶势力奋斗”，以戮力促成“好人政府”目标的实现。宣言发表后，引起了知识阶层的广泛关注，包括《努力周报》、北京《晨报》、《益世报》、上海《民国日报》以及《先驱》等各具背景的报纸杂志发表了多篇回应之作，由此在全国范围内掀起了一个“好政府主义”的讨论。丁文江积极参与其间，并就有关观点反复辨析，他认为，政治之糜烂是百事不可为的主因，因此改良政治实为变革社会的首要之图，也是最易着手最易见效的环节；知识阶层应肩负起议政的责任，与此同时不忘加强自身修养，尤其应用科学的态度尽可能地研究政治的各相关层面，以作改良政治之依据。（参见丁文江：《答关于〈我们的政治主张〉的讨论》，《努力周报》第 6 期，1922 年 6 月 11 日。）

11 日，沈雁冰以“郎损”为笔名在《文学旬刊》发表《〈创造〉给我的印象》一文（《文学旬刊》第 37 ~ 39 期连载），逐篇评论《创造》创刊号的文章。该文先是委婉反驳了郁达夫对他的批评，说：“我先得声明，我并不是‘在新闻杂志上主持文艺的’人，当然不生批评家真假的问题，不过我现在却情愿让郁君骂是假批评家，骂是该‘到清水粪坑里去和蛆虫争食物去’的假批评家。”然后，他便对《创造》季刊创刊号上的作品阐述了看法。

对于张资平的小说《她怅望着祖国的天野》，沈雁冰首先肯定了作品“为一个平常的不幸福的女子鸣不平”，但“结构不是短篇小说的结构，”“未曾畅意的描写，颇有些急就粗制的神气”；对于田汉的《咖啡店之一夜》，沈雁冰认为，“这篇东西未必能有怎样多的读者感受到真正的趣味”；对于郁达夫的《茫茫夜》，他指出：“肯自承认而且自知，我以为这就是《茫茫夜》的主人翁所以可爱的地方。除此点而外，若就命意说，这篇《茫茫夜》只是一段人生而已，只是一个人所经过的一片生活，及其当时的零碎感想而已，并没有怎样深湛的意义。似乎缺少了中心思想。但描写得很好，使人很乐意的看下去。”沈雁冰在文中进一步指出：“创造社诸君的著作恐怕也不能竟说可与世界不朽的作品比肩罢。所以我现在觉得与其多批评别人，不如自己多努力，而想当然的猜想别人是‘党同伐异的劣等精神，和卑陋的政客者流不相上下’，更可不必。真的艺术家的心胸，无有不广大的呀。我极表同情于《创造》社诸君，所以更望他们努力！更望把天才两字写出在纸上，不要挂在嘴上，这话也许太唐突了，但我确有这感想，而且朋友们中也确有这些同样的感想，所以还是老老实实说出来罢。”

鲁迅译俄国阿尔志跋绥夫的小说《工人绥惠诺夫》单行本由商务印书馆出版，为《文学研究会丛书》之一。

周作人、鲁迅、周建人合译的《现代小说译丛》由商务印书馆出版，列入《世界丛书》，仅出第一集。收 8 个国家 18 位作家的小说 30 篇，其中鲁迅翻译的有 3 个国家 6 位作家的小说 9 篇。

文学研究会成员的短篇小说创作集《小说汇刊》，由商务印书馆出版。收叶圣陶、佩弦、庐隐等7人作品16篇。

田汉的日记集《蔷薇之路》由上海泰东书局出版。

六月

15日，中共中央发表《中国共产党对于时局的主张》一文。该文分析了自辛亥革命以后，国际帝国主义和中国封建军阀相互勾结，压迫中国人民的历史和现状，指出帝国主义的侵略和军阀政治是中国内忧外患的根源，也是人民受痛苦的根源。无产阶级目前的任务是反对帝国主义和封建军阀的双重压迫。

21、22日，周作人的《论小诗》发表于《晨报副镌》。该文考察了“小诗”的来由，指出：“所谓小诗，是指现今流行的一行至四行的小诗。这种小诗在形式上似乎有点新奇，其实只是一种很普通的抒情诗，自古以来便已存在的。本来诗是‘言志’的东西，虽然也可用以叙事或说理，但其本质以抒情为主。情之热烈深切者，如恋爱的苦甜，离合生死的悲喜，自然可以造成种种的长篇巨制，但是我们日常的生活里，充满着没有这样迫切而也一样的真实的感情；他们忽然而起，忽然而灭，不能长久持续，结成一块文艺的精华，然而足以代表我们这刹那的内生活的变迁，在或一意义上这倒是我们的真的生活。如果我们‘怀着爱惜这在忙碌的生活之中浮到心头又复随即消失的刹那的感觉之心’，想将他表现出来，那么数行的小诗便是最好的工具了。中国古代的诗，如传说的周以前的歌谣，差不多都很简单，不过三四句。诗经里有许多篇用叠句式的，每章改换几个字，重复咏叹，也就是小诗的一种变体。后来文学进化，诗体渐趋于复杂，到了唐代算是极盛，而小诗这种自然的要求还是存在，绝句的成立与其后词里的小令等的出现都可以说是这个要求的结果。别一方面从民歌里变化出来的子夜歌懊侬歌等，也继续发达，可以算是小诗的别一派，不过经文人采用，于是乐府这种歌词又变成了长篇巨制了。”

文学研究会编辑的诗集《雪朝》由商务印书馆出版。收朱自清、周作人、俞平伯、徐玉诺、郭绍虞、刘延陵等8人诗作。另有郑振铎的《短序》一篇。在序中，郑振铎说：“诗歌的声韵格律及其他种种形式上的束缚，我们要一概打破”，“我们要求‘真率’，有什么话便说什么话，不隐匿，也不虚冒。我们要求‘质朴’，只是把我们心里所感到的坦白无饰地表现出来。”

七月

10日，《小说月报》第13卷第7号发表了沈雁冰的《自然主义与中国现代小说》一文。该文首先批判了旧派小说。在沈雁冰看来，“中国现代的小说，就他们的内容与形式或思想与结构看来，大约可以分作新旧两派”。而旧派小说可分为三种。“第一种是旧式章回体的长篇小说……此派小说大概是用白话做的，描写的也是现代的人事，只可惜他们的作者大都不是有思想的人，而且亦不能观察人生入其堂奥；凭着他们肤浅的想像力，不过把那些可怜的胆怯的自私的中国人的盲动生活填满了他的书罢了，再加上作者誓死尽忠、牢不可破的两个观念，就把全书涂满了灰色。这两个观念是相反的，然而同样的有毒：一是‘文以载道’的观念，一是‘游戏’的观念。”

至于第二种旧派小说，沈雁冰认为“又可分为（甲）（乙）两系，他们同源出于旧章回体小说，然而面目略有不同。甲系完全抄袭了旧章回体的腔调和意境，又完全模仿旧章回体小说的描写法……这一类小说，也有用文言写的，也有用白话写的，也有长篇，也有短篇；除却承受了旧章回体小说描写上一切弱点而外，又加上些滥调的四六句子，和《水浒》腔《红楼》腔混合的白话。思想方面自然也是卑陋不足道，言爱情不出才子佳人偷香窃玉的旧套，言政治言社会，不外慨叹人心日非世道沦夷的老调。乙系是一方剿袭旧章回体小说的腔调和结构法，他方又剿袭西洋小说的腔调和结构法，两者杂凑而成的混合品。”

第三种旧派小说是“短篇居多，文言白话都有……只可惜他们既然会看原文的西洋小说，却不去看研究小说作法与原理的西文书籍，仅凭着遗传下来的一点中国的小说旧观念，只往粗处摸索，采取西洋短篇小说里显而易见的一点特别布局法而已。”

在批判了旧派小说的种种弊病之后，沈雁冰大力提倡自然主义。他说：“自然主义者最大的目标是‘真’……所以若求严格的‘真’，必须事事实地观察。这事事必先实地观察便是自然主义者共同信仰的主张。……自然主义是经过近代科学的洗礼的；他的描写法，题材，以及思想，都和近代科学有关系。”据此，沈雁冰认为“现在国内有志于新文学的人，都努力想作社会小说，想描写青年思想与老年思想的冲突，想描写社会的黑暗方面，然而仍不免于浅薄之讥，我以为都因作者未曾学自然派作者先事研究的缘故。作社会小说的未曾研究过社会问题，只凭一点‘直觉’，难怪他用意不免浅薄了。想描写社会黑暗方面的人，很执着的只在‘社会黑暗’四个字上做文章，一定不会做出好文章来的。我们应该学自然派作家，把科学上发见的原理应用到小说里，并该研究社会问题，男女问题，进化论种种学说。否则，恐怕没法免去内容单薄与用意浅显两个毛病。即使是天才的作者，这些预备似乎也是必要的。”

沈雁冰最后还逐一辩驳了四种对于自然主义的“怀疑论”，并申明了对崇尚天才的浪漫主义文学的态度：“我虽然反对那类乎鼓吹盲动的‘自由创造’说，而对于真有天才并研究了文学的作者的真正的‘自由创造’却是十二分的钦敬和欢迎。”在此以前，该刊第 13 卷 5 号、6 号以“自然主义的论战”为标题，曾发表了沈雁冰与周赞襄、长虹、周志伊等多人的通信。

27 日，郭沫若在上海《时事新报·学灯》上发表了《论文学的研究与介绍》一文。该文是针对沈雁冰有关翻译问题的看法而写的。沈雁冰曾在与万良浚的通信中表示：“翻译《浮士德》等书，在我看来，也不是现在切要的事；因为个人研究固能唯真理是求，而介绍给群众，则应该审度事势，分个缓急。”（载《小说月报》第 13 卷第 7 期）郑振铎也曾在《盲目的翻译家》中说：“在现在的时候来译但丁（Dante）的《神曲》，莎士比亚的《韩美雷特》（Hamlet），贵椎（Geothe）的《法鸟斯林》（Faust），似乎也有些不经济吧。翻译家呀！请先睁开眼睛来看看原书，开开（疑为“看看”——编者按）现在的中国，然后再从事于翻译。”（郑振铎：《盲目的翻译家》，《时事新报·文学旬刊》第 3 期，1921 年 6 月 30 日。）而郭沫若却认为他们的看法是错误的，“是专擅君主的态度”。

旧派文学家组成的通俗文学团体青社成立于上海，发起人有徐卓呆等。

沈雁冰在《松江第一次暑期学术演讲会演讲录》第1期上发表《文学与人生》，强调“作家的人格，也甚重要”，“大文学家的作品，那怕受时代环境的影响，总有他的人格融化在里头。”

八月

1日，郁达夫在上海《时事新报·学灯》发表《论国内的评坛及对我对于创作上的态度》，阐述创造社的文艺理论主张，并对沈雁冰的《〈创造〉给我的印象》一文提出反批评。郁达夫指责沈雁冰等人“藏在一个匿名之下，谈几句笼统活脱的俏皮话来骂人”，“未能堂堂正正地布出论阵来”。对于沈雁冰等人主张文艺的功利性，郁达夫表示了明确反对。他说：“至于艺术上的功利主义的问题，我也曾经思索过。假使创作家纯以功利主义为前提从事创作，上之想借文艺为宣传的利器，下之想借文艺为糊口的饭碗。这个敢定一句，都是文艺的堕落，隔离文艺的精神太远了。这种作家惯会迎合时势，他在社会上或者容易收获一时的成功，但他的艺术……绝不会有永远的生命。”对于郑振铎等人提倡的描写下层人民的“血与泪”的文学，郁达夫也不完全赞成。他说：“由个人的苦闷可以反射出社会的苦闷来，可以反映出全人类的苦闷来，不必定要精赤裸裸地描写社会的文字，然后才能算是满纸的血泪。”

针对郁达夫和郭沫若的批评，沈雁冰、郑振铎分别撰写了文章予以反驳。沈雁冰就是否应写“血与泪”的文学问题，特别指出：“处中国现在这政局之下，这社会环境之内，我们有血的，但凡不曾闭了眼，聋了耳，怎能压着我们的血不沸腾？从自己热烈地憎恶现实的心境发出呼声，要求‘血与泪’的文学，总该是正当而且合于‘自由’的事。”（沈雁冰：《介绍外国文学作品的目的》，《时事新报·文学旬刊》第45期，1922年8月1日。）

2日，郁达夫在《时事新报·学灯》发表《〈女神〉之生日》。该文一方面认为：“中国自新文化运动开始以后，各人都岌岌于自己的地位与利益，只知党同伐异，不知开诚布公，到了目下终至演出甲派与乙派争辩，A团与B团谩骂的一种怪现象来。”另一方面，郁达夫又希望跟文学研究会消除意气，友好合作。他说：“想请目下散在的研究文学的人，大家聚拢来谈一谈，好把微细的感情问题，便于一党一派的私见，融和融和，立个将来的百年大计。”为此，郁达夫倡议于8月5日晚上举行《女神》生日纪念会。以便“我们研究文学的人大家聚集一次，开诚布公的谈谈我们胸中所蕴积的语言，同心协力的想个以后可巩固我们中国新文学的方略。”后郁达夫与郭沫若到闸北拜访郑振铎，邀请他和文学研究会的其他作家参加纪念会，郑振铎欣然应允。

5日，郁达夫在上海一品香旅社如期举行了“《女神》会”，纪念郭沫若的《女神》出版一周年。应邀到会的除了创造社作家外，还有文学研究会的郑振铎、沈雁冰、谢六逸、庐隐等。会后拍照留念，但组织作家协会一事，却终未实现。而且，郭沫若与沈雁冰等人的矛盾却愈演愈烈。

25日，《创造》季刊第1卷第2期出版。郭沫若发表了《批判意门湖译本及其他》

一文。文中不仅详细列举了文学研究会出版的《意门湖》（唐性天译）的译文错误，并对沈雁冰发表的《〈创造〉给我的印象》一文进行了激烈抨击。郭沫若说沈雁冰跟“党同伐异的劣等精神和卑劣的政客者流不相上下”，是“鸡鸣狗盗式的批评家”，惯于使用“藏名匿姓，不负责任”、“吞吞吐吐，射影含沙”、“人身攻击，自标盛德”、“挑剔人语，不立论衡”等手法，不敢“堂堂正正地布出论阵来”，“犹抱琵琶半遮面”，“在那里白描空吠”。至于对《〈创造〉给我的印象》一文本身却未做只言片语的评析。

沈雁冰不甘示弱，于同年 9 月 1 日《时事新报 · 文学旬刊》第 48 期上发表了《“半斤”VS“八两”》一文，作为答复。在此文中，沈雁冰先是对自己的化名“损”作了解释，说它是“公开的化名”，“凡认识我的，大概都知道”，并非“胆小”而不敢用真名。同时，他认为，《〈创造〉给我的印象》一文是由于郭沫若“党同伐异”的一句“激将法”激出来的，“并非轻看《创造》，和《晨报》副刊的《估〈学衡〉》是不同的，却不料又因此开罪了。”针对郭沫若的责难，沈雁冰进一步追问道：“难道大半页捕风捉影的‘空吠’——原词奉璧——就算是堂堂正正的论阵么?”

此外，郑振铎也发表了致郭沫若的信，对他批评《意门湖》表示感谢，并说明文学研究会之所以会出版该书，是因为该书的译成还在郭沫若译出此书之前，他们没有英译本，又没有注释完备的德日对照本，因而无从知道有无错误。但是，他也指出郭沫若在批评中“夹以辱及人格的谩骂”是不应该的，特别是“关于沈君的一些话”，“太谩骂了些”。（载《时事新报 · 文学旬刊》第 48 期，1922 年 9 月 1 日。）

《红》杂志创刊。这是一份通俗文学刊物，由严独鹤主编。在发刊词中，严独鹤说：“红者心血，灿烂有光，斯红杂志盖文人心血之结晶体耳。以文人心血之结晶，贡诸社会，文字有灵，当不为识者所弃也。”按照通俗文学界的一种“文字游戏”，在一个刊物的创刊号上，往往登载一篇以刊名为题的小说，以示庆贺。《红》杂志的创刊号上即登载了严独鹤为刊物所撰的同名小说《红》。这篇小说后来被笑舞台编为新戏《女客串》，大为成功。

郁达夫在《夕阳楼日记》中未点名地批评余家菊所译的《人生之意义与价值》一书中译文的错误，由此引起创造社与胡适派文人的一场笔战。胡适在《努力周报》第 20 期发表《骂人》，指责郁达夫和创造社其他成员。《创造》季刊第 3 期发表郭沫若的《反响之反响》和成仿吾的《学者的态度》，反驳胡适的责难。

郑振铎在《小说月报》第 13 卷第 8 期发表《文学的统一观》，主张“综合一切人间的文学，以文学为主观点，而为统一的研究”。自 1924 年起他在《小说月报》上发表《文学大纲》，1926 年由商务印书馆出版。

“湖畔”诗人汪静之的诗集《蕙的风》由亚东图书馆出版。朱自清、胡适、刘延陵为诗集作序。周作人题写书名。

朱自清在《蕙的风》序中说：“静之的诗颇有些像康白情君。他有诗歌底天才；他的诗艺术虽有工拙，但多是性灵底流露。他说自己‘是一个小孩子’；他确是二十岁的一个活泼泼的小孩子。这一句自白很可以帮助我们了解他的人格和作品。小孩子天真烂漫，少经人间世底波折，自然只有‘无关心’的热情弥满在他的胸怀里。所以他的诗多是赞颂自然，咏歌恋爱。所赞颂的又只是清新，美丽的自然，而非神秘，伟大的自然；所咏歌的又只是质直，单纯的恋爱，而非缠绵，委曲的恋爱。这才是孩子们洁白的心声，坦率的少年的气度！而表现法底简单，明了，少宏深，幽渺之致，也正显出作者底本色。他不用锤炼底工夫，所以无那精细的艺术，但若有了那精细的艺术，他还能保留孩子底心情么？我们现在需要最切的，自然是血与泪底文学，不是美与爱底文学；是呼吁与诅咒底文学，不是赞颂与咏歌底文学。可是从原则上立论，前者固有与后者并存底价值。因为人生要求血与泪，也要求美与爱，要求呼吁与诅咒，也要求赞叹与咏歌：二者原不能偏废。但在现势下，前者被需要底比例大些，所以我们便迫切感着，认为'先务之急'了。虽是'先务之急'，却非'只此一家'，所以后一种的文学也正有自由发展底馀地。这或足为静之以美与爱为中心意义的诗，向现在的文坛稍稍辩解了。况文人创作，固受时代和周围底影响，他的年龄也不免为一个重要关系。静之是个孩子，美与爱是他生活底核心；赞颂与咏叹，在他正是极自然而适当的事。他似乎不曾经历着那些应该呼吁与诅咒的情景，所以写不出血与泪底作品。若教他勉强效颦，结果必是虚浮与矫饰；在我们是无所得，在他却已有所失，那又何取呢！所以我们当客观地容许、领解静之底诗，还他们本来的价值；不可仅凭成见，论定是非：这样，就不辜负他的一番心力了。"

胡适则在序言中写道："我读静之的诗，常常有一个感想：我觉得他的诗在解放一方面比我们做过旧诗的人更彻底的多。当我们在五六年前提倡做新诗时，我们的'新诗'实在还不曾做到'解放'两个字……一时不容易打破旧诗词的镣铐枷锁……直到最近一两年内，又有一班少年诗人出来；他们受的旧诗词的影响更薄弱了，故他们的解放也更彻底。静之就是这些少年诗人之中的最有希望一个。他的诗有时未免有些稚气，然而稚气究竟远胜于暮气；他的诗有时未免太露，然而太露究竟远胜于晦涩。"

鲁迅也曾于1921年夏写信给汪静之，认为他的诗"情感自然流露，天真而清新，是天籁，不是硬做出来的。然而颇幼稚，宜读拜伦、雪莱、海涅之诗，以助成长。"（转引自汪静之：《蕙的风》第225页，漓江出版社1992年版）

诗集《蕙的风》问世以后引起了争议。胡梦华先后发表《读了〈蕙的风〉以后》和《悲哀的青年》，攻击其中一些爱情诗"堕落轻薄"，"有不道德的嫌疑"，并与章洪熙（即章衣萍）展开辩论。鲁迅与11月17日在《晨报副刊》发表《反对"含泪"的批评家》，批驳胡梦华。在此前后，周作人就因《沉沦》和《蕙的风》而引起的关于"文艺与道德"问题的讨论多次发表意见，并为两部作品辩护。

周作人在《什么是不道德的文学》一文中指出："胡君批评《蕙的风》的话最重要的是'有不道德的嫌疑'，'故意公布自己兽性的冲动'，'变相的提倡淫业'，'应当严格取缔'！我不知道汪君情诗之所以不道德，因为什么缘故：是因为讲性爱呢，还是因为讲的欠含蓄呢？倘若是因为欠含蓄，那么这是技术上的问题，决不能牵涉到道德上去。然则他的不道德，一定是由于讲性爱了。我不明白为什么性爱是如此丑恶……中国即使性教育一点都不发达，青年的意志也还不至于这样变态的薄弱，见了接吻拥抱字样便会堕落到罪恶里去。世界上有什么地方，在文学上禁用这些字样？英美的勃来克惠得曼的话不去引用也罢，因为他们都是'堕落派'，至于圣书里的诗文，那便是纯正的'批评家'也没有指斥的勇气了罢。（参考《中华新报》双十节增刊中胡君论文)。请看《雅歌》里的这一句话,‘你的嘴唇滴蜜,如像蜂房滴蜜’,比‘那样的亲吻异样甜蜜’如何?……倚了传统的威势去压迫异端的文艺,当时可以暂占优势,但在后世看去往往只是自己‘献丑’,在文学史上很多这种前车之鉴,不可不注意一点。《波伐理夫人》和《结婚》的公诉事件,在当日岂不是自命为维持风纪的盛举,却只落得留作法利赛人的卑怯的证据罢了。所谓严格取缔是否即用了法律的制裁,没有说明,不好任意断定,但是不得不说是同一派路,因为无论评论道德或法律的神圣的名去干涉艺术,都是发利赛人的行为。”(周作人:《什么是不道德的文学》,《晨报》副刊,1922 年 11 月 1 日。)

同时,周作人还在《情诗》中进一步指出:“静之的情诗……倘若由传统的权威看去,不特是有嫌疑,确实是不道德的了。这旧道德上的不道德,正是情诗的精神,用不着我的什么辩解。静之因为年岁与境遇的关系,还未有热烈之作,但在他那缠绵婉转的情诗里,却尽有许多佳句。我对于这些诗的印象,仿佛是散在太空里的宇宙之爱的彩霞,被静之用了捉蝴蝶的网兜住了不少,在放射微细的电光。所以见了《蕙的风》里的‘放情地唱’,我们应该认为诗坛解放的一种呼声,期望他精进成就,倘若大惊小怪,以为‘革命也不能革到这个地步’,那有如见了小象还怪他比牛大,未免眼光太短了。”(周作人:《自己的园地》,北新书局 1923 年版)

徐玉诺的诗集《将来之花园》由商务印书馆出版。徐为早期文学研究会的诗人。他的这本诗集收诗 95 首,另有西谛(郑振铎)的《卷头语》和叶绍钧的《玉诺的诗》。全书分《海鸥》和《将来之花园》两辑。西谛在《卷头语》中说:“玉诺曾闪耀着美丽的将来之梦,他也想细细心心的把他心中更美丽,更新鲜,更适合于我们的花纹组在上边;预备着小孩子们的花园。但是挽歌般的歌声,却较这朦胧梦境之希望来得响亮多了。”

许地山的小说《落花生》发表于《小说月报》第 13 卷第 8 号。

九月

瞿秋白的《饿乡纪程》(又名《新俄国游记》)由商务印书馆出版。1924 年 6 月又由该馆出版《赤都心史》。二书系作者 1920 年—1923 年任《晨报》驻莫斯科记者期间所写的通讯和散文。

十月

22 日,吴宓的《写实小说之流弊》一文发表于北京《中华新报》。该文一反新文学家对写实文学的大力倡导,转而提出了写实小说的诸多问题。文章说:“吾国今日所盛行者,写实小说也。细分之可得三派:一则翻译俄国之短篇小说,专写劳工贫民之苦况。愁惨黑暗,抑郁愤激,若将推翻社会中一切制度而为快者。二则如上海风行之各种黑幕大观及《广陵潮》、《留东外史》之类,描写吾国社会人生,穷形尽相,绘影传声,刻薄尖毒,严酷冷峭……三则为少年人所最爱读之各种小杂志……惟叙男女恋爱之事。然所写皆淫荡猥亵之意,游冶欢宴之乐,饮食征逐之豪,装饰衣裳之美。可谓之好色而无情，纵欲而忘德。”吴宓认为，“凡此皆吾国今日之写实小说也。其中固不乏一二佳作，然大体如此。有心人将谓之何？尤可慨者，吾国之新文学家，其持论乃常以写实小说为小说中之上乘、之极轨，而不分别优劣，并言利弊。惟尊写实小说而压倒一切，其余悉于摈斥。是不啻于上言三派之劣作，亦承认其为文学之精华巨制也。是乌可乎！写实小说之佳者，固极可称，而其中流弊亦不可不知。”

在吴宓看来，写实小说之弊，在于“刻画过度，描摹失真，诲淫失德戕性堕志。”而其所以为弊者，则有二因：“一曰有悖文学之原理也。小说 Novel 为稗史 Fiction 之一种。凡稗史所载，事皆虚构，但求其入情入理，尽善尽美，固不问其确符于某时某地之情形否也。纵能尽合，亦不为工……故小说中所写之人生，必情真理真，而不求其时真地真也。徒抄一种实境，不能为小说。以其未经过真境而达幻境也。”而写实小说之佳作，“其中所写者绝非原来之实境，乃幻境之最真者耳。其于剪裁及渲染之法，用之至多。特读者不察，只觉其多有合于我所历之实境，而遂信之为真耳。”写实小说中的劣等之作，则“惟以抄袭实境为能事，而不用剪裁及渲染之法。故所得者生吞活剥，狼藉杂凑，不合因果之律，绝少美善之资。虽其字字皆有所本，节节皆系实录，亦奚取焉！综而言之，小说须写由真境蜕化而出之幻境，以幻写真，而不可描摹未经剪裁及渲染之实境。而不可以直抄而以真为法也。故劣下之写实小说，纵其所写者实，亦有悖于文学之原理矣。”“二曰以不健全之人生观示人也。语所谓大盗不操戈矛者，其惟写实派小说家乎？彼其言曰：我毫无所主张……我纯凭客观，但就我所见所闻所历之实象描摹一二，语必征实，事皆有本；我只搬运传达而已，无所爱憎于其间。读吾书者，或为善，或为恶，皆非我之责，是世事如此有以致之也。以上云云，固属有理。殊不知人生至广漠也，世事至复杂也，作者势必选其一部以入书，而遗其他。即此选择去取之间，已自抱定一种人生观以为标准。而于无意之中，以此种人生观转授他人。虽曰客观，仍主观也……故每一小说作者，必抱定一种人生观，以此传授他人。此势所不能免。而所贵者，即其所抱之人生观，须甚健全是也。”因此，吴宓认为“若事实逼真，而人生观不健全，则在所不取。以其能导人于恶，或养成抑郁沉闷之心境，颓废堕落之行事故也。总之欲为佳小说，不限于写实也。即欲为甚佳之写实小说，亦不必假手于不健全之人生观也。乃世之操笔为写实小说者，多犯此病。即以不健全之人生观教人，而犹借词不负其咎，是可叹也。”

由此，吴宓极力批判那些具有“不健全人生观”的写实小说，并从托尔斯泰、佐拉等人的作品分析中，进一步批判了写实小说所存在的问题。文章最后说：“综上所论，吾非谓写实小说不可作也。盖谓写实小说而外，他派小说亦当撰作。而作写实小说者，亦须力求精美，免除流弊。不当专作劣下之写实小说耳。”

同年 11 月 1 日，沈雁冰在《文学旬刊》第 54 期发表《“写实小说之流弊”?》（署名“冰”）一文，反驳了吴宓对写实主义的批评。

北社编《新诗年选》（1919 年）集由亚东图书馆出版。

王统照的长篇小说《一叶》由上海商务印书馆出版。

成仿吾在评论《一叶》时说：“在我们现在这种缺少创作力……尤其是缺少长篇的创作的文学界，除了资平的《冲积期化石》，王统照君的《一叶》要算是长篇大作了。”他认为，《一叶》不仅与《冲积期化石》同是现在“仅有的长篇”，就连“结构上也差不多同是一样。”“《一叶》不必是模仿《冲积期化石》，然而《冲积期化石》那样的结构，我个人是不大喜欢，在《创造》一卷三期上给沫若的信中，似乎我曾说过，《一叶》又用了这种结构，我是为《一叶》的内容，不是如《冲积期化石》那般不能任意宰割的。《冲积期化石》是一个整块，《一叶》却是由数个小块结成的，所以我想《一叶》的开场，为避开过长的倒叙可以不由在王志伯家说起。”此外，成仿吾还认为该作在具体叙述和细节上存在着矛盾，“对于修词似乎太不讲究”。尽管《一叶》有不少缺点，但成仿吾也肯定了该作的许多长处，如“全体用的都是第一人称，这是很好的。”“它的好处颇多，即使还有也不过是微瑕罢。《一叶》成功的地方，在能利用那四个插话，表出在运命掌中辗转的人类之无可奈何的悲哀，使谁看了，也要感到一种不知从何而来的悲哀的醺醉。它所以成功的原因，固由于那四个插话的哀婉，然而作者能到处维持那种美丽的情绪，确是一个重大的原因。至于何以能维持那种美丽的情绪，那倒是处理 Treatment 上自然的结果，作者既能够（有意识地或无意识地我可不知）把这些人生的现象的一小部，关连于全体 relative to the whole 表现出来，那种美丽的情绪，倒像是一件附属品（关于这种处理，我想有暇时再说）。至于他发见了爱与悲哀并行，那也是自然的，因为没有爱何以有悲哀呢?”（成仿吾：《〈一叶〉的评论》，原载 1927 年上海创造社出版部版《使命》。转引自冯光廉、刘增人编：《王统照研究资料》，宁夏人民出版社 1983 年版）

十一月

1 日，壬戌学制公布。又称“新学制”，是由全国教育联合会发起、酝酿和讨论修定，最后以大总统令公布的。这是在中国实行的美国教育模式。

沈雁冰先后在《文学旬刊》第 54 期和《小说月报》第 13 卷第 11 期发表《“写实小说之流弊”?》和《真有代表旧文化旧文艺的作品么?》、《反动?》等文，批驳“学衡派”及“鸳鸯蝴蝶派”。

《真有代表旧文化旧文艺的作品么?》一文不同意有些人把“礼拜六派看作是旧文化旧文艺”的代表，并引《晨报》副刊上一篇《杂感》中的话，说它们“只是现代的恶趣味——污毁一切的玩世纵欲的人生观。”“礼拜六派的文人……把人生当作游戏、玩弄、笑谑；他们并不想享乐人生，只把他百般揉搓使他污损为快。”“我们为要防止中国人都变‘猿猴之不肖子’的缘故，觉得有反抗这派运动之必要；至于为文学前途计，倒还在其次，因为他们的运动在本质上不能够损及新文学发达的分毫。”

《反动?》一文则认为礼拜六派的通俗刊物不是“反动”，而是“潜伏在中国国民性里的病菌得了机会而作的最后一次发泄”。文章提出了“治标不如治本”的解决办法：“我们一方面固然要常常替可爱的青年指出‘通俗刊物’里的误谬思想与浅薄技能，一方面亦要从根本努力，引青年走上人生的正路。”

陈独秀的文集《独秀文存》由亚东图书馆出版。陈独秀在该书《自序》中谈到：“亚东主人将我近几年来所做的文章印行了。”“我这几十篇文章，不但不是文学的作

品，而且没有什么有系统的论证，不过直述我的种种直觉罢了；但都是我的直觉，把我自己心里要说的话痛痛快快的说将出来，不曾抄袭人家的说话，也没有无病而呻的说话，在这一点，或者有出版的价值。在这几十篇文章中，有许多不同的论旨，就此可以看出文学是社会思想变迁底产物，在这一点，也或者有出版的价值。”

十二月

3日，鲁迅编定了他的第一本小说集《呐喊》，次年由北京新潮社出版，列为新潮社《文艺丛书》之一，收1918年到1922年所作小说15篇（再版时抽出《不周山》）。1926年10月改由北新书局出版，列为自编《乌合丛书》之一。

鲁迅在《呐喊》的《自序》中回顾了自己过去的的生活道路和思想发展。同时还谈到了自己的精神苦闷，他说：“我感到未尝经验的无聊，是自此以后的事。我当初是不知其所以然的；后来想，凡有一人的主张，得了赞和，是促其前进的，得了反对，是促其奋斗的，独有叫喊于生人中，而生人并无反应，既非赞同，也无反对，如置身毫无边际的荒原，无可措手的了，这是怎样的悲哀呵，我于是以我所感到者为寂寞。这寂寞又一天一天的长大起来，如大毒蛇，缠住了我的灵魂了。然而我虽然自有无端的悲哀，却也并不愤懑，因为这经验使我反省，看见自己了：就是我决不是一个振臂一呼应者云集的英雄。只是我自己的寂寞是不可不驱除的，因为这于我太痛苦。我于是用了种种法，来麻醉自己的灵魂，使我沉入于国民中，使我回到古代去，后来也亲历或旁观过几样更寂寞更悲哀的事，都为我所不愿追怀，甘心使他们和我的脑一同消灭在泥土里的，但我的麻醉法却也似乎已经奏了功，再没有青年时候的慷慨激昂的意思了。”

正是为了摆脱这种苦闷，推翻禁锢国民灵魂的“铁屋子”，鲁迅着手创作了《呐喊》。他说：“在我自己，本以为现在是已经并非一个切迫而不能已于言的人了，但或者也还未能忘怀于当日自己的寂寞的悲哀罢，所以有时候仍不免呐喊几声，聊以慰藉那在寂寞里奔驰的猛士，使他不惮于前驱。至于我的喊声是勇猛或是悲哀，是可憎或是可笑，那倒是不暇顾及的；但既然是呐喊，则当然须听将令的了，所以我往往不恤用了曲笔，在《药》的瑜儿的坟上平空添上一个花环，在《明天》里也不叙单四嫂子竟没有做到看见儿子的梦，因为那时的主将是不主张消极的。至于自己，却也并不愿将自以为苦的寂寞，再来传染给也如我那年青时候似的正做着好梦的青年。这样说来，我的小说和艺术的距离之远，也就可想而知了，然而到今日还能蒙着小说的名，甚而至于且有成集的机会，无论如何总不能不说是一件侥幸的事，但侥幸虽使我不安于心，而悬揣人间暂时还有读者，则究竟也仍然是高兴的。所以我竟将我的短篇小说结集起来，而且付印了，又因为上面所说的缘由，便称之为《呐喊》。”（鲁迅：《呐喊》，北京新潮出版社1923年版）

10日，沈雁冰接办《小说月报》已满两年，因商务印书馆内的保守势力对刊物的改革不满，遂辞去主编职务。他在本日出版的《小说月报》第13卷第12号的《最后一页》（未署名）中声明：“本刊自明年起，改由郑振铎君编辑”。

10 日，庐隐小说《或人的悲哀》发表于《小说月报》第 13 卷第 12 号。

蒲伯英、陈大悲等在北京创办人艺戏剧专门学校。这是我国最早的培养话剧人才的学校。

瞿秋白自苏联回国。

1923 年

一月

1 日，孙中山发表了《中国国民党宣言》，宣布建国主张。强调今后革命必须依靠民众力量。

胡适与李大钊、钱玄同、周作人等人共同创办了《国学季刊》杂志。在由胡适执笔，19 位新文化运动的先驱者共同签名的《〈国学季刊〉发刊宣言》中，明确指出了“整理国故”运动的任务：第一步任务就是要全面研究“中国的一切过去的文化历史”，并运用历史的眼光，科学的精神及现代意识去重新评价“孔教”与“旧文学”的价值。第二步任务，主要从古代学者那几部“经典”著作的狭小圈子里解脱出来，扩大研究的范围，“庙堂文学固可以研究，但草野的文学也应该研究。在历史的眼光里，今日民间少儿女唱的歌谣，和诗三百篇有同等的位置；民间流传的小说，和高文典册有同等的位置。”第三步任务，就是要使国人在全新思维的起点上，真正懂得“中国的过去文化史”，还历史一个本来的面目。

胡适发起的“整理国故”运动滥觞于 1919 年，当时，胡适从不同角度多次阐明了他有关“整理国故”的基本思想。在《论国故学》一文中，胡适指出：“现在整理国故的必要，实在很多，我们应该努力指导‘国学家’用科学的研究法做国故的研究。”他还特别强调在学术问题上，“不当先存一个‘有用无用’的成见”，而“当先存一个‘为真理而求真理’的态度。”（胡适：《论国故学——答毛子水》，《新潮》第 2 卷第 1 号。）应该说，这篇文章作为对“新潮社”“整理国故”口号的支持，所强调的还只是一个学术态度问题。但是几个月以后，他在著名的《“新思潮”的意义》一文中，便进一步阐述了“整理国故”的社会意义。胡适认为，“五四”新文化运动的宗旨之一，就是要用评判的态度去“重新估定一切价值”，当然也包括“国故”的价值。他要求人们对所谓的“国故”，应采取一分为二的态度：存其真正的“国粹”，弃其糟粕的“国渣”。但“若要知道什么是国粹，什么是国渣，先须用评判的态度，科学的精神，去做一番整理国故的工夫。”（胡适：《“新思潮”的意义》，《新青年》第 7 卷第 1 号，1919 年 12 月 1 日。）

冰心第一部诗集《繁星》由上海商务印书馆出版。收诗 8 首，另有《自序》。

梁实秋在评论冰心的诗歌创作时，首先肯定了冰心的才华，称她是“一位天才的作家”。但梁实秋又认为，冰心的天才仅“限于小说一方面。”而“她在诗的一方面，截至现在为止，没有成就过什么比较的成功的作品，并且没有显露过什么将要成功的朕兆。她的诗，在量上讲不为不多，专集行世的已有《繁星》与《春水》。她所出两种，在质上讲比她自己的小说逊色多了，比起当代的诗家，也不免要退避三舍。以长

于小说而短于诗的原故，大概是因为她——（一）表现力强而想像力弱；（二）散文优而韵文技术拙；（三）理智富而感情分子薄。因此冰心女士只是当代的小说作者之一，而诗的花园里恐怕难于长成蕤葳的花丛，难于结出硕大的果实。假如文艺批评者的任务只是在启发作家的优长，那我便不该检出她这两部诗集来批评，因为《繁星》与《春水》实在不是她的著作中的佳作，虽然现在的一班时髦的作家与批评家都趋之若鹜，谈起冰心便不能忘情于《繁星》与《春水》。我以为真的批评的任务决不仅此，至少在消极方面还要（一）指示作家以对他或她最有希望的道路，（二）纠正时俗肤浅的鉴赏的风尚。”故此，梁实秋认为自己所写的这篇评论还没有超出“正当批评的范围之外。”（梁实秋：《〈繁星〉与〈春水〉》，《创造周报》半年汇刊，第1集第12号。）

王统照的长篇小说《黄昏》连载于《小说月报》第14卷1号至5号，商务印书馆1929年4月出版单行本，列为文学研究会丛书。

张子倬在评论这部作品时认为，《黄昏》“是最有研究的价值而为现在创作上不多见的著作呵！现在且把我个人肤浅的见地，约略写在下面：书中人物像赵建堂这般一种人，实在可以说是旧式富家翁的代表，他们好联络官场，好利用青年，好笼络一般中下流社会上的人，好模仿官僚式的动作，好开口咬嚼法律，而背地里却干那龌龊的勾当……充他们的意志，恶劣的意志，是把世界不当作世界，人类不当作人类，满胸中布满了‘金钱万能’的魔云，看什么都是给他们做牺牲品的，这篇中的描写，是何等的真切而不虚伪，随便一个地方，我们总可以看出他——作者——向非人道主义者下猛烈的攻击来……除此两个重要人物以外，余如小学校长，茧绸商人，私塾先生，白发的老人，建堂的两个姨太太，——周琼符和英茗——描写的亦都个性活现，是活的人物，而不是机械的人物，于此可以见作者的艺术手腕之高了。至于描写方面，我可以简单说一句，就是极显明极自然而处处得到一种美的感觉。恕我不举例了。”（张子倬：《王统照的〈黄昏〉》，《小说月报》第14卷第3号，1923年3月10日。）

叶圣陶的小说《火灾》发表于《小说月报》第14卷第1号。

洪深的话剧《赵阎王》发表于《东方杂志》第20卷第1、2号。

田汉译的王尔德戏剧《莎乐美》由中华书局出版。

二月

1日，京汉铁路总工会在郑州举行成立大会，遭到北洋军阀吴佩孚的干涉。大会代表冲破军警阻拦，宣布总工会成立。提出了“争人权、争自由”的口号。4日，京汉铁路全线总罢工，3小时内，全路客、货、军车一律停驶。

8日，曦社在北京成立，由北京师范大学附中学生蹇先艾、李健吾、朱大枏、腾沁华等组织。曾出版刊物《爝火》。创刊号于1923年2月10日出版，同年7月1日出版第2期。

李金发编成了自己的第一部诗集《微雨》。共收99首诗和一些译作。编完《微雨》的2个月后，李金发又写成诗集《食客与凶年》；6个月后，写成诗集《为幸福而歌》。1923年春天，李金发将《微雨》和《食客与凶年》诗稿，用挂号从柏林寄给周作人，

“望他‘一经品题身价十倍’”。而且，“两个多月果然得到周作人的回信，给我许多赞美的话，称这种诗是国内所无，别开生面的作品。（那时人家还不称为象征派）即编入为新潮社丛书，交北新书局出版，我这半路出家的小伙子……得到这个收获，当然高兴得很。”（李金发：《从周作人谈到“文人无行”》，《异国情调》，商务印书馆 1941 年 12 月。）在周作人的推荐下，从 1925 年 2 月起，李金发的诗歌以李淑良的名字（后改名为李金发）在《语丝》、《小说月报》、《文学周刊》和《黎明周刊》上陆续发表。

1925 年 11 月，《微雨》由北新书局出版。列为“新潮社文艺丛书”之八。收 1920 年至 1923 年所作诗 99 首，译诗 28 首，另有《导言》。这是中国较早的一部象征派诗集。诗作大多表现远离故国的孤寂、忧郁心情，有对故乡的追忆，有对资本主义世界阴暗面的暴露，也有描写爱情的诗篇。常用象征主义手法，跳跃性大，诗风晦涩，语言上白话、文言、外语夹杂。采用自由体。该诗集问世后，褒贬不一。

最先读到这些诗的李璜、周作人、宗白华等人对李金发的诗歌实验颇为赞赏：“他们有的比之嚣俄（即雨果—编者注）早年的作品……范仑纳（魏尔仑—编者注）的声调，有的叹为国中诗界的晨星，有的称之为东方之鲍特莱（即波德莱尔—编者注）。”（黄参岛：《〈微雨〉及其作者》，1928 年 12 月《美育》第 2 期。）

1925 年 11 月 23 日《语丝》杂志第 54 期刊载一则广告，称赞《微雨》说：“这是李金发先生的诗集，其体裁，风格，情调都与现时流行的诗不同；是诗界中别开生面之作。”

而对《微雨》持批评态度的穆木天则于 1926 年 5 月 19 日在《A·11》周刊第 4 期上发表《无聊人的无聊话》一文，对《微雨》作了尖锐的批评。他说：“不客气说，我读不懂李金发的诗。长了二十七岁，还没听见这一类的中国话。我读他的诗，真比读寇克投（Jean Coteau）的诗还费劲。真‘燕雀安知鸿鹄志’啊……总而言之，金发这两个字，我就不喜欢……”

针对这些批评，李金发于 1926 年 2 月在《小说月报》第 17 卷第 2 期上发表《〈巴黎之夜景〉译者识》一文，对自己进行了辩白，他说：“有极多的朋友和读者说，我的诗之美中不足，是太多难解之处。这事我不同意。我的名誉老师是魏尔仑。”正因如此，李金发认为自己的诗晦涩难懂实数文学上的常见现象。

钟敬文于 1926 年 12 月 5 日在上海《一般》月刊第 1 卷第 4 号上发表《李金发底诗》一文。认为尽管李金发的诗“不太好懂”，但他更认为李金发的诗颇有值得肯定之处。他说：“我读了李金发《弃妇》及《给蜂鸣》等诗，突然有一股新异的感觉，潮上了心头。”“的确的，像这样新奇怪丽的歌声，在冷漠到了零度的文艺界里，怎不叫人顿起很深的注意呢？……而且每度读后，脑子里，总有一股凝重的情味，在那里悠然的浮动着，浮动着，经时而始消失。数日前，得到他的《微雨》，今晚饱读一过，这种情况，更加深深的感受到了。”钟敬文认为，既然李金发自认是魏尔仑的徒弟，所以其诗晦涩难懂就不足为怪了：“魏氏为法国前世著名的象征派诗人，他的诗的特征——也可说是这一派的——不在于明白的语言的宣告，而在于浑然的情调的传染，在这一点上，李先生的诗，确有些和他相像之处……这种以色彩，以音乐，以迷离的情调，传递于读者，而使之悠然感动的诗，不可谓非很有力的表现力的表现的作品之一。”

朱自清评价《微雨》集时说："留法的李金发氏又是一支异军；他民九就作诗，但《微雨》出版已经是十四年十一月。'导言'里说不顾全诗的体裁，'苟能表现一切'；他要表现的是'对于生命欲揶揄的神秘及悲哀的美丽'。讲究用比喻，有'诗怪'之称；但不将那些比喻放在明白的间架里。他的诗没有寻常的章法，一部分一部分可以懂，合起来却没有意思。他要表现的不是意思而是感觉或情感；仿佛大大小小红红绿绿一串珠子，他却藏起那串儿，你得自己穿着瞧。这就是法国象征诗人的手法；李氏是第一个人介绍它到中国诗里。许多人抱怨看不懂，许多人却在模仿着。他的诗不缺乏想像力，但不知是创造新语言的心太切，还是母舌太生疏，句法过分欧化，叫人像读着翻译；有夹杂着些文言里的叹词语助词，更加不像——虽然也可说是自由诗体制。他也译了许多诗。"（朱自清：《现代诗歌导论》，《中国新文学大系导论集》第356～357页，上海书店1982年版）

此外，还有不少评论者对《微雨》及李金发的诗歌进行了评论。经过一番论争后，《微雨》逐渐被人们所承认。正如李金发所说："到1925年，我回国来，《微雨》已出版，果然在中国'文坛'引起一种微动，好事之徒，多以'不可解'讥之，但一般青年读了都'甚感兴趣'，而发生效果，象征派诗从此也在中国风行了。"（李金发：《从周作人谈到"文人无行"》，《异国情调》，商务印书馆1941年版）

三月

4日，胡适于《读书杂志》第7期上刊出《一个最低限度的国学书目》。这个书目，是应《清华周刊》编者胡敦元、梁实秋等四人的约请而拟的。胡适说："他们都是将要往外国留学的少年，很想在短时期中得着国故学的常识。所以我拟这个书目的时候，并不为国学有根底的人设想。"但胡适所开具的国学书目，却有183种，仅文学史方面的书籍就有1000多册。这一书目遭到了梁启超的批评，他在《评胡适之的〈一个最低限度的国学书目〉》一文中说，胡适拟定的书目只是从自己的爱好出发的，不适合"普通青年"阅读。对于一般青年，"这里头的书十有七八可以不读。""试思一百多册的正谊堂全书千篇一律的'理气性命'，叫青年何从读起？……至于其文学史之部所列……恐怕总数在一千册以上，叫人从何读起？"（梁启超：《评胡适之的〈一个最低限度的国学书目〉》，1923年6月23日《晨报副刊》。）因此，梁启超也开列了一份《国学入门书要目及其读法》。其中所列的各类必读书目凡127种。

吴稚晖对胡适、梁启超等人的做法极为反感，遂作《箴洋八股化之学理》一文，说："最近梁先生上了胡适之的恶当，公然把他长兴学舍以前夹在书包里的一篇书目答问摘书，从西山送到清华园，又灾梨获枣，费了许多报纸杂志的纸张传录了，真可发一笑……他受了胡适之中国哲学史大纲的影响，忽发整理国故的兴会，先做什么清代学术概论，什么中国历史研究法，都还要得。后来许多学术演讲，大半是妖言惑众，什么先秦政治思想等，正与西学古微等一鼻孔出气。所以他要造文化学院，隐隐说他若死了，国故便没有人整理。我一见便愿他早点死了。照他那样的整理起来，不知要葬送多少青年哩。""他们的谬误，乃是完全摆出西学古微的面孔，什么我们古代有的，

什么都是我们还要好过别人的，一若进化学理简直是狗屁。唯有二千年前天地生才，精华为之殚竭。无论亿万斯年，止要把什么都交给周秦间的几个死鬼，请他们永远包办，便万无一失了。”吴稚晖批评“国故”这个“臭东西”，“本同小老婆吸鸦片，相依为命。小老婆吸鸦片，又同升官发财相依为命。国学大盛，政治无不腐败。因为孔孟老庄便是春秋战国乱世的产物。非再把他丢在毛厕里三十年，现今鼓吹成一个干燥无味的物质文明，人家用机关枪打来，我也用机关枪对打，把中国站住了，再整理什么国故，毫不嫌迟。什么叫做国故，与我们现今的世界有什么相关。它不过是世界一种古董，应保存的罢了。”吴稚晖因此批评梁启超道：“梁先生还要开一笔古董账，使中学毕业的学生，挟之而渡重洋。岂非大逆不道？……把青年堆在灰字簏里，梁先生自己睡了想想，也算笨伯。”“所以在三十年内姑且尽着梁先生等几个少数学者，抱守残缺，已经足够。不必立什么文化书院，贻害多数青年。更不必叫出洋学生带了许多线装书出去，成了一个废物而归。”（吴稚晖：《箴洋八股化之学理》，1923 年 7 月 23 日《晨报副刊》。）

胡适和梁启超“整理国故”的思想也引起了文学研究会的反响。《小说月报》第 14 卷第 1 号发表了以《整理国故与新文学运动》为题的一组文章。文学研究会作家对于整理国故既有赞成的，也有反对的。如郑振铎在《新文学之建设与国故之新研究》中表示：“我主张在新文学运动的热潮里，有整理国故的一种举动。”他说：“我以为我们所谓新文学运动，并不是完全推翻一切中国固有的文艺作品。这种运动的真意义，一方面在建设我们的新文学观，创作新的作品，一方面却要重新估定或发现中国文学的价值，把金石从瓦砾堆里搜找出来，把传统的灰尘，从光润的镜子上拂拭下去。”“我的整理国故的新精神便是‘无证不信’，以科学的方法来研究前人未发现的文学园地。”而沈雁冰则在《心理上的障碍》中表示：“将这‘循环论’做根据，旧文学的忠臣在四五年前早料得到白话文的‘气运’是不会长久的……而最近一二年来的整理国故声浪就被他们硬认作自己的先见的实证了。”沈雁冰表示：“我希望努力创造新文学和整理国故的人们除低头用功外，还要多做一些消毒工夫，先打破一般人心理上的障碍——误谬的循环论。”此中，多少表达了对于整理国故的不满和担忧。

另外，创造社作家和鲁迅也对“整理国故”发表了意见。如成仿吾在《国学运动的我见》一文中，批评整理国故的神髓“可惜只不过是要在死灰中寻出火烬来满足他们那‘美好的昔日’的情绪，他们是想利用盲目的爱国的心理实行他们倒行逆施的狂妄。所以假使国粹派称新文化运动为清谈，我们当称这种国学运动为清谈中之清谈，遗害更加百倍的清谈。”（成仿吾：《国学运动的我见》，《创造周报》第 28 号，1923 年 11 月 18 日。）鲁迅则在《忽然想到（六）》一文中认为，“我们目下的当务之急，是：一要生存，二要温饱，三要发展。苟有阻碍这前途者，无论是古是今，是人是鬼，是《三坟》《五典》，百宋千元，天球河图，金人玉佛，祖传丸散，秘制膏丹，全都踏倒它。保古家大概总读过古书，‘林回弃千金之璧，负赤子而趋’，该不能说是禽兽行为罢。那么，弃赤子而抱千金之璧的是什么呢？”（鲁迅：《忽然想到（六）》，1925 年 4 月 22 日《京报副刊》。）

10 日，北京政府外交部分别照会日本外务省、日本驻京公使馆，声明取消 1915 年

5月25日缔结的中日条约及换文（二十一条）；并接洽收回旅顺大连两租借地。20日，全国学生代表在上海举行大会，通电全国，号召各地学生举行示威游行，要求收回旅顺、大连和废除“二十一条”。

10日，朱自清的长诗《毁灭》发表于《小说月报》第14卷第3号。

俞平伯评论说：“如浮浅地观察，似乎《毁灭》一诗也未始不是‘中文西文化，白话文言化’的一流作品；但仔细讽诵一下，便能觉得它所含蓄着，所流露着的，决不仅仅是奥妙的‘什么化’而已，实在是创作的才智底结晶。”比如“用联绵字底繁多，巧妙结句底绵长，复迭，谋篇底分明，整齐”，都只是此诗的妙处的“枝叶”，“虽也足以引人欢悦，但究竟不是诗中真正价值之所在。若读者仅能赏鉴那些琐碎纤巧的技术，而不能体察到作者心灵底幽深绵邈；这真是‘买椟还珠’，十分可惜的事。况且，即以诗底技术而论，《毁灭》在新诗坛上，亦占有很高的位置。我们可以说，这诗底风格、意境、音调是能在中国古代传统的一切诗词曲以外，另标一帜的。在中国古代诗歌中，有与《毁灭》相类似的吗？恐怕是很少。论他风格底宛转缠绵，意境底沉郁深厚，音调的柔美凄怆，只有屈子底的《离骚》差可仿佛。但细按之，又不相同，约举数端如下：（1）《离骚》引类譬喻，《毁灭》系直说的。（2）虽同是繁弦促节，但《离骚》之音哀而激壮，《毁灭》之音凄而婉曼。（一个说到‘从彭咸之所居’，而一个只说‘还原了一个平平常常的我’；态度不同，故声调亦异。）（3）《离骚》片段重叠，《毁灭》片段分明。（4）《离骚》句法章节尚嫌单调；《毁灭》则结构至繁复。至于思想上，态度上，他们当然是不同的，也不用说了。”俞平伯还认为，文学不能排斥说理叙事的作品：“无论中国与西洋，诗总不是单纯抒写情感，描写景物的，这大家也该承认罢？现在诗坛之不振，别的原因不计，我想总有两个原因：（1）大家喜欢偷巧，争做小诗。（2）‘诗人非做诗不可’这个观念太强烈，不肯放开手去写。关于第一点，《毁灭》底作者已在《短诗与长诗》这篇评论中说得很饱满了。（见《诗》1卷4号）他说：‘有时磅礴郁积，在心里盘旋回荡，久而后出；这种情感必极其层层叠叠，曲折顿挫之致……这里必有繁音复节，才可尽态极妍，畅处欲发；于是长诗就可贵了。’这真把他自己作长诗底精神充分写出了。我们看了《毁灭》，觉得佩弦确是‘行顾其言’，不是放空大炮不敢开仗的人。‘舍长取短自古已然’这个空气，我希望我们多少能矫正一点。《毁灭》一篇，在这意义上，也有解析、称引一番底价值。”俞平伯进而又说：“佩弦作长诗原有他自己底一种特异的作风，如《转眼》《自从》等诗都是的，不过在《毁灭》这种风格格外表现得圆满充足，这诗遂成为现在的他的代表作品。我自信对于这诗多少能了解一点——因我们心境相接近的缘故——冒昧地为解析一下。有无误解之处，当俟读者与作者底指正。”（俞平伯：《读〈毁灭〉》，《小说月报》第14卷第8期。）

15日，《弥洒》月刊在上海创刊，同年8月出至第6期终刊。弥洒社编辑、出版。撰稿人有胡山源等。

《浅草》季刊创刊。1925年2月终刊。泰东书局发行。据鲁迅回忆，大约是1925年的4月间，在北京大学教员预备室里，冯至将一本第4期《浅草》默默地交给了鲁迅。鲁迅慨叹说：“阿，这赠品是多么丰饶啊！”而且，“就在这默默中，使我懂得了许多话”；在这本刊物中，鲁迅读出了那些“不肯涂脂抹粉的青年们”“被风沙打击得粗暴”的魂灵。（鲁迅：《野草·一觉》，《鲁迅全集》第 2 卷第 223、224 页，人民文学出版社 1981 年版）

茅盾在《〈中国新文学大系·小说一集〉导言》中论及“五四”后“青年的文学团体和小型的文艺期刊蓬勃滋生”的情况时，提到了浅草社及《浅草季刊》（参见《茅盾选集》第 5 卷第 222 页，四川文艺出版社 1985 版）。而负责编选除文学研究会和创造社外其他文学社团小说创作的鲁迅，则称赞《浅草》季刊“每一期都显示着努力：向外，在摄取异域的营养，向内，在挖掘自己的魂灵，要发见心里的眼睛和喉舌，来凝视这世界，将真和美歌唱给寂寞的人们。”（鲁迅：《〈中国新文学大系·小说二集〉序》，《鲁迅全集》第 6 卷第 242 页，人民文学出版社 1981 年版）

新月社在北京成立。发起人有徐志摩、胡适、黄子美、蹇季常、张君劢、丁文江、林长民、陈西滢等。该社初为聚餐会形式，后发展为有固定地址的俱乐部。参加者有胡适、梁启超、徐志摩、陈西滢、张君劢、陆小曼等。关于新月结社的动机，徐志摩曾这样说：“新月初起时只是少数人共同的一个愿望……我们当初想望的是什么呢？当然只是书呆子们的梦想！我们想做戏，我们想集合几个人的力量，自编戏自演，要得的请人来看，要不得的反正自己好玩。”（徐志摩：《欧游漫录·给新月》，1925 年 4 月 2 日《晨报·诗镌》。）

四月

张君劢、丁文江等发起“科学与玄学”的论争。

1923 年 2 月，北京大学教授张君劢在清华作了题为《人生观》的讲演，发表在《清华周刊》272 期。张强调科学不能解决人生观的问题：“第一，科学为客观的，人生观为主观的”；“第二，科学为论理的方法所支配，而人生观则起于直觉”；“第三，科学可以以分析方法下手，而人生观则为综合的”；“第四，科学为因果规律所支配，而人生观则为自由意志的”；“第五，科学起于对象之相同现象，而人生观起于人格的单一性。”

对于张君劢的看法，地质学家丁文江在《努力周报》48 ~ 49 期发表《科学与玄学》一文予以反驳。他批评“玄学鬼附在张君劢的身上”，强调“今日最大的责任与需要，是把科学方法应用到人生问题上去。”他说：“科学不但无所谓向外，而且是教育同修养最好的工具。因为天天求真理，时时想破除成见，不但使学科学的人有求真理的能力，而且有爱真理的成心。无论遇见什么事，都能平心静气去勇于研究，从复杂中求单简，从紊乱中求秩序，拿论理来训练他的意想……了然于宇宙生物心理种种的关系，才能够知道生活的乐趣。”

张君劢对此批评作了长文答辩。梁启超、胡适、吴稚晖等人纷纷发表文章，参加讨论。同年 11 月由上海亚东图书馆出版了《科学与人生观》一书上、下两册，收集了 29 篇论战文章，由陈独秀、胡适作序。12 月，上海泰东图书局出版了内容相同的《人生观的论战》文集，由张君劢作序。至此，“六个月的时间，二十五万字的煌煌大文”

的科学玄学论战大体结束。

五月

13 日，创造社早期的第二种刊物《创造周报》在上海创刊。1924 年 5 月终刊。共出 52 期。郭沫若、郁达夫、成仿吾编辑。上海泰东图书局发行。其《〈创造周报〉出版预告》说："我们这个周报的性质，和我们的季刊是姊妹，但他们都微有畸轻畸重之点，季刊素来偏重于创作，而以评论介绍为副。这回的周报想偏重于评论介绍而以创作为副之。"（《〈创造周报〉出版预告》：《创造季刊》第 2 卷第 1 期。）撰稿人与季刊大致相同。该刊大量发表创造社同人对于文学和当时文学运动的看法和理论主张，如成仿吾的《诗之防御战》、《新文学之使命》，郁达夫的《文学上的阶级斗争》，郑伯奇的《新文学之警钟》等。其中，有的文章已含有革命文学的思想萌芽。

《创造周报》自出版以后，风行一时。郑伯奇回忆说："每逢星期六的下午，四马路泰东书局的门口，常常被一群一群的青年所挤满，从印刷所刚搬运来的，油墨未干的周报，一堆又一堆地为读者抢购净尽。订户和函购的读者也陡然增加，书局添人专管这些事。"（郑伯奇：《二十年代的一面》，《文坛》，1942 年 3 月。）

13 日，成仿吾的《诗之防御战》发表于《创造周报》第 1 号。该作在当时诗坛上产生了广泛影响。在文章中，成仿吾对新诗坛作了清算，其主要批评对象集中在"小诗"上，一个是针对"小诗的渊源"，另一个是对"小诗"作者的批评。成仿吾对"小诗的渊源"的批评主要有两个方面：首先是对"小诗"的模仿对象——日本诗歌和泰戈尔的批评。成仿吾通过对日本语"多音节"特点的分析，指出俳句很难成为抒情诗，而且是"固定而呆板的铸型"，"在日本早已成了过去的骨董"。对于泰戈尔的批评则是在"诗与哲学"的关系中展开的，成仿吾对泰戈尔以"诗形""阐明哲理"进行了批评。其次是在翻译方面的批评，成仿吾对周作人所译芭蕉的俳句进行了分析，认为周作人的翻译失去了"原有的音乐的效果"。在对于"小诗"作者的批评上亦是如此。如成仿吾批评宗白华"不过把概念与概念联络起来"，而冰心"亦不过善于把一些高尚的抽象的文字集拢来罢了"。由于该文言辞刻薄犀利，发表后引起了不少当事人的反对。

20 日，成仿吾的《新文学之使命》发表于《创造周报》第 2 号。成仿吾在文章中认为，"文学上的创作，本来只要是出自内心的要求，原不必有什么预定的目的。然而我们于创作时，如果把我们的内心的活动，十分存在意识里面的时候，我们是很容易使我们的内心活动取一定之方向的。这不仅是可能的事情，而且是可喜的现象。"而"文学的目的或使命却也不是很简单的东西，而且一般人心目中的文学之目的，实在说起来，已经离真的文学很远了。他们不是把时代看得太重，便是把文艺看得太轻。所以我们的新文学中，已经有不少的人走错了路径，把他们的精力空费了。"因此，成仿吾要求"我们的新文学，至少应当有以下三种使命：一、对于时代的使命，二、对于国语的使命，三、文学本身的使命。"而在成仿吾看来，文学就是要"我们要追求文学的全！我们要实现文学的美。"

27 日，《创造周报》第 3 号发表了郭沫若的《我们的文学新运动》，提出“我们反对资本主义的毒龙”，“我们的运动要在文学之中爆发出无产阶级的精神”，“我们的目的要以这生命的炸弹来打破这毒龙的魔宫”。该文的发表表明，郭沫若已初步具有革命文学的思想倾向。

27 日，《创造周报》第 3 号还发表了郁达夫的《文学上的阶级斗争》。

冰心诗集《春水》由新潮社出版。

诗集出版后极受读者欢迎，有读者专门给晨报写信，称《春水》“是诗国的探险家”，“我读春水，总只觉得她是极自然的，又是极低弱冷峭的，然而我也只取她这两点，字句的优美次之。”（《〈春水〉的回响》，《晨报》，1924 年 3 月 26 日。）

赵真则以《春水》中具体的篇章为例，称赞冰心“把自然、艺术、真理，这抽象的名词，看作具体的而置之于诗中，叫人真不能不拍案叫绝！”（原载李希同编：《冰心论》，北新书局 1932 年版。转引自范伯群编：《冰心研究资料》第 390 页，北京出版社 1984 年版）

但也有人对此诗集持批评态度，比如梁实秋就认为“《繁星》、《春水》这种体裁，在诗国里面，终归不能登大雅之堂的”，“《繁星》、《春水》那样的诗最容易作，就是因为那些‘零碎的篇儿’只是些‘零碎的思想’经过长时间的收集而已”，“《繁星》、《春水》在艺术方面最差强人意的便是诗的字句的美丽”，但“句法太近于散文的（Prosaic）”，“故虽明显流畅，而实是不合诗的。”（梁实秋：《〈繁星〉与〈春水〉》，《创造周报》半年汇刊第 1 集第 12 号。）

冰心短篇小说集《超人》由商务印书馆出版。

陈西滢认为《超人》里大部分的小说，“一望而知是一个没有出过学校门的聪明女子的作品，人物和情节都离实际太远了。可是里面有两篇描写儿童的作品却非常好。”（陈西滢：《冰心女士》，选自《西滢闲话·新文学运动以来的十部著作》，新月书店，1928 年 6 月。）

张天翼则称赞《超人》“显示了作者的女性，使你咀嚼到温柔、细腻、暖和、平淡、爱。”不过在张天翼看来，尽管冰心努力要使作品写成上述那些味道，“但这样，题材就似乎贫乏了。”（克川［张天翼］：《冰心》，《文艺月刊》第 1 卷第 3 期。转引自范伯群编：《冰心研究资料》第 194～195 页，北京出版社 1984 年版）

沈从文指出：“冰心女士所写的爱，乃离去情欲的爱，一种母性的怜悯，一种儿童的纯洁，在作者作品中，是一个道德的基本，一个和平的欲求，当作者在《超人》集子里，描画到这个现象时，是怀着柔弱的忧愁的。但作者生活的谧静，使作者端庄，避开悲愤，成为十分温柔的调子了。”（沈从文：《论冰心的创作》，《文艺月刊》第 2 卷第 4 期。转引自范伯群编：《冰心研究资料》第 196 页，北京出版社 1984 年版）

郁达夫的小说《茑萝行》发表于《创造》季刊第 2 卷第 1 期。

郭沫若的三幕历史剧《卓文君》发表于《创造》季刊第 2 卷第 1 期。

六月

1日，《时事新报》副刊《文学旬刊》创刊。1925年9月25日终刊。共出82号。先由王统照、孙伏园编辑，1924年10月后由王统照单独负责。晨报社代为发行。王统照在《本刊的缘起及主张》中说：“我们相信文学为人类情感之流底不可阻遏的表现，而为人类潜在的欲望的要求。无论世界上那个民族，有其绵延的历史的，即有其与历史附丽而来的文学。”“在中国的如居沙漠的人心里，他们的思域被一切的一切的东西阻碍住了……但我们却相信惟有藉文学之花的灿烂，可以引动，感化他们。而年来新文学的萌发与勃起，也正是为了这个时代所切实要求的。”该刊主要撰稿人有王统照、徐志摩、焦菊隐、剑三、庐隐等。

3日，闻一多的论文《〈女神〉之时代精神》发表于《创造周报》第4号。10日，他的另一篇论文《〈女神〉之地方色彩》发表于《创造周报》第5号。这两篇论文是闻一多早期文艺方面的代表作。

闻一多把《女神》放在新诗发展过程中加以考察。他认为，《新青年》、《新潮》等杂志发表新诗时，正值新诗的草创期（他对这时期的新诗的看法，当以《冬夜评论》为代表）。《女神》的出现，则标志着新诗进入进化期：“《女神》当然在一般人的眼光里要算新诗进化期中已臻成熟的作品了。”他分析《女神》，也是对新诗创作的倾向的评论，其中也包含着他自己关于如何写诗的自白。《〈女神〉之时代精神》与《〈女神〉之地方色彩》是姐妹篇。前一篇综述《女神》的思想内容，集中讲它的时代精神，后一篇突出评论《女神》的艺术特色，集中讲民族特色的问题。“女神之时代精神的第一条：二十世纪是个动的世纪。”这句话本身当然不具体。但是闻一多认为中国的旧诗太平静，山林隐逸的气息太浓，与之对比，郭沫若的诗风显然更富于时代气息。他分析说：“这种动的本能是近代文明一切的事业之母，他是近代文明之细胞核。”《〈女神〉之地方色彩》一文批评《女神》地方色彩不足，探索新诗怎样才能具有地方色彩。闻一多尖锐地指出这本风行一时的诗集有“过于欧化的毛病”，表现在两方面：一是内容，“现在的新诗中有的是‘德谟克拉西’，有的是泰果尔、亚坡罗，有的是‘心弦’‘洗礼’等洋名词。但是，我们的中国在哪里，我们四千年的华胄在哪里？哪里是我们的大江、黄河、昆仑、泰山、洞庭，西子？又哪里是我们的《三百篇》、《楚骚》、李、杜、苏、陆？”二是语言，《女神》夹用了可以不用的西洋文字，连用典也是西方的多。为什么新诗会有欧化的毛病呢？闻一多认为，首先，诗人要有正确的创作意图，真正认识新诗的意义。有的诗人因片面追求时髦，就会产生“欧化的狂癖”。要纠正这种倾向，就应该认清“新诗迳直是‘新’的，不但新于中国固有的诗，而且新于西方固有的诗，换言之，它不要作纯粹的外洋诗，但又尽量的吸收洋诗的长处；他要做中西艺术结婚后产生的宁馨儿。”其次，他认为环境对诗人有影响。郭沫若创作《女神》时，生活在日本，“他的环境当然差不多是西洋环境，而且他读的书又是西洋的书，无怪他所见闻，所想念的都是西洋的东西。”再次，他认为，《女神》的作者对中国的文化“隔膜”，看不到中国文化上的好处。所以，对中国的文化缺乏热爱，他的诗就缺乏东方艺术的特色。

15日，《新青年》改组为季刊，第1号在广州出版，成为中国共产党中央的理论性机关刊物。在宣言中，该刊称：《新青年》“当为改造社会的真理而与各种社会思想的流派辩论。社会科学，因研究之者处于所研究的对象之中间，其客观的真理比自然科学更容易混淆。因此，人既生于社会之中，人的思想就不能没有反映社会中阶级利益的痕迹；于是社会科学中之各流派，往往各具阶级性，比自然科学中更加显著。‘新青年’是无产阶级思想机关。无产阶级于现代社会中，对于现存制度自取最对抗的态度；所以他的观察始终是比较最客观的。何况‘新青年’在世界无产阶级的文字机关中，算是最幼稚的，未必有充分健全的精力，足以为绝对正确的观察。有此两因，都足以令‘新青年’不能辞却与各方面的辩论：一则以指出守旧各派纯主观的谬误，一则以求真诚讨论后之更正确的结论。于辩论之中，方能明白何者为无产阶级的科学结论，何者为更正确、更切合于事实的理论。总之，为改造社会而求真理。”（《新青年之新宣言》，《新青年》季刊第一期。）

29 日，孙中山发表对外宣言。指出：西方各列强承认北京政府，是将全国否定的政府强加于中国人民之上。要求各国政府待能够代表全国而又能为各省拥戴的政府产生后，再予以承认。

庐隐的小说《丽石的日记》发表于《小说月报》第 14 卷第 6 期。收于《海滨故人》（短篇小说集），商务印书馆 1925 年 7 月出版。

七月

11 日，王统照在北京《文学旬刊》第 5 号上发表《文学作品与自然》。

21 日，创造社办的报纸副刊《创造日》创刊。该刊附设于上海《中华新报》。这是一份以文艺批评和创作为主的综合性月刊，由郁达夫代拟的《创造日宣言》说：“我们想以纯粹的学理和严正的议论来批评言论，来批评文艺、政治、经济，我们更想以唯真唯美的精神来创作文学和介绍文学。”

30 日，施蛰存在《时事新报·文学》第 100 期上发表《蠡华室诗见》，这是他第一次署名“施蛰存”发表的文章。

郁达夫的小说《春风沉醉的晚上》发表于《创造》季刊第 2 卷第 2 期。

郑伯奇在评论郁达夫的小说创作时说：“最后带有社会问题的性质的几篇小说，比较地富于客观性了。”但是无论《薄奠》中的车夫或《春风沉醉的晚上》的女工，“都不是篇中的主人公，主人公依然是作者的‘我’。”车夫的生活和女工的遭遇，“作者用很深厚的同情的笔致，给我们描写出来了；但是这描写决不会有多量的客观性。”“读了《薄奠》，我们对于车夫的同情心，最多不过陪作者掬一副酸泪；某纸烟工厂的女工，在《春风沉醉的晚上》，也不过一个无怙无恃，身世飘零的薄命女子；换句话，我们和他们穷苦阶级的男女，依然是隔膜的。要是作者能逼进一层，将他们的生活，用客观的，写实的笔法写出，譬如《春风沉醉的晚上》的二妹，因为过劳而得呼吸器病，或是因为烟草的强烈的刺激而伤及目明，或是因为工资不足而流为暗娼，或是因为工头的诱惑而至于失身，而至于受孕，而至于被弃等等，那么，我们对于他们不幸的人们要起一种深刻的同情，对于社会的组织也要起一种很热烈的正义感。但是作者没有走了这极端的路，因而也没有这样强烈的效果。这也难怪，因为作者最初的企图，不

在人生的现实苦的展望，而在于自己的伤感的发舒。江州司马的《琵琶行》，正与此有相同的著作动机。说这种话，我丝毫没有否定这些作品的价值的意思。反来是证明这些作品在《寒灰集》中与其他作品浑然一致而不相矛盾。作者的社会小说（假使容许用这种非科学的名词），所以我们说，也是作者自己生活叙述的一断片。”（郑伯奇：《〈寒灰集〉批评》，《洪水》第3卷第33期，1927年5月16日。）

淦女士的小说《隔绝》发表于《创造》季刊第2卷第2期。

八月

17日，冰心赴美留学。她将途中以及在美国的见闻观感，写成了散文并寄回国内发表，后结集成《寄小读者》一书于1926年5月由北新书局出版。

有评论者认为，“我们如要研究并欣赏作者的充满诗情画意的小品散文，那末，《寄小读者》一书是作者唯一的代表作。这是作者去国旅美时漫游的记录，是‘花的生活，水的生活，云的生活’的描写，作者在四版自序里告诉我们：‘假如文学的创作，是由于不可遏抑的灵感，则我的作品之中，只有这一本是最自由，最不思索的了，这书中的对象，最我挚爱恩慈的母亲……她的爱，使我由生中求死——要担负别人的痛苦；使我由死中求生——要忘记自己的痛苦……’‘这书中有幼稚的欢乐，也有天真的眼泪。’是很忠实的自白。这和作者的诗歌小说，还是本着一贯的主旨，而且更透彻明了的抒写着。”（李素白：《冰心的〈寄小读者〉》，《小品文研究》，新中国书局1932年版。转引自范伯群编：《冰心研究资料》第397页，北京出版社1984年版）

21日，章士钊的《评新文化运动》发表于上海《新闻报》，署名“行严”，连载至22日。章士钊在文中认为，所谓的新文化与旧文化之关系，实非新文化运动的提倡者们所说的那样截然对立，而是“新者早无形孕育于旧者之中。而决非无因突出于旧者之外。盖旧者非他。乃数千年来巨人长德方家艺士之所殚精存积。流传至今者也。”而新文化运动提倡者漠视旧文化之价值，一味仇旧，遂造成了“精神界大乱。郁郁怅怅之象，充塞天下。躁妄者悍然莫明其非，谨厚者菑然丧其所守。父无以教子，兄无以诏弟。以言教化，乃全限于青黄不接辕辙背弛之一大恐慌也。不谓误解之弊，乃至于此。”因此，章士钊对新文化运动进行了激烈的抨击。如他批评白话文“不成文理，味同嚼蜡。去人意万里者。其蔽即在为文资料，全以一时手口所能相应召集者以归，此外别无准备。”而那些新文化运动的“束发小生”，皆“握笔登先。名流巨公，易节恐后。诗家成林，作品满街，家家自命为施曹，人人自诩为易莫。风流文采，盛极一时。”由此导致的后果是“欲进而反退，求文而得野。陷青年于大阱，颓国本于无形。甚矣运动之误，流毒乃若是也。”

鲁迅的第一部小说集《呐喊》由北京新潮社出版。

本年10月8日，沈雁冰在《文学》周刊第91期发表《读〈呐喊〉》，高度评价鲁迅及其作品。他在文章中写道：“一九一八年四月的《新青年》上登载了一篇小说模样的文章，它的题目、体裁、风格，乃至里面的思想，都是极新奇可怪的：这便是鲁迅君的第一篇创作《狂人日记》，现在编在这《呐喊》里的，那时《新青年》方在提倡

‘文学革命’，方在无情地猛攻中国的传统思想，在一般社会看来，那一百多面的一本《新青年》几乎是无句不狂，有字皆怪的，所以可怪的《狂人日记》夹在里面，便也不见得怎样怪，而曾未能邀国粹家之一斥。前无古人的文艺作品《狂人日记》于是遂悄悄地闪了过去，不曾在‘文坛’上掀起显著的风波。但是鲁迅君的名字以后再在《新青年》上出现时，便每每令人回忆到《狂人日记》了，至少，总会想起‘这就是《狂人日记》的作者罢’。别人我不知道，我自己确在这样的心理下，读了鲁迅君的许多‘随感录’和以后的创作。那里我对于这古怪的《狂人日记》起了怎样的感想呢，现在已经不大记得了；大概当时亦未必发生了如何明确的印象，只觉得受着一种痛快的刺戟，犹如久处黑暗的人们骤然看见了耀眼的阳光。这奇文中冷隽的句子，挺峭的文调，对照着那含蓄半吐的意义，和淡淡的象征主义的色彩，便构成了异样的风格，使人一见就感着不可言喻的愉快。这种快感正像吃辣子的人所感到的‘愈辣愈爽快’的感觉。”

对于《阿Q正传》，沈雁冰则评价说：“《阿Q正传》给读者难以磨灭的印象。现在差不多没有一个爱好文艺的青年口里不曾说过‘阿Q’这两个字。我们几乎到处应用这两个字，在接触灰色的人物的时候，或听得了他们什么‘故事’的时候，《阿Q正传》里的片段的图画，便浮现在脑前了。”沈雁冰认为，《阿Q正传》对于辛亥革命之侧面的讽刺，“并不是因为作者是抱悲观主义的缘故。这正是一幅极忠实的写照，极准确的依着当时的印象写出来的……他决不是因为感慨目前的时局而带了悲观主义的眼镜去写他的回忆；作者的主意，似乎只在刻画出隐伏在中华民族骨髓里的不长进的性质，——‘阿Q相’，我以为这就是《阿Q正传》之所以可贵，恐怕也就是《阿Q正传》流行极广的主要原因。”沈雁冰继而指出，在中国新文坛上，“鲁迅君常常是创造‘新形式’的先锋；《呐喊》里的十多篇小说几乎一篇有一篇新形式，而这些新形式又莫不给青年作者以极大的影响，必然有多数人跟随上去试验。丹麦的大批评家布兰兑斯曾说：‘有天才的人，应该也有勇气。他必须敢于自信他的灵感，他必须自信，凡在他脑膜上闪过的幻想都是健全的，而那些自然而来到的形式，即使是新形式，都有要求被承认的权利。’”在沈雁冰看来，布兰兑斯的这种评价，“在《呐喊》中得了具体的证明。除了欣赏惊叹而外，我们对于鲁迅的作品，还有什么可说呢?”（沈雁冰：《读〈呐喊〉》，《文学》周刊第91期，1923年10月8日。）

西谛（郑振铎）同样高度评价了《呐喊》集，他认为“《呐喊》是最近数年来中国文坛上少见之作，那样的讥诮而沈挚，那样的描写深刻，似乎一个字一个字都是用刀刻在木上的。”在郑振铎看来，“中国的讽刺作品，自古就没有”。“所谓《何典》，不过是陈腐的传奇，穿上鬼之衣而已，《捉鬼传》较好，却也不深刻，《儒林外史》更不是一部讽刺的书，《官场现形记》之流却是破口大骂了；求有蕴蓄之情趣的讽刺作品，几乎不见一部。”这种现象自鲁迅出来之后才得以改观。因此，郑振铎称赞《呐喊》是“自古未有”的讽刺小说：“那是一个新辟的天地，那是他独自创出的国土，如果他的作品并不是什么‘不朽’的作品，那末，他的在这一方面的成绩，至少是不朽的。”尽管对《呐喊》加以赞誉的人不在少数，但郑振铎仍特别指出：“《阿Q正传》确是《呐喊》中最出色之作。这个阿Q，许多人都以为是中国人的缩影；还有许多人，颇以为自己也多少的具有阿Q的气质，如果大家都欲努力摆脱了阿Q的气质，那末，这篇东西在中国的影响与功绩将有类于龚察洛夫（Gontscharov）的《阿蒲洛莫夫》（Oblomov）与屠格涅夫的《路丁》（Rodin）之在俄国了。”（西谛：《呐喊》，《文学周报》第251期，1926年11月21日。）

苏雪林在《〈阿Q正传〉及鲁迅创作的艺术》一文中，较为细致地分析了鲁迅的小说创作。她认为《呐喊》和《彷徨》这两本小说集已经使鲁迅“在将来中国文学史占到永久的地位了。”在鲁迅的小说中，苏雪林认为《阿Q正传》可算是代表作：“《阿Q正传》这样打动人心，这样倾倒一世，究竟是什么缘故？说是为了它描写一个乡下无赖汉写得太像了么，这样文字现在也有，何以偏让它出名？说是文笔轻松滑稽，令人发笑么，为什么人们不去读《笑林广记》，偏偏爱读《阿Q正传》？告诉你理由吧，《阿Q正传》不单单以刻画乡下无赖汉为能事，其中实影射中国民族普遍的劣根性。《阿Q正传》也不单单教人笑，其中实包蕴着一种严肃的意义。”在点明了《阿Q正传》的文学史地位后，苏雪林进一步总结了阿Q所代表的中国民族的劣根性，它“种类虽多，荦荦大端，则有下列数种”：“一、卑怯。阿Q是喜与人吵嘴打架，但必估量对手。口讷的他便骂，气力小的他便打。与王胡打架输了时，便说君子动口不动手，假洋鬼子哭丧棒才举起来，他已伸出头颅以待了。对抵抗力稍为薄弱的小D，则揎拳捋臂摆出挑战的态度，对毫无抵抗力的小尼姑则动手动脚，大肆其轻薄。都是他卑怯天性的表现。”“二、精神胜利法。”“三、善于投机。阿Q本来痛恨革命。等到辛亥革命大潮流震荡到未庄，赵太爷父子都盘起辫子赞成革命，阿Q看得眼热，也想做起革命党来了。但阿Q革命的目的，不过为了他自己的利益，于革命意义，实丝毫没有了解。所以一为假洋鬼子所拒斥，就想到衙门里去告他谋反的罪名，好让他满门抄斩。《华盖集・忽然想到》那一条道：‘中国人都是伶俐人，也都明白中国虽完，自己决不会吃苦的；因为都变出合式的态度来……这流人是永远胜利的，大约也将永远存在。在中国唯有他们最适于生存，而他们生存的时候，中国便永远免不了反复着先前的命运。’善于投机似乎成为中国民族劣根性之一，不惟明清之末如此，现在又何尝不如此。每次革命起来，最先附和的总是从前反革命最出力的人，而后来革命事业便逐渐腐化于这些病菌滋生之中。”“四、夸大狂与自尊癖。……具有夸大与自尊癖性的人，也最容易变成过分的谦逊，与自轻自贱。阿Q被未庄闲人揪住辫子在墙上碰头而且要他自认为‘人打畜生’时，他就说‘打虫豸，好不好？我是虫豸——还不放么！’中国人固自以为文化高于一切，鄙视别国为夷狄之邦。但当那些夷狄之邦打进来时，平日傲慢的态度，便会立刻完全改变……这毛病自古已然，于今为烈，我也不愿意再说了。”

此外，苏雪林根据《呐喊》和《彷徨》集，将鲁迅小说的艺术特色概括为以下三点：“第一是用笔的深刻冷隽，第二是句法的简洁峭拔，第三是体裁的新颖独创。”同时，苏雪林在文中还以《风波》为例，指出了鲁迅小说所受到的旧小说的影响。她认为“鲁迅作小说更有一种习惯，当事项进行到极紧张时，他就完全采用旧小说简单的笔调。”接着，苏雪林比较了鲁迅和徐志摩、茅盾等作家的不同：“徐志摩于借助西洋文法之外，更乞灵于活泼灵动的国语；茅盾取欧化文字加以一己天才的熔铸，别成一种文体。他们文字都很漂亮流丽，但也都不能说是‘本色的’。鲁迅……不惟在事项进行紧张时，完全利用旧小说笔法，寻常叙事时，旧小说笔法也占十分之七八，但他在安排组织方面，运用一点神通，便能给读者以‘新’的感觉了。化腐臭为神奇，用旧瓶装新酒，果然是这老头子的独到之点。”因此，苏雪林称赞鲁迅这类小说“以旧式小说质朴有力的文体做骨子，又能神而明之加以变化，我觉得很合我理想的标准。”（苏雪林：《〈阿 Q 正传〉及鲁迅创作的艺术》，《国闻周报》第 11 卷第 44 期，1934 年 11 月 5 日。）

成仿吾则对《呐喊》持批评意见。他在《〈呐喊〉的评论》一文中说：“《呐喊》出版之后，各种出版物差不多一齐为它呐喊，人人谈的总是它，然而我真费尽了莫大的力才得到了一部。里面有许多篇是我在报纸杂志上见过的，然而大都是作者的门人手编的，所以糟得很，这回由令弟周作人先生编了出来，真是好看多了。共计十五篇的作品之中，我以为前面的九篇与后面的六篇，不论内容与作风，都不是一样。编者不知是有意还是无意，恰依我的分法把目录分为两面了。如果我们用简单的文字来把这不同的两部标明，那么，前九篇是“再现的”，后六篇是‘表现的’。严格地说起来，前九篇中《故乡》一篇应归入后期作品之内，然而下面的《阿 Q 正传》又是前期的作品，而且是前期中很重要的一篇，所以便宜上不妨与前期诸作并置。”在成仿吾看来，鲁迅“前期的作品”都是“再现的记述”。不仅《狂人日记》、《孔乙己》、《头发的故事》、《阿 Q 正传》是如此，“即别的几篇也不外是一些记述（escription）。”“这些记述的目的，差不多全部在筑成（building）各样典型的性格（typical character）；作者的努力似乎不在他所记述的世界，而在这世界的住民的典型。所以这一个个的典型筑成了，而他们所住居的世界反是很模糊的。世人盛称作者的成功的原因，是因为他的典型筑成了，然而不知作者的失败，也便是在此处。作者太急了，太急于再现他的典型了，我以为作者若能不这样急于追求‘典型的’，他总还可以寻到一点‘普遍的’（allgemein）出来。”因此，成仿吾概括说：“假使《呐喊》有一读之价值，它的价值是在后期的几篇；假使作者关于自己有所表白于我们，那便是他的复活。”此外，成仿吾还批评了《呐喊》中的语言，他认为，《呐喊》中文言相杂的特色由于“用了许多无益的文言”，因此“读下去是很使人不快的。”而鲁迅在表达方面的艰涩，“都是使作品损色的。”

从对《呐喊》的批评出发，成仿吾提出了“建设国语”的主张。他说：“我们的新文学现在还是在一个建设国语的时期，许多的表白都待我们来新创，我希望大家在这一方面多多努力，不要忽视了。集中有几篇是不能称为小说的，我在前面已经说过了，我们中国人有一种通病，便是新诗流行的时候，便什么文字都叫做新诗，小说流行的时候，便什么文字都叫小说，这是很容易使人误会的事情。作者是万人崇仰的人，他对于一般青年的影响是很大的，像这样鱼目混珠，我是对于他特别不满意的。”（成仿吾：《〈呐喊〉的评论》，1924 年 11 月《创造季刊》第 2 卷第 2 期。）

九月

10日，成仿吾的《创造社与文学研究会》发表于《创造》季刊第1卷第4期。该文把创造社和文学研究会之间论战的责任完全归咎于文学研究会作家，并激烈抨击了沈雁冰等人。他说："许多人笑沈雁冰君只会批评别人，自己不能创作"，"文学研究会的一部分人对于我们不怀好意，已经是隐无可隐，加之善于变化的沈雁冰君，实在那里指挥一切"，沈雁冰"是政潮中的一位老手"，"已经不可救药了"。而且，成仿吾还声称："我们的使命在把他们的大帝国打倒"。并进而嘲笑沈雁冰"不懂英文"，"关于雪莱差不多什么也不懂"，"他是不量力，大胆，不负责任"。

对于成仿吾的攻击，沈雁冰等文学研究会作家没有答辩，他们所持的态度是："本刊同人与笔墨周旋，素限于学理范围以内；凡涉于事实方面的，同人皆不愿置辩，待第三者自取证于事实。所以成仿吾屡次因辩论学理而大骂文学研究会排斥异己，广招党羽，我们都置而不辩，因为我们知道与成君辩论是极没有意味的事。"（《时事新报·文学旬刊》第131期，1924年7月21日。）

周作人散文集《自己的园地》由晨报社出版。在该集的第一篇带有宣言性质的《自己的园地》中，周作人坦然宣布自己要坚持"独立的艺术美与无形的功利"，"依了自己的心的倾向"，去种"自己的园地"。并且，他认为"这是尊重个性的正当办法。"（周作人：《文艺的讨论》，《晨报副镌》1922年1月20日。）

闻一多的第一部诗集《红烛》由上海泰东图书局出版。该诗集的筹备工作早在1922年10月就开始了。10月15日，他在给家人的信中说，希望《红烛》能在年内出版，因为自己"决定归国后在文学界做生涯，故必需早早做个名声出去以为预备。"（闻一多：《致闻家騄闻家驷》，写于1922年10月15日，见《闻一多全集》第12卷第100页，湖北人民出版社1993年12月。）当时，新作者出书，十分困难，要自己先筹集印卷。闻一多预计《红烛》的印费需大洋100元。他自己在美国多方节省，于1923年2月寄回50元美金。那时1美元可换1.3中国银元。关于诗集的格式，闻一多明确指出："纸张字体我想都照《女神》底样子。"（闻一多：《致吴景超、梁实秋》，写于1922年10月30日，见《闻一多全集》第12卷第110页，湖北人民出版社1993年12月。）这部书由郭沫若、成仿吾介绍，泰东图书局出版发行。《红烛》的编排，1922年10月间闻一多指出一个设想："全集大概分为四小集：《雨夜之什》共二十三首为第一集，《宇宙之什》共二十首为第二集，《孤雁之什》（出国以后之作品，现有十四首）为第三集，《李白之死》为第四集。《忠告》、《心底悲号》、《伤心》、《画稿》、《同文炳话别》、《沈沈的夜》、《不知足的叫化子》、《别离的海》、《心与爱》、《爱之狂》十首都拟删去，《红烛》作为序诗。"（同上，第110页。）闻一多删诗的理由是认为诗歌"这种玩意儿在质不在量"。（同上，第111页。）

十月

14日，田汉的《艺术与社会》一文发表于《创造周报》第23号。

20日，中国社会主义青年团机关刊物《中国青年》周刊在上海创刊。由恽代英、邓中夏、萧楚女等主办。

庐隐小说《海滨故人》连载于《小说月报》第 14 卷 10 ~ 12 号。收入短篇小说集《海滨故人》，由商务印书馆 1925 年 7 月出版。

沈雁冰以“未明”的笔名发表文章，评论说：“从《或人的悲哀》（短篇集《海滨故人》的第八篇）起到最近，庐隐所写的长短篇小说，在数量上十倍二十倍于她最初期诸作，然而她告诉我们的，只是一句话：感情与理智冲突下的悲观苦闷。《或人的悲哀》中的主人公亚侠说：‘我心彷徨得很呵！往那条路上去呢？……我还是游戏人间罢！’（《海滨故人》页七四）《丽石的日记》中的主人公丽石，《彷徨》的主人公秋心，《海滨故人》中的主人公露沙，可说都是亚侠的化身，也就是庐隐她自己的‘现身说法’。自然，我们也承认这一串的‘现身说法’也有其社会的意义。因为这也反映着‘五四’时代觉悟的女子——从狭的笼里初出来的一部分女子的宇宙观和人生观。然而我们很替庐隐可惜，因为她的作品就在这一点上停滞。因为大约十年以后庐隐她写《归雁》和《女人之心》这两个中篇，她并没给我们什么新的，她这两个中篇依然是《海滨故人》的‘继续’。虽然《海滨故人》中的主人公露沙的苦闷徬徨和《归雁》中的‘我’，《女人的心》中的素璞，稍有程度上的不同，然而本质上是一样的，尤其是这三位女主角都是幻想很旺，非常 sentimental，有一颗‘禁不起挑拨的心’！”在谈到庐隐小说的艺术风格时，沈雁冰称赞庐隐的作品“流利自然”，“她只是老老实实写下来，从不在形式上炫奇斗巧。她的前期的作品（包括短篇集《海滨故人》及《曼丽》）结构比较散漫：《海滨故人》那样长的短篇作品故事的结构颇觉杂乱，人物很多，忽而讲到这个，忽然又讲到那个，‘控制’不得其法。她的后期的作品如《归雁》和《女人的心》就进步得多了，并且前期作品内那些过多的‘词藻’也没有了。”（未明：《庐隐论》，《文学》第三卷第一号，1934 年 7 月 1 日出版。）

郁达夫的诗、散文合集《茑萝集》由上海泰东图书局出版，为创造社“辛夷小丛书”第三种。

萍霞在《读〈茑萝集〉》中说：“有许多人们，是不知道人生的享乐，才感到人生的悲哀。所以他们的悲哀不能深沉。《茑萝集》的主人翁却不是这样。且看他，‘人生是现在一刻的连续，现在能够满足，不就好了么？一刻之后的事情，又何必去想它，明天明年的事情，更可丢在脑后了。一刻之后，谁能保得火车不出轨？谁能保得我不死？罢了罢了，我是满足得很！哈哈哈哈……’哈哈哈哈，这是怎样的一个懂得人生者？是怎样的一个会享乐人生者？但是不行，不行，不到一刻的功夫，便马上转入他悲哀的情调里去了。所以一个人对于一件事件，懂得是一件事，懂得之后，还有做不做得到的问题，这便是《茑萝集》的主人翁之所以只配做《茑萝集》的主人翁的原因。”（萍霞：《读〈茑萝集〉》，《京报副刊》第 23 号，1924 年 12 月 29 日。）

郭沫若的诗、戏曲、散文合集《星空》由上海泰东图书局出版，列为创造社丛书第六种，由泰东书局出版。该集收 1921—1922 年间诗歌、戏曲、散文 38 篇，其中诗 31 首、诗剧 3 篇、散文 4 篇。

丁西林的独幕剧《一只马蜂》发表于《太平洋》第 4 卷第 3 号。

孙师毅认为在国产的独幕剧中，《一只马蜂》的结构“是一个空前的创见”。至于此剧之取材，则“为事实中最精彩的一段”，而“其事实无支配，又不枝不蔓，极其恰当。”在对话上，《一只马蜂》“扼要而紧凑。”除此两点之外，《一只马蜂》“更有可以与吾人以许多的感动与趣味之处。”因此，孙师毅认为，“读了这个剧本或是看了这个剧本的公演的人，没有不会觉到这个剧中的几个人都各有其各具的特性的。而其各人之性格，亦莫不深刻的明显的在我们眼前活跃了——尤其是作者刻意描写的那位吉先生。这正如同鲁迅有所描写的阿Q，艺术手段是同样的高妙，细腻，一个是令读者看了《阿Q正传》便觉得这个人似乎很眼熟，随便在那里可以找得出一个这样的人来一样；一个却使人读了或看了《一只马蜂》，虽然觉得这个人在眼前很活泼，漂亮，自然，有趣的呈现着，却随便在那里想不起，找不出这样的一个人来看。他的一举，一动，一言，一笑，莫不可以给我们以一个深刻的印象，浓郁的兴趣，及其棱刺的讥讽，与耐人寻味的思索。”（孙师毅：《演〈一只马蜂〉后》，《晨报·诗镌》，1925年3月9日。）

十一月

成仿吾的《真的艺术家》一文发表于《创造周报》第27期。

王统照的《何为文学的“创作者”?》一文发表于北京《文学旬刊》第20号。

叶圣陶的童话集《稻草人》和小说集《火灾》均由商务印书馆出版。

郑振铎在评价叶圣陶的《稻草人》时说：“……是中国现代第一部童话集。圣陶集他最近二年来所作的童话编成一集，把末后一篇的篇名《稻草人》作为全集的名称。他要我作一首序文。我是很喜欢读圣陶的童话的，而且对于他的童话久已想说几句话，现在就乘这机会在此写几个字；不能算是《稻草人》的介绍，不过略述自己的感想而已……圣陶自己很喜欢这童话集；他曾对我说，‘我之喜欢《稻草人》，较《隔膜》为甚，所以我希望《稻草人》的出版也较《隔膜》为切。’在《稻草人》里，我喜欢阅读的文字，似乎也较《隔膜》为多。虽然《稻草人》里有几篇文字，如《地球》，《旅行家》等，结构上似稍幼稚，而在描写一方面，全集中几乎没一篇不是成功之作。”因此，“我们便不知不觉地惊奇起来，而且要带着敬意赞颂他的完美而细腻的描写。实在的，像这种描写，不仅非一般粗浅而夸大的作家所能想望，即在《隔膜》里也难寻到同样的文字。在描写儿童的口吻与人物的个性方面，《稻草人》也是很成功的。在艺术上，我们实可以公认圣陶是现在中国二三个最成功者当中的一个。同时《稻草人》的文字又很浅明，没有什么不易明了的地方。如果把这集子给读过四五年书的儿童看，我想他们一定很欢迎的。”（郑振铎：《〈稻草人〉序》，《稻草人》，商务印书馆1923年版）

钱杏邨则说：“《稻草人》是一部童话集，是从1921年11月到1922年6月内所写成，收他的童话23篇。本来，我们在他的小说里，就看到了他对于儿童是怎样的把握着，对儿童是怎样的钟爱（如《伊和他》，《萌芽》，《潜隐的爱》，《平常的故事》）。他原是从事于小学教育的，对于儿童真如‘读者的话’（《剑鞘》）里所说，考察到极细微的地步。这一部童话集，当然是一种说教的形式，无论在意义，在技巧方面，对于儿童是很适合的。不过全书所堆积的成人的悲哀太浓重，虽然遣辞是那么美丽。”

（钱杏邨：《叶绍钧创作的考察》，《现代中国文学作家》第二卷，泰东图书馆 1930 年版）

沈从文在评论叶圣陶的《稻草人》时说："作者虽不缺少那种为人生而来的忧郁寂寞，因为早婚的原因，使欲望平静，乃能以作父亲态度，带着童心，写成了一部短篇童话。这童话名为《稻草人》，读《稻草人》，则可明白作者是在寂寞中怎样做梦，也可以说是当时一个健康的心，所有的健康的人生态度，求美，求完全，这美与完全，却在一种天真的想象里，建筑那希望，离去情欲，离去自私，是那么远，那么远！在 1922 年后创造社浪漫文学势力暴涨，'郁达夫式的悲哀'成为一个时髦的感觉后，叶绍钧那种梦，便成一个嘲笑的意义而存在，被年轻人所忘却了，然而从创作中取法，在平静美丽的文字中，从事练习，正确地观察一切，健全的体会一切，细腻的润色，美丽的抒想，使一个故事在组织篇章中，具各样不可少的完全条件，叶绍钧的作品，是比一切作品还适宜于取法的。他的作品缺少一种眩目的惊人的光芒，却在每一篇作品上，赋予一种温暖的爱，以及一个完全无疵的故事，故给读者的影响，将不是趣味，也不是感动，是认识。认识一个创作应当在何种意义下成立。叶绍钧的作品，在过去，以至于现在，还是比一切其他作品为好。"（沈从文：《论中国创作小说（节录）》，《文艺月刊》第 2 卷第 4 号，1931 年 4 月 30 日。）

十二月

1 日，邓中夏的《新诗人的棒喝》发表于《中国青年》第 7 期。该文批评了一些诗人脱离社会现实的浮夸风气。在 1923—1926 年间，该刊和《民国日报·觉悟》、《新青年》，曾多次发表共产党人对文艺运动的意见，提倡革命文学。如：邓中夏的《贡献于新诗人之前》、秋士的《告研究文学的青年》、恽代英的《文学与革命》以及萧楚女、沈泽民、蒋光赤等的文章。

23 日，郑伯奇在《创造周报》第 33 号发表《国民文学论》（连载至 35 号），提倡"国民文学"，即"以国民的意识着意描写国民生活或抒发国民感情的文学。"

30 日，郭沫若的《印象与表现》发表于上海《时事新报》副刊《艺术》。文章表达了郭沫若对浪漫主义文学的理论见解。他认为："印象"就是指自然主义、写实主义，是客观的、再现的，因而是消极的、被动的；"表现"就是指浪漫主义、表现主义，它们的特点是尊重个性，尊重自我，自由创造，因而是积极的主动的。郭沫若认为真正的艺术之路是浪漫主义。他说："求真在艺术家本是必要的事物，但是艺术家的求真不能在忠于自然上讲，只能在忠于自我上讲。艺术的精神决不是在模仿自然，艺术的要求也决不是在仅仅求得一片自然的形似。艺术是自我的表现，是艺术家的一种内在冲动的不得不尔的表现……自然不过供给艺术家以种种的素材，使这种种素材融合成一个完整的新的世界，这还是艺术家高贵的自我！"

31 日，沈雁冰在《文学》周刊第 103 期发表《"大转变时期"何时来呢？》，反对脱离人生的唯美的文学，认为文学应当能"担当唤醒民众而给他们力量的重大责任"，呼唤文坛"大转变时期"的到来。

鲁迅的《中国小说史略（上）》由北京新潮社出版，下卷于1924年6月由北京北新书局出版。1925年9月合订再版。在序言中，鲁迅说："中国之小说自来无史；有之，则先见于外国人所作之中国文学史中，而后中国人所作者中亦有之，然其量皆不及全书之什一，故于小说仍不详。三年前，偶当讲述此史，自虑不善言谈，听者或多不憭，则疏其不要，写印以赋同人汉虑钞者之劳也，乃复缩为文言，省其举例以成要略，至今用之。"本书系由讲义改订而成，收第一篇至第十五篇，封面"中国小说史略"六字用铅字排印。这是中国的第一部小说史。

应修人、潘漠华、冯雪峰的诗歌合集《春的歌集》由湖畔诗社出版。全集分3卷。卷一收冯雪峰诗11首、潘漠华诗28首，卷二收应修人诗33首，卷三收若迦（潘漠华）《夜歌》等23首，卷末录冯雪峰《秋夜怀若迦》一文。诗作多为爱情诗。

朱自清评论这几位诗人时说："中国缺少情诗，有的只是'忆内''寄内'，或曲喻隐指之作；坦率的告白恋爱者绝少，为爱情歌咏爱情的更是没有……真正专心至致做情诗的，是'湖畔'的四个年轻人。他们那时候差不多可以说是生活在诗里。潘漠华氏最是凄苦，不胜掩抑之致；冯雪峰氏明快多了，笑中可也有泪；汪静之氏一味天真的稚气；应修人氏却嫌味儿淡些。"（朱自清：《中国新文学大系・诗集・导言》第4页，上海良友图书印刷公司1935年版）

闻一多评论道："近复读湖畔，觉甚有价值，修人，雪峰，漠华三君皆有佳作也。《彷徨》，《在江边小坐》，《隐痛》，《归家》皆与冰心同调；《草儿》，《冬夜》，即《女神》中亦不可得此也。盖《女神》虽现天才，然其technique之粗糙篾以加矣。更有一层，湖畔诗人，犹之冰心，有平庸之作，而之恶劣之品……或有人要批评雪峰底《三只狗》。但《三只狗》不过有点futuristic，还不失为诗也；从未来派者的眼光看来，许还是第一等的作品呢。四位中汪静之稍差。必要首首诗限定一句，那真是个傻子。我不能讲的太仔细了。"（闻一多：《致梁实秋、吴景超》，《闻一多全集》第12卷第81页，湖北人民出版社1993年版）

宗白华的诗集《流云》由亚东图书馆出版。收诗48首，另有作者《序》。在《序》中，作者说："黑夜的影将去了，人心里的黑夜也将去了！我愿乘着晨光，呼集清醒的灵魂，起来颂扬初升的太阳。"全集以小诗居多。该集中的诗歌曾先后在《时事新报》、《少年中国》、《妇女杂志》等报刊发表。

倪贻德的小说《玄武湖之秋》发表于《创造周报》第32号。后收入短篇小说集《玄武湖之秋》，列为"创造社丛书"第九种，由上海泰东书局1924年4月出版。

1924年

一月

6日，黄仲苏的《梅特林的戏剧》在《创造周报》第35号起发表（连载两期），介绍比利时戏剧家梅特林克的主要作品，称赞梅特林克"不仅是个诗化的戏剧家，他还是个音乐化的戏剧家"。

10日，沈雁冰、郑振铎撰写的《现代世界文学者略传》自本期起，连载于1、2、

3、4、5、9 号的《小说月报》。《现代世界文学者略传》介绍了法朗士、罗曼·罗兰等法国文学家，此外，还介绍了匈牙利、南斯拉夫、波兰、捷克，以及乌拉圭、秘鲁、墨西哥等国的文学家。

17 日，鲁迅应北京师范大学附属中学校友会之邀作讲演，讲题为《未有天才之前》。讲演稿经校订后，载于 1924 年北京师范大学附属中学《校友会刊》第一期；1924 年 12 月 27 日《京报副刊》第 21 号曾转载。转载时鲁迅在文章前面加了一段小引，收入《坟》。当时，文艺界要求天才产生的呼声很高，鲁迅在讲演中阐明了自己对天才的看法："天才并不是自生自长在深林荒野里的怪物，是由可以使天才生长的民众产生，长育出来的，所以没有这种民众，就没有天才。"鲁迅接着批判了"一面固然要求天才，一面却要他灭亡，连预备的土也想扫尽"的种种错误倾向：其一是以"整理国故"为号召抵制新思潮；其二是以"崇拜创作"为名"排斥异流，抬上国粹"，"使中国和世界潮流隔绝"；其三是"在嫩苗的地上驰马"的"恶意的批评"。

20 日，《创造周报》第 37 号开始连载仲苏的《法国最近五十年来文学之趋势》，介绍 19 世纪后半期以来法国文学思潮和主要作家作品。

20 日至 30 日，中国国民党在广州召开第一次全国代表大会。大会由孙中山主持，通过了鲍罗廷起草的国民党第一次代表大会宣言，确定了孙中山的"联俄、联共、扶助农工"三大政策，重新解释了三民主义，使旧三民主义发展成为具有反帝、反封建内容和联俄、联共、扶助农工三大政策的新三民主义。大会选出包括共产党人李大钊、谭平山等在内的 24 名中央执行委员，选出包括共产党人毛泽东、林伯渠等在内的 17 名候补中央执行委员。这次会议，标志着国民党改组的完成和第一次国共合作的正式建立。

田汉创办《南国》半月刊，由泰东书局发行。这是一种小型的文艺刊物，是田汉效仿日本思想家山川均和菊荣夫人例，与其妻易漱瑜合力创办的，同年 3 月停刊。

田汉后来回忆说："《南国半月刊》第一期有一简单的宣言，即'欲在沉闷的中国新文坛鼓动一种清新芳烈的艺术气'，所谓空气自然也是模糊的感觉，而无一定的明确的意识，又慕威廉·布莱克之所为，不欲以杂志托之商贾，决定自己出钱印刷，自己校对，自己折叠，自己发行。当时这杂志除与我妻易漱瑜努力创作，录登沫若、白华、达夫诸友通信外，从第二期起又附刊《南国新闻》，注重各种艺术如戏剧、电影，以及出版物的批评。这种工作在一个负担一家生活底穷学生是过重了。何况又以漱瑜的病心力两疲，到了第四期便停刊了。当时我所发表的作品有《获虎之夜》等，与在创造上所发表的《咖啡店之一夜》，同为我习作期底重要作品。它表现了我青春期的感伤、彷徨，对腐败的现状的反抗渐趋明确。"（田汉：《我们的自己批判》，《南国》月刊第二卷第一期。后收入《田汉文集》第 14 卷，中国戏剧出版社 1983 年版）

郑振铎所译俄国路卜洵长篇小说《灰色马》由商务印书馆出版，为"文学研究会丛书"之一，瞿秋白、沈雁冰作序，俞平伯作跋。

王统照小说集《春雨之夜》由上海商务印书馆出版。

瞿世英在该书的《〈春雨之夜〉序》中说："小说作家的作品的内容，大致是描写实际生活与理想生活不融洽之点，而极力描写他理想的生活的丰富和美丽，剑三的小说，也是如此。他所咒诅的是与爱和美的生活不调和的生活，想象中建设的是爱和美的社会。”

蹇先艾对《春雨之夜》集中的作品进行了详细的分析，总体上给了该集很高的评价，他说：“总起来说：剑三因为具有清超复绝的天才，本着爱美的思想，能致密的观察，又善于用婉绵的笔调，所以才有这样丰富的产品。就现在剑三的努力，我敢断言，其将来的收获，必更有甚于此!”（蹇先艾:《〈春雨之夜〉所激动的》，1924 年 5 月 21 日《文学旬刊》第 36 号。）

李劼人的中篇小说《同情》由中华书局出版。

田汉的独幕剧《获虎之夜》发表于《南国》半月刊（未登完）。该剧被视为田汉早期代表作，更是第一次“接触了婚姻与阶级这一社会问题。”（田汉:《田汉戏曲集·五集·自序》，《田汉文集》第 2 卷第 417 页，中国戏剧出版社 1983 年版）同年收入田汉戏剧集《咖啡店之一夜》，由中华书局出版。

熊佛西戏剧集《青春底悲哀》由上海商务印书馆出版。列为“文学研究会通俗戏剧丛书”第一种。有郑振铎的《序》，瞿白音的《序》和作者《自序》。收《青春底悲哀》、《新闻记者》、《新人的生活》、《这是谁的错》等四部剧本。

朱自清与俞平伯同题作文《桨声灯影里的秦淮河》发表于《东方杂志》第 21 卷第 2 号。

二月

24 日，成仿吾的《艺术之社会的意义》一文发表于《创造周报》第 41 期，强调了艺术的社会功利价值。他说：“真的艺术必有它的社会的价值”，“只要不是利己的恶汉，凡是真正的艺术家，没有不关心于社会的问题，没有不痛恨丑恶的社会组织而深表同情于善良的人类之不平的境遇的。”在成仿吾看来，“艺术之所以能够维持到今而且渐次进步的原因，实是因为它有这种社会的价值。”而“艺术之社会的价值”，“如果只就大一点的说，我以为至少有下面的两种：”“1. 同情的唤醒　艺术由它所必有的社会的成分，利用人类对于美的憧憬，唤起在人类中间熟睡了的同情。”“2. 生活的向上　艺术由它所反映的生活，提醒我们的自意识，促成生活的向上。”

28 日，郭沫若《王昭君》（三幕历史剧）发表于《创造》季刊第 2 卷第 2 期。

钱杏邨在评论该剧时说：“王昭君，大部分是出于他的想象，因为要表现反抗，他终于写出她反抗元帝的高傲，彻底的去反抗王权。”（转引自黄人影编:《郭沫若论》第 36 页，上海光华书局 1931 年版）

三月

1 日，鲁迅小说《幸福的家庭——拟许钦文》发表于《妇女杂志》第 10 卷第 3 号。

25 日，鲁迅的小说《祝福》发表于《东方杂志》第 21 卷第 6 号。

苏进在《读鲁迅的〈彷徨〉》一文中写道：“我尤其爱读《祝福》《肥皂》《高老

夫子》《孤独者》《伤逝》《离婚》六篇。《祝福》所给予我的是雪一般的冷气，祥林嫂是一个可怜的人，而社会上人却把她当玩物取笑；你想现代的社会是何等的冷酷？附带的描写鲁四老爷，尤能入微。”（苏进：《读鲁迅的〈彷徨〉》，天津《庸报副刊》，1926 年 12 月 26 日。）

27、28 日，鲁迅的小说《肥皂》在《晨报副刊》上连载。

苏进称鲁迅是用“幽默蕴藉的笔致”，描绘了四铭的“迂腐和虚伪。”（苏进：《读鲁迅的〈彷徨〉》，天津《庸报副刊》，1926 年 12 月 26 日。）

郑振铎的《俄国文学史略》一书由商务印书馆出版，为“文学研究会丛书”之一。

刘大白的诗集《旧梦》由上海商务印书馆出版。

周全平的小说集《烦恼的网》由泰东图书局初版刊行，列为“创造社丛书”第八种。

冰心小说《悟》发表于《小说月报》第 15 卷第 6 号，后收入《往事》集。

贺玉波在《歌颂母爱的冰心女士》一文中说：“《悟》是由六篇书信组成的，其他只是少部分的描写而已；至于立意与《超人》差不多，不外主张母爱与博爱以非难对于人类绝望的人生观是了。”（贺玉波：《歌颂母爱的冰心女士》。转引自范伯群编：《冰心研究资料》第 225 页，北京出版社 1984 年版）

四月

10 日，郑振铎主编的《小说月报》出版“拜伦专号”（第 15 卷第 4 期）。

12 日，应中国学者梁启超、蔡元培之邀，泰戈尔率领由国际大学教授、梵文学者沈漠汉，国际大学艺术学院院长、现代孟加拉画派大画家南达拉波斯等一行 6 人组成的访华团抵达上海，由徐志摩担任随行翻译。在华期间，泰戈尔先后访问了上海、杭州、南京、济南、北京、太原、汉口等地，游览名胜古迹，与文艺界人士进行了广泛接触。前后公开演讲及在小型集会上的谈话约三、四十次，并获赠中国名字竺震旦。5 月 30 日由上海赴日本。

17 日，夏曾佑去世。

夏曾佑（1862—1924），字遂卿，一作穗卿，号碎佛，笔名别士。浙江杭州人。夏曾佑一生读书兴趣广泛，好学深思，他对今文经学、佛学有精深的研究，对乾嘉考据学和诗文有相当的素养。此外他还注意学习外国史地知识和自然知识。夏曾佑 26 岁中举。光绪十六年（1890），夏曾佑 28 岁，中进士；后任礼部主事。同年，夏曾佑在北京结识梁启超、谭嗣同等人。夏曾佑对梁启超影响相当大，梁启超回忆说：“十次有九次我被穗卿屈服，我们总得到意见一致。”又说：“穗卿是我少年做学问最有力的一位导师。”（梁启超：《亡友夏穗卿先生》，《东方杂志》第 21 卷第 9 期）曾与梁启超共同提倡小说。有《夏别士先生诗稿》。光绪二十二年（1896），夏曾佑、汪康年、梁启超发起，在上海创办《时务报》，鼓吹变法图强。1896 年、1897 年，夏曾佑在天津候选，孙宝琦创办育才馆，延聘夏曾佑执教。夏曾佑在天津结识严复，交往甚密。1897 年《国闻报》在天津创刊，夏曾佑与严复都是创始人。1897 年 10 月 16 日至 11 月 18 日和

严复一起在《国闻报》上发表《本馆附印说部缘起》，提倡小说。夏曾佑为严复翻译的一些西方学术名著如《原富》等写序或按语。在此期间，夏曾佑、梁启超、黄遵宪、谭嗣同等人还开展“新诗”运动，夏曾佑是这一运动的倡导者之一。百日维新失败后，梁启超避入日本领事馆，由日人伴送至塘沽，以东渡去日本。夏曾佑追至塘沽，同梁启超话别。1902年丁忧期间写出《中国历史教科书》。1906年，清政府玩弄立宪骗局，派载泽等五大臣出国考察，夏曾佑以随员身分同行。辛亥革命前，夏曾佑曾任安徽广德县知县等职。辛亥革命后，一度退居上海，后任北洋政府教育部普通教育司司长，凡4年，后调任京师图书馆馆长。

郭沫若赴日本，通过翻译日本经济学家河上肇的介绍马克思主义的著作——《社会组织与社会革命》一书，开始较为系统地接触和认识了马克思主义。

在郭沫若思想发展的历程上，本书的翻译起到了重要的作用。他自己说：“这书的译出在我一生中形成了一个转换时期，把我从半眠状态里唤醒了的是它，把我从歧路的彷徨里引出了的是它。”（郭沫若：《孤鸿——致成仿吾的一封信》，《沫若文集》第10卷第289页，人民文学出版社1959年版）过去，他只是对资本主义社会怀着茫然的憎恨，而这本书却使他“认识了资本主义之内在的矛盾和它必然的历史的蝉变。”（郭沫若：《创造十年》及《〈创造十年〉续篇》，《沫若文集》第7卷第165、183页，人民文学出版社1959年版）郭沫若因此深信“社会生活向共产制度之进行，如百川之朝宗于海，这是必然的路径。”（编者按：本段引文出自1924年郭沫若致何公敢的一封信，当时未曾发表。1926年，郭沫若写《向自由王国的飞跃》一文时引用了原信。可参见《沫若文集》第10卷第434页，人民文学出版社1959年版）

叶圣陶与俞平伯、朱自清等组织我们社。同年7月，由朱自清主编的《我们的七月》出版。这是朱自清和俞平伯、叶圣陶、潘训等青年作家的诗与散文合集。

郑振铎主编《小说月报》号外《法国文学研究》出版。

上海戏剧协社演出洪深根据王尔德《温德米尔夫人的扇子》改编的戏剧《少奶奶的扇子》。

俞平伯诗集《西还》由上海亚东图书馆出版。

倪贻德的小说集《玄武湖之秋》由泰东图书局初版刊行，列为“创造社丛书”第九种。

淦女士的小说《隔绝之后》发表于《创造周报》第49号。

孙俍工的小说《海的渴慕者》由民智书局出版。

五月

10日，鲁迅的小说《在酒楼上》发表于《小说月报》第15卷5号，收入《彷徨》集。

19日，成仿吾的《一年的回顾》发表于《创造周报》第52号，宣告《创造周报》停刊。文章回顾了“我们的爱儿这一年来所经过的路程的概况”，同时也谈到《周报》停刊的原因：“我们固然很愿意竭力于新文学的建筑，然而我们自己也要生活。”“我们

决不是卑怯的逃避者，我们也决不愿意放弃我们的工作。我们的文学革命，和我们的政治革命一般，须从新再来一次。我们休息一时，当是一种准备的作用。不等到来年，秋风起时也许就是我们卷土重来的军歌高响的时候。”

恽代英《文艺与革命》发表于《中国青年》第 31 期。文中说：“我虽不知道文学是甚么，亦相信文学是‘人类高尚圣洁的感情的产物’；既如此说来，自然是要先有革命的感情，才会有革命文学的。现在的青年，有几个真可称为有革命的感情呢……倘若你希望做一个革命文学家，你第一件事是要投身于革命事业，培养你的革命的感情。”（恽代英：《恽代英文集》上卷第 532 ~ 533 页，人民出版社 1984 年版）

姚民哀的小说《山东响马传》由世界书局出版。

张闻天的长篇小说《旅途》连载于《小说月报》第 15 卷第 5 号至第 12 号。

六月

10 日，瞿秋白在《小说月报》第 15 卷第 6 期发表《赤俄新文艺时代的第一燕》，赞扬十月革命“辟出人类文化的新道路”。文章介绍了“无产阶级文化的‘第一燕’——两位死于其天责的劳工诗人，无产阶级文化运动的创始者：——菲独·嘉里宁和柏塞勒夸”，认为“革命中资产阶级的文学家往往对于苏维埃政府过分的要求优待，却又‘怀才自重’，不肯轻易为平民服务；工人的著作家力竭声嘶的开展一些才能，不幸乃竟为新文化和新生活而死于战场”。

11 日，鲁迅回八道湾取书时，与周作人再次发生激烈冲突。鲁迅在当天的日记中写道：“下午往八道湾宅取书及什器，比进西厢，启孟及其妻突出骂詈殴打，又以电话招重久及张凤举、徐耀辰来，其要向之述我罪状，多秽语。凡捏造未圆处，则启孟救正之，然终取书、器而出。”许寿裳后来回忆这件事时说：“这所小屋（指西三条南屋藏书室）既成以后，他就独自个回到八道湾大宅取书籍去了。据说作人和信子大起恐慌，信子急忙打电话，唤救兵，欲假借外力以抗拒；作人则用一本书远远的掷入，鲁迅置之不理，专心捡书。一忽而外宾来了，正欲开口说话，鲁迅从容辞却，说这是家里的事，无烦外宾费心。到者也无话可说，只好退了。这是在取回书籍的翌日，鲁迅说给我听的。我问他：‘你的书全部都已取出了吗？’他答道‘未必’。我问他我所赠的《越缦堂日记》拿出了吗？他答道：‘不，被没收了。’”（许寿裳：《亡友鲁迅印象记·西三条胡同住屋》第 60 页，人民文学出版社 1953 年版）许广平也回忆道：“后来朋友告诉我：周作人当天因‘理屈词穷’，竟拿起一尺高的狮形铜香炉向鲁迅头上打去，幸亏别人接住，抢开，这才不致打中。”（许广平：《鲁迅回忆录·所谓兄弟》第 58 页，作家出版社 1961 年版）鲁迅这次只取了部分书物，至于以“十余年之勤”收集拢来的古砖及拓本，则多为周作人霸占，鲁迅在《 <俟堂专文杂集> 题记中愤慨地说：“迁徙以后，忽遇寇劫，孑身逭遁，止携大同十一年者一枚出，余悉委盗窟中。”

瞿秋白《赤都心史》由商务印书馆出版。为“文学研究会丛书”之一。

茅盾后来回忆说：“三十多年前，现在的五十多岁的人，当时被‘十月革命’的炮声所惊醒，往往幻想着那横跨欧亚两洲的大国在革命以后就该是一下子变成怎样一个极乐的世界。认为‘就该是’，这是多么天真，多么幼稚……《饿乡纪程》和《赤都心史》却用‘清醒的现实主义’……教育了上面说的那些太幼稚太天真的人。这样做是有好处的，至少在当时，因为我看到过，有些抱着那样幻想的人后来发现事实的发展不能一下子就符合他们的幻想，就觉得受了骗了（其实是他自己受了自己幻想的骗），于是从火热变成冰冷，甚至走上相反的道路。对于这样的人，我以为《饿乡纪程》和《赤都心史》可以医治他的病。至少，我是有过这样的经验；而亦因此，种下了我对于这位不相识的作者的敬仰的情绪。”（茅盾：《纪念秋白同志，学习秋白同志》，《人民日报》1955 年 6 月 18 日。）

鲁迅《中国小说史略》（下）由北京新潮社出版。本年所作后记，述上册中未及增修之处。又，本年 7 月在西安讲学，记录稿即《中国小说的历史的变迁》。

七月

13 日，北京学生联合会、《政治生活》周刊社、中国社会主义青年团等 50 多个团体，在北京发起建立反帝国主义运动大同盟推选胡鄂公、雷殷、李世璋等 15 人为执行委员会委员，并发表成立宣言和通电。该组织的主要宗旨是开展废除不平等条约的运动，反对帝国主义对华的侵略政策。曾在全国发起反帝国主义运动周活动。1926 年后逐渐停止活动。

17 日，北京国立 8 所大学教职员召开联席会议，发表废除不平等条约的宣言。8 月 13 日，又发表宣言，主张退还的庚子赔款用于教育事业。8 月 14 日，上海废除不平等条约运动大同盟在沪北公学召开成立大会，号召人们为废除不平等条约而斗争。同时，在天津、武汉、广州等地也先后召开大会，进行废除不平等条约的宣传。

21 日，《文学周刊》第 131 期“通信”栏发表《郭沫若致编辑诸君》和《编者公开答复信》，双方就创造社与文学研究会之间的一些纠葛进行争辩。《文学周刊》编者最后表示，如不属“学理范围以内”的争论，不再回答，以此结束两社之间长达 3 年之久的论战。

《红玫瑰》（周刊）创刊于上海。由《红杂志》改名而成，自第 4 卷起改为旬刊。32 开本。世界书局发行。1932 年 1 月终刊。共出 7 卷 288 期。由严独鹤任名誉编辑，赵苕狂负责编辑。主要撰稿人有严独鹤、赵苕狂、包天笑、天虚我生（陈蝶仙）、程瞻庐、姚民哀、不肖生（向恺然）、程小青、吴双热、平襟亚、徐碧波、张冥飞、范烟桥、吴绮缘、徐卓呆、郑逸梅、胡寄尘、朱枫隐、王西神、刘豁公、徐枕亚等。

严独鹤在《发刊词》中说明：“《红玫瑰》之与《红杂志》，就历史而言，就事实言，殆相衔接。”“‘红玫瑰’为名贵之花，谓能美而常新，斯则吾人所用以自励者也。”作品要求短峭、滑稽、通俗，后期更强调“描写以现代现实的社会为背景，务求与眼前的人情风俗相去不甚悬殊”。设有妇女、小小报、滑稽文章、新鲜笑话、中外趣闻、电影消息、关于剧场及游戏场之片谈、滑稽画、滑稽问答、对本刊之批评等栏目。长篇章回小说，除继续连载不肖生的《江湖奇侠传》外，有姚民哀的江湖秘闻《四海群龙传》，严独鹤的《人海梦》，赵苕狂的《玉碎珠沉录》，程瞻庐的《新广陵潮》等。

还曾出过“春季号”、“夏季号”、“伦理号”、“因果号”、“消夏号”、“新妇女号”、“娼妓问题号”、“妇女心理号”、“百花生日号”、“小说家号”等专号。除附有插图外，另刊《红玫瑰画报》12 期，并将所刊之短篇小说汇印成《红玫瑰丛刊》专集。

八月

20 日，《洪水》（周刊）创刊于上海，32 开本，后期创造社主办的期刊。泰东图书局发行。周全平、倪贻德等编，郭沫若、成仿吾、周全平、倪贻德撰稿。

出版《洪水》的目的本是在容纳《创造周报》的余稿，但终因准备不足，只出了第 1 期，旋即停刊。第一期上有周全平的《撒但的工程》一文，宣称：“没有创造，便没有世界”，但“破坏是比创造更为紧要。不先破坏，创造的工程是无效的。彻底的破坏，一切固有势力的破坏，一切丑恶的创造的破坏，恰是美善的创造的第一步工程！”

《洪水》周刊第二期编成后，因卢齐战争（浙江督军卢永祥与江苏督军齐燮元之间的军阀混战）而未刊印。1925 年 9 月 16 日复刊，改为半月刊。1927 年 12 月 15 日终刊。共出 3 卷 36 期。1926 年 12 月曾出版《洪水周年增刊》一本。第 1 ~ 2 卷，即第 1 ~ 24 期，由周全平编辑；第 25 期以后，由郑伯奇、穆木天、郁达夫编辑。其中第 1 ~ 12 期由光华书局发行，第 13 ~ 36 期由创造社出版部发行。

《洪水复刊宣言》申明：“我们并没有什么远大的计划，也没有什么巨大的野心，更没有什么伟大的主义，只因为看不惯眼前的丑态，遏不住自己的感情而又找不到可以让我们自由地发表思想的地方，才把这小小的《洪水》复活。”“洪水的野心是想破坏一切既成的恶习，独断的权威，无论在思想上，生活上，政治上，经济上，凡有碍青年人的心性发展的，不论大小，一例加以攻击。”这表明创造社开始了“转换方向”的“变化”。刊物内容偏重批评，以评论、小说、诗为主，并有散文、杂文、杂记、译作、通讯、插图等。主要撰稿人有郭沫若、郁达夫、成仿吾、周全平、洪为法、叶灵凤、严良才、郑伯奇、穆木天、倪贻德、张资平、蒋光慈、陶晶孙、王独清、周毓英、敬隐渔等。该刊曾开展了对郭沫若《马克思进文庙》一文的讨论，发表过郭沫若的《盲肠炎与资本主义》、《穷汉的穷谈》、《共产与共管》，成仿吾的《今后的觉悟》、《完成我们的文学革命》，郁达夫的《无产阶级专政和无产阶级的文学》、《在方向转换的途中》，漆树芬的《赤化与军阀》，以及毛尹若的《马克思社会阶级观简说》等文。

许杰的小说《惨雾》发表于《小说月报》第 15 卷第 8 号。

川岛《月夜》集由新潮社出版。

九月

15 日，鲁迅作《秋夜》，载 12 月 1 日《语丝》周刊第 3 期，题为《野草一 · 秋夜》，署名鲁迅。收入《野草》。

24 日，鲁迅在致李秉中信中对自己当时思想上的矛盾、苦闷进行了剖析，认为“我自己总觉得我的灵魂里有毒气和鬼气，我极憎恶他，想除去他，而不能。我虽然竭力遮蔽着，总还恐怕传染给别人，我之所以对于和我往来较多的人有时不免觉到悲哀者以此。”

鲁迅辑成《俟堂砖文杂集》，署名“宴之敖”，内含“被家里日本女人驱逐出去”之意。据许广平回忆，鲁迅对这笔名有过一个解释：“先生说：宴从门（家），从日，从女，敖从出，从放（《说文》作敫，游也，从出从放）；我是被家里的日本女人逐出的”。（许广平：《欣慰的纪念·略谈鲁迅先生的笔名》第24页，人民文学出版社1951年版）

许地山在美国哥伦比亚大学获得文学硕士学位。因不惯美国生活方式，9月转入英国伦敦牛津大学研究院，研究宗教史、印度哲学、梵文及民俗学等。在此期间，许地山在《小说月报》上发表了诗《看我》、《情书》、《邮筒》、《做诗》、《月泪》，小说《枯杨生花》等。结识老舍，鼓励他写出小说《老张的哲学》，并介绍在《小说月报》上发表。

本月至1929年6月，舒庆春（老舍）在伦敦大学东方学院华语学系任华语讲师，教授古文、官话口语、翻译、历史文选、道教和佛教文选、作文等课程，一年三学期，每学期上10周课，年薪250英镑。1926年改称中国官话和古文讲师，年薪增至300英镑。在校期间，老舍除授课外，完成了长篇小说《老张的哲学》、《赵子曰》、《二马》的创作。

十月

1日，鲁迅译日本厨川白村的文艺论文集《苦闷的象征》，载10月1日至31日《晨报副刊》，署名鲁迅。《苦闷的象征》全书分“创作论”、“鉴赏论”、“关于文艺的根本问题的考察”、“文艺的起源”四部分，主旨在于阐述这样的文艺观：“生命力受了压抑而生的苦闷懊恼乃是文艺的根柢，而其表现法乃是广义的象征主义。”本年12月《苦闷的象征》出版，为“未名丛刊”之一。

9日，林纾（琴南）逝世。

林纾（1852—1924），原名群玉，字琴南，号畏庐、冷红生、六桥补柳翁，晚年别署践卓翁、蠡叟等，私谥贞文。福建闽县（今福州）人。幼时家境贫寒，然刻苦读书，于古文尤着力。二十余岁从师学画。31岁与陈衍等结福州支社，并于是年中举。其后屡试不第。40岁以前遍览唐宋小说。因国事日非，除曾上书抗争割辽东半岛、台湾、澎湖于日本及德占胶州湾，又于1897年撰《闽中新乐府》32篇，具见其维新思想。1899年移家杭州，执教东城讲舍。同年，王寿昌口述、林纾笔录的《巴黎茶花女遗事》出版，风行海内，从此一发不可收拾，开始了其翻译生涯。并绝意仕进，后屡拒荐举。1901年，迁居北京，任金台书院讲席，又受聘为五城学堂总教习，教授修身与国文。始晤桐城派大家吴汝纶，与其论古文，畅说《史记》，吴氏甚佩其言。1903年，兼职京师大学堂译书局，为笔述。1906年，任京师大学堂预科及师范馆经学教员。此外，尚在其他学校兼教。1911年，与樊增祥等在京结诗社。辛亥革命爆发后，林纾决心以清遗民终其身，11次赴河北易县田崇陵，并拒袁世凯、段祺瑞顾问之聘。1912年，《平报》创刊，林纾为该报开“铁笛亭琐记”、“践卓翁短篇小说”、“讽谕白话诗”

等专栏，并任编纂。自此始自著小说。同时兼为其他杂志撰稿。1917年，胡适、陈独秀等在《新育年》倡导新文化运动后，林纾著文反对，并作小说影射攻击。又开文学讲习会传授古文。1919年，上海《新申报》为林纾辟“蠡叟丛谈”专栏，北京《公言报》为其辟“劝世白话新乐府”专栏。1924年病逝前，犹以“古文万无灭亡之理”嘱其子“勿怠尔修”。林氏开风气之先，最早大量译介西洋文学入中国，虽不谙外文，凭人口述，难免讹谬，然善于为文，以古文笔法出之，也别具一格。除《巴黎茶花女遗事》，名译尚有《黑奴吁天录》（1901）、《迦茵小传》（1905）、《块肉余生述》（1908）、《不如归》（1908）、《离恨天》（1913）等，总计翻译小说在180种以上（包括未刊及稿本），曾合编《林译小说丛书》（未全）。其自著小说亦用文言，长篇有《剑腥录》（1913）、《金陵秋》（1914）、《劫外昙花》（1915）、《冤海灵光》（1915）、《官场新现形记》（初名《巾帼阳秋》，1917）5种，短篇有《践卓翁小说》一至三辑（1913—1917），另有笔记《技击余闻》（1913）、《铁笛亭琐记》（1916）、《畏庐笔记》（191 7）等，剧本《蜀鹃啼传奇》（1917）等3种。译、著小说之外，尤肆力于古文，著《春觉斋论文》（1913）、《韩柳文研究法》（1914）等专论，并编成多种古文选评本行世。文存《畏庐文集·续集·三集》，诗收《畏庐诗存》。未入集诗、文尚多。

28日，鲁迅作《论雷峰塔的倒掉》，载11月17日《语丝》周刊第1期，署名鲁迅。收入《坟》。

30日，鲁迅作《说胡须》，载12月15日《语丝》周刊第5期，署名鲁迅。收入《坟》。

王鲁彦的《柚子》发表于《小说月报》第15卷第10号。

十一月

11日，郭沫若由日本回到上海，住环龙路44弄。

15日，上海《民国日报》副刊《觉悟》上发表《“春雷文学社”启事》，宣告春雷社成立。该社由蒋光赤、沈泽民组织，他们以上海《民国日报》副刊《觉悟》为主要阵地，提倡革命文学，是现代文学史上较早提倡革命文学的社团之一。

17日，《语丝》（周刊）在北京创刊。《语丝》是孙伏园辞去《晨报副刊》编辑后，在鲁迅的支持下创刊的。16开本。语丝社主办。北京大学新潮社出版发行，第141期起改由语丝社出版发行。孙伏园主编，一个月后即由周作人主编。1927年11月26日出版第156期，被北洋军阀政府查禁。同年12月移至上海复刊。同年12月17日第4卷第1期起，由北新书局出版发行，改为半月刊，大32开本，鲁迅出任主编。1929年3月10日第5卷第1期起，由柔石接编，同年9月第5卷第27期起，改由北新书局编辑，李小峰负责。1930年3月10日出版第5卷第52期后停刊。共出版5卷，265期。主要撰人有鲁迅、周作人、孙伏园、钱玄同、林语堂、顾颉刚、川岛、章衣萍、李小峰、韩侍桁、杨骚、陈学昭、江绍原、俞平伯、淦女士（冯沅君）、刘半农、王品青等。

该刊《发刊辞》说：“冲破一点中国的生活和思想的昏浊停滞的空气”，要以“简短的感想和批评"，"发表自己所要说的话"，反抗"一切专断与卑劣"，"提倡自由思想，独立判断，和美的生活"；"也兼采文艺创作以及关于文学美术和一般思想的介绍与研究"，也可"发表学术上的重要论文"。鲁迅说《语丝》的基本特色是"任意而谈，无所顾忌，要催促新的产生，对于有害于新的旧物，则竭力加以排击，——但应该产生怎样的'新'，却并无明白的表示，而一到觉得有些危急之际，也还是故意隐约其词"。（鲁迅：《三闲集·我和〈语丝〉的始终》，上海北新书局 1932 年 9 月初版。）该刊多发表杂文、小品、随笔，形成生动、泼辣、幽默的语丝文体，对中国现代散文发展作出了重要贡献。辟有随感录、闲话等栏目，针对时弊，登载大量杂感和短论。前期表现了较强的战斗性，在五卅运动、三一八惨案前后的思想战线和文学战线上产生过很大的影响。所载作品，注重社会批评和文化批评，兼采文学创作以及关于文学美术和一般思想的介绍与研究。

21 日，段祺瑞通告组织临时政府。为巩固其反动统治，在日本帝国主义的支持下，准备召开与孙中山倡导的国民会议相对抗的善后会议。各省区代表资格为：各省区军民长官、非贿选议员、国民军司令代表等。

《胡适文存》二集（一至四册）由亚东图书馆出版。

蒋光慈《哀中国》发表于《民国日报·觉悟》副刊。

《剑鞘》散文集作为"霜枫之四"，由霜枫社出版，上海朴社发行，署叶绍均、俞平伯著。书前有俞平伯写的《序》："鞘以韬锋，徒具其形，不有其利；故遂以'剑鞘'署此书，非另有其他深意。"第一部分为叶绍均作，收有《诗的泉源》、《错过了》、《如其我是个作者》、《读者的话》、《第一口蜜》、《没有秋虫的地方》、《藕与莼菜》、《将离》、《客语》、《回过头来》、《泪的徘徊》及《到吴淞》12 篇。

王以仁小说《神游病者》发表于《小时月报》第 15 卷第 11 号。

叶圣陶和郑振铎主编的《小说月报丛刊》由商务印书馆开始陆续出版。该刊主要是将《小说月报》上的优秀作品加以整理分类编纂印成单行本，汇订为 5 集，共 60 种。

十二月

1 日，郭沫若应孤军社的邀请，与周全平同往江苏宜兴调查卢齐战祸，为时一星期。后将调查经过写成《到宜兴去》长文，编入《水平线下》一书。

5 日，《京报副刊》（日刊）创刊，为"五四"时期四大副刊之一。小说、诗歌为主，由孙伏园编辑。《京报》是邵飘萍（振青）创办的具有进步色彩的报纸，1918 年 10 月创刊于北京，1926 年 4 月 24 日被奉系军阀张作霖以"宣传赤化"为借口查封。

7 日，段祺瑞发表《外崇国信宣言》，向各帝国主义列强保证尊重不平等条约，以对抗孙中山废除不平等条约的主张，引起全国人民的反对。

8 日，鲁迅《影的告别》、《求乞者》、《我的失恋》发表于《语丝》周刊第 4 期，题为《野草二——四》，署名鲁迅。收入《野草》。《影的告别》、《求乞者》写于本年 9 月 24 日。《我的失恋》原作于本年 10 月 3 日，署名某生者，副题为《拟古的新打油诗》。“拟古”，系指摹仿张衡《四愁诗》的形式。原诗共三节，在《晨报副刊》排印时，被代理总编辑刘勉已抽去。为此，孙伏园愤而辞去《晨报副刊》编辑之职，与鲁迅另创《语丝》周刊。《语丝》创刊后，鲁迅又增写一节，与《影的告别》和《求乞者》一起发表于 12 月 8 日《语丝》周刊第 4 期，题为《野草二——四》。《我的失恋》在《语丝》发表时，改署鲁迅，收入《野草》。作者曾说，写作本诗“是看见当时‘阿呀阿唷，我要死了’之类的失恋诗盛行，故意做一首用‘由她去罢’收场的东西开开玩笑的。”（鲁迅：《三闲集·我和〈语丝〉的始终》，上海北新书局 1932 年版）

13 日，《现代评论》（周刊）创刊于北京。每周六出版，16 开本，每期 24 页。现代评论社发行，各地商务印书馆代售。以 26 期为 1 卷。1927 年第 138 期始改在上海出版。1928 年 12 月 29 日出版第 9 卷第 209 期后终刊。实际负责人为王世杰。先后参加编务的有燕树棠、周鲠生、钱端升、陈翰笙、彭学沛等。第 1、2 卷文艺版阅稿人为陈源，第 3 卷后由杨振声继任。主要撰稿人有王世杰、陈源、胡适、徐志摩、唐有壬、高一涵、钱端升、彭学沛、杨端六、燕树棠、周鲠生、陈翰笙、皮宗石、丁西林、李仲揆（李四光）、张奚若、陶孟和、郁达夫、顾颉刚、凌叔华、杨振声、闻一多、沈从文、胡也频等，多为留学英、美的教授学者。现代文学史上，把这个刊物的一些代表人物称为“现代评论派”。刊物内容包括政治、经济、法律、哲学、科学、教育、文艺诸方面，以论文为主。每期第一个栏目是“时事短评”，发表三五篇短文。其他有论文、小说、诗、通信等栏。第 1 卷第 22 期起又设“闲话”一栏，由陈西滢主撰，后辑成《西滢闲话》一书。该刊曾发表过一些维护北洋军阀政府，反对学生运动的和群众运动的文章。鲁迅对此批判道：“自在黑幕中，偏说不知道；替暴君奔走，却以局外人自居；满肚子怀着鬼胎，而装出公允的笑脸……”（鲁迅：《并非闲话》，《京报副刊》第 166 期，1925 年 6 月 1 日。）该刊迁上海出版后，倾向国民党政权，曾与《甲寅》、《学衡》就文言文与白话文等问题展开过论战，并发表过许多重要的新文学作品。此外，该刊还曾出版“关税会议特别增刊”、“第一周年纪念增刊”、“第二周年纪念增刊”、“第三周年纪念增刊”等 4 种增刊，又以现代社名义编辑出版《现代社文艺丛书》。

14 日，上海国民会议促进会成立，代表 400 余人。国民会议促成会发表宣言，号召人民团结起来，努力创造真正代表人民的国民议会，要求废除不平等条约、保障人民言论自由、民选上海市长等。

20 日，鲁迅作《复仇》。载《语丝》周刊第 7 期，副题为《野草之五》，署名鲁迅。收入《野草》。1934 年 5 月 16 日，鲁迅曾在致郑振铎的信中说：“我在《野草》中，曾记一男一女，持刀对立旷野中，无聊人竟随而往，以为必有事件，慰其无聊，而二人从此毫无动作，以致无聊人仍然无聊，至于老死，题曰《复仇》，亦是此意。”鲁迅又作《复仇》（其二），载《语丝》周刊第 7 期，副题为《野草之六》，署名鲁迅。收入《野草》。

22 日，沈从文《一封未曾付邮的信》发表于《晨报副刊》，署名休芸芸，这是沈从文确知篇名的公开发表的第一篇文章。

梁宗岱的第一部诗集《晚祷》由商务印书馆出版。收诗 19 首，写于 1921—1924

年，另有《代跋》。有部分散文诗。采用自由体。

王以任的小说《孤雁》发表于《小说月报》第15卷第2号。

郁达夫的小说《薄奠》发表于《太平洋》第4卷第9期。

白采的《白采的小说集》由中华书局出版。

朱自清的诗歌、散文合集《踪迹》由亚东图书馆出版。分2辑。第一辑收诗31首，第二辑收散文7篇。其中，长诗《毁灭》和散文《桨声灯影里的秦淮河》、《生命的价格——七毛钱》均为名篇。

田汉戏剧集《咖啡店之一夜》由中华书局出版。

1925年

一月

1日，蒋光慈的《现代中国社会与革命文学》发表于《民国日报》副刊《觉悟》，署名“光赤”。该文认为“中国现代的社会再黑暗也没有了”，而“现社会的根本”是“经济制度”。至于文学，则是“社会生活的反映”，作家应该“表现社会的生活”，“文学家是代表社会的情绪的”。因此，蒋光慈认为，“文学家负有鼓动社会的情绪之职任”。文章称“现代中国的社会真是制造革命的文学家之一个好场所”，“中国现代的社会应该产生几个反抗的，伟大的，革命的文学家”。可是找不出这样的文学家，反而可以找到几个市侩派的文学家，叶绍钧就是代表，作者认为在这一派的作品里充满了“市侩的人生观”，作家是“近视眼”，“近视眼不能做革命家，无革命性的不能做革命的文学家，安于现社会生活的不能做革命的文学家，市侩不能做革命的文学家。倘若厌弃现社会，而又对于将来社会无希望的也不能做革命的文学家。”蒋文批评俞平伯“没有人生观”；冰心则是“贵族式的女性”。作者肯定郁达夫和郭沫若，如认为郁达夫虽然是颓废派，但在《茑萝集》中可以看出“现代社会的实况”。而郭沫若则是“在中国唯一的诗人”，“他是一个社会主义者，所以他能将现社会的制度挖到深处；他是一个热烈求人类解放的诗人，所以他的歌声能引起了我们的共鸣。”在大力批判了那些“近视眼”、“无革命性”、“市侩”、“安于现社会生活”、虽“厌弃现社会，而又对于将来社会无希望”的文学的同时，蒋光慈还提出了关于革命文学的标准，他说：“谁个能够将现社会的缺点，罪恶，黑暗……痛痛快快地写将出来，谁个能够高喊着人们来向这缺点，罪恶，黑暗……奋斗，则他就是革命的文学家，他的作品就是革命的文学。”

10日，叶绍钧的小说《潘先生在难中》发表于《小说月报》第16卷第1号。

茅盾评论这篇小说时说：“要是有人问道：第一个‘十年’中反映着小市民智识分子的灰色生活的，是哪一位作家的作品呢？我的回答是叶绍钧！他的‘人物’写得最好的……是一些心脏麻木的然而却又张皇敏感的怯弱者，如《潘先生在难中》的潘先生以及他的同事（短篇集《线下》），他们在虚惊来了时最先张皇失措，而在略感得安全的时候他们又是最先哈哈地笑的……。”（茅盾：《现代小说导论（一）——文学研究会诸作家》，《中国新文学大系导论集》第109页，上海书店1982年11月影印本。）

10日，洪深的历史题材电影剧本《申屠氏》开始在《东方杂志》第22卷第1～4

期发表，这是洪深在 1922 年由美回国后受聘于中国影片制造股份有限公司期间写成，是中国第一个比较完整的电影剧本，因各种原因该剧本直到 1925 年才在《东方杂志》上发表。

10 日，凌叔华在《现代评论》1925 年第 1 卷第 5 期上发表短篇小说《酒后》，后被喜剧作家丁西林改编为同名独幕剧，引起了文坛关注。

10 日，王以仁的小说《落魄》发表于《小说月报》第 16 卷第 1 号。

11 日至 22 日，中国共产党第四次全国代表大会在上海召开。出席大会的有陈独秀、蔡和森、瞿秋白、周恩来、彭述之、张太雷、陈潭秋、李维汉、李立三等 20 人，代表党员 994 人。共产国际代表魏金斯基参加了大会。中共四大的中心议题是：讨论工人阶级如何参加民族革命运动以及党如何领导即将到来的工农运动高涨的问题。

19 日，《语丝》第 10 期发表鲁迅的《希望》，副题为《野草之七》，署名鲁迅，收入《野草》。文中两次提到“绝望之为虚妄，正与希望相同”。鲁迅后来说：“因为惊异于青年之消沉，作《希望》。”（鲁迅：《〈野草〉英文译本序》，《鲁迅全集》第 4 卷第 356 页，人民文学出版社 1981 年。）

闻一多在美国参与发起“中华戏剧改进社”。成员有余上沅、梁实秋、梁思成、林徽音、顾毓琇、瞿世英、张嘉铸、熊佛西、熊正瑾、赵太侔等。

蒋光慈的第一部诗集《新梦》由上海书店出版，署名蒋光赤，收作者留俄三年期间所作诗歌，另有作者《自序》和高语罕的《〈新梦〉诗集序》各 1 篇。1 月初版，同年 5 月再版（见蒋光赤《新梦 哀中国》的版权页说明，人民文学出版社 1983 年 8 月，“中国现代文学作品原本选印”丛书）。作者在扉页上写道：“这本小小的诗集贡献于东方的革命青年”。

钱杏邨称：“实在的，中国的革命诗歌集，是没有比这一部更早的了，这简直可以说是中国革命文学的开山祖了。”（钱杏邨：《蒋光慈与革命文学》，《现代中国文学作家》第 160 页，上海泰东图书局 1928 年版）

柔石小说集《疯人》由宁波华生印局自费出版。

许地山第一部小说集《缀网劳蛛》由商务印书馆出版。收入他于 1921 年至 1924 年间在《小说月报》上发表的小说《命命鸟》、《商人妇》、《换巢鸾凤》、《缀网劳蛛》等十余篇。

茅盾在《〈中国新文学大系·小说一集〉导言》中评论说：“他的作品从《命命鸟》到《枯杨生花》，在‘人生观’这一点上说来，是那时候独树一帜的（他的题材也是独树一帜的）。他不像冰心、叶绍钧、王统照他们似的憧憬着‘美’和‘爱’的理想的和谐的天国，更不像庐隐那样苦闷彷徨焦灼，他是脚踏实地的。他在他的每一篇作品里，都试要放进一个他所认为合理的人生观。他并不建造一个什么理想的象牙塔。他有点怀疑于人生的终极的意义（《空山灵雨》第 17 页，《蜜蜂和农人》），然而他不悲观他也不赞成空想；他在《缀网劳蛛》里写了一个‘不信自己这样的命运不甚好，也不信史夫人用定命论的解释来安慰她，就可以使她满足’的女子尚洁，然而这尚洁并不麻木的，她有她的人生观，她说：‘我像蜘蛛，命运就是我的网。蜘蛛把一切有毒无毒的昆虫吃入肚里，回头把网组织起来。他第一次放出来的游丝，不晓得要被

风吹到多么远，可是等到粘着别的东西的时候，他的网便成了。他不晓得那网什么时候会破，和怎样破法一旦破了，他还暂时安安然然地藏起来，等有机会再结一个好的。人和他的命运又何常不是这样？所有的网都是自己组织得来，或完或缺，只能听其自然罢了。'（短篇集《缀网劳蛛》第135～136页）同样的思想，在《商人妇》里也很力强地表现着（《缀网劳蛛》第47页）。这便是落华生的人生观。"

在概括了许地山的人生观后，茅盾进而对这种人生观进行了辩证的批评。他说："他这人生观是二重性的。一方面是积极的昂扬意识的表征（这是'五四'初期的），另一方面却又是消极的退婴的意识（这是他创作当时普遍于知识界的），所以尚洁并没确定的生活目的，《商人妇》里的惜官也没有，…… 落华生是反映了当时第三种对于人生的态度的。"此外，茅盾还对许地山的作品形式有所关注，如他认为许地山的作品形式具有二重性："他的《命命鸟》，《商人妇》，《换巢莺凤》，《缀网劳蛛》，乃至《醍醐天女》与《枯杨生花》，都有浓厚的'异域情调'，这是浪漫主义的，然而同时我们在加陵和敏明的情死中（《命命鸟》），在尚洁或惜官的颠沛生活中，在和莺和祖凤的恋爱中（《换巢鸾凤》），我们觉得这些又是写实主义的。他这形式上的二重性，也可以跟他'思想上的二重性'一同来解答。浪漫主义的成分是昂扬的积极的'五四'初期的市民意识的产物，而写实主义的成分则是'五四'的风暴过后觉得依然满眼是平凡灰色的迷惘心理的产物。"（茅盾：《〈中国新文学大系·小说一集〉导言》第112～114页，上海书店1982年11月影印本。）

柔石小说集《疯人》由宁波华升印局自费出版，收入作者1923年至1924年所作小说六篇，有《无聊的谈话》、《他俩的前途》、《船中》、《爱的隔膜》、《一线的爱呀》、《疯人》等。

朱湘的第一部新诗集《夏天》由商务印书馆出版，列为"文学研究会丛书"之一。收1922年至1924年所作诗26首，另有《自序》一篇。《自序》说："优游的生活既终，奋斗的生活开始，……小册子，命名《夏天》，取青春期已过，入了成人期的意思。"大多数诗作吟咏大自然和友情。包括《早晨》、《霁雪春阳颂》、《我的心》、《鸟辞林》、《迟耕》、《南归》等。语言精炼典雅，诗形基本是自由体。

二月

15日，广东革命政府决定举行第一次东征，讨伐陈炯明。1925年初，广东军阀陈炯明乘孙中山在北京看病之机，在英帝国主义和段祺瑞的支持下，策划从潮汕一带进攻广东革命政府。在中国共产党的倡议下，广东革命政府于2月1日举行了第一次东征。在蒋介石、周恩来的率领下，经过黄埔军校学生军的英勇奋战，用不到两个月的时间，就打败了陈炯明军队的3万多人。第一次东征的胜利，是国共两党合作组建新军队的胜利，具有重大的意义。在第一次东征战斗正酣的时候，表面上拥护孙中山三民主义的滇、桂军阀杨希闵、刘震寰，暗中同英帝国主义勾结，乘机在广州发动叛乱，妄图颠覆广东革命政府。由于中国共产党和国民党左派廖仲恺等人坚决主张迅速平定叛乱，东征军回师广州，叛乱得以平定，使广东政府转危为安。由于东征军回师广州，陈炯明又重新占领东江，并与另一军阀邓本股同谋，纠集各路反革命势力，企图进犯广州。10 月下旬，国民革命军又举行了第二次东征。到 1926 年 2 月，不仅陈、邓的反动军队主力被歼灭，连海南岛也被国民革命军占领。至此，广东全境统一于广东革命政府管辖之下。这不仅使革命根据地得以巩固，也为后来的北伐奠定了基础。

16 日，冯文炳的小说《竹林的故事》发表于《语丝》第 14 期。

同年 10 月 12 日《语丝》第 1 卷第 48 期登载了周作人为《竹林的故事》所做的序。在序中，周作人直言了对冯文炳小说的喜爱，称“我不知怎地总是有点‘隐逸的’，有时候很想找一点温和的读，正如一个人喜欢在树阴下闲坐，虽然晒太阳也是一件快事。我读冯君的小说便是坐在树阴下的时候。”但“冯君的小说并不觉得是逃避现实的。他所描写的不是什么大悲剧大喜剧，只是平凡人的平凡生活，——这却正是现实。特别的光明与黑暗固然也是现实之一部，但这尽可以不去写它，倘若自己不曾感到欲写的必要，更不必说如没有这种经验。文学不是实录，乃是一个梦：梦并不是醒生活的复写，然而离开了醒生活梦也就没有了材料，无论所做的是反应的或是满意的梦。”在谈到冯文炳小说的题材时，周作人说：“冯君所写多是乡村的儿女翁媪的事，这便因为他所见的人生是这一部分，——其实这一部分未始不足以代表全体。”至于“冯君著作的独立的精神”“也是我所佩服的一点。他三四年来专心创作，沿着一条路前进，发展他平淡朴讷的作风，这是很可喜的。……冯君从中外文学里涵养他的趣味，一面独自走他的路，这虽然寂寞一点，却是最确实的走法，我希望他这样可以走到比此刻的更是独殊地他自己的艺术之大道上去。”

18 日，郭沫若始作组诗《瓶》，至 3 月 30 日结束，除《献诗》外共 42 首。据作者自述，这些诗“全是写实，并无多少想象成分”，又说“《瓶》可以用‘苦闷的象征’来解释”。（参见蒲风：《 郭沫若诗作谈》，《现世界》创刊号，1936 年 8 月。）

郁达夫在《〈瓶〉附记》中说，这是诗人“再现”自己“过去的恋情的痕迹”。（郁达夫：《〈瓶〉附记》，《创造月刊》1 卷 2 期，1926 年 4 月 16 日。）

21 日，《京报副刊》发表鲁迅的《青年必读书——应〈京报副刊〉的征求》一文，署“鲁迅先生选”，收入《华盖集》。1925 年 1 月 4 日，《京报副刊》制作表格，延请当时学术界、教育界的知名人士为青年推荐必读书。在“青年必读书”一栏中，鲁迅写到：“从来没有留心过，所以说不出。”但鲁迅趁此机会，简略谈到了自己的阅读经验，他说：“我看中国书时，总觉得就沉静下去，与实人生离开；读外国书——但除了印度——时，往往就与人生接触，想做点事。”他认为中国书“虽有劝人入世的话，也多是僵尸的乐观”，而外国书“即使是颓唐和厌世的，但却是活人的颓唐和厌世。”所以“我以为要少——或者竟不——看中国书，多看外国书。”“少看中国书，其结果不过不能作文而已。但现在的青年最要紧的是‘行’，不是‘言’。只要是活人，不能作文算什么大不了的事。”

后来，鲁迅在《写在〈坟〉后面》一文中回忆说：“去年我主张青年少读，或者简直不读中国书，乃是用许多苦痛换来的真话，决不是聊且快意，或什么玩笑，愤激之辞。”（鲁迅：《写在〈坟〉后面》，《鲁迅全集》第一卷，第 289 页，人民文学出版社 1981 年。）

1925年5月1日，汪静之在致周作人的信中写道："《京报副刊》上《青年必读书》里面鲁迅说的'少看中国书，多看外国书'，我一见就拍案叫绝，这真是至理名言，是中国学界的警钟的针砭，意见极高明，话语极痛快，我看了高兴得很。"（参见鲁迅博物馆、鲁迅研究室编：《鲁迅年谱》第二卷第177页，人民文学出版社1983年版）

王统照第一部诗集《童心》由商务印书馆出版，收入诗人1919年至1924年间的诗作91首，作为文学研究会丛书之一。在《〈童心〉弁言》中，王统照说："苦楚，烦郁，失望与欢愉，长思与沉虑，都似从其中传出。"

杨振声的中篇小说《玉君》由现代社出版。《玉君》最初发表在《现代评论》上，1925年2月，作为《现代丛书》之一，由现代社出版单行本。1929年北京朴社曾印行第四版，1957年11月，人民文学出版社将它收录在该社出版的杨振声小说集《玉君》中。

同年3月，《学衡》第39期发表了吴宓的《评杨振声〈玉君〉》。吴宓在文章中认为，"《玉君》一书在今世盛行之欧化文法短篇写实小说中，实为矫然特异，殊有可取。然而此书之篇幅初非甚长，书中人之理想亦非甚高。攻诋礼教，教育平民等，不出寻常新派学生之见解。书中文法词句，亦仍未脱时派欧化之势。牵强支离，在所不免。效颦末节，处处皆见。"此外，吴宓对《玉君》一书所受欧化式白话文学的影响，以及采用新式标点都做了批评。尽管《玉君》一书有许多缺点，但"处今写实主义、黑幕大观盛行之中国，杨君乃独撰著理想小说，诚为卓见。""《玉君》描写甚佳，实兼有写实小说之长。其叙玉君与林一存二人之关系，脉脉含情，而能以礼自持。以淡雅胜。较之时下短篇小说，专以搂抱接吻等事写恋爱者，实高出其上多多。"综上所论，"《玉君》乃一甚有价值之小说"，但吴宓也认为，该作"亦有其重大之缺陷。居今日欲创造完美精粹之文学，……西洋小说之体裁方法尽可摹仿，西洋小说中之事实材料尽可采用，但须洞明其意旨，取得其精华且须完全融化过来，不露痕迹，方可以入吾书。如是方为善能利用西洋小说者。若乃效颦逐末，沾沾自喜，或改变中文语句，或杂入西式标点，或敷陈一偏之学理，或炫示满纸之名词，又或专务攻诋礼教，鄙弃道德，于人生重要之问题，不求沈着深微之了解，而以谑浪笑傲之态度，妄肆评论。但表现感情放纵之美，而不悟规矩检束之要。凡兹所为，根本谬误。"在吴宓看来，中国的文学天才不在少数，但"大都为号称新文学家者所误，闻风响慕，走入迷途，一往不返。此诚可痛心之事也。"而"《玉君》作者亦颇染时习，追步新文学家，致其书有种种缺陷。……《玉君》之缺点，则时世之过也。吾之不惮哓哓，岂徒为《玉君》之故。准斯以谈，《玉君》之关系，宁不重哉。"

鲁迅则对《玉君》的评价不高，他说："杨振声的文笔，却比《渔家》更加生发起来，但恰与先前的战友汪敬熙站成对蹠；他'要忠实于主观'，要用人工来制造理想的人物。而且凭自己的理想还怕不够，又请教过几个朋友，删改了几回，这才完成一本中篇小说《玉君》，那自序道——'若有人问玉君是真的，我的回答是没有一个小说家说实话的。说实话的是历史家，说假话的才是小说家。历史家用的是记忆力，小说家用的是想象力。历史家取的是科学态度，要忠实于客观；小说家取的是艺术态度，要忠实于主观。一言以蔽之，小说家也如艺术家，想把天然艺术化，就是要以他的理想与意志去补天然之缺陷。’他先决定了‘想把天然艺术化’，唯一的方法是‘说假话’，‘说假话的才是小说家’。于是依照了这定律，并且博采众议，将《玉君》创造出来了，然而这是一定的，不过一个傀儡，她的降生也就是死亡。我们此后也不再见这位作家的创作。”（鲁迅：《现代小说导论（二）》，《中国新文学大系导论集》第 127 页，上海书店 1982 年 11 月影印本。）

周全平小说集《梦里的微笑》由光华书局出版，列入“创造社丛书”。收 1923 年至 1925 年所写小说 4 篇，分上下卷，书前有诗《昨夜的梦——代序》，书末附《致梦里的友人》。上卷收《林中》，近似中篇；下卷收短篇小说 3 篇，为《圣诞之夜》、《爱与血的交流》和《旧梦》。

孙福熙散文集《山野掇拾》由新潮社出版。

三月

10 日，王鲁彦的小说《许是不至于罢》发表于《小说月报》第 16 卷第 3 号，署名鲁彦。

茅盾评论道：“王鲁彦小说里最可爱的人物，在我看来，是一些乡村的小资产阶级，例如《黄金》里的主人公，和《许是不至于罢》里的王阿虞财主。我总觉得他们和鲁迅作品里的人物有些差别：后者是本色的老中国的儿女，而前者却是多少已经感受着外来工业文明的波动。”“王鲁彦的短篇小说，到现在似乎也不过十多篇……在这中间，我最喜欢，并且认为思想技术都好的，只有两篇：《许是不至于罢》和《黄金》。”“《许是不至于罢》描写土财主的忧虑。土财主没有什么享乐，除了乡下人见面时的恭维，也没有什么威风，反是过着 humble 生活。当他的三儿子成婚的时候，他在欢笑的包围中独自忧虑着强盗要抢他的未来的媳妇：他这种愁闷，是没有人来为他分担的。当儿子的婚事总算平安的过去以后，又逢到半夜的小偷，那半夜的慌乱的锣声正表示着土财主的惊悸的心的抖颤；然而他这种惊悸，也是没有人来为他分担的。人类的自利，人类的对于别人祸福的不介意，很渲染得明艳。可是土财主并不因此怨恨他的同村人，他以为‘他们现在并不来破坏’，就很满足了。他更加客气地感谢那些空口敷衍来‘慰问’的乡邻。但是土财主却不是像大哲学家懂得‘谦逊’之必要，所以这般做的；所以使他谦逊的原因，就是金钱。财产成了他负罪的记号，使他不得不格外谦虚了。”“这就是乡村小资产阶级的心理；他们的处世哲学。”（方璧［茅盾］：《王鲁彦论》，《小说月报》第 18 卷第 11 期，1927 年 11 月 10 日。）

12 日，孙中山在北京逝世。

孙中山（1866—1925），革命家、政治家。广东香山人。幼名帝象，学名文，字德明，号日新，后改号逸仙。旅居日本时曾化名中山樵，“中山”因此而得名。1866 年 11 月 12 日，孙中山出生于翠亨村一个普通的农民家庭，10 岁入村塾读书，12 岁到檀香山读书，17 岁时回国。1884 年与本县卢慕贞女士结婚。1886 年至 1892 年先后在广州、香港学医。毕业后，在澳门、广州行医，并致力于救国的政治活动。1894 年上书

李鸿章遭到拒绝，遂再赴檀香山，创立兴中会，提出“驱除鞑虏，恢复中国，创立合众政府”的主张。1895 年 2 月，孙中山又在香港成立了兴中会总部，准备回国发动武装起义。虽然兴中会带有狭隘的地域性，缺乏广泛的群众基础，但毕竟是中国近代史上第一个资产阶级革命团体。1895 年和 1900 年，他领导兴中会并联络会党发动了广州起义和惠州起义。孙中山在辛亥革命前共领导了 10 次武装起义. 这些起义虽然失败，却唤醒了民众的民族、民主、民生的意识。1905 年在东京成立中国同盟会，系统地提出其三民主义思想，并与保皇派进行了激烈的论战。1895 年至 1911 年策划多次反清武装起义，屡遭挫折而斗志弥坚。1911 年 10 月 10 日武昌起义，得到各省响应，导致清朝专制统治的覆灭，是为著名的“辛亥革命”。1912 年元旦，孙中山在南京就任中华民国临时大总统，创立了中国历史上第一个共和政体。1912 年 4 月卸大总统职，致力于经济建设的宣传。袁世凯窃据大总统职位后阴谋复辟帝制，孙中山乃于 1913 年发动“二次革命”反袁。1914 年在日本组织成立中华革命党。1915 年与宋庆龄结婚。1917 年，孙中山在广州召开非常国会，组织中华民国军政府，被推举为大元帅，开展“护法运动”。1919 年改组中华革命党为中国国民党，担任总理。1921 年，非常国会又于广州议定组织中华民国正式政府，孙中山就任大总统，再举护法旗帜。1923 年，孙中山第三次在广州建立政权，成立陆海军大元帅大本营，复任大元帅。同年接受苏俄和中国共产党的建议，决定国共两党实行合作，以推进国民革命。1924 年 1 月召开中国国民党第一次全国代表大会，改组了国民党，重新解释其三民主义。同年秋，冯玉祥发动“北京政变”，孙中山应邀北上，共商国是。1925 年 3 月 12 日，因肝癌不治，逝世于北京。

21 日，凌叔华的小说《绣枕》发表于《现代评论》第 1 卷第 15 期。

沈雁冰的《人物的研究》一文发表于《小说月报》第 16 卷第 3 号。

鲁迅翻译的日本文艺批评家厨川白村所著的文艺论文集《苦闷的象征》出版，为《未名丛刊》之一，由北京大学新潮社代售，后改由北新书局出版。卷首有鲁迅所写的“引言”。

鲁迅在文中引用厨川白村的话认为，《苦闷的象征》一书的主旨，就是“生命力受了压抑而生的苦闷懊恼乃是文艺的根柢，而其表现法乃是广义的象征主义”。但“所谓象征主义者，决非单是前世纪末法兰西诗坛的一派所曾经标榜的主义，凡有一切文艺，古往今来，是无不在这样的意义上，用着象征主义的表现法的。”鲁迅认为，“作者据伯格森（今译柏格森——编者注）一流的哲学，以进行不息的生命力为人类生活的根本，又从弗罗特（今译弗洛伊德——编者注）一流的科学，寻出生命力的根柢来，即用以解释文艺，——尤其是文学。然与旧说又小有不同，伯格森以未来为不可测，作者则以诗人为先知，弗罗特归生命力的根柢于性欲，作者则云及其力的突进和跳跃。这在目下同类的群书中，殆可以说，既异于科学家似的专断和哲学家似的玄虚，而且也并无一般文学论者的繁碎。作者自己就很有独创力的，于是此书也就成为一种创作，而对于文艺，即多有独到的见地和深切的会心。”此外，鲁迅还在“引言”中约略提到了翻译此书的初衷，他说：“中国现在的精神又何其萎靡锢蔽呢？这译文虽然拙涩，幸而实质本好，倘读者能够坚忍地反复过两三回，当可以看见许多很有意义的处所罢：

这是我所以冒昧开译的原因，——自然也是太过分的奢望。”

欧阳予倩的独幕剧《泼妇》收入《剧本汇刊》第1集，由上海商务印书馆出版。

四月

10日，《艺林》旬刊创刊。初为旬刊，附于北京《晨报副刊》上刊出，自1925年10月30日第19期起改为《艺林》半月刊，由武昌时中合作书包社印行，12月25日出至第24期后停刊，武昌艺林社主编。

艺林社是武昌大学国文系学生文学团体，成立于1925年初，成员们从事新文学创作和古典文学研究，得到该校教员郁达夫、黄侃、胡小石、张资平、杨振声等的支持。出版创作集《长题湖畔》。《艺林》的撰稿者除艺林社成员刘大杰、蒋鉴章、胡云翼、贺扬灵外，还有郁达夫、黄侃、胡小石等人。1925年末因学校风潮影响，成员离散，《艺林》停刊。后来曾将刊物上的创作和部分论文分别变成《海鸥集》、《秋雁集》和《文学论集》出版。

12日，段祺瑞执政府与法国签订《中法协定》，接受法国提出的以金佛郎偿付法庚子赔款的要求，使中国损失海关银6200万两。

29日，鲁迅作《灯下漫笔》，载5月1日、22日《莽原》周刊第2期和第5期，署名鲁迅，收入《坟》。该文由两部分组成。在第一部分中，鲁迅认为几千年的中国历史，不过是人民“想做奴隶而不得的时代”和“暂时做稳了奴隶的时代”的相互更替。因此，鲁迅号召青年们去创造“中国历史上未曾有过的第三样时代”。在第二部分，鲁迅则指出中国的“古圣先贤”极力保存的、使外国人“陶醉”的“中国固有文明”，“其实不过是安排给阔人享用的人肉的筵宴，中国不过是“安排这人肉的筵宴的厨房”，而且“许多人还想一直排下去”。因此，“扫荡这些食人者，掀掉这筵席，毁坏这厨房，则是现在青年的使命”。

莽原社在鲁迅主持下成立于北京，主要成员有高长虹、向培良、尚钺、黄鹏基、荆有麟、章衣萍、韦素园等，同时创办《莽原》周刊。鲁迅于本月22日编完《莽原》第1期，24日正式出版发行。该刊作为《京报》的第五种周刊出版，每星期五随《京报》附送。后由北京莽原出版社独立出版，北新书局发行。《莽原》周刊在1925年11月27日出至第32期后停刊。1926年1月10日改为半月刊，未名社发行，卷期另起。鲁迅主编。1926年8月鲁迅离京后，由韦素园接编。至1927年12月终刊，凡2卷，每卷24期。1928年1月缩小篇幅，易名《未名半月刊》。主要撰稿人除编者外，有林语堂、刘半农、李霁野、韦丛芜、向培良、杨丙辰、台静农、柯仲平、许钦文、曹靖华、于赓虞、魏金枝、戴望舒、高成均、黄鹏基、王燊、刘一梦、张定璜、金满城、刘复、常惠等，创作、翻译并重。

韦素园接编《莽原》后不久，高长虹、向培良等以韦素园压下向培良、高歌的稿件为由，与之发生冲突，并退出莽原社。1927年12月《莽原》停刊，莽原社解散。

由鲁迅拟稿的《〈莽原〉出版预告》发表于4月21日的《京报》广告栏，称：“本报原有之《图画周刊》（第五种），现在团体解散，不能继续出版，故另刊一种，

是为《莽原》。闻其内容大概是思想及文艺之类，文字则或撰述，或翻译，或稗贩，或窃取，来日之事，无从预知。但总期率性而为，凭心立论，忠于现世，望彼将来云。由鲁迅先生编辑，于本星期五出版。以后每星期五随《京报》附送一张，即为《京报》第五种周刊。"（鲁迅：《〈莽原〉出版预告》，《鲁迅全集》第8卷第424页，人民文学出版社1981年。）

关于创办《莽原》的目的，鲁迅在《〈华盖集〉题记》中说："我早就很希望中国的青年站出来，对于中国的社会，文明，都毫无忌惮地加以批评，因此曾编印《莽原周刊》，作为发言之地。"（鲁迅：《〈华盖集〉题记》，《鲁迅全集》第3卷，第4页，人民文学出版社1981年。）

此外，鲁迅在《两地书 · 十七》中也谈到了《莽原》，他认为，中国现今文坛的状况"实在不佳，但究竟做诗及小说者尚有人。最缺少的是'文明批评'和'社会批评'，我之以《莽原》起哄，大半也就为了想由此引些新的这一种批评者来，虽在割去敝舌之后，也还有人说话，继续撕去旧社会的假面。"（鲁迅：《两地书》，第54~55页，人民文学出版社1973年。）

关于刊物的名称，鲁迅说"那'莽原'二字，是一个八岁的孩子写的，名目也并无意义，与《语丝》相同，可是又仿佛近于'旷野'。"（鲁迅、许广平：《两地书》第45页，人民文学出版社1973年版）

郑振铎所著《太戈尔传》由商务印书馆出版，为"文学研究会丛书"之一。此书为我国第一部研究泰戈尔的专著。

林如稷的小说《将过去》发表于《浅草》第1卷第4期。

陈炜谟的小说《狼筅将军》发表于《浅草》第1卷第4期。

白采的长诗《白采的诗》由中华书局出版。

五月

1日、22日，《莽原》周刊第2期和第5期发表鲁迅的散文《灯下漫笔》。

4日，《文学》周刊第171期载《〈文学周报〉独立出版预告》，声明"自五月十日起完全脱离时事新报而独立发行"。10日，《文学》周刊第172期出版，改名为《文学周报》独立出版，在同期《今后的本刊》中，编者说："以前的本刊是专致力于文学的，现在却要更论及其他诸事。""从前的本刊是略偏于研究文字的，现在却更要与睡梦的、迷路的民众争斗。""总之，我们今后所要打倒的是文艺界的诸恶魔，是迷古的倒流的思想；我们所要走的是清新的，活泼的生路。"

7日，北京女子师范大学召开"国耻纪念会"，校长杨荫榆与学生发生了激烈冲突。两天后校方即宣布开除学生自治会主席刘和珍，以及后来成为鲁迅夫人的许广平等六人学籍。这一无理决定，立刻引起了强烈反响。以鲁迅、周作人、沈尹默为首的教师当即发表宣言，表示抗议，声援学生。而以陈西滢为代表的"东吉祥派"，也以《现代评论》副刊《闲话》为阵地，为校方辩护。

女师大始建于清末，原为北京女子高等师范学校，1924年，更名为"北京女子师范大学”。“女师大风潮”是由杨荫榆任校长时引起的。杨荫榆自1924年2月任女师大校长后，主张学生应该专心读书，并禁止学生与异性接触，甚至私拆学生信件等等。她的这种做法，恰恰与北洋政府惧怕学生运动，禁止学生关心国事的心理不谋而合。因此，遭到了师生的强烈反对。自1924年秋，女师大学生就连续以请愿、宣言等方式，坚决拒绝杨荫榆当校长，开展了一场声势浩大的“驱杨运动”。

1925年8月，北洋政府下令解散女师大，成立国立女子大学。另一方面，学生积极开展护校运动，坚守校园，与当局进行针锋相对的斗争。当时任教育部长的章士钊遂命其亲信，专门教育司司长刘百昭雇用了一批乞丐流氓，闯入学校，大打出手，以武力驱赶学生出校。

为伸张正义，支持学生的行动，鲁迅、许寿裳、周作人等许多教师组成了校务维持会，推选易培基为校长，在端王府西南的宗帽胡同租了一所房子，继续女师大的教学活动，为学生义务授课。这场斗争持续了12个月。1925年11月，在社会各界的压力下，章士钊去职，杨荫榆也于1926年5月下台，女师大复校，搬回原址。这场“风潮”终以学生的胜利而结束。

在此期间，鲁迅先生因支持学生的斗争，曾被章士钊视为眼中钉，并借故免去了鲁迅教育部佥事之职，许寿裳、齐寿山等人为鲁迅鸣不平，也随后被免职。鲁迅后在北平政院提起诉讼，胜诉之后，三人才恢复原职。

在事件的整个进程中，鲁迅写了《“碰壁”之后》、《并非闲话》等一系列杂文，声援女师大学生的正义斗争，揭露抨击压迫学生的女师大校长杨荫榆及其支持者章士钊和“现代评论派”的陈西滢等人。

7日，北京学生在天安门举行国耻纪念。警察总监朱深、教育总长章士钊派军警阻抗，纪念会被迫改在景山公园举行。会后学生900人结队赴章宅责问。章士钊召警察镇压，打伤学生7人，逮捕18人。

10日，沈雁冰的长篇论文《论无产阶级艺术》开始在《文学周报》第172、173、175、196期上连载。

全文共五节。第一节探讨了无产阶级艺术的历史形成。第二节论述了无产阶级艺术产生的条件。沈雁冰在提到艺术的产生条件时说：“用方程式来表示，便是：新而活的意象+自己批评（即个人的选择）+社会的选择=艺术。”在第三节中，沈雁冰探讨了无产阶级艺术的范畴，他说：“第一，无产阶级艺术并非即是描写无产阶级生活的艺术之谓，所以和旧有的农民艺术是有极大的分别的。”“第二，无产阶级艺术非即所谓革命的艺术，故凡对于资产阶级表示极端之憎恨者，未必准是无产阶级艺术。”“第三，无产阶级艺术又非旧有的社会主义文学。”因此，依上述三项而观，“无产阶级的艺术意识须是纯粹自己的，不能渗有外来的杂质；无产阶级艺术至少须是：（一）没有农民所有的家族主义与宗教思想；（二）没有兵士所有的憎恨资产阶级个人的心理；（三）没有知识阶级所有的个人自由主义。”在第四节中，沈雁冰还就苏联的文艺现状讨论了无产阶级艺术的内容。他说：“以为无产阶级艺术的题材只限于劳动者生活，甚至有‘无产阶级文艺即劳动文艺’之语，这是极错误的观念。我们要知道现今无产阶级艺术内容之起于一方面，乃是初期的不得已，并非以此自限；无产阶级艺术之必将如过去的艺术以全社会及全自然界的现象为汲取题材之泉源，实在是理之固然，不容怀疑的。”在沈雁冰看来，“因为观念的褊狭和经验的缺乏”，而“弄成无产阶级艺术内容的浅狭”。此外，现今无产阶级艺术的内容除浅狭而外，还有一点毛病：“就是误以刺激和煽动作为艺术的全目的”。在第五节中，沈雁冰研讨了无产阶级艺术的形式。他认为，讲到无产阶级艺术的形式，我们先须有一个‘形式与内容互相和谐’的目的来做努力的方针。因此，“无产阶级如果要利用前人的成绩，极不该到近代的所谓‘新派’中间去寻找，这些变态的已经腐烂的‘艺术之花’不配作新兴阶级的精神上的滋补品的。换句话说，近代的所谓‘新派’不足为无产阶级所应承受的文艺的遗产。”那么，无产阶级真正的文艺遗产是什么呢？在沈雁冰看来，无产阶级的文艺遗产“反是近代新派所詈为过时的旧派文学，例如革命的浪漫主义的文学和各时代的classicso。为什么呢？因为革命的浪漫主义的文学是资产阶级鼎盛时代的产物，是一个社会阶级的健全的心灵的产物；我们要健全的来作模范，不要腐烂的变态的。”最后，沈雁冰总结说：“人类所遗下的艺术品都是应该宝贵的，此与阶级斗争并无关系。无产阶级作家应该了解各时代的著作，应该承认前代艺术是一份可贵的遗产。果然无产阶级应该努力发挥他的艺术创造天才，但最好是从前人已走到的一级再往前进，无理由地不必要地赤手空拳去干叫独创，大可不必。在艺术的形式上，这个主张是应该被承认的。”

15日，上海日商内外棉七厂日本大班（厂长）率领打手枪杀中国工人（中共党员）顾正红，打伤多人，工人罢工反抗。上海学生援助工人，租界巡捕进行逮捕，激起人民愤怒。30日，上海工人、学生举行示威游行，抗议日本纱厂资本家的暴行。租界巡捕当场抓人，激起近万群众的抗争，英租界巡捕射击示威群众，打死群众10多人，打伤无数，造成了震惊中外的“五卅惨案”。随后，《文学周报》等报刊纷纷发文揭示“五卅惨案”真相，谴责帝国主义暴行。

27日，《京报》发表马裕藻、沈尹默、周树人、李泰棻、钱玄同、沈兼士、周作人共同签署的《对于北京女子师范大学风潮宣言》，由鲁迅拟稿，反对校长杨荫榆开除六名学生自治会的同学，驳斥了杨荫榆对这六人的诬蔑，指出：“可知公论尚在人心，曲直早经显见，偏私谬戾之举，究非空言曲说能掩饰也。”该文后收入鲁迅的《集外集拾遗补编·附录一》。

丁西林的剧本集《一只马蜂及其他独幕剧》由现代评论社出版。列为“现代社文艺丛书”之一。除作者《序》外，收《亲爱的丈夫》、《酒后》和《一只马蜂》等3部剧本。

六月

3日，少年中国学会、中华学艺社、太平洋杂志社、文学研究会、孤军杂志社、醒狮日报社、上海世界语协会、妇女问题研究会、中国科学社上海社友会等12团体，就五卅惨案发表《上海学术团体对外联合会宣言》，抗议帝国主义的暴行，呼吁国人坚持经济绝交之抵制办法。同日，郑振铎、沈雁冰、胡愈之、叶圣陶等又以“上海学术团体对外联合会”的名义，创办《公理日报》，揭露英、日帝国主义，出至6月24日第

22 号因经费不足被迫停刊。

7 日，上海总工会、全国学生联合会、上海学生联合会、商界联合会组成工商学联合委员会，作为上海反帝运动的公开指挥机关。该委员会拟定了与帝国主义交涉的 17 项条件。其主要内容是：要求撤退驻沪的英、日海陆军，取消领事裁判权，华人在租界有言论、集会、出版自由，承认中国工人有组织工会和罢工自由等。

7 日，郑振铎在《文学周报》第 176 期上发表《“谴责小说”》一文，针对黑幕小说和鸳鸯蝴蝶派小说的堕落，呼吁“我们要光复小说的尊严”！

11 日，郭沫若作历史剧《聂嫈》，共二幕，后收入《三个叛逆的女性》，9 月 1 日由上海光华书局出版，列入“创造社丛书”。后经修改，成为五幕历史剧《棠棣之花》的第四、五两幕。作者自述说：“没有五卅惨剧的时候，我的‘聂嫈’的悲剧不会产生，但这是怎样的一个血淋淋的纪念品哟！”（郭沫若：《写在〈三个叛逆的女性〉后面》，见彭放编：《郭沫若谈创作》，第 99 页，黑龙江人民出版社 1982 年 3 月。）此外，郭沫若还说自己“尤其得意的是那第一幕里面的盲叟，那盲目的流浪艺人所流露出的情绪是我的心理之最深奥处的表白。”但那种心理之得以具象化，“却是受了爱尔兰作家约翰沁孤的影响”。（郭沫若：《创造十年续篇》，《郭沫若全集·文学编·十二卷》第 234 页，人民文学出版社 1992 年版）

15 日，鲁迅的《俄文译本〈阿 Q 正传〉序及著者自叙传略》发表于《语丝》周刊第 31 期。该文系应译者王希礼（B. A. Vassiliev）之请而作，译成俄文后，收入 1929 年出版的《阿 Q 正传》（俄文版《鲁迅短篇小说选集》）一书中，后来收入《集外集》。鲁迅在序中说明《阿 Q 正传》的创作意图是“写出一个现代的我们国人的魂灵来”。鲁迅还指出，由于封建传统的毒害和方块汉字的困难，使中国的老百姓像压在大石底下一样“默默的生长，萎黄，枯死”；但他相信，“在将来，围在高墙里面的一切人众，该会自己觉醒，走出，都来开口的罢。”此外，鲁迅还批评了当时对《阿 Q 正传》的各种错误的评论，说明“看人生是因作者而不同，看作品又因读者而不同”。同时鲁迅也期望《阿 Q 正传》在“俄国读者的眼中”，“也许又会照见别样的情景的罢。”

19 日，香港十几万工人举行大罢工。香港当局用紧急戒严和封锁来对付罢工，罢工工人纷纷离开香港回到广州。一部分回到广州的香港工人，和广州工人、农民、学生、黄埔军校学生军等共 10 万多人，举行示威游行。当游行队伍经过沙面租界对岸沙基时，遭到英法帝国主义水兵的射击和军舰的炮轰，造成“沙基惨案”。“沙基惨案”激起广州、香港人民的更大怒火，香港罢工工人迅速扩大到 20 多万人，在广州建立了省港罢工委员会，统一领导罢工，对香港实行封锁。省港大罢工坚持一年零四个月，1926 年 10 月才宣告胜利结束。

28 日，叶圣陶的《五月卅一日急雨中》发表于《文学周报》第 179 期。作者愤怒于五卅烈士的血迹“没有了，一点儿没有了！已经给仇人的水龙头冲得光光，已经给烂了心肠的人们踩得光光，更给恶魔的乱箭似的急雨洗得光光！”但他同时又认为：“不要紧，我想。血曾经淌在这块地方，总有渗入这块土里的吧。那就行了。这块土是血的土，血是我们的伙伴的血，还不够是一课严重的功课么？血灌溉着，血滋润着，将会看到血的花开在这里，血的果结在这里。”

28日，郑振铎的《街血洗去后》发表于《文学周报》第179期，署名“西谛”。作者在五卅当天事后上街，看到“街道上是依然的灰色，并不见有什么血迹。——血一大堆的，一大堆的，都被冲洗去了。——要不是群众如此的惊骇而拥挤看，我几乎不能相信一点三十分钟之前，在这里正演着一出大残杀的话剧!”感慨街血洗去后，郑振铎写道：“要不是巡捕骑在马上，手执着鞭，跑上行人道，驱打人，我绝不相信下午曾有空前大残杀事件发生。”

许地山散文集《空山灵雨》由上海商务印书馆出版。列为“文学研究会丛书”之一。副题为“落华生散记之一”。除《弁言》外，收散文44篇。作者在《弁言》中说：“自入世以来，屡遭变难，四方流离，未尝宽怀就枕。在睡不着时，将心中似忆似想的事，随感随记；在睡着时，偶得趾离过爱，引领我到回忆之乡，过那游离的日子，更不得不随醒随记。积时累日，成此小册。以其杂沓纷纭，毫无线索，故名《空山灵雨》。”

七月

1日，中华民国国民政府在广州成立。

章士钊在北京将《甲寅》复刊为周刊。该刊为政论性刊物。1914年5月创刊于日本东京，1916年初停刊，月刊。1925年5月在北京复刊改为周刊，1927年2月终刊。共出45期。秋桐（章士钊）主编。初期的月刊具有进步性，陈独秀、李大钊、胡适等曾为其撰稿。后来，周刊则多宣传封建复古思想，反对新文化和新文学，为当时的段祺瑞政府张目。还刊登政府公文，被鲁迅讥为“自己广告性的半官报”。

庐隐第一部短篇小说集《海滨故人》由商务印书馆出版。列入“文学研究会丛书”。收短篇小说14篇，包括《一个著作家》、《一封信》、《两个小学生》、《灵魂可以卖吗》、《思潮》、《余泪》、《月下的回忆》、《或人的悲哀》、《丽石的日记》、《彷徨》、《海滨故人》、《沦落》、《旧稿》和《前尘》。

未明（茅盾）在评论这部小说集时认为，该集前面的七个短篇小说表明：“那时的庐隐很注意题材的社会意义，在自身以外的广大的社会生活中找题材。”虽然茅盾认为庐隐的全部著作在总体上“题材的范围很仄狭”，“她给我们看的，只不过是她自己，她的爱人，她的朋友，——她的作品带着很浓厚的自叙传的性质。”但茅盾认为短篇集《海滨故人》中，有七篇是例外。对此，茅盾评论道：“这七篇是她的初期作品，是同在一个时期内写下来的。那时候，庐隐是朝着客观的写实主义走，例如《一封信》写农民的女儿怎样被土财主巧夺为妾，以至惨死；《两个小学生》写军阀政府轰打请愿的小学生，《灵魂可以卖吗》写纱厂女工；《余泪》写一个真正为‘和平’而殉道的女教士，即如《月下的回忆》虽然只能说是一篇小品，但作者很沉痛地告诉我们，日本帝国主义怎样用他们的‘帝国教育’来麻醉大连的中国儿童，用吗啡来毒害大连的中国成人。”在茅盾看来，“这几篇，虽然幼稚，但证明了庐隐如果继续向此路努力不会没有进步。《两个小学生》就很使人感动。我们看了这两位请愿受伤的小英雄的故事，我们明明白白看到那时候教育界的‘正人君子’所谓‘小学生无知盲从，受人利用’那些话，是怎样的卑劣无耻，替军阀政府辩护，我们看了这两位小英雄的坚决勇敢，我们忍不住要大叫一声：敬礼!”茅盾盛赞“那时候向‘文艺的园地’跨进第一步”的庐隐：“满身带着‘社会运动’的热气”，“虽然这几篇在思想上和技术上都还幼稚，但‘五四’时期的女作家能够注目在革命性的社会题材的，不能不推庐隐是第一人。”(未明:《庐隐论》,《文学》第三卷第一号，1934 年 7 月 1 日。)

徐志摩的《翡冷翠山居闲话》发表于《现代评论》第 2 卷第 30 期。

八月

10 日，为纪念丹麦童话家安徒生（1805—1875）逝世 50 周年，《小说月报》第 16 卷第 8 号出《安徒生号》（上)，第 9 号（9 月 10 日）又出《安徒生号》（下)。该号刊登了顾均正的《安徒生传》、郑振铎的《安徒生的作品介绍》、赵景深的《安徒生童话的艺术》等论文和译文共 35 篇，图片 17 幅。

徐志摩的第一部诗集《志摩的诗》由作者自费出版，上海中华书局代印。收 1922 年至 1925 年所作诗 55 首。大多抒写对自由、爱情、理想的追求，有的也表现了对下层劳动人民的同情，还有少数向往大自然和天国的诗作。其中，《这是一个怯懦的世界》、《为要寻一颗明星》、《沙扬娜拉》（第 18 节)、《雪花的快乐》等均系名篇。1928 年 8 月上海新月书店再版时，删去 15 首，增加《恋爱是什么一回事》1 首，共计 41 首。其中《沙扬娜拉》删去 17 节（原诗有 18 节)，其他诗作在文字上也略有变动。有自由体和新格律体诗。

本年夏，未名社由鲁迅发起成立，主要成员还有韦素园、李霁野、曹靖华、台静农、韦丛芜等。以译介、出版外国文学，特别是苏联文学为主，先后出版《未名丛刊》、《未名新集》等翻译、创作丛书数十种，印行《莽原》半月刊 48 期，《未名》半月刊 24 期。社务初由鲁迅主持，1926 年 8 月以后由韦素园接替。1928 年 3 月 26 日，被北京警察厅查封，李霁野等三人被捕，同年 10 月启封。1931 年因经济亏空和社员离散而停止活动。鲁迅在回忆该社的由来时说：“那时我正在编印两种小丛书，一种是《乌合丛书》，专收创作，一种是《未名丛刊》，专收翻译，都由北新书局出版。出版者和读者的不喜欢翻译书，那时和现在也并不两样，所以《未名丛刊》是特别冷落的。恰巧，素园他们愿意绍介外国文学到中国来，便和李小峰商量，要将《未名丛刊》移出，由几个同人自办。小峰一口答应了，于是这一种丛书便和北新书局脱离。稿子是我们自己的，另筹了 笔印费，就算开始。因这丛书的名目，连社名也就叫了‘未名’——但并非‘没有名目’的意思，是‘还没有名目’的意思，恰如孩子的‘还未成丁’似的。”（鲁迅：《且介亭杂文·忆韦素园君》，《鲁迅全集》第六卷第 63 ~ 64 页，人民文学出版社 1981 年版）

为了办好未名社，鲁迅亲自动手做各种事情。例如，为青年们编改译稿、校阅印稿、设计书面装潢、写发行广告等。该社以其踏实的工作和谨严的作风，被鲁迅称赞为“是一个实地劳作，不尚叫嚣的小团体”。（鲁迅：《且介亭杂文末编·曹靖华译〈苏联作家七人集〉序》，《鲁迅全集》第六卷第 553 页，人民文学出版社 1981 年版）

鲁迅曾经这样评价未名社的工作："未名社的同人，实在并没有什么雄心和大志，但是，愿意切切实实的，点点滴滴的做下去的意志，却是大家一致的。"（鲁迅：《且介亭杂文·忆韦素园君》，《鲁迅全集》第六卷第 64 页，人民文学出版社 1981 年版）又说，由未名社印的《未名新集》中的一些作品，"在那时候，也都还算是相当可看的作品"，"在文苑里却至今没有枯死的。"（鲁迅：《且介亭杂文·忆韦素园君》，《鲁迅全集》第六卷第 64 页，人民文学出版社 1981 年版）

九月

29 日，黎锦明的小说《出阁》发表于《晨报副刊》。

创造社刊物《洪水》半月刊在上海创刊。原为周刊，创刊于 1924 年 8 月，由泰东图书局发行，仅出 1 期即停刊。次年 9 月第二次创刊，改为半月刊，约 1927 年 12 月出至第 36 期终刊。周全平、郁达夫等先后主编。初由上海光华书局发行，第 13 期起由创造社出版部发行。该刊系创造社刊物，是创造社进入第二个时期的标志。第二次创刊号上有《洪水复活宣言》，说："《洪水》本是我们几个年青的人在情火浇不熄，懊恼排不开，羞辱忍不住，愤恨扫不去时大胆地不顾一切而产生的一个婴儿。……我们并没有什么远大的计划，也没有什么巨大的野心，更没有什么伟大的主张，只是因为看不惯眼前的丑态，遏不住自己的感情而又找不到可以让我们自由地发表思想的地方，才把这小小的《洪水》复活。"刊物名称即借用《圣经》所述的毁灭一切的洪水。该刊除刊登文艺作品与文艺理论文章外，还发表社会、政治、文化等方面的批评文章。是大革命时代较有影响的刊物。撰稿人除编者外，有洪为法、郭沫若、严良才、叶灵凤、成仿吾、倪贻德、穆木天、何畏、漆树芬、王独清、许杰、陆定一、张资平、敬隐渔、周毓英、黎锦明、李芾甘、柯仲平、郑伯奇、药眠等。

十月

1 日，国民革命军开始第二次东征。

1 日，徐志摩开始主编《晨报副刊》。

中国致公党成立，前身是洪门致公堂，成员以归侨、侨眷中上层人士为主，具有政治联盟性质 。

邹韬奋创办的《生活》周刊在上海创刊。

陈翔鹤、陈炜谟、杨晦、冯至等在北京组成沉钟社。社名来自德国剧作家霍普特曼的剧本《沉钟》。主要成员除杨晦外，陈炜谟、陈翔鹤、冯至、林如稷等皆为原浅草社骨干。浅草社 1922 年成立于上海，1925 年主要成员鲁迅从上海到北京，另组沉钟社，浅草社无形解散。沉钟社在文学思想和创作倾向上与浅草社基本一致，对罗曼·罗兰、霍夫曼、霍普特曼、王尔德、尼采、爱伦·坡等表现过较大的兴趣。严酷的社会现实与成员本身对生活和文学的诚实态度，使得他们的作品朴实而带悲凉色调。曾陆续出版《沉钟》周刊 10 期、《沉钟》半月刊 34 期，以及爱伦·坡、霍夫曼特号各一期。1927 年起编印《沉钟社丛书》7 种。1934 年 2 月《沉钟》半月刊停刊，这个被鲁迅誉为“中国的最坚韧，最诚实，挣扎得最久的团体”终于解散。（鲁迅：《现代小说导论（二）》，《中国新文学大系导论集》第 130 页，上海书店 1982 年版）

冯文炳（废名）短篇小说集《竹林的故事》由新潮社出版。列为“新潮社文艺丛书”之九，收 1923 年至 1925 年所写短篇小说 14 篇、译文 1 篇。书前有周作人《竹林的故事序》及作者《序》，小说包括《讲究的信封》、《柚子》、《少年阿仁的失踪》、《病人》、《浣衣母》、《半年》、《我的邻居》、《初恋》、《阿妹》、《火神庙的和尚》、《鹧鸪》、《竹林的故事》、《河上柳》《去乡》、和《窗》。

鲁迅评价《竹林的故事》时说：“在一九二五年出版的《竹林的故事》里，才见以冲淡为衣，而如著者所说，仍能‘从他们当中理出我的哀愁’的作品。”（鲁迅：《现代小说导论（二）》，《中国新文学大系导论集》第 130 ~ 131 页，上海书店 1982 年版）

周作人则在该书序言中评论道：“冯君的小说我并不觉得是逃避现实的。他所描写的不是什么大悲剧大喜剧，只是平凡人的平凡生活，——这却正是现实。”“冯君所写多是乡村的儿女翁媪的事，这便因为他所见的人生是这一部分，——其实这一部分未始不足以代表全体。”“将来著者人生的经验逐渐进展，他的艺术也自然会有变化。”除此之外，周作人还认为，“冯君著作的独立的精神也是我所佩服的一点。他三四年来专心创作，沿着一条路前进，发展他平淡朴讷的作风，这是很可喜的。”“冯君从中外文学里涵养他的趣味，一面独自走他的路，这虽然寂寞一点。却是最确实的走法，我希望他这样可以走到比此刻的更是独殊地他自己的艺术之大道上去。”

叶圣陶小说集《线下集》由商务印书馆出版。

十一月

1 日，郭沫若在《洪水》半月刊第 1 卷第 4 期发表《穷汉的穷谈》，后又在 11 月 16 日《洪水》半月刊第 1 卷第 5 期发表《共产与共管》，引起与“孤军派”国家主义者的论战。

在《穷汉的穷谈》中，郭沫若驳斥“孤军派”国家主义者灵光（即林轡）在《孤军》第 3 卷第 4 期发表的《独立党出现的要求》一文对共产主义的诽谤，说：“共产主义是要废除私有财产的”，“所以这种主义和有产业的人是对头”，但要实现共产主义革命必须“有一定的步骤”，其精神乃是“集产”。

《共产与共管》在 1930 年 4 月改题为《双声迭韵》，收入《盲肠炎》集中，该文针对灵光在《独立党出现的要求》一文中所说“中国共产党的革命”“若一成功，同时便是中国受列强共管之时”，指出他既是高谈过共产主义的人，因此是在别有用心地混淆“共产”与”共管”。实际上半殖民地的中国被外国“共管”已多年，“现在是应该想想，怎样才能够从这既成的经济的国际共管之下脱离”，第一步应该“把保护他们的条约废除”，进一步还须“厉行国家资本主义”。

27 日，鲁迅在《猛进》周刊第 39 期发表《十四年的“读经”》，批判章士钊尊孔读经的复古行为。章士钊在出任教育总长后，曾经召开教育部部务会议，规定小学生从四年级起就要读经，每周一小时，至高小毕业为止。当时一些“正经老实”的人便来和章士钊“评道理”、“讲利害”。针对这种情况，鲁迅在文中指出：历来只有“胡涂透顶的笨牛”，才会“诚心诚意”地去读经或主张读经，而“阔人”或“聪明人”的读经或主张读经，是为了“假借大义，窃取美名”，猎取“实利”，他们是“明知道读经不足以救国的，也不希望人们都读成他自已那样的”。至于章士钊的主张读经，鲁迅说，这“不过是这一回要把戏偶尔用到的工具”。此外，鲁迅还指出：在衰老的中国每每有人提倡读经，是“因为大部分的组织被太多的古习惯教养得硬化了”，而一些被坏经验教养得“聪明了”的家伙，便在这“硬化的社会里”妄行。“唯一的疗救”，是“另开药方：酸性剂，或者简直是强酸剂”。

王任叔小说《疲惫者》发表于《小说月报》第16卷第11号。

鲁迅杂文集《热风》由北新书局出版。除《题记》外，收杂文41篇。写于1918年至1924年，多系简短的随感录。

鲁迅在《题记》中说：我“觉得周围的空气太寒冽了，我自说我的话，所以反而称之为《热风》”；作品内容“有的是对于扶乩，静坐，打拳而发的，有的是对于所谓‘保存国粹’而发的；有的是对于那时旧官僚的以经验为自豪而发的；有的是对于上海《时报》的讽刺画而发的；……有的是“对于所谓‘虚无哲学’而发的”，也有“对于上海之所谓‘国学家’而发”的。

十二月

15日，日本政府内阁议决出兵满洲。以斋腾义少将为总指挥官，从朝鲜龙山调步、炮、骑兵开进中国东北。26日，南京市民万余人游行示威，抗议日本出兵满洲。

郭沫若的《文艺论集》由上海光华书局出版，收1923年至1925年所作文艺论文30余篇。

张闻天的长篇小说《旅途》由商务印书馆出版，为《文学研究会丛书》之一。作品分为上中下三部。

周作人散文集《雨天的书》由北新书局出版。卷首有作者《自序一》、《自序二》和《又记》。收散文50篇。书后附有汪仲贤的《十五年前的回忆》。

1926年

一月

1日至19日，中国国民党第二次全国代表大会在广州召开，国民党左派和共产党员占优势，坚持了孙中山的联俄、联共、扶助农工三大政策，加强了统一战线。大会发表的宣言和通过的决议，继承和发扬了国民党一大的原则，对促进中国革命运动的发展，起了一定的积极作用。

10日，鲁迅的杂文《论“费厄泼赖”应该缓行》发表于《莽原》半月刊第1期。收入《坟》。该文提出了“痛打落水狗”的战斗原则。

自1925年11月以来，全国民众因反对关税会议掀起了声势浩大的“反奉倒段”

运动，段祺瑞、章士钊等迫于情势，纷纷逃匿。这时，吴稚晖提出，批评章士钊似乎是“打死老虎”。（吴稚晖：《官欤—共产党欤—吴稚晖欤》，《京报副刊》，1925 年 12 月 1 日。）周作人亦鼓吹宽容大度、勿迫穷寇的“费厄泼赖”（fair play）精神。（周作人：《答伏园论“语丝的文体”》，《语丝》第 45 期，1925 年 11 月 22 日。）周作人又称：“树倒猢狲散，更从哪里去找这班散了的，况且在平地上追赶猢狲，也有点无聊卑劣”；“现在，段君既将复归于禅，不再为我辈的法王，就没有再加以批评之必要，况且‘打落水狗’（吾乡方言，即‘打死老虎’之意）也是不大好的事。”（周作人：《失题》，《语丝》第 56 期，1925 年 12 月 7 日。）林语堂对周作人的主张大加赞赏，说“岂明所谓‘费厄泼赖，……在中国最不易得”，主张“对于失败者不应再施攻击”，“以今日之段祺瑞章士钊为例，我们便不应再攻击其个人”，“此种健全的作战精神”，“不可不积极提倡”。（林语堂：《插论语丝的文体——稳健、骂人及费厄泼赖》，《语丝》第 57 期，1925 年 12 月 14 日。）

针对以上论调，鲁迅在《论“费厄泼赖”应该缓行》一文中坚决予以了回击。他以“落水狗”比喻暂时“塌台”的反动人物，指出：“狗性总不大会改变的”；“倘是咬人之狗，我觉得都在可打之列，无论它在岸上或在水中”。而对于“叭儿狗”式的帮闲文人，则尤应“先行打它落水，又从而打之”，因为它“虽然是狗，又很像猫”，显然更阴险狡猾，更具有欺骗性。鲁迅在文中还总结了辛亥革命的血的教训，说明不打落水狗的结果，必定是纵恶，断送革命成果，使反动势力复辟，从而揭露了在政治斗争中的所谓“费厄泼赖”，亦即为“中庸之道”和“恕道”的虚伪性。文章指出：辛亥革命时“革命党也一派新气……‘文明’得可以，说是‘咸与维新’了，我们是不打落水狗的，听凭它们爬上来罢。于是它们爬上来了，伏到民国二年下半年，二次革命的时候，就突出来帮着袁世凯咬死了许多革命人，中国又一天一天沉入黑暗里，一直到现在，遗老不必说，连遗少也还是那么多。”鲁迅又说：“假使此后光明和黑暗还不能作彻底的战斗，老实人误将纵恶当作宽容，一味姑息下去，则现在似的混沌状态，是可以无穷无尽的。”那么，如何“改换”斗争的“态度和方法”呢？鲁迅认为，实行“即以其人之道还治其人之身”的“直道”，痛打落水狗，将革命进行到底，实为革命的正道。对于这篇文章，鲁迅后来曾自我评价说：“这虽然不是我的血所写，却是见了我的同辈和比我年幼的青年们的血而写的。”（鲁迅：《坟·写在〈坟〉后面》，《鲁迅全集》第一卷第 283 页，人民文学出版社 1981 年版）

何凝（瞿秋白）则评论道，鲁迅在该文中提出的痛打“落水狗”精神，“真正是反自由主义，反妥协主义的宣言。”在何凝看来，旧势力的中庸极为虚伪，往往“说些鬼话来羼杂在科学里，调和一下，鬼混一下，这正是它的诡计。”而这个斗争的世界，在“有些原则上的对抗事实上是决不会有调和的。所谓调和只是敌人的缓兵之计。狗可怜到落水，可是它爬出来仍旧是狗，仍旧要咬你一口，只要有可能的话。所以‘要打就得打到底’——对于一切种种黑暗的旧势力都应当这样。”“但是死气沉沉的市侩，——其实他们对于在自己手下讨生活的人一点儿也不死气沉沉，——表面上往往会对所谓弱者‘表同情’，事实上他们有意的无意的总在维持着剥削制度。市侩，这是一种狭隘的浅薄的东西，它们的头脑（如果可以说这是头脑的话），被千百年来的现成

习惯和思想圈住了，而在这个圈子里自动机似的‘思想’着。家庭，私塾，学校，中西‘人道主义’的文学的影响，一切所谓‘法律精神’和‘中庸之道’的影响，把市侩的脑筋造成了一种简单机器，碰见什么‘新奇’的，‘过激’的事情，立刻就会像留声机似的‘啊呀呀’的叫起来。这种‘叭儿狗’‘虽然是狗，又很像猫，折中，公允，调和，平正之状可掬，悠悠然摆出别个无不偏激，唯独自己得了‘中庸之道’似的脸来’。鲁迅这种暴露市侩的锐利的笔锋，充分表现着他的反中庸的，反自由主义的精神。”（何凝：《鲁迅杂感选集》序言，《鲁迅杂感选集》，上海青光书局1933年版）

《独立评论》（半月刊）在上海创刊。今见最后一期为第9期。胡适、丁文江主编。上海独立评论社发行。间登文艺作品，如小说有天风的《田老板》、烈文的《田先生的死》等。

穆木天作《谭诗——寄沫若的一封信》，后本文发表于同年《创造月刊》的第1卷第1号。穆木天在文章中认为，“胡适说：作诗须如作文，那是他的大错。”据此，穆木天提出了自己的诗学主张，他说：“先当散文去思想，然后译成韵文，我以为是诗道之大忌”，“得先找一种诗人的思维术，一个诗的逻辑学”，“直接用诗的思考法去思想，直接用诗的旋律的文字写出来”，“用诗的思考法去想”，用超越散文文法规则的“诗的文章构成法去表现”。他于是进而要求“诗与散文的清楚的分界”，创作“纯粹的诗歌”。穆木天所谓的“纯诗”包括两个方面：首先诗与散文有着完全不同的领域，主张“把纯粹的表现的世界给了诗作领域，人间生活则让散文担任”，“诗的世界是潜在意识的世界”，诗是“内生命的反射”，“是内生活真实的象征”。其次，诗应有不同于散文的思维方式与表现方式：“诗是要暗示的，诗最忌说明的，说明是散文的世界里的东西。诗的背后要有大的哲学，但诗不能说明哲学。”因此，穆木天概括说：“诗不是像化学的那样的明白的，诗越不明白越好。明白是概念的世界，诗是最忌概念的。”

郁达夫的《小说论》由光华书局出版。

蹇先艾的小说《水葬》发表于《现代评论》第3卷第29期。

鲁迅评价说：“诚然，虽然简朴，或者如作者所自谦的‘幼稚’，但很少文饰，也足够写出他心曲的哀愁。他所描写的范围是狭小的，几个平常人，一些琐屑事，但如《水葬》却对我们展示了‘老远的贵州’的乡间习俗的冷酷，和出于这冷酷中的母性之爱的伟大，——贵州很远，但大家的情境是一样的。”（鲁迅：《中国新文学大系小说二集·导言》，《中国新文学大系导论集》第133页，上海书店1982年版）

蒋光慈的中篇小说《少年漂泊者》由亚东图书馆出版。

二月

魏金枝的小说《留下镇的黄昏》由《莽原》半月刊发表。

鲁迅评论这部小说“描写着乡下的沉滞的氛围气”。（鲁迅：《中国新文学大系小说二集·导言》，《中国新文学大系导论集》第137页，上海书店1982年版）

三月

12日，日本军舰驶入大沽口，掩护奉军进攻天津，炮轰国民军，被国民军击退。16日，日本针对冯玉祥的国民军在大沽口被迫开炮反击入侵日舰一事，联合英、美等八国，向段祺瑞执政府提出最后通牒，要求严惩大沽口守军和赔款等。段祺瑞政府表示愿意协商解决。

18日，段祺瑞政府在北京制造了“三一八惨案”。针对日本等八国的最后通牒和所谓严惩大沽口中国守军的无理要求，北京群众5000余人在中共北方区委的领导下于天安门前集会，通过了反对八国最后通牒，驱逐八国公使、立即撤退驻天津外国兵舰，督促国民军为驱逐帝国主义而战、组织北京市反帝大同盟等项决议。会后，2000多人前往铁狮子胡同段祺瑞执政府请愿。段命令卫队向请愿群众开枪，并用马刀、铁棍向徒手群众进攻，当场打死群众47人，重伤200余人。这一天，被鲁迅称为“民国以来最黑暗的一天”，激起全国人民的极大愤怒。

16日，《创造月刊》创刊，由上海创造社出版部发行。16开本，为后期创造社的文学刊物。1929年1月10日出版第2卷第6期后，由于创造社被封而停刊，共出18期。郁达夫、成仿吾、王独清、冯乃超等先后编辑。除编者外，主要撰稿人有郭沫若、穆木天、蒋光慈、张资平、段可情、周全平、梁实秋、徐祖正、李初梨、郑伯奇、彭康、黄药眠、阳翰笙、朱镜我、陶晶孙、沈起予、许幸之等。创刊号上刊载郁达夫的《卷头语》说：“我们志不在大，消极的就想以我们无力的同情，来安慰安慰那些正直的惨败的人生的战士，积极的就想以我们的微弱的呼声，来促进改革这不合理的目下的社会的组成。”刊物的内容与性质，和《创造》季刊大体相同，理论批评与创作并举，偏重于介绍欧洲浪漫主义思潮，并有诗作、剧作、小说等类。所载小说有郁达夫的《寒宵》、《过去》，蒋光赤的《鸭绿江上》，张资平的《苔莉》；诗有郭沫若的《瓶》，王独清的《吊罗马》，冯乃超的《生命的哀歌》，剧本有郑伯奇的《牺牲》，李初梨的《爱的掠夺》；论文有郭沫若的《革命与文学》，成仿吾的《文艺批评杂论》、《从文学革命到革命文学》，蒋光赤的《十月革命与俄罗斯文学》，梁实秋的《拜伦与浪漫主义》等。1928年，创造社倡导无产阶级革命文学，该刊内容起了变化。第2卷第1期《编辑后记》说：“本志以后不再以纯文艺的杂志自称，却以战斗的阵营自负。”在革命文学论争中，发表了成仿吾的《从文学革命到革命文学》、麦克昂（郭沫若）的《桌子的跳舞》、杜荃（郭沫若）的《文艺战线上的封建余孽》等文，还发表了彭康的《什么是“健康”与“尊严”》、冯乃超的《冷静的头脑》等，批评“新月派”。

16日，成仿吾《文艺批评杂论》发表于《创造月刊》第1期。

17日，施蛰存与戴望舒、杜衡一起创办文学同人刊物《璎珞》，出版创刊号，为32开16页的旬刊，先后出版4期。施蛰存以“安华”的笔名在该刊发表了《上元灯》和《周夫人》两篇小说。

18日，郭沫若与郁达夫、王独清由上海乘轮船同赴广州。郭沫若此行是应广东大学（中山大学前身）之聘，出任该校文科学长。

18日，北京发生段祺瑞执政府枪杀爱国群众的重大惨案。鲁迅在当天写成《无花的蔷薇之二》一文，称这一天为“民国以来最黑暗的一天”。（鲁迅：《无花的蔷薇之二》，《语丝》周刊第72期，1926年3月29日。）

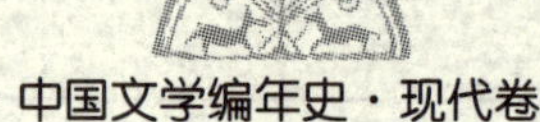

20日，蒋介石策划反共的“中山舰事件”（亦称“三二〇事件”），排斥打击共产党员。1926年3月18日，蒋介石为了排斥共产党人，夺取国民革命军第一军的军权，指使欧阳格以黄埔军校驻广东省办事处的名义，命令海军的代理局长、共产党员李之龙调派中山舰到黄埔候用。第二天，中山舰开到黄埔。蒋介石却诬指中山舰擅自开入黄埔，是共产党员阴谋暴动。20日，蒋以此为借口命令逮捕李之龙，并扣押中山舰，包围了苏联顾问团住处，开始了对共产党人的严酷镇压，史称“中山舰事件”。蒋介石策动此次事件，也含有排挤汪精卫的目的。事后，汪被逼称病出洋。

25日，沈雁冰离开广州回上海。当时沈雁冰在广东担任国民党中央宣传部代理部长毛泽东的秘书，“中山舰事变”后，沈雁冰因党的工作需要返回上海，毛泽东嘱咐沈雁冰回沪后再办一个国民党中执委领导下的党报，以同国民党右派把持的《民国日报》作斗争，此事后因多方原因没有办成。

25日，《晨报副刊》发表了梁实秋的《现代中国文学之浪漫的趋势》，连载至31日。

梁实秋在文章中指出：“‘现代中国文学’系指我们通常所谓的‘新文学’而言。‘浪漫的’系指西洋文学的‘浪漫主义’而言。我这篇文章的主旨即在说明‘新文学运动’的几个特点，以证明这全运动之趋向于‘浪漫主义’。”“我的批评方法是把一切西洋文学分为两个主要类别，一是古典的，一是浪漫的。”

从这一批评方法出发，梁实秋在文中讨论了以下四个问题：一，关于外国文学对新文学的影响。梁实秋说：“文学并无新旧可分，只有中外可辨。旧文学即是本国特有的文学，新文学即是受外国影响后的文学。我先要说明，凡是极端的承受外国影响，即是浪漫主义的一个特征。浪漫主义所最企求者‘新颖’，‘奇异’。但一国之文学，或全部之文化，苟历年过久，必定渐趋于陈腐。一国鼎盛的时候，人才辈出，创作发达，但盛极必衰，往往传统的精神就陷于矫揉造作，艺术的精神沦为习惯的模仿。……而浪漫主义者实难堪此。他们要求自由，活动和新奇。……浪漫主义者的解脱之道，即在打破现状。”至于“打破”的方法，在梁实秋看来，“一是返古，一是引入外国的影响”。浪漫主义者喜欢“蓬蓬勃勃的气象，不守纪律的自由活动”，所以他们就“无限制的欢迎外国影响”。在考察了现代中国文学之后，梁实秋认为白话文运动，新诗、小说、戏剧均受了外国文学的影响，而“外国文学影响侵入中国之最显著的象征，无过于外国文学的翻译”。

梁实秋进一步指出，外国文学“全部影响之最紧要处乃在外国文学观念之输入中国。……在文学观念一点而论，我们本来和柏拉图有点仿佛，现在则有点像亚里斯多德。我们本来的文学观念可以用‘文以载道’四个字来包括无遗；现在的文学观念则是把文学当作艺术。”“外国影响侵入中国之最大的结果，在现今这个时代，便是给中国文学添加了一个标准。我们现在有两个标准，一个是中国的，一个是外国的。浪漫主义者的步骤，第一步是打倒中国的固有的标准，实在不曾打倒；第二步是建设新标准，实在所谓新标准即是外国标准，并且即此标准亦不曾建设。浪漫主义者唯一标准，即是‘无标准’。所以新文学运动，就全部看，是‘浪漫的混乱’。混乱状态亦时势之所不能免，但究非常态则可断言。至于谁能把一个常态的标准从混乱中清理出来，我不知道，不过我知道他一定不是一个浪漫主义者。”

二，新文学对情感的推崇。梁实秋认为，浪漫主义者重“感觉”，重激情，“现代中国文学，到处弥漫着抒情主义。”“近年来情诗的创作在量上简直不可计算”，这是因为“外来影响而发生所谓新文化运动，处处要求扩张，要求解放，要求自由。”“‘抒情主义’的自身并无什么坏处，我们要考察情感的质是否纯正，及其量是否有度。从质量两方面观察，就觉得我们的新文学运动对于情感是推崇过分。情感的质地不加理性的选择，结果是：（一）流于颓废主义（二）假理想主义。”“情感在量上不加节制，在作者的人生观上必定附带着产出‘人道主义’的色彩。人道主义的出发点是‘同情心’，更确切些，应是‘普遍的同情心’。这无限制的同情在一切浪漫作品都常表现出来，在我们的新文学里亦极显著。”而后，梁实秋进一步分析了这种“普遍的同情心”的起源，他说：“吾人试细按普遍的同情，其起源固由于‘自爱’‘自怜’之扩大，但其根本思想乃是建筑于一个极端的假设，这个假设就是‘人是平等的’。平等观念的由来，不是理性的，是情感的。重情感的浪漫主义者，因情感的驱使，乃不能不流为人道主义者。吾人反对的人道主义的唯一理由，即是因为人道主义不是经过理性的选择。同情是要的，但普遍的同情是要不得的。平等的观念，在事实上是不可能的，在理论上也是不应该的。”

三，新文学的印象主义。梁实秋认为，“‘灵魂的冒险’是浪漫主义的‘适当的注脚’。印象主义便是浪漫主义的末流。”“印象主义者”“随着他的性情心境的转移改换他对自然人生的态度”。“现在中国文学就是被这印象主义所支配”。接着，梁实秋从新文学的体裁出发，分析了“印象主义”的盛行，他说：“近来‘小诗’在中国的风行一时”，“足以表示出国人趋于印象主义的心理”。“在小说里我们也可以看出印象主义的趋势”。“近来‘游记’的发达，也是印象主义的一个征候”。“印象主义最有效的实用是在文学批评方面。……凡主张赏鉴批评者必于自己性情嗜好之外不承认有任何固定的标准，故其批评文学只据其一己之好恶。”这即是“浪漫的”，“情感的”，印象批评乃是其“极端的例子”。“中国近来文学批评并不多见”，但多是印象主义的。在印象主义者看来，艺术文学“没有固定的标准”，“我们可以不必诉诸传统精神，不必诉诸理性。我们可以要求有理性的文学作者，像阿诺德所说，‘深静的观察人生，并观察人生的全体’。印象主义者的惯技，乃匆促的模糊的观察人生，并只观察人生的外表现局部。”

四，新文学的自然与独创。在这一部分，梁实秋分析了浪漫主义的内在矛盾，他说：“浪漫主义者一方面要求文学的自然，一方面要求文学的独创。其实凡是自然的便不是独创的，这似乎是浪漫主义者的冲突。但矛盾冲突正是浪漫主义的一大特色。浪漫的即是没有纪律的。中国新文学运动的初步即是攻击旧文学，主张‘皈返自然’，攻击因袭主义，主张‘独创’。现今全部的新文学作品都可以说是这两种主张的收获。”“儿童文学的勃兴，与歌谣的搜集，都是我们现今中国文学趋于浪漫的凭据。我们可以赞成‘皈依自然’，但我们是说以人性为中心的自然，不是浪漫主义者所谓的自然。浪漫主义者所谓的自然，是与艺术独立于相反的地位。我们也可以赞成独创，但我们是说在理性指导之下去独创，不是浪漫主义者所谓叛离人性中心的个性活动。”

通过以上几个方面的考察，梁实秋最后总结说："我说现今文学是趋向于浪漫主义，因为（一）新文学运动根本的是受外国影响；（二）新文学运动是推崇情感轻视理性；（三）新文学运动所采取的对人生的态度是印象的；（四）新文学运动主张皈依自然并侧重独创。所列举的这四点是现代中国文学最显著的现象，同时也是艺术上浪漫主义最主要的成分。"

26日，《文学周报》第218期发表叶圣陶、W生（王任叔）、郑振铎、徐蔚南等人的文章。抗议帝国主义及军阀政府制造的"三一八惨案"，声援北京爱国民众的正义斗争。

创造社为摆脱出版商的控制，集资筹建出版部，本月正式开业。

四月

1日，北京《晨报副刊·诗镌》创刊。每星期四出一期，共出11期，至6月10日终刊。开始轮流主编，徐志摩编第一、二期，闻一多编第三、四期，饶孟侃编第五期，后改由徐志摩一人编辑。主要撰稿人除编者外，有朱湘、刘梦苇、于赓虞、朱大枏、蹇先艾等。它刊登探讨新格律的理论文学和诗作，形成了新格律诗运动。其中饶孟侃的《新诗的音节》、《再论新诗的音节》和闻一多的《诗的格律》等文，对有关新格律诗的诸多方面作了颇为具体的研讨。闻一多曾发表《诗的格律》，提倡"节的匀称"、"句的均齐"，认为诗在音节上应该有音乐美，在辞藻上应该有绘画美，在章句上应该有建筑美。闻一多的名篇《死水》也在该刊发表。在诗歌创作上着意追求形式和格律，主张"创格"，要发现"新格律与新音节"。《诗镌》创刊号刊出徐志摩执笔的《诗刊弁言》，其中说："我们信我们自身灵里以及周遭空气里多的是要求投胎的思想的灵魂，我们的责任是替他们构成适当的躯壳，这就是诗文与各种美术的新格式与新音节的发现；我们信完美的形体是完美的精神唯一的表现。"要求创造诗的新格式、新音节以表现完美的精神，这是《诗镌》的基本主张。

继徐志摩提出上述主张后，本年4月22日，饶孟侃在《晨报副刊·诗镌》发表了《新诗的音节》一文，专门对新诗的音节作了论述。他指出，音节对于一首新诗很重要："一首完美的诗里面所包含的意义和声音总是调和得恰到好处，所以在表面上虽然可以算是两种成分，但是其实还是一个整体，这个整体，就是我们所要讨论的音节。"音节是什么呢？他说："一首诗的音节，决不是专指那从字面上念出来的声音……实在包含得有格调，韵脚，节奏和平仄等等的相互关系。"具体而言，一，"格调，即是指一首诗里面每段的格式……是音节中最重要的一个成分，没有格调不但音节不能调和，不能保持均匀，就是全诗也免不了要破碎。"二，"韵脚……是把每行诗里抑扬的节奏锁住，而同时又把一首诗的格调缝紧。""新诗压韵，不必完全按照旧的韵府，凡是同音的字，无论是平是仄，都可以通用；而发音的根据则以普通的北京官话为标准。"三，"节奏……一方面是由全诗的音节当中流露出来的一种自然的音节，一方面是作者依着格调用相当的拍子（Beats）组合成一种混成的节奏。"四，"一个字的抑扬轻重完全是由平仄里产生的，我们要抛弃它即是等于抛弃音节中的节奏和韵脚；要没有它的那种作用一首诗里也只有单调的音节。”这些意见，都表明了《诗镌》周刊对新诗艺术的探索精神。

12 日，鲁迅在《语丝》周刊第 74 期发表杂文《纪念刘和珍君》，哀悼“三一八惨案”死难者。署名鲁迅，收入《华盖集续编》。本文沉痛悼念“三一八惨案”死难烈士刘和珍，愤怒揭露和痛斥帝国主义、北洋军阀政府的凶残及现代评论派“学者”、“文人”的卑劣；热情赞颂中国妇女在反帝反封建斗争中英勇无畏、互相救助、殒身不恤的革命精神，充分肯定了她们牺牲的意义，启示人们从斗争中汲取经验教训，激励后继者更加勇猛地战斗。文中写道：“我向来是不惮以最坏的恶意来推测中国人的。但这回却很有几点出于我的意外。一是当局者竟会这样地凶残，一是流言家竟至如此之下劣，一是中国的女性临难竟能如是之从容。我目睹中国女子的办事，是始于去年的，虽然是少数，但看那干练坚决，百折不回的气概，曾经屡次为之感叹。至于这一回在弹雨中互相救助，虽殒身不恤的事实，则更足为中国女子的勇毅，虽遭阴谋秘计，压抑至数千年，而终于没有消亡的明证了。倘要寻求这一次死伤者对于将来的意义，意义就在此罢。苟活者在淡红的血色中，会依稀看见微茫的希望；真的猛士，将更奋然而前行。”在此前后，鲁迅还写了《“死地”》、《空谈》等杂文多篇，控诉帝国主义和北洋军阀政府。

何凝（瞿秋白）在《鲁迅杂感选集》序言中指出，徐志摩、陈西滢等人在“五卅”的时候，说打倒帝国主义的口号是“分裂与猜忌的现象”，而在“三一八”之后，立刻又说“执政府前原是‘死地’，……群众领袖应负道义上的责任。”何凝对此深表愤怒，驳斥到：“这些‘墨写的谎说’难道掩得住‘血写的事实吗’!?”针对鲁迅在文中提到的“在这一次做了一个‘错误’”，即“我向来是不惮以最坏的恶意来推测中国人的，然而我还不料，也不信竟会下劣凶残到这地步！”何凝称赞鲁迅说：“鲁迅如果有‘错误’，那么，我们不能够不同意他自己的批评：‘我还欠刻毒！’地主官僚和资产阶级社会的丑恶，实在远超出于文学家最深刻的‘构陷别人的罪状’！而文饰这种丑恶的，正是那些山羊式的文人。”（何凝：《鲁迅杂感选集》序言，《鲁迅杂感选集》，上海青光书局 1933 年版）

刘半农诗集《瓦釜集》由北新书局出版。收诗 22 首，包括《开场的歌》，另有《代自序》和《后语》各一篇，周作人《序歌》一首。附录《手攀杨柳望情歌》19 首和周作人的论文《中国民歌的价值》。作品用江阴方言，仿江阴“四句山头歌”声调写成。刘半农在《代自序》中说：“要试验一下，能不能尽我的力，把数千年来受尽侮辱与蔑视，打在地狱里而没有呻吟的机会的瓦釜的声音，表现出一部分来。”

赵景深在评论《瓦釜集》时说：“《瓦釜集》里的第七歌，魏猛克曾绘为连环图画，在《申报》刊登过，使他的民歌更能普遍的传布。可惜还不曾有人将他的歌配谱。说来可叹，这本书竟不曾再版，与他自己的《国外民歌译》以及知堂老人的《陀螺》遭受了同样的命运。但这里面确有许多好的拟江阴山歌，尤其是四句头的情歌。如第十四歌云：‘你叫王三妹来我叫张二郎，/你住勒村底里来我住勒村头浪。/你家里满树格桃花我抬头就看得见，/我还看见你洗干净格衣裳晾勒竹竿浪。’这首诗较之刘延陵的《水手》，也不见的逊色，反而别有风趣。又如第二十一歌也是轻倩之作：‘小小里

横河一条带，/河过边小小里青山一字排。/我牛背上清清楚楚看见山坳里，/竹篱笆里就是他家格小屋两三间。’别说是歌，这只有这一点方法，也可以使得他成为第一个用方言来写新诗的中国 Robert Burnss 了。”（赵景深：《刘复诗歌三种〈扬鞭集〉中卷——〈瓦釜集〉——〈国外民歌译〉》，1934 年《人间世》第 1 卷第 10 期。）

许钦文短篇小说集《故乡》由北新书局出版。列入鲁迅主编的“乌合丛书”。有长虹的《小引》。收 1922 年至 1924 年所写短篇小说 27 篇，包括《父亲的花园》、《一生》、《小狗的厄运》、《这一次的离故乡》、《凡生》、《传染病》、《博物馆》、《上学去》、《一餐》、《大水》、《“请原谅我”》、《理想的伴侣》、《口约三章》、《猫的悲剧》、《妹子的疑虑》、《职业病》、《邻童口中的呆子》、《毁弃》、《一首小诗的写就》、《津威途中的伴侣》、《模特儿》、《怀大桂》、《一张包花生米的字纸》、《已往的姊妹们》、《松竹院中》、《珠串泉》。

鲁迅在谈到 20 年代的乡土文学时，曾这样评价《故乡》集：“许钦文自名他的第一本短篇小说集为《故乡》，也就是在不知不觉中，自招为乡土文学的作者，不过在还未开手来写乡土文学之前，他却已被故乡所放逐，生活驱逐他到异地去了，他只好回忆《父亲的花园》，而且是已不存在的花园，因为回忆故乡的已不存在的事物，是比明明存在，而只有自己不能接近的事物较为舒适，也更能自慰的——‘父亲的花园最盛的一年距今已有儿时，已难确切的计算。当时的盛况虽曾照下一像，如今挂在父亲的房里，无奈为时已久，那时乡间的摄影又很幼稚，现已模糊莫辨了。挂在它旁边的芳姊的遗像也已不大清楚，惟有父亲题在像上的字句却很明白：‘性既执拗，遇复可怜，一朝痛割，我独何堪！’…… 我想父亲的花园就是能够重行种起种种的花来，那时的盛况总是不能恢复的了，因为已经没有了芳姊。”鲁迅在文中还说：“无可奈何的悲愤，是令人不得不舍弃的，然而作者仍不能舍弃，没有法，就再寻得冷静和诙谐来做悲愤的衣裳；裹起来了，聊且当作‘看破’。并且将这手段用到描写种种人物，尤其是青年人物去。因为故意的冷静，所以也刻深，而终不免带着令人疑虑的嬉笑。‘虽有忮心，不怨飘瓦’，冷静要死静；包着愤激的冷静和诙谐，是被观察和被描写者所不乐受的，他们不承认他是一面无生命，无意见的镜子。于是他也往往被排进讽刺文学作家里面去，尤其是使女士们皱起了眉头。”又说：“这一种冷静和诙谐，如果滋长起来，对于作者本身其实倒是危险的。他也能活泼的写出民间生活来，如《石宕》，但可惜不多见。”（鲁迅：《中国新文学大系小说二集 · 导言》，《中国新文学大系导论集》，第 133 ~134 页，上海书店 1982 年 11 月。）

郭沫若戏剧集《三个叛逆的女性》由上海光华书局出版。除《写在〈三个叛逆的女性〉后面》一文外，收入《聂嫈》、《王昭君》和《卓文君》三个剧本。郭沫若写《三个叛逆的女性》，据他自己说是为了反对“在家从父，出嫁从夫，夫死从子”的“男性中心”的“旧式的道德”，提倡“在家不必从父，出嫁不必从夫，夫死不必从子”的“三不从的新性道德”。他说：“我怀着这种想念已经有多少年辰，我在历史上很想找几个有为的女性来作为具体的表现。”

五月

1 日，郭沫若《文艺家的觉悟》一文发表于《洪水》第 2 卷第 16 期。郭沫若在文中提出："我们现在所需要的文艺是站在第四阶级说话的文艺，这种文艺在形式上是写实主义的，在内容上是社会主义的。"

15 日至 22 日，中国国民党召开二届二中全会，会议通过"整理党务案"。这是蒋介石谋划排斥共产党人的阴谋。蒋介石借此机会对共产党的活动进行了限制，并乘机攫取国民党中央执行委员会主席、组织部长、国民革命军总司令等职。

15 日，闻一多的论文《诗的格律》发表于《晨报副镌 · 诗刊》。它是闻一多早期建设新诗理论的一个总结，也是他创作《死水》时的一篇理论上的宣言。

闻一多在文中说："假定'游戏本能说'能够充分的解释艺术的起源，我们尽可以拿下棋来比作诗；棋不能废除规矩，诗也就不能废除格律（格律在这里是 form 的意思）。'格律'两个字最近含着了一点坏的意思，但是直译 form 为形体或格式也不妥当。并且我们若是想起 form 和节奏是一种东西，便觉得 form 译作格律是没有什么不妥的了。假如你拿起棋子来乱摆布一气，完全不依据下棋的规矩进行，看你能不能得到什么趣味？游戏的趣味是要在一种规定的格律之内出奇制胜。做诗的趣味也是一样的。假如诗可以不要格律，做诗岂不比下棋、打球、打麻将还容易些吗？难怪这年头的新诗'比雨后的春笋还多些'。我知道这些话准有人不愿意听。但是 Bliss Perry 教授的话来得更古板。他说：'差不多没有诗人承认他们真正给格律缚束住了。他们乐意戴着脚镣跳舞，并且要戴别个诗人的脚镣。'……杜工部有一句经验语很值得我们揣摩的，'老去渐于诗律细。'诗国里的革命家喊道'皈依自然'！其实他们要知道自然界的格律，虽然有些像蛛丝马迹，但是依然可以找得出来。不过自然界的格律不圆满的时候多，所以必须艺术来补充它。这样讲来，绝对的写实主义便是艺术的破产。'自然的终点便是艺术的起点'，王尔德说得很对。自然并不尽是美的。自然中有美的时候，是自然类似艺术的时候。最好拿造型艺术来证明这一点。我们常常称赞美的山水，讲它可以入画。的确中国人认为美的山水，是以像不像中国的山水画做标准的。欧洲文艺复兴以前所认为女性的美，从当时的绘画里可以证明，同现代女性美的观念完全不合；但是现代的观念不同希腊的雕像所表现的女性美相符了。"

据此，闻一多在文中反对初期白话诗人提倡的"自然音节论"，认为"自然界的格律不圆满的时候多，所以必须艺术来补充它"。同时，他也反对浪漫主义者的写诗态度，认为"他们的目的只在披露他们自己的原形……在文艺的镜子里照见自己那倜傥的风姿，还带着几滴多情的眼泪"，"要他们来遵从诗的格律来做诗，是绝对办不到的"。在批评了这两种倾向后，闻一多提出了有关新诗格律的完整主张，他说："诗的实力不独包括音乐的美（音节），绘画的美（词藻），并且还有建筑的美（节的匀称和句的均齐）。"

此外，闻一多在这篇文章中还着重反驳了那种认为提倡新诗格律，讲究"节的匀称和句的均齐"是"复古"的论调。他指出："律诗永远只有一个格式，但是新诗的格式是层出不穷的。这是律诗新诗不同的第一点。做律诗，无论你的题材是什么，意境是什么，你非得把它挤进这一种规定的格式里去不可，仿佛不拘是男人，女人，大人，小孩，非得穿一种样式的衣服不可。但是新诗的格式是相体裁衣。""律诗的格式与内容不发生关系，新诗的格式是根据内容的精神制造成的。这是它们不同的第二点。律诗的格式是别人替我们定的，新诗的格式可以由我们自己的意匠来随意构造。这是它们不同的第三点。”鉴于有这三点不同，闻一多便认为“你们应该知道新诗的这种格式是复古还是创新，是进步还是退化”。

在这篇文章的末尾，闻一多还不无自信地说：“我断言新诗不久定要走进一个新的建设的时期了。无论如何，我们应该承认这在新诗的历史里是一个轩然大波。”

16日，郭沫若在《创造月刊》第1卷第3期发表《革命与文学》，主张新兴的“革命文学”。郭沫若说：“文学和革命是一致的”，“你是反对革命的人，那你做出来的文学或者你所欣赏的文学，自然是反对革命的文学，是替压迫阶级说话的文学；……你假如是赞成革命的人，那你做出来的文学或者你所欣赏的文学，自然是革命的文学，是替被压迫阶级说话的文学。”文中还提出“革命文学”的口号，指出：“革命文学倒不一定要描写革命，赞扬革命，或仅仅在表面上多用些炸弹、手枪……等花样。无产阶级的理想要望革命文学家点醒出来，无产阶级的苦闷要望革命文学家实写出来。要这样才是我们现在所要求的真正的革命文学。”最后号召作家“到兵间去，民间去，工厂间去，革命的漩涡中去”。

冰心散文集《寄小读者》由北新书局出版。收散文37篇，分两部分。第一部分为“通讯”，收1923年7月至1926年3月写给小读者的信27封，曾连载于北京《晨报副刊》，其中6篇写于国内，21篇是在赴美的船上和在美国写的，记述了作者留美时的生活情况，充满了游子浓郁的乡愁，表露了“我爱我的祖国”的心绪。第二部分《山中杂记》，收有1924年6月的杂记10则，抒写了明媚的景色与纯洁的童心。

六月

10日，《晨报副刊·诗镌》出最后一期，徐志摩写了《诗刊放假》作为结束语，其中说：“一首诗的秘密也就是它的内含的音节的匀整与流动”，“明白了诗的生命是在他的内在的音节（Internal rhythm）的道理，我们才能领会到诗的真的趣味”，“正如字句的排列有恃于全诗的音节，音节的本身还得起原于真纯的‘诗感’”。同时徐志摩声明：“我们已经发现了我们所标榜的‘格律’的可怕的流弊”，认为形式与内容不应偏废。

北京《晨报副刊》创办《剧刊》，出15期后终刊。赵太侔、余上沅编辑。该刊系继1922年《戏剧》停刊后出现的第二个戏剧刊物，在徐志摩的支持下创办，旨在倡导“国剧”运动。他们对如何在中国建立有民族艺术特色的现代戏剧问题，进行了多方面的探讨。刊载的论文有赵太侔的《国剧》、闻一多的《戏剧的歧途》、西滢的《新剧与观众》、邓以蛰的《戏剧与道德的进化》和《戏剧与雕刻》、杨振声的《中国语言与中国戏剧》、梁实秋的《戏剧艺术辨证》、熊佛西的《论剧》、余上沅的《戏剧批评》以及冯友兰译狄更生的《论希腊的戏剧》，谈旧剧和戏剧技巧的文章有顾颉刚的《九十年前的北京戏剧》等。

《小说月报》第17卷号外《中国文学研究》专号出版。分上下两大册，刊载郑振铎、郭绍虞、俞平伯、陆侃如、刘大白、陈垣、朱湘等人的研究论文 60 多篇。

由伍联德创办的上海良友图书印刷公司成立。该公司曾出版《良友》画报、《一角丛书》、《中国新文学大系》、《良友文库》等书刊。郑伯奇、赵家璧曾在该公司任编辑工作。

刘半农的诗集《扬鞭集》上卷由北京北新书局出版，共三卷。上、中两卷为创作，下卷未出，卷首“目次见卷下中”无详细目录。故该诗集只有上、中两卷。中卷则于同年 10 月由北新书局出版。《扬鞭集》收周作人序及作者自序。

周作人在序中说：“半农则十年来只做新诗，进境很是明锜，这因为半农驾御得住口语，所以有这样的成功，大家只须看《扬鞭集》便可以知道这个情实。天下多诗人，我不想来肆口抑扬，不过就我所熟知的《新青年》时代的新诗作家说来，上边所说的话我相信是大抵确实的了。”

此外，周作人在序中还对当时的新诗创作颇有看法，他说：“新诗的手法我不很佩服白描，也不喜欢唠叨的叙事，不必说唠叨的说理，我只认抒情是诗的本分，而写法则觉得所谓‘兴’最有意思，用新名词来讲或可以说是象征。让我说一句陈腐话，象征是诗的最新的写法，但也是最旧，在中国也‘古已有之’，我们上观国风，下察民谣，便可以知道中国的诗多用兴体，较赋与比要更普通而成就亦更好。……中国的文学革命是古典主义（不是拟古主义）的影响，一切作品都像是一个玻璃球，晶莹透彻得太厉害了，没有一点儿朦胧，因此也似乎缺少了一种余香与回味。正当的道路恐怕还是浪漫主义，——凡诗差不多无不是浪漫主义的，而象征实在是其精意。这是外国的新潮流，同时也是中国的旧手法；新诗如往这一路去，融合便可成功，真正的中国新诗也就可以产生出来了。”（周作人：《〈扬鞭集〉序》，1926 年《语丝》第 82 期。）

沈从文在评价《扬鞭集》时也肯定了刘半农的创作，他说：“《扬鞭集》作者为治音韵的学者，若不缺少勇气，试来作江阴方言以外的俗歌，他的成就，是一定可以在中国新诗的发展上，有极多帮助的。不过，从自然平俗形式中，取相近体裁，如扬骚在他《受难者短曲》一集上，用中国弹词的格式与调系，写成的诗歌，却得到一个失败的证据，证明新诗在那方面也碰过壁来。”（沈从文：《论刘半农的〈扬鞭集〉》，1931 年《文艺月刊》第 2 卷第 2 期。）

鲁迅杂文集《华盖集》由北新书局出版。

李素伯在评论鲁迅的《热风》、《华盖》等杂文集时说：“其吸引读者与影响之大，实较作者的负盛名的小说有过之无不及。”（李素伯：《小品文研究》，上海新中国书局 1932 年 1 月。）

张若谷则用冷嘲、警句、滑稽、感愤四点来概括《华盖集》的内容，尽管他承认鲁迅“富于讽刺的天才，精于措词的技巧”，但却认为鲁迅“与其说是小说家，毋宁说是随笔作家”，称鲁迅总是“嘻笑怒骂”，“议论往往执滞在几件小事上”，“代表绍兴师爷派的一种特殊性格”，从而否定了《华盖集》的创作成就。（张若谷：《鲁迅的〈华盖集〉》，《新时代》第 2 号，1931 年 9 月 1 日。）

徐志摩散文集《落叶》由北新书局出版。这本散文集得以出版，和孙伏园、李小峰的支持有直接关系。早在 1925 年 3 月，徐志摩欧游之前，孙伏园就向徐志摩提出印行出版此书的意见，经过一番踌躇和考虑，徐志摩便决定将《落叶》等七篇文字辑为一集，并取书名为《落叶》交付出版。（参见刘炎生：《徐志摩评传》，第200页，暨南大学出版社1995年12月。）

七月

10日，舒庆春（老舍）的第一部长篇小说《老张的哲学》开始在《小说月报》第17卷第7期连载，至第12期载完。单行本于1928年1月由商务印书馆出版。

朱自清在评价《老张的哲学》和老舍的另一部小说《赵子曰》时，首先引用了一段1928年10月登载在《时事新报》上的广告："《老张的哲学》，为一长篇小说，叙述一班北平闲民的可笑的生活，以一个叫老张的故事为主，复以对青年的恋爱问题穿插之。在故事的本身，已极有味，又加以著者讽刺的情调，轻松的文笔，使本书成为一本现代不可多得之佳作，研究文学者固宜一读，即一般的人们亦宜换换口味，来阅看这本新鲜的作品。《赵子曰》这部作品的描写对象是学生的生活。以轻松微妙的文笔，写北平学生生活，写北平公寓生活，非常逼真而动人，把赵子曰等几个人的个性活活的浮现在我们读者面前。"虽然这是商务印书馆的广告，但朱自清认为"说得很是切实，可作两条短评看。从这里知道这两部书的特色是'讽刺的情调'和'轻松的文笔'"。"《赵子曰》的广告里称赞作者个性的描写。不错，两部书里个人的个性的确很分明。在这一点上，它们是近于《儒林外史》的；因为《官场现形记》和《阿Q正传》等都不描写个性。但两书中所描写的个性，却未必全能'逼真而动人'。从文笔论，与其说近于《儒林外史》，还不如说近于'谴责小说'。即如两位主人公，老张与赵子曰：老舍先生写老张的'钱本位'哲学，确乎是酣畅淋漓，阐扬尽致；但似乎将'钱本位'这个特点太扩大了些，或说太尽致了些。我们固然觉得'可笑'，但谁也未必相信世界上真有这样可笑的人。老舍先生或者将老张写成一个'太'聪明的人，但我们想老张若真这样，那就未免'太'傻了；傻得近于疯狂了。"朱自清进一步分析了老舍的小说和"谴责小说"的不同，指出"这两部书与它们不是杂集话柄而是性格的扩大描写。在这一点上，又有些像《阿Q正传》。但《正传》写的是类型，不妨用扩大的方法；这两部书写的是个性，用这种方法便不适宜。这两部书还有一点可以注意：它们没有一贯的态度。它们都有一个严肃的悲惨的收场，但上文却都有不少的游戏的调子；《赵子曰》更其如此。广告中说'这部书使我们始而发笑，继而感动，终于悲愤了。''发笑'与'悲愤'这两种情调，足以相消，而不足以相成。这两部书若用一贯的情调或态度写成，我想力量一定大得多。然而有这样严肃的收场，便已异于'谴责小说'而为现代作品了。"（朱自清：《〈老张的哲学〉与〈赵子曰〉》，1929年2月11日《大公报》。）

17日，胡适离开北平，开始他的欧洲之旅，1927年5月17日，始从美国回到上海定居。

叶圣陶的小说集《城中》由文学周报社出版。从1925年到1929年，是叶圣陶创作的新时期。他除了创作长篇小说《倪焕之》，童话集《古代英雄的石像》外，还创作了短篇小说20篇。他把从1925年3月到1926年5月创作的九篇小说《前途》（1925年3月16日，载《小说月报》16卷号，署名“叶绍钧”）、《演讲》（1925年5月29日，载《文学周报》第178期，署名“圣陶”）、《城中》（1925年11月1日，载《民铎》第7卷1号，署名“叶绍钧”）、《在民间》（1925年11月29日，载《新妇女》创刊号，署名“圣陶”，又载《文学周报》第204期，署名“圣陶”）、《双影》（1925年10月12日，载《文学周报》第204期，署名“圣陶”）、《晨》（1926年2月1日，载《小说月报》17卷2号，署名“叶绍钧”）、《微波》（1926年3月13日，载《小说月报》17卷3号，署名“叶绍钧”）、《搭班子》（1926年5月2日，刊《教育杂志》18卷5期，署名“叶绍钧”）等作品，加上《病夫》（1923年6月26日，刊《文学》104期，署名“郢”）结集成书，于1926年7月以《城中》为书名，交开明书店，由文学周报社出版。

八月

7日，上海军阀政府警察厅查封创造社出版部，并逮捕叶灵凤、周毓英、成绍宗、柯仲平等四人，拘留五天后，于12日保释出狱，出版部启封。8月5日，上海《新申报》刊登《请看赤党扰沪的秘谋》的“本报特讯”，散布“中国共产党上海特别市党部，假国民党名义”，组织“北伐行动委员会”，其重要机关秘书处设于创造社内的谣言。

26日，鲁迅偕许广平离京南下。29日抵达上海。9月2日鲁迅单独乘船离沪，4日到达厦门，在厦门大学任教。许广平也于2日另乘船离沪去广州。

《北新》在上海创刊。初为周刊，自1927年11月第二卷第一期起改半月刊。1930年12月终刊。第一卷52期，第二至四卷各24期，共出142期。上海北新书局编辑出版。内容包括思想评论、学术研究、社会问题讨论、文艺作品和书报评介。文艺方面著译并重，撰稿人有鲁迅、周作人、郁达夫、刘半农、林语堂等。鲁迅的《魏晋风度及文章与药及酒之关系》和译文《近代美术史潮论》、《断想》、《在沙漠上》，郁达夫的《迷羊》、《卢骚的思想和他的创作》、《感伤的行旅》、《杨梅烧酒》，许钦文的《约会》、《旧妻新婚》、《小牛的失望》，潘梓年的《文艺新论》，陈望道的《美学概论的批评底批评》，李劼人的《请愿》，周作人的《〈谈虎集〉后记》、《〈夜读抄〉小引》等均揭载于该刊。该刊还辟有“读者的园地”，选登一般读者的文艺试作，另有“自由问答”专栏。

章锡琛、章锡珊在上海开设开明书店。该店与文学研究会同人关系密切。文学研究会主要成员叶圣陶、夏丏尊、周予同、赵景深等曾先后主持该店编辑经营事务。

鲁迅小说集《彷徨》由北新书局再版，列为作者所编的《乌合丛书》之一。

茅盾评价说：“《彷徨》呢，则是在于作者目击了‘新文化运动’的‘文将们’的‘分化’，一方面毕露了妥协性，又一方面正在‘转变’，革命的力量需要有人领导，然而曾被‘新文化运动’所唤醒的青年知识分子则又如何呢？——在这样的追问下，产生了《彷徨》。”（茅盾：《论鲁迅的〈呐喊〉和〈彷徨〉》，1942年6月15日《文艺新哨》第1卷第5期。)

《沉钟》月刊创刊，由沉钟社主办。

九月

5日，英国借口中国军民扣留英太古公司横行川江的轮船，派军舰炮轰万县，炸毁民房、商店千余所，中国军民死伤4000余人，制造了“万县惨案”。

王以仁在从海门开往上海的轮船上跳海自杀。

王以仁（1902—1926），小说家，字盟鸥，浙江天台人。出生于没落的大家庭。自幼热爱古典文学。1923年暑假后到上海教书并开始以白话文从事写作。1924年后常有小说、诗歌、散文在小说月报等刊物上发表，引起文坛注意。文学研究会成员。著有短篇小说集《孤雁》，小说、诗歌合集《幻灭》。他的小说集《孤雁》于1926年10月由商务印书馆出版，列入《文学研究会丛书》。在《孤雁》的“代序”中，王以仁承认自己的创作受郁达夫影响很深，他说：“你说我的小说很受达夫的影响；这不但是你这般说，我的一切朋友都这般说，就是我自己也觉得带有郁达夫的色彩的。”（王以仁：《我的供状——致不识面的友人的一封信，《文学周报》第212期，1926年2月10日。收入《孤雁》作“代序”。》1928年，许杰将其遗作编成《王以仁的幻灭》，由上海明日书店出版。

狂飙社在上海成立。成员有高长虹、向培良等。高长虹、向培良等曾于1924年11月至1925年3月在北京出版《狂飙周刊》共17期。《狂飙周刊》停刊后，即参加鲁迅组织的莽原社。1926年8月鲁迅离北京赴厦门不久，莽原社内部发生冲突，高长虹等遂在上海另组狂飙社，同时复活《狂飙周刊》，提出“为科学和艺术而作战”的口号。1927年1月《狂飙周刊》停刊，高长虹于1928年在上海设立狂飙出版社和狂飙演剧部，出版《狂飙出版部》、《狂飙小剧场》等不定期刊物，从事“小剧场运动”。狂飙社还编印过《狂飙丛书》多种。该社主要从事散文、诗歌和小说创作，表现了对黑暗现实的反抗。但其骨干成员高长虹等受尼采思想和文风的影响，表现了无政府主义和个人主义倾向。1929年夏秋之交，因社员星散而解体。

茅盾在《中国新文学大系·小说一集·导言》里说：“许杰开始创作大概在一九二三年下半年。他最初的两年光景，一气里给我们十多篇农村生活的小说，其中长的如《惨雾》，有三万多字，短的亦常在一万字以上。在那时，他是成绩最多的描写农村生活的作家。”（茅盾：《现代小说导论（一）》，《中国新文学大系导论集》第119页，上海书店1982年影印本。）

陈翔鹤小说《西风吹到了枕边》发表于《沉钟》第4期。

十月

17日，高长虹在《狂飙》周刊第2期上发表《致鲁迅先生》和《致韦素园先生》的公开信。在此之前，由于韦素园接编了《莽原》，并压下了向培良的剧本《冬天》，退了高长歌（高长虹之弟）的小说《剃刀》，因此引起了高长虹的不满。故此，高长虹在上述两封公开信中，大肆攻击韦素园，说：“《莽原》须不是你家的！林冲对王伦说过：‘你也无量大材，做不得山寨之主。’谨学先生及先生等诵之。”对于鲁迅，他则除发一通牢骚外，还逼迫他表态，说：“如你愿意说话时，我也听一听你的意见。”但鲁迅因不明内情而未加表态，因此引起了高长虹的极度不满。从 1926 年 10 月 28 日至 11 月 19 日间，在短短的一个月时间内，高长虹写了《走到出版界——1925 年，北京出版界形势指掌图》、《走到出版界——思想上的〈新青年〉时期》、《走到出版界——〈吴哥甲集〉及其他》等文，攻击鲁迅，否定鲁迅是“思想界权威”，认为他只不过是一个落后于时代的“身心交病”的“世故老人”。后来，高长虹在 1926 年 11 月 21 日出版的《狂飙》周刊第 7 期上发表了《给——》这首诗，诗中暗示自己在生活上“对于鲁迅先生曾献过最大的让步”，实指自己暗恋许广平事。鲁迅对此极为愤慨，不仅作文回击高长虹，另外还写了小说《奔月》，“和他开了一些小玩笑”。（参见许广平：《许广平文集》第 3 卷第 264 页，江苏文艺出版社 1998 年版）

27、28 日，《晨报》副刊发表了梁实秋的《文学批评辩》一文。在文中，梁实秋提出了文学批评的标准，就是“常态的人性”，而“人性根本是不变的”。他认为《依里亚德》“今天尚有人读”，莎士比亚的戏剧“到现在还有人演”，就是因为它们表现了“普遍的人性”。

针对梁实秋的说法，鲁迅于 1927 年 12 月 23 日写了《文学与出汗》一文加以反驳。鲁迅指出，不同生活地位的人所具有的人性是有差别的。他以人人皆会出汗为例，分析了人性的差别。他认为，尽管出汗“可以算得较为‘永久不变的人性’了”，可是“弱不禁风”的小姐出的却是“香汗”，而被梁实秋视为“蠢笨如牛”的劳动者却出的是“臭汗”。可见同是出汗，因为生活地位不同，就有香臭之别。至于其他方面，就更不用说了。在鲁迅看来，梁实秋之所以鼓吹人性为文学批评的标准，目的在于反对新文学作品描写劳动人民。这在梁实秋的《现代中国文学之浪漫的趋势》一文中，表现得最为明显。因此，鲁迅进一步指出：“是描写香汗好呢，还是描写臭汗好？这问题倘不先行解决，则在将来文学史上的位置，委实是‘岌岌乎危哉’。”这就是说，新文学创作首先要考虑的问题并不是什么描写“普遍的人性”，而是以怎样的态度去描写什么人的问题。鲁迅对梁实秋文学批评观念的驳斥，在一定程度上澄清了新文学描写对象和创作态度等理论问题。（鲁迅：《文学与出汗》，《语丝》周刊第 4 卷第 5 期，1928 年 1 月 14 日。收入《而已集》，见《鲁迅全集》第 3 卷第 557 ~ 558 页，人民文学出版社 1981 年版）

冯沅君的中篇小说《春痕》由北新书局出版，书末附陆侃如《后记》。作品由一女子写给璧君的 50 封情书组成，按写信时间顺序排列，每信以起首二字命名。

王鲁彦短篇小说集《柚子》由北京北新书局出版。收短篇小说 11 篇。

方璧（茅盾）评价说：“短篇集《柚子》和未收入的各篇内，很有些抒写作者个人的感想和企图讽刺这混乱矛盾的人生的作品。例如《柚子》中最长的一篇《小雀儿》，便是一篇教训主义色彩极浓厚的讽刺文。发表于《小说月报》上的最近的《毒药》也是这一类。不敬得很，我不大喜欢这两篇。我以为小说就是小说，不是一篇‘宣传大纲’，所以太浓重的教训主义的色彩，常常会无例外的成了一篇小说的 menace

或累坠。各人的趣味不同，……但在自囿的我，总以为不如其他的各篇。同样的，我也承认《秋夜》、《狗》、《秋雨的诉苦》等篇是能够动人的随笔，但亦不是我所最喜欢的。”（方璧：《王鲁彦论》，《小说月报》第19卷第1期，1928年1月10日。）

王以仁短篇小说集《孤雁》由上海商务印书馆出版，收作品6篇，列为“文学研究会丛书”。

许杰第一部小说集《惨雾》由商务印书馆出版。

十一月

5日，《一般》第1卷第3号发表署名“从予”的文章《彷徨》。

作者认为，“《阿Q正传》固然是一篇很好的讽刺小说，但我总觉得他的意味没有同书中的《故乡》和《社戏》那么深长。所以在《彷徨》中，像《祝福》、《肥皂》、《高老夫子》这一个类型的东西，在我看来，也到底不及《孤独者》与《伤逝》两篇。作者的笔锋是常含着冷隽的讽刺的，并且颇多诙谐的意味，所以有许多小说，人家看了，只觉得发松可笑。换言之，即因为此故，至少是使读者减却了不少对人生的认识。莫泊三说得好：‘创作的目的不是为的快乐，或者使感情兴奋，乃是使人反省，使人知道隐匿于事件的深的意味。’……然而如《祝福》、《肥皂》等等，至多不过如实地把社会现象呈现于读者之前，使人觉得旧式礼教的社会的残酷，引起了些微的同情，真是微薄得很，当一看完了小说，把书闭拢，同情心就马上没有了。申言之，这只是兴奋了读者一时的感情，对于藏匿在事件的秘奥的深的意味，尚没有掬示出来，使人得反复咀嚼、玩味不尽。这种如实地描写自然的作品，照自然主义说，也许应该如此；但是天下没有完全的自然主义，其中一定要多少含着理想主义的分子，才能与读者以暗示。否则，自然主义，充其量只是相片，又那能说是一种艺术呢？因此，我以为在《彷徨》中，只《孤独者》与《伤逝》两篇，能使人阅后，有深刻的反省，这也许因为是理想主义的成分较多，并且书中的主人翁是用第一人称的缘故罢。”

李金发的诗集《为幸福而歌》由商务印书馆出版。收写于1925年至1926年所作诗101首，另有《弁言》一篇。在《弁言》中，作者说：“这诗多半是情诗，及个人牢骚之言，情诗的‘卿卿我我’或有许多阅者看得不耐烦，但这种公开的谈心，或能补救中国人两性间的冷淡，至于个人的牢骚，谅阅者必许我以权利的。”

十二月

17日，郁达夫离开广州，途经福州于27日抵达上海。此行系受创造社同人委托，回沪主持创造社出版部。

26日，武汉市民20万人集会，对英国支持奉系军阀和干涉中国革命的暴行提出严重抗议，并号召全国“实行对英经济绝交，要求政府立即收回妨害革命工作的租界”。

1927年

一月

1 日，国民政府定住武汉。

3 日，武汉人民召开大会，庆祝国民政府北迁和北伐胜利。中央军事政治学校学生宣传队在汉口英租界前江汉关广场讲演，英水兵大批登岸寻衅，驱散听众，刺死海员 1 人，伤群众 30 余人。5 日，汉口工人和市民 30 余万人举行抗议大会和反英大示威，占领英租界，驱逐英巡捕。6 日，九江各界群众集会游行示威，英水兵登岸干涉，枪杀中国工人 1 名，伤数人，英舰发炮恐吓。九江工人和市民占领了英租界，并请武汉国民政府派员接收。

16 日，郁达夫以“曰归”为笔名在《洪水》第 3 卷第 25 期发表《广州事情》。在这篇文章中，郁达夫以自己的广州见闻，揭露了当时革命队伍中隐藏的严重问题和潜在危机。他写道：“说国民政府中有左右两派，却是不通之论，实际上只有一派在那里扬威作事。”……“在这国民政府内在左右政治大局的，只有几个人，几个和民众漠不相关的前世纪的伟人”，而“真正欲为民众谋利益的人，说话不灵，献计不取”。此话实指当时的国民政府已落入由蒋介石为代表的右派势力手中。郁达夫还说，左派势力并未消失，“他们还潜伏在社会的下层里，在作基础建筑的水门汀而已”。对于革命，郁达夫说：“这一次的革命，仍复是去我们的理想很远。我们民众还应该要为争我们利益而奋斗。现在总要尽我们的力量来做第二次工作的预备，务必使目下的这种畸形的过渡现象，早日消灭才对。不过我们的共同的敌人，还没有打倒之先，我们必须牺牲理想，暂且缄守沉默，来一致的作初步的工作。”在郁达夫心目中，革命本应是“中国全民众的要求解放运动”，“马克思的阶级斗争理论的实现”和“世界革命的初步”。（郁达夫：《在方向转换的途中》，《郁达夫文集》第 8 卷第 26 页，花城出版社 1982 年版）但事实却与郁达夫的期望相去甚远，故郁达夫特撰此文，以泄心中不满。

《广州事情》一文引起了创造社内部的分歧。郭沫若致函郁达夫予以指责。成仿吾也在《洪水》第 3 卷第 28 期发表《读了〈广州事情〉》一文，公开批评郁达夫。成仿吾说：“我觉得曰归君的毛病，一在于观察不切实，二在于意识不明了，三在于对革命的过程没有明确的认识，四在于没有除尽小资产阶级的根性。至于这篇文章易为反动派所利用，曰归君尤为不能不负全责。”郁达夫对此深感不满。特别是在 1927 年 7 月随着创造社出版部被国民党政府的查禁，郁达夫与创造社的关系愈发趋于紧张。

本年 8 月 15 日，郁达夫在上海《申报》和《民国日报》刊登《郁达夫启事》，声明脱离创造社。启事说：“人心险恶，公道无存……今后达夫与创造社完全脱离关系，凡达夫在国内外新闻杂志上所发表之文字，当由达夫个人负责，与创造社无关。特此声明，免滋误会。”关于此事，郁达夫后来回忆说：“我的要和创造社脱离关系，就是因为对那些军阀官僚太看不过去了，在《洪水》上发表了几篇《广州事情》及《在方向转换的途中》等文字的原因。当时的几位老友，都还在政府下任职，以为我在诽谤朝廷，不该做如此的文章。后来又有几位日本文艺战线社的记者来上海，我又为他们写了一篇更明显的《诉诸日本无产阶级文艺界同志》的文章，这些文字，本来是尽人欲说的照例的话。而几位老友，都以为我说得过火了……成氏的那位亲族，现在是管

理创造社全部财产那位的亲族，本来就厌我监督太严的那位成氏，竟对我很明显的表示了反抗的态度。我看了左右前后的这些情形，深恐以后再将以文字而招祸，致累及于创造社出版部的事业经营，所以就在去年8月15日的《申报》《民国日报》上登了一个完全与创造社脱离关系的启事。这是我和创造社所以要分裂的实情实事。”（郁达夫：《对于社会的态度》，《郁达夫文集》第6卷第60～61页，花城出版社1982年版）

郁达夫在脱离了创造社以后，不断遭到创造社作家的严厉批评。如冯乃超在1928年1月25日的《文化批判》月刊第1号发表了《艺术与社会生活》一文，把郁达夫和鲁迅、叶圣陶等人看作是时代的落伍者、没落的作家而加以批判。郭沫若也在1928年1月1日《创造月刊》第1卷第8期发表的《英雄树》一文中，把郁达夫有关无产阶级文艺的看法视为“反革命宣传”。事实上，郁达夫对于创造社作家提倡革命文学时所表现出来的左倾幼稚病是有比较清醒的认识的。他在《革命广告》一文中说：“至于鲁迅呢，我只认识一位不革命的老人鲁迅。我有一次也曾和他谈及咖啡馆过的。他的意思是仿佛在劝我不要去进另一阶级的咖啡馆，因为他说：‘你若要进去，你须先问一问，‘这是第几阶级的?’否则，阶级弄错了，恐怕不大好。’所以，我想老人鲁迅，总也不会在革命咖啡店里进出，去喝革命咖啡的，因为‘老’，就是不革命，就是反革命……至于我这一个不革命的小资产阶级郁达夫呢，身上老在苦没‘有’许多的零用钱，‘有’的只是‘有闲’，‘有闲’，失业的‘有闲’，乃至第几千几X的‘有闲’，所以近来对于奢华费钱的咖啡馆，绝迹不敢进去。”（郁达夫：《革命广告》，1928年《语丝》第4卷第33期。）

16日，鲁迅辞厦大职后离开厦门，18日抵达广州，任中山大学教授，后又被任命为文学系主任兼教务主任。鲁迅辞职，被认为是受刘树杞排挤所致，因而在厦大发生了所谓的“驱逐刘树杞”，“重建新厦大”的风潮。又有黄坚（白果）等人散布的谣言，说鲁迅“不肯留居厦门，乃为月亮（按指许广平）不在之故”。其实，鲁迅主要是因为对厦门大学当局不满而辞职的。

成仿吾在《洪水》第3卷第5期发表《完成我们的文学革命》，开始讨论“文学革命”问题。他认为当时严重存在着以趣味为中心的文艺、以趣味为中心的评论和以趣味为中心的生活，阻碍了文学革命的进程。他说：“文学是生活基调的反映”，“我们由现在那些以趣味为中心的文艺，可以知道这后面必有一种以趣味为中心的生活基调……它所暗示着的是一种在小天地中自己骗自己的自足，它所矜持着的是闲暇，闲暇，第三个闲暇。”他认为从这样的生活中产生的趣味大约有两种，一种是“好玩”，一种是“清雅”：“他们所能享乐的趣味处处在反映着一种与我们这些流俗人完全不同的生活。是这种生活，我们应该先行打倒。”

沈雁冰受中共中央委派，去武汉中央军事政治学校工作。约4月初担任汉口《民国日报》主编。

巴金乘船去法国，先到马赛，后转巴黎，其间翻译了不少无政府主义者的著作，同时开始文学创作。

蒋光慈诗集《哀中国》（瞿秋白题签）由汉口长江书店出版。收1924年至1926所作诗23首。

邵洵美诗集《天堂与五月》由光华书局出版，列为“狮吼社丛书”之一。收诗33首。

冯沅君（淦女士）小说集《卷葹集》由上海北新书局出版，列入鲁迅主编的《乌合丛书》。

蒋光慈小说集《鸭绿江上》由上海亚东图书馆出版。该小说集是蒋光慈为纪念其妻宋若瑜而作，将在宋若瑜病榻前写的《徐州旅馆之一夜》、《橄榄》、《逃兵》，以及和她正式订婚后一年中创作的反映“五卅”运动前后革命人民斗争和反映军阀混战下中国人民苦难生活的《鸭绿江上》、《碎了的心》、《兄弟夜话》、《一封未寄的信》等几个短篇合编为短篇小说集，结集为《鸭绿江上》，由亚东图书馆承印，于1927年2月出版。在扉页上，蒋光慈写着“本书纪念亡妻若瑜”一行题字。该书曾经瞿秋白审阅修改。（马德俊：《蒋光慈传》第227页，安徽人民出版社2001年版）

许杰的短篇小说集《暮春》由上海光华书局出版，收入《暮春》、《奇特的朋友》、《白日的梦》三个短篇。

叶圣陶点注的《传习录》由上海商务印书馆出版印行，编入学生国学丛书，这是叶圣陶研究整理中国古代文化典籍的第三本著作。

二月

16日，上海著作人公会成立，由郑振铎、胡愈之、叶圣陶、丁晓先、周予同等发起组织，曾参加上海工人第三次武装起义后成立的革命政权组织——上海特别市临时政府的活动。“四·一二”后不久，被迫无形解散。叶圣陶为之起草《上海著作人公会缘起》。

19日，上海15万工人举行总同盟罢工，提出反对帝国主义、消灭军阀黑暗统治、肃清一切反动势力、建立真正保护人民利益的政府等要求。至22日，罢工人数达36万人，并转变为武装起义。工人夺取军警武装，巷战3日，在帝国主义和军阀李宝章残酷镇压下失败。工人死40余人，被捕300余人。

19日，英国驻华公使欧玛利与武汉政府外交部长陈友汇谈判签订《中英关于收回汉口英租界之协定》。英国租界当局解散英国市政机关，将租界行政事务交由华人新市政机关接受办理；在华人新市政机关接受以前，租界内之警察、公务及卫生事宜由主管之中国当局办理等条款。

高长虹的诗、散文、剧本合集《光与热》由开明书店出版。列为“狂飙丛书”第一种。

郁达夫小说《过去》发表于《创造月刊》第1卷第6期。

锦明评论说：“《过去》告诉我们，达夫在此时期的艺术已臻完全成功境地了。《过去》从第二时期中蜕变出来，可见篇中的内容已充实了，艺术已精炼了，虽然我说不出第二时期中一部分的作品的不充实不精炼来。达夫从这时期创造出他新颖的想象，这是必然的步骤，必然的过程。《过去》在他所有的作品中的重要，自是不在明言了……‘sterile！’有人当他在《过去》未产生以前这么非难他说。这不过短视的猜度而已，又安知达夫的想象是这样的优美呢，这实在不是我 exalt 他的话。”（锦明：《达夫的三时期〈沉沦〉——〈寒灰集〉——〈过去〉》，1927 年 9 月 5 日《一般》第 3 卷第 1 期。）

许钦文小说《鼻涕阿二》由北新书局出版。

三月

10 日至 17 日，国民党二届三中全会在武汉举行了正式会议，通过了《统一党的领导机关案》、《军事委员会组织大纲》、《统一革命势力决定议案》、《总政治部组织大纲》、《对人民宣言》、《对农民宣言》、《对农民问题案》、《国民革命总司令条例》等一系列决议和宣言。

16 日，郁达夫在《洪水》第 3 卷第 29 期发表《在方向转换的途中》，对当前革命形势发表看法，认为要防止个人独裁者“继承旧日的军阀，而再来压迫民众”。

21 日，上海工人第三次武装起义胜利。

24 日，国民革命军克复南京，“南京惨案”发生。是日，北伐军第二、六军击溃直、鲁联军，占领南京。美英帝国主义借口“保护”侨民，用军舰炮击南京军民，死伤两千多人，史称“南京惨案”。“南京惨案”发生后，国民党政府却于 1928 年 3 月 30 日，就“南京事件”向美英帝国道歉、赔款，并以枪杀中国人“谢罪”，随后与英、法、意达成同样协议。

31 日，郭沫若的《请看今日之蒋介石》在武汉《中央日报》副刊上发表。

郭沫若在文章中说：“蒋介石已经不是我们国民革命军的总司令，蒋介石是流氓地痞、土豪劣绅、贪官污吏、卖国军阀、所有一切反动派——反革命的势力的中心力量了。”“他的总司令部就是反革命的大本营，就是惨杀民众的大屠场。他自己已经变成了一个比吴佩孚、孙传芳、张作霖、张宗昌等还要凶顽、还要狠毒、还要狡猾的刽子手了。”文章详细记述了蒋介石如何勾结地痞流氓，镇压民众和共产党的事情：“他对民众就是这样的态度！一方面雇用流氓地痞来强奸民意，把革命的民众打得一个落花流水了，他又实行用武力来镇压一切。这就是他对于我们民众的态度！他自称是总理的信徒，实则他的手段比袁世凯、段祺瑞还要凶狠。他走一路打一路，真好威风。”“或者有人说：现在奉系军阀还没有打倒，我们便自相残杀起来，这于革命有很大的危险。我敢说这完全是一种杞忧，而且是蒋介石派反宣传的一种策略。他天天都在残杀我们内部，而他偏偏说‘你们不要残杀’。‘不要残杀’，就是说‘我打你，你不要还手，好让我来独霸’，这是一种反宣传，我们千万不要中他们的毒计！”“或者有人说：他是劳苦功高，我们不能因为他一时错误便抹煞他以往的功绩。这是骗人的话！他劳苦甚么？深居高拱，食前方丈，比古时候的南面王所过的生活还要优渥。他劳苦甚么？前呼后拥地被无数的手机关枪、驳壳枪簇拥着，偶尔上上战线看察，这是那个干不来的事体？至于说到功高，那更是封建时代的废话。大凡一种事业决不是一个人的力量所能完成的，任何个人不能独居其功，即使有功——就是说把一件事情做好了——这也是应分的事，并不能以此自矜。蒋介石以往的军事并不是他一个人所手创的，都是同志们为革命为国家努力的结晶，同志们为革命为国家努力，这是十二万分应该的，这有甚么功？而他个人的功又高在那里？我们只有革命事业，只有国家，没有个人。同志们努力的结晶，便结成革命的光荣历史，这是永远不能磨灭的。有人想要来磨灭它，毁灭它，这就是革命叛徒！这种人我们对他不应该有甚么姑息，不应该有甚么迷恋，不应该有甚么顾虑的。”

郭文指出，“蒋介石就是背叛国家、背叛民众、背叛革命的罪魁祸首，我们为尊重我们革命先烈所遗留下来的光荣历史，我们要保存这种历史，我们要继续着这种历史的创造，所以我们尤须急于地要打倒他，消灭他，宣布他的死罪！”

在文末，郭沫若号召道：“打倒背叛革命、屠杀民众的蒋介石！铲除一切国贼！惩办各地惨杀事变的凶手！以革命的手段向白色恐怖复仇！拥护武汉的新都！拥护中央最近全体会议的一切决议案！拥护孙中山先生联俄、联共、扶助农工的三大政策！国民革命成功万岁！世界革命成功万岁！”

上游社在武汉成立。该社由沈雁冰等发起组织，主要成员有陈石孚、吴文祺、樊仲云、郭绍虞，傅东华、梅思平、顾仲起、陶希圣、孙伏园等，曾创办《上游》周刊，附于武汉的《中央日报·中央副刊》上。该社活动时间不详，约在同年解散。

欧阳山在广州中山大学与同学在“广州文学会”（该会是欧阳山和同学在 1926 年组织的校园文学团体）的基础上组织了“南中国文学会”，在成立座谈会上，鲁迅莅临指导。鲁迅在中山大学的讲课，欧阳山几乎每课必到，深受教益。

艾芜告别好友王秉心等，离开昆明去缅甸。途经禄丰、舍资、祥云、弥渡、云州、顺宁、永昌、腾越、干崖，进入缅甸克钦山，最后到八莫。因生活无着，只得重返克钦山茅草地山谷，在一家小客店里做马夫和家庭教师约半年多。

老舍的《赵子曰》在《小说月报》18 卷 3、8、10、11 号发表。伦敦大学东方学院第十一届（1926～1927 年度）教学一览表中载明老舍为中文系讲师，曾讲授中国古文、北京话等课，并开设过“唐代爱情小说”讲座。

商务印书馆在民国 17 年（1928）10 月的《时事新报》上这样向读者介绍这部小说：“《赵子曰》这部作品的描写对象是学生的生活。以轻松微妙的文笔，写北平学生生活，写北平公寓生活，非常逼真而动人，把赵子曰等几个人的个性活生生浮现在我们读者的面前。后半部却入于严肃的叙述，不复有前半部的幽默，然文笔是同样的活跃。且其以一个伟大的牺牲者的故事做结，很使我们有无穷感喟。这部书使我们始而发笑，继而感动，终于悲愤了。”（朱自清：《〈老张的哲学〉与〈赵子曰〉》，1929 年 2 月 11 日《大公报》。）

张资平的长篇小说《苔莉》由上海创造社出版部出版，列入“创造社丛书”。

鲁迅的杂文、论文集《坟》由北京未名社出版。平心在评论《坟》时说：“……但实际上收集在《坟》里的好几篇杂感文也是这一时期的产品。这一期间的文字固然常常掩映着悲郁与苍凉的波影，然而在那波影底下，却分明潜流着他的从五四雷雨过渡到大革命暴风雨的期待战友的长征情热，这样的情热，是大革命暴风雨到来的前夜与初期一个‘荷戟彷徨’者的正义感与求友欲的合流，是现代战争追求光明……的民族斗士永远前进的内燃力量，因为它不能直接洋溢到战斗生活的表面上来，不得不隐藏在凄清寂寞的波光之下，就特别易使人们感到当时鲁迅的文字充沛着感伤和悲怆的气氛。”（平心：《论鲁迅的反封建的民主主义思想》，《论鲁迅的思想》，上海长风书店1941年版）

四月

1日，汪精卫由德国回到上海，当天蒋介石向他提出两件事：“一是赶走鲍罗廷，一是分党。”4月初，汪同蒋介石举行秘密会议。蒋介石等主张立刻用暴力手段“清党”；汪精卫则主张在南京召开国民党二届四中全会来解决共产党问题。4月5日，陈独秀和汪精卫会谈后发表联合宣言，称“国民党领袖将驱逐共产党，将压迫工会与工人纠察队”等等，都是所谓谣言。

1日，郭沫若诗集《瓶》由上海创造社出版部出版。

1日，《洪水》第3卷第30期发表《中国文学家对于英国智识阶级及一般民众宣言》，呼吁“全世界的无产民众联合起来”，打倒资本帝国主义。成仿吾、鲁迅、王独清、何畏等署名。

6日，李大钊在北京被奉系军阀张作霖逮捕，28日就义。

李大钊（1889—1927），散文家、诗人、革命家。原名李耆年，字守常。笔名李钊、伐申、辛亥、冥冥、剑影、明明、孤松、猎夫等。河北乐亭人。1913年去日本，入早稻田大学经济科学习。曾组织秘密的革命团体“神州学会”。1916年回国参加讨伐袁世凯运动。不久，与人创办《晨钟报》。1917年任《甲寅日刊》编辑，撰文介绍俄国革命。1918年任北京大学图书馆主任、经济学教授。曾领导或参加过“少年中国学会”、“新潮社”、“国民月刊社”的活动。创办《晨报》副刊。《新青年》改组后任编委，又与陈独秀创办《每周评论》。1919年在北京大学组织马克思主义研究会。1920年发起组织北京“共产党小组”。1921年中共一大后，历任中共北方区委书记、中央委员、中国劳动组合书记部北方分部书记。1924年国共第一次合作，被选为国民党中央执行委员，出席共产国际第五次代表大会。1927年4月被奉系军阀逮捕，英勇就义。所著论文、杂文、新诗等，散见于报刊，作品结集的有《守常全集》、《李大钊选集》、《李大钊诗选注》等。

10日，鲁迅作杂文《庆祝沪宁克复的那一边》，警告人们不要在胜利声中陶醉，要保持“永远进击”的革命精神。

12日，蒋介石集团在上海发动政变，史称“四·一二”反革命政变。

1926年北伐战争的胜利进军和工农运动的高涨，沉重地打击了帝国主义和封建军阀在中国的统治，威胁到帝国主义的在华利益。1927年3月，帝国主义直接出兵镇压，制造了南京事件。与此同时，蒋介石为了实现其反革命野心，积极寻找靠山，加紧同帝国主义、封建买办阶级勾结，密谋举行反革命政变。4月上旬，蒋介石和汪精卫、白崇禧等人举行一系列的秘密反共会议。接着，蒋介石纠集流氓、地痞组织“中华共进会”和“上海工界联合总会”，以反对上海总工会。他又指使吴稚晖、钮永健、白崇禧、陈果夫等组织“上海临时政治委员会”，篡夺上海人民的政权。而在此紧急时刻，中国共产党内以陈独秀为代表的右倾投降主义，既不同蒋介石进行针锋相对的斗争，也不做应付突然事变的充分准备，而是一味妥协退让。

1927 年 4 月 12 日凌晨，早就做好准备的大批青红帮武装流氓从租界冲出，向分驻上海总工会等处的工人纠察队发动突然袭击。当工人群众奋起抵抗时，国民党第 26 军周凤岐部随即借口“工人内讧”，强行将工人纠察队缴械，解除了上海 2700 名工人纠察队的全部武装。纠察队员仓促应变，死伤 300 余人。驻在上海的帝国主义军队也纷纷出动，帮助蒋介石屠杀革命群众。4 月 13 日，上海工人举行总罢工，并有 10 万余工人、学生和市民集会抗议。会后，到宝山路周凤岐部请愿，提出发还工人纠察队枪械、释放被捕工人、严惩祸首、肃清流氓等要求。当请愿队伍行至闸北宝山路时，突然遭到蒋介石军队的武装袭击，100 多人牺牲，伤者不计其数。接着，蒋介石下令解散上海总工会，查封革命组织，捕杀共产党员和革命者。江浙区委领导人陈延年、赵世炎、汪寿华等在此次政变中英勇牺牲。4 月 15 日，广州的反动派解除了黄埔军校和省港罢工委员会的武装，封闭革命组织。随后，蒋介石的爪牙在南京、无锡、宁波、杭州、福州、厦门、汕头等地以“清党”为名，大规模屠杀共产党员和革命群众。共产党员萧楚女、熊雄等人相继被杀。东南各省陷入反革命白色恐怖之中。与此同时，4 月 6 日北方的奉系军阀张作霖，指使反动军警采取突然行动，包围苏联驻华大使馆，逮捕李大钊等我党北方区委领导人和国民党左派、苏联使馆人员以及居民等 80 余人。4 月 28 日，李大钊等 20 人英勇就义。

“四·一二”政变，使中国大革命受到严重的摧残，标志着大革命的部分失败，是大革命从胜利走向失败的转折点。

15 日，反动军队包围了广州中山大学，捕走毕磊等共产党员和进步学生 40 余人。鲁迅闻讯赶往学校，主持召开各科系主任紧急会议，提出营救被捕学生，但学校负责人朱家骅拒不接受鲁迅的意见，会议无结果而散。鲁迅悲愤异常。

18 日，南京国民政府成立。

20 日，中国共产党发表《为蒋介石屠杀革命民众宣言》，号召人民起来打倒蒋介石。

27 日至 5 月 9 日，中国共产党在武汉举行第五次全国代表大会。出席代表 80 人，代表党员 57900 多人。大会的中心议题是确定党在紧急时期的任务。大会接受了共产国际执行委员会第七次扩大会议提出的关于中国革命问题的决议案，并根据这个决议案的精神，批评陈独秀犯下了忽略同资产阶级争夺领导权的右倾错误，但大会没有提出任何切合当时实际的纠正右倾错误的办法。大会通过的《政治形势与党的任务议决案》中虽然指出，五卅运动以来，我们党“只注意于反帝国主义及反军阀的斗争，而忽略了与资产阶级争取革命领导权的斗争”，以至没有能够有效地防止蒋介石的叛变，但对于当时的形势并没有做出符合实际的具体分析。议决案把蒋介石的叛变当作整个资产阶级的叛变，把民族资产阶级和买办资产阶级都当作革命的对象；把已经由汪精卫、唐生智控制的武汉国民党和武汉政府当作工农小资产阶级的联盟，对汪精卫、唐生智继续抱有很大的幻想。党的第五次全国代表大会虽然强调争取无产阶级领导权、建立革命民主政权和实行土地革命的重要性，但是会议对于无产阶级如何争取革命领导权，如何领导农民实行土地革命，如何对待武汉政府和武汉国民党，特别是如何建立党领导的革命武装等问题，都没有根据当时革命发展的危急局势，提出有效的具体措施。大会选出29名中央委员和11名候补中央委员，组成中央委员会。中央委员会选举陈独秀、张国焘、李维汉、蔡和森、李立三、瞿秋白、谭平山7人为中央政治局委员；苏兆征、张太雷、陈延年、周恩来4人为政治局候补委员；陈独秀、张国焘、蔡和森、瞿秋白4人（以后又增补李维汉）为政治局常务委员会委员；陈独秀继续被选为总书记。

29日，鲁迅寄信给中山大学委员会并退还聘书，辞去一切职务。

北新书局总局由于受到军阀政府迫害，由北京迁往上海，该书局于1925年3月成立，李小峰任经理，曾出版《语丝》周刊，《北新》周刊、半月刊。鲁迅、周作人、刘半农、郁达夫等作家的多种著作在该局出版。

"四·一二"事变后，施蛰存离开震旦大学，归松江居家半年。戴望舒、杜衡回杭州，不久又至松江隐居在施家，一起译书、写作 。其时，施蛰存译有《十日谈》、爱尔兰诗人夏芝的诗以及奥地利作家显尼志勒的《蓓尔达 · 迦兰夫人》。

沈雁冰按照党的指示赴武汉主编《民国日报》。该报名义上是国民党湖北省党部机关报，实际上受中国共产党领导，董必武任报社社长，毛泽民任总经理。

殷夫在"四·一二"反革命政变之后被捕，在狱中写成长诗《在死神未到之前》，后发表于1928年4月号的《太阳月刊》。在囚禁三个月后，殷夫由大哥保释出狱，回到家乡象山。9月，借用浙江上虞人徐文雄的中学文凭，考入上海同济大学附属德文补习科一年级读书。

冯至的第一部诗集《昨日之歌》由北新书局出版，为《沉钟丛刊》之二。全书收入诗人1921年至1926年的诗共50首，分上下两卷。上卷收抒情诗46首，下卷收叙事诗4首。其中，《我是一条小河》、《吹箫人》、《帷幔》、《蚕马》等均是名作。冯至所以将其题句为《昨日之歌》，多少有着向过去告别的涵义。

李金发诗集《食客与凶年》由北新书局出版。列为"新潮社文艺丛书"之一。收入诗90首，另有《自跋》一篇。全集主要仿法国象征诗，采用自由体。李金发在《自跋》中认为："东西作家随处有同一之思想，气息，眼光和取材，……余于他们的根本处，却不敢有所轻重，惟每欲把两家所有，试为沟通，或即调和之意。"

穆木天诗集《旅心》由上海创造社出版部出版。收诗30首，附录散文诗1首和《谭诗》文1篇。《谭诗》系统地陈述了诗人的主张，即强调"诗的统一性"，"一个有统一性的诗，是一个统一性的心情的反映，是内生活的真实的象征"；"我要求的诗是——在形式方面上说——一个有统一性有持续性的时空间的律动"，"诗要兼造形与音乐之美"，诗"是要暗示的，诗最忌说明的"。

五月

7日，武汉《中央日报》副刊开始发表郭沫若的《脱离蒋介石以后》，文章记叙了作者与蒋介石决裂的经过。

7 日，茅盾发表《二十一条与一切不平等条约》（署名雁冰），发表于《汉口民国日报》。文章指出，袁世凯在这一天所签订的卖国条约的锁链，还在威胁着我们。因此，“在今年‘五七’纪念中，我们固然需要普遍的宣传打倒国际帝国主义，废除一切不平等条约，尤应注意民众加紧准备实力！”

9 日，茅盾的《袁世凯与蒋介石》一文发表于汉口的《民国日报》，文章指出，“蒋介石实在是一个具体而微的袁世凯，他比吴佩孚、张作霖、孙传芳更能学袁世凯……。他的覆亡一定比袁世凯更快，他结局一定比袁世凯更坏！”

21 日，湖南发生“马日事变”。当日晚，长沙国民革命军第三十五军二十二团团长许克祥在军长何键策动下，袭击省党部、省工会、省农会等机关团体，释放在押土豪劣绅，捕杀共产党人、工农革命群众和国民党左派百余人。因 21 日的电报代日韵目是“马”，故史称“马日事变”。在此事件中，叶紫的父亲、姐姐均遭杀害，他本人则被通缉，开始了流亡生活。

21 日，“四·一二”事变后，上海白色恐怖严重。郑振铎离沪赴欧洲游学，陈学昭、徐霞村等同行。6 月 25 日到达法国马赛港，9 月下旬又去英国伦敦，1928 年 10 月中旬才从巴黎坐船回国，历时一年多。在欧洲期间，郑振铎经常出入巴黎国家图书馆和伦敦大英博物馆查阅和摘抄资料，有多篇论文和小说问世。在伦敦时，老舍与郑振铎第一次会面。叶圣陶代郑振铎主编《小说月报》，他较为重视发表新人新作，丁玲、施蛰存、巴金等人的小说处女作，都经由他发表。

4 至 5 月，鲁迅在《莽原》半月刊第二卷第八、九两期发表小说《眉间尺》，即《铸剑》。

鲁迅杂文集《华盖集续编》由北新书局出版，收 1926 年的杂文 23 篇。何凝说：“鲁迅在‘五四’前的思想，进化论和个性主义还是他的基本。他热烈的希望着青年，他勇猛的袭击着宗法社会的僵尸统治，要求个性的解放。可是，不久他就渐渐的了解到封建的等级制度和中国社会里的层层压榨。一九二四至一九二五年，他的《春末闲谈》、《灯下漫笔》、《杂忆》、《坟》，以及整部的《华盖集》尤其是一九二六年的《华盖集续编》，都包含着猛烈的攻击阶级统治的火焰。自然，这不是社会科学的论文，这只是直感的生活经验。但是他的神圣的憎恶和讽刺的锋芒，都集中在军阀官僚和他们的叭儿狗。”（何凝［瞿秋白］：《鲁迅杂感选集》序言，《鲁迅杂感选集》，青光书局 1933 年版）

六月

1 日，《郁达夫全集》第 1 卷《寒灰集》由上海创造社出版部出版。内收《自序》、《〈寒灰集〉题辞》、《茫茫夜》、《秋柳》、《采石矶》、《春风沉醉的晚上》、《零余者》、《十一月初三》、《小春天气》、《薄奠》、《给一位文学青年的公开状》，《烟影》、《一个人在途上》等文。第 2 ~ 7 各卷先后于 1927 年 10 月至 1933 年 8 月，分别由创造社出版部、开明书店、现代书局出版。

郑伯奇在评论《寒灰集》时说：“凡一翻读《寒灰集》的人，总会觉到有一种清

新的诗趣，从纸面扑出来。这是当然的。作者的主观的抒情的态度，当然使他的作品带有多量的诗的情调来。我常对人讲，达夫的作品，差不多篇篇都是散文诗，第一番读他的作品，我的这自信越发觉得确实。中国现在的散文作家中，富有诗趣的不过二三人而已，而《寒灰集》的作者差不多可算数一数二的了。作者的文章，句法都非常适宜于抒情的；他用流丽而徐缓的文字，追怀过去的青春，发抒现在的悲苦，怎样能不唤起读者的诗情来呢？但是作者的特长，还不仅在这一点，他描写自然，描写情绪的才能，也是现代有数的。”（郑伯奇：《〈寒灰集〉批评》1927 年 5 月 16 日《洪水》第 3 卷第 33 期。）

2 日，王国维在北京昆明湖投水自杀。

王国维（1877—1927），字静安，号观堂，浙江海宁人，是我国近代享有国际盛誉的著名学者。他中过秀才，早年学习英、日文，研究哲学、文学。1903 年起，任通州、苏州等地师范学堂教习，讲授哲学、心理学、逻辑学，著有《静安文集》。1907 年起，任学部图书局编辑，从事中国戏曲史和词曲的研究，著有《曲录》、《宋元戏曲考》、《人间词话》等，重视小说戏曲在文学上的地位，开创了研究戏曲史的风气，对当时文艺界颇有影响。辛亥革命后以清室遗老自居。1913 年起转治经史之学，专攻古文字学、古器物学、古史地学，先后致力于历代古器物、甲骨金文、齐鲁封泥、汉魏碑刻、汉晋简牍、敦煌唐写经、西北地理、殷周秦汉古史和蒙古史等等的考释研究，还做了很多古籍的校勘注疏工作，对史学界有开一代学风的影响。1925 年任清华研究院教授，与梁启超、陈寅恪、赵元任并称清华四大导师。王国维的学术著作，以史学为最多，文学为最深，文字学为最基本，并涉及其他许多方面。蔡元培曾说：“王氏介绍叔本华与尼采的学说固然很能扼要，他对于哲学的观察也不是同时人所能及的。”（参见《蔡元培全集》第 4 卷，第 351 页，中华书局 1984 年版）

梁启超在《王静安先生墓前悼辞》中说：“孔子说：‘不降其志，不辱其身，伯夷叔齐欤！’宁可不生活，不肯降辱；本可不死，只因既不能屈服社会，亦不能屈服于社会，所以终究要自杀。伯夷叔齐的志气，就是王静安先生的志气！违心苟活，比自杀还更苦；一死明志，较偷生还更乐。所以王先生的遗嘱说：‘五十之年，只欠一死。经此世变，义无再辱。’这样的自杀，完全代表中国学者‘不降其志，不辱其身’的精神；不可以欧洲人的眼光去苛评乱解。”“若说起王先生在学问上的贡献，那是不为中国所有而是全世界的。其最显著的实在是发明甲骨文。和他同时因甲骨文而著名的虽有人，但其实有许多重要著作都是他一人做的。以后研究甲骨文的自然有，而能矫正他的绝少。这是他的绝学！”“我们看王先生的《观堂集林》，几乎篇篇都有新发明，只因他能用最科学而合理的方法，所以他的成就极大。此外的著作，亦无不能找出新问题，而得知结果。其辩证最准确而态度最温和，完全是大学者的气象。他为学的方法和道德，实在有过人的地方。”（梁启超：《王静安先生墓前悼辞》，《国学月报》第 2 卷第 8 号，1927 年 10 月。）

郭沫若则指出：“王国维的《宋元戏曲史》和鲁迅的《中国小说史略》，毫无疑问，是中国文艺史研究上的双璧。不仅是拓荒的工作，前无古人，而且是权威的成就，一直领导着百万的后学。”“王国维的力量后来多多用在史学研究方面去了，他的甲骨文字的研究，殷周金文的研究，汉晋竹简和封泥等的研究，是划时代的工作。西北地理和蒙古史料的研究也有些惊人的成就。”（郭沫若：《鲁迅与王国维》，《文艺复兴》第 3 卷第 2 期，1946 年 10 月，转引自《郭沫若全集》文学编第二十卷第 306 页，人民文学出版社 1992 年版）同时，郭沫若又称赞王国维说：“他是很有科学头脑的人，做学问是实事求是，丝毫不为成见所囿，并且异常胆大，能发前人所未能发，言腐儒所不敢言，而独于在这生活实践上却呈出了极大的矛盾。”（（郭沫若：《鲁迅与王国维》，《文艺复兴》第 3 卷第 2 期，1946 年 10 月，转引自《郭沫若全集》文学编第二十卷第 308 ~ 309 页，人民文学出版社 1992 年版）

罗振玉在《五十日梦痕录》中说：“君博学强记，并世所稀，品行峻洁，如芳兰贞石，令人久敬不衰。”（罗振玉：《罗雪堂先生全集》三编二册，台湾大通书局，1970 年 4 月。）

5 日，郁达夫与王映霞订婚，同孙荃分居。

10 日，台静农的短篇小说《拜堂》发表于《莽原》2 卷 11 期。

梁实秋批评论文集《浪漫的与古典的》由上海新月书局出版，收论文 9 篇。

陈翔鹤短篇小说集《不安定的灵魂》由北京北新书局出版。

刘半农的译作《法国短篇小说集》由北新书局出版。

七月

8 日，沈雁冰为汉口《民国日报》写完最后一篇社论《讨蒋与团结革命势力》，即辞去报社职务。下旬离开武汉去庐山牯岭。

11 日，新月书店正式开业。

15 日，汪精卫召集武汉国民党中央执行委员会，正式作出了关于“分共”的决定，公开背叛了孙中山所决定的国共合作政策和反帝反封建的纲领。随后不久，汪精卫等就和蒋介石一样对共产党员和革命群众实行大屠杀，1925 年至 1927 年的大革命遭到惨重失败。中共中央临时常委迅即决定实行武装反抗，在南昌举行武装起义。在此期间，沈雁冰、蒋光慈、潘汉年等离开武汉，先后抵达上海。

17 日，南京国民政府任命蔡元培为大学院院长。

20 日，南京国民政府秘书处密令政府各部、省市政府等部门，“从速取缔并派员前赴邮局”，查扣“讨蒋书刊”。

23、26 日，鲁迅应邀两次到广州夏期学术讲演会作讲演，题为《魏晋风度及文章与药及酒之关系》，论述魏晋时期文学与政治的关系，曲折地抨击国民党新军阀。

30 日，《现代评论》周刊由北京迁上海。1924 年 12 月创刊，1928 年 12 月停刊，共出 8 卷计 209 期。主要撰稿人有胡适、徐志摩、陈西滢、王世杰、高一涵、唐有壬等。

30 日，郁达夫最后一次出席现代评论社的会议，因该社成员“都是新兴官吏阶级”，决定与他们脱离关系。

31 日，郁达夫走访刚来到上海的成仿吾，商谈出版部整顿事宜，并决定交出创造社出版部全部事务。

王鲁彦小说《黄金》发表于《小说月报》第18卷第7号。

方璧评论说："在《黄金》中，我们看见静的悲剧的发展。主人公如史伯伯，是一位照例的善良的小资产阶级，他有十几亩田，几间新屋，原不是穷得没饭吃的人，但因在外的儿子不能在年终寄钱来，于是这可怜的老人受到了许多意外的——或许正是意中的，揶揄和侮蔑。我们怀着沉重的心，跟随篇中主人公走到无形的悲剧的顶点，结果使我们对于这个平平常常的老头子发生了深切的同情，看了这篇小说，我就联想到莫泊桑的短篇《一段弦线来》。"（方璧［茅盾］：《王鲁彦论》，1928年1月10日《小说月报》第19卷第1期。）

鲁迅散文诗集《野草》由北新书局出版，列为《乌合丛书》之一。

冯雪峰评论说："《野草》收散文诗二十三篇，是鲁迅的重要作品之一。这些作品作于一九二四至二六年，那时鲁迅在北京。这也就是说，这些作品是在帝国主义和北洋军阀的黑暗统治之下产生的。这些作品的战斗性是作者对于当时黑暗势力的反抗和斗争的表现，作品的思想情绪也都是对于当时时代环境的反应。"（冯雪峰：《论〈野草〉》，〈文艺报〉1955年第19、20期。）

朱自清散文《荷塘月色》发表于《小说月报》第18卷第7号。

八月

1日，根据中共中央的决定，在周恩来为书记的中共前敌委员会和贺龙、叶挺、朱德、刘伯承等领导下，中国共产党所掌握和影响的国民革命军等武装2万余人，在南昌举行武装起义，占领了南昌。这次起义打响了武装反抗国民党反动派的第一枪，开始了中国共产党独立领导革命武装斗争和创建人民革命军队的新时期。8月3日开始，前委按照中共中央的原定计划率领部队陆续撤离南昌。由于缺乏经验，没有与江西等省的农民运动结合，起义部队在南下广东途中，于9月底10月初在潮汕地区遭到优势敌军的围攻而失败，保存下来的武装，一部分转移到海陆丰地区，继续坚持斗争；另一部分在朱德、陈毅率领下转移到福建南部、江西南部和粤赣边境进行游击战。

4日，郭沫若由九江赴南昌参加八一起义，任起义后的革命委员会委员和七人主席团成员、总政治部主任、宣传委员会主席。

7日，中共中央在汉口召开"八七会议"。瞿秋白主持召开。这次会议确立了土地革命和武装反抗国民党反动统治的总方针，坚决批判了陈独秀的右倾投降错误。

约中下旬，沈雁冰从牯岭回到上海，隐居景云里寓所，着手写中篇小说《幻灭》。写成后在《小说月报》第18卷9、10号连载（1927年9、10月），并首次使用"茅盾"笔名。1928年8月由商务印书馆出版单行本。

该作在《小说月报》发表后，立即引起了读者的极大兴趣，连徐志摩也曾致信叶圣陶，打听作者"茅盾"是不是沈雁冰。更有评论者认为："茅盾先生以很流畅的笔调很自然很忠实地将这个非常的时代描写出来了。"（张眠月：《〈幻灭〉的时代描写》，《文学周报》第8卷第10期。）

罗美则在给茅盾的信中说："不过你名自己的小说曰《幻灭》，篇首更附以'吾将上下而求索'句，则表示你彼时心境，实亦有几分同于你书中的内容；而客观的描写，同时隐隐成了你心绪的告白。我想到了这里你深感当时局势转变对于许多人心中所提示问题的严重，和你当时所经验的思想上的苦闷。当然你的问题是比书中主人公的问题立得更高一层；慧的主张，静的心理都成为你的求索中所遇见的标本，而她们的'幻灭'的本身又成为你所痛感的苦闷之因。"（罗美：《关于〈幻灭〉——茅盾收到的一封信》，《文学周报》第 8 卷第 10 期，1929 年 3 月 3 日。）

但是，创造社、太阳社的某些作家却对《幻灭》和茅盾作了异常离奇和苛酷的批评。1928 年 12 月 10 日，傅克兴在《创造月刊》第 2 卷第 5 期发表《小资产阶级文艺理论之谬误——评茅盾君底〈从牯岭到东京〉》一文，认为《幻灭》本身的作用"对于无产阶级是为资产阶级麻痹了小资产阶级底革命分子，对于小资产阶级分明指明了一条投向资产阶级底出路，所以对于革命潮流是有反对的作用的"。傅克兴在文章中认为，《幻灭》这篇小说"除却暴露了他自身机会主义的动摇而外，是没有什么意义的"。

还有评论者认为，"茅盾先生所表现的倾向当然是消极的投降大资产阶级的人物的倾向。"而从茅盾的小说里看去，"他是以为中国的革命的理论是错误的，为什么中国革命不以小资产阶级为主体，以小资产阶级来领导，他确实有这样的不满的暗示。"（钱杏邨：《从东京回到武汉——读了茅盾〈从牯岭到东京〉以后》，转引自伏志英编：《茅盾评传》，现代书局 1931 年版）

蒋光慈回上海组织春野书店，并与钱杏邨等筹备成立太阳社。

萧红考入哈尔滨市东北特区第一女子中学。

胡适任上海光华大学教授。

柯仲平的抒情长诗《海夜歌声》由上海光华书局出版。

朱湘诗集《草莽集》由上海开明书店出版。《草莽集》中所辑入的诗，起于 1924 年 11 月 22 日所作的《雨景》，止于 1926 年 4 月 13 日所做的《梦》，是朱湘在一年半的时间内创作的 33 首诗歌的结集。这一年来正是诗人从开始感受新诗格律化的历史要求，到身体力行地提倡和实践格律诗的时间。所以，诗集中的 33 首诗作几乎全部都是格律诗。其中最早的一首《雨景》，最初在《小说月报》上发表时应该算作比较整饬的自由诗，收入《草莽集》后，经诗人修订，也改变面貌成为格律诗了。全集借鉴民歌、中国古典诗歌和外国诗歌的表现手法，注重诗的音乐美，采用新格律体。其中，《采莲曲》和《摇篮曲》等均为名作。

彭家煌小说集《怂恿》由开明书店出版，列为"文学周报社丛书"之一。收写于 1926 年前的短篇小说 8 篇，包括《dismeryer 先生》、《怂恿》、《活鬼》、《今昔》、《到游艺园去》、《军事》、《存款》和《势力范围》。

陈炜谟短篇小说集《炉边》由北新书局出版，收短篇小说 7 篇。列为"沉钟丛刊"之一。

周作人的《泽泻集》由北新书局出版。该集在本年 9 月列为"苦雨斋小书之三"，由上海北新书局出版。《泽泻集》中，《镜花缘》、《心中》等篇见于《自己的园地》北新书局本，《苍蝇》、《雨天的书序》、《故乡的野茶》、《北新茶食》、《吃茶》、《苦雨》、

《死之默想》、《口言辞》等则见于《雨天的书》，其他各篇等首次编集。其中，《爱罗先珂君》曾收入《自己的园地》《晨报》版，该文写得较早，其余计 1925 年 1 篇，1926 年 8 篇，1927 年 1 篇，均在《雨天的书》之后，与《自己的园地》之“茶话”写作时期相当。

冰心的《寄小读者》通讯集由北新书店四版。作者为此写《寄小读者四版自序》，并增加了通讯二十八，通讯二十九等两篇文章。

九月

1 日，成仿吾的诗歌、散文与短篇小说合集《流浪》，由上海光华书局出版，列入“创造社丛书”。收小说 4 篇，诗 9 首，剧本 1 部，散文 4 篇，另有《序诗》首，《跋》1 篇。《序诗》说：“我生如一颗流星，不知要流往何处；我只不住地狂奔，曳着一时显现的微明。”成仿吾在《跋》中说：“青春时代的欢乐与悲哀，一去已无踪迹；它们的残照与余音，通通收在这里。”

4 日，鲁迅作通信《答有恒先生》，抨击国民党屠杀革命人民的暴行，并同时进行了思想上的自我解剖。27 日，与许广平一起离开广州，10 月 3 日抵达上海，暂居旅馆。8 日，鲁迅迁入上海东横浜路景云里 29 号，与许广平开始了“十年携手共艰危”的同居生活。

6 日，《申报》第三版刊登启示，登载了国民党上海市党部通报大学生共产党嫌疑分子的名单。其中有安华（施蛰存），戴朝寀（戴望舒）、戴克崇（杜衡）等人。

9 日，“秋收起义”爆发。

“八七会议”后，毛泽东受党中央的委托，以中央特派员的身份赶赴湖南，组织领导秋收起义。参加起义的部队主要有原武汉国民政府警卫团、安源工人武装和浏阳、平江的农军，起义部队合编为工农革命军第一军第一师，共 5000 余人。毛泽东任中共前敌委员会书记，卢德铭任起义军总指挥。9 月 9 日开始，起义军先后从修水、安源、铜鼓等地向长沙进攻。但由于敌强我弱，起义军受挫。9 月 19 日，毛泽东在湖南浏阳文家市召开前委会议，决定改变原来直取浏阳，攻打长沙的计划，向敌人统治力量薄弱的井冈山进军。9 月 29 日，起义部队约 1000 人到达江西省永新县的三湾村进行改编。经过改编，起义军从一个师缩编为一个团，党在部队中建立了各级组织，特别是把支部建在了连上，加强了党对军队的领导。尔后，起义部队兵分两路，经湖南转至江西，10 月抵达井冈山。从此，这支起义武装在中国共产党和毛泽东的领导下，开始了创建井冈山农村革命根据地的斗争。

10 日，茅盾中篇小说《幻灭》在上海《小说月报》18 卷 9 号开始连载。1928 年 8 月上海商务印书馆出版单行本。

钱杏邨在《茅盾与现实》中对《幻灭》进行了深入地分析。他说：“《幻灭》这一部小说，是描写小资产阶级的游移与幻灭的心理的。主人翁是一个女子。事实的对象不完全是革命的，是藉着两种的事实把这两种心理表现了出来，恋爱的事件表现了游移，革命的事件表现了幻灭……说到全书的结构，是分为上下二个部分，一章至八章为上部，写学校生活；九章至十四章为下部，写她的革命生活。文章的材料分配，前部比后部精密得多；前部的每章的材料都是很扼要的，后部却松散得很，材料嫌单弱了。……至于全书的描写，前四章是失败了……第五章前面已经说过，写得太侧面了，但技巧表现得生动有趣。第六章变化的太突然，全章似乎缺乏心理变迁过程的叙述……第七章事实叙述得不很近情理，日期应该提后一些，全章叙述的还可以。第八章心理的冲突的描写是不差的，不过其他部分微嫌贫弱，末节写小资产阶级革命由于直觉的冲动的心理很细致。第九章，无论是内容是描写都失败了，是全书最失败的一章。第十章写政治人物的不堪的动态，是后部最好的一章，也是重心的一章。第十二章布局还很适当。第十三章是一大失败，就事实上是应该有这一章的，但是这一章里的事实太单弱了，于全书是没有什么意义的，应该多加入一点军事行动与静的幻灭的思想才好。最后一章写的静的游移与决定，没有什么满意的地方。……关于叙述，上面已经很具体的说明了，这里再补充一点，就是作者的技巧，有的地方写得好，有的地方写得太随便。……现在收束了吧。《幻灭》是一部描写革命时代及革命以前的小资产阶级女子的游移不定的心情，及对于革命的幻灭，同时又描写青年的恋爱狂的一部具时代色彩的小说。全书把小资产阶级的病态心理写得淋漓尽致，而且叙述得很细致。描写只是后半部失败了，至于意识不是无产阶级的，依旧是小资产阶级的，是革命失败后堕落的青年的心理与生活的表现。”（钱杏邨：《茅盾与现实》，1928 年 2 月 19 日。转引自孙中田、查国华编：《茅盾研究资料》（中），中国社会科学出版社，1983 年 5 月。）

11 日，郁达夫主编的《民众》旬刊在上海创刊。该刊为政论性的革命刊物。载有郁达夫的发刊词。

柔石回到家乡宁海县，任宁海中学国语教师，兼教音乐和小学部的英语。

汪静之诗集《寂寞的国》，由上海开明书店出版。列为“文学周报社丛书”之一。收 1922 年至 1925 年所作诗 95 首（其中 2 首仅有篇目），另有《自序》。作者说：“我因为落寞，苦恼，厌倦，所以做诗。”

徐志摩诗集《翡冷翠的一夜》由上海新月书店出版。《翡冷翠的一夜》，是徐志摩的第二部诗集，封面是江小鹣设计的，图案是翡冷翠（佛罗伦萨）的维基大桥节景。集中的诗分为两辑，收入了诗人 1925 年至 1926 年间写的诗作 36 首，另外有译诗 6 首。这诗集中的诗，除了《大师》这首诗反映了某些社会面影之外，大都是与他追求陆小曼的情爱生活有关。

胡也频短篇小说集《圣徒》由上海新月书店出版，收短篇小说 11 部。

沈从文的短篇小说集《蜜柑》由上海新月书店出版。

冯文炳（废名）作短篇小说《桃园》，载《小说月报》1928 年 1 月 10 日第 19 卷 1 号。署名“废名”。

周作人散文集《泽泻集》由北新书局出版。除《序》外，收散文 20 篇。作者在《序》中说：“我希望在我的趣味之文里也还有叛徒活着。我毫不踌躇地将这册小集同样地荐于中国现代的叛徒与隐士们之前。”

郁达夫的《日记九种》由上海北新书局出版。

甲辰说："其他的作品，可说是年青人已经知道从作者方面可以得到什么东西以后才引起的注意，是兴味的继续，不是新的发现。实在说来我们也并没有在《沉沦》作者其他作品中得到新的感动。《日记九种》《迷羊》，全是一贯的继续下来的东西。对于《日记九种》发生更好印象，那理由，就是我们把作家一切生活当作一个故事，从作品认识作家，所以《日记九种》据说有出版界空前的销路。"（甲辰：《郁达夫张资平及其影响》，1930 年 3 月 10 日《新月》月刊第 3 卷第 1 期。）

十月

3 日，鲁迅自广州抵达上海。

8 日，鲁迅迁居景云里，与茅盾相距甚近。鲁迅考虑到茅盾正受通缉中，不便出门，遂与周建人同往茅盾寓所探视。这是鲁迅与茅盾的第二次相见。

19 日，鲁迅出席中国济难会的宴会。这是他到上海后与中共地下组织第一次发生联系。

21 日，鲁迅在《民众旬刊》第 5 期发表杂文《革命文学》，批判当时流行的两种所谓"革命文学"，并指出什么是真正的革命文学，认为"根本问题是在作者可是一个'革命人'"。

24 日，语丝社在北京被军阀张作霖查封。

成仿吾赴日本邀冯乃超、李初梨等人回国，不久冯乃超、朱镜我回到上海。11 月初，李初梨、彭康、李铁生等人亦回上海，展开后期创造社活动，并提倡革命文学运动。

胡适任国民政府大学院委员会委员。

柯仲平的《革命与艺术》由西安新泰日报馆印行。

叶绍钧小说《夜》发表于《小说月报》第十八卷第十号。

彭家煌的小说《茶杯里的风波》发表于《儿童世界》第 301 期。

郁达夫小说、散文合集《鸡肋集》由上海创造社出版部出版。

十一月

10 日，沈雁冰以"方璧"的笔名在《小说月报》第 18 卷第 11 号发表《鲁迅论》。

15 日，郁达夫小说、戏剧、散文合集《过去集》由上海开明书店出版。内收：《五六年来创作生活的回顾》、《过去》、《清冷的午后》、《风铃》、《中途》、《孤独》、《怀乡病者》、《青眼》、《秋河》、《落日》、《离散之前》、《海上通讯》、《一封信》、《北国的微音》、《给沫若》、《寒宵》、《街灯》、《祈愿》、《南行杂记》。

18 日，罗黑芷病逝。

罗黑芷（1898—1927），小说家，原名罗象陶，字晋思，号黑子。江西武宁人。辛亥革命前在日本读书时，是同盟会激进会员，后卒业于庆应大学文科。辛亥革命时参加上海举义被捕。民国元年经章士钊介绍到湖南图书编译局工作，后在长沙几所学校当教员。1919 年开始文学创作。1923 年与人创办《湖光》文学半月刊。1925 年为文学

研究回会员。1927 年在故乡逝世。其小说多反映贫穷灰色的人生。著有短篇小说集《醉里》、《春日》，散文集《牵牛花》等。

郭沫若参加南昌起义失败后，于月初由香港潜回上海。其时，郑伯奇、蒋光慈、段可情等联络在沪进步作家，计划发起新的文学运动，并征得郭沫若同意邀请鲁迅合作。9 日，郑、蒋、段往访鲁迅，商议组织联合战线及恢复《创造周报》等事，鲁迅同意。12 月 3 日，《时事新报》刊出"《创造周报》优待订户"广告，其特约撰述员名单内包括鲁迅。

蒋光慈长篇小说《短裤党》由上海泰东图书局出版。蒋光慈在《短裤党》的序言中说：他的这部作品是"描写上海穷革命党人的生活的"，"当写的时候，我为一种热情所鼓动，几乎忘记了自己是在做小说。写完了之后，自己读了两遍，觉得有许多地方很缺乏所谓'小说味'，当免不了粗糙之讥，不过这本书是中国革命史上的一个证据，就是有点粗糙的地方，可是也有其相当的意义……我真感谢我们的时代！它该给与了我许多可歌可泣的材料！当此社会斗争最剧烈的时候，我且把我的一枝秃笔当做我的武器，在后边跟着短裤党一道儿前进。"

钱杏邨认为《少年漂泊者》、《鸭绿江》、《短裤党》三部创作，表现的"完全是一部革命青年的三部曲"，"《短裤党》代表了第三期，代表了青年的革命家表现他们最伟大的力的时期，是青年革命家的血沸腾到最高点的时候，是他勇敢向前，走上牺牲的血路的时期。"（钱杏邨：《蒋光慈与中国革命》，《现代中国文学作家》，泰东图书局 1928 年。）在结构上，钱杏邨认为"像《短裤党》的这种结构，事实上并没有什么奇怪"，"《一周间》尤其和《短裤党》近似"。（钱杏邨：《关于〈短裤党〉》，《太阳月刊》1928 年 2 月。）

十二月

1 日，章衣萍、章铁民、汪静之等创办的文艺团体秋野社在上海成立，出版文艺月刊《秋野》。

3 日，鲁迅和创造社的麦克昂（郭沫若）等在上海《时事新报》刊登《〈创造周报〉复活宣言》。此事缘起于同年 10 月，当时，鲁迅和创造社作家以及其他一些进步作家相继来到上海。这时创造社的某些作家认为必须与鲁迅等人联合起来，共创一个刊物，以利于提倡新的文学运动，在此背景下，鲁迅和创造社拟恢复《创造周刊》。但是，成仿吾和刚从日本回国的后期创造社成员却不同意恢复《创造周报》，认为这一刊物已不足以代表新的时代精神，至于鲁迅，后据郑伯奇回忆说，创造社的某些人认为"老的作家都不行了，只有把老的统统打倒，才能建立新的普罗文学"。（郑伯奇：《创造社后期的革命文学活动》，《郑伯奇文集》，陕西人民出版社 1988 年版）由此，经过紧张的筹备，创造社作家于 1928 年 1 月 15 日出版了《文化批判》月刊，进一步激化了鲁迅和创造社之间的矛盾。

10 日，丁玲的小说处女作《梦珂》发表于《小说月报》第 18 卷第 12 号。

冯雪峰评论《梦珂》"闪耀着作者的不平凡的文艺才分，惹起广泛读者的注意，却也更透明地反射着那时代的新的知识少女的苦闷及其向前追求的力量，逼迫着读者的。梦珂与莎菲所追求的热情，虽然都很朦胧，但实质上可说她们都是恋爱至上主义者。假如她们把她们的解放与前进的要求和当时人民大众的解放要求联在一起，把她们的热情向着当时另一些青年的革命热情的方向发展，那么她们将更明錡她们自己，她们的热情和恋爱力也将更明确和更强大罢。”（冯雪峰：《从〈梦珂〉到〈夜〉——〈丁玲文集〉后记》，1948 年 1 月《中国作家》第 1 卷第 2 期。）

11 日，张太雷、苏兆征、叶挺、叶剑英以及周文雍、聂荣臻等人，为贯彻中国共产党党中央武装反抗国民党反动派的总方针，发动了广州起义，成立了工农民主政府——广州苏维埃政府。起义失败后，一部分武装后来与东江的农民起义武装会合，转入农村坚持斗争。

15 日，《洪水》半月刊停刊，共出 3 卷计 36 期。第 3 卷 36 期（终刊号）上载有成仿吾署名“仿吾”的《〈洪水〉终刊感言》，文章说：“享寿一年有半的《洪水》，虽然历程很短，然而它在创造社的进展上是有重大的意义的。”“《洪水》的全经过可以分为三个时期”。“它本来应当是一个暴露资本主义社会的各种矛盾现象的战野，但是在创刊的当时，我们的意识不甚明錡，所以初期只是一些空空洞洞的叫喊。这是时代的关系，当时还是国民革命的前夜，热与力虽然有余，可是还不曾将问题切实地把握着。”“中间曾稍及社会理想，不过集中在国家的理论（这也是时代的关系）。随这第二期的进展，意识稍见明錡，直到对于英国智识阶级公开的一封信，开始了我们的智识阶级对于国民革命应有的参加；然而始终是一种智识阶级的运动，不过就是这样的泛泛的思想运动，在当时的文艺界（也许竟可以说全学术界），已经是‘凤毛麟角’。”“后来因为情况的变化，我们又不得不集中于纯文艺的制作。在这第三期，随时代的进展，我们更觉得到了文艺这分野的重要。”“现在，我们的国民革命已经到了一个新的阶段，社会的条件已经尖锐化。《洪水》应该停止出版。”因此，成仿吾认为，“在出版当时的情况下，在国民革命的现阶段，《洪水》可谓完成了它的使命。”“公成若去，丝毫用不着迟疑与仿惑。但是我们回顾过去的遗踪，注视茫茫的前路，我们深深感觉任重而道远。”最后，成仿吾总结说：“《洪水》的出版，一方面扩大了我们的战斗的局面，他方面也诱起了我们对于各种旧的恶势力的观察与批判。”“《洪水》它已经完成了它的使命，新的使命从此开始。”

17 日，《语丝》在上海复刊后的第 1 期（4 卷 1 期）出版，由鲁迅接任主编。鲁迅在该期发表《在钟楼上》，阐述了文学与革命的关系，文学的阶级性及小资产阶级作家的思想改造等重要问题。

17 日至 23 日，田汉在上海艺术大学举办为期一周的“艺术鱼龙会”，演出剧目包括外国剧《父归》、《未完成之杰作》，中国剧则有田汉的话剧《名优之死》、《苏州夜话》等七种，欧阳予倩编导的京剧《潘金莲》，以及一些传统的折子戏等，这次活动在上海文艺界引起很大反响。

在此前后，田汉主持的南国社正式成立。南国社分为总务、文学、绘画、音乐、戏剧、电影、出版七部，明立宗旨为“团结能与时代共痛痒之有为的青年，作艺术上之革命运动”。

冯乃超、李初梨、彭康、朱镜我、李铁声等与成仿吾商谈，决定废除前议，不再恢复《创造周报》，另创《文化批判》，提倡无产阶级革命文学。创造社与鲁迅联合一事，以此告吹。

王独清诗集《圣母像前》由创造社出版部出版，为创造社丛书之一。

叶灵凤短篇小说《菊子夫人》由光华书局出版。

周作人《谈龙集》由开明书店出版。《谈龙集》原书序 4 页，目录 4 页，正文 310 页，其中包括插图 3 页，即弗罗培景、陀思妥耶夫斯奇和波特来耳画像。周作人 1927 年日记中说："九月中，以日本小说集《两条血痕》及论文集《谈龙集》予开明，先收百元。"本文 44 篇，计 1918 年 2 篇，1918 年 1 篇，1921 年 3 篇，1922 年 2 篇，1923 年 12 篇，1925 年 5 篇，1926 年 8 篇，1927 年 10 篇，另有一篇系由 1926 年至 1927 年间数篇短文组合而成。（转引自止庵：《苦雨斋识小》第 29 页，东方出版社 2002 年版）

1928 年

一月

1 日，《太阳月刊》在上海创刊。出至第 7 期被国民党当局查禁。后改出《时代文艺》，仅出一期。继又改出《新流月刊》，再被查禁。后又改出《拓荒者》。蒋光慈主编。撰稿人有林伯修、戴平万、殷夫、蒋光慈等。该刊系太阳社最早创办的刊物。

1 日，郭沫若在《创造月刊》第 1 卷第 8 期上发表《英雄树》一文，号召创造社作家跟与他们看法相左的人展开"理论斗争"。郭沫若在文章中说："大概是因为思想上的分化罢？现在有好些旧日的朋友和我们脱离，而且以戈（矛）相向了。/好的，这是很好的现象。/我们大家要脱去感伤主义的灰色衣裳，请来堂堂正正地走上理论斗争的战场。/有笔的时候提笔，有枪的时候提枪。——这是最有趣味的生活。"

本月初，周作人的《谈虎集》由北新书局出版，有《序》和《后记》。

10 日，《未名》（半月刊）在北京创刊。3 月 26 日出版第 1 卷第 5 期后被军阀张宗昌查禁。同年 9 月续出第 1 卷第 6 期。1930 年 4 月 30 日出版第 2 卷第 9 至 12 期合刊后终刊。共出 2 卷，每卷 12 期。未名社编辑。该刊的编辑工作曾得到鲁迅的指导。该刊致力于译介苏俄文学，同时也刊登部分文学创作。主要撰稿人有鲁迅、李霁野、韦素园、台静农、戴望舒、许钦文等。所载较有代表性的著译文章和作品，有鲁迅的《现今的新文学的概观》，李霁野的《"文学与革命"后记》，戴望舒的《我底记忆》、《秋天》等。

10 日，茅盾中篇小说《动摇》在《小说月报》第 19 卷第 1 号开始连载，至第 3 号登完。单行本于 8 月由商务印书馆出版。

钱杏邨在《茅盾与现实》一文中评价《动摇》时说："《动摇》写的比《幻灭》进步。不仅作者笔下的革命人物很生动，一九二七年的社会和政治的情状，也有很鲜明的轮廓。全书当然是以解剖投机分子的心理和动态见长。不过，我们若严格的说，这不是一部成功的创作。描写革命的人物，尤其是投机分子，仍不免失之于模糊。"在钱杏邨看来，尽管"《动摇》这部小说，严格的说来，是不完善的。""但就目前的文坛的成绩看，这是值得一读的。虽然技巧有一些缺陷，但是规模具在；虽然意识模糊，我们终竟能在里面捉到革命的实际。”［钱杏邨：《茅盾与现实》，1928 年 5 月 29 日作。转引自孙中田、查国华编：《茅盾研究资料》（中），中国社会科学出版社 1983 年版。］

15 日，《文化批判》（月刊）在上海出版，出至第 5 期被迫终刊。丁哲编辑。为创造社后期的重要理论刊物。

成仿吾在《文化批判》创刊号的《祝词》中，引用列宁“没有革命的理论，就没有革命的运动”的名言，强调理论学习、宣传、斗争的重要性。认为《文化批判》的任务就是“从事资本主义社会的合理批判，它将描出近代中国的行乐图，它将解答我们‘干什么’的问题，指导我们从哪里干起。”“《文化批判》将贡献全部的革命的理论，将给予革命的全战线以朗朗的火光。”撰稿人有成仿吾（石厚生）、李初梨、冯乃超、彭康、朱镜我、郭沫若（麦克昂）等。该刊是创造社倡导革命文学运动和与鲁迅论战的主要阵地。

15 日，《文化批判》创刊号发表了冯乃超的长文《艺术与社会生活》。文章列举了白话文运动以来 5 位有代表性的作家，惟一的一个“富有反抗精神”的，就是郭沫若。至于其他新文学作家，都是具有“非革命的倾向”的。冯乃超点名批判了鲁迅和叶圣陶、郁达夫等人。他以嘲讽的笔调写道：鲁迅“常从幽暗的酒家的楼头，醉眼陶然地眺望窗外的人生……追悼没落的封建情绪，结局他反映的只是社会变革期中的落伍者的悲哀，无聊赖地跟他弟弟说几句人道主义的美丽的说话。”

南国艺术学院在上海成立，由徐悲鸿、欧阳予倩、田汉分别主持绘画、戏剧、文学三系。

闻一多的诗集《死水》由上海新月书店出版。

苏雪林在《闻一多的诗》这篇评论文章中，首先比较了徐志摩和闻一多的诗歌创作。她指出：“徐志摩初期的作品，有时为过于繁富的辞藻所累，使诗的形式缺少一种‘明净’的风光，有时也为作者那抑制不住的热情——所谓初期汹涌性——所累，使诗的内容略欠一种严肃的气氛，但闻一多的作品，便没有这些毛病。徐氏诗的体裁极为繁复，作风也多变化，清丽如《问谁》、《乡村里的音籁》；凄艳如《朝雾里的小草花》、《在山道旁》；秀媚如《她是睡着了》；腴润如《沙扬那拉》；瑰奇如《多谢天，我的心又一度的跳荡》、《五老峰》；豪放如《这是个懦怯的世界》、《破庙》；粗犷如《灰色的人生》……但除此之外，他还有一种朴素的，淡远的，刚劲的，崇高的作品。这些作品不假修饰，全是真性情的流露；不必做作，全是元气的自在流行；不讲章句法，全似流水的行乎其所不得不行，止乎其所不得不止。像《为要寻一颗明星》、《落叶小唱》、《卡尔佛里》、《一条金色的光痕》……至于后来的《翡冷翠的一夜》和《猛虎集》十分之七都是。也可以说徐志摩初期作品尚有蹊径可寻，后来则高不可攀了。前期虽然蜕脱了旧诗词的声色和形体，我们到底还同它们有些面熟，好像在儿子脸上依稀认出祖父的声音笑貌一般，后期作品则完全以另一面目出现了。”在苏雪林看来，闻一多的作品和徐志摩的后期诗作颇有些相近，“我们对于它们是陌生的，读到它们时，有乍遇着素昧平生的客人，不知不觉将放肆姿态敛起，而生出肃然起敬的感觉。”“闻一多第一本诗集《红烛》便表现了‘精练’的作风，他的气魄雄浑似郭沫若，却

不似他的直率显露；意趣幽深似俞平伯，却不似他的暧昧掩沓；风致秀媚似冰心，却不似她的腼腆温柔。他的每首诗都看出是用异常的气力做成的。这种用气力做诗，成为新诗的趋向。后来他的《死水》更朝着这趋向走，诗刊派和新月派的同人，也都朝着这趋向走。"

苏雪林进而总结了闻一多诗歌创作的特征，指出："论到他诗的特色，我以为有以下几项：一、完全是本色的。新诗初起时以模仿西洋诗为能事，郭沫若的作品，不但运用西洋典故，竟致行行嵌用西洋文字，末流所至，使新文学成为中西合璧之怪物，闻一多于此事非常反对。在他批评郭沫若诗的文章《女神之地方色彩》中，先论当时新诗人迷信西洋诗之害，最后他说：'但是我从头到今，对于新诗的意义似乎有些不同。我以为新诗径直是新的，不但新于中国固有的诗，而且新于西洋固有的诗；换言之，它不要做纯粹的本地诗，但还要保存本地的色彩，它不要做纯粹的外洋诗，还要尽量地吸收外洋诗的长处；它要做成中西艺术结婚后产生的宁馨儿。'……闻一多有个东方的灵魂，自然憎恶欧美的物质文明，所以对于他们的文艺，也不像别人那样盲目的崇拜，不管好坏只管往自己屋里拉。""二、字句锻炼的精工。作风精炼，无不由字句用法和构造讲求而来。别人拿到一块材料随意安排一下便成功了一件作品，精炼作文则须放在炉中锻炼，取到砧上锤敲，务使一个个的字都闪出异光，一句句的话都发出音乐似的响亮，才肯罢手。别人因为泥像容易塑，都去塑泥像，并且往往只捏个粗胚了事，精炼作家则偏去雕刻云母石像，运凿，挥斧，碎石随着火花纷飞，先成了一个粗陋的模型，再慢慢磨琢，慢慢擦拭，然后从艺术家辛苦的劳力下，坚贞的思想里，产出一个仪态万方的美人形象。""三、无生物的生命化。闻一多做诗惯用譬喻，而尤喜将没有生命的东西赋之以生命。这样作法，中国旧诗人惟苏轼擅长。""四、意致的幽窈深细。这是闻一多特具的优点。他所以常喜用象征的笔法，《红烛》诗集里如《剑匣》，如《西岸》，已经不大好懂。《死水》则更能以简短的诗句，写深奥的意思。避去笨重的描写，技术更为超卓。《红豆篇》四十二首都以小诗组成。有许多极细腻极深刻的写法像'比方有一层月光，偷来匍匐在你枕上，刺着你的倦眼，撩得你镇夜睡不着，你讨厌他不？那么这样便是相思了'（《红豆篇》之五）……又如《死》、《失败》、《诗债》、《别后》、《玄思》都是极好的篇章，足以表现作者幽窈深细的风格。"最后，苏雪林概括了闻一多从《红烛》到《死水》的变化。认为闻一多在"短短的五年内，技巧有惊人的进步。譬如说《红烛》注意声色，《死水》则极其淡远，《红烛》尚有锤炼的痕迹，《死水》则到了炉火纯青之候；《红烛》大部分为自由诗，《死水》则都是严密结构的体制；《红烛》十九可以懂，《死水》则几乎全部难懂。这真是一个大改变，一个神奇的改变，我几乎不信，两本诗集是出于同一人之手。"苏雪林高度评价《死水》，认为是"象征他那时代的中国。"并称闻一多是"一位抱着杜甫'语不惊人死不休'和'颇学阴和苦用心'作新诗的诗人，使读者改变了轻视新诗的看法。"（苏雪林：《闻一多的诗》，《现代》第 4 卷 3 期，1934 年 1 月。）

凌叔华第一部短篇小说集《花之寺》由上海新月书店出版。除西滢的《编者小言》外，收 1924 年至 1926 年所写短篇小说 12 篇，包括《酒后》、《绣枕》、《花之寺》、《有福气的人》、《中秋晚》、《吃茶》、《再见》、《茶会以后》、《太太》、《说有这么一回

事》、《等》和《春天》。鲁迅曾评价凌叔华的小说："很谨慎的，适可而止的描写了旧家庭中的婉顺的女性。即使间有出轨之作，那是为了偶受着文酒之风的吹拂，终于也回复了她的故道了。这是好的，——使我们看见和冯沅君、黎锦明、川岛、汪静之所描写的绝不相同的人物，也就是世态的一角，高门巨族的精魂。"（鲁迅：《现代小说导论（二）》，《中国新文学大系导论集》第136页，上海书店1982年11月影印本。）

郑伯奇的独幕剧《抗争》发表于《创造月刊》第1卷第1期。

二月

1日，成仿吾在《创造月刊》第1卷第9期发表《从文学革命到革命文学》。该文大力鼓吹革命文学，但在论证提倡革命文学是符合新文学发展规律的同时，却把鲁迅当作了革命文学的障碍而大加挞伐。

1日，蒋光慈的《关于革命文学》发表于《太阳月刊》的2月号，继续把批判矛头指向鲁迅。

10日，郭沫若诗集《前茅》由上海创造社出版部出版。

10日，丁玲的小说《莎菲女士的日记》在《小说月报》第19卷第2号发表。

毅真后来在评论丁玲的小说集《在黑暗中》时，认为"最能代表丁玲女士的作风，同时也最能代表她在时代上的位置的，也就是她的作品中一篇最精采的，自然要推《莎菲女士日记》了"，并称赞该文中"率真的女性的心理描写，真是中国新文坛上极可骄傲的成绩。我们只要读了上面所引的几小段文字，对于近代的新女性，已经了然大半了。"但同时，毅真也指出了丁玲小说创作上仍存在的某些不足："可惜作者的文字不熟练，有时写得颇不漂亮。作者好叙述，而少抒发。"（毅真：《丁玲女士》，1930年7月1日《妇女杂志》第16卷第7期，《当代中国女作家论》。转引自袁良骏编：《丁玲研究资料》第224～225页，天津人民出版社1982年版）

茅盾在评价《莎菲女士的日记》时说：莎菲女士是"一个心灵上负着时代苦闷的创伤的青年女性的叛逆的绝叫者"，"是一位个人主义，旧礼教的叛逆者；她要求一些热烈的痛快的生活；她热爱着而又蔑视她的怯弱的矛盾的灰色的求爱者，然而在游戏式的恋爱过程中，她终于从腼腆拘束的心理摆脱，从被动的地位到主动的，在一度吻了那青年学生的富于诱惑性的红唇以后，她就一脚踢开了他的不值得恋爱的卑琐的青年。这是大胆的描写，至少在中国那时的女性作家中是大胆的。莎菲女士是'五四'以后解放的青年女子在性爱上的矛盾心理的代表者！"（茅盾：《女作家丁玲》，1933年7月15日《文艺月报》第2号。）

15日，李初梨在《文化批判》第2号发表《怎样地建设革命文学》。

24日，郭沫若秘密离开上海去日本，开始了长达10年的政治流亡生涯。

28日，朱德、陈毅率湘南起义部队到达井冈山，在宁冈砻市同毛泽东领导的秋收起义部队会师，史称"井冈山会师"。

叶灵凤短篇小说集《女娲氏之余孽》由上海光华书店出版，收短篇小说5篇。

张子三（许杰）的《明日的文学》由上海现代书局出版。该书是1927年下半年作者在上海新华艺术大学教授“文学概论”时自己编写的讲义，是一本在中国较早提出“无产阶级革命文学”思想的著作。

三月

1 日，钱杏邨的《死去了的阿 Q 时代》一文发表于《太阳月刊》第 3 期，后在第 5 期登完。该文极力批判鲁迅及其作品，被《太阳月刊》编者称为“实足澄清一般的混乱的鲁迅论”。钱杏邨在文章中断定，鲁迅终究“不是这个时代的表现者。”他说鲁迅的思想走到清末就停滞了，创作是只有过去，没有将来的。又称，鲁迅由于受到了自由思想的侵害，因此，若不把领袖思想、英雄思想从他的头脑中赶掉，鲁迅是没有出路的。钱杏邨在文中还宣告：“阿 Q 时代是早已死去了！我们不必再专事骸骨的迷恋，我们把阿 Q 的形骸与精神一同埋葬了罢，我们把阿 Q 的形骸与精神一同埋葬了罢！……”

在对鲁迅 20 世纪 20 年代中期的三部作品集《呐喊》、《彷徨》和《野草》进行批判时，钱杏邨首先认为，收录在这些作品集中的大部分作品，从思想内容到艺术技巧都过时了。他批评鲁迅“不是这个时代的表现者”，“没有现代的意味”。为说明这一点，钱杏邨从作品的题材、人物、写作立场及写作技巧等方面批判鲁迅，同时也明确表达了他自己的文艺思想。

在钱杏邨看来，文学的时代性（现实性）首先取决于题材的当代性，即题材是“今事”而非“往事”。鲁迅作品的过时性首先在于他所写的大都是“科举时代的事件，辛亥革命时代的事件”，“如天宝宫女，在追述着当年皇朝的盛事而已”。钱杏邨借鲁迅作品人物的口吻讽刺鲁迅说：“老年人记性真长久！”

其次，文学人物最好是“今人”而非“古人”。钱杏邨认为，鲁迅作品中的人物大都是过去时代的人物。在谈到“阿 Q”这个人物时，钱杏邨说，阿 Q 只是“辛亥革命时代的农民”的代表，他“是可以代表中国人的死去了的病态的国民性的”，但他毕竟只是“过去的中国人。”而鲁迅写作《阿 Q 正传》的 1925 年，中国农民早已不再是阿 Q 时代的农民形象了：这“十年来的中国农民是早已不象那时的农村民众的幼稚了。所以根据文艺思潮的变迁的形式去看，阿 Q 是不能放在五四时代的，也不能放在五卅时代的，更不能放在现在的大革命的时代的。现在的中国农民第一是不象阿 Q 时代的幼稚，他们大都具有了很严密的组织，而且对于政治也有了相当的认识；第二是中国农民的革命性已经充分的表现了出来，他们反抗地主，参加革命，近且表现了原始的 Baudon 的形式，自己实行革起命来，决没有象阿 Q 那样屈服于豪绅的精神；第三是中国的农民智识已不象阿 Q 时代的农民的单弱，他们不是莫明其妙的阿 Q 式的蠢动，他们是有意义的，有目的的，不是泄愤的，而是一种政治的斗争了。……说到这里，我们是很明白的可以看到现在的农民不是辛亥革命时代的农民，现在的农民的趣味已经从个人的走上政治革命的一条路了！”

第三，文学的写作立场必须立足于现代新思想而非旧思想。钱杏邨认为这一点至为关键，因为从根本上看，作品的现代性和时代性取决于写作立场的现代性和时代性。

如果从现代新思想出发，从“时代的观点”出发，即使是历史人物的历史题材也是可以写的。但鲁迅的写作立场却是过时的，“在他创作中所显示的精神，是创作的精神不一定要顾及时代，他没有法跟上时代，他创作的动机大概是在和子君‘在灯下对坐的怀旧谈中，回味那时冲突的以后的和解的重生一般的乐趣’一样的回忆的情趣下面写成的。”因此，钱杏邨认为鲁迅的写作立场是过时了的资产阶级的自由主义和个人主义，他看不到无产阶级革命的新的时代的新的事件与新的人物，更看不到新的时代的“光明的大道”和“出路”。

第四，文学的写作技巧必须基于现时代的政治与革命关怀，而非过时的文人趣味。钱杏邨说：“不但阿Q时代是已经死去了，《阿Q正传》的技巧也已死去了！《阿Q正传》的技巧，我们若以小资产阶级的文艺的规律去看，它当然有不少的相当的好处，有不少的值得我们称赞的地方，然而也已死去了，也已死去了！现在的时代不是阴险刻毒的文艺表现者所能抓住的时代，现在的时代不是忏巧俏皮的作家的笔所能表现出的时代，现在的时代不是没有政治思想的作家所能表现出的时代！旧的皮囊不能盛新的酒浆，老了的妇人永不能恢复她青春的美丽，《阿Q正传》的技巧随着阿Q一同死亡了，这个狂风暴雨的时代，只有具着狂风暴雨的革命精神的作家才能表现出来，只有忠实诚恳情绪在全身燃烧，对于政治有亲切的认识自己站在革命的前线的作家才能表现出来！”

10日，《新月》（月刊）在上海创刊，大32开本。新月社主办。新月书店发行。徐志摩、闻一多、饶孟侃、梁实秋、潘光旦、罗隆基等先后主编。1933年6月1日出版第4卷第7期后终刊。共出版41期（第1卷为10期，第2~3卷各12期，第4卷7期）。主要撰稿人除编者外，尚有陈西滢、陈梦家、沈从文、刘英士、凌叔华、卞之琳、方令孺、彭基相、顾仲彝、王造时等人。该刊内容以文学为主，兼及政治、哲学、法律。徐志摩在发刊词《〈新月〉的态度》中，把"健康与尊严"标举为衡定思想言论的两大原则，他说："要从恶浊的底里解放圣洁的泉源，要从时代的破烂里规复人生的尊严——这是我们的志愿。"该刊宣扬文学的非功利主义，否定文学的阶级性，刊载的不少文学作品都具有唯美主义色彩。刊物出版不久，即遭左翼作家的批评。

12日，鲁迅在《语丝》第4卷第11期发表《“醉眼”中的朦胧》一文，回答创造社、太阳社对他的批评。在文中，鲁迅尖锐地批判了创造社作家理论上的模糊和错误，理论与实际的脱节，以及对黑暗现实的不敢抗争等。

鲁迅首先列举了左翼文学阵营针对自己的各种批评意见，并反驳说：“现在则已是大时代，动摇的时代，转换的时代，中国以外，阶级的对立大抵已经十分锐利化，农工大众日日显得着重，倘要将自己从没落救出，当然应该向他们去了……成仿吾教人克服小资产阶级根性，拉‘大众’来作‘给与’和‘维持’的材料，文章完了，却正留下一个不小的问题：——倘若难于‘保障最后的胜利’，你去不去呢？这实在还不如在成仿吾的祝贺之下，也从今年产生的《文化批判》上的李初梨的文章，索性主张无产阶级文学，但无须无产者自己来写；无论出身是什么阶级，无论所处是什么环境，只要‘以无产阶级的意识，产生出来的一种的斗争的文学’就是，直截爽快得多了。但他一看见‘以趣味为中心’的可恶的‘语丝派’的人名就不免曲折，仍旧‘要问甘

人君，鲁迅是第几阶级的人？’我的阶级已由成仿吾判定：‘他们所矜持的是闲暇，闲暇，第三个闲暇；他们是代表着有闲的资产阶级，或者睡在鼓里的小资产阶级……如果北京的乌烟瘴气不用十万两无烟火药炸开的时候，他们也许永远这样过活的罢。’我们的批判者才将创造社的功业写出，加以‘否定的否定’，要去‘获得大众’的时候，便已梦想‘十万两无烟火药’，并且似乎要将我挤进‘资产阶级’去（因为‘有闲就是有钱’云），我倒颇也觉得危险了。”

在驳斥了成仿吾等人对他的阶级判定后，鲁迅又反驳了创造社作家某些理论提法的荒谬。如鲁迅在文章中写道：“后来看见李初梨说：‘我以为一个作家，不管他是第一第二……第百第千阶级的人，他都可以参加无产阶级文学运动；不过我们先要审察他们的动机……’这才有些放心，但可虑的是对于我仍然要问阶级。‘有闲便是有钱’；倘使无钱，该是第四阶级，可以‘参加无产阶级文学运动’了罢，但我知道那时又要问‘动机’。总之，最要紧是‘获得无产阶级的阶级意识’，——这回可不能只是‘获得大众’便算完事了。横竖缠不清，最好还是让李初梨去‘由艺术的武器到武器的艺术’，让成仿吾去坐在半租界里积蓄‘十万两无烟火药’，我自己是照旧讲‘趣味’”。“那成仿吾的‘闲暇，闲暇，第三个闲暇’的切齿之声，在我是觉得有趣的。因为我记得曾有人批评我的小说，说是‘第一个是冷静，第二个是冷静，第三个还是冷静’，‘冷静’并不算好批判，但不知怎地竟像一板斧劈着了这位革命的批评家的记忆中枢似的，从此‘闲暇’也有三个了。倘有四个，连《小说旧闻钞》也不写，或者只有两个，见得比较地忙，也许可以不至于被‘奥伏赫变’（‘除掉’的意思，Aufheben 的创造派的译音，但我不解何以要译得这么难写，在第四阶级，一定比照描一个原文难）罢，所可惜的是偏偏是三个。但先前所定的不‘努力表现自己’之罪，大约总该也和成仿吾的‘否定的否定’，一同勾消了”，“因为那边正有‘武器的艺术’，所以这边只能‘艺术的武器’”。在鲁迅看来，“这艺术的武器，实在不过是不得已，是从无抵抗的幻影脱出，坠入纸战斗的新梦里去了。但革命的艺术家，也只能以此维持自己的勇气，他只能这样。倘他牺牲了他的艺术，去使理论成为事实，就要怕不成其为革命的艺术家。因此必然的应该坐在无产阶级的阵营中，等待‘武器的铁和火’出现。这出现之际，同时拿出‘武器的艺术’来。”

鲁迅最后总结道：“不远总有一个大时代要到来。现在创造派的革命文学家和无产阶级作家虽然不得已而玩着‘艺术的武器’，而有着‘武器的艺术’的非革命文学家也玩起这玩意儿来了，有几种笑眯眯的期刊便是这。他们自己也不大相信手里的‘武器的艺术’了罢。那么，这一种最高的艺术——‘武器的艺术’现在究竟落在谁的手里了呢？只要寻得到，便知道中国的最近的将来。”

25 日，郭沫若的诗集《恢复》由上海创造社出版部出版。

蒋光慈的长诗《哭诉》由上海春野书店出版。后改题为《写给母亲》，有删节，收入《乡情》集。

钱杏邨、杨邨人、孟超编辑的《达夫代表作》由上海春野书店出版。

在《达夫代表作》的“后序”中，钱杏邨说，从郁达夫的作品中，“我们所感到的，是达夫十年来的挣扎生活，和他十年来对于中国新文坛的贡献，以及他最近的摸索到一条光明的出路，在在都足以使我们深省。”钱杏邨认为，在郁达夫的创作里，“暴露了整个社会的罪恶；在他的创作里，表现了青年与社会抗斗时的屡蹶屡起的精神；在他的创作里，显示了今后青年应走的唯一的光明的大道。从他的创作里，我们可以看到现在的社会经济，是不容青年存在的，不给青年以他们所需要的自由的，青年们徘徊歧路，结果只有像达夫所曾经享受过的痛苦的获得，没有快乐，没有自由，也没有幸福，要就革命起来，要就痛苦下去，歧路决不是现代青年的生活，青年的唯一出路只有革命！”因此，钱杏邨高度评价了郁达夫的小说创作，认为他“虽不是一手奠定中国文坛”，但他“却是中国新文坛上最有力量的分子的一个，他是有他的文学史上的重要的地位的了，然而他还是不满足，还是不懈怠，还是要醒悟过来，还是要抓住时代，还是要做一个伟大的始终如一的表现者”。钱杏邨最后呼吁：“你敬爱的读者哟，你们呢？已经革命的，因着达夫的创作的暗示，应该更加英勇起来，去领导劳动阶级向这个资本主义的社会去抗斗！那徘徊歧路的！呵！你徘徊歧路的青年哟！是时候了！是时候了！你们斩断了徘徊的思念，勇猛的走上革命的战阵来罢？”

李健吾短篇小说集《西山之云》由上海北新书局出版，收短篇小说4部，列入“创作丛书”。

四月

1日，蒋光慈以“华希理”的笔名在《太阳月刊》4月号发表了《论新旧作家与革命文学——读了〈文学周报〉的〈欢迎太阳〉以后》，就革命文学问题与茅盾展开论战。《欢迎〈太阳〉!》一文是茅盾以“方璧”的笔名发表在《文学周报》第298期的一篇理论文章。茅盾在文章中一方面表示“敬祝《太阳》时时上升，四射它的光辉”，另一方面则对蒋光慈的革命文学观点提出了商榷意见。因而，蒋光慈便发表《论新旧作家与革命文学——读了〈文学周报〉的〈欢迎太阳〉以后》一文，加以论辩。接着，茅盾又于同年10月18日《小说月报》第19卷第10号上发表《从牯岭到东京》一文，阐述了有关《蚀》的写作情况，并对当时的“革命文学”有所批评。由此进一步引起了创造社、太阳社作家的不满。克兴、李初梨、钱杏邨等人分别发表文章，与茅盾展开论战，将茅盾作为“小资产阶级文学的代言人”加以攻击。此后，茅盾又写了《读〈倪焕之〉》一文，对创造社和太阳社作家的攻击进行了答辩。该文进一步激起了创造社、太阳社作家对茅盾的批判。

10日，鲁迅连续写出《扁》、《路》、《头》、《通信》、《太平歌诀》、《铲共大观》等6篇杂文，谴责国民党屠杀革命者的罪行，同时提出了关于革命文学的一些观点。

15日，李初梨在《文化批判》第4号发表《请看我们中国的Don Quixote的乱舞——答鲁迅〈醉眼中的朦胧〉》，全面批评鲁迅。

15日，洪灵菲的自传体长篇小说《流亡》经郁达夫介绍，由上海现代书局出版。

16日，鲁迅在《语丝》第4卷第16期发表《文艺与革命》（通信），阐述文艺的一些本质问题。

冯乃超诗集《红纱灯》由创造社出版部出版，列为“创造社丛书”第二十种。

老舍长篇小说《赵子曰》由上海商务印书馆出版，列入《文学研究会丛书》。

胡也频剧本集《鬼与人心》由上海开明书店出版。收《鬼与人心》、《湿了的蓓蕾》、《瓦匠之家》和《狂人》四个剧本。

五月

1 日，《文化战线》旬刊创刊，发表无政府主义者柳絮的《无产阶级艺术新论》，反对马克思主义文艺理论。

1 日，郭沫若以“麦克昂”的笔名在《创造月刊》第 1 卷第 11 期发表论文《桌子的跳舞》，谈论中国文坛现状与无产阶级革命文学。

3 日，日本帝国主义为阻止英美势力向北发展，延缓北洋军阀统治的寿命，大举进攻山东济南。蒋介石下令不准抵抗，撤出济南。日军在济南大肆抢掠，屠杀中国军民 3625 人。国民党政府驻山东外交特派员蔡公时被日军割去耳鼻后，与其他 16 名外交人员全部被杀。此即震惊中外的济南惨案。

7 日，鲁迅在《语丝》第 4 卷第 19 期发表《我的态度气量和年纪》，继续与创造社、太阳社论战。

25 日，冯雪峰在《无轨列车》第 2 号上发表《革命与智识阶级》一文，批评了创造社对鲁迅的攻击。他在文中写道：“创造社改变了方向，倾向到革命中来，这是十分好的事；但他们没有改变向来的狭小的团体主义精神，这却是十分要不得的。一本大杂志有半本是攻击鲁迅的文章，在别的许多的地方是大书着‘创造社’的字样，而这只是为要抬出创造社来。对于鲁迅的攻击，在革命的现阶段的态度上既是可不必；而创造社诸人及其他人的攻击方法，还会有别的危险性……我们在鲁迅的言行里完全找不出诋毁整个的革命的痕迹来，他至多嘲笑了革命文学的运动（他也没有嘲笑革命文学的本身），嘲笑了追随者中的个人的言行；而一定要说他这就是诋毁革命，‘中伤’革命，这对于革命是有利的吗？”

林伯修、洪灵菲、戴平万等组织的我们社成立，创办《我们》月刊。我们社是太阳社的姊妹社团。《我们》月刊同年 7 月出第 3 期后终刊，该刊除登载本社同人稿件外，还发表不少创造社成员如成仿吾、李初梨、王独清等人的作品。此外，第 3 期还载有殷夫（署名任夫）的诗《啊，我们踯躅于黑暗的丛林里》。

邵洵美诗集《花一般的罪恶》由金屋书店出版。收入包括《序曲》在内的诗作 31 首。

胡也频的短篇小说《往何处去》开始在《现代评论》上连载。

六月

4 日，奉系军阀张作霖从北京返回沈阳，当列车行至皇姑屯火车站附近的南满铁路桥洞时，被日本关东军埋在吊桥下的炸药炸毁。张作霖身负重伤，送回奉天，经抢救无效死亡。

10 日，梁实秋在《新月》第 1 卷第 4 期发表《文学与革命》一文，批评革命文学。梁实秋在文章中认为："一切的文明，都是极少数天才的创造"。他进而把文明与资本主义制度联系在一起，宣称攻击资本主义制度即是反抗文明，优胜劣败的定律注定"反文明"的无产阶级势力"早晚要被文明的势力所征服。"在梁实秋看来，革命文学也好，左翼文学也好，都不过是"五四"时期浪漫主义文学的延续和发展，所以他称左翼文学为"伤感的革命主义"或"浅薄的人道主义"。

同年8月10日，《创造月刊》第2卷第1期发表了冯乃超的《冷静的头脑——评驳梁实秋的〈文学与革命〉》一文。该文指出文学是有阶级性的，所谓"文学是人性的表现"之说，"这与黑人的皮肤是黑色的一样，同是无聊的问题"；革命文学是有必然性的，"民众正在'水深火热'的压迫里面挣扎着的当今，又得了多次的革命行动的实际的经验。他们有反抗的感情，求解放的欲念，如荼如火的革命的思想。把这些感情，欲念，思想以具体的形象表现出来的就是艺术——文学——的任务，也是主张革命文学家的任务。"

18日至7月11日，在共产国际的帮助下，中国共产党第六次全国代表大会在莫斯科召开。出席大会的共有142人。会议的主要报告有：瞿秋白作《中国革命与共产党》的政治报告，周恩来作组织问题和军事问题的报告，共产国际代表布哈林作《中国革命与中共任务》的报告。会议共通过政治、军事、组织、土地问题、农民问题和职工运动等14项决议案。

20日，北京改称北平。

20日，《奔流》月刊在上海创刊。1929年12月20日出至第2卷第5期终刊。共出15期。鲁迅、郁达夫主编。北新书局出版。32开本。有合订本发售。该刊《凡例》说："1. 本刊揭载关于文艺的著作，翻译，以及绍介，著译者各视自己的意趣及能力著译，以供同好者的阅览。2. 本刊的翻译及绍介，或为现代的婴儿，或为婴儿所从出的母亲，但也许竟是更先的祖母，并不一定新颖。"撰稿者除编者外，有林语堂、柔石、胡风、冯雪峰等。鲁迅为每期写"编校后记"，后均收入《集外集》。该刊曾登载鲁迅翻译的《苏俄的文艺政策》，这是鲁迅有计划地翻译介绍苏联新文艺和马克思主义文艺理论的开始。

七月

10日，彭康在《创造月刊》第1卷第12期发表《什么是"健康"与"尊严"——"新月的态度"底批评》。他针对《新月》发刊词所标榜的"不折辱尊严和不损害健康"的原则，指出："然而'健康'是谁的'健康'？'尊严'又是谁的'尊严'？""折辱了他们的'尊严'，即是新兴的革命阶级获得了尊严，'妨害'了他们的'健康'，即是新兴的革命阶级增进了健康。"至于新月派所谓"现在，我们在思想上是有了绝对的自由，结果是无政府的凌乱"的说法，彭康痛加驳斥道："现在我们在思想上有了绝对的自由吗？只要一看现在是什么情形，谁都不会相信这句话。不是有因带了某种书籍而被杀的么？不是有被封的杂志和书店么？自由在哪里，更何言'绝对'！"彭康进而指出："在现在正要因斗争而获得思想和言论的自由的时候，'新月'的先生们却叹着气，以为是太自由了，因而要来‘扫除’那些‘邪说’，‘异端’，将思想从‘无政府的凌乱’救出，定于一尊，一统天下。你看这是什么一种实践的要求！是替谁说话！”彭康的这篇论文从阶级分析的角度批评“新月派”，进一步引起了革命作家和新月派的论争。

30 日，女作家石评梅在北平逝世。

石评梅（1902—1928），女诗人、散文家。原名汝璧，笔名波微、梅影、梅隐等。山西平定人。1919 年秋考入北京女子高等师范学校体育音乐系并开始文学创作，与同学黄庐隐、冯淑兰（沅君）、苏雪林、陆晶清结为密友。1923 年毕业后出任该校女附中校长。旋与陆晶清合编《京报》附印的《妇女周刊》。1926 年又与陆晶清合编《世界日报》副刊《蔷薇周刊》。1924 年至 1928 年，在《妇女周刊》、《蔷薇周刊》、《语丝》、《京报副刊》、《孤军周报》等报刊上发表诗文多篇。1928 年 9 月因患脑炎逝世于北京。友人为其编辑遗作有小说、散文集《偶然草》，散文集《涛语》，剧本《这是谁之罪》等。

茅盾离开上海，东渡日本。

徐志摩、陆小曼的五幕剧《卞昆岗》由上海新月书店出版。

八月

1 日，在南京创刊的《现代文化》发表柳絮的《艺术的理论斗争》，莫孟明的《革命文学评介》等文，鼓吹无政府主义，攻击无产阶级革命文学。

10 日，《创造月刊》第 2 卷第 1 期发表杜荃（郭沫若）的《文艺战线上的封建余孽》一文，批评鲁迅的《我的态度气量和年纪》。该文用词苛刻，给鲁迅扣上了诸如“封建余孽”、“对于社会主义是二重性反革命”、“戴着白手套的法西斯蒂”等帽子，这种人身攻击的批评文章自然引起了鲁迅的反感，他认为自己受到了创造社和太阳社作家“笔尖的围剿”，“拼命的围攻”。

16 日，郁达夫在《北新》半月刊第 2 卷第 19 号发表《对于社会的态度》，回答创造社对他的批评，并对创造社一些人对鲁迅的批评提出反批评，认为“鲁迅是中国作家中的第一人”。

戴望舒的诗《雨巷》发表于《小说月报》第 19 卷第 8 号。编者叶绍钧对《雨巷》的评价是：《雨巷》“替新诗底音节开了一个新纪元。”

俞平伯散文集《杂拌儿》由开明书店出版。收散文 32 篇，另有《自序》、《自题记》和周作人的《〈杂拌儿〉题记》（代跋）各一篇。

陈大悲的五幕剧《幽兰女士》由上海现代书局出版，列入“现代戏剧丛书”。

九月

10 日，《无轨列车》（半月刊）在上海创刊。同年 12 月终刊。共出 8 期。施蛰存主编。由施蛰存、戴望舒主持的第一线书店出版。其时，施蛰存与刘呐鸥、戴望舒等人在上海的四川北路东宝兴路口创办了第一线书店。施蛰存以“安华”的笔名在《无轨列车》上发表了小说《妮侬》，诗《雨》、《委巷寓言》等。此外，该刊撰稿人还有冯雪峰（画室）、戴望舒、徐霞村、呐鸥等。《无轨列车》出版至第8期时，被国民党中央列入查禁反动刊物，罪状为："藉无产阶级文学，宣传阶级斗争，鼓吹共产主义。"第一线书店亦有"宣传赤化嫌疑，着即停止营业。"随后，"第一线书店"歇业，改为"水沫书店"，移至四川北路近海宁路口的公益坊内。

蒋介石就任国民政府主席。

15日，钱杏邨小说集《欢乐的舞蹈》由上海现代书局出版。

20日，《大众文艺》月刊在上海创刊，郁达夫、夏莱蒂编辑。"左联"成立后成为"左联"的外围刊物。

25日，冯雪峰以"画室"的笔名在《无轨列车》创刊号发表《革命与知识阶级》，论述革命与知识分子及同路人的关系，批评创造社诸人对鲁迅的态度。

洪灵菲长篇小说《转变》由上海亚东图书馆出版。

胡也频短篇小说集《往何处去》由上海第一线书店出版，收作品9篇。

鲁迅散文集《朝花夕拾》由北京未名社出版。李素伯先生认为《朝花夕拾》是鲁迅近于自传的回忆文，大都是儿童生活的回忆，"都很生动而有趣"，在读了他那"老辣"的杂文后，再读这些回忆文章，势必使人们"感到亲切"。（李素伯：《小品文研究》第四编"中国现代小品文作家与作品（上）"，上海新中国书局，1932年1月。）

王独清的六场历史剧《杨贵妃之死》由上海创造社出版部二版。列为"创造社丛书"第十五种。

洪深的《洪深剧本创作集》由上海东南书店出版。除作者自序《属于一个时代的戏剧》之外，收《赵阎王》和《贫民惨剧》两部剧本。

刘大杰的戏剧集《白蔷薇》由上海东南书店出版。

十月

1日，太阳社《时代文艺》创刊，蒋光慈任主编。

10日，茅盾在《小说月报》第19卷第10号发表《从牯岭到东京》，回顾《蚀》三部曲的创作过程，并阐述对当前兴起的革命文学运动的看法。文章引起了创造社、太阳社的批评。

茅盾在文中首先谈到了自己进行文学创作的起因，他说："我是真实地去生活，经验了动乱中国的最复杂的人生的一幕，终于感得了幻灭的悲哀，人生的矛盾，在消沉的心情下，孤寂的生活中，而尚受生活执著的支配，想要以我的生命力的余烬从别方面在这迷乱灰色的人生内发一星微光，于是我就开始创作了。我不是为的要做小说，然后去经验人生。"在谈到自己的写作时，茅盾说："我那时早已决定要写现代青年在革命壮潮中所经过的三个时期：（1）革命前夕的亢昂兴奋和革命既到面前时的幻灭；（2）革命斗争剧烈时的动摇；（3）幻灭动摇后不甘寂寞尚思作最后之追求。"他坦承："我诚实的自白：《幻灭》和《动摇》中间并没有我自己的思想，那是客观的描写；《追求》中间却有我最近的——便是作这篇小说的那一段时间——思想和情绪。"同时，

针对有人指责《蚀》内容的消极悲观，茅盾一面进行辩解，一面还表达了对于当时标语口号式革命文学的不满。他说："我承认这极端悲观的基调是我自己的，虽然书中青年的不满于现状，苦闷，求出路，是客观的真实。说这是我的思想落伍了罢，我就不懂为什么像苍蝇那样向窗玻片盲撞便算是不落伍？说我只是消极，不给人家一条出路么，我也承认的，我就不能自信做了留声机吆喝着：'这是出路，往这边来！'是有什么价值并且良心上自安的。我不能使我的小说中人有一条出路，就因为我既不愿意昧着良心说自己以为不然的话，而又不是大天才能够发见一条自信得过的出路来指引给大家。人家说这是我的思想动摇。我也不愿意声辩。我想来我倒并没动摇过，我实在是自始就不赞成一年来许多人所呼号呐喊的'出路'。这出路之差不多成为'绝路'，现在不是已经证明得很明白？"，"所以《幻灭》等三篇只是时代的描写，是自己想能够如何忠实便如何忠实的时代描写；说它们是革命小说，那我就觉得很惭愧，因为我不能积极的指引一些什么——姑且说是出路罢！"

16 日，《白华》（半月刊）在上海创刊。同年 12 月 25 日出至第三期终刊。中国济难会主办。署白华社编辑发行。主编为钱杏邨、郁达夫。撰稿人除编者外，还有林伯修、楼适夷、冯宪章等。以文艺为主，同时发表政治论文。

在创刊号发刊词《我们的态度》中，钱杏邨宣称《白华》的使命，第一个就是"站在人道主义的立场上，反对统治阶级的对民众的一切压迫与屠杀。""《白华》的第二个使命，是站在和平的立场上，反对第二次的帝国主义的世界大战，反对国内的军阀的割据的混战。""《白华》的第三个使命，就是站在全人类的解放的立场上做着彻底的'打倒帝国主义'的运动。""《白华》的第四个使命，是站在被压迫的大多数的民众的立场上，追寻为大多数人的利益而革命的真精神，努力不断的做着'民权运动'！"（钱杏邨：《我们的态度》，《白华》第 1 卷第 1 期，1928 年 10 月 16 日。）

国民党浙江省党务指导委员会查禁《语丝》等 25 种书刊。

郑振铎回国，仍在上海商务印书馆任编辑。次年 1 月接手《小说月报》的编辑工作，直至 1930 年底。

施蛰存与陈慧华女士在松江举行婚礼，冯雪峰、戴望舒、杜衡、刘呐鸥、沈从文、胡也频、丁玲、姚蓬子、叶圣陶、徐霞村等文艺界友人专程参加。

丁玲小说集《在黑暗中》由上海开明书店出版。除《最后一页（后记）》外，收短篇小说《梦珂》、《莎菲女士的日记》、《暑假中》和《阿毛姑娘》。

钱谦吾在《丁玲》一文中认为："从《在黑暗中》所表现的看法，作者的脚尖已不仅是踏入了社会的门限，对于社会有着了解，并且触着社会的经济困厄的现实关键，把握到现代人中心的苦闷，虽然她离开生活的象牙之塔还不怎样的遥远。这从她对生活的愤慨可以看将出来。然而，这如作者在《后记》里所说，这终不免是'感伤主义者所最易于了解的感慨'，在每一篇里，都涂着很浓厚的伤感的色调，显示出作者的对于'生的厌倦'而又不得不生的苦闷灵魂。"（钱谦吾：《丁玲》，《现代中国女作家》，北新书局 1931 年版。转引自袁良骏编：《丁玲研究资料》，天津人民出版社 1982 年版）

许钦文的短篇小说集《蝴蝶》由上海北新书局出版，收作品 10 部。

鲁迅杂文集《而已集》由上海北新书局出版。

朱自清散文集《背影》由上海开明书店出版。除《序》外，收1925年至1928年所写 散文15篇。分2辑。《背影》、《荷塘月色》等名篇均收录其中。

欧阳予倩五幕剧《潘金莲》由上海新东方书店出版。有《自序》和《空与色》。

十一月

10日，彭康在《创造月刊》第2卷第4期发表《革命文艺与大众文艺》，批评《大众文艺》创刊号上郁达夫写的创刊词《大众文艺释名》。

鲁迅、柔石等组织的朝华社（朝花社）在上海成立。12月6日创刊《朝花周刊》(后改旬刊)。

周作人做《闭户读书论》，认为“自唯物论兴而人心大变。昔者世有所谓灵魂等物，大智固亦以轮回为苦，然在凡夫则未始不是一种慰安，风流士女可以续未了之缘，壮烈英雄则曰：‘二十年后又是一条好汉’。但是现在知道人的性命只有一条，一失足成千古恨，再回头已百年身，只有上联而无下联，岂不悲哉！固然，知道人生之不再，宗教的希求可以转变为社会运动，不求未来的永生，但求现世的善生，勇猛地冲上前去，造成恶活不如好死之精神，那也是可能的。然而在大多数凡夫却有点不同，他的结果不但不能砭顽起懦，恐怕反要使得懦夫有卧志了罢。”既然人生充满了苦闷，那么解脱之道又是什么呢？周作人说：“苟全性命于乱世是第一要紧，所以最好是从头就不烦闷。不过这如不是圣贤，只有做官的才能够……其次是有了烦闷去用方法消遣。抽大烟，讨姨太太，赌钱，住温泉场等，都是一种消遣法，但是有些很要用钱，有些很要用力，寒士没有力量去做。我想了一天才算想到了一个方法，这就是‘闭户读书’。”不过在周作人看来，“读书不忘救国”其实是很不容易的，“西儒有言，二鸟在林不如一鸟在手，追两兔者并失之。幸而近来‘青运’已经停止，救国事业有人担当……专门读书，此其时矣，闭户云者，聊以形容，言其专一耳，非真辟札则不把卷，二者有必然之因果也。”但是，“敢问读什么呢?”“经，自然，这是圣人之典，非读不可的，而且听说三民主义之源盖出于《四书》，不特维礼教即为应考试计，亦在所必读之列，这是无可疑的了。但我所觉得重要的还是在于乙部，即是四库之史部。老实说，我虽不大有什么历史癖，却是很有点历史迷的。我始终相信《二十四史》是一部好书，他很诚恳地告诉我们过去曾如此，现在是如此，将来要如此。历史所告诉我们的在表面的确只是过去，但现在与将来也就在这里面了：正史好似人家祖先的神像，画得特别庄严点，从这上面却总还看得出子孙的面影，至于野史等更有意思，那是行乐图小照之流，更充足地保存真相，往往令观者拍案叫绝，叹遗传之神妙。正如獐头鼠目再生于十世之后一样，历史的人物亦常重现于当世的舞台，恍如夺舍重来，慑人心目，此可怖的悦乐为不知历史者所不能得者也。”在文末，周作人宣称：“宜趁现在不甚适宜于说话做事的时候，关起门来努力读书，翻开故纸，与活人对照，死书就变成活书，可以得道，可以养生，岂不懿欤?”（周作人：《闭户读书论》，《永日集》，北新书局1929年版）

台静农短篇小说集《地之子》由北京来名社出版，收作品13部，列为“未名新集”之一。

林语堂的独幕剧《子见南子》发表于《奔流》第1卷第6期。

十二月

29日，张学良通电全国：宣布遵守三民主义，服从南京政府，改旗易帜，全国统一。30日，奉军改编为国民革命军东北边防军。

30日，中国著作者协会在上海正式成立。选举郑伯奇、沈端先、李初梨、郑振铎等9人为执行委员，钱杏邨、冯乃超等5人为监察委员，并发表成立宣言。

鲁迅辞去《语丝》编辑职务，并推荐柔石接替。

沈从文长篇童话《阿丽丝中国游记》由上海新月书店出版。

茅盾中篇小说《追求》（《蚀》三部曲之三）由上海商务印书馆出版，为《文学研究会丛书》之一。

林樾称赞了茅盾的《动摇》和《追求》，称：“茅盾的《动摇》和《追求》是有时代性的作品。它对于时代的转变，和混在这变动中的一般人的生活，是看得很明白，所以他能够写得这样深切动人。”（林樾：《“动摇”和“追求”》，《文学周报》第8卷第10期。）

钱杏邨在《茅盾与现实》中这样评价《追求》：“在全书里是到处表现了病态，病态的人物，病态的思想，病态的行动，一切都是病态，一切都是不健全。作者客观方面所表现的，思想也仍旧的不外乎悲哀与动摇。所以，这部创作的立场不是无产阶级的……站在我们自己的立场上，《追求》不是革命的创作。全书climax也弱于《幻灭》与《动摇》。然而，在描写的一个方面，较之《动摇》却有很大的进展，心理分析的工夫也比‘动摇’下得更深。他很精细的如医生诊断脉案解剖尸体般的解析青年的心理。尤其是两性的恋爱心理，作者表现的极其深刻。”［钱杏邨：《茅盾与现实》，1928年2月19日。转引自孙中田、查国华编：《茅盾研究资料》（中），中国社会科学出版社，1983年5月。］

《文艺理论小丛书》开始出版，包括苏联弗里契及日本左翼作家论著，共6册，由鲁迅、陈望道等翻译。

南国社开始公演话剧。其演出活动可以分为两期：第一期是1928年12月上海公演，以及1929年1月的南系公演，演出的剧目有《古潭里的声音》、《苏州夜话》、《生之意志》、《湖上的悲剧》、《名优之死》等，差不多全是田汉个人的创作。第二期是1929年7月的南系公演，以及同年8月的上海公演，演出的剧目有《古潭里的声音》、《南归》、《第五号病室》、《火之跳舞》、《孙中山之死》以及翻译剧《莎乐美》、《强盗》等。后来又在无锡作了一次公演，除了前面几个很熟的戏外，并加入了田汉的一个新作《一致》。这前后两期的公演，使得京沪道上充满了戏剧的空气，而南国社也就更为社会所注目，更受爱好话剧的青年欢迎。

1929年

一月

1日，太阳社刊物《海风周报》在上海创刊，至4月28日出第16号。第17号为特大号，具体出版时间不详。蒋光慈主编。上海泰东图书局发行。该刊理论与创作并重，内容包括文艺理论、批评、介绍、小说、诗歌、随笔、戏剧、文坛消息等，著译兼收。主要撰稿人有蒋光慈、钱杏邨、戴平万、楼建南、祝秀侠、杨邨人、沈端先（夏衍）等。所载理论文章有林伯修的《理论与批评》（译文）、钱杏邨的《关于文艺批评》等；小说有戴平万的《山中》、《都市之夜》，杨邨人的《董老大》等；诗歌有蒋光慈的《从故乡带来的消息》、钱杏邨的《写给一个朋友》等；戏剧则有杨邨人的《租妻官司》等。

1日，《金屋月刊》在上海创刊，1930年9月终刊。共出6期。邵洵美、章克标编辑。上海金屋书店出版。编者在《悬赏征稿启事》中称："我们不限定什么，我们只要好的作品，你讲革命可以，讲恋爱也可以。讲革命只要不是高呼口号式的宣传，将恋爱只要不是蠢俗的肉麻，你只要能抒发你至上的美，这是我们所求的。"主要撰稿人除编者外，还有徐悲鸿、徐霞村、张若谷、滕固等人。

10日，《红黑》月刊在上海创刊，同年8月出至第8期终刊。沈从文、丁玲、胡也频合编。上海红黑出版处发行。16开本。该刊偏重于文艺创作，也刊登翻译和介绍稿件。主要撰稿人除编者外，还有戴望舒、甲辰、蓬子等。所载作品有丁玲的《过年》、《小火轮上》、《庆云里的一间小房里》、《日》，胡也频的《一个村子》、《三个不统一的人物》、《苦刑》、《便宜货》，沈从文的《参军》、《龙朱》等。

10日，巴金第一部长篇小说《灭亡》开始在《小说月报》第20卷第1号连载，至第4号刊完。单行本于本年10月由开明书店出版。《灭亡》发表的当年，编者叶圣陶即总结说：1929年间，该刊发表的巴金的《灭亡》和老舍的《二马》，是两部"很引起读者的注意，也极博得批评者好感"的长篇，并预言："他们将来当更有热烈的评赞的机会的。"此外，有评论者也认为，《灭亡》的价值和伟大之处，在于"技术已获得最好的成绩"，"思想也是很成熟的。"（毛一波：《几部小说的介绍与批评》，《真善美》月刊1929年第4卷第5号。）

19日，梁启超在北平逝世。

梁启超（1873—1929），近代思想家，字卓如，号任公，别号饮冰室主人。广东新会人。梁启超自幼在家中接受传统教育，1889年中举。1890年赴京会试，不中。回粤路经上海，看到介绍世界地理的《瀛环志略》和上海机器局所译西书，眼界大开。同年结识康有为，投其门下。1891年就读于万木草堂，接受康有为的思想学说并由此走上改良维新的道路，时人合称"康梁"。1895年春，梁启超再次赴京会试，协助康有为发动在京应试举人联名请愿的"公车上书"。维新运动期间，梁启超表现活跃，曾主北京《万国公报》（后改名《中外纪闻》）和上海《时务报》笔政，又赴澳门筹办《知新报》。他的政论文章在社会上产生了广泛影响。1897年，任长沙时务学堂总教习，在湖南宣传变法思想。

1898年回京，积极参加"百日维新"。7月3日（五月十五），受光绪帝召见，奉命进呈所著《变法通议》，赏六品衔，负责办理京师大学堂译书局事务。9 月，政变发生，梁启超逃亡日本，一度与孙中山为首的革命派有过接触。在日期间，先后创办《清议报》和《新民丛报》，鼓吹改良，反对革命。同时也大量介绍西方社会政治学说，在当时的知识分子中影响很大。1905—1907 年，改良派与革命派的论战达到高潮，梁启超作为改良派的主将，遭到革命派的反对。1906 年，清政府宣布“预备仿行宪政”，梁启超立即表示支持。1907 年 10 月，在东京建立“政闻社”，期望推动清政府实行君主立宪。由于清政府并不真心实行宪政，政闻社也因受到查禁而宣告解散。武昌起义爆发后，他一度宣扬“虚君共和”，企图使革命派与清政府妥协。民国初年又支持袁世凯，并承袁意，将民主党与共和党、统一党合并，改建进步党，与国民党争夺政治权力。1913 年，进步党“人才内阁”成立，梁启超出任司法总长。袁世凯帝制自为的野心日益暴露，梁启超因反对袁氏称帝，于 1915 年 8 月，发表《异哉所谓国体问题者》一文进行猛烈抨击，旋与蔡锷策划武力反袁。1915 年底，护国战争在云南爆发。1916 年，梁启超赴两广地区，积极参加反袁斗争，为护国运动的兴起和发展做出了重要贡献。袁世凯死后，梁启超依附段祺瑞，组建宪政研究会，与支持黎元洪的宪政商榷会对抗。1917 年 7 月，段祺瑞掌握北洋政府大权。梁启超因拥段有功，出任财政总长兼盐务总署督办。9 月，孙中山发动护法战争。11 月，段内阁被迫下台，梁启超也随之辞职，从此退出政坛。1918 年底，梁启超赴欧，亲身了解到西方社会的许多问题和弊端。回国之后，即宣扬西方文明已经破产，主张光大传统文化，用东方的“固有文明”来“拯救世界”。

梁启超也是一位著名学者。他兴趣广泛，学识渊博，在文学、史学、哲学、佛学等诸多领域，都有较深的造诣。1901 年至 1902 年，先后撰写了《中国史叙论》和《新史学》，批判封建史学，发动“史学革命”。在 1918—1920 年旅欧回国后，即不遗余力地从事讲学和著述，研究重点为先秦诸子、清代学术、史学和佛学。1922 年起在清华学校兼课，1925 年应聘任清华国学研究院导师，指导范围为“诸子”、“中国佛学史”、“宋元明学术史”、“清代学术史”、“中国文学”、“中国哲学史”、“中国史”、“史学研究法”、“儒家哲学”、“东西交流史”等。这期间著有《清代学术概论》、《墨子学案》、《中国历史研究法》、《中国近三百年学术史》、《情圣杜甫》、《屈原研究》、《先秦政治思想史》、《中国文化史》等。此外，梁启超在文学界也名重一时，他理论上引进了西方文化及文学新观念，首倡近代各种文体的革新。文学创作上亦有多方面成就：散文、诗歌、小说、戏曲及翻译文学方面均有作品行世，尤以散文影响最大。他一生著述宏富，所遗《饮冰室合集》计 148 卷，1000 余万字。

20 日，《人间》月刊创刊。仅出一期。丁玲、胡也频、沈从文合编。上海人间书店出版。沈从文撰《卷首语》，说：“放下了过去，一切不足迷恋。肯定着现在，尽别人在叫骂纠打中各将盛名完成。希望到未来，历史为我们证明，所谓文学革命运动的意义，是何种方法可以达到。”在沈从文看来，当时的中国文坛，“说教者充满天下，指挥者比工作者多十倍千倍，适于专制制度下生存的民族，虽在政治表面上无从作揖，口称奴仆，然性情所归，将趣味供某种主张驱使，则仍为必然的一事。想象所谓首领辈，对于接见年轻人时，年轻人或曾用笔作揖，连说‘崇拜’，首领则掀髯大笑，口称

'准予入伙'情形，不禁嗒然若失。中国在文学上已是有正牌子首领了，同政治一样。于政治，则人人都应有信仰，否则'反革命'，杀。于文学禁律眼前虽尚不至于此，然不表示投降，则多灾多难，亦一定。我们是在写文章以外还没有学到'载笔称臣'的本事，来日大难，可以预卜！"

国民党中央制订《宣传品审查条例》，加强对革命文化的"围剿"措施。

胡也频诗集《也频诗选》由上海红黑出版社出版，丁玲编辑。收诗22首，另有丁玲《序》一篇。丁玲在《序》中说：编选的"动机，一方面是为也频诗的生活做个结束，一方面又做为我对于这结束的哀悼"。该诗集作为"我们三年来的一个小小纪念，并赠给那些正在爱中的小兄弟，小姊妹们"。

沈从文的长篇小说《呆官日记》由远东图书公司出版。

冯乃超第一部小说集《傀儡美人》由上海长风书店出版。该书增订后改名为《抚恤》，于同年12月由上海沪滨书局出版。

二月

7日，创造社及其出版部被国民党当局查封。

沈从文短篇小说集《男子须知》由红黑出版社出版。

三月

1日，太阳社刊物《新流》月报在上海创刊，1930年改为《拓荒者》。

1日，蒋光慈的长篇小说《丽莎的哀怨》开始在《新流月报》连载。同年8月由上海现代书局出版单行本。该作品描写了一个白俄贵族妇女在十月革命后流浪到上海，最后沦为妓女的故事。小说因为过多渲染了丽莎昔日的荣华富贵和眼前生活的沦落，兼之它所采取的自叙形式，使人物的哀怨显得更为深切，而作者又对此缺乏必要的批判。因此，该作受到了革命文艺界的批评。

10日，中国共产主义青年团机关刊物《列宁青年》第1卷第11期发表《一年来中国文艺界述评》，评述了创造社、语丝社、新月社的文学活动。

10日，陈雪帆（陈望道）的长篇译文《苏俄十年间的文学论研究》（日·冈泽秀虎著）在《小说月报》第20卷第3号开始连载，至第9号止。在此期间，《小说月报》第20卷第7号还登载了他翻译的《新俄文学》一文。《文学周报》第364~368期合刊（4月28日）出《苏俄小说专号》，发表叶绍钧、郑振铎、赵景深、耿济之等翻译的小说及论文十多篇。

18日至28日，中国国民党第三次全国代表大会在南京召开。

23日，林伯修在《海风周报》第12期发表《一九二九年急待解决的几个关于文艺的问题》，提出了包括普罗文学的大众化、写实主义的建设、政治与艺术的关系等等在内的诸多问题。该文指出，大众化是"普罗文学底实践性底必然的要求"。文章引用和阐明了列宁提出的无产阶级文学必须为劳动群众"所了解和爱好。它必须结合这些群众的感情、思想和意志，并提高他们。"认为在列宁的文艺思想中，实际上已包含了

“普罗文学底大众化问题底理论的根据”。这是第一篇具体论述文艺大众化的论文。

沈从文短篇小说集《十四夜间及其他》由光华书局出版。

张资平长篇小说《青春》由上海现代书局出版。

四月

20 日，张天翼的成名作短篇小说《三天半的梦》在《奔流》第 11 卷第 10 期发表。

26 日，鲁迅为朝花社出版的《近代世界短篇小说集（一）》作《小引》。在文中，鲁迅扼要概括了短篇小说的价值。他说：“一时代的纪念碑底的文章，文坛上不长有；即有之，也什九是大部的著作。以一篇短的小说而成为时代精神所居的大宫阙者，是极其少见的。”尽管和那些“巍峨灿烂的巨大的纪念碑底文学”相比，短篇小说不那么引人注目，但鲁迅认为，短篇小说却“依然有着存在的充足的权利”。它和长篇的文学作品“不但巨细高低，相依为命，也譬如深入大伽蓝中，但见全体非常宏丽，眩人眼睛，令观者心神飞越，而细看一雕阑一画础，虽然细小，所得却更为分明，再以此推及全体，感受遂愈加切实，因此那些终于为人所重了。”鲁迅进而指出，短篇小说的价值就在于“只顷刻间，而仍可惜一斑略知全豹，以一目尽川精神，用数顷刻，遂知种种作风，种种作者，种种所写的人物和事状，所得也颇不少的。”

戴望舒诗集《我底记忆》由上海水沫书店出版。列为“水沫从书”之一。收诗 26 首。分为《旧锦囊》和《我底记忆》两辑。其中，《旧锦囊》收诗 18 首，《我底记忆》收诗 8 首。

陈白尘的长篇小说《罪恶的花》由上海芳草书店出版。

田言（潘漠华）短篇小说集《雨点集》由上海亚东图书馆出版。

五月

1 日，《南国月刊》在上海创刊，1930 年 7 月终刊。第一卷出 6 期，第二卷出 4 期，共出 10 期。田汉主编。现代书局发行。该刊系南国社机关刊物，以戏剧为主，发表剧本和有关话剧运动的论述，也刊登小说及其他文章。撰稿人多为南国社成员，有田汉、黄素、康白珊、洪深等，尤以田汉撰稿为多。所载论文有黄素的《中国戏剧角色之唯物史观研究》、田汉的《我们自己的批判》，剧本有田汉的《孙中山之死》、《第五号病室》、《苏州夜话》、《名优之死》等，长篇小说有康白珊的《狱中记》、田汉的《上海》等。此外，该刊还登载过吴似鸿、陈幻侬等人的短篇小说和洪深的《世界戏剧史论》。

茅盾在同年 5 月 12 日出版的《文学周报》第 8 卷第 20 号上，发表了长篇论文《读〈倪焕之〉》，对叶绍钧在《倪焕之》中所塑造的城市知识分子典型，给予了肯定的评价。该文同时还回顾了“五四”以来的新文学发展历程，分析了鲁迅《呐喊》和《彷徨》的时代意义，并对创造社作家的批评作了回答。

茅盾在文中回顾“五四”以来的新文学发展历程时说：“现在我们回过头去看，高高地堆在那里的这个伟大的‘五四’骸骨是些什么呢？几本翻译的哲学书；几卷‘新’字排行的杂志，其中并列着而且同样地热心鼓吹着各种冲突的‘新思想’；几本翻译的法国俄国文学作品。新文学的提倡差不多成为‘五四’的主要口号，然而反映这个伟大时代的文学作品并没有出来。当时最有惊人色彩的鲁迅的小说——后来收进《呐喊》里的，在攻击传统思想这一点上，不能不说是表现了‘五四’的精神，然而并没反映出‘五四’当时及以后的刻刻在转变着的人心。《呐喊》中间有封建社会崩坍的响声，有粘附着封建社会的老朽废物的迷惑失措和垂死的挣扎，也有那受不着新思潮的冲激，‘不知有汉，无论魏晋’的老中国的暗陬的乡村，以及生活在这些暗陬的老中国的儿女们，但是没有都市，没有都市中青年们的心的跳动。”至于鲁迅以外的作家，“大都用现代青年生活作为描写的主题了”。如“郁达夫的《沉沦》，许钦文的《赵先生的烦恼》，王统照的《春雨之夜》，周全平的《梦里的微笑》，张资平的《苔莉》等，都是卓越的例证。但是这些作品所反映的人生还是极狭小的，局部的；我们不能从这些作品里看出‘五四’以后的青年心灵的震幅。最近罗美给我的信中说：‘我觉得在这一时期中，彷徨的心理实是非常普遍的一种心理……’这个论断是很对的，可是我犹以为这一时期中的作品实在还未能充分表现现实生活中的青年的徬徨的心情。进一步说，这时期的作品并没表现出‘徬徨’的广阔深入背景，——比如思想界的混乱，社会基层的动摇，新旧势力之错综肉搏而无显著的进退，——而只描写了一些表面的苦闷。也就是因为了这个原因，所以此一时期的缺乏浓郁的社会性。”

可以说，茅盾在文章中所提倡的是具有广泛社会性的文学，基于此，他批评了“五四”文学中社会性的匮乏。如他批评《沉沦》等作品时说：“《沉沦》描写青年的苦闷，可谓‘惊才绝艳’的了，然而我们试分析主人公苦闷的背景，便要惊讶于所含的社会性何其太少！无怪《沉沦》的摹仿者便成为毫无可取的色情狂的恶札，连最小限度的时代的苦闷也不能表现了。”那么，“为什么伟大的‘五四’不能产生表现时代的文学作品呢？”在茅盾看来，“如果以为这是因为‘新文学’的初期尚未宜于产生成熟的作品，那就不是确论。单就作品之成熟与否而言，则上述诸作家何尝没有成熟的作品！问题不在这里。问题是在当时的文坛议论庞杂散乱了作家的注意。更切实说，实在是因为当时的文坛上发生了一派忽视文艺的时代性，反对文艺的社会化，而高唱‘为艺术而艺术’的主张，这样的入了歧途！”

在回顾了从“五四”到“五卅”的新文学变化后，茅盾进而以《倪焕之》为分析对象，指出：“‘五四’时代并没留下一些表现这时代的文学作品而过去了，现在如果来描写‘五四’对于一个人有怎样的影响，并且他又怎样经过了‘五卅’而到现在这所谓‘第四期的前夜’，粗如上文所说创造社诸君的经历，那亦未必竟是毫无意义的作品罢。我这意见，最近在叶绍钧所做的长篇小说《倪焕之》，找得了同感了。”“《倪焕之》曾以‘教育文艺’的名目在《教育杂志》上发表；就全书的故事而言，这个‘教育文艺’的称呼，却也名副其实……他（倪焕之）又把教育的力量看得很大，‘一切的希望悬于教育’。但是‘五四’来了，乡村中的倪焕之也被这怒潮冲动，思想上渐渐起了变化，同时他又感到了几重幻灭……然后，在局面陡然转变了时，他的心碎了，他幻灭，他悲哀，他愤慨……他这样说：‘三十五不到的年纪，一点事业没成功，这就可以死么？……成功，不是我们配得的奖品，将来自有与我们全然两样的人，让他们得去吧！'"

茅盾认为："在近十年中，像倪焕之那样的人，大概很不少罢。也许有人要说倪焕之这个人物不是大勇的革命者；那当然不错。只看他目击大变之后，只是借酒浇愁，痛哭流涕，便可明白。在临死的时候，他也知道自己的能力脆弱，感情浮动，完全不中用了。但是他的求善的热望，也该是值得同情的。"而更为重要的是，作为叶绍钧的第一部长篇小说，《倪焕之》"第一次描写了广阔的世间。把一篇小说的时代安放在近十年的历史过程中的不能不说这是第一部；而有意地要表示一个人——一个富有革命性的小资产阶级知识分子，怎样地受十年来时代的壮潮所激荡，怎样地从乡村到都市，从埋头教育到群众运动，从自由主义到集团主义，这《倪焕之》也不能不说是第一部。在这两点上，《倪焕之》是值得赞美的。"在茅盾看来，"'五四'以后的文坛上充满了信手拈来的'即兴小说'，许多作者视小说为天才的火花的爆发时的一闪，只可于刹那间偶然得之，而无须乎修炼——锐利的观察，冷静的分析，缜密的构思。他们只在抓掇片断的印象，只在空荡荡的脑子里搜求所谓'灵感'；很少人是有意地要表现一种时代现象，社会生活。这种风气，似乎到现在还没改变过来。所以我们更觉得像《倪焕之》那样'有意为之'的小说在今日又是很值得赞美的。"

此外，茅盾还以《倪焕之》为范本，指出了一部小说理应具有的时代性："一篇小说之有无时代性，并不能仅仅以是否描写到时代空气为满足；连时代空气都表现不出的作品，即使写得很美丽，只不过成为资产阶级文艺的玩意儿。所谓时代性，我以为，在表现了时代空气而外，还应该有两个要义：一是时代给予人们以怎样的影响，二是人们的集团的活力又怎样地将时代推进了新方向，换言之，即是怎样的催促历史进入了必然的新时代，再换一句说，即是怎样的由于人们的集团的活动而及早实现了历史的必然。在这样的意义下，方是现代的新写实派文学所要表现的时代性！"

15 日，鲁迅到北平探母，6 月 3 日离平。在北平期间，先后赴燕京大学、北京大学、第二师范学院、第一师范学院等处讲演，并会晤友人和文学社团人士。6 月 5 日回到上海。

国民党召开全国宣传会议，蒋介石亲临训话。在这次会议上，国民党人士认为过去的宣传工作存在"散漫而不统一"的严重缺陷，并做出决议：（一）"创造三民主义文学"。（二）"取缔违反三民主义之一切文艺作品。"并明确规定："三民主义文学"为"本党之文艺政策"。认为"发扬民族精神、开发民治思想、促进民生建设等文艺作品"，就是"三民主义文学"，而那些"断丧民族生命、反映封建思想、鼓吹阶级斗争等文艺作品"，则是应该取缔的"违反三民主义的文艺作品"。（参见 1929 年 6 月 6 日上海《申报》。）

10 日，梁实秋在《新月》月刊第 2 卷第 3 期上发表了《论思想统一》一文。针对国民党全国宣传会议的决议，抨击了"思想统一"的要求，同时，也极力反对所谓的"三民主义文学"。他在文中说："现在当局是要用'三民主义'来统一文艺作品。然而我就不知道'三民主义'与文艺作品有什么关系；我更不解宣传会议决议创造三民主义的文学，如何就真能产生出三民主义的文学来。"梁实秋指出："以任何文学批评

上的主义来统一文艺，都是不可能的，何况是政治上的一种主义？由统一中国统一思想界到统一文艺了，文艺这件东西恐怕不大容易统一罢？鼓吹阶级斗争的文艺，我是也不赞成的，实在讲，凡是宣传任何主义的作品，我都不以为有多少文艺价值的。文艺的价值，不在做某项的工具，文艺本身就是目的。”梁实秋最后总结道：“据我看，文学这样东西，如其真是有价值的文学，不一定是三民主义的，也不一定是反三民主义的，我看还是让它自由的发展去罢！”

《科学的艺术论丛书》开始陆续出版，包括普列汉诺夫、卢那察尔斯基等人论著，共8种，由冯雪峰、柔石等翻译。

老舍的小说《二马》连载于《小说月报》第20卷第5号至12号。1931年4月由商务印书馆出版单行本。

绿漪女士（苏雪林）的长篇小说《棘心》由上海北新书局出版。

欧阳予倩的独幕喜剧《屏风后》发表于《戏剧》第1卷第1期。

周作人散文集《永日集》由北新书局出版。收散文24篇，另有《序》、《代跋》各1篇。

田汉的三幕剧《名优之死》发表于《南国月刊》第1期。

苏雪林在谈到《名优之死》时说，该剧“据田汉自述系受法国颓废诗人波特莱尔散文诗中所写某名优故事的启示，同时纪念中国名须生刘鸿声而产生的。因为这个晚清一代名伶悲壮的死，在他那艺术至上的脑里是引起了莫大的同情。”苏雪林赞扬该剧“以京剧名角扮戏之特别戏房为背景，剧中人物均扮作京剧演唱，可谓戏中有戏。其形式之新奇，色彩之绚烂，情调之沉郁磊落，在新式话剧中，实别开生面。”（苏雪林：《田汉的剧作》，《中国二三十年代作家》，转引自《苏雪林文集》第3卷第367～368页，安徽文艺出版社1996年版）

六月

10日，茅盾在日本创作的长篇小说《虹》开始在《小说月报》连载（第20卷第6～7号）。1930年3月由开明书店出单行本。

15日，鲁迅译《艺术论》（苏·卢那察尔斯基著）由上海大江书铺出版。

胡也频长篇小说《到莫斯科去》由上海光华书局出版。

赵苕狂的小说《弄堂博士》由世界书局出版。

姚民哀的小说《江湖豪侠传》由世界书局出版。

平江不肖生的小说《近代侠义英雄传》由世界书局出版1～12册，1933年出齐。

七月

10日，梁实秋在《新月》第2卷第5号上发表了《论批评的态度》一文。该文指责当时批评界有一种“不严正”的态度，“以专说俏皮话为能事”，爱写“幽默而讽刺的文章”，以致“无数的粗糙叫嚣的文字出现”，使“一般青年对于现状不满”，等等。该文实际上针对的是鲁迅等革命家的批评文字。

同年10月10日，梁实秋又在《新月》第2卷第8号上发表了《“不满现状”，便怎样呢?》一文，继续批评鲁迅。梁实秋在文中说：鲁迅光是“冷嘲热讽地发表一点‘不满现状’的杂感”是不行的，“应该进一步的诚诚恳恳地求一个积极的医治‘现状’的药方……三民主义是一副药，好政府主义也是一副药……你不满别人的主张，你自己的主张呢?”

针对梁实秋的非难，鲁迅于1930年1月1日，在《萌芽》月刊第1卷第1期上，发表了一篇《新月社批评家的任务》予以还击。鲁迅指出，梁实秋“只嘲骂一种人，是做嘲骂文章者”，“是不满于一种现状，是现在竟有不满于现状者”，而这是“挥泪以维持治安的意思”。鲁迅嘲笑了“新月社”批评家这群“刽子手和皂隶”，“挥泪以维持治安”的拙劣表演：“譬如，杀人，是不行的。但杀掉‘杀人犯’的人，虽然同是杀人，又谁能说他错？打人，也不行的。但大老爷要打斗殴犯人的屁股时，皂隶来一五一十的打，难道也算犯罪么？新月社批评家虽然也有嘲骂，也有不满，而独能超然于嘲骂和不满的罪恶之外者，我以为就是这个道理。”鲁迅指出，梁实秋他们“尽力地维持了治安，所要的却不过是‘思想自由’，想想而已，决不实现的思想。而不料遇到了别一种维持治安法，竟连想也不准想了。从此以后，恐怕要不满于两种现状了罢。”

而对于梁实秋的后文，鲁迅也写了《“好政府主义”》一文予以回答。他说：“指摘一种主义的理由的缺点，或因此而生的弊病，虽是并非某一主义者，原也无所不可的。有如被压榨得痛了，就要叫喊，原不必在想出更好的主义之前，就定要咬住牙关了。”此外，鲁迅还指出，梁实秋提到的“好政府主义”，是他心目中“医治现状”的“好药料”。即是说，梁实秋跟随胡适、罗隆基等人拥护“好政府主义”，实际上仍是维护国民党政府的统治。(鲁迅：《“好政府主义”》，《萌芽》月刊第1卷第5期，1930年5月。)

《小说月报》第20卷第7号出《现代世界文学专号》(上)，8月10日又在第8号出此专号的下半部分，比较系统地介绍了欧洲各国及日本、美国等近20年来的文学创作和文艺运动情况。

茅盾小说集《野蔷薇》由上海大江书铺出版。

沈从文的中篇小说《神巫之爱》由光华书局出版。

八月

《南国周刊》创刊，1930年6月终刊。共出16期。左明、赵铭彝主编。上海现代书局发行。该刊系南国社刊物，以戏剧为主，登载戏剧论文、剧本、小说等，还辟有社员近讯、社务近况等专栏，保存了许多南国社的史料。撰稿人除编者外，有田汉、陈子展、陈涛等。其中田汉的作品尤多，如《序南国周刊》、《南国与官府》、《垃圾桶》(剧本)、《日本新剧运动的径路》(译文)等。

艺术剧社在上海成立。该社是由中国共产党领导的戏剧团体。郑伯奇任社长，成员有夏衍、冯乃超、陶晶孙、钱杏邨、孟超、杨邨人等。该社首次提出“无产阶级戏剧”的口号。曾举办戏剧训练班，培养革命戏剧人才。1930年1月和3月，举行过两

次公演，演出冯乃超的剧本《阿珍》和翻译剧本《炭坑夫》、《梁上君子》、《爱与死的角逐》及《西线无战事》。还同其他剧团组织移动剧团，到工厂、学校演出，曾出版《艺术》、《沙仑》等期刊和《戏剧论文集》。该社的活动，影响和推动了南国、摩登、复旦、辛酉等剧社转向无产阶级戏剧运动，为中国左翼剧团联盟的成立准备了条件。1930年4月28日，该社被上海市公安局查封，社员数人被逮捕。为此，中国左翼剧团联盟曾发表宣言，该社发表《告上海民众书》，抗议国民党当局的迫害，随即停止活动。

冯至诗集《北游及其他》由北平沉钟社出版，列为“沉钟丛刊”之六。诗集分为三辑。第一辑《无花果》，收录1926年秋至1927年夏创作的新诗16首；第二辑《北游》，收录1927年冬创作的新诗12首；第三辑《暮春的花园》收录1928年秋至1929年夏创作、翻译的诗歌17首。这个时期的诗歌，仍以抒写个人情感为主，在描写爱情的感受方面，依然有挥之不去的孤寂。

施蛰存的短篇小说集《上元灯》由上海水沫书店出版。列为“水沫丛书”之一。卷前有《自序》。收《扇》、《上元灯》、《周夫人》、《弘智法师的出家》、《渔人何长庆》、《牧歌》、《妻之生辰》、《栗、芋》、《闵行秋日纪事》和《梅雨之夕》。

叶绍钧（圣陶）的长篇小说《倪焕之》由上海开明书店出版。

九月

10日，梁实秋在《新月》第2卷第6、7号合刊上，发表《文学是有阶级性的吗?》、《论鲁迅先生的“硬译”》两文，批评鲁迅认为文学是有阶级性的观点。

梁实秋在文中说：“无产者本来并没有阶级的自觉。是几个过于富同情心而又态度偏激的领袖把这个阶级观念传授给了他们。阶级的观念是要促进无产者的联合，是要激发无产者的争斗的欲念。一个无产者假若他是有出息的，只消辛辛苦苦诚诚实实的工作一生，多少必定可以得到相当的资产。这才是正当的生活争斗的手段。但是无产者联合起来之后，他们是一个阶级了，他们要有组织了，他们是一个集团了，于是他们便不循常轨的一跃而夺取政权财权，一跃而为统治阶级。他们是要报复！他们唯一的报复的工具就是靠了人多势众！‘多数’群众‘集团’这就是无产阶级的暴动的武器。”同时，梁实秋为了更有效地攻击这种把无产者联合起来的阶级意识，特别讽刺了鲁迅翻译的《文艺与批评》（苏联文艺批评家卢那察尔斯基的论文集）是个“硬译”和“死译”出来的东西：“其文法之艰涩，句法之繁复，简直读起来比读天书还难。宣传无产文学理论的书而竟这样的令人难懂，恐怕连宣传品的资格都还欠缺。”

15日，《新文艺》月刊在上海创刊，1930年4月出至2卷2期停刊。1940年复刊，卷期另起。出第3期后于同年12月停刊。共出11期。上海水沫书店发行。该刊内容包括小说、诗歌、戏剧、随笔、书札、日记、记行文、评论等。著译兼收。撰稿人有施蛰存、叶圣陶、徐霞村、戴望舒、沈端先、李金发、穆时英等。1940年出版的复刊第一期辟有“鲁迅逝世纪念专辑”，史沫特莱、周木斋写了悼念文章；第二期为托尔斯泰逝世30周年纪念特辑；第三期为小说特辑。

25日，国民政府饬令教育部“警告胡适”。胡适从1929年5月开始，陆续写了一系列批评国民党的文章，包括《人权与约法》、《知难，行亦不易》、《我们什么时候才可有宪法?》、《新文化运动与国民党》等。这几篇文章引起了国民党的强烈反响，许多省市的党部都向中央上呈文，要求严惩“反革命的”胡适，以致国民政府终于饬令教育部“警告胡适”。许多国民党领袖也出面指责胡适，包括和他私交甚笃的吴稚晖和胡汉民。甚至迟至1931年3月17日，蒋介石还面告清华大学学生代表，“胡适系反党，不能派（当校长）”。对此，胡适的反应只有一句话：“今天报载蒋介石给了我一个头衔”。（参见余英时：《重寻胡适历程》第20~21页，广西师范大学出版社2004年版）

施蛰存的短篇小说《鸠摩罗什》发表在《新文艺》月刊的创刊号上。

苏雪林在评论这部作品时说：“施蛰存写鸠摩罗什天人交战之苦，都从正面落笔，细腻曲折，刻划入微。用了十二分魄力，十二分功夫，一步逼入一步，一层透进一层，把这个极不易写的题目写得鞭辟入里，毫发无遗憾而后止。记得我从前读佛朗士的《黛丝》，心灵感受重大的压迫，读了《鸠摩罗什》，我的心也觉得重沉沉的不舒服几天。作者在描写的技巧上虽受了佛朗士《黛丝》一类书的影响，但他对于佛教经典曾下过一番研究苦心，引用了不少佛教的戒律术语，布置了不少佛教的气氛，所以自然成为中国人写的佛教徒灵肉冲突的记录，与《黛丝》之基督教徒灵肉冲突有别。虽然对话过于欧化有点不自然，但全文既以异域高僧为题材，这一点也就不必苛求了。更可赞美的是以这个恋爱故事为经，将鸠摩罗什一生行迹都编织进去，即小小的穿插，和琐碎的情节，也取之史册，不假捏造，而全幅故事浑如无缝天衣，不露针线痕迹。不但在心理小说中获得很高的地位，故事小说能写得这样的也不可多得。”（苏雪林：《心理小说家施蛰存》，《中国二三十年代作家》，转引自《苏雪林文集》第3卷第343~344页，安徽文艺出版社1996年版）

十月

鲁迅译卢那察尔斯基论文集《文艺与批评》由上海水沫书店出版。鲁迅在篇末的《译者附记》中说：“本书于1928年8月16日完成，而六篇中，有两篇半曾在期刊上发表，其余都是新译。”

夏衍译高尔基长篇小说《母亲》（上卷）由上海大江书铺出版。下卷于1933年8月出版。

李何林编的文艺理论集《中国文艺论战》由东亚书局出版。除编者《序言》外，收有关革命文学论争的文章48篇。画室（冯雪峰）的《革命与知识阶级》作为这个论战的导言或绪论，置于最前面，此外，还有《语丝派及其他》13篇，《小说月报及其他》3篇，《新月》2篇，《现代文化及其他》5篇。选自《语丝》、《北新》、《小说月报》、《新月》、《创造月刊》、《文化批判》、《太阳月刊》、《流沙》、《无轨列车》、《现代文化》、《民间文化》等刊物。内容均系关于“革命文学”口号的论争，大多是以鲁迅为代表的“语丝派”和创造社诸作家的论辩文章。

柔石长篇小说《旧时代之死》由上海北新书局出版。该作初稿写于1926年6月，

1928年8月完成。柔石在《自序》中谈到创作宗旨时说："这部小说我是有意识地野心地掇拾青年的苦闷与呼号，凑合青年的贫穷与忿恨，我想表现着'时代病'的传染与紧张。"小说分上下两册，上册名为《未成功的破坏》，下册为《冰冷冷的接吻》。

王独清的六幕历史剧《貂禅》由上海江南书店出版。

十一月

15日，原创造社有关成员及其他有关文化人士创办的综合性理论刊物《新思潮》在上海创刊。该刊以介绍马克思主义理论为主，曾开展关于中国社会性质问题的论战，发表潘东周、吴黎平、谷荫（朱镜我）、彭康、王学文、李一邙等的文章，论述中国社会的半封建半殖民地性质，批驳托派的关于中国已是资本主义社会的谬说。

柔石的中篇小说《二月》由上海春潮书店出版。鲁迅为之作《小引》。

在《小引》中，鲁迅说："冲锋的战士，天真的孤儿，年青的寡妇，热情的女人，各有主义的新式公子们，死气沉沉而交头接耳的旧社会，倒也并非如蜘蛛张网，专一在待飞翔的游人，但在寻求安静的青年的眼中，却化为不安的大苦痛。这大苦痛，便是社会的可怜的椒盐，和战士孤儿等辈一同，给无聊的社会一些味道，使他们无聊地持续下去。浊浪在拍岸，站在山冈上者和飞沫不相干，弄潮儿则于涛头且不在意，惟有衣履尚整，徘徊海滨的人，一溅水花，便觉得有所沾湿，狼狈起来。这从上述的两类人们看来，是都觉得诧异的。"在鲁迅看来，"书中的青年萧君，便正落在这境遇里。他极想有为，怀着热爱，而有所顾惜，过于矜持，终于连安住几年之处，也不可得。他其实并不能成为一小齿轮，跟着大齿轮转动，他仅是外来的一粒石子，所以轧了几下，发几声响，便被挤到女佛山——上海去了。他幸而还坚硬，没有变成润泽齿轮的油。但是，瞿昙（释迦牟尼）从夜半醒来，目睹宫女们睡态之丑，于是慨然出家，而霍善斯坦因以为是醉饱后的呕吐。那么，萧君的决心遁走，恐怕是胃弱而禁食的了"。鲁迅进而指出："虽然我还无从明白其前因，是由于气质的本然，还是战后的暂时的劳顿。我从作者用了工妙的技术所写成的草稿上，看见了近代青年中这样的一种典型，周遭的人物，也都生动，便写下一些印象，算是序文。大概明敏的读者，所得必当更多于我，而且由读时所生的诧异或同感，照见自己的姿态的罢？那实在是很有意义的。"（鲁迅：《柔石作〈二月〉小引》，上海《朝花旬刊》第1卷第10期，1929年9月1日。）

周作人诗集《过去的生命》由北新书局出版。收有《小河》等诗作32首，另有散文诗2首和小品文2篇。在《序》中，周作人说："这里所收集的三十多篇东西，是我所写的诗的一切。"

十二月

27日，美国女作家史沫特莱到鲁迅寓所与鲁迅第一次相见。她是以德国《佛兰克福日报》特派记者的身份来到中国的。

中国共产党红军第四军第九次代表大会在福建上杭县古田村召开，通过毛泽东起草的决议案。决议第四部分对宣传工作作了全面系统的规定和论述，成为苏区文艺运动的指导方针。

刘大白诗集《卖布谣》由开明书店出版。

胡也频剧本集《别人的幸福》由上海华通书局出版。除作者《序》外，收入《别人的幸福》、《促狭鬼》、《幽灵》、《资本家》、《绅士的请客》五部剧本。

1930 年

一月

1 日，鲁迅与冯雪峰等人合编的《萌芽》月刊在上海创刊。刊物封面由鲁迅绘制，光华书局发行。自第 1 卷第 3 期起，《萌芽》月刊成为中国左翼作家联盟的机关刊物之一，刊载了“扩充篇幅及确定今后内容的启事”，标明是“文艺、文化、社会”的综合性刊物。第 3 期为“三月纪念号”，纪念马克思、恩格斯和巴黎公社。

在创刊号的《编者附记》中，编者声明该刊第 1 卷主要登载“翻译和绍介，创作，评论”等方面的文章。在翻译方面，“就是想将新俄的几个优秀的作家，给以绍介。但同时，西欧诸国及小国度的作品，也想择其倾向比较正确的，绍介一些。”而在论文方面，“专限于关于‘科学的’艺术论的论著，和论述各国新兴文艺的文章，及社会的文艺批评等。”至于创作方面，要求的标准则“是比较宽大的”，“在形式方面，我们不嫌平常和幼稚，在思想——即作品的内容方面，我们容许作者底世界观或人生观及意识底比较的不正确或比较的不纯粹。”评论方面，编者说：“我们除出文坛现象有时要加以批评以外，对于一般的社会现象，也要加以批评。但在这里的限制，是更大的。此外，我们要登载杂文，杂记等。”

1 日，《萌芽月刊》的创刊号发表了鲁迅的《新月社批评家的任务》一文。在该文中，鲁迅认为“新月派”的任务即是为统治者“维持治安”。此外，由鲁迅翻译的法捷耶夫的长篇小说《毁灭》第 1、2 部也开始在该刊连载。鲁迅后来在《〈二心集〉序言》中说：“当三零年的时候，期刊已渐渐的少见，有些是不能按期出版了，大约是受了逐月加紧的压迫，《语丝》和《奔流》则常遭邮局的扣留、地方的禁止，到底还是敷延不下去。那时我能投稿的，就只剩下了《萌芽》。”（鲁迅：《〈二心集〉序言》，《鲁迅全集》第 4 卷第 189 页，人民文学出版社 1981 年版）

10 日，太阳社刊物《拓荒者》在上海创刊，蒋光慈主编。以《新流月报》第 5 期作为该刊第 1 期。共出 5 期 4 册。上海现代书局出版。第 4、5 期合刊，于 1930 年 5 月出版，有两种不同的封面，一种为《拓荒者》合刊，一种改名为《海燕》，未注明期数，内容相同，书脊上印“拓荒者月刊社印行”。自第 3 期起，该刊成为“左联”的机关刊物。

10 日，钱杏邨在《拓荒者》第 1 卷第 1 期上发表了《中国新兴文学中的几个具体的问题》，就茅盾《从牯岭到东京》和《读〈倪焕之〉》中对革命文学的批评意见进行反批评。

钱文共分三个部分：一、主要对于茅盾在《从牯岭到东京》中指出的新作品“不能摆脱标语口号文学的拘囿”的问题给予“答覆”。钱杏邨指出：“对于一九二八年中国普罗列搭利亚文学运动开始期的创作的幼稚，是并不否认的……因为，无论那一个阶级的文学的成长，没有不经过幼稚的一阶段的。”文章引用了青野季吉的《论日本普罗列搭利亚文学理论的展开》一文，试图证明“普罗列搭利亚文学初期的幼稚是历史的必然；普罗列搭利亚文学在普罗列搭利亚未获得政权之前不能充分的成长起来，也是必然的事实；但这种种事实丝毫也不妨碍它的存在与生长，它是必然的会在幼稚与不充实之中，慢慢的发展到完成的地步的。”茅盾的批判，“不但是离开了辩证法的发展的依据，抑且是证明了他对于各个阶级文学发展的史实，也是不曾加以精密的考察的。”在钱杏邨看来，普罗列搭利亚文学由于作家“技术修养的缺乏，只把核心的意义很笼统的写了出来，多少免不了带着浓重的口号标语的色彩的技术幼稚的作品，布尔乔亚文坛便目之为标语口号文学了”，但“这种文学，虽然在各方面都很幼稚，但有时它是足以鼓动大众的”，“在幼稚之中，它是毫无疑问的在宣传上完成了它的任务，植立了前途发展的础石”。针对茅盾所说的普罗列搭利亚文学“取材的狭隘与单调”，钱杏邨则指出：“普罗列搭利亚的作家，是相信着内容决定了形式，形式和内容不能分开去理解的”，1928 年初期的创作，“差不多全是些革命的罗曼谛克的制作，显然的是在普罗列搭利亚的阶级意识上有了缺陷。可是，在苏联，不也是经过了‘革命的罗曼谛克’一时代么？在日本不也是经过了‘意识模糊’的一期，而在和布尔乔亚文学实行斗争的进程上，渐次的展开了本身的成就么？中国普罗列搭利亚文坛所遇到的事件，正足以证明‘历史的必然。’”

二、反驳茅盾的“现实”观。钱杏邨指出，茅盾所认为的“现实”有两个方面，“一种是‘大勇者，真正的革命者’，一种是‘幻灭动摇的没落人物’”，“不过因为‘幻灭动摇的没落人物’是‘更多’，所以他承认这是主要的‘现实’，真正能代表这个时代的作家应该抓住这种现实”，而普罗列搭利亚作家所要描写的现实，是“‘握着在进行中的这社会，把它必然的向普罗列搭利亚脱的胜利方向前进的这事，用艺术的，就是形象的话描写出来。’决不是像那旧的写实主义，仅止是‘描写’现实，‘曝露’黑暗与丑恶；而是要把‘现实’扬弃一下，把那动的，力学的，向前的‘现实’提取出来，作为描写的题材。这样的作品，才真是代表着向上的，前进的社会的生命的普罗列搭利亚写实主义的作品，这样的被茅盾所‘否定’了的‘现实’才是普罗列搭利亚作家应该把握的‘现实。’”这种现实并不是茅盾所说的“空想的乐观描写”。茅盾所说的现实，“确实也是一种‘现实’”，“他所以否定普罗列搭利亚作家所描写的‘现实’，是因为他只把握得‘幻灭下沉’的这个世界，他不曾想到在事实上还有一个生长着的世界，在那世界上有着他所梦想不到的‘乐观的现实。’”当然，钱杏邨也认为，普罗列搭利亚作家所描写的“现实”也有缺陷，那就是“马查所谓‘前代剩下来的要素’，‘伤感的和浪漫的心情’，‘伤感主义与革命浪漫主义’等等的不健全的心理与情绪的描写。”但是，要想“完成普罗列搭利亚写实主义的任务”，要想“把握得普罗列搭利亚写实主义的新的题材”，就“必然的要用普罗列搭利亚的眼光去看世界，去感世界；同时，要用全体的并客观的方法，把这个世界描写出来。”要达到这种创作目标，就必须“要学习这两件事”：“第一，应从社会科学——那种指导着现代俄国社会的各方面的社会科学——的思想学起……第二，我们就应该从许多普罗列搭利亚写实主义已有的著作中，尤其是苏联的出品，去看他们‘怎样的把社会的问题具象化起来，应该怎样用艺术的方法去解决个人的和社会的问题，应该如何描写集团，应该如何解剖那些可以被大众读懂的作品。’”

三、从引用藏原惟人和青野季吉关于普罗列搭利亚艺术的内容与形式的理论出发，指出普罗列搭利亚文学“形式与内容的意义，以及它们产生的背景，以及内容与形式的相互关联和发展”，指出茅盾在内容与形式问题上认识的错误。接着，钱杏邨还详细阐明了解决普罗列搭利亚文学内容与形式问题的方法，即：“普罗列搭利亚作家，在目前，一面虽然在努力的求着新的形式的获得，但在另一面，为着斗争的原故，它不能不于现代的物质的生活所给予的可能的范围内尽可能的利用着一切伟大的旧的形式。社会是不断的变革着，普罗列搭利亚作家的内容与形式也逐渐的健全与生长起来；至于双方的完成，那是必然的要等到社会完全的变革了以后。”但即使是完全的变革了以后，普罗列搭利亚也“决不拒绝过去的文化的遗产”，“于艺术上，它接受那一切形式的成绩”，“普罗列搭利亚的作家，是批判的学取过去的一切伟大的艺术的形式，在这些技术的础石上面，植立着普罗列搭利亚艺术的根柢。”

蒋光慈长篇小说《冲出云围的月亮》由北新书局出版。

二月

10 日，成文英（冯雪峰）译《论新兴文学》（即列宁《党的组织和党的出版物》）发表于《拓荒者》第 1 卷第 2 期。译文包含列宁这篇文章的主要部分，但原文关于革命形势分析的四段文字未译，后改题为《伊里基论新兴文学》，收入年底九江书铺出版的《苏俄文艺理论》（陈雪帆编）。《拓荒者》同期还刊登了沈端先（夏衍）的译文《伊里基的艺术观》。

15 日，由鲁迅主编的《文艺研究》季刊在上海创刊。该刊旨在专门介绍马克思主义文艺理论，但只出了一期。由鲁迅翻译的苏联普列汉诺夫的《车尔尼雪夫斯基的文学观》，发表在第 1 卷 1 期上。

16 日，沈端先（夏衍）、鲁迅、柔石、华汉（阳翰笙）、画室（冯雪峰）等 12 人在上海北四川路一家咖啡馆举行新文学运动讨论会。这次会议是根据中共中央决定停止文艺论战，进一步团结左翼进步文化人士的意见而召开的，但实际上是为成立中国左翼作家联盟而秘密举行的筹备会议。3 月 1 日，《萌芽月刊》第 1 卷第 3 期“国内外文坛消息栏”以《上海新文学运动者底讨论会》为题报道了该会内容，称这次会议“以‘清算过去’和‘确定目前文学界运动的新任务’为讨论题目”，会议认为“对于过去的运动，有重要的四点应当指摘：（一）小团体主义乃至个人主义，（二）批判不正确，即未能应用科学的文艺批评的方法及态度，（三）过于不注意真正的敌人，即反动的思想集团以及普遍全国的遗老遗少，（四）独将文学提高，而忘却文学底助进政治运动的任务，成为为文学的文学运动。其次，对于目前文学运动的任务，认为最重要者有三点：（一）旧社会及其一切思想的表现底严厉的破坏，（二）新社会底理想底宣传及促进新社会底产生，（三）新文艺理论底建立。”有鉴于此，与会者一致认识到“有将国内左翼作家团结起来，共同运动的必要”。

22日，上海大光明电影院上映侮辱华人的美国影片《不怕死》（一名《上海快车》）。洪深当场上台演讲表示抗议，竟被租界捕房拘押。洪深的爱国行动轰动上海，各界纷纷声援。3月9日，邹韬奋在《生活》周刊发表《大光明不光明》，抨击大光明影院及租界当局。3月13日，洪深在法院痛斥美帝文化侵略。中国人民的抗议最后迫使美国派拉蒙影片公司收回该片拷贝。

老舍从国外归来抵达上海，不久回北平。

张恂子的小说《红羊豪侠传》由民强出版社出版。

三月

1日，鲁迅在《萌芽月刊》第1卷第3期发表《“硬译”与“文学的阶级性”》，批驳梁实秋发表在《新月》上的《论鲁迅先生的“硬译”》和《文学是有阶级性的吗?》两文中的资产阶级人性论，阐述了文学的阶级性及文艺与政治等一系列重大原则问题。同期还刊发了鲁迅的《非革命的急进革命论者》一文，批评革命文艺运动中“左”的错误倾向。鲁迅指出：“倘说，凡大队的革命军，必须一切战士的意识，都十分正确，分明，这才是真的革命军，否则不值一哂。这言论，初看固然是很正当，彻底似的，然而这是不可能的难题，是空洞的高谈，是毒害革命的甜药。”鲁迅进而又说：“倘若要现在的战士都是意识正确，而且坚于钢铁之战士，不但是乌托邦的空想，也是出于情理之外的苛求”，“貌似彻底的革命者，而其实是极不革命或有害革命的个人主义的论客”。

1日，《大众文艺》第2卷第3期《新兴文学专号》（上）辟“文艺大众化诸问题”专栏，讨论文艺大众化问题，并发表了冯乃超《大众化的问题》、郭沫若《新兴大众文艺的认识》、郑伯奇《关于文学大众化的问题》、鲁迅《文艺的大众化》、钱杏邨《中国革命文学批判》等文和编辑部召开“文艺大众化座谈会”的记录。这次讨论以列宁对蔡特金谈话中关于文艺必须为大众的观点为指导思想，集中探讨了如何使文艺通俗化并为大众所接受的问题。如冯乃超认为：“文学的大众化问题首先要有能够使大众理解——看得懂……的作品”。郭沫若提请大家“要认清楚你的大众是无产大众，是全中国的工农大众，是全世界的工农大众!”鲁迅则首先批驳了梁实秋的谬论，他说：“文艺本应该并非只有少数的优秀者才能够鉴赏”，“倘若说，作品越高，知音愈少，那么推论起来，谁也不懂的东西，就是世界上的绝作了。”他进而认为，革命文艺工作者的当务之急是“应该多有为大众设想的作家，竭力来做浅显易解的作品，使大家能懂爱看，以挤掉一些陈腐的劳什子”。鲁迅还指出，要彻底实现大众化，“必须政治之力的帮助，一条腿走路是走不成路的”。郑伯奇则从“问题的核心”、“样式技巧的问题”、“作者的问题”、“中国大众化问题的现阶段”四个方面对大众文学进行较详细的论述。此后，《大众文艺》第4期又发表了郁达夫、柔石、冯乃超等26人的意见。这是革命作家在“左联”成立前的理论准备之一。

1 日，柔石的短篇小说《为奴隶的母亲》在《萌芽月刊》第 1 卷第 3 期发表。《编辑后记》称该作“作为农村社会研究资料，有着大的社会意义”。这篇作品问世后不久，即被蒋光慈编入《现代作家选集》（上海文学社 1953 年 2 月初版），而伊罗生编辑的中英文刊物《中国论坛》也予以译载。其后，埃德加·斯诺又把该作编入《活的中国——现代中国短篇小说选》一书中。据萧三回忆，法国文豪罗曼·罗兰从《国际文学》法文版读到这篇小说后，曾致信编辑部，说“这篇故事使我深深地感动”。（萧三：《哀悼罗曼·罗兰》，参见陈冰夷、王政明编辑整理：《萧三文集·二·散文编》第 301 页，北京图书馆出版社 1996 年版）

2 日，中国左翼作家联盟召开成立大会。鲁迅、冯雪锋、柔石等 40 余人出席，大会于下午 2 时在上海窦乐安路中华艺术大学的教室里举行。左联成员大多来自原创造社、太阳社、我们社、引擎社和艺术剧社、时代美术社等文艺团体。郭沫若、茅盾、郁达夫等都加入了左联。大会推举鲁迅、沈端先、钱杏邨三人组成主席团，通过了左联的理论纲领，宣告以“站在无产阶级的解放斗争的战线上”，“援助而且从事无产阶级艺术的产生”作为左联的奋斗目标，并决定：与各革命团体和国际革命文艺组织发生关系，组织马克思主义文艺理论研究会和文艺大众化研究会等，创办左联文艺杂志，参加工农革命实际活动。在成立大会上，鲁迅作了《对左翼作家联盟的意见》的重要讲话，对无产阶级文学运动倡导时期的经验教训作了科学总结。该讲话刊登于同年 4 月出版的《萌芽》月刊第 1 卷第 4 期，后收入《二心集》。鲁迅根据中国无产阶级文学运动“首先经过革命的小资产阶级作家的转变而开始形成起来”的历史特点，尖锐提出作家队伍的改造问题，强调“‘左翼’作家是很容易变成‘右翼’作家”的危险性。鲁迅在讲话中还针对中国无产阶级文学运动一开始就暴露出来的宗派主义、小团体主义的先天性弱点，号召左联“都在工农大众”的共同目标下扩大联合战线，“造出大群的新战士”。

10 日，蒋光慈描写湖南农民运动的长篇小说《咆哮了的土地》在《拓荒者》第 1 卷第 3 期和第 4、5 期合刊连载，但只刊出 13 节，未及全书的 1/3。该书单行本于 1932 年 4 月由湖风书局出版，改名《田野的风》。

15 日，夏衍主编的《艺术月刊》在上海创刊。出 1 期后改为《沙仑》。《沙仑》于本年 6 月 16 日创刊，仍由夏衍主编，沙仑出版社出版，上海北新书局经售，为综合性艺术刊物，仅出 1 期即遭查禁。沙仑是 siren 的音译，意为汽笛。撰稿人除编者外主要有叶沈、冯乃超、钱杏邨、祝秀侠、陶晶孙、沈超予、王莹、杨邨人等。内容以戏剧、电影为主，曾发表《戏剧运动的目前误谬及今后的进路》等论文 4 篇，《夜色颤动》等剧本 3 篇。

19 日，上海戏剧运动联合会成立，选出艺术剧社、摩登社、剧艺社、南国社、辛酉社为执行委员。同年 8 月 1 日改名为中国左翼剧团联盟。在北平、广州、南京、武汉、成都、太原、青岛、天津等地建立了分盟或小组。1931 年 1 月，左翼剧团联盟又改为中国左翼戏剧家联盟（简称“剧联”），为左翼戏剧运动的发展起到了重要作用。剧联出版过《戏剧新闻》、《艺术信号》等刊物。

19 日，国民党浙江省党部以鲁迅参加中国自由大同盟为由，呈请国民党中央对其进行通缉。鲁迅得知后，于本日离开寓所到内山书店暂避。

李何林编《鲁迅论》由上海北新书局出版。选收1923年至1929年间，茅盾、冯雪峰、成仿吾、冯文炳、钱杏邨、林语堂、陈源等二十余人，关于鲁迅及其作品的评论文章23篇。

梁遇春散文集《春醪集》由上海北新书局出版。除《序》外，收入作者1926年至1929年间所写散文13篇。

钟敬文散文集《湖上散记》由上海明日书店出版，收散文15篇。

四月

5日，茅盾从日本回国，抵达上海。

10日，冯乃超主编的《文艺讲座》由神州国光社出版，计划出6册，被禁时仅出1册。

11日，由鲁迅主编的“左联”机关刊物《巴尔底山》旬刊，在上海创刊。该刊从第4期起改由朱镜我、李一邙等五人编辑，同年5月21日被迫停刊。

18日，国民党政府外交部长王正廷与英使蓝浦生在南京签订《收回威海卫专约》及《英国暂租刘公岛协定》。

24日，英使兰浦生与王正廷议定英国退还庚款新协定。英庚款共5460余万两，此次退还2000余万两。

29日，“左联”召开盟员大会，分析形势，回顾成立以来的工作，通过“参加苏维埃代表大会”、“反取消派理论的斗争”、“组织参加五一活动并发动群众”等10项决议。

29日，艺术剧社被国民党当局查封，社员多人被捕。“左联”、艺术剧社、“上海剧联”分别发表“告民众书”或抗议宣言。

普罗诗社在上海成立。社员大多是工人、学生。成立宣言提出要建立“普罗列搭利亚”队伍，要把“实际的斗争和我们的阶级意识反映到艺术上去，摧毁资产阶级的艺术。”

刘呐鸥的短篇小说集《都市风景线》由上海水沫书店出版。收《游戏》、《风景》、《残留》、《方程式》、《流》、《热情之骨》、《两个时间的不感症者》、《礼仪和卫生》等8部短篇小说。作品出版后曾有人这样评价他：“呐鸥先生是一位敏感的都市人，操着他的特殊的手腕，他把这飞机、电影、JAZZ、摩天楼、色情（狂）、长型汽车的高速度大量生产的现代生活，下着锐利的解剖刀。在他的作品中，我们显然地看出了这不健全的、糜烂的、罪恶的资产阶级生活的剪影和那即刻抬起头来的新力量的暗示。”（编者按：这是《新文艺》刊物编者的评语，见《文坛消息》，《新文艺》第2卷第1号，1930年3月。）壮一也说：“意识地描写都市现代性的作家，在中国最初似乎是《都市风景线》的作者刘呐鸥。”（壮一：《红绿灯——一九三二年的作家》，《文艺新闻》第43号。）

徐志摩短篇小说集《轮盘》由上海中华书局出版。收作品11篇，列入“新文化丛书”。

五月

1 日，《萌芽月刊》第 1 卷第 5 期为“五月各节纪念号”，纪念“五一”和“五卅”。鲁迅在该刊发表《“好政府主义”》、《“丧家的”“资本家的乏走狗”》等文，批判“新月派”的梁实秋。《“好政府主义”》写于 4 月 17 日，是鲁迅针对梁实秋在《新月》上发表的《“不满于现状”，便怎样呢?》等文章所作出的回应。文章指出，梁实秋对杂感的责难，是凭空捏造罪状，抹煞了政治思想文化战线上阶级斗争的实质和是非界限，并揭露新月派所鼓吹的“好政府主义”只是一张空洞无物却又专横地不准别人批评的药方，是维护反动统治的骗术。《“丧家的”“资本家的乏走狗”》写于 4 月 19 日，是继冯乃超之后对梁实秋《文学是有阶级性的吗》一文的批判，指出梁“遇见所有富人都驯良，遇见所有穷人都狂吠”的“走狗”特性，并且描述了梁实秋等人所处的“丧家狗”的窘境。文章还指出，这些人为了取悦新军阀，对左翼文艺家使用“下贱”的诬陷和告密等手段，“以济其‘文艺批评’之穷”，所以“还得在‘走狗’之上，加上一个形容字‘乏’。”《萌芽月刊》出至第 5 期被国民党政府当局所禁。

6 日，《中日关税协定》在南京签订。其主要内容是：日本承认中国关税自主，但日本取得某些商务保障，日本仍享有最惠国待遇，中国承认以往历届中国政府对日借款等。

7 日，李立三在上海爵禄饭店秘密会见鲁迅，要求鲁迅发表文章拥护其“左”倾政治路线，被鲁迅拒绝。在场的还有冯雪峰、潘汉年等人。

10 日，郭沫若在《拓荒者》第 1 卷第 4、5 期合刊发表《“眼中钉”》一文，回顾创造社与鲁迅之间发生争论的经过，强调对鲁迅并无成见，并进而认为“我们现在都同达到了一个阶级，同立在了一个立场”。

12 日，周作人、俞平伯等主持的文学周刊《骆驼草》创刊。该刊出现于语丝社残部向“京派”过渡之时，由冯至、废名主编，标榜“不谈国事”，“笑骂由你笑骂，好文章我自为之”的文艺态度。在这种氛围中，周作人开始醉心于民俗研究，在《骆驼草》第 1 期上发表了《水里的东西》，介绍俗称“河水鬼”的水中动物，希望“使河水鬼来做个先锋”，引起大家对于“社会人类学与民俗学”的“调查与研究之兴趣”。从周作人对人类学、民俗学的推崇中，可见后来京派文学尊崇人性的文化基调。

20 日，田汉在《南国月刊》发表长篇论文《我们的自己批判》，总结“南国运动”（从 1921 年创办《南国半月刊》开始，中经《南国特刊》，南国电影剧社，南国艺术学院，南国社，直到参加“左联”，这八年多的艺术活动，田汉称为“南国运动”）走过的道路和历史教训。他批判自己“热情多于卓识，浪漫的倾向强于理性”，清算自己身上的小资产阶级浪漫感伤倾向。这篇文章标志着田汉转向无产阶级，也标志着南国社在政治和艺术上的“转变方向”。

24 日，上海中华艺术大学被国民党当局查封。

29 日，左联召开盟员大会，检讨过去的工作，并决议一致参加“五卅”示威和中华艺术大学自行启封的活动。鲁迅出席大会并作发言。

茅盾第一部长篇小说《蚀》由开明书店出版。《蚀》包括《幻灭》、《动摇》、《追求》三个独立的中篇，分别写于1927年9～10月、1927年11～12月、1928年4～6月，是作者早期的代表作。《蚀》"连接着刊登时，《小说月报》确乎轰动一下"（徐调孚：《〈小说月报〉话旧》，《文艺报》，1956年第15期。）这部小说发表后引起异常激烈的论争。一种意见认为，"从客观方面看来，《幻灭》、《动摇》里面还多少藏着一点生机，但是《追求》何如呢？只有悲观，只有幻灭，只有死亡而已"（钱杏邨：《茅盾与现实》，《新流月报》第4期，1929年12月15日），并指出"茅盾所表现的倾向当然是消极的投降大地主大资产阶级人物的倾向。"（钱杏邨：《从东京回到武汉——读了茅盾〈从牯岭到东京〉以后》，转引自唐金海、孔海珠编：《中国当代文学研究资料·茅盾专集》第2卷（上册）第30页，福建人民出版社1985年版）另一种意见认为"《动摇》和《追求》是有时代性的作品"，"对于时代的转变，和混在这变动中的一般人的生活，是看得很明白的，所以他能够写得这样深切动人。"（林樾：《〈动摇〉和〈追求〉》，《文学周报》第360期，1929年3月3日。）

顾明道的小说《荒江女侠》（初集）由大益图书局出版，至1940年4月，由文业书局出齐，全书共6集。顾明道（1897—1944），苏州人，擅作情侠小说，被人评为"武侠则有声有色，写社会则入情入理，记事则惟妙惟肖，言情则可歌可泣。"（王舜英：《〈啼鹃续录〉序》，转引自范伯群：《中国近现代通俗文学史》上卷第562页，江苏教育出版社1999年版）由于他身患残疾，行动不便，常"蛰居以著作自表，见悲感之忱，借以一泄。"（许指严：《〈蝶魂花影〉序》，转引自范伯群：《中国近现代通俗文学史》上卷第563页，江苏教育出版社1999年版）《荒江女侠》1928年动笔，后来在《新闻报》副刊《快活林》连载，此次出版后，小说流传甚广，曾被改编为电影和京剧。颜独鹤在《〈荒江女侠〉序》中说："以武侠为经，而不假非僻之途，不赘芜秽之辞，是以受读者驰函交誉。"（颜独鹤：《〈荒江女侠〉序》，转引自范伯群：《中国近现代通俗文学史》上卷第573页，江苏教育出版社1999年版）现代武侠小说评论家叶洪生则在叙述艺术上，对这部作品赞誉有加："《荒江女侠》一书开卷，所采用的现代'单一观点'（主观笔法）叙事，即打破传统章回小说的陈腐老套，开武坛未有之先河，却值得大书特书，再者本书善藉梦境制造高潮，亦有神鬼不测之妙。"（叶洪生：《〈近代中国武侠小说名著大系〉序》，转引自范伯群：《中国近现代通俗文学史》上卷第572页，江苏教育出版社1999年版）

六月

1日，由王平陵、邵洵美、黄震遐、朱应鹏等署名的《民族主义文学运动宣言》开始在《前锋周报》第2、3期上连载。国民党组织部系统于1930发动了所谓的"民族主义文艺运动"，由朱应鹏（国民党上海市区党部委员）、范争波（淞沪警备司令部侦缉队长兼军法处长）、黄震遐（中央党校教导团军官）等编辑出版《前锋周报》和《前锋月刊》。《前锋周报》第2、3期刊登的《民族主义运动宣言》，提出要铲除"多型的文艺意识”，而统一于国民党的“中心意识”，即法西斯主义的“民族意识”。《宣言》提出的“民族主义文学”没有形成具有影响力和号召力的理论，其创作则是黄震遐的《陇海线上》、《黄人之血》、万安国的《国门之战》等政治宣传品，被鲁迅批评为“与流氓政治同在”的“流尸文学”。（鲁迅：《“民族主义文学”的任务和运命》，《鲁迅全集》第 4 卷第 297 页，人民文学出版社 1973 年版）

1 日，《萌芽月刊》第 1 卷第 6 期改名《新地月刊》出版，刊有鲁迅翻译的《毁灭》（发表时题作《溃灭》）第 2 部的部分章节和《艺术论・译本序》。

鲁迅译《文艺政策》作为《科学的艺术论丛书》之一，在上海水沫书店出版。该书是苏共中央召开的关于党的文艺政策讨论会的会议记录和决议的汇编。

《田汉戏曲集》第 5 集由上海现代书局出版。第 4 集于 1931 年 4 月、第 3 集于 1932 年 1 月、第 1、2 集于 1933 年 2 月出版，至此 5 集全部出齐。收有《苏州夜话》、《名优之死》、《火之跳舞》、《一致》、《梅雨》、《乱钟》、《扫射》、《战友》、《暴风雨中的七个女性》等田汉早期剧作。

姚民哀小说《四海群龙记》由上海世界书局出版，后附赵苕狂为其作的序言。《四海群龙记》最初连载于《红玫瑰》1929 年 2 月第 5 卷第 1 期至 1930 年 1 月第 35 期，总共 36 回，20 万字。1930 年 6 月由上海世界书局出版单行本。在书中，作者特别强调了“真侠”和“伪侠”的区分。小说主要人物沈斗南有这样一段遗言：“大凡世间游侠一流，不是富家子弟挥金结客、沽名钓誉之徒，定数根性剽狠、处世阴贼，外表则执恭谨以待人，实则欲借此以倾动天下，这多是作伪的侠客。伯先出身寒素，中年华贵，而能免此二层普通积习，实为当世寡二少双之士。”（第 32 回）小说人物的这番言论，可视为作者所首肯的一种正统儒学化的“侠义观”。在艺术成就方面，赵苕狂曾在该书的“序”中把姚民哀和当时武侠小说的代表作家“南向北赵”相提并论，说：“不肖生之行文流畅，一泻千里；吾宗焕廷之布局井井，壁垒森严；要皆为世人所艳道，如此姚君民哀之以会党为经，武侠为纬，珍闻秘史，洒洒洋洋，辄数十万言而不止，无足于此中别树一帜。”（赵苕狂：《〈四海群龙记〉序言》，转引自范伯群：《中国近现代通俗文学史》上卷第 559 页，江苏教育出版社 1999 年版）

胡也频中篇小说《到莫斯科去》由上海光华书局出版。

庐隐中篇小说《归雁》由上海神州国光社出版。

七月

15 日，王独清主编的刊物《展开》在上海创刊。该刊为综合性半月刊，署名展开社编辑，实为王独清主编，由展开社出版，文艺出版社发行。第一、二期为合刊，同年 12 月 20 日出第三期后终刊。主要撰稿人有余慕陶、王独清、王实味等。所载较重要的作品有王独清的《上海的忧郁》、《创造社——我和它的始终与它的总帐》，黄药眠的《工人之家》，王实味的《三代》、《握别》等。

中国左翼文化总同盟（即“文总”）在上海成立。这是中国共产党领导的各左翼文化团体的联合组织。

鲁迅译普列汉诺夫的《艺术论》，由光华书局出版。

王平陵、钟天心、左恭等主持的中国文艺社成立。该社由国民党中宣部出资主办，鼓吹“三民主义文艺”，企图以国民党的文艺政策清理、统一文坛，扼杀“革命文学”、“无产阶级文学”。同时，承国民党组织部津贴的“开展文艺社”、“线路社”、“流露社”亦纷纷出笼，继续鼓吹“民族主义文学”。

柔石短篇小说集《希望》由上海商务印书馆出版，收作品28篇。

八月

4日，“左联”执委会通过《无产阶级文学运动新的情势及我们的任务》。

中国文艺社主办的《文艺月刊》在南京创刊。该社同人在题为《达赖满的声音》的开场白中，攻击无产阶级革命文学，反对马克思主义阶级论，宣传地主资产阶级的人性论。该刊第2期以《通讯》形式发表来信，称左翼力量“把文艺也变成杀人的刀了，把美好的文艺界，也变成修罗场了”，并说“什么都可以用卢布买，难道文艺就是例外吗?”

九月

10日，“左联”机关刊物《世界文化》在上海创刊。创刊号的内容主要是分析当时国内文化界的思想状况，阐述左联的任务以及介绍苏联文化建设。其中还刊有鲁迅翻译的《无产阶级革命文学论》和柔石反映中央根据地红军和人民群众斗争生活的作品《一个伟大的印象》等。但仅出一期，即遭国民党政府查禁。

17日，由“左联”发起的“庆祝鲁迅五十寿辰纪念会”，在上海法租界荷兰西餐室举行。纪念会由“左联”党团书记阳翰笙主持，共有工人、学生代表及文化界人士20余人出席。史沫特莱曾在《记鲁迅》一文中描述了当日情景。

30日，国民党中央秘书长陈立夫签发取缔“左联”、中国自由运动大同盟、中国革命互济会等组织，并通缉鲁迅等人的命令。

丁玲的长篇小说《韦护》由上海大江书铺出版。

十月

1日，上海各界掀起抵制日货运动，商业界举行“国货运动大会”，宣誓不卖日货。

1日，中英交收威海卫专约及租借刘公岛协定在南京互换批准书。

4—5日，鲁迅与内山完造合办世界版画展览会。这是中国第一次举行外国版画展览会。鲁迅将个人收藏的70多幅版画提供给展会展出。

20日，胡也频的长篇小说《光明在我们的前面》由上海春秋书店出版。

26日，华汉（阳翰笙）的长篇小说《地泉》由上海平凡书局出版。三部曲的第一个中篇《深入》，曾以《暗夜》为题由创造社出版部于1928年1月出版。

十一月

6 日，国际革命文学事务局在苏联哈尔柯夫，召开世界革命作家第二次会议。北欧、美、亚、非 22 国代表 120 余人到会，萧三代表“左联”出席了大会。在会上，萧三作了关于中国无产阶级革命文学运动的报告，大会通过了中国问题的决议案，决定成立中国支部。大会将革命文学事务局改名为普罗作家国际联盟，中国“左联”加入，萧三作为“左联”的代表被选为该盟干部会会员。翌年 1 月 9 日，萧三向“左联”函告有关这次会议的情况，载 1931 年 8 月 20 日《文学导报》第 1 卷第 3 期，题为《出席哈尔柯夫世界革命文学大会中国代表的报告》。

洪灵菲长篇小说《大海》由上海东华图书公司出版。

《读书》第 1 卷第 1 期发表沈从文的《论落华生》。该文认为落华生（许地山）“为最本质的使散文发展到一个和谐的境界的作者之一”，把“基督教的爱欲，佛教的明慧，近代文明与古旧情绪糅合在一处，毫不牵强的融成一片。”文中沈从文指出了落华生创作的基本元素，即“佛的聪明，基督的普遍的爱，透达人情，而与世情不作顽固之拥护与排斥，以佛经阐明爱欲所引起人类心上的一切纠纷，然而在文字中，处处不缺少女人的爱娇姿势。”此外，落华生作品中的异国情调、“东方的，静的，柔软忧郁的特质”，在沈从文看来，是因为他“生于僧侣的国度，育于神学宗教学熏染中，始终用东方的头脑，接受一切用诗本质为基础的各种思想学问，这人散文在另一意义上，则将永远成为奢侈的，贵族的，情绪的滋补药品。”正因如此，沈从文进而认为落华生的“心情与时代是显然起了分解，现在再不能在文学上有所表现，渐被世人忘却，也是当然的事了。”但他同时也指出，“作者的容易被世人忘却，虽为当然的事，然而有不能被世人忘却的理由，为上所述及那特质的优长，我们可以这样结束了讨论这个人的一切，仍然采取了作者的句子：‘你底暮气满面，当然会把这歌忘掉。’‘暮’字似乎应当酌改，因为时代的旋转，是那朝气，使作者的作品陷到遗忘的陷阱里去的。”

十二月

16 日，国民党政府颁布《国民政府出版法》。该法共 44 条，对一切革命以至带进步性的报纸、杂志、书籍及其作者、编者和发行人，分别就限制、处分和惩罚办法，作了详尽的规定。诸如凡“意图破坏中国国民党或破坏三民主义”、“意图颠覆国民政府或损害中华民国利益”者，均被禁止。次年 10 月 7 日，又颁布《出版法施行细则》25 条，把《出版法》中的原则和办法更加具体化。

30 日，王独清在《展开》第 3 期上发表《创造社——我和它的始终与它底总帐》，批评“左联”联合鲁迅是“走上了机会主义的政治路线”。

在“剧联”领导下，大道剧社在上海成立。由刘保罗、鲁史等负责。

张恨水的小说《啼笑因缘》由三友书社出版。《啼笑因缘》是作者应颜独鹤之邀所创作的长篇小说，1930 年 3 月 17 日开始在上海《新闻报》副刊《快活林》上连载，至同年 11 月 30 日载完，12 月由上海三友书社出版单行本。小说出版后迅速风靡全国，流传甚广。据张恨水自己估计，不算盗印的版本，该书前后印了超过 20 版，多次被改编成电影、戏剧和曲艺形式。程明祥赞其“乐而不淫”。（程明祥：《读了〈啼笑因缘〉之后》，《新闻报·快活林》，1931 年 7 月 20 日、22 日。）夏征农认为“《啼笑因缘》无疑是最能把中国复杂的社会，错综地表现出来的一部作品”，虽然它只是“肤浅地摄取了一些片断的社会背影”，“但这样融合上下古今十余年的不同的生活样式于一处，正是它能迎合一般游离市民层的脾胃的地方”。“《啼笑因缘》中所表现的思想，无疑是充分带有近代有产者的基调的”，如“降格迂尊的平民思想”、“欣赏主义的恋爱观”、“由欣赏主义而达到的恋爱至上主义”以及“复仇主义”。（夏征农：《读〈啼笑因缘〉》，《万象》第 1 卷第 6 期，1941 年 12 月。）该书与徐枕亚的《玉梨魂》、李涵秋的《广陵潮》、平江不肖生的《江湖奇侠传》合称为礼拜六派的“四大小说”。

沈从文长篇小说《旧梦》由上海商务印书馆出版。

1931 年

一月

1 日，上海中共地下党创办启阳书店（后改名春阳书店），曾刊行《左翼文化丛书》、《人民文化丛书》。

17 日，柔石、胡也频、冯铿、殷夫（白莽）四位左联成员被国民党特务逮捕。次日，另一左联成员李伟森（求实）被捕。2 月 7 日同在上海龙华警备司令部被秘密处死，史称“左联五烈士”。“左联”为把死难者被害的消息公之于众，以示纪念与抗议，于4 月 25 日在上海创办《前哨》月刊，由鲁迅、茅盾等主编，鲁迅亲笔书写刊头。创刊号为《纪念战死者专号》，刊有五烈士传略以及胡也频遗作《同居》、冯铿遗作《红的日记》。鲁迅发表《中国无产阶级革命文学和前驱的血》，并为柔石写了小传。该刊从第 2 期起改名《文学导报》。

柔石（1902—1931），现代小说家。姓赵，名平福，后改名为平复，柔石是其笔名。浙江省宁海县人。鲁迅在 1931 年 4 月 25 日《前哨》“纪念战死者专号”中发表了《柔石小传》一文，介绍了柔石的生平。他在文中说：柔石“前几代都是读书的，到他的父亲，家景已不能支，只好去营小小的商业，所以他直到十岁，这才能入小学。一九一七年赴杭州，入第一师范学校；一面为杭州晨光社之一员，从事新文学运动。毕业后，在慈溪等处为小学教师，且从事创作，有短篇小说集《疯人》一本，即在宁波出版，是为柔石作品印行之始。一九二三年赴北京，为北京大学旁听生。回乡后，于一九二五年春，为镇海中学校务主任，抵抗北洋军阀的压迫甚力。秋，咯血，但仍力助宁海青年，创办宁海中学，至次年，竟得募集款项，造成校舍；一面又任教育局局长，改革全县的教育。一九二八年四月，乡村发生暴动。失败后，到处反动，较新的全被摧毁，宁海中学既遭解散，柔石也单身出走，寓居上海，研究文艺。十二月为《语丝》编辑，又与友人设立朝华社，于创作之外，并致力于绍介外国文艺，尤其是北欧、东欧的文学与版画，出版的有《朝华》周刊二十期，旬刊十二期，及《艺苑朝华》五本。后因代售者不付书价，力不能支，遂中止。一九三〇年春，自由运动大同盟发动，柔石为发起人之一；不久，左翼作家联盟成立，他也为基本构成员之一，尽力于普罗文学运动。先被选为执行委员，次任常务委员编辑部主任；五月间，以左联代表的资格，参加全国苏维埃区域代表大会，毕后，作《一个伟大的印象》一篇。一九三一年一月十七日被捕，由巡捕房经特别法庭移交龙华警备司令部，二月七日晚，被秘密枪决，身中十弹。柔石有子二人，女一人，皆幼。文学上的成绩，创作有诗剧《人间的喜剧》，未印，小说《旧时代之死》，《三姊妹》，《二月》，《希望》，翻译有卢那卡尔斯基的《浮士德与城》，戈理基的《阿尔泰莫诺夫氏之事业》及《丹麦短篇小说集》等。"（编者按：鲁迅写作此文时因受条件限制，若干地方与事实稍有出入。柔石 1902 年生于浙江宁海，1917 年赴台州，在浙江省立第六中学念书。1918 年考入杭州浙江省立第一师范学校，1923 年毕业。1925 年春赴北京，在北京大学当旁听生，次年回浙江任镇海中学教员，后任教导主任。1927 年夏，创办宁海中学，并任县教育局长。1928 年 5 月参与宁海亭旁农民暴动，失败后到上海。1930 年 5 月加入中国共产党。）

胡也频（1903—1931），现代小说家、诗人。名崇轩，侯官（今福建福州市区）人。少进崇德小学、乌山师范学校学习，家贫辍学到祥慎金铺当学徒。1920 年考入上海浦东中学，后往天津大沽口海军预备学校学习轮机。又到北京投考大学，未被录取，住在公寓里，开始创作诗和小说。1924 年发表短篇小说《雨中》。不久，为《京报》副刊编辑《民众文艺周刊》。翌年，发表《雷峰塔倒掉的原因》。1925 年夏，结识丁玲，结为情侣，蛰居西山碧云寺附近。这时期，胡也频写了不少充满伤感的诗作，后收入《也频诗选》。1927 年，出版短篇小说集《圣徒》。同年冬，认识冯雪峰，接受马克思主义。翌年，重到上海，进入中央日报社编辑《红与黑》副刊，出版短篇小说集《活珠子》、《往何处去》，以及诗集《诗稿》和戏剧集《别人的幸福》。1929 年，在上海创办红黑出版社，与沈从文合编《红黑月刊》。同年秋，到济南山东省立高级中学任教，组织文学研究会。1930 年 5 月间，因避山东国民党当局拘捕，回到上海，加入左翼作家联盟，被选为"左联"执行委员，担任工农兵文学委员会主席。同年 11 月，加入中国共产党，出席在上海召开的苏维埃区域代表会，被选为代表，准备往中央苏区开会。其间创作中篇小说《一幕悲剧的写实》、《到莫斯科去》和长篇小说《光明在我们的前面》、短篇小说《故乡》。1931 年 1 月 17 日，被国民党政府逮捕。2 月 7 日凌晨，与柔石、殷夫、李伟森、冯铿等被秘密杀害于龙华塔下。

冯铿（1907—1931），现代小说家。女，原名冯岭梅，生于广东潮州城南门云步村，祖籍杭州。出身于书香门第，父亲冯孝赓，为潮汕名儒，毕生从事教学。冯铿就读汕头砦石女校、友联中学期间，就大量发表文艺作品，曾在《岭东民国日报》刊载 1 年约 100 首总题为《深意》的抒情诗。1929 年到上海，在持志大学（后又进复旦大学）英语系读书。同年加入中国共产党，参加中国左翼作家联盟的各种活动。1931 年 1 月被捕。2 月 7 日被杀于上海龙华警备司令部。中华人民共和国建立后，冯铿的遗骸被发掘，葬于上海大场公墓，后移葬上海龙华烈士陵园，并立碑永志。主要作品有：诗集《春宵》；随笔《一团肉》；短篇小说《遇合》、《乐园的幻灭》、《突变》、《华老伯》、《友人 C 君》、《纠》、《阿强》、《贩卖婴儿的妇女》、《红的日记》等，短篇小说集《铁和火的新生》；中篇小说《重新起来》和《最后的出路》。左联在《为纪念被中国当权的政党——国民党屠杀的大批中国作家而发出的呼吁和宣言》中说："冯铿是中国新诞生的最出色和最有希望的女作家之一。”

殷夫（1909—1931），诗人。又名白莽，原姓徐名白，浙江象山人。13 岁开始作诗。1927 年 18 岁时往上海求学。1929 年，离校从事青年工人运动。从 1928 年起写了许多抒情诗，投寄到《奔流》、《萌芽》、《拓荒者》、《巴尔底山》和《列宁青年》上。1930 年 3 月左联成立后即加入左联。1931 年 2 月 7 日夜被国民党当局枪杀。鲁迅保存有殷夫的《孩儿塔》手稿，名作有《前灯》、《别了，哥哥》、《血字》等。鲁迅十分珍惜殷夫的诗作，在他所做的《孩儿塔》序文中，鲁迅称道殷夫的诗“这《孩儿塔》的出世并非要和现在一般的诗人争一日之长，是有别一种意义在。这是东方的微光，是林中的响箭，是冬末的萌芽，是进军的第一步，是对于前驱者的爱的大纛，也是对于摧残者的憎的丰碑。一切所谓圆熟简练，静穆幽远之作，都无须来作比方，因为这诗属于别一世界。”（鲁迅：《白莽作〈孩儿塔〉序》，《鲁迅全集》第六卷《且介亭杂文·且介亭杂文二集·且介亭杂文末编》第 495 页，人民文学出版社 1973 年版）

李伟森（1903—1931），又名李求实，湖北武昌人。主要从事革命实际工作，他从斗争需要出发，写了不少论文、杂文，编过《革命歌集》和翻译了俄国作家陀思妥耶夫斯基的传记《朵思退夫斯基》，也曾作过一些文艺短评。

在评论“左联”五烈士的被害时，鲁迅说：“中国的无产阶级革命文学在今天和明天之交发生，在诬蔑和压迫之中滋长，终于在最黑暗里，用我们的同志的鲜血写了第一篇文章。”在鲁迅看来，这“第一篇文章”是“智识的青年”们的“战叫”：虽然“我们的这几个同志已被暗杀了，这自然是无产阶级革命文学的若干的损失，我们的很大的悲痛。但无产阶级革命文学却仍然滋长，因为这是属于革命的广大劳苦群众的，大众存在一日，壮大一日，无产阶级革命文学也就滋长一日。我们的同志的血，已经证明了无产阶级革命文学和革命的劳苦大众是在受一样的压迫，一样的残杀，作一样的战斗，有一样的运命，是革命的劳苦大众的文学。”（鲁迅：《中国无产阶级革命文学和前驱的血》，《前哨》“纪念战死者专号”，1931 年 4 月 25 日。）

20 日，为躲避国民党特务追踪搜捕，鲁迅被迫第二次离家，暂居黄陆路花园庄旅馆。

20 日，由徐志摩主编的《诗刊》在上海创刊。该刊为季刊，共出了 4 期，这也是代表新月诗派的最后一个刊物，主要撰稿人是徐志摩、饶孟侃、陈梦家、卞之琳、邵洵美等。徐志摩在《诗刊》创刊号的《序语》中说，《晨报副刊·诗镌》是《诗刊》的前身：“现在我们这少数朋友，隔了这五六年，重复感到‘以诗会友’的兴趣，想再来一次集合的研求。因为我们有共同的信念。”又说：“因此我们这少数天生爱好，与希望认识诗的朋友，想斗胆在功利气息最浓重的地处和时日，结起一个小小的诗坛，谦卑的邀请国内的志同者的参加，希冀早晚可以放露一点小小的光。小，但一直的向上；小，但不是狂暴的风所能吹熄。”

《沫若文集》、《沫若全集》分别由文艺书局、新文化出版社出版。《沫若文集》收录了包括《王阳明礼赞》、《文学的本质》、《论节奏》等多篇文章，郭沫若在《沫若文集》10 卷前记中说：“这样把这些论文集子编在一道，不仅可以看出我个人在三四十年前的思想历程，同时也提供出创造社同人的思想历程的一个侧面。”（郭沫若：《沫若

文集》第 10 卷第 30 页，人民文学出版社 1959 年版）

中国左翼戏剧家联盟在上海成立。该团体系由中国左翼剧团联盟改组而成，在北平、天津、武汉、广州、南京成立分盟，在南通、杭州等地建立小组。同年 9 月，通过了“最近行动纲领”，确定以独立演出，辅导群众演出或与群众联合演出等方式，在工厂、学校和市民中开展无产阶级戏剧活动。盟下有大道剧社（田汉领导，主要成员有刘保罗、鲁史、郑雄等）、曙星剧社（适夷、袁殊主持）、三三剧社（杜宣负责）、光光剧社（金山负责），以及春秋剧社、骆驼演出队等。曾出版《戏剧新闻》、《艺术信号》等刊物。1936 年初，为建立抗日民族统一战线，自行解散。

张天翼小说集《从空虚到充实》由上海联合书店出版。

丰子恺散文集《缘缘堂随笔》由上海开明书店出版，后辑入“开明文学新刊”。该书收作者写于 1925 年至 1930 年间的散文 20 篇。

二月

13 日，抚顺日商煤矿因设备不良，矿内硫磺燃烧，日本技师封闭矿洞，华工被封洞内死亡 3000 余人。

28 日，鲁迅从离家暂居的黄陆路花园庄旅馆回寓。

三月

4 日，国民党以“出售反动书籍”为由，查封了北新书局、群众图书公司、江南书局、乐群书店等。

16 日，“左联”外围刊物《文艺新闻》周刊在上海创刊，袁殊主编，为综合性小型文艺周刊，以报道进步文艺运动和批判反动思想为主。瞿秋白、周扬、冯雪峰等都曾为该刊写稿。1932 年 6 月被国民党政府查禁停刊，前后共出 60 期。

30 日，《文艺新闻》第 3 号以读者来信的形式，首先披露柔石等“左联”五烈士遇害的消息。

四月

8 日，国民党政府与英美法日四国外交代表商定，以后外舰不再停泊浦江中心，所有海军浮筒，即行移交江海关管理。

18 日，巴金的长篇小说《家》开始在上海《时报》上连载（4 月 18 日至 5 月 22 日），原题为《激流》，1933 年由上海开明书店出版单行本时改名为《家》。1938 年和 1940 年，巴金继续顺着《家》的情节发展线索，先后写成了《春》、《秋》，并将这三部长篇小说合称为“激流三部曲”。在这三部小说中，《家》的成就最高，影响也最大，受到了广大读者尤其是青年读者的欢迎。从 1933 年到 1951 年，开明版的《家》共再版 33 次，以后又由人民文学出版社多次再版，销行数万册，成为中国新文学中最畅销的作品之一。《家》先后三次被改编为电影，又被改编成话剧、越剧等。

巴金在1937年2月写的十版代序《关于〈家〉》中，这样描述他写《家》的动机："我要反抗这不公平命运"，因为"做了这个命运的牺牲者的，同时还有无数的人——我们所认识的，和那更多的我们不认识的。这样地受摧残的尽是些可爱的、有为的、年轻的生命。我爱惜他们，为了他们，我也应当反抗这个不公平的命运！""我所憎恨的，不是个人，而是制度"，"我要向一个垂死的制度叫出我的I accuse（我控诉）。我不能忘记甚至在崩溃底途中它还会捕获更多的牺牲品的。所以我要写一部《家》来作为一代青年的呼吁。我要为那过去无数无名的牺牲者'喊冤！'我要从恶魔的爪牙下救出那些失掉了青春的青年。这个工作虽是我所不能胜任的，但是我不愿意逃避我的责任。"（巴金：《关于〈家〉》，《巴金选集》第1卷第425～427页，四川人民出版社1982年版）谈到写作《家》时的心情，巴金说："《家》里面不一定就有我自己，可是书中那些人物都是我亲眼见过或者亲身经历过的。我写《家》的时候我仿佛在跟一些人一块儿受苦，跟一些人一块儿在魔爪下面挣扎。我陪着那些可爱的年轻的生命欢笑，也陪着他们哀哭。我知道我是在挖开我的回忆的坟墓。那些惨痛的回忆到现在还是异常鲜明。在我还是一个孩子的时候，我就常常被逼着目睹一些可爱的年轻生命横遭摧残，以至于得到悲惨的结局。那个时候我的心因为爱怜而痛苦，但同时它又充满恶毒的诅咒。"（巴金：《〈家〉后记》，《巴金选集》第1卷第416页，四川人民出版社1982年版）

"左联"在本月20日、28日及5月2日先后开除周全平、叶灵凤、周毓英三人盟籍。

3月—4月，鲁迅应史沫特莱女士之邀请，为美国的《新群众》杂志撰写《黑暗中国的文艺界的现状》一文，揭露国民党压迫左翼文艺运动的真相。文章指出："现在，中国无产阶级的革命的文艺运动，其实就是唯一的文艺运动……除此之外，中国已经毫无其他文艺。属于统治阶级的所谓'文艺家'，早已腐烂到连所谓'为艺术而艺术'以至'颓废'的作品都不能产生，现在来抵制左翼文艺的，只有诬蔑、压迫、囚禁和杀戮。来和左翼作家对立的，也只有流氓、侦探、走狗、刽子手了"。不过，尽管"统治阶级的官僚，感觉比学者慢一点，但去年也就日加迫压了。禁期刊，禁书籍，不但内容略有革命性的，而且连书面用红字的，作者是俄国的……都在禁止之列……单是禁止，还不是根本的办法，于是今年有五个左翼作家失了踪，经家族去探听，知道是在警备司令部，然而不能相见，半月以后，再去问时，却道已经'解放'——这是'死刑'的嘲弄的名称——了……然而统治阶级对于文艺，也并非没有积极的建设。一方面，他们将几个书店的原先的老板和店员赶开，暗暗换上肯听嗾使的自己的一伙。但这立刻失败了。因为里面满是走狗，这书店便像一座威严的衙门，而中国的衙门，是人民所最害怕最讨厌的东西，自然就没有人去。喜欢去跑跑的还是几只闲逛的走狗。这样子，又怎能使门市热闹呢？但是，还有一方面，是做些文章，印行杂志，以代被禁止的左翼的刊物，至今为止，已将十种。然而这也失败了。""在这样的情形之下，那些读者们，凡是一向爱读旧式的强盗小说的和新式的肉欲小说的，倒并不觉得不便。然而较进步的青年，就觉得无书可读，他们不得已，只得看看空话很多，内容极少——这样的才不至于被禁止——的书，姑且安慰饥渴，因为他们知道，与其去买官办

的催吐的毒剂，还不如喝喝空杯，至少，是不至于受害。但一大部分革命的青年，却无论如何，仍在非常热烈地要求，拥护，发展左翼文艺。”

在鲁迅看来，左翼文艺运动所可惜的，“是左翼作家之中，还没有农工出身的作家。一者，因为农工历来只被迫压，榨取，没有略受教育的机会；二者，因为中国的象形——现在是早已变得连形也不像了——的方块字，使农工虽是读书十年，也还不能任意写出自己的意见。这事情很使拿刀的‘文艺家’喜欢。他们以为受教育能到会写文章，至少一定是小资产阶级，小资产者应该抱住自己的小资产，现在却反而倾向无产者，那一定是‘虚伪’。惟有反对无产阶级文艺的小资产阶级的作家倒是出于‘真’心的……所以他们的对于左翼作家的诬蔑，压迫，囚禁和杀戮，便是更好的文艺。”但是，“单单的杀人究竟不是文艺，他们也因此自己宣告了一无所有了。”鲁迅相信，左翼文艺虽然被压于大石之下，但是，“左翼作家们正和一样在被压迫被杀戮的无产者负着同一命运，唯有左翼文艺现在在和无产者一样受难”，“将来当然也和无产者一样起来”，“将来也正属于这一面”。（鲁迅：《黑暗中国的文艺界的现状》，《鲁迅全集》第 4 卷第 285 ~ 288 页，人民文学出版社 1981 年版）

六月

瞿秋白参加“左联”的领导活动，居上海南市紫霞路谢澹如宅，并开始与鲁迅通信。

七月

2 日，日本唆使朝鲜浪人在吉林省长春县万宝山强占民田、开渠筑坝，当地农民愤起填渠，遭日军警枪击，死伤数十人。

4 日，日本煽动朝鲜排华，汉城、仁川、平壤等地发生 55 起袭击华人事件，伤百余人。至 10 日被杀害的华侨达 200 余人。

13 日，上海反日援侨大会发表宣言，提出永远对日经济绝交。

20 日，鲁迅在上海社会科学研究会发表演讲，题为《上海文艺之一瞥》。演讲以马克思主义观点总结了从清末到左联成立后的中国近现代文学艺术的历史进程，批判了各种思潮，总结了很多经验教训，对于指导左翼文艺运动具有十分重要的意义。

鲁迅在演讲文章中首先清算的，是鸳鸯蝴蝶派的“才子佳人小说”，并进而对创造社进行了批判。他说：“创造社是尊贵天才的，为艺术而艺术的，专重自我的，崇创作，恶翻译，尤其憎恶重译的，与同时上海的文学研究会相对立……文学研究会却也正相反，是主张为人生的艺术的，是一面创作，一面也看重翻译的，是注意于绍介被压迫民族文学的，这些都是小国度，没有人懂得他们的文字，因此也几乎全都是重译的。并且因为曾经声援过《新青年》，新仇夹旧仇，所以文学研究会这时就受了三方面的攻击。一方面就是创造社，既然是天才的艺术，那么看那为人生的艺术的文学研究会自然就是多管闲事，不免有些‘俗’气，而且还以为无能，所以倘被发见一处误译，有时竟至于特做一篇长长的专论。一方面是留学过美国的绅士派，他们以为文艺是专给老爷太太们看的，所以主角除老爷太太之外，只配有文人，学士，艺术家，教授，小姐等等，要会说 Yes，No，这才是绅士的庄严，那时吴宓先生就曾经发表过文章，说是真不懂为什么有些人竟喜欢描写下流社会。第三方面，则就是以前说过的鸳鸯蝴蝶派，我不知道他们用的是什么方法，到底使书店老板将编辑《小说月报》的一个文学研究会会员撤换，还出了《小说世界》，来流布他们的文章。这一种刊物，是到了去年才停刊的。创造社的这一战，从表面看来，是胜利的。许多作品，既和当时的自命才子们的心情相合，加以出版者的帮助，势力雄厚起来了。势力一雄厚，就看见大商店如商务印书馆，也有创造社员的译著的出版，——这是说，郭沫若和张资平两位先生的稿件。这以来，据我所记得，是创造社也不再审查商务印书馆出版物的误译之处，来作专论了。这些地方，我想，是也有些才子+流氓式的。然而，'新上海'是究竟敌不过'老上海'的，创造社员在凯歌声中，终于觉到了自己就在做自己们的出版者的商品，种种努力，在老板看来，就等于眼镜铺大玻璃窗里纸人的目夹眼，不过是'以广招徕'。待到希图独立出版的时候，老板就给吃了一场官司，虽然也终于独立，说是一切书籍，大加改订，另行印刷，从新开张了，然而旧老板却还是永远用了旧版子，只是印，卖，而且年年是什么纪念的大廉价。商品固然是做不下去的，独立也活不下去。创造社的人们的去路，自然是在较有希望的'革命策源地'的广东。在广东，于是也有'革命文学'这名词的出现。"

鲁迅在文中还对"革命文学"进行了清算。他在分析了小资产阶级革命家对"革命文学"的损害后，特别提到了左翼作家的"革命文学"创作。鲁迅说："现存的左翼作家，能写出好的无产阶级文学来么？我想，也很难。这是因为现在的左翼作家还都是读书人——智识阶级，他们要写出革命的实际来，是很不容易的缘故。日本的厨川白村（H. Kuriyagawa）曾经提出过一个问题，说：作家之所以描写，必得是自己经验过的么？他自答道，不必，因为他能够体察。所以要写偷，他不必亲自去做贼，要写通奸，他不必亲自去私通。但我以为这是因为作家生长在旧社会里，熟悉了旧社会的情形，看惯了旧社会的人物的缘故，所以他能够体察；对于和他向来没有关系的无产阶级的情形和人物，他就会无能，或者弄成错误的描写了。所以革命文学家，至少是必须和革命共同着生命，或深切地感受着革命的脉搏的。"而"在现在中国这样的社会中，最容易希望出现的，是反叛的小资产阶级的反抗的，或暴露的作品。因为他生长在这正在灭亡着的阶级中，所以他有甚深的了解，甚大的憎恶，而向这刺下去的刀也最为致命与有力。固然，有些貌似革命的作品，也并非要将本阶级或资产阶级推翻，倒在憎恨或失望于他们的不能改良，不能较长久的保持地位，所以从无产阶级的见地看来，不过是'兄弟阋于墙'，两方一样是敌对。但是，那结果，却也能在革命的潮流中，成为一粒泡沫的。对于这些的作品，我以为实在无须称之为无产阶级文学，作者也无须为了将来的名誉起见，自称为无产阶级的作家的。"

鲁迅还指出，那些"攻击旧社会的作品，倘若知不清缺点，看不透病根，也就于革命有害，但可惜的是现在的作家，连革命的作家和批评家，也往往不能，或不敢正视现社会，知道它的底细，尤其是认为敌人的底细。随手举一个例罢，先前的《列宁青年》上，有一篇评论中国文学界的文章，将这分为三派，首先是创造社，作为无产阶级文学派，讲得很长，其次是语丝社，作为小资产阶级文学派，可就说得短了，第三是新月社，作为资产阶级文学派，却说得更短，到不了一页。这就在表明：这位青年批评家对于愈认为敌人的，就愈是无话可说，也就是愈没有细看。自然，我们看书，倘看反对的东西，总不如看同派的东西的舒服，爽快，有益；但倘是一个战斗者，我以为，在了解革命和敌人上，倒是必须更多的去解剖当面的敌人的。要写文学作品也一样，不但应该知道革命的实际，也必须深知敌人的情形、现在的各方面的状况，再去断定革命的前途。惟有明白旧的，看到新的，了解过去，推断将来，我们的文学的发展才有希望。我想，这是在现在环境下的作家，只要努力，还可以做得到的。”（该演讲载于《文艺新闻》7 月 27 日第 20 期和 8 月 3 日第 21 期，后来经修改，收入《二心集》。见《鲁迅全集》第 4 卷第 301 页，人民文学出版社 1981 年版）

鲁迅被《世界革命文学》杂志聘为顾问。该刊系国际革命作家联盟书记处所编。

成仿吾自日本回国，由鲁迅帮助接上党的组织关系，旋即转赴苏区工作。

张天翼的长篇小说《鬼土日记》由上海正午书局出版。该作是一部具有幽默讽刺色彩的寓言小说。

八月

31 日，蒋光慈在上海病逝。

蒋光慈（1901—1931），诗人、小说家。原名蒋如恒，又名蒋宣恒。曾用名陈资川。笔名有华西理、侠生、侠僧、光赤、华维素、魏敦夫等。安徽霍邱人。1919 年就读于芜湖省立第五中学时，即以芜湖学生联合会副会长的身份投身“五四”运动。1921 年去苏联，入莫斯科东方共产主义劳动大学，学习政治经济学。1922 年加入中国共产党。1924 年回国后任教于上海大学，与沈泽民等组织“春雷社”，创办《春雷月刊》，提倡革命文学。1925 年开始创作小说，并出版第一部诗集。1928 年与钱杏邨、孟超等成立太阳社，出版《太阳月刊》，并主编《时代文艺》。1929 年主编《海风周报》、《新流月报》。同年去日本养病，与冯宪章、森堡等组织太阳社东京支部。1930 年主编《拓荒者》，3 月被选为“左联”执行委员会候补委员。著有诗集《新梦》、《哀中国》、《乡情集》，长诗《哭诉》，中篇小说《少年漂泊者》、《短裤党》、《冲出云围的月亮》，长篇小说《丽莎的哀怨》、《田野的风》（原名《咆哮了的土地》）等。

徐志摩诗集《猛虎集》由上海新月书店出版。收入包括《献诗》在内的诗作 41 首。另有《序文》一篇。其中，《再别康桥》、《山中》等作品均系名篇。

九月

13 日，《文学导报》第 1 卷第 4 期发表史铁儿（瞿秋白）的《青年的九月》，石萌（茅盾）的《“民族主义文艺”的现形》等文章，批判“民族主义文艺”。

18 日，日本关东军炸毁南满铁路柳条湖段轨道，反诬中国军队破坏，炮轰东北军驻地北大营，制造了“九・一八”事变。不到半年，东北三省全部落入日军之手。

19 日，南京政府电令其代表施肇基请求国联解决东北事件。国联在英法代表操纵下，于22日通过两点决议：一、停止一切冲突，二、双方撤退军队。其内容是公开侮辱中国，袒护日本。

20日，《北斗》（月刊）在上海创刊，“左联”机关刊物。1932年7月20日出至第2卷第3、4期合刊后终刊。共出8期7册。姚蓬子、沈起予协助丁玲主编。湖风书局发行。16开本。在第1、2期上发表文章和作品的除左翼作家外，还有冰心、叶圣陶、戴望舒、徐志摩等。第3期起，该刊的政治倾向有所强化，自由主义作家遂不再投稿。该刊以发表创作为主，注意培养新人，奖掖新作。所载作品有丁玲的小说《水》、张天翼的小说《面包线》、鲁迅的杂文《我们不再受骗了》等。

20日，《北斗》创刊号发表了丁玲的中篇小说《水》。

丹仁（冯雪峰）在评论《水》的文章中认为，“《水》所以引起读者的赞成，无疑义的是在：第一，作者取用了重要的巨大的现实的题材……但是最主要的还在：第二，在现象的分析上，显示了作者对于阶级斗争的正确的坚定的理解。第三，作者有了新的描写方法；在《水》里面，不是一个或二个的主人公，而是一大群的大众，不是个人的心理的分析，而是集体的行动的开展（这二点，当然和题材有关系的），它的人物不是孤立的，固定的，而是全体中相互影响的，发展的。”在他看来，《水》的最高的价值，在于“首先着眼到大众自己的力量，其次相信大众是会转变的地方。这些，在知识分子的作家是往往不能办到，因为他们最会蔑视大众，常以为大众是渺小的，是盲从的，下意识地保存着‘民可使由之’的孔子思想。”冯雪峰进而认为，“新的小说家，是一个能够正确地理解阶级斗争，站在工农大众的利益上，特别是看到工农劳苦大众的力量及其出路，具有唯物辩证法的方法的作家！这样的作家所写的小说，才算是新的小说。”因此，丁玲的《水》，“对于我们就还有另外重要的意义。首先，它将要证明一个进步的知识分子的作家，可能成为我们所需要的新的作家，只要他理解了新的艺术的主要条件，而逐渐克服着自己；而一个‘半新’的作家，有时却往往不能为真的新作家，如果他不理解新艺术的主要条件，不厉行自己的清算。证明这意义现在是很重要的，而丁玲便是一个适当的例子。”

冯雪峰在文中还回顾了丁玲过去的创作，他说：“且说丁玲原来是怎样的作家呢?丁玲在写《梦珂》，写《莎菲女士的日记》，以及写《阿毛姑娘》的时期，谁都明白她乃是在思想上领有着坏的倾向的作家。那种倾向的本质，可以说是个人主义的无政府性加流浪汉（Lumken）的智识阶级性加资产阶级颓废的和享乐而成的混合物。她是和她差不多同阶级出身（她自己是破产的地主官绅阶级出身，‘新潮流’所产生的‘新人’——曾配当‘忏悔的贵族’。）的知识分子的一典型。”冯雪峰认为，丁玲原来的创作“任情的反映了作者自己的离社会的，绝望的，个人主义的无政府的倾向。”而在《一九三零年春上海》及《田家冲》等作品里面，丁玲“已不再回顾那些厌倦的，紊乱的个性和生活，而是在反帝反封建的革命高潮之下，首先在自己所接近的阶层——青年知识分子中看取动摇分化及转变的现象。如在《田家冲》里，则描写农村的残酷的阶级斗争，甚至使一个地主的女儿也变成布尔塞维克。”“这样，从《梦珂》到《田家冲》的中间，已不仅只被动地反映着社会思潮的变动，并且明显地反映着自己的觉悟，悲哀，努力，新生的了。”

针对丁玲创作上的转变，冯雪峰总结道："丁玲所走过来的这条进步的路，就是，从离社会，向'向社会'，从个人主义的虚无，向工农大众的革命的路，好多的进步的知识分子同走过来的路，是不能被曲解为纯是被作用，或只是惨暗的消极的觉悟的结果。我们必须理解，这是作者被新思想所振荡，就据这新思想来作用，觉悟了自己阶级的崩溃，就更毁坏着自己的阶级，感到了自己的倾向，就进一步的向它斗争的表现。"而冯雪峰也对《水》存在的缺点进行了批评。他说：《水》的缺点在于"第一，像这次这样巨大的水灾的题材，作者只造成了近于速写的二三万字的短篇，是分明没有完成这题材所给予的任务的。实际上，《水》是应该写下去的。其次，《水》里面的灾民的斗争没有充分地反映着土地革命的影响，也没有很好的写出他们的组织者和领导者，这是一个巨大的缺点……第三，作者曾有意无意地将灾民群众中的一二雇农（长工），写得特别明确和有强力，这是对的；但后来就没有发展了，这也是缺点。""这些缺点，都使《水》只能是新的小说的一点萌芽，而不能有更高的评价。"（冯雪峰：《关于新的小说的诞生——评丁玲的〈水〉》，《北斗》第2卷第1期，1932年1月20日。）

20日，《北斗》创刊号在"批判与介绍"专栏发表《新人张天翼的创作》，论述文坛新生力量张天翼短篇小说创作的成就和特点。该刊在第3期还发表了张天翼描写国民党士兵造反的小说《面包线》；第4期发表了他的讽刺小说《猪肠子的悲哀》。

20日，鲁迅为《北斗》创刊号提供了凯绥·珂勒惠之的木刻连续画（共7幅）中的一幅《牺牲》，并为该画写了"说明"，未署名，后来收入《集外集拾遗》。"说明"介绍了珂勒惠之的生平和作品，指出她的"画材"，"多为贫病与辛苦"，"到晚年时，已从悲剧的、英雄的、暗淡的形式化蜕了。"柔石曾和鲁迅一起介绍过外国文艺，柔石尤喜木刻。柔石死后，鲁迅曾请珂勒惠之画一幅受害的图画作为纪念，但是她来信说不能，因为她没有看见过真实的情形，而且对于中国的文物，又生疏，没有答应。"她那种作画的认真的精神，我们应该学习她"。（曹白：《写在永恒的纪念中》，转引自钟敬文、林语堂等：《永在的温情——文化名人忆鲁迅》第84页，河北教育出版社2000年版）《北斗》创刊时，鲁迅想写一点关于柔石的文章，然而不能够，于是就选了这幅木刻，画的"是一个母亲悲哀的闭了的眼睛，交出她的孩子去"。（鲁迅：《为了忘却的纪念》，《鲁迅全集》第4卷第487页，人民文学出版社1981年版）鲁迅说，这"算是我无言的纪念，然而，后来知道，很有一些人是觉得所含的意义的，不过他们大抵以为纪念的是被害的全群。"（鲁迅：《写于深夜里》，《鲁迅全集》第6卷第499~500页，人民文学出版社1981年版）

28日，左联在《文学导报》第一卷第五期上发表《告国际无产阶级及劳动民众的文化组织书》，要求大家联合起来，"反对对于中国民众的屠杀和对于中国红军的进攻!""反对帝国主义瓜分中国的战争"。

28日，《文艺新闻》第29期在"日本占领东三省屠杀中国民众!!!"的通栏标题下，以《文化界的观察与意见》为题，发表鲁迅、陈望道、胡愈之、郁达夫、郑伯奇、叶绍钧等人的文章，抗议日军侵略。

30日，上海大江书铺出版鲁迅译法捷耶夫长篇小说《毁灭》，署名隋洛文。尽管出版时用了“隋洛文”的笔名，但由于国民党政府的压迫，仍不能公开销售，只能在内山书店以及一些小书店半公开发卖，但这依然引起了国民党的注意和仇视，国民党中央党部曾密令上海市党部将《毁灭》“严行查禁，并勒令缴毁……原版”。（蔡耕：《〈毁灭〉出版的经过和斗争》，《中国现代文艺资料丛刊》第1辑第153页，上海文艺出版社1962年版）后来，鲁迅以三闲书屋的名义，用大江版的纸型，自费印行了第二版，于本年11月26日印成。鲁迅在10月27日致曹靖华信中谈到，此次印刷，应承印书局要求，删去序跋，“他们怕用我的名字，换了一个”，“但我自印了五百部，有序跋”，而且署名“鲁迅”二字，这是向国民党反动派的挑战。（鲁迅：《致曹靖华》，《鲁迅全集》第12卷第59页，人民文学出版社1981年版）

《新月诗选》由新月书店出版。陈梦家编。书前有陈梦家《序言》。选18家诗81首，作者有徐志摩、闻一多、饶孟侃、孙大雨、朱湘、卞之琳、沈从文等。陈梦家在《序言》中说：“主张本质的醇正，技巧的周密和格律的严谨，差不多是我们一致的方向”。

十月

6日，上海文艺界救国会成立，系国民党所扶持的“民族主义文学派”所组织，主要成员有朱应鹏、谢六逸、徐蔚南、傅彦长等，也有少数中间派人士参加。

13日，国际联盟召开特别会议，讨论中日问题。18日，美国派吉尔白列席国联行政会议。23日，国联议决请日本从中国撤兵。

17日，“左联”执委会开会，通过开展中国无产阶级文学的自我批评，开展大众文艺运动等四项决议。在“左联”号召下，文艺大众化问题的第二次大讨论在左翼文艺报刊上展开，历时近一年。

23日，鲁迅的《“民族主义文学”的任务和运命》载《文学导报》第1卷第6、7期合刊，署名晏敖，收入《二心集》。这是揭露所谓“民族主义文学”的论文。

鲁迅在文章中对“民族主义文学运动”及其作品进行了犀利的批判。他首先指出，帝国主义的殖民政策是一定要保护这批流氓、宠犬的，他们“原是上海滩上久已沉沉浮浮的流尸……经风浪一吹就漂及一处”，这种“流尸文学”与殖民地的流氓政治同在，于“帝国主义是有益的，这叫做‘为主前驱’。”鲁迅具体分析了黄震遐的《陇海线上》、《黄人之血》以及苏凤、邵冠华等的作品，揭露他们“根本上只同外国主子休戚相关。”他们歌颂蒙古人拔都元帅的西征，目的就是对着现在的“无产者专政的第一个国度”，所以“现在日本兵‘东征’了东三省，正是‘民族主义文学家’理想中的‘西征’第一步，‘亚细亚勇士们张大吃人的血口’的开场，不过先得在中国咬一口”。这正好“实现了他们的理想境”。鲁迅不仅彻底揭露了他们反动卖国的丑恶面目，而且预见性地宣判了他们的历史命运：“他们将只尽些送丧的任务，永含着恋主的哀愁，须到无产阶级革命的风涛怒吼起来，刷洗山河的时候，这才能脱出这沉滞猥劣和腐烂的命运。”（鲁迅：《“民族主义文学”的任务和运命》，《鲁迅全集》第4卷第320页，人民文学出版社1981年版）

冯文炳（废名）短篇小说集《枣》由上海开明书店出版，收作品 8 部。

十一月

11 日，日本大佐土肥原贤二劫持原清朝皇帝溥仪乘船赴大连。

15 日，《文学导报》第 1 卷第 8 期发表“左联”执委会的决议《中国无产阶级革命文学的新任务》。该决议分析了国内外形势，提出新时期中国文艺运动的任务：第一，“关于过去的批判”，强调反对右倾机会主义与左倾空谈的错误。第二，“新的任务”，要求加强文学领域反帝、反封建、反国民党的斗争，扩大无产阶级文学在工农中的影响。第三，“大众化问题的意义”，再次强调文学大众化的现实意义。第四，“创作问题——题材、方法及形式”，要求作家注重中国现实社会生活中的广大题材，抛开描写“身边琐事”的题材。第五，“理论斗争和批评活动”。第六，“整饬纪律，严密组织”。强调参加左翼组织是“中国无产阶级革命文学运动的干部，是有一定而且一致的政治观点的行动斗争的团体，而不是作家的自由组合。”要加强“左联”的领导，同时又必须整饬纪律，严密组织。在“左联”内，“不许有反纲领的行动，不许有不执行决议的行动，不许有小集团意识或倾向的存在，不许有超组织或怠工的行动。”当时的“左联”强调配合政治斗争，搞飞行集会，散发传单等活动。

《文学导报》同期还发表了 1930 年 10 月哈尔柯夫会议的《国际革命作家联盟对于中国无产阶级文学的决议案》及施华洛（茅盾）的《中国苏维埃革命与普罗文学之建设》。

19 日，徐志摩由南京飞往北平，途中所乘飞机失事，在济南附近遇难。

徐志摩（1897—1931），诗人、散文家。浙江海宁人。早年分别在杭州一中、上海浸信会学院、天津北洋大学预科等处学习，1917 年转入北京大学。翌年赴美国留学。1919 年毕业于克拉克大学历史系。1920 年获哥伦比亚大学政治经济学院硕士学位。同年秋去伦敦，入伦敦大学政治经济学院，兴趣转向文学。1921 年转入剑桥大学皇家学院，开始写诗。同年秋回国。1923 年与胡适等人组织新月社。1925 年主编《晨报副刊》。1926 年与闻一多编《晨报副镌》。1927 年与胡适等创办新月书店。次年主编《新月》月刊。1930 年任中英文化基金委员会委员，并被选为英国诗社社员。1931 年编新月社《诗刊》。历任光华大学、东吴大学、大夏大学、南京中央大学、北京大学、北京女子大学教授。著有诗集《志摩的诗》、《翡冷翠的一夜》、《猛虎集》、《云游》，散文集《落叶》、《巴黎的鳞爪》、《自剖》、《秋》、《志摩日记》等，另有《徐志摩全集》、《徐志摩诗文补遗》、《徐志摩英文书信集》、《徐志摩诗集》（全编）行世。

24 日，国联理事会召开特别会议讨论东北“九一八”事件。该会议以 13 票对 1 票议决日本应从占领区撤军。

曹靖华译苏联绥拉菲摩维支长篇小说《铁流》，以三闲书屋名义印行，原序由瞿秋白（署名史铁儿）翻译，鲁迅写《编校后记》。出版后即遭国民党政府查禁。

施蛰存短篇小说集《李师师》由上海良友图书印刷公司出版。收作品 3 部，列为赵家璧主编的“一角丛书”第二十种。

十二月

11日，“左联”机关刊物《十字街头》在上海创刊。第1、2期为半月刊。1932年1月5日出第三期署“十日刊”，旋遭查禁。该刊4开4版，由冯雪峰协助鲁迅编辑。发表通俗短文和歌谣，重视文艺的大众化。主要撰稿人有鲁迅、瞿秋白、李太、何明、林瑞精等。载有鲁迅的《好东西歌》、《公民科歌》等歌谣和《“友邦惊诧”论》、《知难行难》等杂文，以及瞿秋白的《论翻译》等。

11日，鲁迅在《十字街头》第1期发表《沉滓的泛起》，抨击社会上种种假借“救国”名义出现的腐败现象。

15日，胡秋原在《文化评论》创刊号发表《阿狗文艺论——民族文艺理论之谬误》。文章将批判矛头指向国民党倡导的“民族主义文学”，揭示民族主义文学是“新的法西斯主义文学，是比所谓颓废派下流万倍的东西”，“是特权者文化上的‘前锋’，是最丑陋的警犬，他巡逻思想上的异端，摧残思想的自由，阻碍文艺之自由的创造”，是“中国文艺界上一个最可耻的现象”。文章批驳《民族主义文艺运动宣言》理论之“谬误”、“堕落”，是一种“最简单，最幼稚，最拙劣之唯心论”。文章强调“文学与艺术，至死也是自由的，民主的”，“文化与艺术之发展，全靠各种意识互相竞争，才有万花撩乱之趣……用一种中心意识独裁文坛，结果只有奴才奉命执笔而已”。“艺术虽然不是至上，然而决不是‘至下’的东西。将艺术堕落到一种政治的留声机，那是艺术的叛徒。”这后面的话，则是针对左翼文坛的。

继《阿狗文艺论——民族文艺理论之谬误》之后，胡秋原又发表了《勿侵略文艺》、《钱杏邨理论之清算与民族文学理论之批评——马克思文艺理论之拥护》等文。前文称自己是一个自由人，无论中国新文学运动以来的自然主义文学，趣味主义文学，浪漫主义文学，革命文学，普罗文学，小资产阶级文学，民族文学，以及最近民主文学，都应当存在，他不主张只准某一种文学把持文坛。后文则左右开弓，既批判普罗文学理论批评家钱杏邨理论批评之错误，又批判民族主义文艺理论与创作是反民族的文艺。

胡秋原的这些言论在遭到了“左联”的批判后，自称“死抱住文学不肯放手”的苏汶，打着“第三种人”的旗号，接连发表《关于‘文新’与胡秋原的文艺论辩》、《第三种人的出路》、《论文学上的干涉主义》等文，攻击左翼文坛“不要文学”，是“目前主义的功利论”。他对于文艺大众化讨论中提出的要为文艺大众创造通俗读物极为不满，说“文学不再是文学了，变为连环图画之类，而作者也不再是作者了，变为煽动家之类”。他还批评文学从属于政治，说这就是把文学变成了“卖淫妇”。

对此，鲁迅作《论“第三种人”》、《又论“第三种人”》、《中国文坛上的鬼魅》，瞿秋白作《“自由人”的文化运动》、《文艺的自由和文学家的不自由》，周扬作《到底是谁不要真理，不要文艺》等批评文章。

17日，北平、天津、上海、广州、武汉、济南、苏州等地学生代表集中到南京，与当地学生联合举行示威游行，要求国民党政府出兵抗日。游行队伍在珍珠桥附近遭到国民党军警镇压，当场有30余名学生被杀害，100余名学生受伤，此即“珍珠桥惨案”。该惨案发生后，上海学生、工人等举行了有10万人参加的“抬棺大游行”，并捣毁了国民党地方党部。

19日，夏丏尊、周建人、胡愈之、傅东华、叶圣陶、郁达夫、丁玲等20余人集会，发起组织文化界反帝抗日同盟。大会通过七条纲领，确定同盟的性质、任务。28日同盟第一届执行委员会首次会议，推选胡愈之、傅东华任常委。

25日，鲁迅在《十字街头》第2期发表《“友邦惊诧”论》，揭露国民党对外投降，对内镇压的反动政策。

国际作家联盟机关刊物《世界革命文学》改名《国际文学》，邀请鲁迅、郭沫若、茅盾等为特约撰稿人。

白薇剧本集《打出幽灵塔》由上海春光书店出版。列入“文艺创作丛书”。除作者附记外，收入四部剧本《打出幽灵塔》、《姨娘》、《假洋人》和《乐土》。

1932 年

一月

5日，《十字街头》第3期发表了鲁迅答沙汀、艾芜的《关于小说题材问题的通信》。在沙汀、艾芜写给鲁迅的信中，两位文学新人提出了自己的疑问：“我们曾写了好几篇短篇小说，所采取的题材：一个是专就其熟悉的小资产阶级的青年，把那些在现时代所显现和潜伏的一般的弱点，用讽刺的艺术手腕表现出来；一个是专就其熟悉的下层人物——在现时代大潮流冲击圈外的下层人物，把那些在生活重压下强烈求生的欲望的朦胧反抗的冲动，刻画在创作里面，——不知这样内容的作品，究竟对现时代，有没有配说得上有贡献的意义？我们初则迟疑，继则提起笔又犹豫起来了。这须请先生给我们一个指示，因为我们不愿意在文艺上的努力，对于目前的时代，成为白费气力，毫无意义的。”

鲁迅在回信中说：“如果是战斗的无产者，只要所写的是可以成为艺术品的东西，那就无论他所描写的是什么事情，所使用的是什么材料，对于现代以及将来一定是有贡献的意义的。为什么呢？因为作者本身便是一个战斗者。但两位都并非那一阶级，所以当动笔之先，就发生了来信所说似的疑问。我想，这对于目前的时代，还是有意义的，然而假使永是这样的脾气，却是不妥当的。”“别阶级的文艺作品，大抵和正在战斗的无产者不相干。小资产阶级如果其实并非与无产阶级一气，则其憎恶或讽刺同阶级，从无产者看来，恰如较有聪明才力的公子憎恨家里的没出息子弟一样，是一家子里面的事，无须管得，更说不到损益。例如法国的戈兼，痛恨资产阶级，而他本身还是一个道道地地资产阶级的作家。倘写下层人物（我以为他们是不会‘在现时代大潮流冲击圈外’的）罢，所谓客观其实是楼上的冷眼，所谓同情也不过空虚的布施，于无产者并无补助。而且后来也很难言。例如也是法国人的波特莱尔，当巴黎公社初起时，他还很感激赞助，待到势力一大，觉得自己的生活将要有害，就变成反动了。但就目前的中国而论，我以为所举的两种题材，却还有存在的意义。如第一种，非同阶级是不能深知的，加以袭击，撕其面具，当比不熟悉此中情形者更加有力。如第二种，则生活状态，当随时代而变更，后来的作者，也许不及看见，随时记载下来，至少也可以作这一时代的记录。所以对于现在以及将来，还是都有意义的。不过即使‘熟悉’，却未必便是‘正确’，取其有意义之点，指示出来，使那意义格外分明，扩大，那是正确的批评家的任务。”总之，鲁迅的意见是“现在能写什么，就写什么，不必趋时，自然更不必硬造一个突变式的革命英雄，自称‘革命文学’；但也不可苟安于这一点，没有改革，以致沉没了自己——也就是消灭了对于时代的助力和贡献。”

17日，陈望道等35人在上海发起组织中国著作者协会。主要成员有陈望道、何丹仁（冯雪峰）、楼适夷、郑伯奇、王礼锡、丁玲等。“协会”成立时曾发表过《纲领》，在此以前，陈望道曾以个人名义发表《关于著作者协会——一个具体而简要的建议》，阐明“协会”的任务是：争取言论出版的自由，保护著作者的权益。

18日，《文艺新闻》第45号发表“代表论言”：《请脱弃“五四”的衣裳》，批评《文化评论》第1期（1931年12月15日）社论《真理之檄》，由此展开左翼作家与胡秋原的论争。胡秋原在《真理之檄》中宣称：“我们是自由的知识阶层，完全站在客观的立场，说明一切批评一切。我们没有一定的党见，如果有，那便是爱护真理的信心。”而在《阿狗文艺论》中，他又自称“自由人”，并认为“文学与艺术，至死也是自由的，民主的”。所谓“自由人”的名称就是这样来的。胡秋原一派独立于当时的左翼文坛和国民党的文艺派别之外，一方面反对国民党的民族主义文学，另一方面也批评左翼作家钱杏邨的文学观点。当时的文化阵线正处于围剿与反围剿的激烈斗争之时，因而，他们一出现，左翼理论家就把他们视为一股敌对势力加以批判。先是谭四海在《中国与世界》杂志上痛斥胡秋原“为虎作伥”，瞿秋白也发表《请脱弃“五四”的衣裳》一文，认为胡秋原所说的当时的文化运动仍有反封建的任务，是分散反对日本帝国主义的战斗“火力”。胡秋原也不甘示弱，进行了针锋相对的辩驳，由此掀起了一场持续一年多的论争。

20日，日本特务机关指使日侨焚毁三友实业社，捣毁上海北四川路的中国商店。后又纵火焚毁日公使重光公馆，以此作为进攻上海的借口。

20日，《北斗》第2卷第1期在“创作不振之原因及其出路”专栏，发表郁达夫、叶圣陶、鲁迅、茅盾、郑伯奇、张天翼等21人的应征文章。

郁达夫在《中国近年文艺创作不振的原因》一文中认为，创作不振的原因有三方面：一、“中国社会政治以及其他一切，都在颠倒混乱之中，文艺创作者要去做官，当兵，或从事于革命工作，所以没有人能做出好东西来。”二、“军阀擅自杀人，压迫得太厉害，长此下去，非但文艺创作要在中国灭亡，第二步就是新闻纸的灭亡……第三步便是中国文字和人种的灭亡。”三、“‘从革命文学到遵命文学’这是鲁迅的话，将来若有新文学起来，怕就是亡命文学。”

张天翼指出：为挽救“创作界的不振”，“必需要一种新修养”。一是“理论上的修养”，“我们定得去正确地紧紧地抓住科学的地亚来克谛克（Dialectic）来发展我们的作品，同时更需要下苦工去克服我们自己的残余着的旧意识”。二是“要去获得新的生活经验”，“不但在意识上要抓住新的集体的一种，更得去到集体的世界里去生活，去体验。”鲁迅也谈了自己的创作体会：“一、留心各样的事情，多看看，不看到一点就写。二、写不出的时候不硬写。三、模特儿不用一个一定的人，看得多了，凑合起来的。四、写完至少看两遍，竭力将可有可无的字，句，段删去，毫不可惜。宁可将可作小说的材料缩成 Sketeh，决不将 Sketeh 材料拉成小说。五、看外国的短篇小说，几乎全是东欧及北欧作品，也看日本作品。六、不生造除自己之外，谁也不懂的形容词之类。七、不相信‘小说作法’之类的话。八、不相信中国所谓批评家之类的话，而看看可靠的外国评论家的评论。”

茅盾在文章中也指出了现存的问题。他说：“一，现时代没有伟大的创作题材么？二、如果伟大的创作题材在现今是多而又多，那么，这些题材是否已经为我们的青年作家所亲身经验过，或已经成为他们经验的一部分？三、如果我们的青年作家有了这样题材的人生经验，为什么他们的作品中没有充分的反映？是否因为技术的未臻成熟使他们如此？四、如果问题不在所谓技术的成熟不成熟，（我绝对不相信问题是在这里！）那么，问题就在作家的宇宙观和人生观了。五、如果一位青年作家而尚怀抱着没落的布尔乔亚的宇宙观和人生观，那他就不能认识动乱的现时代的伟大性，那他就不能够从周围的动乱人生中抉取伟大的时代意义的题材而加以正确的表现，——这结果自然而然会使他们的作品内容空虚，情感脆弱，意识迷乱。六、所以青年作家当前的主要问题是怎样克服了他们旧有的布尔乔亚和小布尔乔亚的意识而去接受那创造新社会的普罗列搭利亚的意识；必由此，他们乃能从周围的人生中抉取伟大的时代意义的题材：无论是农村方面，都市方面，反帝国主义运动，学生运动，——青年作家都有若干的亲身体验。附带还有一句话。用旁观者的态度去表现这些经验也还是不行的。”

最后是丁玲的总结文章，在这篇文章中，丁玲首先指出了创作不振的原因：“一，因为有一部分作家为了本身阶级（小资产）暂时苟安，不惜替统治者说话，只描写一切美妙的谐趣的东西或者是杀人喝血的东西，行使其对大众麻醉的作用……又有一部分，大半属于享名很久的作家，已经感到自己写的那些东西，不为大众所须要，而又量力写不出更好的，於是说文学在这时代没有什么了不起的作用，而躲懒，而沈默下去了。第二点，便是那很大的一批青年，已经没有阶级的觉悟，为大众的青年在文化上作斗争的，虽说比较有了正确认识，可是不够得很，理论的理解缺乏，实际的生活更缺乏，所以写出来的东西，不正确，空虚，残余的旧意识的气分，随处显露着。”接着提出了几点意见：一、“不要太喜欢写一个动摇中的小资产阶级的知识分子。”二、“不要凭空想写一个英雄似的工人，或农人 。因为不合社会的事实。”三、“不要把自己脱离大众，不要把自己当一个作家。记着自己就是大众中的一个，是来替大众说话，替自己说话。”四、“不要发议论，把你的思想，你要说的话，从行动上具体的表现出来。”五、“不要用已经烂了的一些形容词，不要摹仿上海流行的新小说。”六、“不要好名，虚荣是有损前进的。”七、“不要自满，应该接受正确的批评。”八、“写景致要把牠活动起来，同全篇的情绪一致。”九、“对话要合身份。”

21 日，国际联盟调查团正式成立。调查团由英、美、法、德、意五国组成，负责调查中国“九一八”事变真相。

28 日，日军进犯上海。守卫上海的国民党军队十九路军在蒋光鼐、蔡廷锴等率领下，奋起抗战，打死、打伤日军一万余人，使日军四次更换指挥官。

沈从文短篇小说集《虎雏》由上海新中国图书局出版，收作品8部。

施蛰存的短篇小说集《将军底头》由上海新中国书局出版，列入“新中国文艺丛书”。书前有《自序》。收《鸠摩罗什》、《将军底头》、《石秀》和《阿褴公主》四部历史题材短篇小说。

穆时英的第一部小说集《南北极》由上海湖风书局出版。收1929年至1931年所写短篇小说5篇，分别为《黑旋风》、《咱们的世界》、《南北极》、《手指》和《生活在海上的人们》。

商务印书馆编译所、印刷厂等处毁于战火，《小说月报》因此停刊，战后也未恢复。文学研究会失此阵地，无形消散。

二月

1日，上海市民联合会义勇军500余名陆续开赴闸北前线，协助十九路军抗战。

2日，日军舰队炮击吴淞，国民党海军部长陈绍宽奉蒋介石命，下令军队“不准还击”。

2日，国际联盟调查团从欧州出发，前往中国调查“九一八”事变。后在中国东北活动一个半月，公布了《国联调查报告书》，主张对东北实行国际共管。

3日，英、法、美、意、德5国公使要求中、日两国停战撤兵，划上海为“中立区”。4日，国民党政府外交部表示同意，但遭日方拒绝。

3日，《文艺新闻》战时特刊《烽火》第2号发表由茅盾、鲁迅、叶圣陶等43人署名的《上海文化界告世界书》，抗议日本帝国主义制造一·二八事变侵略中国的罪行。

14日，国民党军令部令张治中率第五军到沪与十九路军共同对日作战。

15日，上海各业工人反日救国联合会宣告成立。

16日，日本策划的伪满洲国建国会议在沈阳召开，张景惠、熙洽、臧式毅、马占山等参加了会议。18日，伪东北行政委员会宣布东北地区“独立”。

26日，中共中央作出关于“一·二八”事变的决议，主张建立武装的工农兵革命军事委员会，领导抗日民族革命战争。

三月

2日，十九路军与10余万日军交战，相持33天，因浏河后路被日军袭击，实行撤退。

9日，日本在东北建立的傀儡政权伪“满洲国”宣布成立，伪都于长春，年号为“大同”，以新五色旗为国旗，元首溥仪称“执政”，郑孝胥任国务总理，张景惠任参议院议长。1934年，改称“满洲帝国”，“执政”改称“皇帝”，年号改为“康德”。

在瞿秋白领导下，中共地下组织在上海成立电影小组，由夏衍负责，以加强电影事业中的左翼力量。

四月

15 日，中华苏维埃共和国临时中央政府发布对日战争宣言。

25 日，《文学》（半月刊）在上海创刊，为“左联”理论性机关刊物，文学社编，上海出版合作社发行。该刊仅出 1 期，载有 3 篇文章，即瞿秋白的《上海战争和战争文学》（署名同人）、《大众文艺的现实问题》（署名史铁儿），冯雪峰的《论文学的大众化》（署名洛扬）。

30 日，鲁迅编定杂文集《二心集》，并写《序言》，回顾自己的斗争经历，他说“由于事实的教训，以为唯新兴的无产者才有将来”。

阿英编辑的《上海事变与报告文学》由上海南强书店出版。

郁达夫长篇小说《她是一个弱女子》由上海湖风书局出版。出版不久，即遭国民党查禁，1933 年 12 月改名《饶了她》由上海现代书局出版。

废名长篇小说《桥》由上海开明书店出版，收有岂明（周作人）《枣和桥的序》及作者《自序》。

五月

1 日，大型文学月刊《现代》在上海创刊。1935 年 5 月 1 日出至第 6 卷第 4 期终刊，每卷 6 期，共出 34 期。第 1、2 卷由施蛰存编辑，1933 年 5 月第 3 卷第 1 期起由施蛰存、杜衡（苏汶）合编，每半年为 1 卷。从 1935 年 3 月第 6 卷第 2 期起改为综合性月刊，由汪馥泉编辑，现代书局出版。《创刊宣言》称：“本志是普通的文学杂志，由上海现代书局请人负责编辑，故不是狭义的同人杂志”，“并不预备造成任何一种文学上的思潮、主义或党派”，“故本志所刊载的文章，只依照着编者个人的主观为标准。至于这个标准，当然是属于文学作品的本身价值方面的”。该刊辟有随笔、杂感、漫谈、小说、诗、散文、小品、剧本、论文、书评、翻译、文艺杂文等栏目。第 1 卷第 3 期发表苏汶的《关于“文新”与胡秋原的论辩》后，在文艺界引起了关于“第三种人”的论争，持续一年之久；瞿秋白（易嘉）在第 1 卷第 6 期发表了《文艺的自由和文学家的不自由》；鲁迅亦在第 2 卷第 1 期发表了总结性的文章《论“第三种人”》。该刊还发表了许多诗人的自由诗，其中有影响的诗人有戴望舒等。经常撰稿人除编者外，有戴望舒、穆时英、叶灵凤、巴金、张天翼、郁达夫、沈从文、茅盾、李健吾、洪深、穆木天、魏金枝、叶紫等。

20 日，《北斗》第 2 卷第 2 期发表葛琴的短篇小说《总退却》，反映一·二八事变中上海军民的抗战热情。作品受到文坛重视。1937 年 3 月上海良友图书公司出版了葛琴小说集《总退却》，书前有鲁迅的序。在序中，鲁迅说：“这一本集子就是这一时代的出产品，显示着分明的蜕变，人物并非英雄，风光也不旖旎，然而将中国的眼睛点出来了。我以为作者写的工厂，不及她写的农村，但也许因为我先前较熟于农村，否则，是作者较熟于农村的缘故罢。”

23 日，《文艺新闻》第 56 号发表瞿秋白的《“自由人”的文化运动——答复胡秋原和〈文艺评论〉》（未署名），批判胡秋原的艺术至上主义。

沈从文散文集《记胡也频》由光华书局出版。在该书《附志》里，沈从文暗示本书是为纪念胡也频被国民党特务杀害而作，并说："这个人假若是死了，他的精神雄强处，比目下许多据说活着的人，还更像一个活人。"

六月

4日，李达、陈望道、丁玲等17位文化界人士发表宣言，营救被国民党当局逮捕的泛太平洋产业同盟秘书牛兰夫妇。

6日，洛扬（冯雪峰）的《"阿狗文艺"论者的丑脸谱》发表于《文艺新闻》第58号。该文是针对胡秋原在《读书杂志》上发表的批评钱杏邨的文章所进行的反批评。文章说："首先第一，钱杏邨的文艺批评，自他的一开始到现在，都不是正确的马克思主义的批评，并且对于他的批评的不满现在已成为一个普遍的意见，杏邨自己也早在大家面前承认，要求同志们给他批评。"接着，冯雪峰指出了胡秋原的批评的本质："然而，第二，胡秋原在这里不是为了正确的马克思主义的批评而批评了钱杏邨，却是为了反普罗革命文学而攻击了钱杏邨；他不是攻击杏邨个人，而是进攻整个普罗革命文学运动。""第三，胡秋原因此就不愿意而且不能够真正的抓住钱杏邨的错误的根本。"对胡秋原的批评进行了揭示："胡秋原的主义，是文学的自由，是反对文学的阶级性的强调，是文学的阶级的任务之取消。这是一切问题的中心！"文章最后，冯雪峰要求要特别警惕胡秋原之类的狡猾："最后，编者先生，请你注意胡秋原的狡猾，并且我们要在一切人面前暴露他的狡猾！在现在，反对普罗革命文学，已经比民族主义文学者站在更'前锋'了。对于他及其一派，现在非加紧暴露和斗争不可。"

10日，左联机关刊物《文学月报》在上海创刊。瞿秋白发表《大众文艺的问题》（署名宋阳）。

国民党中央宣传部对上海各影片公司发出禁拍抗日影片的"通令"。

七月

10日，牛兰夫妇因拒绝在南京受审，在狱中绝食。上海作家柳亚子、郁达夫、田汉等32人联名致电国民党当局，请求立即释放牛兰夫妇。

华汉（阳翰笙）的长篇小说《地泉》由上海湖风书局再版。书前有易嘉（瞿秋白）、茅盾、郑伯奇、钱杏邨新写的序言及阳翰笙的《重版自序》，总结"革命文学第一期"创作的经验教训。

瞿秋白的序言名为《革命的浪漫蒂克》。他把作品中表现出的革命的小资产阶级知识分子的狂热情绪和违背生活逻辑的空想，称之为"革命的浪漫蒂克"。文章批评《地泉》里面的"正面人物都是理想化的，没有真实的生命"，认为"这种浪漫主义是新兴文学的障碍"，强调"必须肃清这种障碍，然后新兴文学才能够走上正确的路线"。

郑伯奇在《〈地泉〉序》中肯定了《地泉》的许多长处，如"斗争的实感，伟大的时代相，矫健的文字，强烈的煽动性"等等。但同时也认为作品有着普罗文学发展初期的"普遍毛病"，即"题材的选取，人物的活动，全是概念……在支配着"。

茅盾在序言《〈地泉〉读后感》一文中，从文艺作品必须具备“社会现象的全部（非片面）的认识”和“感情去影响读者的艺术手腕”两个前提出发，指出《地泉》在这方面明显的缺憾。他指出：“本书的缺点不是单独的，个人的，而实是一九二八到三〇年绝大多数（或竟不妨说是全体）此类作品的一般的倾向”。至于提出这些问题，茅盾认为“对于全体文坛的进向，也是一个教训”。

钱杏邨在《〈地泉〉序》中认为，该作存在着“个人主义的英雄主义”、“才子佳人英雄儿女”等错误倾向；但也认为，对于《地泉》这样的作品“我们不应该忘记”。

华汉在自序中也进行了自我检讨，他说：“我们那时几乎无例外的大都去走浪漫蒂克的道路”。这些批评和自我批评，目的都在于探讨和总结初期普罗文学创作的经验教训。

《北斗》第 2 卷第 3、4 期合刊刊出《文学大众化专辑》，发表周扬的《关于文学的大众化》及郑伯奇、阳翰笙、田汉等的论文，同时发表了陈望道、魏金枝、杜衡等 10 余人的“文学大众化问题征文”。

鲁迅在寓所与来上海治伤的红军将领陈庚会见。冯雪峰、朱镜我在座。陈庚介绍了红军斗争情况时，随手绘制了一张鄂豫皖革命根据地形势图。此图后来为鲁迅所保存。

徐志摩诗集《云游》由上海新月书店出版。收诗 13 首，其中译诗 2 首，另有陆小曼序文 1 篇。

茅盾短篇小说《林家铺子》在《申报月刊》创刊号上发表。

程小青小说《霍桑探案外集》由大众书局出版。

八月

1 日，韦素园在北平病逝。

韦素园（1902—1932），散文家、翻译家。原名崇文、漱园。安徽霍丘人。1918 年投笔从戎。五四运动时，积极参加驱逐军阀张敬尧的学生运动。1921 年入上海外国语学社学习俄语，参加社会主义青年团。同年夏，与刘少奇、蒋光赤等人赴苏联学习，并开始文学创作。1922 年回国，考入北京俄文专科学校。1925 年 7 月任《民报》副刊编辑。未名社成立后，主持日常社务工作，编辑《未名丛刊》、《未名新集》及《莽原》。作品散见于《民报》副刊、《莽原》、《未名》、《语丝》等，尚存散文集《西山朝影》与诗集《山中诗歌》手稿。译有果戈理小说《外套》、梭罗古勃的小说《邂逅》、俄国短篇小说集《饥饿的光芒》、北欧诗歌小品集《黄花集》等。

老舍的长篇小说《猫城记》在《现代》第 1 卷第 4 期开始连载，至第 2 卷第 6 期（1933 年 4 月 1 日）续完。1933 年 8 月上海现代书局出版单行本。

19 日，中国第一部反映全民抗日运动的故事片《共赴国难》，开始在上海放映。

《周作人散文钞》由上海开明书店出版。卷首有章锡琛、丁武（废名）分别写的《序》。书后附有章锡琛所作的注释。收散文 30 篇，系从作者以前的散文集中选辑。废名在《序》中扬岂明而贬鲁迅，称“鲁迅先生有他的明智，但还是感情的成分多，有时还流于意气”，“岂明先生讲欧洲文明必溯到希腊去，对于希伯来、日本、印度、中国的儒家与老庄，都能以艺术的态度去理解它，其融会贯通之处见于文章，明智的读者谅必多所会心。”对于废名的评论，鲁迅感到十分气愤，曾在1932年11月20日写给许广平的信中表示：“周岂明颇昏，不知外事，废名是他荐为大学讲师的，所以无怪乎攻击我，狗能不为其主子吠乎……”（鲁迅：《致许广平》，《鲁迅全集》第12卷第122页，人民文学出版社1981年版）章锡琛在《序》中则说：“这部选本用意在给中学生一个榜样，让他们明白怎样才能将文章写得好。”

九月

15日，日本政府与伪满洲国签订《日满议定书》。其主要内容是：日本国确认“满洲国”是一个根据居民意愿而自由成立的国家；“满洲国”对日本国和日本臣民以往在满洲获得的一切权益予以尊重；双方确认“两国共同担负防卫国家的责任，为此需要日本国军队驻扎于满洲国内”等。

25日，莫斯科举行高尔基创作40周年纪念庆祝会。鲁迅、茅盾、曹靖华等联名致电祝贺。我国一些进步刊物也出纪念专号或专栏。10月，周扬编辑的《高尔基创作四十年纪念文集》由上海良友图书公司出版。

《论语》（半月刊）在上海创刊。1937年8月出至第117期停刊。1946年12月复刊，期数续前。1949年5月出至第177期终刊。林语堂主办。林语堂、陶亢德、郁达夫、邵洵美等曾任主编。中国美术社刊行、上海时代图书公司先后发行。主要撰稿人除编者及周作人等之外，还聘有章克标、老舍、章衣萍、刘半农、赵元任、潘光旦、俞平伯、孙伏园、谢冰莹等为“长期撰稿员”。创刊初期鲁迅曾在该刊发表《学生和玉佛》、《谁的矛盾》等杂文。该刊以幽默为特色，有时虽能发表一些具有社会讽刺意义的文章，但它提倡写作所谓冷静超远、冲淡闲适、出自性灵的小品，其总的倾向日趋消极。

鲁迅在《“论语一年”》中指出：“老实说罢，他（指林语堂——编者注）所提倡的东西，我是常常反对的。先前，是对于‘费厄泼赖’，现在呢，就是‘幽默’。我不爱‘幽默’，并且以为这是只有爱开圆桌会议的国民才闹得出来的玩意儿，在中国，却连意译也办不到。我们有唐伯虎，有徐文长；还有最有名的金圣叹，‘杀头，至痛也，而圣叹以无意得之，大奇！’虽然不知道这是真话，是笑话；是事实，还是谣言。但总之：一来，是声明了圣叹并非反抗的叛徒；二来，是将屠户的凶残，使大家化为一笑，收场大吉。我们只有这样的东西，和‘幽默’是并无什么瓜葛的。”（鲁迅：《“论语一年”》，《论语》第25期，1933年9月16日。）

由杨骚、蒲风、穆木天、任钧等发起组织的中国诗歌会在上海成立。该会为“左联”领导的诗歌团体。先后在北平、广州、青岛及日本东京设立分会。该会“以推进新诗歌运动，致力中国民族解放，保障诗歌权利为宗旨”，在“左联”理论纲领的指导下，针对“新月派”、“现代派”诗歌的倾向，指出要“捉住现实”，提倡“大众歌调”，坚持现实主义方向，探索诗歌大众化的主张。1933年2月出版会刊《新诗歌》

旬刊（后改为半月刊、月刊），至次年 12 月停刊。各分会也在当地办有会刊或编辑报纸副刊，如广州、北平分会各有《新诗歌》，青岛分会有《诗歌季刊》。当“国防诗歌”作为“国防文学”的一部分提倡后，该社同人投入了“国防诗歌”的创作，并出版了《国防诗歌丛书》。

鲁迅杂文集《三闲集》由上海北新书局出版。

郭沫若的《创造十年》由上海现代书局出版。书中详尽介绍了创造社前期的活动。

十月

2 日，英国驻国联代表李顿为首的国联调查团在日内瓦、南京、东京同时发表《中日纷争调查委员报告书》。提出：以国联共管中国东北地区来代替日本独占东北，在东北设立自治政府等。日本政府拒绝《报告书》的建议。

5 日，郁达夫宴请鲁迅、柳亚子等。席间鲁迅作《自嘲》诗。诗云：“运交华盖欲何求？未敢翻身已碰头。破帽遮颜过闹市，漏船载酒泛中流。横眉冷对千夫指，俯首甘为孺子牛。躲进小楼成一统，管他冬夏与春秋。”

6 日，《中华苏维埃共和国临时中央政府反对国联调查团通电》发表。《通电》针对国联调查团发表的《中日纷争调查委员报告书》歪曲日本侵略东北的事实指出：李顿调查团报告书公开地最无耻地宣布了瓜分中国的新计划。号召全国民众武装起来，在苏维埃政府的领导下，以革命的民族战争，来完成中国的民族独立和解放。

15 日，《小说月刊》由杭州苍山书店发行。该刊由沈从文、林庚、高植、程一戎编辑，共发行过 4 期。在发刊辞中，沈从文认为，“目下经济的不景气病也传染到文坛上来了，在质上在量上都是没有多少生气的。”为改变这种局面，沈从文号召以创作实绩来重振文坛，他说：“我们只会凭自己的一点呆力气握着笔写，不会用手执旗高呼，也不会叫口号，若是可能，只想用自己写出来的东西说话，把小说作为传单、广告那全是聪明人的事情，我们是做不来的。”沈从文为和当时文坛流行的左翼文艺思潮划清界限，特别说明“我们也没有‘立场’（这是最流行的口号），要有那便是‘写写写’，站在客观的不加入任何打架团体作小丑的表演的立场上我们写一点而已，写坏了，自己负责。挂羊头卖猫肉是时新的，挂羊头卖鼠肉是更聪明会利用某种势力的人（或者说是守夜的）所为的，若使我们的羊肉不好，我们已说过，愿承认自己的力薄，不敢欺骗买主的。读者是买主，随近代经济势力的膨胀，已是无庸客气的了。”在文中，沈从文还讽刺了某种“造福帮家”的阶级，并且说：“写文章是呆事，他们是不屑为的。”最后，他宣称：“我们不要说我们将有多大的贡献，这是聪明人才会说的，我们不会做生意。照最流行的文章作法，应该加一句：‘最后让我们高呼’……我们是呼不出口号的。”

全苏作家同盟组织委员会在莫斯科召开第一次代表大会，批判“拉普”的“唯物辩证法创作法”，并提出社会主义现实主义创作方法。

沙汀第一部短篇小说集《法律外的航线》由上海辛垦书店出版。收作者 1931 年至 1932 年间所写短篇小说 12 篇。

周作人散文集《看云集》由开明书店出版，收入散文21篇。

鲁迅杂文集《二心集》由上海合众书局出版，不久即遭查禁。后由书店将国民党图书审查机关删剩的16篇编为1册，名《拾零集》，于1934年10月出版。

谢冰莹散文集《麓山集》由上海光明书局出版，收散文64篇。

十一月

2日，中国共产党中央委员会机关报《斗争》第30期发表张闻天的《文艺战线上的关门主义》，署名“哥特”。此文后略经删改，以科德的笔名转载于1933年1月《世界文化》第2期。文章指出：“在我们同志中所存在着的非常严重的‘左’的关门主义。这种关门主义不克服，我们决没有法子使左翼文艺运动变为广大的群众运动。”

11日，鲁迅去北平探母。在平期间先后赴北大第二院、辅仁大学、北平大学女子文理学院、北师大、中国大学讲演，此即著名的“北平五讲”。11月28日晚离开北平，30日返抵上海。

15日，洪深的“农村三部曲”第1部《五奎桥》在《文学月报》第1卷第4期上发表。单行本于1933年12月由上海现代书局出版。

《文学月报》第1卷第4期刊载诗歌《汉奸的自供状》，作者署名“芸生”。芸生本名邱九如，此诗批判矛头直指胡秋原。在诗中，他把胡秋原看作革命的敌人和“汉奸”加以辱骂：“什么？学者——/汉奸——/帝国主义的牧师+地主资产阶级的和尚。”/“啊，你这便衣队，/这汉奸！”……“放屁，你的妈，你祖宗托洛茨基的话。/当心，你的脑袋一下就会变做剖开的西瓜！”时任文委书记的冯雪峰读到此诗后极为不满，立即向《文学月报》的编者周起应（周扬）提出建议，要求他在下一期的《文学月报》上作出纠正，但遭到拒绝。鲁迅得知此事后，很快便写了《辱骂和恐吓决不是战斗》一文，发表在同年12月《文学月报》第1卷第5、6期合刊上。鲁迅在文中直截了当地指出，《汉奸的自供状》一文“有辱骂，有恐吓，还有无聊的攻击”，“尤其不堪的是结末的辱骂”，“接着又是什么‘剖西瓜’之类的恐吓，这也是极不对的”。与此同时，他又提出了自己的战斗原则——“战斗的作者应该重于‘论争’”。这显然是对当时流行的左倾幼稚病的批评。

但是，有些左翼作家却对鲁迅的意见持反对态度。其中，祝秀侠化名“首甲”，与方萌、丘东平、郭沫若（此为托名）联名于1933年2月2日《现代文化》第1卷第2期上发表《对鲁迅发表的〈辱骂和恐吓决不是战斗〉有言》。他们对鲁迅所说的“战斗的作者应该重于‘论争’”这一观点虽然表示同意，但也认为芸生“辱骂”胡秋原“有什么不可以”，“他的基本立场是正确的”，“‘大可以不必’的覆勘地批评芸生的诗”，而指责鲁迅“带上了极浓厚的右倾机会主义的色彩”，是“极危险的右倾的文化运动中和平主义的说法”，“无形中已对敌人陪笑脸三鞠躬了”。

瞿秋白于1933年9月写了《鬼脸的辩护——对首甲等的批判》一文，进一步阐发鲁迅的观点。他指出：“革命当然是要流血。何况文化斗争之中，就是对付正面的敌人，也要在‘流血’的过程里同时打碎他们的‘理论’的阵地。当你只会喊几声‘切西瓜'的时候，就要被敌人看做没有能力在理论上来答辩了，而一般广大的群众并不能够明白敌人的'理论家'的欺骗。国际的革命思想斗争的经验告诉我们：几十年来没有一次是用'切你的西瓜'那样的恐吓来战胜反动思想和欺骗的理论的！这种恐吓其实是等于放弃思想战线上的战斗。"同时，针对"首甲"等人攻击鲁迅是"右倾机会主义"，瞿秋白指出："说'恐吓决不是战斗'的鲁迅决没有什么右倾机会主义的色彩，而自己愿意戴上鬼脸的首甲等却的确是'左'倾机会主义的观点。"（瞿秋白：《鬼脸的辩护——对首甲等的批判》，《瞿秋白文集》第1卷第407~411页，人民文学出版社1953年版）

鲁迅的《论"第三种人"》发表于《现代》第2卷第1期。

针对苏汶批评左翼文坛的言论，鲁迅在文中说："自然，自从有了左翼文坛以来，理论家曾经犯过错误，作家之中，也不但如苏汶先生所说，有'左而不作'的，并且还有由左而右，甚至于化为民族主义文学的小卒、书坊的老板、敌党的探子的，然而这些讨厌左翼文坛了的文学家所遗下的左翼文坛，却依然存在，不但存在，还在发展，克服自己的坏处，向文艺这神圣之地进军。苏汶先生问过：克服了三年，还没有克服好么？回答是：是的，还要克服下去，三十年也说不定。然而一面克服着，一面进军着，不会做待到克服完成，然后行进那样的傻事的。但是，苏汶先生说过'笑话'：左翼作家在从资本家取得稿费；现在我来说一句真话，是左翼作家还在受封建的资本主义的社会的法律的压迫、禁锢、杀戮。所以左翼刊物，全被摧残，现在非常寥寥，即偶有发表，批评作品的也绝少，而偶有批评作品的，也并未动不动便指作家为'资产阶级的走狗'，而且不要'同路人'。左翼作家并不是从天上掉下来的神兵，或国外杀进来的仇敌，他不但要那同走几步的'同路人'，还要招致那站在路旁看看的看客也一同前进。"

鲁迅批评苏汶说："生在有阶级的社会里而要做超阶级的作家，生在战斗的时代而要离开战斗而独立，生在现在而要做给与将来的作品，这样的人，实在也是一个心造的幻影，在现实世界上是没有的。要做这样的人，恰如用自己的手拔着头发，要离开地球一样，他离不开，焦躁着，然而并非因为有人摇了摇头，使他不敢拔了的缘故。所以虽是'第三种人'，却还是一定超不出阶级的。""左翼作家诚然是不高超的，连环图画，唱本，然而也不到苏汶先生所断定那样的没出息。左翼也要托尔斯泰，弗罗培尔。但不要'努力去创造一些属于将来（因为他们现在是不要的）的东西'的托尔斯泰和弗罗培尔。他们两个，都是为现在而写的，将来是现在的将来，于现在有意义，才于将来会有意义。尤其是托尔斯泰，他写些小故事给农民看，也不自命为'第三种人'，当时资产阶级的多少攻击，终于不能使他'搁笔'。左翼虽然诚如苏汶先生所说，不至于蠢到不知道'连环图画是产生不出托尔斯泰，产生不出弗罗培尔来'，但却以为可以产出密开朗该罗，达文希那样伟大的画手。而且我相信，从唱本说书里是可以产生托尔斯泰，弗罗培尔的。现在提起密开朗该罗们的画来，谁也没有非议了，但实际上，那不是宗教的宣传画，《旧约》的连环图画么？而且是为了那时的'现在'的。"

鲁迅最后总结道："总括起来说，苏汶先生是主张'第三种人'与其欺骗，与其做冒牌货，倒还不如努力去创作，这是极不错的。'定要有自信的勇气，才会有工作的勇气!’这尤其是对的。然而苏汶先生又说，许多大大小小的‘第三种人’们，却又因为豫感了不祥之兆——左翼理论家的批评而‘搁笔’了!‘怎么办呢’?”

中国左翼文化总同盟机关刊物《文化月报》在上海创刊。1933 年 1 月出第 2 期时改名《世界文化》，旋即停刊。

下旬，瞿秋白、杨之华夫妇至鲁迅家中避难。约在 12 月 20 日前后离去。

十二月

15 日，《文学月报》第 1 卷第 5、6 期合刊发表柳亚子、鲁迅、茅盾等 58 人署名的《中国著作家为中苏复交致苏联电》。同期还发表了鲁迅的杂文《祝中俄文字之交》和艾芜的成名作《人生哲学的一课》。

黎烈文接编《申报》副刊《自由谈》，鲁迅、茅盾、郁达夫等为主要撰稿人。

废名中篇小说《莫须有先生传》由上海开明书店出版。

1933 年

一月

1 日，何丹仁（冯雪峰）在《现代》第 2 卷第 3 期发表《并非浪费的论争》、《关于“第三种人文学”的倾向与理论》等文，与胡秋原、苏汶展开论辩。

3 日，日军攻陷山海关。

10 日，中华苏维埃共和国临时中央政府和工农红军革命军事委员会发表宣言，阐明中国共产党抗日救国的主张。

15 日，美国政府通告各国，不承认伪满洲国。

17 日，中共驻共产国际代表团，以中华苏维埃临时中央政府和工农红军革命军事委员会名义发表宣言，向一切进攻革命根据地和红军的国民党军队提议，在停止进攻、保证民众的民主权利和武装人民的条件下，停战议和，一致抗日。遭到国民党政府拒绝。

31 日，国民党政府将北平文物南迁，各界民众团体强烈反对，搬运工人罢工。

巴金长篇小说《雨》由上海良友图书公司出版，列为赵家璧主编的“良友文学丛书”第三种。

二月

1 日，杨邨人在《现代》第 2 卷第 4 期发表《揭起小资产阶级革命文学之旗》，声称“无产阶级已经树起无产阶级文学之旗，而且已经有了巩固的营垒……我们是小资产阶级的作家，我们也就来作拥护着目前小资产阶级的小市民和农民的群众的利益而斗争”，号召“以为是‘第三种人’而愿意从事革命文学的作家和青年们，高揭我们小资产阶级革命文学之旗”。该文表达了杨邨人要“扎住我们的阵营”，与无产阶级革命文学对垒的决心。同年 12 月，杨邨人又写信攻击鲁迅。鲁迅在《答杨邨人先生公开信的公开信》中，揭露他“既从革命阵线上退回来，为辩护自己，做稳‘第三种人’起见，总得有一点零星的忏悔，对于统治者，其实是颇有些益处的”。（鲁迅：《答杨邨人先生公开信的公开信》，《鲁迅全集》第4卷第623页，人民文学出版社1981年版）

约在本月4日至9日间，瞿秋白夫妇第二次到鲁迅家避难，3月初离去，搬入鲁迅为他们租的北四川路东照里寓所。

5日，《无名文艺》（旬刊）在上海创刊。初为旬刊，仅出2期。同年6月1日改出月刊，只出1期。叶紫、陈企霞编辑。无名文艺社出版。以发表无名文艺青年的文艺作品为主。叶紫的著名小说《丰收》即刊登在月刊上。

7至8日，鲁迅作《为了忘却的纪念》，深切悼念两年前遇难的“左联”五烈士。

11日，中国诗歌会会刊《新诗歌》在上海创刊。由穆木天执笔，署名“同人”的《〈新诗歌〉发刊诗》说：“我们要唱新的诗歌，／歌颂这新的世纪”，“压迫，剥削，帝国主义的屠杀，／反帝，抗日，那一切民众的高涨的情绪，／我们要高唱这种矛盾和他的意义，／从这种矛盾中去创造伟大的世纪。／我们要用俗言俚语，／把这种矛盾写成民谣小调鼓词儿歌，／我们要使我们的诗歌成为大众歌调，／我们自己也成为大众中的一个。”以“同人”署名的《关于写作新诗歌的一点意见》提出在诗的内容方面：要“（一）理解现制度下各阶级的人生，着重大众生活的描写；（二）有刺激性的，能够推动大众的；（三）有积极性的，表现斗争或组织群众的。”在诗的形式方面，提出要创造新形式，采用大众化的旧形式，采用歌谣的形式，并强调“要使人听得懂，最好能够歌唱”等等。

17日，英国作家萧伯纳抵达上海，在宋庆龄寓所会见蔡元培、鲁迅、林语堂、杨铨、史沫特莱等。

17日，《艺术新闻》（周刊）在上海创刊。中国左翼戏剧家联盟刊物。1933年3月11日出至第4期终刊。夏芦江（夏伟）编辑。邹敬之（邹兢）发行。稿件实由赵铭彝编发。该刊是“剧联”内部油印的《戏剧通信》被迫停刊后创办的，主要报道南北各地剧运情况。赵铭彝撰写了《欢迎萧伯纳》和《欢迎巴比塞与艺术家当前的任务》两篇社论。第2期刊载编者所写关于鲁迅“北平五讲与上海三嘘”一事的短文，曾引起不小的反响。

21日，鲁迅与埃德加·斯诺会晤。

25日，日军从通辽和绥中基地分三路进犯长城北部和东部整个地区，以及沿长城的一切重要关隘。

26日，上海总工会发表《告全国工友书》，提出要团结抗日，共赴国难。

茅盾长篇小说《子夜》由上海开明书店出版。

关于《子夜》创作的具体情况，茅盾后来回忆说：“一九三〇年秋，我眼疾、胃病、神经衰弱并作，医生嘱我少用眼多休息。闲来无事，我就常到卢表叔公馆去，跟一些同乡故旧晤谈。他们是卢公馆的常客，他们中有开工厂的，有银行家，有公务员，有商人，也有正在交易所中投机的。从他们那里我听到了很多，对于当时的社会现象也看得更清楚了。那时，正是蒋介石与冯玉祥、阎锡山在津浦线上大战，而世界经济危机又波及到上海的时候。中国的民族工业在外资的压迫和农村动乱、经济破产的影响下，正面临绝境。为了转嫁本身的危机，资本家加紧了对工人的剥削。而工人阶级的斗争也正方兴未艾。翻开报纸，满版是经济不振、市场萧条、工厂倒闭、工人罢工的消息。我又时常从朋友那里得知南方各省的苏维埃红色政权正蓬勃发展，红军粉碎了蒋介石多次的军事围剿，声威日增。尤其彭德怀部红军的攻占长沙，极大的振奋了人心。这些消息虽只片段，但使我鼓舞。当时我就有积累这些材料，加以消化，写一部白色的都市和赤色的农村的交响曲的小说的想法。”而“一九三〇年夏秋间进行得很热闹的关于中国社会性质的论战，对于确定我这部小说的写作意图，也颇有关系。当时的论战者提出了三种论点：一、中国社会依旧是半封建半殖民地的社会，推翻代表帝国主义、封建势力、官僚买办资产阶级的蒋介石政权，是当前革命的任务，领导这一革命的是无产阶级。这是革命派的观点。二、中国已经走上了资本主义道路，反帝反封建的任务应由中国资产阶级来担承。这是托派的观点。三、中国的民族资产阶级可以在既反对共产党，又反对帝国主义和官僚买办阶级的夹缝中求得生存和发展，建立欧美式的资产阶级政权。这是一些资产阶级学者的观点。我写这部小说，就是想用形象的表现来回答托派和资产阶级学者：中国没有走向资本主义发展的道路，中国在帝国主义、封建势力和官僚买办阶级的压迫下，是更加半封建半殖民地化了。中国的民族资产阶级中虽有些如法国资产阶级性格的人，但是一九三〇年半殖民地半封建的中国不同于十八世纪的法国，中国民族资产阶级的前途是非常暗淡的。它们软弱而且动摇。当时，它们的出路只有两条：投降帝国主义，走向买办化，或者与封建势力妥协。”

关于《子夜》的题名也有一个变化。茅盾说：“最初的题名我曾拟了三个：夕阳、燎原、野火，后来决定用《夕阳》，署名为逃墨馆主。当时是应《小说月报》主编郑振铎之请，打算从一九三二年起先在《小说月报》连续刊登（其实，那时全书尚未写完，只写了一半）。不料突然发生‘一二八’上海战事。商务印书馆总厂为日本侵略炮火所毁，《小说月报》从此停刊，我交去的那部分稿子也被毁了。幸而还有我亲手写的原稿，交去的是德沚抄的副本。何以不用原来的笔名（茅盾）而用逃墨馆主呢？这无非一时的好奇，让人家猜猜：自有新文学运动以来，从没有写过的企业家和交易所等，现在有人写了，这人是谁呢？孟子说过，天下之人，不归于阳，则归于墨。阳即阳朱，先秦诸子的一派，主张‘为我’，阳朱的书早已亡佚，仅见《列子》的《阳朱篇》保存‘为我学说’的大概。我用‘逃墨馆主’不是说要信仰阳朱的为我学说，而是用了阳字下的朱字，朱者赤也，表示我是倾向于赤化的。《夕阳》取自前人诗句‘夕阳无限好，只是近黄昏’，比喻蒋政权当时虽然战胜了汪、冯、阎和桂、张，表面上是全盛时代，但实际上已在走下坡路，是‘近黄昏’了……也就是在我反复推敲那大纲的时候，我决定把题名由《夕阳》改为《子夜》。《子夜》即已半夜，快天亮了；这是从当时革命发展的形势而言。”（茅盾：《〈子夜〉写作的前前后后》，《我走过的道路》（中）第113页，人民文学出版社1984年版）

《子夜》的出版，亦曾受到鲁迅的关注，据茅盾回忆：“《子夜》初版印出的时间是一九三三年二月初，我从开明书店拿到了几本样书后，就在二月四日和德沚一起，拿上《子夜》，还带了儿子，到北四川路底公寓去拜访鲁迅。因为自从一九三一年十月鲁迅知道我辞去了‘左联’行政书记职务，专门写《子夜》以来，已有一年多了，这中间，我还写了好几篇农村题材的短篇小说，如《林家铺子》、《春蚕》等，但《子夜》却始终没有出版，所以鲁迅曾多次问我《子夜》写作的进展。现在《子夜》终于出版，我自然应该尽早给鲁迅送上一册。这是一册平装本，精装本尚未印出。那时，我赠书还没有在扉页上题字的习惯。鲁迅翻开书页一看，是空白，就郑重提出要我签名留念，并且把我拉到书桌旁，打开砚台，递给我毛笔。我说，这一本是给您随便翻翻的，请提意见。他说，不，这一本我是要保存起来的，不看的，我要看，另外再去买一本。于是，我就在扉页上写上：鲁迅先生指正茅盾一九三三年二月四日。此后，凡赠人书，我都签上名了。鲁迅又让我参观了他专门收藏别人赠送的书的书柜，我看见，其中的有些书还精心地包上了书皮。然后，我们分成三摊活动。我和鲁迅交谈《申报·自由谈》上的问题，当时黎烈文已接编《自由谈》，鲁迅和我都答应经常给《自由谈》写杂文支持黎烈文。德沚和许先生闲聊家务事，而我的儿子则跟着海婴到他的‘游艺室’玩去了。半小时以后，儿子突然跑了回来，向他母亲表示要回家去。原来孩子们闹矛盾了。许广平进了‘游艺室’，大概向小海婴做了工作（那时海婴才三岁半），又拿了一盒积木送给我儿子。我们也就告辞了。”（茅盾：《〈子夜〉写作的前前后后》，《我走过的道路》（中）第 115 ~ 116 页，人民文学出版社 1984 年版）

鲁迅曾于同年 2 月 9 日写信给曹靖华说：“国内文坛除了我们仍受压迫及反对者趁势活动外，亦无甚新局。但我们这面，亦颇有新作家出现；茅盾作一小说曰《子夜》（此书将来当寄上），计三十余万字，是他们所不能及的。”（鲁迅：《致曹靖华》，《鲁迅全集》第 12 卷第 148 页，人民文学出版社 1981 年版）

《子夜》出版后，受到各方的关注。据茅盾回忆，在当时的评论家中，瞿秋白读过《子夜》的前几章，在《子夜》全书出版后，他用“乐雯”的笔名发表了短文《子夜与国货年》，刊登在 1933 年 3 月 12 日《申报·自由谈》上。瞿秋白的文章认为：“这是中国第一部写实主义的成功的长篇小说，带着很明显的左拉的影响（左拉的‘LARGENT’——《金钱》）。自然，它（《子夜》）有许多缺点，甚至于错误。然而应用真正的社会科学，在文艺上表现中国的社会阶级关系，这在《子夜》不能够说不是很大的成绩。茅盾不是左拉，他至少已经没有左拉那种普鲁东主义的蠢话。”（茅盾按：左拉的《卢贡·马卡尔家族》第十八卷《金钱》写交易所投机事业的发达，以及小有产者的储蓄怎样被吸取而至于破产。但我在这里要说明，我虽然喜爱左拉，却没有读完他的《卢贡·马卡尔家族》全部二十卷，那时我只读过五、六卷，其中没有《金钱》。交易所投机的情况，如我在前面所说，得之于同乡故旧们。）瞿文又说：“这里，不能够详细的研究《子夜》，分析到它的缺点和错误，只能够等另一个机会了。”

1933 年 8 月 13 日出版的《中华日报》副刊《小贡献》发表了瞿秋白用“施蒂而”的笔名写的另一篇评论《读子夜》。瞿文共分五段，文章开篇就说：“从《子夜》出版后，直到现在为止，我并没有看见一篇比较有系统的批评；我现在也没有那‘批评’的野心，只是读过后，感觉到许多话要说，这些话，也许对比我后读到《子夜》的人能得一些益处罢？”“在中国，从文学革命后，就没有产生过表现社会的长篇小说，《子夜》可算第一部；它不但描写着企业家、买办阶级、投机分子、土豪、工人、共产党、帝国主义、军阀混战等等，它更提出许多问题，主要的如工业发展问题，工人斗争问题，它都很细心的描写与解决。从‘文学是时代的反映’上看来，《子夜》的确是中国文坛上新的收获，这可说是值得夸耀的一件事。”瞿文然后夹叙夹议介绍《子夜》的主要内容，并说《子夜》里的女性人物有各种各样的表现，“我们从这许多不同的女性表现上，认出她们的阶级来。至于恋爱问题，吴少奶奶之与雷参谋，是恋爱逃不了黄金的。林佩珊与杜新箨是拿恋爱当顽艺，充分表现着时代病的产儿。而真正的恋爱观，在《子夜》里表示的，却是玛金所说的几句话：‘你敢！你和取消派一鼻孔出气，你是我的敌人了。’这表现一个女子认为恋爱要建筑在同一的政治立场上，不然就打散。”在评论到书中的地下党员们时，瞿文说：“从克佐甫和蔡真的术语里，和他们夸大估量无后方等布置，充分表现着立三路线的盲动……这正是十九年（按即一九三〇年）的当时情形！也许有人说作讥讽共产党罢，相反的，作者正借此来教育群众呢！”瞿文的最后一段提出五点意见：“一、有许多人说《子夜》在社会史上的价值是超越它在文学史上的价值的，这原因是《子夜》大规模地描写中国都市生活，我们看见社会辩证法的发展，同时却回答了唯心论者的论调。二、在意识上，使读到《子夜》的人都在对吴荪甫表同情，而对那些帝国主义、军阀混战、共党、罢工等破坏吴荪甫企业者，却都会引起憎恨，这好比蒋光慈的《丽莎的哀怨》中的黑虫，使读者有同样感觉。观作者尽量描写工人痛苦和罢工的勇敢等，也许作者的意识不是那样，但在读者印象里却不同了。我想这也许是书中的主人翁（按即吴荪甫）的关系，不容易引人生反作用。三、在全书中的人物牵引到数十个，发生事件也有数十件，其长近五十万字，但在整个组织上却有很多处可分个短篇，这在读到《子夜》的人都会感觉到的。四、人家把作者来比美国的辛克莱，这在大规模表现社会方面是相同的，然其作风，拿《子夜》以及《虹》、《蚀》来比《石炭王》、《煤油》、《波士顿》，特别是《屠场》，我们可以看出两个截然不同点来，一个是用排山倒海的宣传家的方法，一个却是用嫣嫣动人叙述者的态度。五、在《子夜》的收笔，我老是感觉到太突然，我想假使作者从吴荪甫宣布‘停工’上，再写一段工人的罢工和示威，这不但可挽回在意识上的歪曲，同时更可增加《子夜》的影响与力量。”

此外，《文艺月报》创刊号（1933年6月1日出版）也刊登了吴组缃评论《子夜》的文章。他在文章中认为，“中国之有茅盾，犹美国之有辛克莱。”又说：“有人拿《子夜》来比好莱坞新出的有声名片《大饭店》，说这两部作品同样是暴露现代都市中畸形的人生的，其实这比拟有点不伦不类。因为《大饭店》是没有灵魂的……它没有用一个新兴社会科学者的严密正确的态度告诉我们资本主义的社会是如何没落着的；更没有用那种积极振起的精神宣示下层阶级的暴兴。”而《子夜》则一方面暴露了上层社会的没落，另一方面宣示着下层阶级的兴起。“但是这两方面表现得不平衡，有一边重一边轻的弊病，原因或许是作者对于兴起的一方面没有丰富的实际生活经验。”

而出乎茅盾意外的是，学衡派的吴宓也写了一篇评论，刊于1933年4月10日天津《大公报》文学副刊，用的笔名是“云”。茅盾回忆说：“郑振铎当时在北京，他寄来一份剪报，告诉我‘云’即吴宓。”吴文除简略叙述《子夜》内容外，还说“吾人所为最激赏此书者，第一，以此书乃作者著作中结构最佳之书。盖作者善于表现现代中

国之动摇，久为吾人所习知。其最初得名之‘三部曲’即此类也。其灵思佳语，诚复动人，顾犹有结构零碎之憾。吾人至今回忆‘三部曲’中之故事与人物，但觉有多数美丽飞动之碎片旋绕于意识，而无沛然一贯之观。此书则较之大见进步，而表现时代动摇之力，尤为深刻。”吴宓在谈到书中一些小结构未能充分发展时，谓作者跋语中“所自憾之疏漏或即此类。其他小疵，亦有可议者，如吴荪甫之妻因吴之专心事业不能在吴之爱情上得满足，而怅惘，而游离，而卒与其旧日情人雷参谋相恋。作者于此以暗笔简述，殊有画龙只画鳞爪之妙。惟叙雷参谋所赠之小书及萎残之白玫瑰，在荪甫眼中露出三次，使人稍有失真之感。盖此为两情人珍藏之物，既已重拾坠欢，此物宜不复长时把玩，以致屡为夫婿所见也。”“第二，此书写人物之典型性与个性皆极轩豁，而环境之配置亦殊入妙……其环境之配置，屡以狂风大雨惊雷骇电随文情以俱来。如工人策划罢工时，吴荪甫第一次公债胜利前之焦灼时，皆以雨与霹雳作衬。而写吴之空虚烦躁，则以小火轮上之纵酒狂欢为之对比，殊为有力。当荪甫为工潮所逼焦灼失常之时，天色晦冥，独居一室，乃捕捉偶然入室送燕窝粥之王妈，为性的发泄。此等方法表现暴躁，可云妙绝。”茅盾评论吴宓此文时说：“这一点，是瞿秋白对我说过的大资本家当走投无路时，就想破坏什么，乃至兽性发作，我如法炮制；不料吴宓看书真也细心，竟能领会此非闲笔。”至于吴文最后评论《子夜》的文字，如“笔势具如火如荼之美，酣恣喷薄，不可控搏。而其微细处复能宛委多姿，殊为难能而可贵。尤可爱者，茅盾君之文字系一种可读可听近于口语之文字。近顷作者所著之书名为语体，实则既非吾华之语亦非外国语，惟有不通之翻译文字差可与之相近。”茅盾认为，“这却是借我来骂人了。”“总之，吴宓还是吴宓，他评小说只从技巧着眼，他评《子夜》亦复如此。”（茅盾：《〈子夜〉写作的前前后后》，《我走过的道路》（中）第 122 页，人民文学出版社 1984 年版）

评论家韩侍桁 1933 年 11 月 1 日在《现代》第 4 卷第 1 期上发表《〈子夜〉的艺术，思想及人物》一文。他在文中写道：“它是一部伟大的作品，但它的伟大只在企图上，而并没有全部实现在书里。”“它虽然有着巨大的企图，但它并没有寻到怎样展开他的企图的艺术。”韩文还说：“我不是从无产阶级文学的立场来观察这书以及这作者，如果那样的话，这书将更无价值，而这作者将要受更多的非难。”在具体的评述中，韩侍桁认为小说只是一部描写吴荪甫“个人悲剧”的书，“许多场景许多人物的表现上，都觉得非常地不够而且不真实”，“这书不能成为写实的，但带了极浓厚的罗曼蒂克的色彩”。他甚至说：“因为作者不能艺术地表现出他的巨大的企图，于是把所有的公式的，理论的，术语的长篇大套的言谈装进在人物的口里，而这书便不能不成为干燥无味的东西了。为调和读者的兴趣，我们的作家，也像现今一般流行的低级的小说一样地，是设下了许多色情的人物与性欲的场面。”

韩侍桁的观点受到了左翼作家的反驳。冯雪峰后来写了《〈子夜〉与革命的现实主义的文学》一文。冯雪峰认为韩侍桁之所以否定《子夜》的目的，“无非想证明公认的革命作家的茅盾并非革命作家，于是茅盾就一定降低了作家的地位，这样也就证明了普洛革命文学不能成立，如此而已。”同时，他指出：“在现在，普洛革命文学早已是中国新的文学主潮”，“而《子夜》似的巨著，是只有普洛革命文学才能拥有的”，

"《子夜》并且是把鲁迅先驱地英勇地所开辟的中国现代文学的战斗的文学的路，现实主义的创作的路，接引到普洛革命上来的'里程碑'之一。"（冯雪峰:《〈子夜〉与革命的现实主义的文学》，《木屑文丛》第1辑，1935年4月20日。）胡风在发表冯雪峰的这篇文章时，特地写了《附记》，指出："第一，《子夜》自出版以来，引起了各种非常不同的评价。这不同当然是由批评者不同的立场来的，但正常的评价只有由革命普洛文学运动进程上去，才能观察才能够做到。作者在这里指出的意见，我以为是我们进行《子夜》评价的时候所不得不依据的出发点。第二，在许多批评《子夜》的文章里，韩侍桁先生底在原则上包含了最大的歪曲。和韩先生底一贯的文学主张相关联，撕破他底假面是绝对必要的。作者从这一出发，我觉得对于读者有很大的意义。"

张恨水的小说《金粉世家》由世界书局出版。

《金粉世家》是张恨水从1927年起开始创作的长篇巨著，他一边写一边在《世界日报》上连载，直到1932年方才写成，该作是张恨水第一部具有现代意义的通俗巨制。作品虽是连载的长篇小说，却有着统一的构思。张恨水自述写作该书时，"在整个小说布局之后，我列有一个人物表，不时的查阅表格，以免错误。同时，关于每一个人物所发生的故事，也都极为简单的注明在表格下。这是我写小说以来，第一次这样做的。"（张恨水：《我的写作生涯》第42页，四川人民出版社1981年版）《金粉世家》写京城三世同堂的国务总理金家，以其七少爷金燕西和出身寒门的女子冷清秋的婚姻悲剧为主线，穿插与金家有关的百十个人物，写出巨宦豪门的一朝崩溃，整个家族树倒猢狲散的结局。所写故事并非写实。作者自述，"《金粉世家》，是指着当年北京豪门哪一家？'袁'？'唐'？'孙'？'梁'？全有些像，却又不全像。"（张恨水：《我的写作生涯》第40页，四川人民出版社1981年版）

丁玲短篇小说集《水》由上海新中国书局出版。

郁达夫小说、散文集《忏余集》由上海天马书店出版，收作品10部。

俞平伯散文集《杂拌儿之二》由上海开明书店出版。收散文30篇，另有周作人《序》1篇。

在《〈杂拌儿之二〉序》中，周作人说："平伯这本集子里所收的文章大旨仍旧是'杂'的，有些是考据的，其文词气味的雅致与前编无异，有些是抒情说理的，如'中年'等，这里边兼有思想之美，是一般文士之文所万不能及的。此外有几篇讲两性或亲子问题的文章，这个倾向尤为显著。这是以科学常识为本，加上明净的感情与清澈的智理，调合成功的一种人生观，以此为志，言志固佳，以此为道，载道亦复何碍。'此刻现在'，中古圣徒遍于目前，欲找寻此种思想盖已甚难，其殆犹求陶渊明、颜之推之徒于现代欤。平伯的文集我曾题记过几回，关于此点未尝说及，今特为拈出之。"

三月

5日，鲁迅作《我怎么做起小说来》，回顾自己的创作经历和经验。鲁迅在文中说："我怎么做起小说来？——这来由，已经在《呐喊》的序文上，约略说过了。这里还应该补叙一点的，是当我留心文学的时候，情形和现在很不同：在中国，小说不算文学，做小说的也决不能称为文学家，所以并没有人想在这一条道路上出世。我也并没有要将小说抬进‘文苑’里的意思，不过想利用他的力量，来改良社会。但也不是自己想创作，注重的倒是在绍介，在翻译，而尤其注重于短篇，特别是被压迫的民族中的作者的作品。因为那时正盛行着排满论，有些青年，都引那叫喊和反抗的作者为同调的。所以‘小说作法’之类，我一部都没有看过，看短篇小说却不少，小半是自己也爱看，大半则因了搜寻绍介的材料。也看文学史和批评，这是因为想知道作者的为人和思想，以便决定应否绍介给中国。和学问之类，是绝不相干的。因为所求的作品是叫喊和反抗，势必至于倾向了东欧，因此所看的俄国、波兰以及巴尔干诸小国作家的东西就特别多……但我的来做小说，也并非自以为有做小说的才能，只因为那时是住在北京的会馆里的，要做论文罢，没有参考书，要翻译罢，没有底本，就只好做一点小说模样的东西塞责，这就是《狂人日记》。大约所仰仗的全在先前看过的百来篇外国作品和一点医学上的知识，此外的准备，一点也没有。但是《新青年》的编辑者，却一回一回的来催，催几回，我就做一篇，这里我必得记念陈独秀先生，他是催促我做小说最着力的一个。自然，做起小说来，总不免自己有些主见的。例如，说到‘为什么’做小说罢，我仍抱着十多年前的‘启蒙主义’，以为必须是‘为人生’，而且要改良这人生。我深恶先前的称小说为‘闲书’，而且将‘为艺术的艺术’，看作不过是‘消闲’的新式的别号。所以我的取材，多采自病态社会的不幸的人们中，意思是在揭出病苦，引起疗救的注意。所以我力避行文的唠叨，只要觉得够将意思传给别人了，就宁可什么陪衬拖带也没有。中国旧戏上，没有背景，新年卖给孩子看的花纸上，只有主要的几个人（但现在的花纸却多有背景了），我深信对于我的目的，这方法是适宜的，所以我不去描写风月，对话也决不说到一大篇。我做完之后，总要看两遍，自己觉得拗口的，就增删几个字，一定要它读得顺口；没有相宜的白话，宁可引古语，希望总有人会懂，只有自己懂得或连自己也不懂的生造出来的字句，是不大用的。这一节，许多批评家之中，只有一个人看出来了，但他称我为 stylist。所写的事迹，大抵有一点见过或听到过的缘由，但决不全用这事实，只是采取一端，加以改造，或生发开去，到足以几乎完全发表我的意思为止。人物的模特儿也一样，没有专用过一个人，往往嘴在浙江，脸在北京，衣服在山西，是一个拼凑起来的脚色。有人说，我的那一篇是骂谁，某一篇又是骂谁，那是完全胡说的。不过这样的写法，有一种困难，就是令人难以放下笔。一气写下去，这人物就逐渐活动起来，尽了他的任务。但倘有什么分心的事情来一打岔，放下许久之后再来写，性格也许就变了样，情景也会和先前所豫想的不同起来。例如我做的《不周山》，原意是在描写性的发动和创造，以至衰亡的，而中途去看报章，见了一位道学的批评家攻击情诗的文章，心里很不以为然，于是小说里就有一个小人物跑到女娲的两腿之间来，不但不必有，且将结构的宏大毁坏了。但这些处所，除了自己，大概没有人会觉到的，我们的批评大家成仿吾先生，还说这一篇做得最出色。我想，如果专用一个人做骨干，就可以没有这弊病的，但自己没有试验过。忘记是谁说的了，总之是，要极省俭的画出一个人的特点，最好是画他的眼睛。我以为这话是极对的，倘若画了全副的头发，即使细得逼真，也毫无意思。我常在学学这一种方法，可惜学不好。可省的处所，我决不硬添，做不出的时候，我也决不硬做，但这是因为我那时别有收入，不靠卖文为活的缘故，不能作为通例的。还有一层，是我每当写作，一律抹杀各种的批评。因为那时中国的创作界固然幼稚，批评界更幼稚，不是举之上天，就是按之入地，倘将这些放在眼里，就要自命不凡，或觉得非自杀不足以谢天下的。批评必须坏处说坏，好处说好，才于作者有益。但我常看外国的批评文章，因为他于我没有恩怨嫉恨，虽然所评的是别人的作品，却很有可以借镜之处。但自然，我也同时一定留心这批评家的派别。以上，是十年前的事了，此后并无所作，也没有长进，编辑先生要我做一点这类的文章，怎么能呢。拉杂写来，不过如此而已。"（鲁迅：《我怎么做起小说来》，《鲁迅全集》第4卷第511~514页，人民文学出版社1981年版）

9日，日军向长城各口进犯。国民党29军冯治安师在喜峰口抗战，29军大刀队奋勇杀敌。王以哲部在长城古北口一带与日军激战。11日，国民党29军赵登禹部在长城古北口与日军激战，重创日军。27日，国联大会谴责日本在中日战争中为"侵略者"，日本政府正式宣布退出国联。

25日，苏汶编《文艺自由论辩集》由上海现代书局出版，收录左翼作家与"自由人"、"第三种人"围绕"文艺自由"问题论战的文章28篇。

《鲁迅自选集》由上海天马书店出版。

《萧伯纳在上海》由上海野草书屋出版。该书系萧伯纳来沪时，鲁迅与在他家避难的瞿秋白辑录当时中外报纸有关记载和评论而成。署名"乐雯"编译。

施蛰存的短篇小说集《梅雨之夕》由上海新中国书局出版。列入"新中国文艺丛书"。除《自跋》外，收《梅雨之夕》、《魔道》、《旅舍》、《四喜子的生意》、《凶宅》、《在巴黎大戏院》、《李师师》、《宵行》、《薄暮的舞女》和《夜叉》等10部短篇小说。

张天翼的小说《二十一个》在《文学生活》创刊号上开始连载，该作系张天翼的成名作。

沈从文中篇小说《阿黑小史》由上海新时代书局出版。

周作人散文、诗合集《知堂文集》由天马书店出版，收入诗、散文34篇。

四月

13日，"左联"在《中国论坛》第2卷第4期发表《小林同志事件抗议书》，抗议日本政府于2月20日杀害革命作家小林多喜二。另外，鲁迅也在日本《无产阶级文学》本年第4、5期合刊上发表《闻小林同志之死》，郁达夫在《现代》第3卷第1期发表《为小林的被害檄日本警视厅》等文，悼念小林多喜二之死。5月，鲁迅、茅盾、郁达夫等9人又发表《为横死之小林遗族募捐启》。

15日，《文学杂志》（月刊）创刊。该刊为北平"左联"机关刊物。由王志之主编，发表小说、剧本、散文、诗歌等，介绍了不少反映日本工人生活的小说。鲁迅、郑振铎、朱自清、曹葆华、陈永翱、王志之、宋之的等都曾为该刊撰稿。同年8月出至第3、4期合刊停刊。

23日，北平人民公葬李大钊，群众多人被捕。时值李大钊遇害6周年之际，钱玄同、刘半农等 12 人不顾白色恐怖，联名发出举行公葬的募款书，并书写墓志和墓碑。当日 700 多人不顾反动军警的镇压，在灵前肃立，高唱国际歌，静默致哀。社会各界代表送挽联 20 多幅，其中，北京青年所送的挽联横幅为："李大钊先烈不死"，左右联则写道："为革命而奋斗，为革命而牺牲，死而无恨；在压迫下生活，在压迫下呻吟，生者何堪。"送葬的队伍从宣武门浙寺出发，沿途路祭，直至香山万安墓地安葬。

23 日，《红色中华》的副刊《赤焰》创刊。刊期不定。这是中央苏区唯一的文艺副刊。

25 日，郁达夫离开上海，举家移居杭州。鲁迅于 1933 年 12 月 30 日作《阻郁达夫移家杭州》诗一首，书赠郁妻王映霞，原诗为："钱王登假仍如在，伍相随波不可寻。平楚日和憎健翮，小山香满蔽高岑。坟坛冷落将军岳，梅鹤凄凉处士林。何似举家游旷远，风波浩荡足行吟。"1930 年，国民党中央通缉鲁迅，郁达夫也受到了警告，而告密者正是后来出任浙江省教育厅长的许绍棣。故鲁迅在郁达夫离开上海时题此诗，标为《阻郁达夫移家杭州》，即表达了鲁迅恐郁达夫将被世俗社会所包围的忧虑。

瞿秋白为其所编《鲁迅杂感选集》作序，《选集》于本年 7 月由上海青光书局出版。瞿秋白在序中将鲁迅比作莱谟斯，"是野兽的奶汁所喂养大的，是封建宗法社会的逆子，是绅士阶级的贰臣，而同时也是一些浪漫谛克的革命家的诤友！他从他自己的道路回到了狼的怀抱"。至于谈到编选这本杂文集的原因时，瞿秋白称在该书中"不但因为这里有中国思想斗争史上的宝贵的成绩，而且也为着现时的战斗：要知道形势虽然会大不相同，而那种吸血的苍蝇蚊子，却总是那么多!"而鲁迅的杂文则"是最清醒的现实主义"、"是'韧'的战斗"、"是反自由主义"、"是反虚伪的精神"。（瞿秋白：《鲁迅杂感选集 · 序》，转引自《中国新文学大系 1927—1937 · 文学理论集一》，第 599、598、717、178、719 页，上海文艺出版社 1987 年版）

许地山的小说、戏剧合集《解放者》由北平星云书店出版，收作品 9 篇。

鲁迅、许广平的《两地书》由上海青光书局出版。

五月

13 日，宋庆龄、蔡元培、鲁迅等代表中国民权保障同盟，亲到德国驻沪领事馆递交抗议书，抗议德国法西斯压迫民权、摧残文化。随后鲁迅写了《华德保粹优劣论》、《华德焚书异同论》等文，揭露德国和中国的法西斯独裁统治。

14 日，丁玲和潘梓年在上海昆山花园路丁玲寓所被国民党特务秘密逮捕。丁、潘被捕后，中国民权保障同盟及文化界曾展开一系列抗议、营救活动。6 月 19 日"左联"在《中国论坛》第 2 卷第 7 期，发表《为丁潘被捕反对国民党白色恐怖宣言》。

14 日，应修人在丁玲寓所遭特务追捕，在搏斗中坠楼牺牲。

应修人（1900—1933）诗人，原名应麟德，字修士、修人。浙江慈溪人。1922 年与潘漠华、冯雪峰、汪静之等组成"湖畔诗社"，相继出版诗集《湖畔》和《春的歌集》。后加入中国共产党，1932 年任中共江苏省委宣传部长，主编《大中报》。著有诗集《湖畔》（与潘漠华、冯雪峰、汪静之合著）、《春的歌集》（与冯雪峰、潘漠华合

著)，诗文集《修人集》等。

25日，中共中央发表《为反对国民党出卖华北平津告民众书》，号召全国人民“反对日本帝国主义进攻平津，反对国民党南京政府和北方军阀的新卖国”。《告民众书》揭露了国民党全权代表黄郛与日本侵略者进行出卖华北的秘密谈判，反对国民党对日妥协卖国、对内进攻苏区的不抵抗政策。

31日，中国南京国民政府派熊斌与日本关东军代表冈村宁次在塘沽签订停战协定，即《塘沽协定》。协定规定：中国军队迅速撤退至延庆、昌平、高丽营、顺义、通州、香河、宝坻、林亭口、宁河、芦台所连之线以西、以南地区，以后也不得越过该线及作一切挑战扰乱之行动等。

卞之琳诗集《三秋草》由新月书店出版。收1932年诗18首（其中8首后被选入何其芳、李广田、卞之琳三人合集《汉园集》)。

茅盾短篇小说集《春蚕》由上海开明书店出版。

章克标杂文集《文坛登龙术》由绿杨社出版。该书有《解题》、《后记》。除《绪论》外，分10章。第一章《资格》。第二章《气质》，第三章《生活》，第四章《社交》，第五章《著作》，第六章《出版》，第七章《宣传》，第八章《守成》，第九章《应变》，第十章《结文》。该杂文集以调侃的文字表现了20世纪30年代上海文坛的某些阴暗面。

六月

1日，《无名文艺》旬刊与海燕文艺社合并，改出月刊。第1期刊有叶紫短篇小说《丰收》。

18日，中国民权保障同盟领导人之一杨铨（杨杏佛）被国民党特务暗杀于上海。22日，宋庆龄、蔡元培、鲁迅不顾反动派恐吓，赴殡仪馆参加悼念活动。

24日，冯玉祥任命方振武为察哈尔民众抗日同盟军北路前敌总司令，吉鸿昌为北路前敌总指挥，率军北征。先后收复被日军占领的保康、宝昌、沽源、多伦等察省失地。

上海天马书店编印的《创作的经验》出版，收中国现代作家鲁迅、郁达夫、丁玲等17人谈自己创作经验的文章20篇，大都为作家应该书编者之约而写。

丁玲长篇小说《母亲》由上海良友图书印刷公司出版。钱杏邨评价说，《母亲》“包含了一个社会制度在历史过程中的转变，‘反映了从前清宣统末年至最近的社会变革’”；它“所要描写的，就是在这样的时代里，大家庭必然衰落的形式，以及在这将要崩溃的旧的基石下面的新的力量的生长”，“可以使我们看到家庭间的思想，在当时是如何的冲突，经济的关系是如何的矛盾，革命的要求，真是在什么地方都冒着熊熊的火焰”（钱杏邨:《关于〈母亲〉》，《中国新文学大系1927—1937·文学理论集一》第835~836页，上海文艺出版社1987年版）

七月

1日，《文学》（月刊）在上海创刊，文学社编委会编辑，上海生活书店发行。1937年11月出至第9卷第4期终刊。每卷6期，共出52期。编委为郁达夫、茅盾、胡愈之、洪深、陈望道、傅东华、郑振铎、叶绍钧等。1～4卷由傅东华、郑振铎编，5～6卷由傅东华编，7～9卷由王统照编。该刊“以促进文学建设为主旨”，“集中全国作家的力量，期以内容充实而代表最新倾向的读物，供给一般文学读者的需求”。辟有社谈、论文、小说、散文随笔、诗选、书报述评、补白等栏目。自第9卷起革新内容，增添文艺随笔、外国散文、世界文坛消息等栏目，并刊登文艺理论与批评文章、新书评介、长篇著译连载等。除发表名家的作品和文章以外，还注意介绍新进作家的作品。撰稿者除编委外，还有鲁迅、巴金、朱自清、丰子恺等50余人。青年作家臧克家、刘白羽、陈白尘、艾芜、沙汀等均曾在该刊发表作品。

《文学》在四年多时间里，揭载了一批“五四”文学老将的杰作，如郑振铎的《取火者的逮捕》和《桂公塘》、叶绍钧的《多收了三五斗》、落华生的《春桃》；选录了一批左翼新人的优秀之作，如张天翼的《包氏父子》、沙汀的《凶手》、艾芜的《咆哮的许家屯》、萧军的《羊》、夏征农的《禾场上》、周文的《雪地》、舒群的《没有祖国的孩子》和端木蕻良的《鹭鸶湖的忧郁》。此外，还有巴金署名“王文慧”的历史小说《罗伯斯比尔的秘密》、《丹东》和人性剖析小说《神》、《鬼》，吴组缃的《天下太平》等。另外，张天翼的《清明时节》、沈从文的《八骏图》、老舍的《新时代的旧悲剧》和《我这一辈子》、郁达夫的《出奔》、茅盾的《多角关系》、鲁彦的《乡下》、王统照的《秋实》等作品也载于该刊。

1日，鲁迅杂文《又论“第三种人”》发表在《文学》第1卷第1期。

1日，叶圣陶短篇小说《多收了三五斗》发表在《文学》第1卷第1期。

26日，洪灵菲在北平被捕，后遭秘密杀害。

洪灵菲（1901—1933），原名洪伦修，广东潮安人，小说家。1924年加入中国共产党，1928年加入太阳社，又与杜国庠、戴平万等组织我们社，出版《我们》月刊。1930年“左联”成立时，任常务委员，是七个常委之一。主要作品有中长篇小说《前线》、《流亡》、《转变》，短篇小说集《归家》、《气力的出卖者》、《两部失恋的故事》、《大海》等。译有《我的童年》、《地下室手记》、《赌徒》等。

17日，冯玉祥通电，请南京政府取消《塘沽协定》。

八月

戴望舒诗集《望舒草》由上海现代书局出版。诗集辑录了从写《我底记忆》到1933年夏的全部诗作41首，但不包括诗集《我底记忆》中的《旧锦囊》和《雨巷》两辑（共18首）。此外还有杜衡《序》和戴望舒的《诗论零札》。杜衡在《序》中评论说：“他的诗作里的‘真实’巧妙地隐藏在‘想象’底屏障里。”

老舍的长篇小说《离婚》和《猫城记》分别由上海良友图书印刷公司和上海现代书局出版。

老舍在《〈猫城记〉自序》中说：“《猫城记》是个噩梦。为什么写它，最大的原因——吃多了。可是写得很不错，因为二姐和外甥都向我伸大拇指，虽然我自己还有一点点不满意。不很幽默。但是吃多了大笑，震破肚皮还怎再吃？不满意，可也无法。人不为面包而生。是的，火腿面包其庶几乎？”“二姐嫌它太悲观，我告诉她，猫人是猫人，与我们不相干，管它悲观不悲观。二姐点头不已。”“外甥问我是哪一派的写家？属于哪一阶级？代表哪种人讲话？是否脊椎动物？得了多少稿费？我给他买了十斤苹果，堵上他的嘴。他不再问，我乐得去睡大觉。梦中倘有所见，也许还能写本‘狗城记’。是为序。”（老舍：《〈猫城记〉自序》，《猫城记》，现代书局1933年版。转引自曾广灿、吴怀斌编：《老舍研究资料》（上册）第514～515页，北京十月文艺出版社1985年版）

老舍在《我怎样写〈猫城记〉》一文中，则对这部作品又提出了不同的评价，他说：“《猫城记》，据我自己看，是本失败的作品。它毫不留情地揭显出我有块多么平凡的脑子。写到了一半，我就想收兵，可是事实不允许我这样作，硬把它凑完了！”“《猫城记》根本应当幽默，因为它是篇讽刺文章：讽刺与幽默在分析时有显然的不同，但在应用上永远不能严格的分隔开。”老舍认为讽刺“得先把所凭借的寓言写活，而后才能仿佛把人与事玩之鼓掌之上，细细的创造出，而后捏着骨缝儿狠狠的骂，使人哭不得笑不得。它得活跃，灵动，玲珑，和幽默。必须幽默。不要幽默也成，那得有更厉害的文笔，与极聪明的脑子，一个巴掌一个红印，一个闪一个雷。我没有这样厉害的手与脑，而又舍去我较有把握的幽默，《猫城记》就没法不趴在地上，像只折了翅的鸟儿。”在谈到写作这部小说的动机时，老舍说：“自然，我为什么要写这样一本不高明的东西也有些外来的原因。头一个就是对国事的失望，军事与外交种种的失败，使一个有些感情而没有多大见解的人，像我，容易由愤恨而失望。”“讽刺必须高超，而我不高超。讽刺要冷静，于是我不能大吹大擂，而扭扭捏捏。既未能悬起一面镜子，又不能向人心掷去炸弹，这就很可怜了。”“失了讽刺而得到幽默，其实也还不错。讽刺与幽默虽然是不同的心态，可是都得有点聪明。运用这点聪明，即使不能高明，究竟能见出些性灵，至少是在文字上。我故意的禁止幽默，于是《猫城记》就一无可取了。”不过，老舍也认为写作《猫城记》，“并非对我全无好处：它们给我以练习的机会，练习怎样老老实实的写述，怎样瞪着眼说谎而说得怪起劲。虽然它们的本身是失败了，可是经过一番失败总多少增长些经验。”（老舍：《我怎样写〈猫城记〉》，1935年12月1日《宇宙风》第6期。）

老舍1947年在纽约写《〈猫城记〉新序》时说：“在我的十来本长篇小说中，《猫城记》是最‘软’的一本。原因是：（1）讽刺的喻言需要最高的机智，与最泼辣的文笔；而我恰好无此才气。（2）喻言中要以物明意，声东击西，所以人物往往不能充分发展——顾及人（或猫）的发展，便很容易丢失了故意中的暗示；顾及暗示，则人物的发展受到限制，而成为傀儡。《猫城记》正中此病。我相信自己有一点点创造人物的才力，可是在《猫城记》中没有充分的施展出来。”老舍在文末说“因此，与其说这是篇序言，倒不如说一个未入流的作家的悔过书了。”（老舍：《〈猫城记〉新序》，《猫城记》，上海晨光出版公司1947年版）

王淑明在《〈猫城记〉》中认为老舍的《猫城记》和张天翼的《鬼土日记》相近，

“都是属于所谓一般的讽刺文学”，“两个人都能在独特的风格里，包含着蕴藉的幽默味，给一个将近没落的社会，以极深刻的写照，则又恰恰都是成功的”。同时认为“在现行的作家中，袭用着这样象征表现的手法，确不多有”，并将之与鲁迅的《阿Q正传》相比较：“我们当然可以说，这种文学之传统的方式，只是鲁迅的《阿Q正传》的扩大；但后者和《猫城记》所不同的，却在于《阿Q正传》只创造一个典型的社会人物，而《猫城记》却是在于要企图创造一个典型的社会，于神秘的外衣里，包含着现实的核心。”文章随后指出了小说在人物塑造方面存在的问题，他说：“在《猫城记》里，作者似乎要刻意地创造出一个典型的代表人物来，那就是书中的小蝎。”“不过作者所要刻意创造的这个典型人物，在他的性格和行为的显现上，似乎犹未能见出十分清晰的轮廓，有些隐晦，模糊。不，这样说，还不适当，他在前后的位置里，其形态的转换，竟会现出二重性来，几乎要使人疑心他本来不是一个人的。”“作者将他写成前后好像两人的样子，也许是在有意的卖关子，但卖弄机关而至于破坏作品中人物前后的统一性来，这也似乎成为不必要了。”此外，文章还认为这部小说在思想观念上存在偏颇之处，如“作者在《猫城记》里，把猫人的丑恶形态，写得坏到无以复加”，而且“不但小蝎是个悲观论者，连这个外国人，也是和他同样抱着宿命思想的人，由于这样主观的成见，所以在他的眼目中，凡所触见的，无不表露着灭亡的征象，他没有在这些黑暗的背后，看出光明底微弱的影子来”，这样就“太把猫人讽刺得有些过分了”。同时，该文还认为老舍在这篇作品里“一味的将它涂满了悲观的色调”。“作者在《猫城记》里，是要刻意的讽刺一个非现实存在的国度，而所采用的，却是象征的手法，这样，作者似乎以单只客观的描写而不夹入主观的意见，让读者自己去暗默的体会，为比较的易收艺术上的效果。然而，《猫城记》的作者，却不时的在作品中间，按下自己的判断，如近似判断的一些主观解释。”“这样的主观见解，是会有妨害于作品底客观的艺术价值的。”“此外，在作品的后半里，作者的所特有的幽默味，似乎已渐渐的减少，而易为直观的叙述。”“自然我这样说，并没有忽视他那讽刺底艺术手腕部分的成功”，“从这意义来说：它是现在幽默文学中的白眉”。（王淑明：《〈猫城记〉》，1934 年 1 月《现代》第 4 卷 3 期。）

关于另一部长篇小说《离婚》，老舍也谈到了自己的看法。他在《我怎样写〈离婚〉》中说：“在写《离婚》以前，心中并没有过任何可以发展到这样一个故事的‘心核’，它几乎是忽然来到而马上成了个‘样儿’的。”“在没想起任何事情之前，我先决定了：这次要‘返归幽默’。《大明湖》和《猫城记》的双双失败使我不得不这么办。附带的也决定了，这回还得求救于北平。北平是我的老家，一想起这两个字就立刻有几百尺‘故都景象’在心中开映。”“这与《猫城记》恰相反：《猫城记》是但丁的游‘地狱’，看见什么说什么”。“《离婚》在决定人物时已打好主意：闹离婚的人才有资格入选。”“这回我下了决心要把人物都拴在一个木桩上。”老舍认为“匀净是《离婚》的好处”，“我立意要它幽默，可是我这回把幽默看住了，不准它把我带了走”。不过“我对《离婚》似乎又不能满意了，它太小巧，笑得带着点酸味”，而且“《离婚》的笑声太弱了”。（老舍：《我怎样写〈离婚〉》，1935 年 12 月 16 日《宇宙风》第 7 期。）

长之对老舍的这部作品进行了比较全面的评价。首先他认为“与其说老舍的小说是以幽默见长，不如说是讽刺。更恰当地说，他的幽默是太形式的，太字面的，不过作为讽刺用的一种表现方法。”“在老舍的小说中，智的（Intellectual）成分多于情绪。处处表现出的，是作者迅捷的思想，和丰富的观念（Full of Ideas）。他始终没离却的，便是以一个知识分子的立场来看社会上的一切。”长之认为有一种人“自己觉得不敢抱什么太理想、太奢望的梦，也不作战士，他只有在和平温良的态度下，对所有不顺眼的事，抑不住那哭不得，笑不得的伤感了；老舍是这一流。书味的（Booklsh），抽象的，概念的，郑重而玄虚的字样，都随了讽刺的笑声，一变而为形容的利器了。这是老舍作风的所由来，也是读者被吸引的大原因。”“因为那不断的，迸发的，拥挤的，丰盈而多方面的思想和观念，供他驱遣，所以大体上他是成功的。”“同时，我们也见出，他是如何以知识分子的见地，观看着一切。因为他惯于这样表现了，便有着特有的方便，却也有着不经意的错失。”“当他中肯的找到合适的字眼时，我们觉得他这种方法特别经济”，而“当他在人不及料的机会中而忽然用来一二个俏皮的字眼时，我们又特别生出一种清新的爽脆之感”。“那不经意的错失，是有三种。第一是，他太喜欢用堂皇的字样了，便因讽刺太过而失味。”“第二是，他有时忘记了这种幽默是作者自己所有的，因而把书中人物的谈话，也演出同样口吻，就容易失却书中人物的个性。”“第三是，常有些地方觉得是不必的，令人觉得画蛇添足，有了，反而把趣味降低了的。”“先前读他的小说《老张的哲学》，《赵子曰》，那种过分的幽默而变为浅薄的例子更多，在现在这本小说里，显然是少得许多了，希望在他以后的作品中，还更纯粹起来。”作者指出老舍的幽默“是在他的智慧”，“我在读他的小说时，时时在感到他的思想多而且快。即便是描写，在他脑中的印象也往往是迸发的”，这“正是他的作品的特色，不但不足为害，而且是成了可以傲其余的作家的一点”。“同样，他思想多，而且快，他的叙述的文字本身，就适宜于采取一种活的对话式的，因为思想本来是语言。”“在一个思想多，而且快的作家，顶需要的是紧凑。不然，便会容易特别显着散漫。作者似乎也已经決意到了这一层，所以即以句子的表面论，也渐趋于简劲了，《离婚》这本小说，高出于他先前的一切作品者，这便是一端。只有如此，才能使他的幽默更有意味，也给他所要表现的讽刺更大的方便，而他所特有的多而且快的迸发的思想，观念，才更特别显得出，而不致糟蹋和埋没。”“老舍小说中的人物，差不多是全被讽刺着的。偶尔，老舍也在极少数的人物上加一点理想，然而这往往是失败的。”“老舍所最常讽刺的是什么东西呢？妥协，敷衍。统一了所有的老舍小说中的人物的性格的，是怯懦。”“这样、灰色的人生便绘就了。拆开来，是灰色的人物，凑起来，是灰色的社会。这是老舍讽刺的总目标，大中心。照理论上讲，老舍这‘一针’，确是中着要害的，但实际上，却不一定‘见血’，因为普通的人是太麻木并没有‘血’可以‘见’，而且，老舍终于缺少一种力量。他的讽刺，到底也仍是太和善的了，人们反而争着说老舍在幽默，针刺得轻，就容易成为刹那的快感而止。不过，我们以为作者在这里，也恰表现了他的个性和才能了，我们不能要求到作者的个性和才能以外去。”在《离婚》中人人都是妥协、敷衍，“即有几个例外，也终于是这妥协，敷衍的空气中的战败者”，比如老李和老邱，他们都被生活所败退，张大哥和小赵则是“最适合于北平的社会的”。“老舍写的主要人物，不过这两派，书呆子与京油子。主旨总是书呆子被京油子征服。”怯懦是这妥协敷衍里的中心，“‘退一步想’是怯懦的一翼，‘折中’却又是一翼”。“怯懦，折中，退一步想，敷衍，妥协！这是老舍小说讽刺的大目标。我觉得他的讽刺渐渐集中了，对象越明确了，不能不说是一个进步。”在技巧方面，老舍“写女人和家庭最成功”。“在《离婚》中，老舍的技巧，可以说有不少惊人的地方了。特别是关于女人和家庭，尤其是在家庭中处于太太地位的女人。”“老舍的长处在把社会的真面目加以正视，有时他多少加以理想，我们却往往看得不调和。老舍小说中的人物，没有意志强的，倘若稍微有，便觉得他写的不自然。”“老舍最适宜于写讽刺，因为一点好心，倒铸成了作品上的赘瘤。”“我并非反对作品中有理想的成分，不过老舍却不适于。不，最低限度说，老舍现在在这方面还没写好。”在小说语言方面，“老舍用的北京话，是比任何作家地道的”，“他用的真是活的北京话”。作者指出婚姻“不能不说是助长那妥协敷衍的空气的一种强大势力，所以老舍以为，‘婚姻这个东西必是有毛病’的”。“这部小说，也就因而在用力写家庭的情形了，为的是给社会上的妥协和敷衍指出一个基础。不过，无疑的，老舍还是大部写到人物的一般性格一方面去了，也就是作了一个题目：乃是怯懦。至于标题的‘离婚’究竟是在敷衍，妥协，怯懦的空气下，一个复杂相的一点消息而已。‘婚’并不曾怎么大‘离’。”（长之：《〈离婚〉》，1934 年 1 月《文学季刊》创刊号。）

赵少侯则认为老舍“近年的作品，像《猫城记》，《月牙儿》，《上任》，尤其是《离婚》，则已经是上乘的写实小说”。“老舍的《离婚》是完完全全的写实小说，不过作者能自身远远站在事外，看出了人生根本具有的幽默。所以他不必在字句上作工夫，全书已尽够幽默，并且是真正的幽默。作者的长处并不如一般人所想，是长于写幽默文章，他的长处乃是善于捉到人类的幽默而老老实实的写下来。这种幽默常常是令人微笑之后，继而悲苦的。”在赵少侯看来，尽管“全书仿佛没有多大多有趣的故事”，“可是并不显出散漫，读者一样忙着看下一段。原因是本书的中心不在故事的叙述，而在各人性格的写照，以及迁都后北平社会情形及心理的描写。”“作者向来的长处是对白。在这本书里尤显得这个长处。”“结尾，我大胆地说一句，《离婚》不仅是一部可读的书，并且是一部该读的书。作者的精神自始至终都是那么抖擞不懈。人物的性格，前后都是那么一致。”（赵少侯：《论老舍的幽默与写实艺术》，原载 1935 年 9 月 30 日天津《大公报》“文艺”第 18 期。转引自曾广灿、吴怀斌编：《老舍研究资料》（下册）第 755 ~ 760 页，北京十月文艺出版社 1985 年版）

九月

4 日，彭家煌在上海病逝。

彭家煌（1898—1933），小说家，湖南湘阴人。曾在长沙省立第一师范读书。1919 年秋毕业后，到北京女子师范大学附属补习学校任职，同时在北大旁听。1924 年进上海中华书局工作，翌年转入商务印书馆。后由郑振铎介绍加入文学研究会。1930 年 3 月“左联”成立后，为“左联”成员之一。著有小说集《怂恿》、《茶杯里的风波》、

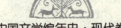

《平淡的事》、《出路》，长篇小说《喜讯》等。

5日，鲁迅会见世界反对帝国主义战争委员会远东会议代表、法国作家瓦扬·古久里。

23日，天津《大公报》的《文艺副刊》创刊。杨振声、沈从文主编。初为每周2期，1935年改为周刊，出至1935年8月25日第166期止。1935年9月改名《文艺》，由萧乾主编，期数另起，每周4期，1937年8月天津沦陷后，《大公报》移至汉口出版。今见该刊天津出版的最后一期为1937年7月25日第366期。该刊是20世纪30年代影响颇大的纯文艺副刊，拥有较强的作者阵容，尤其重视培育新人。发表各种体裁的文学创作及文艺评论，惟拒登杂文。另辟有《书报简评》、《文艺新闻》等栏目，还出过多种专辑。撰稿人除编者外，还有冰心、凌叔华、朱自清、巴金、老舍等一大批知名作家。1936年为纪念《大公报》复刊10周年，从该刊登载的短篇小说中选编出版了《大公报文艺丛刊·小说选》。同时创设文艺奖金，奖励文艺创作。获奖作品有芦焚的小说《谷》、曹禺的剧本《日出》、何其芳的散文《画梦录》等。

30日，世界反帝大同盟远东会议在上海沪东秘密召开。这次会议由中共江苏省委宣传部负责筹备。由于国民党和租界当局相勾结，加紧侦查和破坏，迫使会议的筹备和召开，都不得不秘密进行。

30日，鲁迅与毛泽东、朱德、苏联作家高尔基等被世界反帝大同盟远东会议推为主席团的名誉主席。会议本日开幕，英国马莱爵士、法国作家和《人道报》主笔古久里、宋庆龄等都出席了这次会议。会议讨论了反对日本帝国主义侵略中国和争取国际和平等问题，发布了《上海反帝国主义战争大会开幕宣言》（载10月4日出版的《中国论坛》第2卷第11期），成立了世界反战委员会远东分会。鲁迅因故未能亲临大会，但对会议的召开，曾积极予以支持，并在经济上给予帮助。鲁迅在1934年12月6日致萧军、萧红信中说："会是开成的，费了许多力；各种消息，报上都不肯登，所以在中国很少人知道。结果并不算坏，各代表回国后都有报告，使世界上更明了中国的实情。我加入的。"（参见李何林主编：《鲁迅年谱》（三）第460～461页，人民文学出版社1984年版）

楼适夷被国民党逮捕。

王独清的诗文选集《独清选集》由上海乐华图书公司出版。前有《我文学生活的回顾》。

巴金长篇小说《新生》、王统照长篇小说《山雨》由上海开明书店出版。

周文的小说《雪地》发表于《文学》第1卷第3期。

胡适的《四十自述》由亚东图书馆出版。书前有《自序》。作者原计划是将自己的40年人生岁月分为三个阶段来叙述，即留学以前，留学七年（1910—1917），归国以后（1917—1931）。但仅写成1891年至1910年的第一阶段，即"序幕——我的母亲的订婚"，包括：一、九年的家乡教育，二、从拜神到无神，三、在上海（一），四、在上海（二），五、我怎样到外国去等部分。

十月

18 日，沈从文在天津《大公报·文艺副刊》上发表了《文学者的态度》一文。

在文章中，沈从文首先从对魏晋名士风度的分析出发，阐述了“文人习气”的由来。他说：“只因为文学者皆因历史相沿习惯与时下流行习气所影响而造成的文人脾气，始终只能在玩票白相精神下打发日子，他的工作兴味的热忱，既不能从工作本身上得到，必须从另外一个人方面取得赞赏和鼓励。他工作好坏的标准，便由人而定，不归自己。他又像过分看重自己作品，又像完全不能对于自己作品价值有何认识。结果就成了这种情形。他若想成功，他的作品必永远受一般还在身边的庸俗鉴赏者尺度所限制，作品决不会有如何出奇眩目的光辉。他若不欲在这群人面前成功，又不甘在这群人面前失败，他便只好搁笔，从此不再写什么作品了。倘若他还是一种自以为很有天才而又怀了骄气的人呢，则既不能从一般鉴赏者方面满足他那点成功的期望，就只能从少数带着糊涂的阿谀赞美中，消磨他的每个日子。倘若他又是另一种聪明不足滑跳有余的人呢，小小挫折必委屈到他的头上，因这委屈既无法从作品中得到卓然自见的机会，他必常常想方设法不使自己长受委屈；或者自己写出很好的批评，揄扬吹嘘，或别出奇计，力图出名，或对于权威所在，小作指摘，大加颂扬。总而言之，则这种人登龙有术，章克标先生在他一本书中所列举的已多，可不必再提了。”

在谈到作家应当采取何种态度，创作伟大的作品时，沈从文认为，伟大的作品的产生，“不在作家如何聪明，如何骄傲，如何自以为伟大，与如何善于标榜成名，只有一个方法，就是作家诚实的去做。作家的态度，若皆能够同我家大司务态度一样，一切规规矩矩，凡属他应明白的社会上事情，都把它弄明白，同时那一个问题因为空间而发生的两地价值相差处，得失互异处，他也看得极其清楚，此外‘道德’，‘社会思想’，‘政治倾向’，‘恋爱观念’，凡属于这一类名词，在各个阶级，各种时间，各种环境里，它的伸缩性，也必需了解而且承认它。着手写作时，又同我家中那大司务一样，不大在乎读者的毁誉，做得好并不自满骄人，做差了又仍然照着本分继续工作下去。必须要有这种精神，就是带他到伟大里去的精神！假若我们对于中国文学还怀了一分希望，我觉得最需要的就是文学家态度的改变，那大司务处世作人的态度，就正是文学家最足学习的态度。他能明白得极多，故不拘束自己，却敢到各种生活里去认识生活，这是一件事。他应觉得他事业的尊严，故能从工作本身上得到快乐，不因一般毁誉得失而限定他的左右与进退，这又是一件事。他做人表面上处处依然还像一个平常人，极其诚实，不造谣说谎，知道羞耻，很能自重，且明白文学不是赌博，不适宜随便下注投机取巧，也明白文学不是补药，不适宜单靠宣传从事渔利，这又是一件事。一个厨子知道了许多事，作过了许多菜，他就从不觉得自己是个怪人，且担心被人当做怪人。一个作家稍稍能够知道一些事情，提起笔来把它写出，却常常自以为稀奇。既以为稀奇，便常常夸大狂放，不只想与一般平常人不同，并且还与一般作家不同。平常人以生活节制产生生活的艺术，他们则以放荡不羁为洒脱；平常人以游手好闲为罪过，他们则以终日闲谈为高雅；平常作家在作品成绩上努力，他们则在作品宣传上努力。这类人在上海寄生于书店、报馆、官办的杂志，在北京则寄生于大学、中学以及种种教育机关中。这类人虽附庸风雅，实际上却与平庸为缘。从这类人成绩上有所期待，教授们的埋怨，便也只好永远成为市声之一种，这一代的埋怨，留给后一代教授学习去了。已经成了名的文学者，或在北京教书，或在上海赋闲，教书的大约每月皆有三百至五百元的固定收人，赋闲的则每礼拜必有三五次谈话会之类列席，希望他们同我家大司务老景那么守定他的事业，尊重他的事业，大约已不是一件很容易的事情。”

此外，沈从文还在文章中提出了自己的希望，他说：“现在可希望的，却是那些或为自己，或为社会，预备终身从事于文学，在文学方面有所憧憬与信仰，想从这份工作上结实硬朗弄出点成绩的人，能把俗人老景的生活态度作为一种参考。他想在他自己工作上显出纪念碑似的惊人成绩，那成绩的基础，就得建筑在这种厚重，诚实，带点儿顽固而且也带点儿呆气的性格上。假若这种属于人类的性格，在文学者方面却为习气扫荡无余了，那么，从事文学的年青人，就极力先去学习培养它，得到它；必须得到它，再来从事文学的写作。”

由于这篇文章对“海派”的批评过于严厉，因而引发了不少反对的声音。如苏汶在看到沈从文的文章后，认为沈从文把上海的作家称为“海派”，本身就是一种恶意的嘲笑。他说，所谓“海派”的涵义是指“爱钱，商业化，以至于作品的低劣，人格的卑下”。但在苏汶看来，不能把在上海的文人一概看成是这样的：有些人由于生活所迫，确实“要钱”，从而造成作品的“多产”，但并非“可耻”；有些人则“在生活的压榨下，却还是很郑重的努力写着一些不想骗人的东西”，对他们更不能奚落为“不脱上海气”。因此，苏汶提出了两点看法：一是作为在上海的文人“不能出卖灵魂”，“不能对新书市场所要求的低级趣味妥协，投降”；二是不能不作具体分析，仅用“海派文人”这一名目“把所有居留在上海的文人一笔抹杀”。此外，苏汶还认为如果所谓“上海气”即为“都市气”的别称的话，那么，随着“机械时代的迅速的传布，是不久就会把这种气息带到最讨厌它的人们所居留着的地方去的。”（苏汶：《文人在上海》，《现代》第4卷第2期，1933年12月。）

26日，中华苏维埃共和国临时中央政府及红军全权代表潘汉年与国民党福建省政府及十九路军全权代表徐名鸿在瑞金草签了《反日反蒋的初步协定》。

鲁迅的《小品文的危机》发表于《现代》月刊第3卷第6期。

在文中，鲁迅批判了当时极为流行的“小品文”。他说：“对于文学上的‘小摆设’——‘小品文’的要求，却正在越加旺盛起来，要求者以为可以靠着低诉或微吟，将粗犷的人心，磨得渐渐的平滑。这就是想别人一心看着《六朝文絜》，而忘记了自己是抱在黄河决口之后，淹得仅仅露出水面的树梢头。但这时却只用得着挣扎和战斗。”而小品文的生存，在鲁迅看来，仗的正是这种挣扎和战斗。比如“晋朝的清言，早和它的朝代一同消歇了。唐末诗风衰落，而小品放了光辉。但罗隐的《谗书》，几乎全部是抗争和愤激之谈；皮日休和陆龟蒙自以为隐士，别人也称之为隐士，而看他们在《皮子文数》和《笠泽丛书》中的小品文，并没有忘记天下，正是一塌胡涂的泥塘里的光彩和锋镳。”接着，鲁迅还从小品文的渊源出发，分析了小品文的发展。他说：“明末的小品虽然比较的颓放，却并非全是吟风弄月，其中有不平，有讽刺，有攻击，有破坏。这种作风，也触着了满洲君臣的心病，费去许多助虐的武将的刀锋，帮闲的文臣的笔锋，直到乾隆年间，这才压制下去了。以后呢，就来了‘小摆设’。‘小摆设’

当然不会有大发展。到五四运动的时候，才又来了一个展开，散文小品的成功，几乎在小说戏曲和诗歌之上。这之中，自然含着挣扎和战斗，但因为常常取法于英国的随笔（essay），所以也带一点幽默和雍容；写法也有漂亮和缜密的，这是为了对于旧文学的示威，在表示旧文学之自以为特长者，白话文学也并非做不到。以后的路，本来明明是更分明的挣扎和战斗，因为这原是萌芽于'文学革命'以至'思想革命'的。但现在的趋势，却在特别提倡那和旧文章相合之点，雍容，漂亮，缜密，就是要它成为'小摆设'，供雅人的摩挲，并且想青年摩挲了这'小摆设'，由粗暴而变为风雅了。"鲁迅对此总结道："这种小品，上海虽正在盛行，茶话酒谈，遍满小报的摊子上，但其实是正如烟花女子，已经不能在弄堂里拉扯她的生意，只好涂脂抹粉，在夜里蹓到马路上来了。小品文就这样的走到了危机。但我所谓危机，也如医学上的所谓'极期'（krisis）一般，是生死的分歧，能一直得到死亡，也能由此至于恢复。麻醉性的作品，是将与麻醉者和被麻醉者同归于尽的。生存的小品文，必须是匕首，是投枪，能和读者一同杀出一条生存的血路的东西；但自然，它也能给人愉快和休息，然而这并不是'小摆设'，更不是抚慰和麻痹，它给人的愉快和休息是休养，是劳作和战斗之前的准备。"

鲁迅的《感旧》（后改题为《重三感旧》）以"丰之余"的笔名发表于《申报·自由谈》，批评当时社会上的复古倾向。文中提及有人"劝人看《庄子》《文选》"。（鲁迅：《重三感旧》，《鲁迅全集》第 5 卷第 324 页，人民文学出版社 1981 年版）施蛰存因曾在《大晚报》推荐《庄子》、《文选》"为青年文学修养之助"，故认为鲁迅此文是对他而发，于是写了《〈庄子〉与〈文选〉》一文辩解。论争由此展开。施蛰存接着写了《推荐者的立场》、《突围》、《致黎烈文先生书》等。鲁迅也相继发表《"感旧"以后》、《扑空》、《答"兼示"》、《反刍》、《难得糊涂》、《古书中寻活字汇》等文章，与施蛰存进行辩论。茅盾就文学遗产问题曾发表《文学青年如何修养》等文，认为"若为帮助青年们参悟一点做文章的方法或扩大字汇起见，则《庄子》和《文选》实非其伦。"（茅盾：《文学青年如何修养》，《茅盾文艺杂论集》（上）第 398 页，上海艺文出版社 1981 年版）一年后，茅盾在批判汪懋祖时所写的《对于所谓"文言复兴运动"的估价》一文提到，施蛰存劝青年读《庄子》和《文选》，虽在汪懋祖的"文言运动"之前，但无形中已经助长了"'复古'的倾向"。（茅盾：《茅盾文艺杂论集》（上）第 467 页，上海文艺出版社 1981 年版）由此又引起施蛰存的《我与文言文》和茅盾的《不算浪费》等文章。致使论争余波一直延续到 1935 年 9 月。

三郎（萧军）、悄吟（萧红）合著的短篇小说集《跋涉》，由哈尔滨五画印刷社出版。除由萧军写的《书后》外，收萧军的短篇小说《桃色的线》、《烛心》、《疯人》、《孤雏》、《这是常有的事》、《下等人》等 6 篇；悄吟的《王阿嫂的死》、《看风筝》、《广告副手》、《小黑狗》、《夜风》等 5 篇。

冰心短篇小说集《去国》由上海北新书局出版。

鲁迅杂文集《伪自由书》由上海北新书局以"青光书局"的名义出版。

十一月

19日，十九路军将领蔡廷锴、蒋光鼐等联合李济深等人在福建发动政变，成立“中华共和国人民革命政府”，公开宣布反蒋抗日，并与工农红军签订了抗日停战协定。在蒋介石的军事进攻和分化收买下，1934年1月福建人民政府失败。

周起应（周扬）在《现代》第4卷第1期上发表《关于“社会主义的现实主义与革命的浪漫主义”——“唯物辩证法的创作方法”之否定》，向中国读者介绍苏联清算“拉普”情况及社会主义现实主义创作方法的提出。该文对提倡“社会主义现实主义”现实的根据之必要进行了分析，指出“虽然艺术的创造是和作家的世界观不能分开的，但假如忽视了艺术的特殊性，把艺术对于政治，对于意识形态的复杂而曲折的依存关系看成直线的，单纯的，换句话说，就是把创作方法的问题直线地还元为全部世界观地问题，却是一个决定地错误。唯物辩证法地创作方法就是这样一个错误地口号”。同时，周扬还介绍了社会主义现实主义几个重要特征，如“社会主义的现实主义是动力的（Dynamic），换句话说，就是社会主义的现实主义是在发展中，运动中去认识和反映现实的”；“只有不在表面的琐事（Details）中，而在本质的，典型的姿态中，去描写客观的现实，一面描写出种种否定的肯定的要素，一面阐明其中一贯的社会主义革命的胜利的本质，把为人类的更好的将来而斗争的精神，灌输给读者，这才是社会主义的现实主义的道路”；“社会主义的现实主义还有一个重要的特征，就是，它的大众性，单纯性”。还阐明了“革命的浪漫主义”的概念，指出“革命的浪漫主义不是和社会主义的现实主义对立的，也不是和社会主义的现实主义并立的，而是一个可以包括在社会主义的现实主义里面的，使社会主义的现实主义更加丰富和发展的正当的，必要的要素”。文章最后还提出，反对把社会主义的现实主义“生吞活剥地应用到中国来”，认为这样是“有极大危险性的”。

沈从文短篇小说集《月下小景》由上海现代书局出版。列为“现代创作丛刊”第12种。

施蛰存的短篇小说集《善女人行品》由上海良友图书印刷公司出版。列为赵家璧主编的“良友文学丛书”第9种。除《序》外，收1930年至1933年所写短篇小说12篇，大都以女性为描写对象。

十二月

5日，朱湘由上海乘轮船赴南京，深夜将近弋矶山时投江自杀。

朱湘（1904—1933），诗人，字子沅，曾用名董天柱，笔名天用等。原籍安徽太湖，生于湖南沅陵。1921年考入清华留美预备学校，参加清华文学社，在《小说月报》等刊物上发表新诗和译诗，后加入文学研究会。1927年夏赴美国留学，初入威斯康星大学，后转入芝加哥大学，继而又因不满某些美国人的歧视而转入俄亥俄大学。1929年归国，在安徽大学英国文学系任教，1932年失业。曾在新月社所编的刊物上发表诗文，被称为“新月四子”之一。著有新诗集《夏天》、《草莽集》、《石门集》、《永言集》，散文集《中书集》、《海外寄霓君》、《朱湘书信集》，文学评论集《文学闲谈》等；译有《路玛尼亚民歌》、《英国近代小说集》、《番石榴集》等。沈从文对朱湘的诗曾给予了高度评价，认为“朱湘的诗可以说是一本不会使时代遗忘的诗”。他认为：“使诗的风度，显着平湖的微波那种小小的绉纹，然而却因这微绉，更见寂静，是朱湘的诗歌……代表了中国十年来诗歌的一个方向，是自然诗人用农民感情从容歌咏而成的从容方向”。他进而认为“《草莽集》才能代表作者在新诗一方面的成就，于外形的完整与音调的柔和上，达到一个为一般诗人所不及的高点”，他的诗“保留的是‘中国旧词韵律节奏的灵魂’破坏了词的固定组织，却并不完全放弃那组织的美”（沈从文：《论朱湘的诗》，转引自《中国新文学大系 1927～1937 · 文学理论集一》第 763 页、第 753 页、第 757 页，上海文艺出版社 1987 年版）

由刘半农编辑的《初期白话诗稿》由北平星云堂书店影印出版。内收李大钊、沈尹默、胡适、鲁迅等 8 人 26 首诗作的手迹。

潘漠华在天津被捕。翌年 12 月在狱中为抗议反动派虐待，绝食牺牲。

潘漠华（1902—1934），又名潘训、恺尧，笔名潘四、漠华等。浙江省宣平县坦溪村人。1919 年考入浙江省立第一师范学校，1920 年开始创作。1926 年考取北京大学预科。1927 年加入中国共产党。1929 年在厦门集美中学任教。1930 年在北平参与了“左联”的创立。曾在北伐军中承担宣传工作，领导过宣平县农民武装暴动，1934 年 2 月在担任中共天津市委宣传部部长时被捕。同年 12 月在天津监狱因绝食斗争而牺牲。与冯雪峰、应修人合著有诗集《湖畔》和《春的赞歌》，著有短篇小说集《雨点集》等。

1934 年

一月

1 日，大型文学刊物《文学季刊》在北平创刊，郑振铎、靳以主编。出至第 2 卷 8 期，于 1936 年 6 月改为《文季月刊》，同年 12 月终刊。该刊系同人杂志，编辑委员有郑振铎、靳以、冰心、李健吾、巴金、李长之、杨震文等；撰稿者达百余人，除编委外，还有黎锦熙、老舍、吴组缃、卞之琳、朱光潜、废名、林庚等。《发刊词》说：“我们不再被囚禁于传统文学的‘狭的笼’之中；我们不再以游戏的态度去写作什么无聊的文字。”而是要“（一）继续十五年来未竟全功的对于传统文学与非人文学的攻击与摧毁的工作；（二）尽力于新文学的作风与技术上的改进与发展；（三）试要阐明我们文学的前途将是怎样的进展和向什么方向而进展。”刊物内容包括旧文学的重新估价与整理，文艺创作、文艺批评理论的介绍与建立，世界文学的研究、介绍与批评，国内外文艺书报评介等等。该刊先由北平立达书局发行，从第 4 期起由文学季刊社发行，后改由上海生活书店发行。

1 日，吴组缃的短篇小说《一千八百担》发表在《文学季刊》创刊号上。

1 日，臧克家的长诗《罪恶的黑手》在《文学》第 2 卷第 1 号发表。

4 日，瞿秋白奉调中央苏区工作，前来鲁迅家告别。瞿到瑞金后任中华苏维埃人民委员会委员，中央工农民主政府教育人民委员。他的到来，加强了苏区文艺运动的领导。

10 日，沈从文《论“海派”》一文发表于天津《大公报 · 文艺副刊》。署名“从

文”。该文扬“北方文学者”而抑“海派”，可以说是讨伐“海派”的一篇檄文。

沈从文在文章中说：“过去的‘海派’与‘礼拜六派’不能分开。那是一样东西的两种称呼。‘名士才情’与‘商业竞卖’相结合，便成立了我们今天对于海派这个名词的概念。但这个概念在一般人却模模糊糊的。且试为引申之：‘投机取巧’，‘见风转舵’，如旧礼拜六派一位某先生，到近来也谈哲学史，也说要左倾，这就是所谓海派。如邀集若干新式文人，冒充风雅，名士相聚一堂，吟诗论文，或远谈希腊罗马，或近谈文士女人，行为与扶乩猜诗谜者相差一间。从官方拿到了点钱，则吃吃喝喝，办什么文艺会，招纳子弟，哄骗读者，思想浅薄可笑，伎俩下流难言，也就是所谓海派。感情主义的左倾，勇如狮子，一看情形不对时，即刻自首投降，且指认栽害友人，邀功侔利，也就是所谓海派。因渴慕出名，在作品之外去利用种种方法招摇；或与小刊物互通声气，自作有利于已的消息；或每书一出，各处请人批评；或偷掠他人作品，作为自己文章；或借用小报，去制造旁人谣言，传述撮取不实不信的消息，凡此种种，也就是所谓海派。像这样子，北方作家倘若对于海派缺少尊敬，不过是一种漠视与轻视的态度，实在还算过于恕道了！”

沈从文认为，“海派如果与我所诠释的意义相近，北方文学者，用轻视忽视的态度，听任海派习气存在发展，就实在是北方文学者一宗罪过。这种轻视与忽视态度，便是他们应得的报应，时间一久，他们便会明白，独善其身的风度，不但难于纠正恶习，且行将为恶势力所毁灭，凡诚实努力于文学一般的研究与文学创作者，且皆曾为海派风气从种种不正派方法上，将每个人皆扮成为小丑的。”因此，沈从文指责“海派”妨害新文学的健康发展：“使文学本身软弱无力，使社会上一般人对于文学失去它必需的认识，且常歪曲文学的意义，又使若干正拟从事于文学的青年，不知务实努力，以为名士可慕，不努力写作却先去做作家，便都是这种海派风气的作祟。”

在沈从文看来，要扫荡这种“海派”的坏影响，“一面固需作者的诚实和朴质，从自己作品上立下一个较高标准，同时一面也就应当在各种严厉批评中，指出错误的、不适宜继续存在的现象。这工作在北方需要人，在南方还更需要人。纠正一部分读者的意识，并不是一件十分艰苦的工作。但我们对于一切恶习的容忍，则实在可以使我们一切努力，某一时全部将在习气下毁去！我们不宜于用私生活提倡读者去对一个作者过分的重视，却应用作品要求读者对于这个社会现状的认识。一个无所谓的编者，也许想借用海派方法，对于一般诚实努力的作家，给他个冷不防的糟蹋，我们对他没有什么话说。至于一个本意在报告些文坛消息，对于中国新的文学运动怀了好意的编者，我们希望这种编者，注意一下他自己的刊物，莫因为太关心到读者一时节的嗜好，失去他们作为文学编辑的责任。”

该文发表以后，一时间产生了强烈的反响。许多作家如森堡、姚雪垠、徐懋庸、曹聚仁、胡风等，纷纷发表文章参与论争。他们“对于海派这个名词的概念一句话，感到怀疑。”（沈从文：《关于海派》，天津《大公报·文艺副刊》，1934年2月21日。）而且对沈从文批评海派有所不满。因此，沈从文又于同年的2月21日，在天津《大公报·文艺副刊》上署名“从文”发表了《关于“海派”》一文。

沈从文在文中说：“一月十号第三十二期本刊上，我写过一篇《论“海派”》的文章，一面说及适宜概括在这种名词下各种作家的活动情形，如何可怜可笑，一面且提示到由于这类人物的活动情形，所产生的某种风气，又如何有害于中国新文学的健康。从'道德上与文化上的卫生'观点看来，这恶风气都不能容许它的蔓延与存在。这是我那篇文章的本来意思。当提及这样一群作家时，是包含了南方与北方两地而言的。因环境不同，两方面所造就的人材及所提倡的风气，自然稍稍不同，但毫无可疑，这些人物与习气，实全部皆适宜归纳在'海派'一名词下而存在。文章发表以前，我便因事离开了北京，直到一个月后回北京时，方知道这文章使'海派'一名词，重新引起了若干人的注意。在各种刊物上，一个月以来已陆续登载了许多讨论文字……使我极失望的，就是许多文章的写成，都差不多仿佛正当这些作家苦于无题目可写，因此从我所拈取的题目上有兴有感。就中或有装成看不明白本文的，故意说些趣话打诨，目的却只是捞点稿费的。或有虽然已看清楚了本文意思所在，却只挑眼儿摘一句两句话而有兴有感，文章既不过是有兴有感，说点趣话打诨，或且照流行习气作着所谓'只在那么幽默一下'的表示，对于这类文章，我无什么其他意见可说。对这类文章发表意见的，好像只应当是登载那些作品的刊物编者兴会，别人已不用提了。朋友×君来到我住处，同我说到'海派'这个名词下的一切情形时，就告给我：'许多人对于'名士才情'与'商业竞卖'相结合成立了我们对于海派这个名词的概念一句话，感到怀疑。'许多人是谁？自然是那些为这个名词有所辩解的人，朋友是欢喜注意这些作品的。我明白这朋友是因为看了那些对于'海派'有兴有感的文字而弄糊涂了的。我告给那个朋友说：我所说的'名士才情'，是《儒林外史》上那一类斗方名士的才情，我所说的'商业竞卖'，是上海地方推销×××一类不正当商业的竞卖。正为的是'装模作样的名士才情'与'不正当的商业竞卖'两种势力相结合，这些人才俨然能够活下去，且势力日益扩张。这种人的一部分若从官方拿点钱吃吃喝喝，造点谣言，与为自己宣传宣传，或掠取旁人文章，作为自己作品，生活还感觉过于寂寞，便去同有势力者相勾结，作出如现在上海一隅的情形。或假借维持社会秩序的名义，检查到一切杂志与副刊，迫害到一切正当独立创作作者的生活，或想方设法压迫正当商人，作成把书店刊物封闭接收的趋势。假若照某君所说，这种人由于力图生存，应有可同情处。我以为应当明白，这种人对于妨碍这个民族文化的进展上，已作过了多少讨厌的事情，且还有些人，又正作些什么样讨厌事情（还有些人，又正在作些什么样），方不至于误用我们的同情。"

沈从文在这两篇文章中，虽然称像茅盾、叶绍钧、鲁迅等居住在上海的作家不是"海派"，而北方也存在着"海派"风气，但矛头所指主要是上海文人，而把文坛的坏风气都以"海派"名之，自然引起了许多作家的不满。

19 日，蒋介石在南昌发表《新生活运动要义》的讲演，提倡尊孔读经。

19 日，国民党上海市党部根据中央党部命令，查禁上海出版的文艺和社会科学书籍 149 种，涉及书店 25 家。多为左翼作家作品。

20 日，伪满洲国宣布实行帝制。

23 日，英国唆使沙比提大毛拉在新疆西南部喀什噶尔及和阗组织"东土耳其斯坦伊斯兰教共和国"。

陈梦家诗集《铁马集》由开明书店代售。收入包括《序诗》在内的诗作41首。另有《在前线四首小记》一文，附录《方令孺致陈梦家信》、俞大纲《序》、《玮德旧跋》，还有作者《附记》、《附印后记》各1则。

沈从文的小说《边城》开始在《国闻周报》第11卷第11期连载，至第16期止，单行本于本年9月由上海生活书店出版。

评论家刘西渭在《〈边城〉与〈八骏图〉》一文中说："在今日小说独尊的时代，小说家其多如鲫的现代，我们不得不稍示区别，表示各个作家的造诣。这不是好坏的问题，而是性质的不同，例如巴尔扎克（Balzac）是个小说家，伟大的小说家，然而严格而论，不是一个艺术家，更遑论乎伟大的艺术家。为方便起见，我们甚至于可以说巴尔扎克是人的小说家，然而福楼拜，却是艺术家的小说家。前者是天真的，后者是自觉的。同是小说家，然而不属于同一的来源。他们的性格全然不同，而一切完成这性格的也各各不同。""沈从文先生便是这样一个渐渐走向自觉的艺术的小说家。有些人的作品叫我们看，想了解；然而沈从文先生一类的小说，是叫我们感觉，想回味；想是不可避免的步骤。废名先生的小说似乎可以归入后者，然而他根本上就和沈从文先生不一样，废名先生仿佛一个修士，一切是内向的；他追求一种超脱的意境，意境的本身，一种交织在文字上的思维者的美化的境界，而不是美丽自身。沈从文先生不是一个修士。他热情地崇拜美。在他艺术的制作里，他表现一段具体的生命，而这生命是美化了的，经过他的热情再现的。大多数人可以欣赏他的作品，因为他所涵有的理想，是人人可以接受，融化在各自的生命里的。""沈从文先生从不分析。一个认真热情的人，有了过多的同情给他所要创造的人物是难以冷眼观世的。他晓得怎样揶揄，犹如在《边城》里他揶揄那赤子之心的老船夫，或者在《八骏图》里，他揶揄他的主人公达士：在这里，揶揄不是一种智慧的游戏，而是一种造化小儿的不意的转变（命运）。""沈从文先生是热情的，然而他不说教；是抒情的，然而更是诗的。（沈从文先生文章的情趣和细致不管写到怎样粗野的生活，能够有力量叫你信服他那玲珑无比的灵魂！）《边城》是一首诗，是二老唱给翠翠的情歌。"

刘西渭最后总结道："《边城》便是这样一部idyllic杰作。这里一切是谐和，光与影的适度配置，什么样人生活在什么样空气里，一件艺术品，正要叫人看不出是艺术的。一切准乎自然，而我们明白，在这种自然的气势下，藏着一个艺术家的心力。细致，然而绝不琐碎；真实，然而绝不教训；风韵，然而绝不弄资；美丽，然而绝不做作。这不是一个大东西，然而这是一颗千古不磨的珠玉。在现代大都市病了的男女，我保险这是一付可口的良药。""作者的人物虽说全部良善，本身却含有悲剧的成分。唯其良善，我们才更易于感到悲哀的力量。"（刘西渭：《〈边城〉与〈八骏图〉》，《文学季刊》第2卷第3期，1935年9月16日。）

二月

3日，鲁迅在《申报·自由谈》上发表了《"京派"与"海派"》一文，就"京派""海派"之争提出了自己的看法。他在文中揭示了"京派"与"海派"的特点与本质，称：“北京是明清的帝都，上海乃各国之租界，帝都多官，租界多商，所以文人之在京者近官，没海者近商，近官者在使官得名，近商者在使商获利，而自己也赖以糊口。要而言之，不过‘京派’是官的帮闲，‘海派’则是商的帮忙而已。但从官得食者其情状隐，对外尚能傲然，从商得食者其情状显，到处难于掩饰，于是忘其所以者，遂据以有清浊之分。而官之鄙商，固亦中国旧习，就更使‘海派’在‘京派’的眼中跌落了。”

1935 年 5 月 5 日，鲁迅又在《太白》半月刊第 2 卷第 4 期发表了《“京派”和“海派”》，进一步阐述了他对京派、海派的看法。鲁迅根据南北文坛的新动向，指出“京派”和“海派”有走向靠拢、合流的趋势，他举例说：一是“选印明人小品的大权，分给海派来了”，并“有了真正老京派的题签，所以的确是正统的衣钵”。这是指上海施蛰存编印《晚明二十家小品》，封面由北京的周作人题签。二是“有些新出的刊物，真正老京派打头，真正小海派煞尾了”。这是指 1935 年 2 月上海创刊的《文饭小品》，其第 3 期由周作人打头，施蛰存煞尾。但鲁迅故意不加以点明，意在表明“京派”“海派”合流是一种普遍的倾向。那么，他们为什么会合流呢？鲁迅指出：“因为帮闲帮忙，近来都有些‘不景气’，所以只好两界合办……重新开张，算是新公司，想借此来新一下主顾们的耳目罢。”

三月

1 日，《春光》（月刊）在上海创刊。“左联”成员庄启东、陈君冶编辑，上海春光书店（该店系由出过《北斗》杂志的湖风书店改名而成）出版。撰稿人多为“左联”作家或进步作家，有郁达夫、艾思奇、夏征农、艾芜、沙汀等人。同年 5 月出第 3 期后终刊。所刊载的论文有陈君冶的《论朱湘》、杜微的《论巴尔扎克》等。曾开展过“中国目前为什么没有伟大的作品产生?”的讨论。该刊注意译介世界、特别是苏联知名作家及作品；同时尽力培植青年作家，每期都刊有艾青的诗作，其成名作《大堰河——我的保姆》即发表于此。

1 日，《春光》创刊号发表郑伯奇《伟大的作品底要求》一文，提出：“中国近数十年发生过很多的伟大事变为什么还没有产生出一部伟大的作品?”该期《编辑后记》就这一问题发出“公开的书启”，向国内名家征求意见，并希望读者参与讨论。

《春光》第 3 期在《中国目前为什么还没有伟大的作品产生?》的征文题目下，发表了郁达夫、艾思奇、夏征农、杜衡等人的 15 篇应征文章。这些文章各抒己见，有的着眼于作家在政治经济上所受的压迫；有的着眼于个人的禀赋不同，要求“文艺自由”；有的从文艺与生活、作家与大众的关系立论；有的从文艺本身的规律来探讨。尔后，《春光》、《文学》、《自由谈》、《文学论坛》和《现代》等纷纷发表论争文章，这些文章将中国目前没有伟大作品产生的原因或归咎于编辑，或归咎于杂文的流行，或归咎于左翼对文坛的垄断。

关于讨论者的各种观点，茅盾概括说：“没有伟大的作品的产生，因为（一）环境不好，（二）作家不争气。所谓‘环境不好’，也有多种说数，或谓是政治上社会上经济上的压迫，或谓是一般文化落后，或谓是文坛上有所谓‘门罗主义’，或谓是批评家太横暴，往往要鞭挞作家，而‘被人鞭挞出来的克服和转变’，是‘糟蹋’了作家的。其次，所谓‘作家不争气’也是各人所见不同，有的说作家和现实生活隔离得太远，有的说作家不肯埋头苦干。”针对有人把难以产生伟大作品的原因归结为“文坛上有所谓‘门罗主义’”，或“批评家太横暴”的说法，茅盾反驳道：“想把偌大的罪名轻轻送给莫须有的所谓文坛‘门罗主义’以及批评家的‘横暴’，却是滑天下之大稽。吾乡有俗谚云：‘撒屎不出嫌坑臭’，正指此辈。”在他看来，中国文坛产生不出伟大作品的原因在于：“一因目前从事创作的人们偏偏缺乏伟大生活的实感（例如“一·二八”上海战事，我们的作家只遥闻炮声，未尝在战壕里守过），二因有那生活实感的人木讷偏偏缺乏静坐下来创作的时间……至于技术上的专门修养，实在不是主要的条件。”（茅盾：《伟大的作品产生的条件与不产生的原因》，《文学》第3卷第1号，1934年7月1日。）

林希隽作《杂文和杂文家》一文，将产生不了伟大作品的原因归咎为“杂文”。他认为杂文“轻便，容易下笔”，材料“俯拾皆是”，“现今已经有了不少专门写杂文而享盛名的或由此成名的杂文大师和杂文家出现于文坛间了”，但这是“一种恶劣的倾向”，是“堕落”，是“最可耻可卑的事”，“是作家毁掉了自己以投机取巧的手腕来代替一个文艺工作者的严肃的工作”，因而产生不出《战争与和平》这类伟大的作品和杰克·伦敦等伟大的作家。（林希隽：《杂文和杂文家》，《现代》第5卷第5期，1934年9月1日。）

鲁迅对林希隽的观点作了激烈的反驳。他在《做“杂文”也不易》一文中说：“不错，比起高大的天文台来，‘杂文’有时确很像一种小小的显微镜的工作，也照秽水，也看脓汁，有时研究淋菌，有时解剖苍蝇。从高超的学者看来，是渺小，污秽，甚而至于可恶的，但在劳作者自己，却也是一种严肃的工作，和人生有关，并且也不十分容易做。”（鲁迅：《做“杂文”也不易》，《文学》第3卷第4号，1934年10月1日。）

23日，鲁迅作《〈草鞋脚〉小引》。《草鞋脚》是鲁迅和茅盾应美国人伊罗生之约，共同选编的中国现代短篇小说集，由伊罗生译成英文。该书当时未能出版，直到1974年才由美国麻省理工学院出版，但内容已有很大变动。

鲁迅在文中首先介绍了中国现代小说的发展，他说：“在中国，小说是向来不算文学的。在轻视的眼光下，自从十八世纪末的《红楼梦》以后，实在也没有产生什么较伟大的作品。小说家的侵入文坛，仅是开始‘文学革命’运动，即一九一七年以来的事。自然，一方面是由于社会的要求的，一方面则是受了西洋文学的影响。”“但这新的小说的生存，却总在不断的战斗中。最初，文学革命者的要求是人性的解放，他们以为只要扫荡了旧的成法，剩下来的便是原来的人，好的社会了，于是就遇到保守家们的迫压和陷害。大约十年之后，阶级意识觉醒了起来，前进的作家，就都成了革命文学者，而迫害也更加厉害，禁止出版，烧掉书籍，杀戮作家，有许多青年，竟至于在黑暗中，将生命殉了他的工作了。”“这一本书，便是十五年来的，‘文学革命’以后的短篇小说的选集。”此外，鲁迅在文中还写道：“因为在我们还算是新的尝试，自然不免幼稚，但恐怕也可以看见它恰如压在大石下面的植物一般，虽然并不繁荣，它却在曲曲折折地生长。”“至今为止，西洋人讲中国的著作，大约比中国人民讲自己的还要多。不过这些总不免只是西洋人的看法，中国有一句古谚，说：‘肺腑而能语，医师面如土。’我想，假使肺腑真能说话，怕也未必一定完全可靠的罢，然而，也一定能有医师所诊察不到，出乎意外，而其实是十分真实的地方。”（鲁迅：《〈草鞋脚〉小引》，《鲁迅全集》第六卷第 27 ~ 28 页，人民文学出版社 1973 年版）

臧克家的第一部诗集《烙印》由上海开明书店出版，闻一多为之作序。在序中，闻一多说：“所谓有意义的诗，当前不是没有。但是，没有克家自身的‘嚼着苦汁营生’的经验，和他对这种经验的了解，单是嚷嚷着替别人的痛苦不平，或怂恿别人自己去不平，那至少往往像是一种‘热气’，一种浪漫的姿势，一种英雄气概的表演，若往坏处推测，便不免有伤厚道了。所以，克家的最有意义的诗，虽是《难民》，《老哥哥》，《炭鬼》，《神女》，《贩鱼郎》，《老马》，《当炉女》，《洋车夫》，《歇午工》，以至《不久有那么一天》和《天火》等篇，但是若没有《烙印》和《生活》一类的作品作基础，前面那些诗的意义便单薄了，甚至虚伪了。人们对于一件事，往往有追问它的动机的习惯（他们也实在有这权利），对于诗，也是这样。当我们对于一首诗的动机（意识或潜意识的）发生疑问的时候，我很担心那首诗还有多少存在的可能性。读克家的诗，这种疑问永不会发生，为的是《烙印》和《生活》一类的诗给我们担保了。我再从历史中举一个例。如作‘新乐府’的白居易，虽嚷嚷得很响，但究竟还是那位香山居士的闲情逸致的冗力（Surplus energy）的一种舒泄，所以他的嚷嚷实际只等于猫儿哭耗子。孟郊并没有作过成套的‘新乐府’，他如果哭，还是为他自身的穷愁而哭的次数多，然而他的态度，沉着而有锋棱，却最合于一个伟大的理想的条件。除了时代背景所产生的必然的差别不算，我拿孟郊来比克家，再适当不过了。谈到孟郊，我于是想起所谓好诗的问题。（这一层是我要对另一种人讲的！）孟郊的诗，自从苏轼以来，是不曾被人真诚的认为上品好诗的。站在苏轼的立场上看孟郊，当然不顺眼。所以苏轼诋毁孟郊的诗。我并不怪他。我只是怪他为什么不索性野蛮一点，硬派孟郊所作的不是诗，他自己的才是。因为这样，问题倒简单了。既然他们是站在对立而且不两立的地位，那么，苏轼可以拿他的标准抹煞孟郊，我们何尝不可以拿孟郊的标准否认苏轼呢？即令苏轼和苏轼的传统有优先权占用‘诗’字，好了，让苏轼去他的，带着他的诗去！我们不要诗了。我们只要生活，生活磨出来的力，像孟郊所给我们的，是‘空螯’也好，是‘蜇吻涩齿’或‘如嚼木瓜，齿缺舌敝，不知味之所在’也好，我们还是要吃，因为那才可以磨炼我们的力。那怕是毒药，我们更该吃，只要它能增加我们的抵抗力。至于苏轼的丰姿，苏轼的天才，如果有人不明白那都是笑话，是罪孽，早晚他自然明白了。早晚诗也会扪一下脸，来一个奇怪的变！”“克家如果跟着孟郊的指示走去，准没有错。纵然像孟郊似的，没有成群的人给叫好，那又有什么关系？反正诗人不靠市价做诗。克家千万不要忘记自己的责任。”

老舍评论说：“《烙印》里有二十多首短诗，都是一个劲，都是像‘一条巴豆虫嚼着苦汁营生’的劲。真希望他给点变化，可是他既愿一个劲，谁也没办法；况且何等的一个劲！不是捧事，我爱这个劲；这个劲不是酸溜溜的，最恨酸溜溜的调货；不吃饺子专喝醋，没劲！设若我能管住生命，我不愿它又臭又长，如潘金莲女士之裹脚条；我愿又臭又硬。克家是否臭？不晓得。他确是硬，硬得厉害。自然，这个硬劲里藏着个人主义的一些石头子儿。‘什么都由我承当’，是浪漫主义里那点豪气与刚硬。可是这并不是他个人的颂赞，不是众人皆软我独刚的表示。他的世界是个硬的，人也全是硬的，硬碰硬便是生活，而事实上大家也确是在那儿硬碰。碰的结果如何？克家没说。他不会作梦。他是大睁白眼的蹚开大步朝前闯；不这么着可又怎样？细想起来，就是世界到了极和平极清醒的时候，生命还不是个长期的累赘？大概硬干的劲永远不应当失去，不过随着物质的条件而硬得不同程度便了。克家是对现在世界与人生决定了态度，是要在这黑圈里干一气。别的，他没说，顶好也就别追问。黄莺不是画眉；鸭子上树是抱上去的。真的，他这些诗确是只这么一个劲。甚至于为唱这个而牺牲了些形式之美。他的句子有极好的，有极坏的，他顾不及把思想与感情联成一片能呼吸的活图画；在文字上他也是硬来。《渔翁》的图画不坏，《歇午工》便更好了，可是《难民》有多么笨，多么空虚。还是《希望》与《生活》好些，因为这两处根本是说他的态度，用不着什么修饰；里边也有些喻拟，不甚高明。至于句子，长短的不齐倒没有什么关系；他的韵押得太勉强。这些挑剔是容易的，因而也就没多大价值；假若他不是自狂自大的，他自会改了这些小毛病。最可爱的地方是那点有什么说什么的直爽——虽然不都干脆。旧诗里几乎不易找到这个劲。设若多数旧诗是有味没字，克家是有字而欠点味。味儿不难找，多唱就是了。也许他是故意要有字没味，君不见‘一轮明月哟’也是有味没字吗?”（老舍：《臧克家的〈烙印〉》，《文学》第1卷第5号，1933年11月1日。）

路易士的《易士诗集》自费出版，中和印刷公司承印。收1929年至1933年所作诗68首。

《民族文艺》在上海创刊，民族文学社编辑，汗血书店发行。同年9月出至第6期后改名为《国民文学》，卷期另起。1935年7月出至第2卷第4期终刊。该刊鼓吹所谓“民族主义文学”，撰稿人有黄震遐、张境心、马丁、万国安等。

四月

1日，《文学》第2卷第4号出《创作专号》，刊有郭源新（郑振铎）的历史小说《桂公塘》，王文慧（巴金）的外国历史题材小说《罗伯斯比尔的秘密》，张天翼的短篇小说《包氏父子》等。

5日，由林语堂主持的“论语派”小品文半月刊《人间世》创刊，林语堂主编，良友公司出版发行。1935年出至第42期停刊。该刊是“论语派”继《论语》之后的又一个重要刊物。其《投稿规约》称：“本刊接收外稿。不拘文言白话，以合小品文格调为准。”发刊词认为，小品文应“以自我为中心，以闲适为格调”，内容“包括一切，宇宙之大，苍蝇之微，皆可取材”。辟有特写、诗、专篇、读书随笔、杂俎、随感录、西洋杂志文、译丛、书评、今人志等栏目。聘刘半农、周作人、冯文炳、阿英、章衣萍、老舍、沈从文等50人为特约撰稿人。此外，胡适、李金发、朱湘等人也常有文字

见载。刊物前面多登有作家、学者和艺术家的照片、墨迹或自传，介绍过周作人、郁达夫、徐志摩、王国维等 30 多人。“今人志”栏曾连续刊载关于吴宓、胡适、老舍、徐志摩、刘复、周作人、林琴南、严几道等人的传记或印象记，分别由刘大杰、沈从文、曹聚仁、废名等名家执笔。曾推出过《辜鸿铭特辑》、《诗专辑》、《纪念刘半农先生特辑》等等。

10 日，中共中央发出《为日帝国主义占领华北并吞中国告全国民众书》，提出建立统一战线的“七条纲领”，并号召全国民众“一致动员起来进行抗日反帝战争”。

20 日，宋庆龄、何香凝等几千人签名公布《中国人民对日作战基本的纲领》。其主要内容是：主张全体武装总动员，一切陆海空军立刻开赴前线对日作战，停止屠杀中国同胞的战争；全体人民总动员，参加抗日战争的前线和后方工作；采取没收帝国主义在华一切财产，在国内人民和国外华侨中开展募捐运动解决抗战经费；成立中国民族武装自卫委员会等。

蒲风诗集《茫茫夜》由国际编译馆出版。收入作者 1928 年至 1933 年间所作诗 25 首，另有《自序》和于时夏、森堡《序》各 1 篇。杨骚参加了诗集的编辑工作。森堡在《序》中说，该诗集大部分诗作“都是取材于农村的生活和斗争的”，作者在这些诗篇里描绘了被压迫、被剥削的农民的痛苦和他们的斗争情绪与生活；有时，还更进一步地刻画出变革后的新的农村的姿态。”

阿英（署名张若英）选编的《中国新文学运动史料》由上海光明书局出版。内收 1917—1933 年间有关新文学运动和论争的文章 47 篇。

五月

13 日，庐隐在上海因难产去世。

庐隐（1898—1934），女，小说家。原名黄英，福建闽侯人。1905 年随家迁到北京。1908 年入教会学校。1912 年考入北京女子师范学校预科。1917 年毕业后当过中小学教师。1919 年进入北京国立女子高等师范学校，开始小说创作。1921 年加入文学研究会。1922 年女高师毕业，先后在安徽宣城、北师大附中任中学教员。1926 年到上海大夏大学附中任女生指导员。1927 年到北京，先后任女子中学校长、北京平民教育促进会文字编辑。1929 年和于庚虞等创办华严书店，合编《华严》月刊。1931 年在上海工部局女中教书。著有短篇小说集《海滨故人》、《玫瑰的刺》，小说散文集《曼丽》、《灵海潮汐》、《东京小品》，中、长篇小说《归雁》、《女人的心》、《象牙戒指》、《火焰》以及《庐隐自传》、《云鸥情书集》（与李唯建合著）等。

25 日，《图书杂志审查办法》由国民党政府在上海设立的中央宣传委员会图书杂志审查委员会发布。

汪懋祖发表《禁止文言与强令读经》一文，提倡读经，反对白话，鼓吹“文言复兴”和“读经运动”，遭到文化界进步人士反对。

六月

4日，鲁迅作杂文《拿来主义》。该文阐明了对外来文化的态度：“要拿来。我们要或使用，或存放，或毁灭。”不要“被送来的东西吓怕了”，要“要运用脑髓，放出眼光，自己来拿!”（鲁迅:《拿来主义》,《鲁迅全集》第6卷第40页、第39页，人民文学出版社1981年版）

18日，陈子展发表《文言——白话——大众语》一文，认为文言白话之争早已分过胜负，现在要“更进一步，提倡大众语文学”（《申报·自由谈》，1934年6月18日）。陈望道、胡愈之、叶圣陶等相继发表文章作了补充和说明，引起文坛热烈反应。所谓“大众语”，是指一种比白话更接近大众口语的文体；论者认为，要使语言文字一致，就必须废弃方块汉字，改用拼音文字。《文学》、《太白》、《中华日报·动向》、《申报·自由谈》等报刊都就此展开论争。鲁迅也积极支持大众语和拉丁化新文字，发表了《门外文谈》等多篇文章。经过本年的论争，1935年春在上海召开了“第一次拉丁化中国字代表大会”，出版了《拥护新文字六日报》，编印了关于汉字拉丁化的书籍。12月，上海中文拉丁化研究会发起《我们对于推行新文字的意见》签名运动，至次年5月有蔡元培、鲁迅、郭沫若、茅盾等600余人签名。

朱湘诗集《石门集》由上海商务印书馆出版。全集分5编：第1编收诗33首，第二编收诗1首，第三编收诗90首，第四编收散文诗3首，第五编收诗剧1首。集中诗体多种多样，有新格律体、自由体等。

章衣萍的短篇小说集《情书二束》由上海乐华图书公司出版。除《跋》外，收《给璐子的信》、《痴恋日记》和《夜遇》等三部短篇小说。

郁达夫游记《屐痕处处》，由上海现代书局出版。

七月

1日，曹禺处女作《雷雨》（四幕话剧）发表于《文学季刊》第1卷第2期。单行本于1936年1月由文化生活出版社出版。

14日，刘半农在北平病逝。

刘半农（1891—1934），诗人、散文家。原名刘寿彭，后改名刘复，字半侬、半农，号曲庵，江苏江阴人。早年在常州上过中学，当过小学教员。1913年任上海中华书局编译员，始作文言小说。1917年秋，任北京大学法科预科教授。1918年创作新诗，倡议征集歌谣。1919年兼北京高等师范学校教职。1920年入伦敦大学文学院。次年入法国巴黎大学学习，攻读语言学。1924年被推为法国巴黎语言学会会员。1925年获法国国家文学博士学位，回国任北京大学国文系教授，筹建语音乐律实验室。1928年出任教育部特约著述员、中央研究院研究员、民间文艺组主任，开始对我国俗曲进行搜集整理工作。1929年任北京大学文学院教授，兼任辅仁大学教务长。1930年兼任北平大学女子学院院长。1932年任北京大学研究院文史部主任。1934年赴西北调查方言，途中染疾病故。著有诗集《瓦釜集》、《扬鞭集》，散文集《半农杂文》、《半农杂文二集》，论著《中国文法通论》、《四声实验录》、《国语运动史》等。

在《忆刘半农君》一文中，鲁迅怀念道：“……半农的活泼，有时颇近于草率，勇敢也有失之无谋的地方。但是，要商量袭击敌人的时候，他还是好伙伴，进行之际，心口并不相应，或者暗暗的给你一刀，他是决不会的。倘若失了算，那是因为没有算好的缘故。《新青年》每出一期，就开一次编辑会，商定下一期的稿件。其时最惹我注意的是陈独秀和胡适之。假如将韬略比作一间仓库罢，独秀先生的是外面竖一面大旗，大书道：'内皆武器，来者小心！'但那门却开着的，里面有几枝枪，几把刀，一目了然，用不着提防。适之先生的是紧紧的关着门，门上粘一条小纸条道：'内无武器，请勿疑虑。'这自然可以是真的，但有些人——至少是我这样的人——有时总不免要侧着头想一想。半农却是令人不觉其有'武库'的一个人，所以我佩服陈胡，却亲近半农。所谓亲近，不过是多谈闲天，一多谈，就露出了缺点。几乎有一年多，他没有消失掉从上海带来的才子必有'红袖添香夜读书'的艳福的思想，好容易才给我们骂掉了。但他好像到处都这么的乱说，使有些'学者'皱眉。有时候，连到《新青年》投稿都被排斥。他很勇于写稿，但试去看旧报去，很有几期是没有他的。那些人们批评他的为人，是：浅。不错，半农确是浅。但他的浅，却如一条清溪，澄澈见底，纵有多少沉渣和腐草，也不掩其大体的清。倘使装的是烂泥，一时就看不出它的深浅来了；如果是烂泥的深渊呢，那就更不如浅一点的好。""现在他死去了，我对于他的感情，和他生时也并无变化。我爱十年前的半农，而憎恶他的近几年。这憎恶是朋友的憎恶，因为我希望他常是十年前的半农，他的为战士，即使'浅'罢，却于中国更为有益。我愿以愤火照出他的战绩，免使一群陷沙鬼将他先前的光荣和死尸一同拖入烂泥的深渊。"（鲁迅：《忆刘半农君》，《青年界》第 6 卷第 3 期，1934 年 10 月。）

15 日，中华苏维埃共和国政府和革命军事委员会颁发《为中国工农红军北上抗日宣言》，指出"苏维埃政府与工农不辞一切困难，以最大决心派遣抗日先遣队，北上抗日"。

茅盾《庐隐论》发表于《文学》第 3 卷第 1 号，后陆续写有《冰心论》、《徐志摩论》等等。

郑振铎、傅东华编《我与文学》由生活书店出版。该书为《文学》月刊一周年纪念特辑，收茅盾、巴金、艾芜、叶紫、沈从文等 59 位作家应该刊征文所写的文章。

吴组缃的短篇小说集《西柳集》由上海生活书店出版。

穆时英短篇小说集《白金的女体塑像》由上海现代书局出版。除《自序》外，收《白金的女体塑像》、《父亲》、《旧宅》、《百日》、《本埠新闻栏编辑室里》、《街景》、《空闲少佐》和《PIERROM》等 8 部短篇小说。

夏丏尊、叶圣陶合著的《文心》由上海开明书店出版。

九月

1 日，《文学》第 3 卷第 3 号发表了苏雪林的《沈从文论》。

苏雪林在评论中说："沈氏虽号为'文体作家'，他的作品却不是毫无理想的。不过他这理想好像还没有成为系统，又没有明目张胆替自己鼓吹，所以有许多读者不大觉得，我现在不妨冒昧地替他拈了出来。这理想是什么？我看就是想借文字的力量，把野蛮人的血液注射到老态龙钟，颓废腐败的中华民族身体里去，使他兴奋起来，年青起来，好在20世纪舞台上与别个民族争生存权利。中国民族以年龄论并不怎样衰老，我们只须将中国民族组织的历史研究一下便可以知道。先秦时代夏商周三民族历史虽比较久远，代之而兴的楚秦民族却是很青春的。五胡十六国之际鲜卑，匈奴，跖跋等族，以及唐以后辽金元清等游牧民族之同化于我。衰老身体里也增加不少新鲜血液。若说现代欧美民族是个二十左右的少年，我们也不过三十来岁的壮年罢了。说起竞争，我想我们的力量并不见得比他们逊色，不过中国民族的年龄虽不算老，文化的年龄却太老了。文化像水一样流注过久，便会发生沉淀质。我们血管日益僵硬，骨骼日益石灰化，脏腑工作日益阻滞，五官百骸的动作日益迟缓，到后来就百病丛生了。加之东汉以后，又接受了印度文化。印度文化是很奇怪的。那些生长热带衣食无忧的圣人，终日危坐森林：竖则恒河沙劫，阿僧劫；横则大千世界，三十三天，将精神驰骋在无边无际的境界里，将心灵陶醉在冥想法悦中。实际生活，永远闭着眼睛不看。这思想流传到中国来，与我们固有的老庄无为哲学结合，于是我们的文化便更酵发一层毒素了。胡适曾说印度人曾赠给我们两种有害礼物：一是佛教思想，一是鸦片烟。这话我认为是极有见地的。因为这种种关系，中国文化不但富于沉淀质而已，后来竟成了一潭微波不起臭秽不堪的死水。无论你是一个怎样勇敢有为的青年，到这死水里洗个浴，便立刻变成恹恹不振的病夫。许多新民族入了这老国以后，多则一二百年，少则七八十年没有不腐化的，便是铁样的证据。我们生长在这文化里，生存竞争，引为大戒。乐天安命，视为固然。由保守而退化，由退化而也就失去在地球上立足的权利。我们瞻望民族的前途，哪能不黯然以悲，又哪能不栗然以惧!”

谈到沈从文作品的艺术时，苏雪林认为：“沈氏作品艺术好处，第一是能创造一种特殊的风格。在鲁迅，茅盾，叶绍钧等系统之外另成一派。丁玲在文坛上的地位虽然高过他，但丁玲文体却显然受过他的影响。他的文字虽然很有疵病，而永远不肯落他人窠臼，永远新鲜活泼，永远表现自己。他获到这套工具之后，无论什么平凡的题材也能写出不平凡的文字来。好像吕纯阳的指头，触到山石都成黄金，好像神话里的魔杖能够将平常境界幻化为缥渺仙国。第二，结构多变化。茅盾在《宿莽》弁言中曾说：‘一个已经发表过若干作品的作家的问题，也就是怎样使自己不至于粘滞在自己所铸成的一定的模型中。’郁达夫除自叙体小说外，不能写别的东西，张资平三角恋爱小说千篇一律，可见茅盾所说的困难打破之不易。沈从文小说题材既极广博，结构上要使它不雷同很难办到。但我们的作家，在这方面很显了些手段。他的小说有些是逆起的，例如《喽罗》；有些是顺起的，例如《岚生同岚生太太》；有些是以议论引起来的，例如《第四》；有些是以一封信引起来的，例如《男子须知》。他虽然写了许多篇短篇小说，差不多每篇都有一个新结构，不使读者感到单调与重复，其组织力之伟大，果然值得赞美。而且每篇小说结束时，必有一个‘急剧转变’(aquickturn)。像《虎雏》那篇，他所收养教育的聪明小兵终于逃走；《夜》那篇，隐居老人开房示人以死妇尸体……全篇文字得这样一结，可以给人一个出乎意外的感想，一个愉快的惊奇。第二，句法短峭简练，富有单纯的美。听说沈氏常以此自夸，则这种文笔之造成，一定是他有意的努力。如《我的小学教育》自述小时生活道：‘正月，到小教场去看迎春；三月间，去到城头放风筝；五月，看划船；六月，上山捉蛐蛐，下河洗澡；七月，烧包；八月，看月；九月登高；十月打陀螺；十二月扛三牲盘子上庙敬神；平常日子，上学，买菜，请客，送丧。'这似由一首旧式儿歌变化而来，句法则似《月令》。举此一例可概其余了。第三，造语新奇，有时想入非非，令人发笑……'因为好的天气，是不比印子钱可以用息金借来的。'（《牛》）'人家的怜悯，虽不一定比送礼物来得不慷慨，却实在比礼物还无用的一种东西。'《爹爹》）诸如此类的言语，沈氏作品中几于俯拾即是，不必具引。别说这是容易，一个性灵尚未被旧文学格式压扁和窒死的人才能有这样自由的想象，才能作这样有趣的譬喻。"

至于沈从文创作的缺点，苏雪林则说："首为过于随笔化。他好像是专门拿 Essay-Conter 的笔法来写小说的。他曾自己解释道：'从这一小本集子上看，可以得一结论，就是文章更近于小品散文，于描写虽同样尽力，于结构更疏忽了。照一般说法，短篇小说的必需条件所谓'事物的中心'、'人物的中心'、'提高'或'拉紧'，我全没有顾到。也像有意这样做，我只平平的写去，到要完了就止，事情完全是平常的事情，故既不夸张，也不剪裁的把它写下去了……我还是没有写过一篇一般人所谓的小说的小说，是因为我愿意在章法外接受失败，不想在章法内得到成功。'（《石子船跋》）本来用随笔体裁写故事，在法文有所谓'Conte'者之一体。如佛郎士《我友之书》（Le-Liver de monami），都德的《磨坊尺牍》（Les Lettres de monmoulin）、《日曜故事》（Les-contesduLundi）就是这类文章，这与小说（Nove l）是大有分别的。沈氏原是个'说故事的人'，用 Conte 体裁来写故事亦未尝不可，不过篇篇如此，也就有些讨厌了。次则用字造句，虽然力求短峭简炼，描写却依然繁冗拖沓。有时累累数百言还不能达出'中心思想'。有似老妪谈家常，叨叨絮絮，说了半天，听者尚茫然不知其命意之所在；又好像用软绵绵的拳头去打胖子，打不倒他的痛处。他用一千字写的一段文章，我们将它缩成百字，原意仍可不失。因此他的文字不能像利剑一般刺进读者的心灵，他的故事即写得如何悲惨可怕，也不能在读者脑筋里留下永久不能磨灭的印像。在这一点上他与王统照初期作风倒有相像处。据赵景深说，王统照的文字'都是经过若干次的修改和锤炼的'，然而我们读了他的《春雨之夜》，《黄昏》，《一叶》等作只觉得它们'肉多于骨'，只觉得它们重复，琐碎，令人厌倦。世上如真有'文章病院'的话，王统照的文字应该割去二三十斤的脂肪，沈从文的文字则应当抽去十几条使它全身松懈的懒筋。作者写文字时信笔挥洒毫不着急，思想到了哪里，他的笔锋也就到了哪里。不幸他的思想是有些夹杂不清的，所以文字的体裁也就不能十分精醇爽利。作者虽未曾受过高深的教育，未曾读过多少书，然而他有像英国哲学家斯宾塞磁石一般善于吸收的头脑，野猫一般善于侦伺的眼光。那怕在一个平凡人生经验上，一篇书上，一句普通朋友谈话上，都可以找到他创作的灵感。似乎世间没有一件事一件东西不足融化而为他写作的题材的。有时他的灵感从什么地方得来，我们都可以清楚知道，不过叫我们去写却写不出来。他自己说能在一件事上发生五十种联想（《阿丽思中国游记自序》），大约不是一句夸诞的话。为了他有这样能力，所以拼命大量生产，拼命将酝酿未曾成熟的情感，观察未曾明晰的对象，写成文章。有时甚至不惜捏造离奇古怪不合情理的事实来吸引读者的兴趣，像《都市一妇人》和《医生》简直写成了一篇低级趣

味的Romance，他文章的轻飘，空虚，浮泛等病均由此而起。这时候他过强的想像力变成了他天才的障碍，左右逢源的妙笔也变成他写作技巧的致命伤了。我常说沈从文是一个新文学界的魔术家。他能从一个空盘里倒出数不清的苹果鸡蛋；能从一方手帕里扯出许多红红绿绿的缎带纸条；能从一把空壶里喷出洒洒不穷的清泉；能从一方包袱下变出一盆烈焰飞腾的大火，不过观众在点头微笑和热烈鼓掌之中，心里总有‘这不过玩手法’的感想。沈从文之所以不能如鲁迅，茅盾，叶绍钧，丁玲等成为第一流作家，便是被这‘玩手法’三字决定了的！但是作者的天才究竟是可赞美的。他的永不疲乏的创作力尤其值得人惊异。只要他以后不滥用他过多的想像力，将作品产量节制一点，好好去收集人生经验，细细磨琢他的文笔，还有光明灿烂的黄金时代等着他在前面！”

16日，由鲁迅、茅盾发起创办的《译文》月刊在上海创刊，黄源主编。

20日，《太白》（半月刊）在上海创刊。陈望道主编，上海生活书店发行。傅东华、郑振铎、朱自清、黎烈文、陈望道、叶绍钧、郁达夫等人为编辑委员。艾芜、巴金、老舍、洪深、王统照等53人为特约撰述者。1935年9月5日出至第2卷第12期终刊。辟有短论、速写、漫谈、科学小品、读书记、风俗志、杂考、歌谣、文选、时事随笔、名著提要、小说、漫画、木刻等栏目。提倡具有现实意义的杂文，抵制“论语派”的“闲适”、“幽默”小品。曾开展关于大众语的讨论。该刊得到鲁迅的支持，曾刊载过鲁迅《不知肉味和不知水味》、《中国人失掉自信力了吗》、《论人言可畏》等20余篇文章。

25日，《文学新地》在上海创刊，文学新地社编辑。系“左联”刊物，仅出1期。着重介绍马列主义文艺理论，载有商廷发（瞿秋白）翻译的列宁的《托尔斯泰像俄国革命的一面镜子》和杨朝翻译的《马克思论文学》。所载文艺作品有杨镜清（叶紫）的小说《王伯伯》（即《电网外》），乔成（艾芜）的《太原船上》，张招（欧阳山）的《陆家栋》及鲁迅等人的杂文和窦隐夫等人的新诗。

沈从文所著人物传记《记丁玲》由良友图书印刷公司出版，列为“良友文学丛书”之一。

十月

6日，文学社为即将去日本的巴金饯行，鲁迅、茅盾等参加。

10日，中央红军第一、三、五、八、九军团连同后方机关人员共8.6万人，从江西南部的瑞金、于都和福建西部的长汀、宁化出发，开始了举世闻名的二万五千里长征。

27日，周扬以“企”为笔名在《大晚报》副刊《火炬》发表《“国防文学”》，介绍苏联的国防文学理论及创作，首次提出“国防文学”的口号。

《水星》（半月刊）在北平创刊，卞之琳、巴金编，北平文华书局出版发行。1935年9月出至第2卷第6期终刊，共出12期。撰稿人有茅盾、何其芳、艾芜、沈从文、李健吾、靳以、郑振铎、巴金、废名等。

臧克家诗集《罪恶的黑手》，由上海生活书店出版。收诗 16 首，另有《序》。作者在序中说："从这本诗里可以看出我的一个倾向来：在外形上想脱开过分的拘谨渐渐向博大雄健处走。这可以拿《罪恶的黑手》作例子，虽然这篇诗的技巧上缺陷还很重。还有《答客问》的音节自己也感到欢喜。内容方面，竭力想抛开个人的坚忍主义而向着实际着眼，但结果还是没有摆脱干净。"

有评论者认为，《罪恶的黑手》中收录的 15 首诗"完全是大时代的产品。其中的一字一句，大半是写得十二分用力，写出农村的衰落，凋敝，替整个的农村画一条可怖的身影，活生生的射入读者的眼帘。另外的几首诗，的确是深深地反映出时代地苦闷，并不是偶然写出地无病呻吟！""《罪恶的黑手》可比作一颗大星，很需要它来闪耀地照着中国这夜气沉沉地诗坛。"（张文麟：《〈罪恶的黑手〉》，转引自高志茹、康平编：《中国当代文学研究资料·臧克家专集》第 181、184 页，沈阳师范学院中文系现代文学教研室内部参考书，1979 年版）

吴青在评论《罪恶的黑手》时则说："当我接连的读了臧氏的《烙印》与本集之后，的确感到在本诗中，作者已渐做到'沉重音节和博大调子'的新诗了，同时在诗的内容方面，作者也在想解脱自己的小我（即个人的坚忍主义）而努力于探索大社会诗作的题材。在这两点上看，我们可以代诗人爽口的干脆的回答一声，《罪恶的黑手》比《烙印》有着明显的进步！"（吴青：《〈罪恶的黑手〉》，转引自沈阳师范学院中文系现代文学教研室内部参考书，1979 年版，第 171 页。）

沈从文中篇小说《边城》由上海生活书店出版。

李健吾的剧本集《梁允达》由上海生活书店出版。列为傅东华主编的"创作文库"之十五。

十一月

7 日，东北人民革命军第一军成立，杨靖宇任军长兼政委。从 1935 年起，先后成立了东北人民革命军第二、三、六军和东北抗日同盟军第四军，东北反日联合军第五军等。这些中共领导的军队，后来成为东北抗日联军的基本力量。

13 日，《申报》总经理史量才被国民党特务暗杀。

24 日，天津《大公报·文艺副刊》第 122 期发表孙大雨译的《黎琊王悲剧》。黎琊王后译作李尔王，系英国文艺复兴时期戏剧家、诗人莎士比亚的名作。译作后有《大公报·文艺副刊》主编沈从文撰写的"附记"。

在"附记"中，沈从文说："讲译莎士比亚的作品，谁也明白是件不儿戏的工作。中国几年前虽零零碎碎出了几个剧本，多用散文形式。孙大雨先生是用散文诗译莎士比亚剧本的一人。工作的谨慎，尤其少有。三年前，《诗刊》上登载他的《罕姆莱特》试译时，编者徐志摩先生便说：'这工作所耗费的钟点，几乎与译文行数相等。这精神是可贵的，且不说他的译笔的矫健与了解的透澈。我们敢说这是我们讲译西洋名著最郑重的一个尝试；有了他的贡献，我们对于翻译莎士比亚的巨大事业，应得辨认出一个新的起点。'现在所发表的一幕，是孙先生最近为中美文化基金译委会译成的。窥豹一斑，便见得光华眩目，真可谓声色并茂之作。惟篇幅所限，未能全载，未免可惜矣。”

25日，鲁迅在《中华日报》副刊《戏》周刊第15期上发表了《答〈戏〉周刊编者信》一文，该文是鲁迅对于某些人指责他“善于调和”的回应文章。

本年8月31日，一位署名“绍伯”的人在《大晚报·火炬》上发表了《调和——谈〈社会月报〉八月号》一文，针对《社会月报》八月号上刊载的鲁迅和杨邨人的文章，批评鲁迅“善于调和”，在思想斗争中失去了“原则”。文章说：“读者念念这期的目录罢，第一位打开场锣鼓的是鲁迅先生《关于大众语的意见》，而‘压轴子’的是《赤区归来记》作者杨邨人氏。就是健忘的读者想也记得鲁迅先生和杨邨人氏有过不小的一点‘原则上’的争执罢。鲁迅先生似乎还‘嘘过’杨邨人氏，然而他却可以替杨邨人氏打开场锣鼓，谁说鲁迅先生气量狭小呢?”同时，该文作者还根据鲁迅和杨邨人文章内容的不同，得出结论说：“这恐怕也表示中国民族善于调和吧，但是太调和了，使人疑心思想上的争斗也渐渐没有原则了。”

针对这一批评，鲁迅在《答〈戏〉周刊编者信》中首先声明说：“我并无此种权力，可以禁止别人将我的信件在刊物上发表，而且另外还有谁的文章，更无从事先知道，所以对于同一刊物上的任何作者，都没有表示调和与否的意思。”接着，鲁迅还反击道：“但倘有同一营垒中人，化了装从背后给我一刀，则我的对于他的憎恶和鄙视，是在明显的敌人之上的。”至于“绍伯”其人，据鲁迅后来在给友人的信中说就是田汉。但是田汉对此予以否认，他在《致〈戏〉周刊编者信》中说“绍伯”是他的一位表弟。（参见陈漱渝主编：《一个都不宽恕》，中国文联公司1996年版）尽管田汉百般辩解，但鲁迅在与友人的通信中一直坚持认为“绍伯”就是田汉。1934年12月18日，鲁迅在致杨霁云的信中说：“叭儿之类，是不足惧的，最可怕的确是口是心非的所谓‘战友’，因为防不胜防。例如绍伯之流，我至今还不明白他是什么意思。为了防后方，我就得横站，不能正对敌人，而且瞻前顾后，格外费力。身体不好，倒是年龄关系，和他们不相干，不过我有时确也愤慨，觉得枉费许多气力，用在正经事上，成绩可以好得多。”（《鲁迅全集》第12卷第606页，人民文学出版社1981年版）

郑振铎文艺论文集《佝偻集》（上、下册）由上海生活书店出版。

《巴金自传》由第一出版社出版。列为“自传丛书”之一。有《小序》。原稿从出生之日写到1933年。出版时被图书杂志审查委员会删去一章，余下四章，即《最初的回忆》、《家庭的环境》、《做大哥的人》、《写作的生活》等。《小序》说：“这是我自传的一部分。在这五个片段里我故意地用了不同的笔调和不同的纪年。我希望读者甚至能够从这上面也能看出我的生活的进展来。”

鲁迅杂文集《准风月谈》由上海联华书局以“兴中书局”名义出版。

十二月

王小逸小说《神秘之窟》由中央书店出版。

1935 年

一月

10 日，王新命、何炳松等 10 教授发表《中国本位的文化建设》宣言，鼓吹封建的所谓本位文化。

15 日，中央红军长征途中，在贵州遵义召开中共中央政治局扩大会议，17 日结束。会议集中解决了当时具有重要意义的军事问题和组织问题。在军事上，肯定了毛泽东关于红军作战的战略、战术原则，否定了李德等的错误军事路线。在组织上，改组了党和红军的领导机构，确立了毛泽东在党中央和红军中的领导地位。会后不久，政治局常委决定由张闻天代替博古负总的责任，并组成了毛泽东、周恩来、王稼祥 3 人小组负责全军的军事行动。这次会议是中国共产党历史上一个生死攸关的转折点。

二月

15 日，由凌叔华主编的《现代文艺》（周刊）创刊，附属于《武汉周报》。该刊是由在武汉大学执教的部分作家创办。《发刊词》提出五条宗旨："不想借本刊宣传什么主义"；"想竭力戒除党同伐异的恶习"；"愿意借本刊尽一点提倡健全文学的义务"；"主张本刊对于艺术须力求其完整"；"希望对华中文艺空气的造成可以有点帮助"。该刊发表各种体裁的文学创作和文艺理论批评文章，兼发译作。撰稿人有沈从文、陈西滢、朱光潜、胡适等人。女作家差不多占了该刊撰稿人的一半，有苏雪林、陈衡哲、凌叔华、袁昌英、冰心等。该刊还发表了已故诗人徐志摩的《遗札》和朱湘的遗诗。

24 日，瞿秋白在福建长汀遭国民党军队包围袭击，不幸被俘（一说为 2 月 23 日）。

田汉的新歌剧《扬子江的暴风雨》发表于《大众剧选》，上海杂志公司版。

鲁迅的《病后杂谈》发表于《文学》第 4 卷第 2 号，收入《且介亭杂文》。

三月

《芒种》（半月刊）在上海创刊，上海芒种社编，曹聚仁、徐懋庸主编，北新书局出版。同年 10 月停刊，共出 11 期。该刊为杂文、小品文专刊，是在《涛声》停刊后创办的，刊名含有"到农村去"的意思。

在该刊的第 1 卷第 1 期上，两位主编分别写了"编者的话"，曹聚仁介绍了办刊的目的："一则，这两年虽说是杂志年，杂志已经办得很多，但是我看到人们发表文字的地方还是嫌少，我们也来办一个，给大家多一点说话的机会"，"二则，现在的刊物除了一些低级趣味的，多取庄重严肃的态度，每逢世上的卑污之辈，辄不屑与之周旋……因此，我想另办一种态度比较放纵的刊物起来，让大家可以不必矜持，随便说话，也还有点意思"。至于《芒种》这个名字，徐懋庸表示："我们虽爱它，却并不用以表示希望收获丰富之意。在这不是水灾便是旱灾的年头——今年也许会降临虫灾罢！——我们知道丰收定是无望的，况且丰收也会成灾呢！但我们毕竟都是地之子，农民的习性未除，所以不问收获如何，在应该耕耘的季节，总是要耕耘的。"曹聚仁也

表示，《芒种》定位在“既没有功夫坐在桌上打牌，睡在床上抽烟，也没这样雅兴坐在书斋里吟哦，又没机会背着书包上洋学堂念书”的人群，“我们是小瘪三，决不是绅士。但我们所说的以使人头痛为极限，诸如倾陷，造谣，污蔑之类的把戏是决计不会做的”。

叶紫短篇小说集《丰收》由上海容光书局出版，为鲁迅编辑的《奴隶丛书》之一，鲁迅作序。《丰收》收入的作品大部分是以农民运动以至土地革命作为背景。叶紫在“自序”中说：“这里面，只有火样的热情，血和泪的现实的堆砌。毛脚毛手。有时候作者简直像欲亲自跳到作品里去和人打架似的！……”

鲁迅在为《丰收》所作的序言中说“这里的六个短篇，都是太平世界的奇闻，而现在却是极平常的事情。因为极平常，所以和我们更密切，更有大关系。作者还是一个青年，但他的经历，却抵得太平天下顺民的一世纪的经历，在转辗的生活中，要他‘为艺术而艺术’，是办不到的。但我们有人懂得这样的艺术，一点用不着谁来发愁。”接着又以《电网外》等作品为例，揭示和肯定了叶紫的创作在反文化“围剿”中的意义和作用：“但我们却有作家写得出东西来，作品在摧残中也更加坚实。不但为一大群中国青年读者所支持，当《电网外》在《文学新地》上以《王伯伯》的题目发表后，就得到世界的读者了。这就是作者已经尽了当前的任务，也是对于压迫者的答复：文学是战斗的！”（鲁迅：《叶紫作〈丰收〉序》，《鲁迅全集》第6卷第220页，人民文学出版社，1981年版）

艾芜小说集《南国之夜》由上海良友图书印刷公司出版。该书为短篇小说集，列为“良友文库之三”。收艾芜1933年至1935年间所写短篇小说6篇，包括《左手行礼的兵士》、《伙伴》、《欧洲的风》、《南国之夜》、《咆哮的许家屯》、和《强与弱》。

萧乾短篇小说集《篱下集》由商务印书馆出版，列入文学研究会丛书，沈从文作序。

陈望道编《小品文和漫画》由生活书店出版。

阿英散文集《夜航集》由上海良友图书印刷公司出版。除《自序》外，收作者1933年至1935年间所写散文59篇。分为4辑：第一辑“小品文谈”14篇，评述了周作人、俞平伯、朱自清、钟敬文、谢冰心、苏绿漪、叶绍钧、茅盾、落华生、王统照、郭沫若、郁达夫、徐志摩13位作家的散文创作；第二辑“文艺随笔”20篇；第三辑“杂文杂考”20篇；第四辑“杂考五题”。

阿英编辑的《现代十六家小品》由光明书店出版。卷首有编者《现代十六家小品序》，并附《编例》。“序”说：编辑本书的目的在使读者“从一部书里看到二十年来小品文学活动的全面”。全书分16卷，每卷各为一人的作品。这16位作家分别是周作人、俞平伯、朱自清、钟敬文、谢冰心、苏绿漪、叶绍钧、茅盾、落华生、王统照、郭沫若、郁达夫、徐志摩、鲁迅、陈西滢、林语堂。每卷卷首有编者短序一篇，“以当介绍”。书末附录《十六家小品文集目录》。

四月

27 至 29 日，留日的中国学生杜宣等人以中华话剧同好会的名义，在日本东京神田一桥讲堂公演了曹禺的话剧《雷雨》，引起轰动。

郭沫若应邀观看了演出，并写了《关于曹禺的〈雷雨〉》一文，后发表在《东流》月刊第 2 卷第 4 期（1936 年 4 月 1 日日本东京出版）上。文章对《雷雨》进行了客观评价，在肯定"《雷雨》的确是一篇难得的优秀的力作。作者于全剧的构造、剧情的进行、宾白的运用、电影手法之向舞台艺术的输入，的确是费了莫大的苦心，而都很自然紧凑，没有现出十分苦心的痕迹"的同时，也指出了《雷雨》的不足之处："全剧几乎都蒙罩着一片浓厚的旧式道德的氛围气，而缺乏积极性"。

日本戏剧界人士秋田雨雀观看了演出后，撰文指出"近代中国社会与家庭悲剧由这位作者赋予意义深刻的戏剧形象，这是最使人感兴趣的"。（秋田雨雀：《关于中国现代悲剧〈雷雨〉的出版》，《汽车新刊月报》第 7 号，1936 年 1 月 19 日。）

但当留日学生决定再次公演该剧时，却遭到了中国驻日本公使馆的横加干涉。据巴金说："《雷雨》不能演了。据说是公使馆干涉。""干涉《雷雨》的公演，理由是男女学生合演'有伤风化'……又有一两位留学生攻击《雷雨》是乱伦的剧本，还写了信到公使馆去，这也是说它'有伤风化'……"（巴金：《再说〈雷雨〉》，《漫话生活》第 10 期，1935 年 6 月 20 日。）

当时还有留学生给剧团写了这样一封信："《雷雨》剧团诸君：闻尔等又决于本月中旬再次公演《雷雨》，尔曹诚畜牲不如矣。夫此等蒸母奸妹之剧，所以为艺术，公演于岛夷之邦，其意何居，殊难索解。尔等以为日人欢迎此剧，故不惮人言，一再重演，倘日人喜闻尔自身蒸尔母奸尔妹时，则尔曹亦可在此公演以博日人之欢呼，呜呼，休矣。吾初尚以贵会为有人性，徵此以观，则诚禽兽之不若也。盖此剧一演，在尔等故有钱可得，而在我国家体面上，则已扫地无余，尔等非禽兽而何哉。愿尔曹三思之，有故勿惮改勿贪日以区区数十钱，勿脱裤子以臭屁以供日人之一粲也。"（罗亭：《〈雷雨〉的批评》，《质文》第 1 卷第 2 期，1935 年 7 月 15 日。）

此外，当时《质文》编者和导演对《雷雨》的看法和处理，也和曹禺的意见不尽相同。曹禺曾致信导演说："我写的是一首诗，一首叙事诗（原谅我，我决不是套易卜生的话，我决没有这样大的希冀，处处来效仿他）。这诗不一定是美丽的，但是必须给读诗的一个不断的新的感觉。这固然有些实际的东西在内（如罢工……等），但决非一个社会问题剧……在许多幻想不能叫实际的观众接受的时候……我的方法乃不能不推溯这件事，推，推到非常辽远时候，叫观众如听神话似的，听故事似的，来看我这个剧，所以我不得已用了'序幕'和'尾声'，而这种方法犹如我们孩子们在落雪的冬日，偎在炉火旁边听着白头发的老祖母讲从前闹长毛的故事……至于说这是宿命论的腐旧思想，这自然是在一个近代人看，是很贴情入理的。但是假若我们认定这是老早老早的一个故事，在我们那 Once upon a time 的序幕的前提下（序幕和第一幕只差十年，这是没有法子的事，不过这也给了相当辽远的感觉）。于是这些狂肆的幻想也可以稍稍松了一口气，叫观众不那么当真地问究竟，而直接接受了它，当一个故事看。所以为着太长的原故，把序幕及尾声不得已删去了真是不得已的事情。"（曹禺：《〈雷雨〉的写作》，《质文》第 1 卷第 2 期，1935 年 7 月 15 日。）然而，《质文》的编者和导演却认为："就这回在东京演出的情形上看，观众的印象却似乎完全与作者的本意相距太远了。我们从演出上所感受到的，是对于现实的一个极好的暴露，对于没落者一个极好的讥嘲。"（此语为《质文》发表曹禺给导演的这封信时，在前面加的编者按语；见《质文》第1卷第2期，1935年7月15日。）而列名导演的吴天也说："原剧有四幕，外有序幕及尾声，然就演出上讲，那首尾都是多余的，因此大胆地删除了，而在落幕前使鲁大海出现，这都是在要求全剧的完善与统一的标准上修正的……因为我们认为鲁大海是暗示新兴的人物，作者不应使他'不知所终'。致使全剧陷入混乱感伤中。"（吴天：《〈雷雨〉的演出》，《质文》第1卷第2期，1935年7月15日。）

29日，鲁迅应日本《改造》杂志之约作杂文《在现代中国的孔夫子》，抨击国民党新生活运动掀起的尊孔复古潮流。

老舍的小说《月牙儿》在天津《国闻周报》第12卷第12期到第14期上发表。《月牙儿》小说写一个暗娼在监狱中的回忆，通过一个少妇的自述，展现母女两代为生活所迫沦为暗娼的悲惨遭遇。

五月

9日，方玮德病逝。

方玮德（1908—1935），诗人。安徽桐城人。1929年考入南京中央大学外国文学系学习，并开始诗歌创作，1932年毕业。1933年去厦门集美学校任教。1934年去北平，因病住院，次年5月9日病逝。常在《新月》、《诗刊》上发表作品，为后期新月派诗人之一。著有《玮德诗集》、《玮德诗文集》等。

15日，《杂文》在日本东京创刊。该刊为左联东京分盟刊物之一，出至第1卷第3号被禁。第4号开始改名为《质文》继续出版。第1卷由东京杂文杂志社出版发行，上海群众杂志公司经售，第2卷第1期起由东京质文社出版，上海中国图书杂志公司经售。第1卷前4期在日本东京印行，第5期开始移至国内印刷。1936年11月10日出版第2卷第2期后终刊。共出8期。

20日，郑振铎主编的大型丛书《世界文库》开始由生活书店出版，规模宏大，轰动一时。该书采用期刊形式，有计划地介绍古今中外的世界名著，包括中国、埃及、希伯莱、印度、希腊、罗马的古典作品以及欧美、日本的现代作品。

由吴朗西、伍禅、郭安仁（丽尼）、柳静等创办的文化生活社在上海成立。同年9月改名为文化生活出版社。吴朗西任经理，巴金负责编辑事务。曾出版《文化生活丛刊》、《文学丛刊》、《译文丛书》等丛书多种。

蔡东藩《古今通俗演义》（44册）改版本由会文堂新记书局出版。

田汉的三幕剧《回春之曲》收入《回春之曲》（戏剧集），普通书店出版。

鲁迅《弄堂生意古今谈》发表于《漫画生活》月刊第9期，收入《且介亭杂文》。

鲁迅《集外集》由上海群众图书公司出版。

六月

1 日，王亚平的第一本诗集《都市的冬》，由上海国际出版社出版。由郭沫若题写封面“亚平诗集《都市的冬》”，当时在日本的蒲风为该书作序，新坡、干青、兆民、松山为书配了八幅木刻插图。该书收入作者在青岛期间所创作的部分诗歌。

4 日，何应钦同日本天津驻屯军司令官梅津美治郎秘密会谈。9 日，梅津美治郎发出致何应钦的备忘录，提出罢免于学忠等中国官员、解散或取消国民党河北省党部机关、撤退国民党宪兵3 团、51 军等要求。7 月 6 日，何应钦复函梅津，对日方要求表示“均承诺之”。梅津的备忘录和何应钦的复函，史称《何梅协定》。

14 日，中央红军和红四方面军在懋功举行胜利会师庆祝大会。中共中央根据会师后的形势，确定了建立川陕甘根据地的战略方针，决定继续北上到陕甘地区建立革命根据地，推动全国抗日民主运动的发展。

18 日，瞿秋白在福建长汀县罗汉岭被国民党杀害。

瞿秋白（1899—1935），文学理论批评家、散文家、翻译家。原名瞿懋淼，字秋白。曾用名瞿双、瞿爽、瞿霜、史维它。笔名秋蕖、屈维它、双莫、陶畏巨、史铁儿、董龙、陈笑峰、V·T、J·K、易嘉、靖华、易阵风、司马今、宋阳、华婧、何凝、萧参等。江苏武进人。1909 年考入常州府中学堂预科，1912 年进入本科，1916 年辍学任小学教师。1917 年曾在北平俄文专修馆攻读。1919 年参加五四运动，被推为俄专代表。同年与郑振铎等创办《新社会》旬刊。1920 年创办《人道》月刊并受聘为《晨报》驻苏记者去苏联。1922 年加入中国共产党，出席共产国际第四次代表大会，出版第一部散文集。1923 年回国，任中共机关刊物《新青年》季刊编辑，在中共第三次代表大会上当选为中央委员。1927 年被选入中共临时中央局。1928 年出席共产国际第六次代表大会，被选为共产国际执委、主席团委员并任中共驻共产国际代表团团长。1930 年回国，主持中共六届三中全会。1931 年受王明左倾路线排斥，在上海从事左翼文艺运动，翻译马克思主义文艺理论，参加文艺思想论争、评价鲁迅，做了大量工作。1934 年进入中央苏区，任中央工农民主政府人民教育委员。中央红军撤退时在南方坚持斗争。1935 年2 月被国民党军队逮捕。同年 6 月英勇就义。著有散文集《饿乡纪程》、《赤都心史》，编译有马克思主义文艺论文集《现实》以及《高尔基论文选集》、《高尔基创作选集》、普希金的长诗《茨冈》等，编选有《鲁迅杂感选集》。另有《瞿秋白全集》行世。

瞿秋白临刑前曾成诗一首。诗前有小序，云：“1935 年6 月17 日晚，梦行山径中，夕阳明灭，寒流幽咽，如置仙境。翌日读唐人诗，忽见‘夕阳明灭乱山中’句，因集句得《偶成》一首。原诗为：夕阳明灭乱山中，落叶寒泉听不穷。已忍伶俜十年事，心持半偈万缘空。方欲提笔录出，而毕命之令已下，甚可念也。秋白曾有句‘眼底云烟过尽时，正我逍遥处。’此非词谶，乃狱中言志耳。秋白绝笔。”

鲁迅曾为瞿秋白书写条幅“人生得一知己足矣，斯世当以同怀视之”。1936 年，鲁迅逝世前4 天给曹白的信（第1282 号函）还说：“《现实》中的论文……原是属于难懂这一类的。但译这类文章，能如史铁儿之清楚者，中国尚无第二人，单是如此，就觉得他死得可惜。”

胡绳、艾思奇、郁达夫等148 人联名发表《我们对文化运动的意见》，反对国民党鼓吹复古读经。

徐懋庸《打杂集》由生活书店出版。该书收作者所做杂文48篇，附录他人文章6篇，鲁迅为该书作过《徐懋庸作〈打杂集〉序》，后收入《且介亭杂文二集》。

邹韬奋《萍踪寄语三集》由生活书店出版。

七月

17日，聂耳在日本神奈川县鹄沼海中游泳时，溺水身亡，年仅24岁。聂是云南玉溪人。1928年，加入中国共产主义青年团。1931年，加入"明月歌剧社"，为小提琴师。1932年，进入北京联华影片公司，加入左联领导的剧联音乐小组。1933年，加入中国共产党。曾先后谱写《前进歌》、《大路歌》、《开路先锋》、《毕业歌》、《新女性》、《义勇军进行曲》等30多首歌曲，对团结抗日产生了深刻影响，其中《义勇军进行曲》成为中华人民共和国国歌。

老舍、王统照、洪深、孟超、吴伯箫、臧克家、王亚平、王余杞、赵少侯、杜宇、李同愈、刘西蒙等来青岛消夏的文艺界同仁，在《青岛民报》上开辟了一个文艺副刊《避暑录话》。刊名由洪深拟定。

张天翼的中篇小说《清明时节》发表于《文学》第5卷第1号。

李劼人的中篇小说《死水微澜》由昆明中华书局出版。该作与李劼人后来创作的《暴风雨前》、《大波》一起，以四川为背景，描绘出甲午战争到辛亥革命前后20年间广阔的社会图画，具有宏伟的构架，被称之为"大河小说"。

刘半农《半农杂文二集》由良友图书印刷公司出版。

丰子恺《车厢社会》集由良友图书印刷公司出版。

八月

1日，中共中央发表《为抗日救国告全体同胞书》即《八一宣言》，号召全国人民团结起来，停止内战，一致抗日。组织国防政府和抗日联军。

6日，方志敏在南昌被国民党杀害。就义前将在狱中写给中共中央的信及所著散文《可爱的中国》、《清贫》、《狱中纪实》等手稿托人带给鲁迅，请他设法转交党中央。

方志敏（1899—1935年），无产阶级革命家、军事家、杰出的农民运动领袖，土地革命战争时期赣东北和闽浙赣革命根据地的创建人。江西弋阳县漆工镇湖塘村人。1916年秋，考入弋阳县立高等小学。在校期间就曾组织过校进步团体"九区青年社"，开展反帝爱国斗争、反对腐败教育的活动。1922年8月，赴南昌创办"文化书社"，出版《青年声》周报，进行马克思主义宣传，并与赵醒依等人，于1923年初创建中国社会主义青年团南昌地方组织、江西"民权运动大同盟"和"马克思学说研究会"。1924年3月，加入中国共产党。7月，当选为国民党江西省党部执行委员兼农民部部长。不久，回弋阳组织"弋阳青年社"，出版《寸铁》旬刊，建立农民协会，领导农民运动。1926年5月始，历任江西省农民协会执行委员兼秘书长，中共弋阳区委书记，中共横峰区委书记，中共弋阳县委书记，中共信江特委书记兼中共贵溪县委书记，信江特区苏维埃政府主席、革命军事委员会主席，中共赣东北省委常委，中华苏维埃共和国临时中央政府执行委员、主席团委员，中共闽浙赣省委书记、司令员等等。1933 年 3 月被中华苏维埃共和国临时中央政府授予荣誉勋章。1935 年 1 月 29 日，在江西玉山县怀玉山区被俘，囚于南昌国民党驻赣绥靖公署军法处看守所，严辞拒绝了国民党的劝降，实践了自己“努力到死，奋斗到死”的誓言。8 月 6 日，被秘密杀害于南昌市下沙窝。在狱中，著有《可爱的中国》、《狱中纪实》、《我从事革命斗争的略述》等约 30 万字的文稿。1985 年出版《方志敏文集》。

天津市立师范学校孤松剧团在学校礼堂上演《雷雨》，这是该剧在国内首次上演。

巴金自日本回国，参加文化生活出版社编务工作，主编《文化生活丛刊》、《文学丛刊》等。

田军（萧军）的长篇小说《八月的乡村》由上海容光书局出版，为鲁迅编辑的《奴隶丛书》之一。该作 1934 年春始作于哈尔滨，同年 10 月 22 日在青岛完成，翌年 8 月由上海奴隶社出版，一年半销去七版，为当时秘密发售的畅销书。全书 14 章，约 14 万字。

鲁迅为《八月的乡村》作序。在序中，鲁迅热情地称赞道：“不知道是人民进步了，还是时代太近，还未湮没的缘故，我却见过几种说述关于东北三省被占的事情的小说。这《八月的乡村》，即是很好的一部，虽然有些近乎短篇的连续，结构和描写人物的手段，也不能比法捷耶夫的《毁灭》，然而严肃、紧张，作者的心血和失去的天空，土地，受难的人，以至失去的茂草，高粱，蝈蝈，蚊子，搅成一团，鲜红的在读者眼前展开，显示着中国的一份和全部，现在和未来，死路与活路。凡有人心的读者，是看得完的，而且有所得的。”“这书当然不容于满洲帝国，但我看当然也不容于中华民国……如果事实证明了我的推测并没有错，那也就证明了这是一部很好的书。”（鲁迅:《田军作〈八月的乡村〉序》，《鲁迅全集》第 6 卷第 287 页，人民文学出版社 1981 年版）

狄克（张春桥）于 1936 年 3 月 15 日在《大晚报》副刊《火炬·星期文坛》上发表《我们要执行自我批判》一文，对鲁迅和《八月的乡村》提出批评。他说：“是的，对于那些贡献给文坛较好的作品的作者，我们应当加以鼓励，应当加以慰勉，然而，一个进步的文学者，是绝对的不会反对正确地给他些意见的，甚至他正迫切需要。如果只是鼓励，只是慰勉，而忘记了执行批评，那就无异是把一个良好的作者送进坟墓里去……”（此语系针对鲁迅而发——编者注）“《八月的乡村》整个地说，它是一首史诗。可是里面有些还不真实，像人民革命军进攻了一个乡村以后的情况就不够真实。有人这样对我说：‘田军不该早早地从东北回来’，就是由于他感觉到田军还需要长时间的学习，如果再丰富了自己以后，这部作品当更好。技巧上、内容上，都有许多问题在，为什么没有指出呢？将这部作品批判以后至少有下面的几点好处：（一）田军可以将《八月的乡村》改写或再写别外一部，（二），其他的正在写或预备写的人可以得到一些教训，而不再犯同样的错误，（三）读者得到正确的指针，而得到良好的结果。我相信现在有人在写，或预备写比《八月的乡村》更好的作品，因为读者需要！”

针对狄克的批评，鲁迅写了《三月的租界》一文予以反驳。鲁迅说：“假如‘有人'说，高尔基不该早早不做码头脚夫，否则，他的作品当更好；吉须不该早早逃亡外国，如果坐在希忒拉的集中营里，他将来的报告文学当更有希望。倘使有谁去争论，那么，这人一定是低能儿。然而在三月的租界上，却还有说几句话的必要，因为我们还不到十分'丰富了自己'，免于来做低能儿的幸福的时期。"鲁迅认为，田军"没有什么'不该早早地从东北回来'的错处"。他说狄克对《八月的乡村》的批评是"抹杀《八月的乡村》的"，"因为这种模模糊糊的摇头，比例举十大罪状更有害于对手……含糊的指摘，是可以令人揣测到坏到茫无界限的"。"如果在还有'我们'和'他们'的文坛上，一味自责以显其'正确'或公平，那其实是在向'他们'献媚或替'他们'缴械。"（鲁迅：《三月的租界》，《夜莺》第1卷第3期，1936年5月。）

老舍的短篇小说集《樱海集》，由人间书屋出版。

1937年《宇宙风》第46期在《樱海集》出版预告上，称这个集子"思想见解，题材情境，篇章技巧，都看得出是一个老作家的明达熟练，而利用方言，整个脱离文言的白话的束缚，尤为小说界极可注意的一个成功"。

常风也认为：老舍在推出《赶集》之后又推出《樱海集》，是对读者的"一种慷慨的施与"。"在这部新作中，和在《樱海集》及其他几本小说中一样，作者所展示给我们的，还是这个社会里的各种色相和表现这些色相的现实生活中各角落里的人。作者已经获得成功的技巧，以它来阐明，解释某种社会现象，得心应手，篇篇作品都不容妄加一点意见。这部新作似乎更显得晶纯"。谈到风格时，常风认为，《樱海集》中的十篇作品，都"显明地和作者以前的作品有了分别。这是在作者创作中一个不小的，值得注意的变动"。和过去的作品相比，"这十篇作品中幽默的成份确实是少了，并且是少得多了，我们觉着这是可喜的事。便为了少了'幽默'因而文字着实了许多，细腻了许多"。这是其一。其二，许多新文学家"都局限自己在一个狭小的社会里与个人单纯的经验中"，因而新文学作品除知识阶层外不曾有更广大的读者。这不仅因为作品传达的经验与情感"和一般读者不能相容"，还因为作家创造的白话文，不是"大众能了解的平易文字"，圆熟地使用口语或方言就更难为作家了。"在这一点上我们应该认识本集的作者在新文学上的功绩，同时这本新作更是一个好的证明"。其三，《樱海集》"又选了社会上可怜的一群"来描写，"和他以前的作品不同的是少了讽刺而多了同情"。他还指出《樱海集》中的作品"似乎厌倦于这个时代，这个社会。他所厌倦的不是以前文学家所诅咒的时代的丑恶，而是更深邃一些的东西。他并不悲观。他潜心地去分析各样的社会现象，他在广大人生的小角落里找寻那些渺小的人，了解他们。从尤老二到《阳光》里的那位有身份的女子……从现实生活中找到了这些人，与以生命，付以血肉，让他们活动在我们面前，艺术家这样就尽了他的天职，并且完成了他的使命"。常风还指出，《樱海集》中的小说都用的"独白体"叙述故事，其好处在不经意中能点染出人物性格，有羚羊挂角的神妙；缺点是难给人"浑成"的感觉，缺乏动作与生气，有时心理分析不能太精细。他还认为，集子中《牺牲》"比较地是一篇失败作品"，"最后的两篇《月牙儿》和《阳光》是最成功的两篇，也是最能代表作者的长处与'变动'的文字"。（常风：《〈樱海集〉》，《大公报·文艺》（天津）第16期，1935年9月27日。）

九月

16 日，林语堂、陶亢德主编的散文半月刊《宇宙风》创刊。

《宇宙风》与 1932 年创办的《论语》半月刊、1934 年创办《人间世》半月刊，共同成为了"性灵文学"的阵地，提倡"以自我为中心，以闲适为格调"的小品文。《宇宙风》以畅谈人生为主旨，以言必近情为戒约，是合乎现代文化、贴近人生的刊物，也是三本杂志中唯一的自 1935 年至 1947 年度过了最困难的八年抗战的一本杂志。这在中国现代期刊史上十分罕见。《宇宙风》在上海坚持出到了第 66 期，1938 年 5 月迁广州，出了第 67 ~ 77 期，1939 年 5 月社址迁香港，同时在桂林设分社，出版第 78 ~ 105 期（在香港排版纸型运桂林印刷出版），1944 年 8 月编辑部迁桂林，出版 106 ~ 138 期，1945 年 6 月迁重庆，出版了第 139 和 140 两期，1946 年 2 月迁回广州，出版第 141 ~ 152 期，1947 年 8 月出至第 152 期终刊。

十月

13 日，中国旅行剧团在天津新新影戏院公演《雷雨》，这是《雷雨》首次由职业剧团演出。1936 年 2 月，"中旅"在天津再次公演《雷雨》；5 月，在上海卡尔登剧院公演《雷雨》，连演三个月，场场爆满。同年 5 月、6 月及 10 月，"中旅"先后赴南京、武汉演出《雷雨》，再次引起轰动。接着，中国戏剧协会也在南京世界大戏院演出《雷雨》，由曹禺亲自扮演周朴园。至 1936 年底，全国各地剧团纷纷排演《雷雨》，据统计，上演达五六百场（据 1937 年 1 月 24 日《大公报》报道）。

赵家璧主编的《中国新文学大系》（1917—1927）开始由上海良友图书印刷公司出版发行。全书共十卷，至 1936 年 2 月全部出齐。这是中国新文学运动第一个十年（1917—1927）的理论和创作选集。该书由蔡元培撰《总序》，一至十集分别为《建设理论集》（胡适选编）、《文学论争集》（郑振铎选编）、《小说一集》（茅盾选编）、《小说二集》（鲁迅选编）、《小说三集》（郑伯奇选编）、《散文一集》（周作人选编）、《散文二集》（郁达夫选编）、《诗集》（朱自清选编）、《戏剧集》（洪深选编）、《史料索引》（阿英选编）。

戴望舒《现代诗风》创刊号出版，由施蛰存任发行人，脉望出版社出版。该刊同人对诗歌不重形式，主张不要韵，不要有规则的平仄排列，不要有定数的诗句组织。故所登诗作多为散文化的自由体，撰稿人主要有施蛰存、徐迟、南星、侯汝华、路易士等。刊有施蛰存的《〈文饭小品〉废刊及其他》、《小艳诗三首》及译作《我们为什么要读诗〈美国罗蕙儿〉》等作品，虽然只出版 1 期，但却扩大了现代派诗歌的影响。

周作人《苦茶随笔》由上海北新书局出版。除《小引》和《后记》外，收散文 48 篇，其中有文史札记，如《骨董小记》、《岳飞与秦桧》；有悼念文字，如《半农纪念》；有序跋文，如《〈文学论文集〉跋》等。

十一月

28日，中华苏维埃共和国中央政府和中国工农红军革命军事委员会发表《抗日救亡宣言书》。指出：在日本帝国主义企图吞并华北，把中国变为他的殖民地，蒋介石却在出卖华北以至整个中国的形势下，只有全国海、陆空军与全国人民总动员，开展民族革命战争，抗日反蒋，才是唯一出路。

约11月中旬或12月，“左联”负责人收到鲁迅转来的萧三从莫斯科来信。萧三根据中共驻共产国际代表团某些人的指示，要求取消“左联”，另外发起组织一个“广大的文学团体”。据此，中共上海地下党临时文委即召开会议，决定解散“左联”以及文委所属各联，另组新的文艺团体。

朱光潜在《中学生》杂志上发表《“曲终人不见，江上数峰青”》一文，提出“和平静穆”的美是“诗的极境”，美的“最高境界”，同时也是人生哲理的“最高理想”。鲁迅立即撰文作出反映，指出一切伟大的作家必然是时代的先驱，是不可能对现实生活的矛盾斗争采取超然的态度的。与朱光潜提倡“静穆”美相反，鲁迅主张战斗的力的美。他赞扬殷夫的诗“是对于前驱者爱的大纛，也是对于摧残者憎的丰碑。一切所谓圆熟简练，静穆幽怨之作，都无须来作比方，因为这诗属于别一世界”。（鲁迅：《白莽作〈孩儿塔〉序》，《鲁迅全集》第6卷第494页，人民文学出版社1981年版）这是左翼文坛与“京派”作家发生过的论辩之一。

巴金的短篇小说集《神·鬼·人》，由上海文化生活出版社出版。

鲁迅翻译的果戈理长篇小说《死魂灵》，由上海文化生活出版社出版。

十二月

8日，天津《大公报·文艺》第56期推出《徐志摩纪念特刊》。沈从文署名“编者”作《附记》，称赞徐志摩的“诗歌与散文，兼有秀倩与华丽，文字惊人眩目，在现代中国文学上可以称为一朵珍异无比的奇花，死者值得人记忆，还不止他的诗歌散文。死者对于中国的新诗运动贡献尤大。”“死者那种心胸廓然，不置意于琐琐人事得失，而极忠实于工作与人生的态度，以及那种对人对事的高贵热情，仿佛一把火，接触处就光辉煜然，照耀及便现出一份生气的热情，死者的死，因此令人觉得不只是三五熟人失去一个好友，却实在是全个中国失去一个少有的诗人！就目前整个中国而言，就刚刚发轫初期的中国文学言，死者的死，是中国极大的一种损失。”

9日，北平爆发“一二九”运动。它是在日本侵略中国的民族危机关头发生的一次大规模学生爱国运动。当天，北平学生六千余人举行示威游行，遭到国民党政府大批军警的镇压。后来，这一运动发展为全国规模的学生、市民以及各界爱国人士的抗日救国运动，推动了抗日民族统一战线的建立。

15日，熊佛西编剧导演的《过渡》在河北定县东不落岗村农民露天剧场公演。六十多位农民演员参加了演出，两千多观众聚集在剧场观看，演出获得成功。

25日，中共中央在瓦窑堡会议上通过了《关于目前政治形势与党的任务的决议》，确定了抗日民族统一战线的策略方针，改变对小资产阶级、民族资产阶级、富农、抗日的国民党军官兵和华侨的政策，建立广泛的抗日民族统一战线。

《自由评论》在北平创刊，梁实秋主编，北平自由评论社出版发行，为综合性周刊。1936 年 10 月终刊，共出 47 期。撰稿人除编者外主要有罗隆基、李长云、潘光旦、张东荪、叶公超、王平陵、周作人（知堂）等。至于刊物的宗旨，该刊在创刊号《编者后记》中说："本刊没有照例应有的'发刊辞'，因为'自由评论'四个字本身就是一个明白的解释。本刊同人并没有任何的全体一致的意见，不过我们都是爱自由的人，对于思想言论的自由我们是绝对拥护的。"第 4 期《编者后记》中对于创刊宗旨表述的更为具体："我们爱自由，所以我们不喜欢任何方式的压制，我们爱公道，所以我们不能作阿谀权势锦上添花的文章。至于爱国拥护统一，我们不敢后人，在爱国被认是犯罪的时候，我们也爱国。在统一将被人利用名义而实施破坏的时候，我们也呼吁统一。谁看轻了'国'的利益，谁妨碍了'国'的统一，谁就应该受国人批评。对于某一人某一系某一党，我们是完全没有任何成见没有任何爱憎存于其间的。"

巴金主编、文化生活出版社出版的"文学丛刊"开始出版。先后选编了鲁迅、茅盾、巴金、沈从文、张天翼、鲁彦、艾芜、萧军、吴组缃、郑振铎、靳以、丽尼、曹禺、李健吾、卞之琳、沙汀、何其芳、叶紫、臧克家、刘白羽等多位作家的创作及理论批评，是20 世纪30 年代中期最具广泛影响的作家作品集，其中许多是青年作家的处女作。

卞之琳诗集《鱼目集》由文化生活出版社出版。收作者 1930 年至 1935 年间所作诗 30 首。

卞之琳的诗歌试验在当时就被称作"新的智慧诗"，其诗歌特点恰如他所说，即是将西方小说化、典型化、戏拟化的"戏剧性处境"与中国旧小说的"意境"融会，达到个人的"隐匿"："这时期绝大多数诗里的'我'也可以和'你'或'他'（'她'）互换。"（卞之琳：《〈雕虫纪历〉自序》，《雕虫纪历》第 3 页，人民文学出版社 1984 年版）卞之琳认为 30 年代现代派诗歌是"倾向于把侧重西方诗风的吸取倒过来为侧重中国旧诗风的继承"。（卞之琳：《〈戴望舒诗集〉序》，《戴望舒诗集》，第 3 页，四川人民出版社 1981 年版）

路易士（纪弦）的新诗集《行过之生命》由未名书店出版。内收写于 1935 年 8 月以前的诗作 162 首。书前有杜衡的《序》，后收施蛰存的《跋》及作者《后记》。杜衡在《序》中说：该诗集中的作品前后有变化，"从'期待着火把'的热情里变到了这个'划几根火柴'的心境"，在"与魔鬼搏斗，或是凿地穴而居两条人生道路中，抒情主人公选择了后者。"路易士则在《后记》中说："我所歌唱的乃是我自己底梦和我自己底凄凉的存在。而我之为诗，纯粹是以'自我'为出发点。"

蒲风的长篇叙事诗《六月流火》在东京出版，由东京渡边印刷所印刷，以黄飘霞名义自费出版。

艾芜短篇小说集《南行记》由上海文化生活出版社出版。

《南行记》以一个漂泊的知识者的眼光观察并叙述了边疆异域的下层生活，塑造了偷马贼、烟贩子、滑竿夫、强盗、流浪汉等各式各样具有特殊命运的流民形象。作者曾说："我写《南行记》的时候，虽然是南行以后好久的事情，但南行过的地方，一回忆起来，就历历在目，遇见的人和事，还火热地留在我的心里。而我也不是平平静静

地着手描写，而是尽量抒发我的爱和恨，痛苦和悲愤的。因为我和里面被压迫的劳动人民，一起受过剥削和侮辱。”（艾芜：《〈南行记〉新版后记》，《南行记》第338页，作家出版社1980年版）

周立波评论《南行记》时说：“这里有一个有趣的对照：灰色阴郁的人生和怡悦的自然诗意。在他整个《南行记》的篇章里，这对照不绝的展露着，而且是老不和谐的一种矛盾……他爱自然，他更爱人生，也许是因为更爱人生，他才爱自然，想借自然的花朵来装饰灰色和阴暗的人生吧?”（周立波：《读〈南行记〉》，《读书生活》第3卷第10期，1936年3月。）

萧红中篇小说《生死场》由上海容光书局出版，为鲁迅编辑的《奴隶丛书》之一。鲁迅为之作序。在序言中，鲁迅评价道：“叙事和写景，胜于人物的描写，然而北方人民的对于生的坚强，对于死的挣扎，却往往已经力透纸背；女性作者的细致的观察和越轨的笔致，又增加了不少明丽和新鲜”。（鲁迅：《萧红作〈生死场〉序》，《鲁迅全集》第6卷第408页，人民文学出版社1981年版）

沈从文短篇小说集《八骏图》由上海文化生活出版社出版。后列入巴金主编的“文学丛刊”第一集。除《题记》外，收沈从文于1928年至1935年间所作短篇小说9篇，分别是《八骏图》、《顾问官》、《过岭者》、《来客》、《有学问的人》、《某夫妇》、《柏子》、《雨后》和《腐烂》。

田汉的独幕剧《洪水》连载于1935年12月18—30日南京的《新民报》。1937年3月收入剧本集《黎明之前》，由北新书局出版。

徐佩韦（夏衍）的独幕剧《都会的一角》发表于《文学》第5卷第6号。

叶圣陶散文集《未厌居习作》由开明书店出版。收1923年至1935年间所写散文36篇，另有《自序》1篇。

丽尼散文集《黄昏之献》由文化生活出版社出版。被列为巴金主编的“文学丛刊”第一集之一。除《后记》外，收1928年至1932年间所写散文54篇，分为4辑。第一辑“黄昏之献”14篇，第二辑“傍晚”14篇，第三辑“深更”14篇，第四辑“红夜14篇。”

夏丏尊的《平屋杂文》由开明书店出版。该杂文集被列为“开明文学新刊”之一。除《自序》外，收杂文33篇，作品真诚坦白，如与老友谈心，文情并茂。

1936年

一月

1日，周扬在《文学》第6卷第1号上发表《现实主义试论》。认为胡风在《什么是“典型”和“类型”》中关于典型的普遍性和特殊性的解释“应该加以修正”。

胡风随即在《文学》第6卷第2号发表《现实主义底一“修正”——现实主义论之一节——关于“典型”底普遍性和特殊性问题答周扬先生》进行答辩。他们就现实主义及典型问题展开论争。除此之外，参与论争的文章还有周扬的《典型与个性》，胡风的《典型论的混乱》等。

20 日，由胡风、聂绀弩、萧军等创办，鲁迅参与编辑的《海燕》月刊在上海创刊，上海海燕文艺社出版发行。同年 2 月出第 2 期后被查禁。第 1 期由史青文主编，第 2 期由耳耶（聂绀弩）主编。该刊发表各类文艺作品。撰搞人有鲁迅、田军、胡风、萧红、荒煤、黎烈文、丽尼、周文、欧阳山等。所载文章有鲁迅的《出关》、《〈题未定〉草》、《阿金》，田军的《江上》，萧红的《过夜》、《访问》，欧阳山的《人物》，荒煤的《罪人》，胡风的《文艺界的风习一景》等。

鲁迅小说集《故事新编》由上海文化生活出版社出版。鲁迅在 1934 年、1935 年连续写了 5 篇从历史与传说中取材的小说（其中 4 篇写于 1935 年 11 月、12 月），与 20 年代所写的《不周山》（后改为《补天》）等 3 篇合辑为《故事新编》。鲁迅在《〈故事新编〉序言》中写道："这是一本很小的集子，从开手写起到编成，经过的日子都可以算得很长久了：足足有十三年。"针对成仿吾的批评，鲁迅指出："对于历史小说，则以为博考文献，言必有据者，纵使有人讥为'教授小说，'其实是很难组织之作，至于只取一点因由，随意点染，铺成一篇，倒无需怎样的手腕；况且'如鱼饮水，冷暖自知，'用庸俗的话来说，就是'自家有病自家知'罢：《不周山》的后半部是很草率的，决不能称为佳作。"至于写作的原由，鲁迅说："直到一九二六年的秋天，一个人住在厦门的石屋里，对着大海，翻着古书，四近无人气，心里空洞洞。而北京的未名社，却不绝的来信，催促杂志的文章。这时我不愿想到目前……仍旧拾取古代的传说之类，预备足成八则《故事新编》。但刚写了《奔月》和《铸剑》——发表的那时题为《眉间尺》，——我便奔向广州，这事就又完全搁起了。后来虽然偶然得到一点题材，作一段速写，却一向不加整理。现在才总算编成了一本书。其中也还是速写居多，不足称为'文学概论'之所谓小说。叙事有时也有一点旧书上的根据，有时却不过信口开河。而且因为自己的对于古人，不及对于今人的诚敬，所以仍不免时有油滑之处。过了十三年，依然并无长进，看起来真也是'无非《不周山》之流'，不过并没有将古人写得更死，却也许暂时还有存在的余地的罢"。

茅盾在论及鲁迅的历史小说时说："用历史事实为题材的文学作品，自'五四'以来，已有了新的发展。鲁迅先生是这一方面的伟大的开拓者和成功者。他的《故事新编》，在形式上展示了多种多样的变化，给我们树立了可贵的楷式；但尤其重要的，是内容的深刻，在《故事新编》中，鲁迅先生以他特有的锐利的观察，战斗的热情，和创作的艺术，非但'没有将古人写得更死'，而且将古代和现代错综交融，成为一而二，二而一。鲁迅先生这手法，曾引起了不少人的研究和学习，然而我们勉强能学到的，也还只有他的用现代眼光去解释古事这一面，而他的更深一层的用心，借古事的躯壳来激发现代人之所应憎恨与应爱，乃至将古代和现代错综交融，则我们虽能理会，能吟味，却未能学而几及。但历史题材的作品，近年来也颇多了。大部分是钩稽史实，各就所见而加以新的解释；一方面即要谨守'字字有来历'的信条，而另一方面则又思不为古事所拘，驰骋起想象，吹进些现代的气息。这，可以说是继承着《故事新编》的'鲁迅主义'而又意识地要加以'修正'的；这或者也可以尝试，可是就现代所见的成绩而言，终未免进退失据，于'古'既不尽信，于'今'亦失其攻刺之的。"（茅盾：《〈玄武门之变〉序》，《茅盾全集》第 21 卷第 283 ~ 284 页，人民文学出版社 1991

年版）

沈从文的《从文小说集》由光大书局出版。

张天翼小说集《畸人集》由上海良友图书印刷公司出版，该书被列为“良友文学丛书特大本”系列。

曹禺话剧《雷雨》由上海文化生活出版社出版。《雷雨》于1933年完成，1934年7月发表于郑振铎、章靳以主编的《文学季刊》第1卷第3期。《雷雨》自发表以来，从1935年东京第一次演出开始，全国许多重要剧团竞相排演，形成了中国戏剧史上罕见的“《雷雨》热”。

在《〈雷雨〉序》中，曹禺说：“《雷雨》对我是个诱惑。与《雷雨》俱来的情绪蕴成我对宇宙间许多神秘的事物一种不可言喻的憧憬。《雷雨》可以说是我的‘蛮性的遗留’，我如原始的祖先们对那些不可理解的现象睁大了惊奇的眼。我不能断定《雷雨》的推动是由于神鬼，起于命运或源于哪种显明的力量。情感上《雷雨》所象征的对我是一种神秘的吸引，一种抓牢我心灵的魔。《雷雨》所显示的，并不是因果，并不是孤独，而是我所觉得的天地间的‘残忍’……如若读者肯细心体会这番心意，这篇剧虽然有时为几段较紧张的场面或一两个性格吸引了注意，但连绵不断地若有若无地闪示这一点隐秘——这种宇宙里斗争的‘残忍’和‘冷酷’。在这斗争的背后或有一个主宰来使用它的管辖。这主宰，希伯来的先知们赞它为‘上帝’，希腊的戏剧家们称它为‘命运’，近代人撇弃了这些迷离恍惚的观念，直截了当地叫它为‘自然法则’。而我始终不能给他以适当的命名，也没有能力来形容它的真实相。因为它太大，太复杂。我的情感强要我表现的，只是对宇宙这一方面的憧憬。”（曹禺：《〈雷雨〉序》，转引自王兴平、刘思久、陆文璧编《中国当代文学研究资料·曹禺研究专集》上册第16页，海峡文艺出版社1985年版）

刘西渭在《〈雷雨〉——曹禺先生作》一文中认为，“在《雷雨》里面，作者运用（无论他有意或者无意）两个东西，一个是旧的，一个是新的：新的是环境和遗传，一个十九世纪中叶以来的新东西；旧的是命运，一个古已有之的旧东西。我得赶紧声明，说是遗传在这里不如环境显明。有什么样的爹，有什么样的儿子，有什么样的周朴园，有什么样的周萍。但是作者真正用力写出的，却是环境与人影响之大。同是一父母所生，周萍颐养在富贵人家，便成了一位‘饱暖思淫欲’式的少爷，鲁大海流落在贫苦社会，便成了一位罢工的领袖。这点儿差别最可以从那两个有力而巧妙的巴掌看出来。第一个巴掌，是周萍打鲁大海（第一幕），打得鲁大海暴跳如雷；第二个巴掌，是鲁大海打周萍（第四幕），打得周萍忍气吞声。这两个前后气势不同的巴掌，不唯表明事变，也正透示在不同的环境之下，性格不同的发展。”然而在这出长剧里面，“最有力量的一个隐而不见的力量，却是处处令我们感到的一个命运观念……弱者全死了，疯了，活着的是比较有抵抗力的人：一个从经验得到苟生的知识，一个是本性赋有强壮的力量：周朴园和鲁大海。再往深处进一层，从一个哲学观点来看，活着的人并不是快乐的人；越清醒，越痛苦，倒是死了的人，疯了的人，比较无忧无愁，了却此生债务。然而，在人情上，在我们常人眼目中，怕不这样洒脱吧？对于我们这些贪恋人世的观众，活究竟胜过死。至于心理分析者，把活罪分析得比死罪还厉害。然而在这出戏上，观众却没有十分亲切的感到。所以绕个圈子，我终不免栽诬作者一下，就是：周朴园太走运，作者笔下放了他的生。”“但是，作者真正要替天说话吗？如果这里一切不外报应，报应却是天意吗？我怕回答是否定的，这就是作者的胜利处。命运是一个形而上的努力吗？不是：一千个不是！这藏在人物错综的社会关系和人物错综的心理作用里。什么力量决定而且隐隐推动全剧的进行呢？一个旁边的力量，便是鲁大海的报复观念；一个主要的力量，便是周繁漪的报复观念。鲁大海要报复：他代表一个阶级、一个被压迫的阶级，来和统治者算账；他是无情的，因社会就没有把情感给过他；他要牺牲一切，结局他被牺牲。他出走了，他不回来了。但是，我还得加给作者一个罪状，就是鲁大海写来有些不近人情。这是一个血性男子，往好处想；然而往坏看，这是一个没有精神生活的存在。作者可以反驳我，说他没有受过教育。不错，他没有受过教育；但是，他究竟是一个人；而且在这出戏里，一个要紧的人。我说他不近人情，例如在尾声，从姑乙和老翁的对话，我们晓得他十年了，没有回来看看他生身的母亲。无论怎么一个大义灭亲的社会主义者，也绝不应该灭到无辜的母亲身上。也许有人说，他憎恶这一群上流人，不料自已便是上流人‘种’，所以便迁怒在那可怜的母亲身上了。我承认这话有道理；但是我更承认，他是一个缺乏思想的莽男子。‘他是一个初出犊儿不怕虎’，可惜是叫同行的代表卖了自己还不知道。他并不可爱。可爱的人要天真。而且更要紧的是，要有弱点。他天真到了赤裸的地步；他却没有弱点。我说错了，他有弱点——老天爷！他有弱点！”接着，刘西渭通过对剧中人物的分析，指出《雷雨》里“最成功的性格，最深刻而完整的心理分析，不属于男子，而属于妇女。”同时，刘西渭还认为《雷雨》作者的心力大半用在情节上，“用亚里士多德的术语，情节就是动作的动作上。在这一点，作者全然得到他企望的效果。我怕过了分也难说。第一次读完这出戏，我向朋友道：这很像电影。直到现在，我还奇怪上海的电影公司何以不来采用它，如若不是害怕有伤风化，那便是太不识货了。朋友告诉我，他喜欢这出戏，因为这简直是一部动人的小说。实际我的感觉或许不错，不过朋友以为很像一部小说，却过甚其辞了，因为《雷雨》虽有这种倾向，仍然不失其为一出动人的戏，一部具有伟大性质的长剧。作者卖了很大的气力，这种肯卖气力的精神，值得我们推崇，这里所卖的气力也值得我们敬重。作者如若稍微借重一点经济律，把无用的枝叶加以删削，多集中力量在主干的发展，用人物来支配情节，则我们怕会更要感到《雷雨》的伟大，一种罗曼谛克，狂风暴雨的情感的倾泻，材料原本出自通常的人生，因而也就更能撼动一般的同情。”（刘西渭：《〈雷雨〉——曹禺先生作》，转引自王兴平、刘思久、陆文璧编《中国当代文学研究资料·曹禺研究专集》上册第538～543页，海峡文艺出版社1985年版；原载《大公报》，1935年8月31日。）

郭沫若在《关于曹禺的〈雷雨〉》一文说：“作者所强调的悲剧，是希腊式的命运悲剧，但正因为这样，和它的形式之新鲜相对照，它的悲剧情调却不免有些古风……人生已成为黑暗的命运之主人了。作者对于这一方面的认识似乎还缺乏得一点，因此他的全剧几乎都蒙罩着一片浓厚的旧式道德的氛围气，而缺乏积极性……作者的悲剧情调之古风和他的艺术手法之新味间的矛盾正应该是目前的悲剧社会，尤其中国的社会之矛盾一般之一局部的反映。”（郭沫若：《关于曹禺的〈雷雨〉》，《东流》第2卷第

4期，1936年4月1日。）

黄芝冈在《从〈雷雨〉到〈日出〉》一文中说："在作者的心里所描出来的人物竟是那样鬼气森森，于是，他对于剧中人的处置也好像世界末日的上帝似的。……充作者的意之所至，总以为革命的工人也非长期嚷闷不可。但世间决没有长闷着的天气，闷热后必有雷雨，雷雨伏在闷热的极端……但那真正震撼一切的雷雨的影子却一点也看不见听不见，作者的《雷雨》客观上是告诉我们闷热的极端并无雷雨，而该长期闷下去！……看起来是非让世界毁灭，像虚无主义的'虚无破碎，陆地平沉'不可，然而不然，结论是青年人死完了，老年人万万岁，这不是很显明地不能单看做虚无主义了吗？这剧中的最荒谬最大胆的断定莫过于工人们将工头卖了……在这里虽代表着革命的整个毁灭，然而，事实上是不会有的；正好像头巾气的绝望战胜了青年的前途……"（黄芝冈：《从〈雷雨〉到〈日出〉》，《光明》第2卷第5期，1937年2月10日。）

周扬在《论〈雷雨〉和〈日出〉》一文中认为："黄芝冈先生非难作者，说他的人物为什么那样鬼气森森，他们为什么不起来反抗旧势力，为新生活而奋斗……要作家只写光明，不写黑暗，只写前进，不写落后，这种公式主义的批评现在早已过去。黄先生不应该再来重复这样的错误。"周扬还说："《雷雨》的最成功的一面是人物。作者对于自己的人物非常熟悉，非常亲切（他说他算不清亲眼看见过了多少繁漪）。他带着爱和感激描写他们，他同情于他们的遭际，他觉得这世界太'冷酷'，太'残忍'。对人物的悲悯的感情化成了对于周围世界的按捺不住的愤懑……所以'本来没有意识着要匡正，讽刺或攻击些什么的'他，写到末了，也不得不'诽谤着中国的家庭和社会的罪恶。'""对人物描写的忠实，使作者不愿为他们所负不起的过失而贬谪他们。他仅仅把他们安放在一个阴森森的家庭环境里，那环境好像铁箍一样箍住他们，使他们在里面盲目地行动着，煎熬着，挣扎着，一直到死亡。他也赋予了他们以'美丽的心灵'，'火炽的热情'，他们也曾想冲破桎梏，但是结果是徒劳。黄先生说作者让有人性的人就这样毁灭，好像太不公平，但这不公平我们不能怪作者。在宗法礼教的家庭里，有人性的人很不容易活下去，这原是很自然的事，而且在剧情上讲，他们的死亡，和整个悲剧的阴郁的氛围也正十分调和。要作品中的人物起来反抗，当然是很好的事，但先要看看他们有没有这样的力量，先要看看这些人物是怎样的性格，'环绕他们，使他们行动'的是怎样的环境。"（周扬：《论〈雷雨〉和〈日出〉》，《光明》第2卷第8号，1937年3月25日。）

李健吾的三幕剧《以身作则》由上海文化生活出版社出版。列入巴金主编的"文学丛刊"第一集。

二月

1日，《新文化》杂志在上海创刊。创刊号发表署名"新文化社同人"的《新文化需要统一战线——代发刊词》。同时发表王明在共产国际作的报告《论反帝统一战线和中国民族解放运动》。

17 日，中华苏维埃人民共和国中央政府和中国工农红军革命军事委员会联合发表《东征宣言》，组成“中国人民红军抗日先锋军”，渡黄河东征。

20 日，中国人民红军抗日先锋军东渡黄河，到达山西境内，开赴河北前线同日军直接作战。

22 日，徐行在《礼拜六》第 628 期发表《评“国防文学”》，从“左”的观点出发，批评“国防文学”。此后他又于 5 月 31 日在《文学丛报》第 3 期发表《我们现在需要什么文学》一文，反对“凡一切争论不得超过救亡运动的轨范，并且为了预防浪费，即使此轨范内的论争，必要时都应加以适当的制止”的观点，认为国防文学的“理论家”“完全否认了一九二五年至二七年的血的教训，把一些被历史车轮轧碎了的废物说得俨然是同路人了”，“他们完全否认一九二七年后我们在文化上的新的作用和成功，把保持这种作用和成功的斗争称作‘意气的争执’；他们处在一九三六年还在发出一九二五年至二七年前的‘全民’的‘不问派别，阶层，团体，个人，宗教，信仰’的梦呓。”

周立波的《“国防文学”与民族性》发表于《大晚报·火炬》副刊。署名张尚斌。文章认为：“不带社会层性的文学是没有的，一切超然的文学，都是一种假自由、真虚伪的文学……‘国防文学’的任务，首先是认识和反映中国反帝斗争情境和力量。自然，它要看清楚反帝的主力军，可是它也不能不注意主力军的大小同盟。‘国防文学’首先是中国勤劳大众文学，可是在为着民族和社会解放的斗争上，它又是全中国民族的文学。它要描写英勇抗敌的大众，它也要描写‘毁家纾难’的人们。在文学的建设力量上，也证明：要建立‘国防文学’，首先要靠中国勤劳大众的文化人。微弱的，没落的中国封建文化，决没有养育‘国防文学’这种新的文学的能力。新的文学需要新的人群的努力。而这种新的人群，也正是民族文化的最前锋；他们没有忘记本阶层的利益，正因为这样，他们也就最焦急于民族的灭亡，他们本阶层的目前利益和全中国民族目前的利益，恰恰是一致的。‘国防文学’是以劳动大众和他们斗争生活为内容的主体，以勤劳大众的文化人做建设的前锋的一种新的文学，可是在‘民族’这字的真实意味上，它又是中华民族的真正的民族文学，它要反映民族解放运动中的一切斗争情境，描写各种各样的民族英雄。”

茅盾短篇小说集《泡沫》由上海生活书店出版，收作品 10 部，列为“文学社丛书”之一。

三月

11 日，鲁迅抱病作《白莽作〈孩儿塔〉序》。白莽即“左联”五烈士之一的殷夫。鲁迅在序中说：“这《孩儿塔》的出世并非要和现在一般的诗人争一日之长，是有别一种意义在。这是东方的微光，是林中的响箭，是冬末的萌芽，是进军的第一步，是对于前驱者的爱的大纛，也是对于摧残者的憎的丰碑。一切所谓圆熟简练，静穆幽远之作，都无须来作比方，因为这诗属于别一世界。那一世界里有许多许多人，白莽也是他们的亡友。单是这一点，我想，就足够保证这本集子的存在了，又何需我的序文之

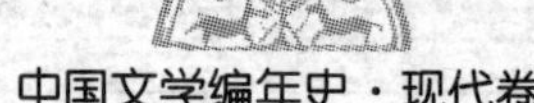

类。”（鲁迅：《白莽遗诗序》，《文学丛报》第1期，1936年4月；后收入文集时题为《白莽作〈孩儿塔〉序》。）

20日，《生活知识》第1卷第11期出《国防文学特辑》，刊登力生、周愣伽、梅雨、王梦野、宗钰等人的文章及编者《前记》。

卞之琳、何其芳、李广田诗歌合集《汉园集》由卞之琳编辑，商务印书馆出版。该诗集共收三人诗作67首。其中有何其芳的《燕泥集》16首，作于1931年至1934年；李广田的《行云集》17首，作于1931年至1934年；卞之琳的《数行集》34首，作于1930年至1934年。

陈梦家诗集《梦家存诗》由上海时代图书公司出版，列为“新诗库”第1集第3种。收诗作23首，附有《自序》。在《自序》中，陈梦家说，这“是我七年写诗的结账。前六首选自《梦家诗集》，次十二首选自《铁马集》，最后五首是近两三年作的。从一百多首中选出它，自以为比较醇正，而代表相差极微的形式中的各种；依作成年月排比，也好看出前后的变易。《白俄老人》、《过当涂河》和《当初》三首，在选定时俱已删改。《一朵野花》是此集中最先完成的一首，它代表我不被熏着前的嫩。”

方玮德的诗文合集《玮德诗文集》由上海时代图书公司出版，陈梦家编。收新诗57首，另有旧体诗和译诗等。陈梦家在该书《跋》中说：方玮德的早期诗作“如《微弱》如《幽子》如《海上的声音》等首，好似隔湖望见湘神，一层雾，一袅烟，似显而隐，欲去不去的缠绵”；后期诗作如“《赤道》和《疲惫者之歌》等首，也是静观纷乱的万有中，隐含无数热情的怀抱”。

德龄著、秦瘦鸥译述的《御香缥缈录》由申报馆出版。

沈从文的散文集《湘行散记》由商务印书馆出版。

朱自清散文集《你我》由商务印书馆出版。

唐弢《推背集》由天马书店出版。

赵景深散文集《文人剪影》由上海北新书局出版，列为“创作新刊”之一。书前有作者《序》，所收作品记述了鲁迅、茅盾、郁达夫、叶绍钧、王统照、巴金、丁玲、沈从文、张天翼、文士三剑客（戴望舒、施蛰存、杜衡）等44位作家的文学活动。

四月

1日，《文学》第6卷第4号发表夏衍的历史剧《赛金花》。该剧于同年11月由上海生活书店出版。

16日，剧作者协会召开了关于《赛金花》的座谈会。主持人周钢鸣指出：“这个剧本我们认为是在建立‘国防戏剧’被提出后，第一次收获到一个很成功的作品。”石凌鹤则说：“我们毫不否认的，这剧作是在中国提出建立‘国防戏剧’的口号后，第一次收获到的伟大的剧作。我们十分希望努力剧运的舞台人，把它演出介绍给中国千万的观众。”

《赛金花》一剧很快便被40年代剧社搬上舞台，在上海连续上演了22场，场场满座，“获得了三万左右的观众”，成为1936年戏剧界的“一件大事”。（张庚：《1936年

的戏剧》，《光明》第2卷第2号，1936年12月25日。）但此剧于1937年1月在南京演出时，却闹出了一场风波。据吴仞之回忆说：“这戏在南京演出时，国民党官吏看了就大怒。当它演到讽刺外交官只会‘磕头’时，触到了张道藩的神经，便歇斯底里地竟将痰盂掷上台去。”（吴仞之：《我看过〈赛金花〉》，转引自会林、绍武编《夏衍戏剧研究资料》（下），第64页，中国戏剧出版社1980年版）而柯灵描述说：“《赛金花》在南京演出，先是张道藩亲率打手在台下起哄，当剧中一个办外交的清廷大员说到‘奴才只会叩头’时，连痰盂也扔到了台上。结果观众把他们轰了出去。”（柯灵：《从〈秋瑾传〉说到〈赛金花〉》，转引自会林、绍武编《夏衍戏剧研究资料》（下），第72页，中国戏剧出版社1980年版）“痰盂事件”发生后，张道藩便以内务部长的身份下令禁演此剧，理由是该剧“有辱国体”。不久，国民党中央宣传部部长邵力子则说：“我想《赛金花》是应该禁了……那些抛茶杯丢痰盂的狭义的爱国思想固然不需要，然而把赛金花这女人描写得那么伟大也是过分的，我们知道，庚子之变是那些皇室宗亲与义和团等少数人闯的祸，赛金花以美色去周旋瓦德西，去为洋兵办粮草，去为北京城的老百姓们求情，这叫什么？是‘瓦全’的精神！”“我们的国家现在已到了什么地步？大家都已很明白，我们现在所需要的是‘玉碎’的精神！——是‘宁为玉碎，毋为瓦全！’”（A记者：《中宣部长和熊佛西氏谈禁演〈赛金花〉之辩说记忆》，转引自：《夏衍〈赛金花〉资料选编》第60页，安徽大学中文系教学参考书1980年编印。）

针对这些批评，夏衍回应说：“我就想以揭露汉奸丑态，唤起大众注意，‘国境以内的国防’为主题，将那些在这危城里面活跃着的人们的面目，假在庚子事变前后的人物里面”，“这作品的主要目的是在讽喻……我希望读者能够从八国联军联想到飞扬跋扈，无恶不作的‘友邦’，从李鸿章等等联想到为着保持自己的权位和博得‘友邦’的宠眷，而不惜以同胞的鲜血作为进见之礼的那些人物。”（夏衍：《历史与讽喻》，《文学界》创刊号，1936年6月5日。）

关于《赛金花》的艺术成就当时也多有争论。就在《赛金花》剧作座谈会上，与会者便就三个方面的问题有所争论：一是对剧作的主题有不同看法。张庚认为：“作者还没有把主题弄清楚，似乎是以赛金花个人作主题，又像是以庚子事件作主题。”周钢鸣则认为：“这个剧本的主要特点是在暴露满清当时官场的腐败昏庸，暴露外交的卖国误国。这是很成功的。”二是对赛金花形象有不同看法。石凌鹤认为，“赛金花在偶然的机会中成了一个爱国报国的人物，以至她后来的冷落情形，这对于读者是很感动的。”章泯还认为，“作者对于她的同情并不是过分的”。而陈楚云则说：“对赛金花我们是要批判的，不要盲目地给以同情。”三是对剧作局限性的不同看法。周钢鸣认为：“这剧本最失败的地步，是作者没有把当时各帝国主义屠杀中国大众残酷情形表现出来，这是忘掉了国防历史剧的主要意义。”石凌鹤则说：“关于义和拳的事件写得太模糊……作者对义和拳始终没有给予分析。”

针对这些不同看法，郑伯奇于同年9月在《女子月刊》上发表了《〈赛金花〉的再批评》一文，提出了他对剧本的两点意见：“第一，《赛金花》是一部‘国防戏剧’，但诚如作者自认，是以‘反汉奸为中心’的讽刺暴露的作品。这样的作品在目前是很重要的。我们应该‘给以较高的评价’……但我们却不必以固定的‘国防戏剧’的观念去绳它，去作过高的要求（如什么积极性啦，正面表现啦，庚子事变的全面描写啦等等）。”“第二，就作品去批评，我以为有几点值得讨论：（一）作者在写作态度上的矛盾，（二）作者写作方法上的矛盾，（三）表现形式在效果上的疑问。”

同年9月5日，鲁迅在《中流》第1卷第1期发表了《“这也是生活”》。该文写道：“作文已经有了‘最中心之主题’：连义和拳时代和德国统帅瓦德西睡了一些时候的赛金花，也早已封为九天护国娘娘了。”表明他对此剧的不满。

同年12月30日，茅盾在《中流》第1卷第8期发表了《谈〈赛金花〉》一文。文中指出：“剧作者写作之前对于这剧的主题自己也未把握到中心。他写作的当时，大概是打算以赛金花为中心写成‘国防戏剧’，但是越写越‘为难’了，——因为把赛金花当作‘九天护国娘娘’到底说不过去，于是眼光又转到李鸿章的‘外交’上去。”“单写赛金花，或用赛金花为主角，并不是不可以；然而要在‘国防文学’的旗帜下以赛金花为题材，终于会捉襟露肘。如果一定舍不得‘赛金花’，那么，我们应当以写庚子事件为主而以赛金花作为点缀。”

25日，冯雪峰奉中共中央派遣由陕北来到上海。翌日，移居鲁迅家中，将红军长征经过及党中央提出的抗日民族统一战线的精神告知鲁迅。

《作家》（文艺月刊）在上海创刊，孟十还主编，上海作家社出版、上海杂志公司经营。同年10月遭查禁，11月出至第2卷第2期终刊，共出8期。撰搞人有鲁迅、茅盾、巴金、靳以、萧红、萧军、胡风、欧阳山、黎烈文、丽尼、荒煤、叶圣陶、萧乾等。第1卷第5期载有鲁迅的《答徐懋庸并关于抗日统一战线问题》；第2卷第1期刊登刘少奇（署名莫文华）的《我观这次文艺论战的意义》，就“两个口号”之争发表了看法。所载作品还有鲁迅杂文《半夏小集》和萧军的长篇小说《第三代》等。

巴金的长篇小说《爱情三部曲》（《雾》、《雨》、《电》）由上海良友图书印刷公司出版。1931年后的数年间，巴金进入创作高峰期，《爱情三部曲》就是这一阶段的主要作品。《雾》完成于1931年夏天，连载于《东方杂志》；《雨》完成于1932年底；1933年巴金在北平写成了《电》，以《龙眼花开的时候》为题在《文学季刊》上连载过。和《灭亡》、《新生》一样，《爱情三部曲》写了革命、恋爱，写了当时小资产阶级青年的反抗、追求和苦闷，可以说是《灭亡》、《新生》主题的延续。不同的是，《爱情三部曲》更生动真实地展现了一群知识青年的各种思想性格。巴金曾说：“这三本小书，我可以说是为我自己写的，写给自己读的”，透露了他自己的“灵魂的一隅”。（巴金：《〈爱情三部曲〉总序》，转引自贾植芳等编：《中国当代文学研究资料·巴金专集（1）》，第269、266页，江苏人民出版社1981年版）

沈从文的短篇小说集《沈从文选集》由万象书屋出版。

蹇先艾散文集《城下集》由开明书店出版。

生活书店编印的《作家论》出版，收茅盾的《徐志摩论》，胡风的《张天翼论》等10篇。

五月

5 日，国民党南京政府与日本政府代表签订《淞沪停战协定》，又称《上海停战协定》。其主要内容是：中日双方军队自协定签字之日起在上海周围正式停战；中国军队撤出上海周围，留驻安亭至浒浦口以西地区，日军撤至公共租界暨虹口方面等。该协定使日本在上海许多地区获取了驻兵权利。

31 日，沈钧儒、邹韬奋等发起组织的全国各界救国联合会在上海成立。沈钧儒、章乃器、李公朴、史良等 14 人为常委。在成立大会上，通过了《抗日救国初步政策》，并发表声明，响应中国共产党“停止内战，一致抗日”的主张。

茅盾的中篇小说《多角关系》由上海文学出版社出版。1936 年 2 月《文学》第 6 卷第 2 号上登载了《多角关系》的出版预告，称：“作者特别用了通俗的文笔，希望从知识分子的读者扩充到一般读者。”

芦焚（师陀）的第一部短篇小说集《谷》由文化生活出版社出版。

沈从文的《从文小说习作选》由上海良友图书印刷公司出版，该书被列为“良友文学丛书特大本”系列。

唐弢散文集《海天集》由新钟书局出版。

六月

1 日，抗日军政大学在陕北瓦窑堡成立，1937 年 1 月迁到延安，毛泽东任教育委员会主席，林彪任校长。抗大的教育方针是：坚定正确的政治方向，艰苦朴素的工作作风，灵活机动的战略战术。毛泽东亲自为抗大制定了“团结、紧张、严肃、活泼”的校训。随着抗日战争形势的发展和根据地的扩大，抗大发展到 12 所分校，为八路军、新四军等人民抗日武装培养了一大批指挥员。

1 日，胡风在《文学丛报》第 3 期发表《人民大众向文学要求什么?》一文，将鲁迅、冯雪峰共同议定的“民族革命战争的大众文学”口号公开提出来。“两个口号”的论争由此开始。

胡风在文中说：“新文学底开始就是被民族解放底热潮所推动，人民大众反帝要求是一直流贯在新文学底主题里面。然而，‘九一八’以后，民族危机更加迫急了……这个历史阶段当然向文学提出反映它底特质的要求，供给了新的美学的基础，因而能够描写这个文学本身底性质的应该是一个新的口号——民族革命战争的大众文学!”通过对这个口号产生的现实的生活基础的分析，胡风指出：“‘民族革命战争的大众文学’所依据的是动的现实主义的方法，因为它正是现实的社会要求在文学上的集中的表现；然而，同时这个口号里面还含有积极的浪漫主义的一面，因为在民族革命战争里面蕴藏有无限的英雄的奇迹和宏大的幻想。”“‘民族革命战争的大众文学’应该说明劳苦大众底利益和民族利益的一致，说明在民族革命战争中谁是组织者，谁是克敌的主要力量，谁是自觉的或不自觉的民族奸细……从现实的生活要求产生的‘民族革命战争的大众文学’，一方面也是继承了五四的革命文学传统，尤其是综合了‘九一八’以后的创作成果……‘民族革命战争的大众文学’应该批判地承继那些作品新开拓的道路，勇敢地追过那些纪录，从各个角度上更广泛地更真实地反映民族革命运动，用思想力

宏大的巨篇也用效果敏快的小型作品来回答人民大众底要求。”

1日，巴金、靳以主编的《文季月刊》创刊，上海文化生活出版社出版。其前身是《文学季刊》，同年12月被查封。出至第2卷第1期终刊，共出7期。发表小说、诗歌、剧本。撰稿者多为名家，如巴金、靳以、曹禺、茅盾、沈从文等。所载主要作品有巴金的《春》，靳以的《雨季》，曹禺的《日出》，鲁彦的《野火》等等。

曹禺的剧本《日出》发表于《文季月刊》创刊号，至第1卷第4期载完，单行本于本年11月由上海文化生活出版社出版。

1936年12月27日和1937年1月1日，由萧乾主持的天津《大公报》“文艺”副刊特辟专栏，刊出两版对于《日出》的评论文章。评论者有谢迪克（英籍燕京大学西洋文学系主任）、李广田、杨刚、陈蓝、李影心、王朔、茅盾、孟实（朱光潜）、圣陶、沈从文、巴金、靳以、黎烈文、荒煤、李蕤等人。

谢迪克在《一个异邦人的意见》中写道：“《日出》在我们见到的现代中国话剧中是最有力的一部。它可以毫无羞耻地与易卜生和高尔华兹的社会剧杰作并肩而立。”王朔在《活现的二十世纪图》中写道：“《日出》不仅是现代中国戏剧界一个空前的猛进，也是我们整个文坛上的一宗光荣。当多少人在论战，多少人在‘论短’，多少人连哭带喊地嚷着‘要伟大的作品时’，我们的作者不以他的轰动一时的《雷雨》为满足，两年来完成了这部更精细而浩大的工作，对于我们，作品以外，这种精神本身至少还是一种启示!”茅盾则写了《渴望早早排演》一文，指出：“《日出》的所有主要次要的各人物的思想意识，主要次要各动作的发展，都有机地围绕于一个中心轴——就是金钱的势力。而这‘势力’的钱是由买办兼流氓式的投机家操纵着。这是半殖民地金融资本家的缩影。将这样的社会题材搬上舞台，以我所见，《日出》是第一回。”沈从文在《伟大的收获》一文中写道：“就全部剧本的组织，与人物各如其分的刻画，尤其是剧本所孕育的观念看来，依然是今年来一宗伟大的收获。”巴金在《雄壮的景象》一文中则说：“《日出》虽然有一些小缺点，但它仍还是一本杰作，而且我想，它和《阿Q正传》、《子夜》一样是中国新文学运动中的最好的收获。”

但也有评论者对《日出》提出了不同的意见。孟实（朱光潜）在《舍不得分手》一文中说：“我读完《日出》，想到作剧的一个根本问题，就是作者对于人生世相应该持什么样的态度。他应该很冷静很酷毒地把人生世相的本来面目揭开给人看呢？还是送一点‘打鼓骂曹’式的义气，在人生世相中显出一点报应昭彰的道理来，自己心里痛快一场，叫观众也看着痛快一场呢？对于这两种写法我不敢武断地说哪一种最好，我自己是一个很冷静的人，比较喜欢第一种，而不喜欢在严重的戏剧中尝甜蜜。在《日出》中我不断地尝到义愤发泄后的甜蜜……陈白露堕落失望、自杀；‘小东西’不堪妓院的虐待，自杀；潘月亭投机失败，自杀；黄省三失业没有方法养家活口，自杀……实际上在这个悲惨世界里这条命究竟不是可以这样轻易摆布得去，有许多陈白露在很厌倦地挨他们的罪孽的生命，有许多‘小东西’很忠于职守地卖她们的皮肉，有许多潘月亭翻了一个筋斗又成了好汉，大家行尸走肉似地在悲剧生活中翻来覆去，而没有意识到自己是在演悲剧，这就是我们时代的最大的悲剧……”“‘叫太太小姐们看着舒服些’，这对于剧作家是一个很大的引诱，而曹禺先生也恐怕在无意之中受了这种

引诱的迷惑。”（孟实：《舍不得分手》，《大公报》，1937 年 1 月 1 日。）

对于朱光潜的批评，曹禺在《我怎样写〈日出〉》一文中作了认真的答辩。他说：“写戏剧的人是否要一点 Poetic justice 来一些善恶报应的玩意，还是（如自然主义的小说家们那样）叫许多恶人吃到脑满肠肥，白头到老，令许多好心人流浪一生，转于沟壑呢？还是都凭机遇，有的恶人就被责罚，有的就泰然逃过，幸福一辈子呢？这种文艺批评的大问题，我一个外行人本无置喙之余地。不过以常识来揣度，想到是非之心人总是有的。因而自有善恶赏罚情感上的甄别。无论智愚贤不肖，进了戏场，着上迷，看见秦桧，便恨得牙痒痒的，恨不立刻一刀将他结果。见了好人就希望他苦尽甘来，终得善报。所以应运而生的大团圆的戏的流行，恐怕也有不得已的苦衷。在一个诗人甚至于小说家，这种善恶赏罚的问题还不关轻重，一个写戏的人便不能不有所斟酌。诗人的诗，一时不得人的了解，可以藏诸名山，俟诸来世，过了几十年或者几百年，说不定掘发出来，逐渐得着大家的赞美，一个弄戏的人，无论是演员，导演，或者写戏的，必须立即获有观众，并且是普通的观众……写戏的人最感觉苦闷而又最容易逗起兴味的，就是一个戏由写作到演出中的各种各样的限制，而最可怕的限制便是普通观众的趣味。怎样一面写得真实，没有歪曲，一面又能叫观众感到愉快，愿意下次再来买票看戏，常是一个从事于戏剧的人最头痛的问题。孟实先生仿佛提到‘获得观众的同情对于一个写戏人是很大的引诱’……其实，岂止是个引诱，简直是个迫切的需要，有时便加进些无关宏旨的小丑的打诨，莫里哀戏中，也有时塞入毫无关系的趣剧。这些大师为着得到普通观众的欢心，不惜曲意逢迎。做戏的人确实也有许多明知其不可而又不得已为五斗米折腰的……中国的话剧运动，方兴未艾，在在需要提携。怎样拥有广大的观众而揭示出来的，又不失‘人生世相的本来面目’，是颇值得内行的先生们严肃讨论的问题。”（曹禺：《我怎样写〈日出〉》，《大公报·文艺》，1937 年 1 月 19 日。）

5 日，中国文艺家协会刊物《文学界》在上海创刊，周渊主编。创刊号发表周扬《关于国防文学》、何家槐《文学界联合问题我见》及茅盾、周木斋等的文章。还载有周立波译基希的报告文学《秘密的中国》（连载之一）。

周扬在《关于国防文学——略评徐行先生的国防文学反对论》一文中，批驳了徐行的观点，并对“国防文学”作了较为系统的阐述。他说：“国防文学运动就是要号召各种阶层，各种派别的作家都站在民族的统一战线上，为制作与民族革命有关的艺术作品而共同努力。国防的主题应当成为汉奸以外的一切作家的作品之最中心的主题。这不但没有缩小作家的创作的视野，反而使它扩大了。现在和过去的现实中所包含的一切有国防意义的主题必须具体地广泛地去发展。为民族生存的抗争存在于政治的、经济的、文化的、日常生活的——一切场面。主题的问题是和方法的问题不可分离的，国防文学的创造必须采取进步的现实主义的方法。”

7 日，中国文艺家协会在上海正式成立，茅盾、徐懋庸等 9 人当选为理事。

9 日，鲁迅在病榻上口述《答托洛斯基派的信》，O. V.（冯雪峰）笔录。信中痛斥托派分子陈仲山 6 月 3 日来信对中共统一战线政策的污蔑，表明自己对中国共产党的崇敬和拥护之情。

10日，鲁迅在病榻上口述《论现在我们的文学运动》，O. V.（冯雪峰）笔录。阐释“民族革命战争的大众文学”的性质、内容和两个口号的关系，并对“民族革命战争的大众文学”的口号做了重要阐释。鲁迅指出：“民族革命战争的大众文学，是无产阶级革命文学的一发展，是无产革命文学在现在时候的真实的更广大的内容……因此，新的口号的提出，不能看作革命文学运动的停止，或者说‘此路不通’了。所以决非停止了历来的反对法西斯主义，反对一切反动者的血的斗争，而是将这斗争更深入，更扩大，更实际，更细微曲折，将斗争具体化到抗日反汉奸的斗争，将一切斗争汇合到抗日反奸斗争这总流里去。决非革命文学要放弃它的阶级的领导的责任，而是将它的责任更加重，更放大，重到和大到要使全民族，不分阶级和党派，一致去对外。这个民族的立场，才真是阶级的立场。”

10日，由洪深、沈起予主编的《光明》半月刊创刊。创刊号发表了徐懋庸的《“人民大众向文学要求什么?”》，立波的《中国新文学的一个发展》等宣传“国防文学”的文章。此外还有茅盾的小说《儿子开会去了》，夏衍的报告文学《包身工》等作品。

14日，章太炎病逝。

章太炎（1869—1936），名炳麟，字枚叔，改名绛，别号太炎，浙江余杭人。近代杰出的革命家、思想家，著名的学者、文学家、政论家。生于浙江苏杭县（今余杭），早年提倡维新变法，后接受孙中山的民主革命纲领，驳斥康有为以保皇对抗革命和托古改制的主张，宣传民主革命。1903年因“苏报案”被捕入狱。1906年出狱后东渡日本，加入同盟会，为该会机关报《民报》主编，后任光复会会长。辛亥革命后，从事政党活动。1913年因反对袁世凯恢复帝制被软禁3年。1917年后，逐渐脱离民主革命运动，在上海等地讲学。作为一个革命者，他曾因武装起义的地点选择和《民报》的经费问题，与孙中山发生过一些分歧，并有过一些有害革命事业的言论和行动。甚至后来与陶成章重组光复会，与同盟会分道扬镳；曾经拥护袁世凯做大总统，识破袁世凯野心后又公开反袁。然而这些行为无法否定他作为革命家的一生，诚如鲁迅所说：“以大勋章作扇坠，临总统府之门，大诟袁世凯的包藏祸心者，并世无第二人；七被追捕，三入牢狱，而革命之志，终不屈挠者，并世亦无第二人”。（鲁迅：《关于太炎先生二三事》，《鲁迅全集》第6卷第547页，人民文学出版社1981年版）1935年章太炎在苏州主持章氏国学讲习会，主编《制言》杂志。他早年信奉西方近代机械唯物主义和生物进化论，在他的著作中阐述了西方哲学、社会学和自然科学等方面的新思想、新内容。1936年6月14日病逝于苏州。章太炎一生著作颇多，约有400余万字。主要著作有《訄书》、《国故论衡》、《社会学》（译著）（1902年）、《章氏丛书》、《章氏丛书续编》。其译著及思想观点对社会学在中国的传播起了重要的推动作用。

18日，高尔基病逝。中国文艺界开展了广泛的悼念活动。众多文艺刊物出专号，辟专栏，发表大量悼念文章。

田间诗集《中国牧歌》由诗人社出版。收写于1936年的诗作33首，另有《自跋》和胡风的《序》。胡风在《序》中指出：“差不多占了三分之二以上的是歌唱了战争下的田野，田野上的战争”；“气魄雄浑有余，但作品内容底完整性在许多场合却没有获得”。

辛笛、辛谷诗歌合集《珠贝集》出版，光明印刷局印刷。收辛笛诗15首，辛谷诗10首，另有南星的《题赠》1首。

老向小说集《黄土泥》由文化生活出版社出版。

俞平伯散文集《燕郊集》由上海良友图书印刷公司出版。列为“良友文学丛书”第28种。收散文32篇。

洪深戏剧集《农村三部曲》由上海杂志公司出版。收《五奎桥》、《香稻米》和《青龙潭》三个剧本。张庚在《洪深与〈农村三部曲〉》中概括了洪深“个人特有的创作方法”，“第一，他求真。他说：‘在未动手之前，我先得将原料精密地查考与分析一番；非是我完全了解和认识的东西，不敢取来使用——对于我所不大熟悉的生活，决不肯冒昧乱写的。’”“第二，他用科学的方法去创作……因此，他的剧作的事件一定是一宗标准的事件，比方《香稻米》的故事，就是一件最好，最适于从各方面把农村破产表白出来的事件。”“但是从这中间，我们看出一个缺点，一个遗憾。就是我们通过洪深先生的剧作，所得到的江南农村的印象，是抽象于一方面的。洪先生有一种剧作家所特有的提炼手段，在《香稻米》中，我们所得到的，是一片农村破产的爆烈声，然而在《五奎桥》中，关于这方面的影子，我们一点也找不到。因为我们感到从洪先生的剧作里所得到的不是一个具象的，活的江南农村，而是如洪先生自己所说，‘好像制造一种化学组合品’一样，所有的原素是经过了定性和定量分析，而重新化合起来的（比原来单纯化了的）化学工业品——洪先生剧作中的农村。从这里，我们就可以看出这样一个与初衷相反的结果，洪先生是以科学实验那样的求真精神出发的，而剧作完成的时候，他和观众双方所得到的已经不是现实，而是抽象的，人造的了。我们并不否认，他接触了并且显示了农村中的许多重要问题，但他接触它们的方式，和它从观众中间所得的反应，和一篇农村问题的论文没有途径上的差异。这，可概括的说，是形象化的不够；是太机械地处理了题材，把‘现实’这名词的意义解释在过于狭隘的一方面，而形成了与动的现实主义相对立的一种机械的现实主义。”（张庚：《洪深与〈农村三部曲〉》，《光明》第1卷第5期，1936年8月。）

七月

1日，流亡日本的郭沫若在《文学丛报》第4期发表《在国防文学的旗帜下》，表示赞成“国防文学”的口号。

1日，《现实文学》（月刊）创刊。第1期发表鲁迅《论现在我们的文学运动》与《答托洛斯基派的信》。此外，还有路丁、张天翼等人的文章。鲁迅在文中阐释了“民族革命战争的大众文学”的性质、内容和两个口号的关系，并对“民族革命战争的大众文学”的口号做了重要阐释。鲁迅指出：“民族革命战争的大众文学，是无产阶级革命文学的一发展，是无产革命文学在现在时候的真实的更广大的内容。这种文学，现在已经存在着，并且即将在这基础之上，再受着实际战斗生活的培养，开起烂漫的花来罢。因此，新的口号的提出，不能看作革命文学运动的停止，或者说‘此路不通’

了。所以决非停止了历来的反对法西斯主义，反对一切反动者的血的斗争，而是将这斗争更深入，更扩大，更实际，更细微曲折，将斗争具体化到抗日反汉奸的斗争，将一切斗争汇合到抗日反奸斗争这总流里去。决非革命文学要放弃它的阶级的领导的责任，而是将它的责任更加重，更放大，重到和大到要使全民族，不分阶级和党派，一致去对外。这个民族的立场，才真是阶级的立场……但民族革命战争的大众文学，正如无产革命文学的口号一样，大概是一个总的口号罢。在总口号之下，再提些随时应变的具体的口号，例如'国防文学''救亡文学''抗日文艺'……等等，我以为是无碍的。不但没有碍，并且是有益的，需要的。自然，太多了也使人头昏，浑乱。"但是，"在批评上的应用，在创作上的实现，就有问题了。批评与创作都是实际工作。以过去的经验，我们的批评常流于标准太狭窄，看法太肤浅；我们的创作也常现出近于出题目做八股的弱点。所以我想现在应当特别注意这点：民族革命战争的大众文学决不是只局限于写义勇军打仗，学生请愿示威……等等作品。这些当然是好的，但不应这样狭窄。它广泛得多，广泛到包括描写现在中国各种生活和斗争的意识的一切文学……懂得这一点，则作家观察生活，处理材料，就如理丝有绪；作者可以自由地去写工人，农民，学生，强盗，娼妓，穷人，阔佬，什么材料都可以，写出来都可以成为民族革命战争的大众文学。也无需在作品的后面有意地插一条民族革命战争的尾巴，翘起来当作旗子；因为我们需要的，不是作品后面添上去的口号和矫作的尾巴，而是那全部作品中的真实生活，生龙活虎的战斗，跳动着的脉搏，思想和热情，等等。"在《答托洛斯基派的信》中，鲁迅指出："总括先生来信的意思，一是骂史太林先生们是官僚，再一是斥毛泽东们的'各派联合一致抗日'的主张为出卖革命。这很使我'糊涂'起来了，因为史太林先生们的苏维埃俄罗斯社会主义共和国联邦在世界上的任何方面的成功，不就说明了托洛斯基先生的被逐，漂泊，潦倒，以致'不得不'用敌人金钱的晚景的可怜么？现在的流浪，当与革命前西伯利亚的当年风味不同，因为那时怕连送一片面包也没有；但心境又当不同，这却因了现在苏联的成功。事实胜于雄辩，竟不料现在就来了如此无情面的讽刺的。其次，你们的'理论'确比毛泽东先生们高超得多，岂但得多，简直一是在天上，一是在地下。但高超固然是可敬佩的，无奈这高超又恰恰为日本侵略所欢迎，则这高超仍不免要从天上掉下来，掉到地上最不干净的地方去……我不相信你们会拿日本人的钱来出报攻击毛泽东先生们的一致抗日论。我们决不的。我只要敬告你们一声，你们的高超的理论，将不受中国大众所欢迎，你们的所为有背于中国人现在为人的道德。我要对你们讲的话，就仅仅这一点。最后……但我，即使怎样不行，自觉和你们总是相离很远的罢。那切切实实，足踏在地上，为着现在中国人的生存而流血奋斗者，我得引为同志，是自以为光荣的。"

10日，《文学界》第1卷第2号发表鲁迅的《论现在我们的文学运动》和茅盾的《关于〈论现在我们的文学运动〉》，以及郭沫若的《国防·污池·炼狱》，艾思奇的《新的形势和文学的任务》等文。

中国诗歌会的蒲风、王亚平等在青岛创办《青岛诗歌》。创刊号上，蒲风提出"新诗歌的斯达哈诺夫运动"的口号。"斯达哈诺夫运动"，原是20世纪30年代苏联第二个五年计划期间，工农业战线上开展的一种旨在提高劳动生产率的社会主义竞赛的形式。蒲风提出这个口号，是因为在他看来，随着伟大时代的到来，中国诗坛已进入复兴期，有可能和有必要用多种形式组织发动更多诗人努力创作，以推动新诗歌的蓬勃发展。在质的方面，特别要求典型化与个性化；量的方面，提倡开展创作比赛运动。意见提出后，当时在日本的郭沫若曾写信给蒲风表示赞同。但有的诗人担心，这一口号可能使人忽视创作质量，导致新诗歌的粗制滥造化。从 1936 年下半年到 1937 年夏，蒲风在《一九三六年的中国诗坛》、《我为什么提出"新诗歌的斯达哈诺夫运动"》、《九・一八后的中国诗坛》等文中，反复阐述运动的意义，说明并非专重产量，而是"着重'质'的精进，技术的优美化诸方面的"。但这一运动在客观上，特别是创作实践上，仍存在着片面追求数量，忽视质量的倾向。

田间的长篇叙事诗《中国，农村底故事》由诗人社出版，诗歌表现了中国农村的苦难，分《饥饿》、《扬子江上》、《去》三部。

臧克家的长诗《自己的写照》由文学出版社出版。写于 1935 年。约 1000 余行，分 8 章。

沙汀的短篇小说集《土饼》由文化生活出版社出版。

何其芳散文集《画梦录》由文化生活出版社出版。

八月

10 日，《文学界》第 1 卷第 3 号推出"国防文学特辑"，发表茅盾《关于引起纠纷的两个口号》和周扬《与茅盾先生论国防文学的口号》等文章，就"两个口号"及它们之间的关系进行讨论。同期还发表了荒煤、艾芜、魏金枝、罗烽等 10 多人的论争文章。

15 日，鲁迅的长文《答徐懋庸并关于抗日统一战线问题》发表于《作家》第 1 卷第 5 号。鲁迅在文中阐明自己对于两个口号的看法，以及对抗日民族统一战线的态度；同时批评了某些人的宗派主义和关门主义思想。鲁迅认为，"国防文学"提倡者把写作国防主题的作品作为联合统一战线的条件，是"宗派主义的理论"。认为文艺界统一战线只能以政治上是否抗日为联合条件，而不能把文学创作是否写国防主题作为标准。他认为，可以说作家在"抗日"的旗帜，或者在"国防"的旗帜下联合起来，不能说作家在"国防文学"的口号下联合起来，因为有些作者不写国防主题的作品，仍可以从各方面来参加抗日的联合战线。

同时，鲁迅还在文章中明确了两个口号的关系。他虽然批评"国防文学"这一口号"在文学思想的意义上的不明了性"，但认为它"颇通俗，已经有很多人听惯，它能扩大我们政治的和文学的影响。加之它可以解释为作家在国防旗帜下联合，为广义的爱国主义的文学的缘故。因此，它即使曾被不正确的解释，它本身含义上有缺陷，它仍应当存在，因为存在对于抗日有利益。"鲁迅同时指出，"民族革命战争的大众文学"作为口号比"国防文学""意义更明确，更深刻，更有内容"；"主要是对前进的一向称左翼的作家们提倡的"，"但这不是抗日统一战线的标准"，不能说成是"统一战线的总口号"。鲁迅主张"两个口号的并存"，反对宗派主义和关门主义的作风。

李健吾的剧本集《母亲的梦》由上海文化生活出版社出版。列入巴金主编的“文学丛刊”第二集。除作者《跋》外，收剧本《老王和他的同志们》、《母亲的梦》两部。

由文化生活出版社出版了三本散文集，分别是萧红的《商市街》、丽尼的《鹰之歌》以及陆蠡的《海星》。

九月

5日，由黎烈文主编的《中流》（半月刊）在上海创刊，中流社出版，张鸿飞发行。1937年8月5日出至第2卷第10期终刊。该刊侧重刊载杂文随笔，也刊登其他体裁的作品。内容颇为广泛，包括评论、散文、小说、诗歌、戏剧、书评、游记、人物印象、通讯、报告文学、生活记录等，但只登创作，不收译文。撰搞人有鲁迅、茅盾、巴金等。曾刊载过鲁迅的《死》、茅盾的《好玩的孩子》、巴金的《答一个北方青年朋友》、胡风的《现实主义者的路》、《自然主义倾向的一理解》等文章，以及张天翼、陆蠡、欧阳山、艾芜等人的短篇小说。

老舍的长篇小说《骆驼祥子》开始在《宇宙风》连载（第25~48期），于次年10月载完。老舍在《我怎样写〈骆驼祥子〉》中说：“当我刚刚把它写完的时候，我就告诉了《宇宙风》的编辑：这是一本最使我自己满意的作品……它使我满意的地方大概是：（一）故事在我心中酝酿得相当长久，收集的材料也相当的多，所以一落笔便准确，不蔓不枝，没有什么敷衍的地方。（二）我开始专以写作为业，一天到晚心中老想着写作这一回事，所以虽然每天落在纸上的不过是一二千字，可是在我放下笔的时候，心中并没有休息，依然是在思索；思索的时间长，笔尖上便能滴出血与泪来。（三）在这故事刚一开头的时候，我就决定抛开幽默而正正经经的去写。在往常，每逢遇到可以幽默一下的机会，我就必抓住它不放手。有时候，事情本没什么可笑之处，我也要运用俏皮的言语，勉强的使它带上点幽默的味道。这，往好里说，足以使文字活泼有趣；往坏里说，就往往招人讨厌。《祥子》没有这个毛病。即使它还未能完全排除幽默，可是它的幽默是出自事实本身的可笑，而不是由文字里硬挤出来的。这一决定，使我的作风略有改变，教我知道了只要材料丰富，心中有话可说，就不必一定非幽默不足叫好。（四）既决定了不利用幽默，也就自然的决定了文字要极平易，澄清如无波的湖水。因为要求平易，我就注意到如何在平易中而不死板。恰好，在这时候，好友顾石君先生供给我许多北平口语中的字和词。在平日，我总以为这些词汇是有音无字的，所以往往因写不出而割爱。现在，有了顾先生的帮忙，我的笔下就丰富了许多，而可以从容调动口语，给平易的文字添上些亲切，新鲜，恰当，活泼的味儿。因此，《祥子》可以朗诵。他的言语是活的。”但老舍同时也指出：“《祥子》自然也有许多缺点。使我自己最不满意的是收尾收得太慌了一点。”（老舍：《我怎样写〈骆驼祥子〉》，转引自曾广灿、吴怀斌编：《老舍研究资料》（上）第609~610页，北京十月文艺出版社1985年版）

舒群的短篇小说集《没有祖国的孩子》由上海生活书店出版。收《没有祖国的孩子》、《沙漠的火花》、《蒙古之夜》、《萧苓》、《邻家》、《已死的和未死的》、《做人》、《独身汉》和《誓言》等 9 部短篇小说。

由《文学》社发起，茅盾主编的报告文学集《中国的一日》由生活书店出版。这是一部群众集体创作的报告文学集，共收应征作品约 500 篇，从 5 月 21 日这天的生活，反映当时中国社会生活的一个横断面。

十月

1 日，《文艺界同人为团结御侮与言论自由宣言》在《文学》第 7 卷第 4 号上发表。参加签名的有鲁迅、郭沫若、茅盾、巴金、王统照、夏丏尊、叶绍钧、谢冰心、包天笑、周瘦鹃等文艺界代表人物 21 人。宣言主张“全国文学界同人应不分新旧派别，为抗日救国而联合”。

1 日，中国诗歌作者协会刊物《诗歌杂志》在上海创刊。孟英、袁勃等主编。该刊提倡“国防诗歌”。“国防诗歌”作为国防文学的一个领域，是配合当时抗日新形势而提出的一个口号，它号召一切站在民族战线上的作家，不问他们所属的阶层、思想和流派，都来创作抗敌救国的艺术作品，把文学上反帝反封的运动集中到抗敌反汉奸的总流。中国诗歌会曾出版“国防诗歌丛书”。

9 日，鲁迅作杂文《关于太炎先生二三事》。

16 日，《新诗》在上海创刊。由卞之琳、孙大雨、梁宗岱、冯至、戴望舒等编辑。

17 日，鲁迅作《因太炎先生而想起的二三事》。这是鲁迅生前所写的最后一篇文章，未写完。

19 日上午 5 时 25 分，鲁迅在上海寓所逝世。当即由蔡元培、宋庆龄等组成治丧委员会，发表《鲁迅先生讣告》。下午，鲁迅遗体移至胶州路万国殡仪馆。20 日至 21 日，由巴金、鲁彦等 30 人组成的鲁迅治丧办事处成立。各团体代表、各界群众络绎不绝地前往万国殡仪馆瞻仰鲁迅遗容。22 日，仍有上海群众及北平、香港等地学生团体约 2000 余人前往瞻仰；下午启灵出殡，送葬行列达万人以上。4 时 30 分在万国公墓举行葬礼，然后由巴金等抬棺入葬，棺上覆盖上海民众所献绣有“民族魂”三字的白绫旗。同日，中共中央、苏维埃中央政府向许广平发来唁电，表示哀悼。

鲁迅（1881—1936），著名文学家、思想家和革命家。原名周树人，字豫才，浙江绍兴人。出身于破落封建家庭。青年时代受进化论、尼采超人哲学和托尔斯泰博爱思想的影响。1902 年去日本留学，原在仙台医学院学医，后从事文艺工作，企图用以改变国民精神。1905—1907 年，参加革命党人的活动，发表了《摩罗诗力说》、《文化偏至论》等论文。期间曾回国奉母命结婚，夫人朱安。1909 年，与其弟周作人一起合译《域外小说集》，介绍外国文学。同年回国，先后在杭州、绍兴任教。辛亥革命后，曾任南京临时政府和北京政府教育部部员、佥事等职，兼在北京大学、女子师范大学等校授课。1918 年 5 月，首次用“鲁迅”的笔名，发表中国现代文学史上第一篇白话小说《狂人日记》，奠定了新文学运动的基石。“五四”运动前后，参加《新青年》杂志工作，成为“五四”新文化运动的主将。1918 年到 1926 年间，陆续创作出版了小说集

《呐喊》、《彷徨》、论文集《坟》、散文诗集《野草》、散文集《朝花夕拾》、杂文集《热风》、《华盖集》、《华盖集续编》等专集。其中，1921年12月发表的中篇小说《阿Q正传》，是中国现代文学史上的不朽杰作。1926年8月，因支持北京学生爱国运动，为北洋军阀政府所通缉，南下到厦门大学任中文系主任。1927年1月，到当时的革命中心广州，在中山大学任教务主任。1927年10月到达上海，开始与其学生许广平同居。1929年，儿子周海婴出世。1930年起，先后参加中国自由运动大同盟、中国左翼作家联盟和中国民权保障同盟，反抗国民党政府的独裁统治和政治迫害。从1927年到1936年，创作了历史小说集《故事新编》中的大部分作品和大量的杂文，收辑在《而已集》、《三闲集》、《二心集》、《南腔北调集》、《伪自由书》、《准风月谈》、《花边文学》、《且介亭杂文》、《且介亭杂文二编》、《且介亭杂文末编》、《集外集》和《集外集拾遗》等专集中。鲁迅的一生，对中国文化事业作出了巨大的贡献：他领导、支持了"未名社"、"朝花社"等文学团体；主编了《国民新报副刊》（乙种）、《莽原》、《语丝》、《奔流》、《萌芽》、《译文》等文艺期刊；热忱关怀、积极培养青年作者；大力翻译外国进步文学作品，介绍国内外著名的绘画、木刻；搜集、研究、整理了大量的古典文学，编著《中国小说史略》、《汉文学史纲要》，整理《嵇康集》，辑录《会稽郡故书杂录》、《古小说钩沈》、《唐宋传奇录》、《小说旧闻钞》等等。鲁迅逝世后，上海民众上万人自发举行公祭、送葬，葬于虹桥万国公墓。1956年，鲁迅遗体移葬虹口公园，毛泽东为重建的鲁迅墓题字。1938年出版《鲁迅全集》（20卷）。中华人民共和国成立后，鲁迅著译已分别编为《鲁迅全集》（10卷），《鲁迅译文集》（10卷），《鲁迅日记》（2卷），《鲁迅书信集》（3卷），并重印鲁迅编校的古籍多种。1981年出版了《鲁迅全集》（16卷）。北京、上海、绍兴、广州、厦门等地先后建立了鲁迅博物馆、纪念馆等。鲁迅的小说、散文、诗歌、杂文共数十篇（首）被选入中、小学语文课本。小说《祝福》、《阿Q正传》、《药》等先后被改编成电影。

25日，沈从文以"炯之"的笔名在《大公报》文艺副刊上发表《作家间需要一种新运动》，指责文学创作中题材、内容、风格的"差不多"现象："文章内容差不多，所表现的观念也差不多。"沈从文认为，这个现象"说得蕴藉一点，是作者大都关心'时代'"的缘故。作者们都"记着'时代'而忘了'艺术'"。沈从文在文中说："提起'时代'，真是一言难尽。为了追逐这个名词，中国近十年来至少有三十万二十岁以内的青年腐烂在泥土里……因这名词把文学作品一面看成商品的卑下，一面又看作经典的尊严；且以为能通俗即可得到经典的效果，把'为大众'一个观念囫囵吞枣咽下肚里后，结果便在一种莫名其妙矫揉造作情绪中，各自写出了一堆作品。这些作品陆续印行出来，对出版业虽增加了不少刺激，对读者却培养了他们对新文学失望的反感。"在沈从文看来，这"差不多"的局面"若不幸而延长十年八年，社会经过某种变动后，还会变本加厉，一切文学新作品，全都会变成一种新式八股，号称为佳作杰作的作品，必内容外形都和当前某种标准或模范作品相差不多。"因此，他号召"作家需要有一种觉悟，明白如果希望作品成为经典，就不宜将它媚悦流俗，一切伟大作品都有它的特点或个性，努力来创造这个特点和个性，是作者责任和权利。作者为了追求作品的壮大和深入，得自甘寂寞，略与流行观念离远，不亟亟于自见。作者得把作品

‘差不多’看成一种羞辱，把作品‘差不多’看成一种失败。如此十年，一切或者会不同一点点!”这一观点引起了众多左翼作家的批评。

茅盾在1937年7月发表《关于“差不多”》一文，批评沈从文的观点。他在文章中说：“炯之先生所指摘的‘差不多’现象以及他所提出的‘创作的基本信条’，也早早有许多人反复说过，——当然用语不同而态度也不同，在这里我也不想多所引证，以免浪费篇幅；我只想就炯之的大议论中指出两点：第一，炯之先生大声疾呼痛恨‘差不多’，然而他不知道应从新文艺发展的历史过程中去研究‘差不多’现象之所由发生。新文艺的历史虽仅二十年，但至少可分为三期；每一期中都有‘差不多’这现象发生。详言之，即第一期的作品‘差不多’全以知识分子的学校生活和恋爱事件为描写的对象；第二期呢，作品的主人公主要的还是知识分子，但生活的范围扩大了，——从学校到革命营垒，从家庭到十字街头，甚至写恋爱时也从礼教与恋爱的冲突到革命与恋爱的冲突了；至于第三期，则工人，农民，小市民，最近是义勇军，扮演着主要的角色，而市场、工厂、农村、山林等等成为主要的背景。（这样分为三期，只是个粗枝大叶的分法，但和炯之先生讨论，这样分期也就够了。）倘以各期分开来看，各期本身自难逃于‘差不多’之讥；但若统而观之，则有一事不容抹煞，即作家的视野是步步扩大了。新文艺和社会的关系是步步密切了。而这‘扩大’这‘密切’的原动力，与其说是作家主观的出奇制胜，毋宁说是客观形势的要求。亦唯其是迫于客观的要求，所以大多数作品的描写范围的扩大不能在作家的生活经验既已充分以后。然而新文艺发展的这一条路是正确的；作家们应客观的社会需要而写他们的作品——这一倾向，也是正确的。炯之先生只见了‘差不多’的现象，就抓住了来‘开四门’，且抹煞了新文艺发展之过程，幸灾乐祸似的一口咬住了新文艺发展一步时所不可避免的暂时的幼稚病，作为大多数应社会要求而写作的作家们的弥天大罪，这种‘立言’的态度根本不行！第二，炯之先生所谓‘创作的基本信条’，——所谓‘针对本身弱点，好好的各自反省一番，……去庸俗，去虚伪，……’倘若炯之先生以为这一些空洞抽象的格言式的词句可以矫正‘差不多’，那又大误而特误。大概在炯之先生看来，作家们之所以群起而写农村工厂等等，是由于趋时，由于投机，或者竟由于什么政党的文艺政策的发动；要是炯之先生果真如此设想，则他的短视犹可恕，而他的厚诬了作家们之力求服务于人群社会的用心，则不可恕。事实不如炯之先生所设想，因而他的格言式的‘基本信条’等于没有。我很奇怪：既见有‘差不多’现象的炯之先生何以不见近数年来到处可见的‘作家应多向生活学习’一类的议论。在炯之先生发议论以前，许多定期刊上曾经屡次指出文艺界的不健全的现象（即炯之先生取名‘差不多’的），并且讨论如何矫正的方法，——‘充实生活经验’，‘写自己所熟悉的人和事’，诸如此类的提示，不是到处可见么？同时，西欧先进作家指导青年作者写作方法的书籍也翻译过好几部来了。然而炯之先生好像全未闻见。他那篇《作家间需要一种新运动》充满了盲目的夸大。盲目，因为他不知道他所‘发见’的东西早已成为讨论的对象；夸大，因为在他看来，国内的文艺界竟是黑漆一团，只有他一双炯炯的巨眼在那里关心着。此种闭起眼睛说大话的态度倘使真成为‘一种运动’，实在不是文艺界之福!”（茅盾：《关于“差不多”》，《中流》第2卷第8期，1937年7月5日。）

28 日，在陕北保安的中央苏区政府机关报《红色中华》（油印版）第三版推出追悼鲁迅的专号，发表共产党中央、苏维埃中央政府为追悼鲁迅致国民党中央、南京政府的通电和致许广平的慰问信。

中共中央在致许广平的唁电中说：“许广平女士鉴：鲁迅先生逝世，噩耗传来，全国震悼。本党与苏维埃政府及全苏区人民，尤其为我中华民族失去最伟大的文学家，热忱追求光明的导师，献身于抗日救国的非凡领袖，共产主义苏维埃运动之亲爱的战友。而同声哀悼。谨以至诚电唁，深信全国人民及优秀文学家必能赓续鲁迅先生之事业，与一切侵略者，压迫势力作殊死的斗争，以达到中华民族及其被压迫的阶级之民族和社会的彻底解放。”在致国民党电中，中共中央还提出了为鲁迅进行国葬等八项要求。并以《鲁迅逝世后各方举行追悼》为题报道了延安筹备举行盛大追悼会及北平、上海等地追悼、安葬鲁迅的简要消息。

同时，《红色中华》还以《鲁迅先生的话》为标题，刊登两段鲁迅语录。第一则为：“……中国目前的革命的政党（指共产党——编者）向全国人民提出的抗战统一战线的政策，我是看见的，我是拥护的，我无条件地加入这战线，那理由就因为我不但是一个作家，而且是一个中国人”。（参见鲁迅：《答徐懋庸并关于统一战线问题》，《鲁迅全集》第 4 卷第 270 页，人民文学出版社 1981 年版）第二则为：“英勇的红军将领和士兵们，你们的勇敢的战争，你们的伟大胜利，是中华民族解放史上最光荣的一页，全国民众期待你们更大的胜利，全国民众正在努力奋斗，为你们的后盾，为你们的声援！你们的每一步前进，将遇到极热烈的欢迎与拥护”。

其中，第二则“鲁迅语录”的出处被《红色中华》编者注明为摘自“鲁迅来信”。鲁迅、茅盾 1936 年 3 月 29 日致红军贺信，由 1936 年 4 月 17 日出版的中国共产党西北中央局机关报《斗争》第 95 期全文刊载。该文标题是《中国文化界领袖××××来信》，用“××××”以代人名。来信共三段。第一段是：“读了中国苏维埃政府和中国共产党中央的《为抗日救国告全体同胞书》、中国共产党《告全国民众各党派及一切军队宣言》、中国红军为抗日救国的快邮代电，我们郑重宣言：我们热烈地拥护中共、中苏的号召，我们认为只有实现中共、中苏的抗日救国大计，中华民族方能解放自由！”第二段是：“最近红军在山西的胜利已经证明了卖国军下的士兵是拥护中共、中苏此项政策的。最近，北平、上海、汉口、广州的民众，在军阀铁蹄下再接再励发动反日反法西斯的伟大运动，证明全国的民众又是如何热烈地拥护中共、中苏的救国大计！”第三段是：“英勇的红军将领们和士兵们！你们的勇敢的斗争，你们的伟大胜利，是中华民族解放史上最光荣的一页！全国民众期待你们的更大胜利。全国民众正在努力奋斗，为你们的后盾，为你们的声援！你们的每一步前进将遇到热烈的拥护和欢迎！”接着是“全国同胞和全国军队抗日救国大团结万岁！中华苏维埃政府万岁！中国红军万岁！中华民族解放万岁！”四句口号。最后署名为“×× ××一九三六、三、廿九。”来信的主旨是拥护中国共产党中央、中华苏维埃政府的抗日救国大计，祝贺红军渡河（黄河）东征的胜利。至于为何认定来信最后署名“×× ××”的就是鲁迅和茅盾呢？有研究者认为：“1936 年 5 月 5 日东征红军回师陕北，中共中央于 5 月 8 日在延川交口召开了政治局扩大会议，会议由洛甫（张闻天）主持，毛泽东作‘目前形势与今后战略方针’的报告。毛泽东指出：东征动员了全国。现在反日反法西斯的运动在暴风雨中。在这种情形下，两方面对群众争取的情形表示很紧张。一方面是革命的，这以共产党为首，以新的政策来动员，鲁迅、茅盾等都公开拥护，据说李济深也拥护，可以说广大群众是已经接受了（以上是会议记录的摘要，记录者是杨尚昆同志）。毛泽东在这里讲的是东征以后的形势，提到鲁迅、茅盾拥护新政策，当然是就他们在东征以后的言行来说的。同5月20日的一封长电联系起来看，毛泽东说鲁迅、茅盾拥护新政策，其主要依据就是他们的‘东征贺信’……1936年5月20日，党中央和红一方面军领导人林育英（即张浩，当时为共产国际代表）、洛甫（张闻天）、毛泽东、周恩来、博古、邓发、王稼祥、凯丰、彭德怀、林彪、徐海东、程子华12人联名发给正在长征途中的党和红军领导人朱德、张国焘、刘伯承、徐向前、陈昌浩、任弼时、萧克、关向应、夏曦并转各负责同志的内部长电中，郑重谈到鲁迅、茅盾的来信：‘红军的东征，引起了华北、华中民众的狂热赞助，上海许多抗日团体及鲁迅、茅盾、宋庆龄、覃震等均有来信，表示拥护党与苏维埃中央的主张，甚至李济深也发表拥护通电，冯玉祥主张抗日与不打红军，南京政府内部分裂为联日反共与联共反日的两派正在斗争中，上海拥护我们主张的政治、经济、文化之公开刊物多至三十余种，其中《大众生活》一种销数约达二十余万份，突破历史总记录，蒋介石无法制止。’（《中共中央抗日民族统一战线文件选编》，档案出版社1985年版）”（阎愈新：《再谈〈鲁迅茅盾致红军贺信〉兼答丁尔纲教授的商榷》，《新文学史料》2000年第3期。）

但也有研究者认为“此信不可能出诸鲁迅手笔”，理由是：“①此信文风和鲁迅一贯的文字风格大相径庭；②将中国苏维埃政府简称“中苏”，这会一再出现在鲁迅笔下，简直不可思议；③鲁迅当时在与党中央失去联系、中共江苏省委被破坏尚未建立组织的情况下，怎么可能看到中共中央的这么多文件？④鲁迅虽然天天看报，但也不可能如此了解各地民众运动的情况和红军动向。（转引自倪墨炎《此信不应编入新版〈鲁迅全集〉》，《文汇读书周报》2006年1月27日。）

鲁迅自费编印瞿秋白文集，题名《海上述林》，上、下卷均有鲁迅所作序言。版权署5月出版。美成印刷厂排版，鲁迅亲自校对，日本印刷装订，内山书店代售。印500部，内100部皮脊麻布面，金顶；400部全绒面，蓝顶，装帧精美。该书署“诸夏怀霜”社校印。

《国防文学论战》由新潮出版社编辑出版。另一部“两个口号”论战资料选集《现阶段文学的论战》（林淙选编）由文艺科学研究会出版。

杜运燮诗集《诗四十首》由上海文化生活出版社出版。列为巴金主编的“文学丛刊”第八集。该集收诗40首，诗作取材广泛。《狙击兵》、《游击队歌》、《号兵》赞颂人民武装，《草鞋兵》、《给我的一个同胞》推崇普通劳动者的历史贡献，《林中鬼夜哭》揶揄日本侵略军。此外，还有对人生感慨或吟咏自然、抒情写意的篇章。诗中人物有士兵、农民、烈士，也有流浪者、盲人、小提琴家等。作家洞察世态人情，诗作蕴含生活哲理，多采用自由体。

王亚平诗集《海燕之歌》由上海联合出版社出版。收诗27首，另有王统照的《序》和作者《题记》。王统照在《序》中说：“他不逃避现实也不强作无病的呻吟，勤勤恳恳去歌唱出人生的苦辛，尤多以北方的乡村生活作背景。渐渐能创造出美的律动，不失其激动灵魂的真诚。”

蒲风诗集《钢铁的歌唱》由诗歌出版社出版，被列入“国防诗歌”丛书。

徐迟诗集《二十岁人》由上海时代图书公司出版，该集为徐迟的第一本诗集，列入邵洵美主编的《新诗库》第一集第九种。

埃德加·斯诺编辑的《活的中国——现代中国短篇小说选》在伦敦出版。选有鲁迅、柔石、巴金、茅盾、丁玲、沈从文等人的作品。

十一月

1日，《文学》第7卷第5号发表郁达夫的《怀鲁迅》。郁达夫在文中写道：“这不是寻常的丧事，这也不是沉郁的悲哀，这正像是大地震要来，或黎明将到时充塞在天地之间的一瞬间的寂静。生死，肉体，灵魂，眼泪，悲叹，这些问题与感觉，在此地似乎太渺小了，在鲁迅的死的彼岸，还照耀着一道更伟大，更猛烈的寂光。没有伟大的人物出现的民族，是世界上最可怜的生物之群；有了伟大的人物，而不知拥护，爱戴，崇仰的国家，是没有希望的奴隶之邦。因鲁迅的一死，使人自觉出了民族的尚可以有为，也因鲁迅之一死，使人家看出了中国还是奴隶性很浓厚的半绝望的国家。鲁迅的灵柩，在夜阴里被埋入浅土中去了；西天角却出现了一片微红的新月。”

22日，中国文艺家协会在陕北保安举行成立大会，选举丁玲、李一氓等16人为干事。次日举行的第一次干事会上，丁玲被选为协会主任，并推定各部负责人。

23日，全国救国会领导人沈钧儒、邹韬奋、章乃器、李公朴、王造时、史良和沙千里，因要求国民党政府停止内战、释放政治犯、建立统一的抗日政权，被国民党当局以“危害民国”罪名逮捕，史称“七君子事件”。该事件在全国引起巨大反响，中共中央为此发表宣言要求释放七君子，宋庆龄等开展了营救运动。

11月至12月，郁达夫应邀赴日本和台湾进行访问。11月中旬到达日本，曾出席改造会等文化团体的欢迎会；作《关于中国的现状》的讲演；发表《今天的中华文学》等文；多次力陈日本侵华的错误。又曾会晤流亡日本的郭沫若，转达国民党当局要郭沫若回国的意思。12月22日，郁达夫到达台湾，受到台湾文艺界的热烈欢迎。12月30日，离台返回厦门。台湾作家黄得时在《台湾新民晚报》发表《达夫片片》，连载20次介绍郁达夫的生平。

艾青自费出版诗集《大堰河》，收录了艾青在1932年至1936年夏秋之间所写的部分诗作《大堰河——我的保姆》、《透明的夜》、《聆听》、《那边》、《一个拿撒勒人的死》、《画者的行吟》、《芦笛》、《马赛》、《巴黎》9首诗。除诗歌作品外，诗集还附有四幅绘画，题名分别为《Chagall》、《夜》、《篱》、《检票员》。艾青把诗集编好之后，由留法老同学，在文化生活出版社工作的俞福祚交给该社总编辑审阅，未被采用。艾青很不服气，决定自费出版。后来在朋友的帮助下，由俞福祚出面与印刷厂联系，于1936年11月10日出版，印数1000册，由张正发行，上海四马路中市的群众杂志公司代售。该诗集出版之后，胡风于1936年12月20日写成了《吹芦笛的诗人》一文，热情肯定和赞扬这位年轻的诗人及其诗作。他说："……我想介绍一个诗人。这诗人署名艾青，最近出版了仅仅包含九首诗的题为《大堰河》的集子，我想写一点介绍，不仅因为他唱出了他自己所交往的，但依然是我们所能感受的一角人生，也因为他的歌唱总是通过他的脉脉滚动的情愫，他的言语不过于枯瘦也不过于喧哗，更没有纸花叶式的繁饰，平易地然而是气息鲜活的唱出了被现实生活所波动的他的情愫，唱出了被他的情愫所温暖的现实生活的几幅面影。如果说诗人只应该魔火似的热烈，怒马似的奔放，那么，艾青是要失色的，如果说诗人非用论理的雄辩向读者解明什么问题或事象不可，那艾青也是要失色的，至于用不着接触内容就明显地望到排列的苦心的精巧的形式，他更没有。然而，虽然如此，我依然想写一点介绍，这是因为我读着《大堰河》，感受了诗人的悲欢，走进了诗人所接涉所想象的世界，没有发生疑虑也没有感到生疏的缘故。"（胡风：《吹芦笛的诗人》，《文学》第 8 卷第 2 号，1937 年 2 月。）

沈从文短篇小说集《新与旧》由良友图书印刷公司出版。

曹禺话剧《日出》由上海文化生活出版社出版。

黄芝冈在《从〈雷雨〉到〈日出〉》一文中断言，曹禺的戏剧"幻术般的欺骗了观众"，《日出》鼓吹"从现代都会退避到封建农村去"，《雷雨》宣扬"虚无主义"，写罢工失败即是暗示"革命的整个毁灭"。"《日出》没有工人上场，在前面已经说过了；砸木夯的小工们在幕外哼呦，替银行经理盖大丰大楼，也不能代表'日出'。""大都会每天都有阔人盖大楼，工人每天都给阔人做工，太阳每天都从东方出来，却又从西方落下，'日出'是不是指示这种意义？"（黄芝冈：《从〈雷雨〉到〈日出〉》，《光明》第 2 卷第 5 期，1937 年 2 月。）

一个月后，《光明》第 2 卷第 8 期又推出周扬的《论〈雷雨〉和〈日出〉——并对黄芝冈先生的批评的批评》。周扬认为："《雷雨》和《日出》无论是在形式技巧上，在主题内容上，都是优秀的作品，它们具有反封建反资本主义的意义。用一脚踢开的态度对待这样的作品，无疑是一个错误。"其要点有：一，尽管曹禺"和实际斗争保持着距离"，"却有他的巨大的才能，卓越的技巧，对于现实也没有逃避，他用自己的方式去接近它，把握了它"。"曹禺的成功"，"是现实主义的成功"。二，曹禺"在他对现实的忠实的描写中，达到了有利于革命的结论"；《雷雨》的主题是"反封建制度"，《日出》则"企图把一个殖民地金融资本主义制度下的脓疮社会描绘在他的画布上"，曹禺的剧作就具有了"反封建反资本主义的意义"。三，曹禺剧作的主要弱点是："现实主义不彻底，不充分"，"历史舞台上互相冲突的两种主要的力量在《日出》里面没有登场"，这都暴露了作者世界观上的弱点，即所谓"主观的偏见"。"……这两种隐在幕后的力量，互相之间没有关系，金八还在幕后操纵剧中人物；至于那些小工们，就和旅馆中人毫无关系。他们只被当着一种陪衬，一种背景。在旅馆内是：互相倾轧，互相残杀，腐烂和死亡。外面是：'大生命浩浩荡荡向前推进，洋洋溢溢地充满了宇宙'的声音。两者中间没有有机的关联，没有新陈代谢的辩证法。这可以在观众心中引起一种错误的幻想：'腐烂的自会腐烂，光明自会到来。'实际上，当作一个社会群的腐烂的人们，不管腐烂到怎样程度，假如不遭到外力的打击，是永远不会自己死亡……要正确地表达这'损不足以奉有余'的社会形态，对于这社会中的两种主要力量的冲突之历史的解决，至少也要有一个不致使观众模糊的明确的暗示。”“《日出》的结尾，虽是乐观的，但却是一个廉价的乐观。他关于‘损不足以奉有余’的社会，只说出了部分的真实，他向黑暗势力叫出了：‘你们的末日到了’。而对于象征光明的人们的希望也还只是一种漠然的希望，他还没有充分地把握：只有站在历史法则上而经过革命，这个‘损不足以奉有余’的社会才能根本改变。”

丁玲的短篇小说集《意外集》由上海良友图书印刷公司出版。列为“良友文学丛书”第33种。

十二月

12日，东北军、西北军将领张学良、杨虎城等，在西安率部扣留了蒋介石及其军政要员10余人，发动了西安事变。同日，张、杨通电全国，提出以停止内战、团结抗日为主旨的八项救国主张。

23日，宋美龄、宋子文代表蒋介石与西安三方面代表张学良、杨虎城、周恩来正式谈判。至24日上午，双产达成口头协议。蒋介石将其接受抗日的条件告诉了张学良，表示发撤兵手谕，改组南京政府，联苏容共，释放政治犯等。同日，蒋向周恩来表示决定停止内战，联合抗日，“西安事变”和平解决。

25日，《光明》第2卷第2号出特辑，发表周立波、杨骚、张庚、吕骥的文章，分别总结1936年的小说、诗歌、戏剧、音乐创作，认为这一年的创作，“是国防文学的初步胜利”。

《世界文化》、《作家》、《文季》等17种刊物被国民党查禁。

刘西渭批评论集《咀华集》由文化生活出版社出版。除《跋》外收文章11篇，附录5篇，分别论及巴金、曹禺、卞之琳、何其芳、沈从文等10位作家的小说、戏剧、诗歌、散文等作品。他把批评看作灵魂在杰作中的冒险，认为批评本身就是一种艺术性的创造，反对对作品作简单的社会学评判，形成了不以学理分析为主，而以批评主体对文学创作的个性感悟为主的批评特色。面对20世纪三四十年代诸种批评弊端，他在《咀华集》的跋语中表示了自己的不满：“我厌憎既往（甚至于现时）不中肯然而充满学究气息的评论或者攻讦。批评变成一种武器，或者等而下之，一种工具。句句落空，却又恨不得把人凌迟处死。谁也不想了解谁，可是谁都抓住对方的隐匿，把揭发私人的生活看作批评的工具。大家眼里反映的是利害，于是利害仿佛一片乌云，打下一阵暴雨，弄湿了弄脏了彼此的作品。于是批评变成私人和字句指摘，却不知字句属于全盘的和谐，私人有损一己的道德。”在他看来，批评是独立自主的，它不是武器、不是工具，不附丽于哲学历史，也不作政治的奴仆，批评的对象只能是作家作品，批评的标准也只能是艺术。同时，一个批评家也要有他的自由，“他不是清客，伺候东家的脸色”。他应该是“学者和艺术家的化合，有颗创造的心灵运用死的知识”；他应该在作品中融入自我，在批评中表现自我，让灵魂在杰作里冒险，通过作品寻找自我。通过批评获取价值，因为批评的成功“就是自我的发见和价值决定”。李健吾的这种印象鉴赏式的文学批评在当时的批评界可谓独树一帜。可以说，在中国现代批评史上，李健吾通过自己的努力，把批评真正变成了艺术。

谢冰莹的长篇小说《一个女兵的自传》于本年出版，列为“良友文学丛书”第 27 种。上海良友图书印刷公司出版。

1937 年

一月

10 日，《中国诗歌作者协会宣言》在《海风》第 4 期发表，呼吁诗歌作者在抗敌的旗帜下建立统一的团体。发起者有草原诗歌会、黄沙诗歌会等九团体的诗人王亚平、白羽、田间、史轮、周而复、温流、蒲风、雷石榆、焕平等 70 人。

《文学》第 8 卷第 1 号推出《新诗专号》，发表茅盾《论初期白话诗》及朱自清、石灵、朱光潜、穆木天等的论文，王统照、臧克家等 20 余人的新诗。末附《新诗集编目》。茅盾在文中指出：当前“喜欢写诗的青年”很多，但“据说佳作极少”，“而通常的毛病则是技术幼稚与太空洞的议论。要是那位作者意识前进，则标语口号的成份也照例不会没有。所以然的原因，当然不止一端，但我以为最主要的大概正如朱自清所说：误解了诗是‘写’的不是‘做’的——这句话。若有所感，分行写下来，便是诗：有这样观念的青年人大概并不少罢？对于他们，——太天真的青年人，我觉得初期白话诗在创作方法上所反复注意的，该有点用处。”在茅盾看来，“初期白话诗的好处”，值得注意的有几点：“第一是力求解放而不作怪炫奇”；“第二是注意句中字的音节的和谐”；“第三个要点，——也是它的最主要的精神：写实主义”：“写实主义的精神，在初期白话诗中，题材上是社会现象和人生问题的大量抒写，方法上是所谓‘须要用具体的做法，不可用抽象的说法’。”但是，“一般地说来，初期白话诗中写社会现象的作品，在技巧方面（不谈意识了罢），似乎不及其他的作品。”另一方面，“描写社会现象的初期白话诗因为多半是印象的，旁观的，同情的，所以缺乏深入的表现与热烈的情绪。”最后，“初期白话诗中有好多‘历史文件’性质的作品。”在文章的结尾，茅盾指出了写此文的目的：“想趁‘诗专号’的机会，指出初期白话诗在创作方法上的三个特点，对于我们现在有志写诗的青年人还有可以取法的地方罢了。”

沈从文与萧乾合著的书信体文学创作短论集《废邮存底》由文化生活出版社出版。《废邮存底》分两辑，萧乾的一辑名《答辞》，选自他 1935 年接编《大公报》“文艺”以来的答读者函。第二辑收沈从文的文章 11 篇。全书主要论及作品技巧、风格等，也有谈个人创作经验的文章。收入的沈从文的文章有《一周间给五个人的信摘抄》、《给一个写诗的》、《给一个写小说的》、《给一个大学生》、《给某教授》、《谈创作》、《致〈文艺〉读者》、《元旦日致〈文艺〉读者》、《我的写作与水的关系》、《情绪的体操》、《给一个读者》。

戴望舒诗集《望舒诗稿》由上海杂志公司出版。收入诗作 63 首，包括《我底记忆》、《望舒草》两部诗集中的全部诗作和 4 首新作。

胡风诗集《野花与箭》由文化生活出版社出版。收入 1925 年至 1937 年间所作诗 25 首，其中译诗 7 首，另有《题记》。作者说：“题作《野花与箭》，如果以为失于夸张，那就算是由于我底不甘寂寞罢。”（胡风：《题记》，《野花与箭》第3页，文化生活出版社，1937年1月。）该诗分四辑，第一辑6首，第二辑5首，第三辑6首，第四辑8首。其中有对儿时生活的回想，对已逝青春的追念和对帝国主义与国民党暴行的义愤。多为自由体，也有散文诗和诗剧。

周文的长篇小说《烟苗季》由文化生活出版社出版。列入巴金主编的“文学丛刊”第四辑。茅盾看了此文后指出：“军阀们所争者，自然是地盘；要保守既得的地盘不能不有武力，而且不能不时时扩充武力；扩充武力以后就不能不开拓地盘以取得更多的给养，于是敌国似的军阀间，就要发生故事了；扩充武力先须有钱买枪，财源的大宗却是土（鸦片），为这土，发生了各军阀间的战争，也发生了一个防区内各存异心打算自谋发展的人间暗斗，结果也得打过明白。《烟苗季》就是用了艺术的形象将这一切展示给我们的。”并认为“《烟苗季》里多数人物是有生命的。但被充分发展了的性格，却是那位旅长”，“旅长是一个典型性格”。（茅盾：《〈烟苗季〉和〈在白森镇〉》，《工作与学习》丛刊之三《收获》，1937年6月10日。）

周文的中篇小说《在白森镇》由上海良友图书印刷公司出版。列入“中篇创作新集”第七种。该书描写了旧官场的斗争。茅盾指出：《烟苗季》和《在白森镇》是两部不同的小说，但“却是互相补充的”，“我们同时读了它俩以后，有一个结论是无论如何会得出来的：在中国这个最大最富庶也最黑暗的边省里，封建军阀们——大的和小的，曾经怎样把广大的幅员割裂成碎片，而且在每一最小的行政单位（例如白森镇）内也成为各派军阀暗斗的场所。”《白森镇》“有喜剧的情调，写的正是县长和分县长的争斗”。在人物中，“年青的服务员是一个典型性格”，“这位服务员的描写应当真是此种典型性格一个开端。须要有另一篇把它来充分发展才好。”（茅盾：《〈烟苗季〉和〈在白森镇〉》）《工作与学习》丛刊之三《收获》，1937年6月10日。）

李劼人的长篇小说《大波》（上）由上海中华书局出版。该作完成于本年。1956年作者开始重写。第一部于1958年初版，第二部于1960年初版，第三、四部分别于1962年、1963年初版，在写出第四部第四章五节后，作者不幸病逝，全书未能完稿。

芦焚（师陀）的短篇小说集《里门拾记》由文化生活出版社出版。在谈到自己创作《里门拾记》的一些想法时，师陀曾表示要“把所见所闻，仇敌与朋友，老爷与无赖，总之，各行各流的乡邻们聚集拢来，然后选出气味相投，生活样式相近，假如有面目不大齐全者，便用取甲之长补乙之短的办法，配合起来，画几幅素描。亦即所谓‘浮世绘’的吧。”（芦焚：《〈里门拾记〉序》，转引自刘增杰编：《师陀研究资料》，第46~47页，北京出版社1984年版）刘西渭在《读〈里门拾记〉》一文中这样谈他读《里门拾记》的感受：“芦焚先生的《里门拾记》是若干短篇小说的集合：但是读完了之后，一个像我这样的城市人，觉得仿佛上了当，跌进了一个大泥坑，没有法子举步。步是可以举的，然而四面的草地铺得十分不匀，我们踟蹰于距离的选择。这像一场噩梦。但是这不是梦，老天爷！这是活脱脱的现实，那样真实，只要我们随便走下平汉和陇海两条铁路，我们就会遇见一滩滩的大小坑，里面乌烂一团的不是泥，不是水，而是血，肉，无数苦男苦女的汗泪！”他不仅“长于风景的描绘”，而且“用力给自己增加字汇”，“不忌方言土语的引用，他要这一切征象他所需要的声音，颜色和形状”，但有时却让人“有点儿坎坷之感”，“缺乏自然天成，缺乏圆到”。“如今读完《里门拾记》所有的篇幅，而不是从前在报章上零星过目的时候，我们会晓得他还没有调好他的作料，或者，他还没有完全和他的气质一致……芦焚先生渐渐要走出他的诗意，回到他真正的自我。就在如今，读到他的《〈莱亚先生的泪〉》，我越发增强了这种感觉。那时他会成为一位大小说家，没有张天翼先生的风格的轻快和跳动，因而没有他所引起的烦躁的感觉，却有他的讽刺。”如果说“讽刺是芦焚先生的第二个特征”，那么“诗意是他的第一个特征”，“《里门拾记》的句子是短，然而是杂的。这里一时是富裕，一时是精致，一时却又是颟顸……芦焚先生的描写是他观察和想象的结果，然而往往搀着书本子气。他的心不是沉郁的，而是谴责的。”芦焚先生“不喜欢他的家乡”，但最终还是“把公道还给家乡”，“他的自觉心，或者他的同情心，此后不由自主，潜移默化了他的忿怒”，“芦焚先生另一个真实的自我，会不时出来修正他的讽刺的。这就是他的同情”，“才是他的心”。（刘西渭：《读〈里门拾记〉》，《文学杂志》第1卷第2期，1937年6月1日。）杨刚在看完《里门拾记》后说：“里门拾记是辛酸的，哭哭笑笑的，但也掩不了它字里面的和善，那使他在恶骂的时候并不见出刀笔；以及他自来自去无所依赖的笔锋，那初读来，令人想到鲁迅，细究，却以为鲁迅近于宫笔，芦焚则滃云点染，取其神似而已”，“倘若中国的农村小说有它的前途，芦焚正在试着一条中国的有些迷惑性的路径。这条路可以向晦涩诡僻回去，也可以把这个懵懂的尚不曾十分明白自己的民族性揭发出来。”（杨刚：《里门拾记》，上海《大公报·文艺》第351期，1937年6月20日。）

由尤兢等集体创作、洪深执笔的《咸鱼主义》（独幕剧）发表于《光明》第2卷第3号。

丰子恺的散文集《缘缘堂再笔》由开明书店出版。列为“开明文学新刊”之一。收写于1934年至1936年的散文20篇。由于内忧外患的现实，此书的宗教氛围较《缘缘堂随笔》淡薄，但有些篇章仍带有浓烈宗教色彩。大多数文章以积极入世的态度关注社会与人生，如《四湖船》以游船体制的演变来衬托每况愈下的社会生活；《新年怀旧》注目“经济衰落”与“农村破产”；咏物作品《手指》规劝人们要“一致团结”，“成为一个拳头以抵抗外侮”；《生机》祈祝国家、民族“生机不灭”，以期“终有抬头的日子”。

施蛰存散文集《灯下集》由上海开明书店出版。列为“开明文学新刊”之一。收1927年至1936年间所写散文26篇，另有《序》1篇。施蛰存在《序》中说：“关于文艺方面的见解，大都只是表示了我一己的直觉，并没有什么理论的根据，关于抒情方面几篇散文，也只是发泄了一时的冲动，不能平心静气地把它们写成一些舒缓可诵的小品文。”

二月

萧军的长篇小说《第三代》（第一、二部）由上海文化生活出版社出版。列入巴金主编的“现代长篇小说丛书”。朱光潜曾在《文学杂志》第1卷第2期的《编辑后记》

中向读者推荐该书，称："萧军的《第三代》是近来小说界的可宝贵的收获，值得特别注意。"

阿英的四幕话剧《春风秋雨》由上海一般书店出版。

夏衍的三幕剧《秋瑾传》由上海生活书店出版。该剧又名《自由魂》，1936 年 11 月写成。

1937 年 3 月 10 日《光明》第 2 卷第 7 号发表署名"光明读者会"的文章：《评〈自由魂〉》，文章认为："采取历史的题材，来写作针对现阶段现实情形的文艺作品，是一件重大而艰繁的工作。一方面不能过分的歪曲历史事实；一方面又须处处照顾到，不使它离开现阶段的现实情形。在《自由魂》里，作者却获得了相当的成功。这里，作者对于取材的严格，不含糊，以及对历史上认识的丰富，是值得我们钦佩。《赛金花》之后，作者显然的有了很大的进步，《自由魂》的结构以及其他方面的成就，都超过了《赛金花》。"序幕对于全剧"有着很大的帮助"，但"秋瑾的丈夫王廷钧却表现得有一些欠缺，作者没有能强调他那种封建社会的男子作中心的专制倾向"。对秋瑾的缺点，"作者尽了相当批判的力量，但是我们还嫌他的批判过于婉曲，使人不明白作者本意，尤其借用改良主义者吴兰石的话来批判，我们认为不足以收到批判的功效。""剧作者对王金发的表现，可说是很大的成功。简洁，老练，扼要，一点不拖泥带水。"能够给观众和读者留下"很深刻的印象。"

三月

《文丛》（月刊）创刊，巴金、靳以主编。1939 年 4 月终刊。初为月刊，自 1938 年第 2 卷第 1 期起改为半月刊。先由上海文化生活出版社出版，后移至广州、桂林出版。该刊是因《文季月刊》被查禁而创办的，二者办刊宗旨与撰稿人大体相同。所载长篇小说有巴金的《火》、靳以的《前夕》、萧乾的《梦之谷》；中篇小说有张天翼的《路宝田》。还发表过芦焚、刘白羽、艾芜、沙汀、沈从文等人的短篇小说，巴金、丽尼、荒煤等人的散文，何其芳、邹荻帆等人的诗歌，以及曹禺的四幕剧《原野》等等。

陈白尘的七幕历史剧《金田村》连载于《文学》第 8 卷第 3、4 号。

熊佛西的四幕剧《赛金花》由北平实报社出版，列为"实报社丛书"报之二十九。

田汉剧本集《黎明之前》由上海北新书局出版。收《黎明之前》、《初雪之夜》、《晚会》、《阿比西尼亚的母亲》和《洪水》5 个剧本。

周作人散文集《瓜豆集》由宇宙风出版社出版。

巴金童话集《长生塔》由文化生活出版社出版。该书被列为巴金主编的"文学丛刊"第 4 辑。除《序》外，收 1934 年至 1936 年所写童话作品 4 篇。

四月

25 日，中国诗人协会在上海举行成立大会，选举王统照、穆木天、许幸之等 7 人为理事。

熊佛西的戏剧理论集《戏剧大众化之实验》由中正书局出版。

李劼人的长篇小说《大波》（中）由上海中华书局出版。

叶紫的短篇小说集《山村一夜》由上海良友图书印刷公司出版。收作者1935年至1936年间所写短篇小说6篇。

王鲁彦的散文集《旅人的心》由文化生活出版社出版。列为巴金主编“文学丛刊”第四集之一。收1935—1937所写散文9篇。其中《清明》、《杨梅》、《钓鱼》、《我们的学校》、《雷》等记述了故乡家园的面貌，回忆了长者与亲人，追思了儿时乡村生活的欢乐，抒发了“人情同于怀土”的袅袅情思；《西安印象》等为羁旅生活的记录，描写了一个古老城市的衰败和人们的愚昧。

五月

1日，《文学杂志》在上海创刊。同年8月出至第4期因抗战爆发而停刊。1947年6月在北平复刊，卷期续前。1948年出至第3卷第6期终刊。朱光潜编辑兼发行。辟有诗、小说、戏剧、散文、书评等栏目。撰稿人有胡适、戴望舒、卞之琳、沈从文、老舍、周作人、废名等。所载论文有叶公超的《论新诗》，周作人的《谈俳文》等；小说有沈从文的《贵生》、《大小阮》，凌叔华的《八月节》等；剧本有李健吾的《一个没有登记的同志》（即《十三年》）；诗歌则有胡适、戴望舒、卞之琳、废名等人的创作；此外，还有周作人、何其芳、俞平伯、徐迟等人的散文。

16日，《戏剧时代》（月刊）在上海创刊，同年8月出第3期后终刊。欧阳予倩、马彦祥主编，戏剧时代出版社出版。该刊发表关于戏剧的一切来稿，尤以剧本为主。所载剧本有田汉的《阿Q正传》、洪深的《把死人埋葬掉》、阿英的《群莺乱飞》、阳翰笙的《前夜》等；论文有欧阳予倩的《明日的新歌剧》、田汉的《话剧界的团结问题》、郑伯奇的《剧文学的通俗化问题》等。还开辟了《一九三七年中国戏剧运动之展望》、《莎士比亚特辑》、《剧坛动态》等特辑或专栏。

《大公报·文艺》第一届（1936年度）文艺奖金评奖结果揭晓。获奖作品有芦焚（师陀）的小说《谷》、曹禺的话剧《日出》、何其芳的散文《画梦录》。由叶圣陶、巴金、杨振声、靳以等人组成的文艺奖金审查委员会，对《日出》作者的评语是：“他由我们这腐败的社会层里雕塑出那么些有血有肉的人物，责贬继之抚爱，真像我们这时代突然来了一位摄魂者。在题材的选择，剧情的支配，以及背景的运用上，都显示着他浩大的气魄。一切都因为他是一位自觉的艺术者，不尚热闹，却精于调遣，能够透视舞台效果。”（转引自1937年5月15日天津《大公报》。）

在本届获奖作品中，《画梦录》引起了较大的争议。李健吾曾在《“画梦录”》一文中，称其为“奇花异朵”，“他把若干情境揉在一起，仿佛万盏明灯，交相辉映；又像河曲，群流汇注，荡漾回环；又像西岳华山，峰峦叠起，但见神往，不觉险。他用一切来装潢，然而一紫一金，无不带有他情感的图记。这恰似一块浮雕，光影匀停，凹凸得宜，由他的智慧安排成功一种特殊的境界。”（李健吾：《〈画梦录〉——何其芳先生作》，《咀华集》第119页，人民文学出版社2001年版）

艾青于1939年6月在《文艺阵地》第3卷第4期上发表《梦·幻想与现实》一

文，对何其芳及其《画梦录》作了尖锐的批评。他写道："何其芳的这个美丽却又忧郁的集子，几乎全部是他的'倔强的灵魂'的温柔的悲哀的，或是狂暴的独语的纪录，梦的纪录，幻想的纪录。何其芳没有勇气把目光在血腥的人间世滞留过片刻；他永远以迷惘的，含有太息的，无限哀怨的眼睛，看着天上的浮云，海上远举的船帆，空中掠过的飞鸟；把思绪寄托于飘忽，捕捉闪影；他有机智，于是他说出显得是倔强的话语；他需要掩饰自己对于这时代的过咎，于是他借用了陈旧的厌世主义；他无能解释那现实带给他的惶恐，于是他沉浸于梦，幻想，一面又慨叹自己不能生活在异邦的骑士时代，红墙黄瓦的宫阙里，而赓续着廉价的感伤。何其芳有旧家庭的闺秀的无病呻吟的习惯，有顾影自怜的癖性，词藻并不怎样新鲜，感觉与趣味都保留着大观园小主人的血统。他之所以在今日还能引起热闹，很可以证明那些旧精灵的企图复活，旧美学的新起的挣扎，新文学的本质的一种反动！"

对于艾青的这些指摘，何其芳于1940年2月在《文艺阵地》第4卷第4期上，发表《给艾青先生的一封信》，作出回应。他写道："我要说，请允许我直爽地说，你那是一篇坏书评。你对于我那本小书，对于我，都作了一个不公平的判断……""《画梦录》是我的文学发展史上的一个纪程碑，然而你那篇文章却不能像一块碑石那样竖立起来，更不能竖立在我所走过的道路上。世界上没有这样可笑的纪程碑，它非常自信地指明着，'这里是一片淤泥，一片没有希望走得通的污泥'，而事实上那里不过是一片荒芜的缺乏人迹的旷地，而且从那里来，越来越明显的，越来越宽阔的，越来越平坦正直的道路就会出现。""在现在，虽说我惊异他所包含的思想那样少，从《独语》和《梦后》（它也是一篇独语）和其他的片段我仍然找到了我当时的思想。一些就是现在仍然引起了我的同情的思想。一些我的矛盾，我的苦闷，我的热情像火花一样从它们里面间或又飞溅了出来的思想……""然而你却判断我在'掩饰自己对于这时代的过咎'。你却判断我就仅仅'因为我们的才子和他的那些佳人的爱情故事得不到很好的结尾。'你却判断我不过是贾宝玉。你说了一些刻薄的话。你说了一些武断的话。你说了一些过火的话……"何其芳还承认，"我当时有一些虚无的悲观的倾向。我承认我当时为着创造一些境界，一些情感来抚慰自己，竟大胆地选取了一些衰颓的，纤细的，远离现实的题材。我承认我当时的文体是一种比较晦涩的文体。然而我的'血统'和'大观园小主人'实在毫无关系。公平的说法是我当时接受了一些欧洲十九世纪后半期的思想和文学作品的影响。然而如鲁迅所说过的，尽管同样是颓废，欧洲文学里所表现的和中国旧文学里所表现的很不相同，因为前者还是由于一种对于人生的热爱和不满。尽管我曾经歌颂过爱情，歌颂过'永恒的女性'（借用歌德的话），那和道地的旧派中国人的'才子佳人'故事实在不同得很……"此外，何其芳还说："你并没有找出我当时的真正的坏处。我当时的最不可饶恕的过错在于我抑制着我的热情，不积极地肯定地用它去从事工作，去爱人类；在于我只是感到寂寞，感到苦闷，不能很快地想到我那种寂寞和苦闷就是由于我脱离了人群；在于我顽固地保持孤独，不能赶掉长久的寂寞的生活留给我的沉重的阴影。"

鲁彦的长篇小说《野火》由良友图书印刷公司出版。该书被列为赵家璧主编的"良友文学丛书"第38种。1948年10月中兴出版社刊行时易名为《愤怒的乡村》。

萧红短篇小说集《牛车上》由上海文化生活出版社出版，列入巴金主编的“文学丛刊”第五集。

予且的小说《凤》由良友图书印刷公司出版。

邹韬奋的《萍踪忆语》由生活书店出版。邹韬奋自 1933 年 7 月因受迫害流亡国外，先后写了《萍踪寄语》、《萍踪忆语》等 4 本游记随笔，它们是 20 世纪 30 年代新闻性散文中少有的佳作。

六月

20 日，中国文艺协会在延安举行“高尔基逝世周年纪念大会”。丁玲报告高尔基生平事迹；毛泽东、朱德、洛甫、周恩来、博古等先后讲话。

《新演剧》在上海创刊，为刊载戏剧理论和创作的半月刊，新演剧社发行。同年 8 月出至第 5 期停刊。1938 年 5 月迁至汉口出新第 1 卷第 1 期，由海燕出版社刊行，读书生活社总经销。同年 6 月出第 3 期后停刊。约 1940 年 6 月在重庆出过复刊号一期，章泯、葛一虹主编。发表戏剧理论、表演和导演技术、剧本以及剧运通讯等方面的文章和作品。撰稿人除编者外，还有宋之的、任均、高兰、丽尼、陈白尘等。所载论文有葛一虹的《试论目前剧本的创作》、章泯的《新悲剧论》等；剧本有章泯的《边声》和《纪念会》、任均的《铁蹄下的女性》、陈白尘的《火焰》等。

许广平编《鲁迅书简》由上海三闲书屋据手迹影印出版。

郑振铎短篇小说集《桂公塘》由上海商务印书馆出版。

蔡天心的反映东北人民反抗日本侵略军占领的中篇小说《东北之谷》，发表在上海《文丛》月刊第 1 卷第 4 期。

杨骚的诗剧集《记忆之都》由上海商务印书馆出版。列入“文学研究会创作丛书”第 2 集；除《序》外，收剧本 3 部。

宋之的的五幕剧《武则天》由上海生活书店出版。宋之的说：“在写作《武则天》这剧本的时候，我只集中了一点来描写：便是在传统的封建社会下——也就是在男性中心的社会下，一个女性的反抗及挣扎。”（宋之的：《写作〈武则天〉的自白》，《光明》第 3 卷第 1 期，1937 年 6 月 10 日。）此剧发表后引起了很大的争议，有人从“此时此地的需要”立论，根本反对这没有国防意义的历史剧；有人指摘此剧戴了“女性反抗”或“女权运动”的帽子，实际上是用“荒淫的美妇人”来号召观众；更有人以为把武则天认作“叛逆的女性”先就牵强，而况表现得又不近人情；又有人则就“历史剧”三字指摘《武则天》剧本之种种非历史的成分。鉴于此，沈兹九发表了《演〈武则天〉的必要性》一文，认为《武则天》剧本有国防性：“谁也不能否认，在这国难严重的时候，应当提倡‘国防主义’……可同时更需要知道国防的人——男人、女人，中国在重男轻女的封建观念下，有所谓‘国家兴亡匹夫有责’的古训，将国民半数的女子的能力，不算在内，……要校正这种不正确的观念，果然应由现代的女人们献出才能来作实证的答复，同时将历史上有才能的女子重新评价……借此可使一般被历史欺骗了的人们也有所醒悟……知道……在十足封建的古代，尚有如此卓绝的妇女人材出现，何况二十世纪的现代？……因此证明妇女有能力，有各方面的能力，有努力于国防的能力。”更重要的是，“历来女权运动的，只知道争取个人的政权……这是一种错误。同时，她们认为妇女运动的目的，在打倒男性，因此绝对和男子对立，这也是一种错误。武则天，我们虽然不能将她看作一个女权运动者，可是武则天是知道要有政权的人。可是她虽然做了二十二年皇帝，结果仍旧失败，她的失败固然原因很多，但要是武则天能为全体妇女利益努力，至少在黑暗的中国历史上，妇女必有一些特殊的光灿。奈何武则天的施行每况愈下，终至因受够了男性的玩弄，一旦她有权，也来作玩弄男性的报复，这是她失败的原因之一……因此在这妇女参政运动又在激荡的中国，这剧本在这时上演，使一般只知争取个人权利或以为妇女问题就是打倒男子问题的姊妹们有所警惕，也是必要的。”（沈兹九：《演〈武则天〉的必要性》，《立报·言林》，1937年6月26日。）但茅盾却认为，《武则天》的主观意图是好的，但舞台上演出的《武则天》却没有“达到了他们预期的目的”，因此，“《武则天》一剧的中心问题应是剧作者和导演者主观的目的虽自有其论据，但客观的效果却打了他们的嘴巴。我们不应讳言其失败，更不应以观众欢迎为烟幕而不自觉其失败。”并指出，“什么‘国防’非‘国防’，‘历史的’与‘非历史的’，‘女权’与‘不权’之争，我以为都属次要；《武则天》给话剧提出的一个主要问题，就是如何使主观的目的与客观的效果成为一致。如果离开了这一个最致命的实际问题而斤斤于‘国防’与‘非国防’等等，老实说，不免是说废话！”（茅盾：《关于〈武则天〉》，《中流》第2卷第9期，1937年7月20日。）同期，杜渐（陈沂）也写了《论〈武则天〉》一文，对《武则天》一剧进行了批评。

陈白尘的七幕剧《太平天国》（第一部《金田村》）由上海生活书店出版。

七月

7日，北平近郊的日军借口在卢沟桥龙王庙一带进行军事演习时一名士兵失踪，要求入宛平城搜索，被当地驻军国民党第29军冯治安师吉星文团拒绝。于是，日军炮轰宛平城和卢沟桥，向中国守军发起攻击，29军官兵奋起抵抗，史称“七·七事变”。抗日战争由此正式拉开序幕。

9日，中国工农红军以毛泽东、朱德、彭德怀、贺龙、刘伯承、徐向前等人的名义，向国民党、南京国民政府、二十九军、平津两市领导人分别发出通电，提出实行全国总动员，保卫平津、华北，并表示愿将红军改名为国民革命军，受命为抗日先锋，与日寇决一死战。

9日，由《民报》副刊编辑孟超倡议排练，杜宇和赵星火执导的曹禺名剧《日出》，在青岛市礼堂（后为市南会堂）上演。

15日，中国剧作者协会在上海成立。

17日，中国共产党代表周恩来、秦邦宪、林伯渠同国民党代表蒋介石、张冲、邵力子等在庐山会谈。中共代表提议以合作宣言为两党合作的政治基础。蒋介石发表谈话，说“如果战端一开，那就是地无分南北，年无分老动，无论何人，皆有守土抗战之责任，皆应抱定牺牲一切之决心”。

27 日，郭沫若由日本回到上海，并立即投入抗日救亡运动。

28 日，上海市文艺界救亡协会成立。

李劼人的长篇小说《大波》（下）由上海中华书局出版。

沙汀的小说集《苦难》由文化生活出版社出版。

洪深剧本集《走私》由上海一般书店出版，列入夏征农主编的“每月文艺丛刊”之六，收入《鸽》、《多年的媳妇》、《咸鱼主义》和《走私》等四部独幕剧，另有作者自序《最近的个人的见解》。

鲁迅杂文集《且介亭杂文》、《且介亭杂文二集》、《且介亭杂文末编》均由上海三闲书屋出版。

针对有的评论家称鲁迅的杂文为“杂感”，没有真正的文艺价值，徐懋庸在《鲁迅的杂文》中说：“他（鲁迅）是凡有写作，连有的翻译，虽然体式不同，题材各异，但总要使其对社会有斗争的意义的。他不想住‘象牙塔’，也不想进‘学士院’，他把文艺性，学术性的作品，也摆在‘十字街头’，兼做斗争的武器。”“鲁迅的杂文以及诗和散文，也跟他的短评一样表现着他的一贯思想，发挥着他的辛辣的批评，准对着他要攻击的现实。他写的论文，并不是为了要得博士学位，学者头衔，他作的诗，并不是为了要附庸风雅，甚至于他写忆旧的散文，也不是为了‘忆旧而忆旧’的，这的确是鲁迅和别的无‘感’而作的作家不同之点，而正是他自己的一切作品所共通之点。”“鲁迅的将一生大半的精力用于写‘杂文’，并不是没出息，也不是患了欲罢不能的‘死症’，他是，实在从‘杂文’这种作品里发见了‘扫荡秽丑’的力量，而有意提倡，实践的。”并将鲁迅杂文艺术特点总结为“理论的形象化”“语汇的丰富和适当”“造句的灵活”“修辞的特别”等。（徐懋庸：《鲁迅的杂文》，《徐懋庸选集》第 3 卷第 5 ~ 10 页，四川人民出版社 1984 年版）

徐懋庸《不惊人集》由上海千秋出版社出版。

何其芳散文集《画梦录》由上海文化生活出版社出版。卷首有“代序”《扇上的烟云》。收 1933 年至 1935 年所写散文 16 篇。

八月

7 日，话剧《保卫卢沟桥》正式公演。这是“七・七事变”后，上海戏剧界为宣传抗日救国而推举于伶、夏衍、洪琛、陈白尘、宋之的、阿英等 16 人集体创作的优秀抗敌剧目，演出后获得空前强烈的反响。

13 日，日军进攻上海，中国军队在张治中等将军的率领下，在上海和全国人民的支持下，奋力抵抗，史称“淞沪抗战”。

13 日，老舍由青岛返回济南齐鲁大学任教。这是老舍第二次来到齐鲁大学。第一次是在 1930 年 7 月 ~ 1934 年 6 月，整整 4 年。在此期间，老舍创作了大量作品，如长篇小说《大明湖》、《猫城记》、《离婚》、《牛天赐传》，并在他主编的《齐大月刊》上发表了长篇散文《一些印象》，其中的《济南的冬天》是广为人知的名篇。此次来齐鲁

大学，由于战争形势的影响，只住了3个多月，于1937年11月15日离开。其间，老舍一方面给各家报刊杂志写些短文，宣传抗战；另一方面阅读各种传记及小说，并摘录一些名人佳名来鞭策自己，同时还以极大的爱国热情参加了山东省和济南市中共地下党组织所发起和领导的一系列抗日救亡活动。

22日，中共中央在陕北洛川县冯家沟村召开政治局（扩大）会议，毛泽东、朱德、周恩来等22人参加会议，通过了《关于目前形势与党的任务的决定》和《抗日救国十大纲领》，确定独立自主地在敌后开展游击战争的任务和政策。

24日，《救亡日报》正式出版，由巴金、王任叔、阿英、茅盾、郭沫若、夏衍、张天翼、邹韬奋、郑振铎等组成编委会，郭沫若任社长，夏衍任主笔，阿英任主编。出至11月22日停刊。1938年1月1日在广州复刊。后又迁桂林，1945年抗战胜利后迁回上海，改名《建国日报》，同年10月24日被国民党当局勒令停刊。

25日，中共中央军委根据国共两党达成的协议将中国工农红军主力部队改编为国民革命军第八路军后，发布命令，任命朱德为总指挥，彭德怀为副总指挥，叶剑英为参谋长，任弼时为政治部主任。9月11日，国民政府军事委员会将八路军改为第十八集团军，总指挥部改称总司令部。

25日，《文学》、《文丛》、《译文》、《中流》因战事不能出版。四杂志合编的小型文艺周刊《呐喊》（后改名《烽火》）在上海创刊，由茅盾主编。

第18集团军西北战地服务团在延安成立。丁玲、吴奚如分任正副主任。15日，延安各界举行晚会，欢送该团赴前方工作。毛泽东在会上致辞，指出“我们要从文的方面武的方面夹攻日本帝国主义”。19日该团主办的《战地》在《新中华报》上创刊，发表《西北战地服务团成立宣言》、《行动纲领》及《出发前致全国爱国人士电》等。

《中国诗坛》（月刊）在广州创刊，其前身为《广州诗坛》。中国诗坛编委会编辑，先后由蒲风、雷石榆等主编。广州沦陷前夕，于1938年9月停刊。1946年在广州复刊。其编者和作者多为广东人，多为“中国诗歌会”成员。

上海戏剧界成立13个救亡演剧队在上海以及其他各地宣传抗日救亡运动。

沈从文离开北京转道天津、烟台、济南、南京、武汉、长沙，到大后方。后又回湘西。

曹禺剧本《原野》由上海文化生活出版社出版。剧本出版后颇受冷遇，当时评论很少，而且贬多于褒。内中南卓1938年写的《评曹禺的〈原野〉》是比较有份量有影响的一篇。他肯定了《原野》在“技巧的卓越”上保持了作家“一贯的优点”。但批评其主要问题是“模仿前人的成作”，“外来成分占了上风”，给剧作思想和人物描写带来一些消极影响。（内中南卓：《评曹禺的〈原野〉》，《文艺阵地》第1卷第5期，1938年6月16日。）到抗战后期，杨晦在长篇论文《曹禺论》中把《原野》说成是“曹禺最失败的一部作品”。但也有人对《原野》给予了充分的肯定，如1942年《女声》第6期的《剧评》中有一篇未署名的文章就认为：“如果说……《原野》中的英雄仇虎能够代表年轻的中国人的灵魂的话，中华民族正是年轻而有着无限希望的。”剧中写的“一个多么英勇而悲壮的故事”对于一切“有血性的人”都是一个鼓舞：“人间有恨才能有爱，有自由，莫如死。”还说它可以催促那些甘愿在敌人铁蹄下苟且偷生以至屈膝投降的人反省自新："现在'世道衰危'，'人心不古'，竟有许多愿意苟活偷生，只要链子上嵌镶了珠翠跟宝石，锁在链子里边讨活也是好的人，看了《原野》之后，这些人也许会有一点惭愧吧？"1947 年唐弢在短文《〈原野〉重演》中说："几年以来，大江南北，多少剧团演过《原野》，多少人读过《原野》。"他认为其中原因就在于"这个剧本里有戏，群众看起来过瘾，这个剧本里有生活，顾盼左右，仿佛就在身边，让人看起来恐惧和欢喜。""是百看不厌的剧本。"（唐弢：《〈原野〉重演》，上海《大公报》，1947 年 8 月 29 日。）

九月

11 日，《七月》（周刊）在上海创刊。由胡风主编。1937 年 9 月 25 日出至第 3 期休刊。后迁武汉，改为半月刊，于 1937 年 10 月 16 日出第 1 集第 1 期，由汉口生活书店发行。1938 年 7 月 16 日出至第 3 集第 6 期又休刊。再迁重庆出版，先后由上海杂志公司和华中图书公司发行。自第 5 集起改为月刊，但已不能按期出版。至 1941 年 9 月出至第 7 集第 1、2 期合刊终刊。

《七月》是抗战期间国统区影响较大的文艺刊物。在创刊号上的《愿和读者一同成长——代致辞》中，明确提出了刊物在抗日战争中的"意识战线"上的任务和与时代、与人民的关系。该刊所联系的一批作家，用自己的文学理论和创作实践形成了一个艺术流派，即"七月派"。该派尤以诗歌、报告文学、短篇小说最能体现其风格特征。其中艾青的诗歌《向太阳》、《雪落在中国的土地上》，田间的诗《给战斗者》，丘东平的报告文学《第七连》，路翎的短篇小说等，都是代表作。此外，《七月》的撰稿人还有萧军、绿原、舒芜、萧红、丁玲等人。

据《胡风回忆录》记载："上海沉浸在抗战热潮中，……大家激动着，时间空空地度过了。这时候，听到有人发起了'投笔从戎'运动，某某作家签了名的消息。但这个活动并没有扩大到我和与我接近的这些人里面来。因而想到，应该把大家的激动感情转移到实际工作里面，写些东西。《呐喊》篇幅太小，这些人也不愿为它提起笔的。我也打算弄个小刊物，接近的人都表示高兴。鲁迅曾帮助北新书局的店员费慎祥办了个联华书店，这时候他也无事可做，愿意负责印刷和发行。于是，确定了《七月》这个小周刊的出版。刊名是复印了鲁迅的笔迹的，唯一的表示纪念的意思。""共出了三期；第一期（9 月 11 日）；第二期（9 月 18 日）；第三期（9 月 25 日）。""内容完全集中在抗日斗争和抗日战争这一点上。当然，希望是和群众的生活结合在一起的斗争和战争的反映，如曹白、柏山、萧军、萧红、胡兰畦等的散文。希望是从这个斗争，这个战争触发起来的感情表现，如艾青和我的诗，如李桦、力群等人的木刻。至于和这个斗争，这个战争相关的具体人物，只要最后是站在抗日战线内，尤其是为抗日而牺牲的，不管他从前的经历如何，都不惜暂时给以肯定，如萧军和端木蕻良所记的两个人，我毫无所知，只好由作者们负责了。我们的抗战和国际反法西斯战线是互相联系的，如对中苏互不侵犯条约的欢呼，关于国际作家大会的报导，就是这个历史大潮的反映。至于抗议日本政府迫害致力于中日民间文化交流的进步作家，那意义就更直接了。”“由于内容基本上是反映了实际生活和斗争，而不是捏造的胜利故事，这个小周刊得到了饥渴中的读者的欢迎。”“……商业联系和邮路受到阻碍，伤害刊物很难发到外地去，作者又纷纷离开上海。我决定把《七月》移到武汉去出版。友人们觉得在上海停掉很可惜，希望在上海也同时出下去。但人力财力都照顾不过来，只好停掉了。”（胡风：《胡风回忆录》，第73、75～76页，人民文学出版社1993年版）

25日，林彪、聂荣臻率领的八路军一一五师在山西平型关伏击日军第五师团第二十一旅团约4000名日军，共歼敌3000余人，击毁汽车100多辆，取得平型关大捷。

端木蕻良的散文《青岛之夜》发表在上海杂志《呐喊》创刊号上，该杂志由沈雁冰主编。

十月

2日，中国共产党与国民党达成协议，将湘、鄂、赣、闽、浙、皖等8省的红军游击队12000余人，统一整编为“国民革命军陆军新编第四军”，叶挺任军长，顶英任副军长。

19日，毛泽东在延安陕北公学鲁迅逝世周年纪念大会上讲话，提出“学习鲁迅精神”的号召，并指出构成“鲁迅精神”的三个特点，即“他的政治远见”，“他的斗争精神”，“他的牺牲精神”。1938年11月上海出版的《文献》杂志（钱杏邨主编）第2期，以《鲁迅逝世周年纪念大会上的演说》为题，发表了这个讲话的记录稿。

12日，中共同国民党谈判达成协议，将湘、赣、闽、粤、浙、鄂、豫、皖8省边界10余地区的红军和游击队（不含广东琼崖红军游击队）改编为国民革命军陆军新编第四军（简称新四军）。叶挺任军长，顶英任副军长，张云逸任参谋长。

19日，在上海举行的鲁迅逝世周年纪念会上，冯雪峰发表了题为《鲁迅与中国民族及文学上的鲁迅主义》的演讲。

冯雪峰在发言中说：“惟有秉着对于民族的伟大的爱而为中国民族战斗着的鲁迅先生，才能拥有着中国民族的战斗传统，而达到历史的真理。惟在中国民族的解剖中达到了中国民族的出路，只有争得不是牛马，也不是奴隶的，从未有过的第三种的‘人’的时代——这历史的真理的鲁迅先生，才必然要达到惟有无产者大众才有将来的这历史的真理。”在发言中，冯雪峰还总结了鲁迅“将文学作为主要的武器而为中国民族作战的三十年中间”所完成的历史任务，即“他击退数千年来一直毒害着中国人的灵魂的、中国腐烂的和僵死的文化，却将中国文化中的优良的要素和战斗的传统，将那在野蛮的封建的黑暗的压榨下，人类所仅能艰难地产生的中国民族文化中的真真人类的、世界的精神的传统，和新兴的无产者大众联结起来，而使中国民族文化有着人类的、世界的出路，同时也就使新兴的无产者大众接受着自己民族的这一份遗产。鲁迅将世界的文化，世界革命的文学导引给中国大众，使中国民族和世界的文化接近，并且也将中国民族的大众的战斗的文学送给了世界文学。鲁迅先生是中国革命的知识分子的代表，是中国战斗的知识青年和文艺青年的马首，有了他，中国现代的文学者就有了自己战斗的目标和旗帜，不但团结在文学上而奋斗着，而且一起地认识了中国民族的历史及其真实的出路，而和人民大众的战斗联系在一起，为着中国民族出路及新的人民大众文化而奋斗着。”此外，冯雪峰还概括了鲁迅文学创作特色，认为这些文学特色包括“独创了将诗和政论凝结于一起的‘杂感’”；“历史的真实和民族的爱的一致”的现实主义以及“艺术的大众主义”。冯雪峰将鲁迅的这些文学特征称为“鲁迅主义”，并号召中国的文学运动必须走鲁迅的道路，“我们战斗着，象鲁迅先生似的韧战下去，终能达到我们所战斗的目标。”（冯雪峰：《鲁迅论》，《雪峰文集》第 4 卷第 9 ~ 15 页，人民文学出版社 1985 年版）

19 日，鲁迅先生纪念委员会编选的《鲁迅先生纪念集》出版。内容有中外报刊刊登的鲁迅逝世消息和纪念文章；团体和个人发来的唁电、挽联；鲁迅年表、鲁迅著译书目；鲁迅逝世和治丧经过等等。

穆木天诗集《流亡者之歌》由乐华图书公司出版，列为“国防诗歌丛书”之一。收诗 21 首，另有郭沫若的《国防诗歌丛书序诗》1 首。

田汉根据鲁迅同名小说改编的五幕剧《阿 Q 正传》由汉口戏曲时代出版社出版。

十一月

1 日，穆木天、蒋锡金主编的诗歌半月刊《时调》在武昌创刊。

12 日，上海沦陷，历时 3 个月之久的淞沪会战结束。毛泽东在延安党的活动分子会议上作题为《上海太原失陷以后抗日战争的形势和任务》的报告，强调必须坚持统一战线中的独立自主原则，在党内在全国均须反对投降主义。

16 日，田汉、马彦祥主编的《抗战戏剧》在汉口创刊。1938 年终刊，共出 10 余期。

17 日，国防最高会议决定：国民党中央党部、国民政府迁至重庆办公。

19 日，由于南京受到侵华日军的威胁，南京国民政府正式宣布迁都重庆。军委会留守南京、武汉，准备固守南京。

22 日，伪察南自治政府、伪晋北自治政府和伪蒙古联盟自治政府联合组成伪蒙疆联合委员会。该联合委员会是日本帝国主义在内蒙古地区建立的傀儡政权，由卓特正扎布、于品卿、夏恭等组成总务委员会，统一管理上述 3 个伪政权。

22 日，林语堂在美国纽约作《鲁迅之死》，对鲁迅的一生做出了自己的评价。林语堂在文章中说：“夫人生在世，所为何事？碌碌终日，而一旦瞑目，所可传者极渺。若投石击水，皱起一池春水，及其波静浪过，复平如镜，了无痕迹。唯圣贤传言，豪杰传事，然究其可传之事之言，亦不过圣贤豪杰所言所为之万一。……鲁迅投鞭击长流，而长流之波复兴，其影响所及，翕然有当于人心，鲁迅见而喜，斯亦足矣。宇宙之大，沧海之宽，起伏之机甚微，影响所及，何可较量，复何必较量？鲁迅来，忽然而言，既毕其所言而去，斯亦足矣。鲁迅常谓文人写作，固不在藏诸名山，此语甚当。处今日之世，说今日之言，目所见，耳所闻，心所思，情所动，纵笔书之而罄其胸中，是以使鲁迅复生于后世，目所见后世之人，耳所闻后世之事，亦必不为今日之言。鲁迅既生于今世，既说今世之言，所言有为而发，斯足矣。后世之人好其言，听之；不好其言，亦听之。或今人所好之言在此，后人所好在彼，鲁迅不能知，吾亦不能知。后世或好其言而实厚诬鲁迅，或不好其言而实深为所动，继鲁迅而来，激成大波，是文海之波涛起伏，其机甚微，非鲁迅所能知，亦非吾所能知。但波使涛之前仆后起，循环起伏，不归沉寂，便是生命，便是长生，复奚较此波长波短耶?"

林语堂在文中称鲁迅为"战士"："战士者何? 顶盔披甲，持矛把盾交锋以为乐。不交锋则不乐，不披甲则不乐，即使无锋可交，无矛可持，拾一石子投狗，偶中，亦快然于胸中，此鲁迅之一副活形也。德国诗人海涅语人曰，我死时，棺中放一剑，勿放笔。是足以语鲁迅。""鲁迅所持非丈二长矛，亦非青龙大刀，乃炼钢宝剑，名宇宙锋。是剑也，斩石如棉，其锋不挫，刺人杀狗，骨骼尽解。于是鲁迅把玩不释，以为嬉乐，东砍西刨，情不自已，与绍兴学童得一把洋刀戏刻书案情形，正复相同，故鲁迅有时或类鲁智深。故鲁迅所杀，猛士劲敌有之，僧丐无赖，鸡狗牛蛇亦有之。鲁迅终不以天下英雄死尽，宝剑无用武之地而悲。路见疯犬、癞犬及守家犬，挥剑一砍，提狗头归，而饮绍兴，名为下酒。此又鲁迅之一副活形也。然鲁迅亦有一副大心肠。狗头煮熟，饮酒烂醉，鲁迅乃独坐灯下而兴叹。此一叹也，无以名之。无名火发，无名叹兴，乃叹天地，叹圣贤，叹豪杰，叹司阍，叹佣妇，叹书贾，叹果商，叹黠者、狡者、愚者、拙者、直谅者、乡愚者；叹生人、熟人、雅人、俗人、尴尬人、盘缠人、累赘人、无生趣人、死不开交人，叹穷鬼、饿鬼、色鬼、谗鬼、牵钻鬼、串熟鬼、邋遢鬼、白蒙鬼、摸索鬼、豆腐羹饭鬼、青胖大头鬼。于是鲁迅复饮，俄而额筋浮胀，睚眦欲裂，须发尽竖；灵感至，筋更浮，眦更裂，须更竖，乃磨砚濡毫，呵的一声狂笑，复持宝剑，以刺世人。火发不已，叹兴不已，于是鲁迅肠伤，胃伤，肝伤，肺伤，血管伤，而鲁迅不起，呜呼，鲁迅以是不起。"（林语堂：《鲁迅之死》，《林语堂选集》（下）第3~5页，中国广播电视出版社1990年版）

艾青第一部诗集《大堰河》由文化生活出版社出版。此次出版是在艾青自费出版后引起了评论界的广泛观注的情况下，由巴金收进文化出版社的再次出版。

茅盾在《论初期白话诗》一文中评论说："描写社会现象的初期白话诗因多半是印象的，旁观的，同情的，所以缺乏深入的表现与热烈的情绪……新近我读了青年诗人艾青的《大堰河——我的保姆》，这是一首长诗，用沉郁的笔调细写了乳娘兼女佣（大堰河）的生活痛苦，这在体制上使我联想到《学徒苦》。可是两者比较，我不能不喜欢《大堰河》。这问题当然不在两诗人才力的高下，而在两人不同的生活经验等等。"（茅盾：《论初期白话诗》，《文学》第8卷第1号，1937年1月1日。）

胡风在《吹芦笛的诗人》一文中则说，这首诗写出了"一个用乳汁用母爱喂养别人的孩子，用劳力用忠诚服侍别人的农妇的形象"，"作者用着朴素的真实的言语对这个形象呈诉了切切的爱心。在这里他提出了对于'这不公道的世界'的诅咒，告白了他和被侮辱的兄弟们比以前'更要亲密'。"（胡风：《吹芦笛的诗人》，《文学》第8卷第2号，1937年2月。）

夏衍的三幕剧《上海屋檐下》由戏剧时代出版社出版。《上海屋檐下》是夏衍于1937年4至6月间应上海业余实验剧团之约而创作的。该剧又名《重逢》。

十二月

11 日，《群众》周刊在汉口创刊。该刊是中国共产党在抗日战争时期，在国民党统治区公开出版发行的刊物，受中共中央长江局领导。1938 年底，改在重庆出版，受中共中央南方局领导。1946 年 6 月，又改在上海出版，1947 年出至第 14 卷第 9 期被迫停刊。

13 日，日军谷寿夫部队率先从中华门攻入南京，在雨花台一带搜杀伤兵、散兵、难民。随后，在其华中派遣军司令松井石根和第六师团长谷寿夫的指挥下，日本军人开展了烧杀淫掠的“大竞赛”。日军在侵占南京的最初 40 余天中，进行大规模集体屠杀 28 起，被射杀、火烧、活埋的中国人有 19 万余人；其他被杀害的中国人有 800 起、15 万人以上，合计杀害中国人民 34 万余人，制造了惨绝人寰的“南京大屠杀”。抗战胜利后，松井石根被远东国际法庭处以死刑，谷寿夫被引渡给中国政府处以死刑。

14 日，日本指使王克敏，并纠集天津、华北各省汉奸“维持会”，在北平成立伪“中华民国临时政府”。同时，成立伪“新民会”，王克敏为会长。该会宗旨是所谓“维持新政权”，“参与反共战线”等。

31 日，中华全国戏剧界抗敌协会在汉口成立。张道藩、田汉、阳翰笙、洪深等 97 人为理事，张道藩、洪深、田汉等 25 人当选为常务理事。协会下设总务、话剧、歌剧、杂剧、编译 5 个部，分别由朱双云、田汉、洪深、陈立头、阳翰笙任部主任，参加协会的剧种有话剧、京剧、楚剧、汉剧、川剧、滇戏、桂戏、粤戏、河南梆子等以及各种曲艺。协会要求全国戏剧界团结一致，以戏剧为民族解放战争服务，并定每年 10 月 10 日为全国戏剧节，1938 年 5 月协会会刊《戏剧新闻》月刊在汉口创刊，吴漱予等人负责编辑。1938 年下半年协会迁往重庆。协会在各地设有分会，其中以重庆、桂林分会影响最大。在庆祝第 1 届戏剧节时演出了话剧《全民总动员》。1939 年元旦，为纪念协会成立一周年，戏剧界举行火炬游行，并演出了由《自由魂》、《民族公敌》、《群魔乱舞》、《怒吼吧，中国!》、《最后的胜利》等剧组成的组剧《抗战建国进行曲》。同年 10 月，又组织了 15 个话剧团体及 8 个平、川、汉、楚剧团举行庆祝第 2 届戏剧节的演出活动。演出了《中国万岁》、《民族光荣》、《残雾》、《古城的怒吼》、《一年间》、《上海屋檐下》、《包得行》等多部大型话剧。1939 年后，由于政治形势发生变化，协会活动日趋减少，但每逢戏剧节时仍举行纪念演出。1945 年抗日战争胜利，该协会停止了活动。

洪深剧本集《米》由上海杂志公司出版。列为“文学创作丛书”之一。

1938 年

一月

1 日，综合性通俗文艺期刊《抗到底》（半月刊）在汉口创刊。由《抗到底》半月刊社编辑出版，华中图书公司总经售。1 至 9 期由老向主编，从第 10 期起何容任主编。从第 15 期起转到重庆出版，仍由何容编辑。1939 年 12 月 20 日，出至第 26 期停刊。

该刊《发刊词》说：“《抗到底》这个半月刊，创办伊始，篇幅有限，可是力求实

效，愿望无穷。我们希望这里边的每一篇文章，甚至每一个字，都有炸弹般的力量，炸碎敌人的阵营。所有的作家、学者，与全体抗战爱国的同胞，只要有‘多写一个字，多增一分抗力’的热诚，便都是本刊的合作者。”“我们要根绝妥协，永不屈服，抗战到底。我们不说大话，但绝对不说软话。不说于抗战无益的话，更不为谁造消闲趣话。我们愿以血为墨，使文学化为武器，赠与全国的同胞”，并表示要“服从领袖的指导，拥护领袖的主张”。

该刊以通俗的形式宣传抗日，所刊作品体裁多样，有评论、诗歌、小说、剧本、报告、散文、曲艺、歌曲、图画、书信等。主要撰稿人有冯玉祥、老舍、老向、何容、冰莹、安娥、赵望云、徐中玉、徐旭生、孙晋武、李去非、宋斐如、思慕、张含情、穆木天、苏涵子等。冯玉祥、老舍撰稿尤多，几乎每期都有。所载较重要的作品有冯玉祥的诗歌、老舍的京剧《新刺虎》、长篇小说《蜕》、论文《是的，抗到底!》和《事情要大家做》、冰莹的散文《忆太仓》、老向《抗日三字经》、徐旭生的剧本《征兵》等。第3期为《抗日负伤将士作品专号》，刊登负伤将士写的评论、记述、诗歌、字画、书信和照片。第5期为《抗日通俗文艺专号》，编者认为编发通俗文艺是“教育士兵、动员民众”的急切需要，也是“文章下乡，文章入伍”的具体表现。

11日，《新华日报》在汉口创刊，潘梓年任社长。副刊《星期文艺》于同月16日创刊。汉口沦陷后该报于同年10月25日迁往重庆，出至1947年2月28日被国民党当局强迫停刊。在9年多的时间里，先后共出版3231号。

该报在《发刊词》中表明了办报的目的：“在‘抗日高于一切，一切服从抗日’之原则下”，“本报愿在争取民族生存独立的伟大的战斗中作一个鼓励前进的号角”，愿做“前方将士在浴血的苦斗中，一切可歌可泣的伟大的史迹之忠实的报道者记载者”，愿做“一切受残暴的贼寇蹂躏践踏的同胞之痛苦的呼救者描述者”，愿做“后方民众支持抗战参加抗战之鼓动者倡导者”，同时尽力促使一切有利于抗战的“办法，设施，方针”“力求其准确的实现”。对于有碍抗战的“缺陷及弱点”，将勇敢地发挥“报急的警钟的功用”，“愿与全国一切志在救国的抗日的战士与同道，互相勉励，手携手地共同为驱除日寇争取抗战最后胜利而奋斗。”

该报的文艺性文章主要发表在《新华副刊》上，副刊是1942年“九·一八”纪念日诞生的，设有“文艺之页”、“青年生活”、“妇女之路”、“科学新话”、“戏剧研究”、“时代音乐”、“木刻阵地”等专栏。其文章除大量报道文艺消息、动态、作家团体活动等外，还发表了许多宣传中国共产党文艺方针政策的论文，对指导国统区文艺更好地为抗战服务起了巨大作用。周恩来曾为该刊题词：“坚持长期抗战，争取最后胜利。”同时，该报也是抗日战争和解放战争时期在国民党统治区公开出版的中国共产党机关报，在当时有着极高的威望，对抗日文艺起着极大的指导作用。

16日，日本近卫内阁发表对华政策声明，宣称“日本政府不以国民政府为（谈判）对手，期望能与日本提携之新政府成立并发展，而拟与此新政府调整两国国交”。

16日，《新华日报》出版副刊《星期文艺》第1期。编者在《致读者》中说：“从今天起，每个星期日，本报将有五千多字的文艺读物送到读者底前面。五千多字的小篇幅，能够使读者满足什么呢？但我们想，诸位在紧张的工作以后，在理论的探讨或逻辑的方式上运用了自己底思维以后，如果能够有一点关于培养情绪，提高意志的食粮，能够注意一下关于培养情绪，提高意志的工作，那也许不是无益的。接着又谈了刊载的内容：“五千多字的小篇幅，能够发表些什么呢？但是我们想，文艺上的具体问题（在这里当然不想展开系统的文艺理论或全面的文艺运动问题），例如应该指明的倾向或应该注释的论点，可以短警地提出意见；应该介绍或警告的文艺作品，也可以短警地提出批判；至于短小的诗歌、报告、速写、通讯等，也未始不能从一个小的视角反映出民族战争大潮里的人生面相来。我们还想每次有一幅木刻或漫画，几则关于文艺事业的简报，以及和读者间的关于文艺理论、文艺作品、文艺工作的通讯讨论。”并表示：“希望工作底进展能够使本刊底内容逐渐充实，能够使本刊底方针逐渐得到修改完善。希望一切作家底助力和批判，希望一切读者底助力和批判。到《星期文艺》成了读者自己底《星期文艺》的时候，我们底工作才算得到酬报了。”此外，该期还发表了符真的《大沽口外》、艾青的《我们要战争——直到我们自由了》以及黄明的《打老婆的过日子的人》等文章。

27 日，萧红随端木蕻良等人前往山西临汾。不久由于形势发生变化，萧红去了西安，受到周恩来的接见。后回到武汉，不久与端木蕻良结婚。

28 日，根据周恩来、徐特立的建议，由中共地下党员田汉负责在长沙创办《抗战日报》。田汉任社长，廖沫沙任总编辑。办报宗旨是“团结各方面力量，特别是文化界的力量，援助政府抗战”，因此田汉在《代发刊词》中称这个报纸与《救亡日报》是姊妹报，是体现统一战线精神的报纸。该报为四开，无广告，常有名家的作品在此发表。设有戏剧与电影、诗歌战线等专栏。此外，还推出了“抗战青年”、“抗战教育”、“抗战妇女”、“抗战儿童”等 7 个专刊，每周轮流刊出，大力传播抗战文化。1938 年 7 月底停刊。长沙大火后，在沅陵复刊。《抗战日报》坚持团结抗战的宗旨，对汪精卫公开投敌进行了尖锐的批判，对当时抗战后方长沙存在的一些问题比如伤员、难民等方面，连续发表读者来信和文章进行揭露和批评。《抗战日报》迁沅陵之后，曾转载过毛泽东《论新阶段》、《中国军队应当学习苏联红军》两文以及《新华日报》的社论，也曾连载外国记者访问陕北的通讯。所刊载的漫画在长沙报刊中也独树一帜，其中有张乐平、丰子恺、廖冰兄等著名画家的作品。后于 1939 年 6 月 15 日被迫停刊。

29 日，中华全国电影界抗敌协会在汉口成立。张道藩、沈钧儒、邵力子等发表了讲话。大会发布了《中华全国电影界抗敌协会成立大会宣言》。《宣言》指出：日本在侵略战争中，借助电影“已屡屡运用无耻的说教来执行了宣传的任务”，“配合了他们军部底意旨，武装自己，来服役于侵略底战争的”，电影已成为“一种麻醉观众的读物”，成了“侵略的教科书”，成了“飞机大炮以外的别动之武器”。然而，“回顾我们自己，则不能不说是相形见绌的”，接着检讨了了中国电影事业在配合抗战中存在的一些缺点和问题：“我们底自我教育不够，我们的研究精神也不够，而在行动上，在这个大时代中，我们底步伐也不够整齐，不够紧张。”所以，我们“应该严正地反省一下”，“承认过去的弱点，把握现在的使命，推动未来的工作”，“用同一的意志趋向同一的战斗目标”；并表示：“我们要每一个电影从业员能锻炼成民族革命战争中的勇敢的战士。把自己献给祖国，把自己的工作献给神圣的抗战”；“我们要每一个电影片成为抗战底

有力的武器。使它深入军队、工厂、农村中去，作为训练民众的基本的工具”；“我们要建立一个新的电影底战场。集中了我们的人才，一方面以学习的精神来提高自身底教育，又一方面以集体的行动来服务抗战底宣传”。大会还通过了章程，选举张道藩、方治、罗刚、史东山、温涛、应云卫、田汉、费穆、蔡楚生、袁牧之、陈波儿、张石川、周剑云等72人为理事。《新华日报》为此出了成立大会特刊，登载了阳翰生的《今后的一点希望》、史东山的《中全电抗会成立大会前言》，郑用之的《筹备工作述略》等文章及成立宣言。

中旬，《七月》社举行抗战文艺问题座谈会，参加者有艾青、东平、聂绀弩、田间、胡风、冯乃超、萧红、端木蕻良、适夷、王淑明等。会议主要谈了四个方面的问题：第一，抗战后的文艺动态印象记。冯乃超说：“抗战以后，商业的文学关系，或者说文学的商业关系，相当地被打破了。”具体表现在购买力衰退和文学杂志非常少：“好像文学有衰落的现象，不过，这是表面的；实际上文学依然在发展。”“纯粹消遣性的文学衰落了，离开了抗战生活的文学没有存在的余地。”发言者普遍认为文艺作品没有力量，缺乏伟大作品。第二，关于新形式的产生。胡风等批评了达达主义和未来主义，认为这是抗战中不健康的形式，不能认为是新形式。楼适夷说：“我们要求的新形式，要更大众化，可以多方面的表现生活，决不是向神秘的道路走的。如像诗歌中的报告诗、朗颂诗、剧本中的街头剧，散文中的报告和通讯文学。”第三，作家与生活。艾青、萧红、胡风等均表示要重视生活问题，要“打进实际生活里面”，要“抓住”生活。第四，今后文艺工作方向的估计。胡风说：“这问题可以从两方面讲。一方面是怎样能够动员和团结一切文艺作家参加到抗战工作里面；另一方面是怎样保障现实主义底前途。”座谈会记录以《抗战以来的文艺活动动态和展望》为题发表在《七月》第7期上。

郭沫若的《战声集》由广州战时出版社出版，列为“战时小丛书”之一。

田间的诗歌《给战斗者》发表于《七月》第1集第6期，后收进《给战斗者》集。胡风在1942年为诗集《给战斗者》所写的《后记》中，特别指出此诗在田间诗歌创作中的转折作用：“第一辑所收者，是抗战最初期，即作者停留在武汉的短期内所写的。我们可以看得出，诗人是用了梦的情绪投向了作为整个生活世界的战争，但这为时不久，很快地就用了虽然宏大但却不无几分伤感的《给战斗者》综合地表现了，同时也就是结束了这一段心的历程。”（胡风：《〈给战斗者〉后记》，转引自唐文斌等编：《中国当代文学研究资料·田间研究专集》第18页，浙江文艺出版社1984年版）

田汉的《卢沟桥》（四幕剧）由汉口大众出版社出版。列为“抗战戏剧丛书”之二。

吕复、舒强等集体创作的《三江好》（独幕剧）发表于《抗战戏剧》第1卷第4期新年特大号。

街头剧《放下你的鞭子》由汉口星星出版社印行。该剧和《三江好》、《最后一计》一起在抗战初期被戏剧界称为“好一计鞭子”。该剧是九·一八事变后由陈鲤庭、崔嵬等集体创作的，主要表现日寇侵略下人民的苦难和强烈的爱国热情。由于剧中人物的遭遇在当时具有广泛性和典型性，因而很容易激起军民的民族义愤和抗日热情。

特别是艺术表现上方式灵活，如让演员混杂在观众中间等，使剧情更加逼真感人，再加上形式短小，在村头路边，可以随时演出，故其在当时演出范围之广、观众之多、效果之显著，在中国戏剧发展史上都是空前的。该剧经各剧团的演出流传全国，对调动全国人民的抗日激情起了巨大作用。

阳翰笙的历史剧《李秀成之死》由汉口华中图书公司出版。该剧为四幕历史剧，被列为“抗战戏剧丛书”之三。该剧写的虽然是历史故事，但却是“曲折地然而还是无情地”给国民党统治的黑暗“现实”以“回击”，是“一种斗争形式”。（何其芳：《评〈天国春秋〉》，《何其芳文集》第 4 卷第 84 页，人民文学出版社 1983 年版）

崔嵬、王震之执笔，集体创作的三幕剧《八百壮士》由汉口上海杂志公司出版。

二月

4 日，中华全国文艺界抗敌协会临时筹备会举行会议，老舍、穆木天、阳翰笙、彭芳草、楼适夷等二十余人出席。会议推定老舍、楼适夷、王平陵、冯乃超等 11 人起草会章，调查国内外作家，从事组织“文协”的工作。

8 日，沙汀、艾芜、周文、舒群、蒋牧良、聂绀弩、张天翼、陈白尘、罗烽等合著的《华北的烽火》在《救亡日报》连载至 4 月 28 日。

24 日，经各方多次商谈酝酿，全国文艺界抗敌协会筹备大会在汉口正式成立。

25 日，《新华日报》第四版发表《庄严热烈的文艺阵线——记全国文艺界抗敌协会筹备大会》的特写，报道了大会经过。

文章写道：“在武汉的文艺界同人经过六次非正式筹备的结果，终于成立了今天（二月二十四日）的筹备大会。虽然因为文艺人的四散各地，到会的只有六七十人，但其中包含的成分，实在是在有新文学运动以来所从未有过的新阵容。抗日的共同目标，把大家毫无间隔的团结起来了。中央要人汪精卫先生、冯焕章先生都以文艺人的资格预定到会。很可惜的终于为别的要公未能出席。但陈真如先生很早就到了，而且邵力子先生以政务繁剧之身，亲自作主席领导会议。仪式完后，邵先生的宏亮的声音报告了在全民抗战中文艺者的巨大的责任，从古今中外的历史指出一个民族国家的生存和发展，文艺者的伟大的功绩以及文艺者要用光明的心地，远大的眼光，使国民精神从深坎中表现出来。其次王平陵先生报告筹备经过，以为这会从极端难产中产生，也即是从极端慎重中产生，所以它的工作前途亦必更大。陈真如的讲演，用拿破仑侵入日耳曼联邦，普鲁士王的话，‘外敌不可怕，可怕的乃国民内心中的自私’，来对照今日的情势，希望文艺者肩起这扫除私心的重任，巩固没有丝毫磨擦的大团结来打倒日本帝国主义。最后特别郑重的指出鲁迅先生对民族不朽的功业，大家要向他学习。老舍先生非常兴奋的说了我们要振作起来，参加这大时代的斗争，各以全部的力量，向同一目标，作最大最高的发挥，老幼新旧一致携手，把青年的血液输灌到老年人中去，把老年的经验交付青年，共同上前，打倒日本帝国主义！胡风先生说到昨夜王平陵先生的话：过去中央召集了六次文艺人终于召集不起来。因为大家有了一个共同的大目标——抗战，所以立刻形成了大团结。这表示统一战线已切实执行，且加强发展，故此会之受全国作家拥护，必无可疑。其次说到中国现在没有像鲁迅先生那样一声号召，可以波动世界的大作家，更需以集体之力作国际号召，及文艺家要多多表扬新的英勇的典型的方面。邵力子先生把几位先生的说的话作了总结，全体一致同意成立此会。推选了老舍、冯乃超、曾虚白、胡风、王平陵、崔万秋、陈西滢、凌叔华、老向、穆木天、冯彦祥、楼适夷、沙雁、陈纪滢等二十一位先生作正式筹备员，预定三月六日召集成立大会，必要时授权筹备委员会延迟数日。后来邵先生要求全体到会者作自我介绍并发表意见，由胡秋原、楼适夷、孔罗孙开始，直到老向、盛成、马彦祥全体都作简短警关的致词，可说是开了一切会议的新形式，表现了全场亲密融合的空气，此外已起草之发起旨趣、章程、表格、公函，因时间关系，不及讨论，改在书面分别征求意见。在热烈庄严的全体鼓掌声中，宣布了大会的散会。”

斯诺的《西行漫记》（原名《红星照耀中国》）中文译本在上海以复社的名义出版。斯诺当时是美国驻华进步新闻工作者，他在此书中报道了中国革命的情况，收录了大量珍贵的历史资料，其中关于毛泽东革命经历部分，经由毛泽东本人亲自审定。该书 1937 年 12 月开始翻译，1938 年 1 月出版后销路极好，接连又再版了几次。胡愈之在该书的中译本《前言》中写道：“这是复社出版的第一本书，也是由读者自己组织，自己编印，不以营利为目的而出版的第一本书。”（《胡愈之谈〈西行漫记〉中译本翻译出版情况》，《读书》1979 年第 1 期。）毛泽东曾对该书给予高度评价。海因兹·希普批评斯诺，说斯诺受了托派错误思想的影响，歪曲了中国共产党统一战线期间的政策理论和实践的立场，并且一到延安就对《西行漫记》发表长篇大论时，毛泽东批评海因兹·希普说：“你攻击这本书是一个严重的错误”，并称赞斯诺是“为建立友好关系铺平道路的第一个人”，称希普“毫无道理地攻击他，这是一种反革命行为”，“如果你再犯这种过错，我们就要命令我们所有的人同你们断绝关系，你不能同我们有任何关系了。”（斯诺记述：《毛泽东同志对〈西行漫记〉的评价》，转引自上海社会科学院文学研究所编：《上海“孤岛”文学回忆录（上）》第 48 页，中国社会科学院出版社 1985 年版；原载《译讯》1979 年第 1 期。）

三月

9 日，郁达夫应郭沫若之邀，赴武汉参加军委会政治部第三厅的抗日宣传工作。

15 日，《弹花》（月刊）在武汉创刊。由赵清阁主编，华中图书公司发行，出 5 期后迁至重庆，改为双月刊，又出 5 期后停刊。1939 年复刊，每半月出 1 期，由正中书局经售，出 10 期；1940 年 9 月出至第 3 卷第 8 期终刊，前后共出 20 期。该刊在创刊号上发表了《我们的话》，表明其基本倾向：“事实会告诉我们：真的艺术是真的人生和真的社会，换言之，是真的现实之具体的表现。目前中国社会，已经到了生死存亡的关头，站在民族战争的大时代：阵容上，不分前线与后方；作战上，不分军队与民众；动员上，除了人力与物力还要加上精神，文艺就是精神动员的有力因子之一。被侵略民族为要求生存而抗战，是神圣的，是有真实性的；惟有充分表现这种真实性的文艺才是目前真正的艺术，才有它历史的不朽性。敌人的奸淫掳掠，烧杀凶横，我们

可以写；将士的慷慨赴义，壮烈牺牲，我们可以写；人民的琐尾流离，饥寒疾苦，我们可以写；甚而至于汉奸土劣贪官污吏之不知人间羞耻的丑态，都是我们描写的对象。希望能够给后人比‘扬州十日’‘嘉定屠城’更深刻的血一般的遗迹，不独希望它可以发扬目前的士气，并且希望它可以换作未来的人心。抗战高于一切，克敌是共同的要求。……希望我们从事文艺工作的同人，也能够蠲成见，群策群力，把笔尖一齐向外，对准我们的敌人。……使本刊成为共同的园地，共同促其文艺抗战的使命，象征那子‘弹’开放的‘花’。”该刊主要撰稿人有老舍、郭沫若、王平陵、老向、赵清阁、穆木天、左明、冯玉祥、卢冀野、胡绍轩、路易士、应云卫、徐飞白、沙雁等。

20 日，《战地》（半月刊）在汉口创刊。16 开本，由战地社发行，汉口上海杂志公司总经售。该刊以西北战地服务团的名义创办，丁玲任该团团长、舒群任副团长；后于 1938 年 6 月 5 日停刊，共出 6 期。由于丁玲在延安，实际上由舒群主编。

该刊为配合抗战需要而创办，刊载的内容有论文、小说、报告、通讯、杂感、诗歌、剧本、歌曲、速写和木刻等等。一些有影响力的有关抗战文艺运动的论文，如艾思奇《文艺创作的三要素》、丰子恺《谈抗战歌曲》、冯乃超《文艺统一战线的基础》等，都在该刊发表。在创作方面，除连载罗烽的长篇小说《满洲的囚徒》外，还有白朗、舒群、李辉英、朱烈轲等人的短篇小说，杨朔、柳林等人的报告、通讯和速写；剧本有凌鹤的《夜之歌》、塞克的《争取最后的胜利》、倪平的《北平之夜》等；诗歌有臧克家、季琳、陶华等人的作品。该刊还就诗朗诵、抗战演剧、民歌演唱和通俗文艺等问题进行过讨论，穆木天、沙可夫、柯仲平等分别写了专门文章。此外，周扬、罗荪、成仿吾、王西彦等著名作家都曾在该刊发表过文章。

周扬在《战地》创刊号上发表了《我所希望于“战地”的》一文，他希望编者能够：“把战地的活生生的材料，战地的气息，随着这刊物，带给我们，带给广大的读者。这应是一个以战地为中心的刊物。战地通信和速写应占它的主要篇幅。”“目前有两种读物最被欢迎：一是抗战的指导理论，一是战争情况的真实报导。……‘战地’应该尽量多登这一类的作品，不要怕它的技巧上的幼稚和不成熟”，“‘战地’必须建立一个广大的通信网，在东战场，北战场，西战场，都要有它的通信员”，要“组织一个‘战地社’，把战时的文艺青年组织起来，发动一些青年作家到战地去”，要“鼓励和帮助青年作家到战地生活中去试练”，要“从战地选拔和培养出一些作家来”，还要“设法在战区或近后方成立‘战地’分社，在军队中间，特别是在军队里的政治工作人员中间发展通信员。”

27 日，中华全国文艺界抗敌协会（“文协”）在汉口总商会宣告正式成立。第二天，《新华日报》以《全国文艺界空前大团结》为题，报道了“文协”成立的概况。在总商会的礼堂里，主席台前悬挂着两行标语：“拿笔杆代枪杆，争取民族之独立。寓文略于战略，发扬人道的光辉。”中间悬着“拥护最高领袖抗战到底”的横额。五百余人到会，“大会推举蔡元培，周恩来、罗曼、罗兰、史沫特莱等 13 人为名誉主席团，主席团为邵部长、冯副委员长、郭沫若、陈铭枢、田汉、张道藩、老舍、胡风等十余人，并由王平陵、冯乃超等 8 人组织大会秘书处。来宾有王明、方治、张廷休、罗果夫、爱泼斯丹等五十余人。由老舍当司仪，行了隆重的开会典礼，并为追悼阵亡将士

默哀了三分钟。大会先由总主席邵力子致开会词，他说："今日能不分畛域的聚集全国文艺作家于一堂，这是非常兴奋的，希望能真诚团结起来，在抗战的总目标之下共同努力，本会的成立，目的亦即在此。"接着由王平陵报告了筹备经过，宣读了广州、长沙、延安各地致大会的贺电。陈立夫先生的代表张廷休致词。中央党部武汉办事处代表方治先生致词说："向来国内文艺作家，都是天各一方，现在因为抗战爆发，而携手一堂，大家所以能团结在一起，是因为'共信'已经建立了起来。这'共信'，就是在这个时候，大家都要求救国家，救民族。"日本反侵略作家鹿地亘也登台作了演说，由胡风作翻译，并作简单的介绍。

周恩来在会上发表演讲说："今天到会场后最大的感动，是看见了全国的文艺作家们，在全民族面前，空前的团结起来。这种伟大的团结，不仅仅是在最近，即在中国历史上，在全世界上，如此团结，也是少有的！这是值得向全世界骄傲的！诸位先知先觉，是民族的先驱者，有了先驱者不分思想、不分信仰的空前团结，象征我们伟大的中华民族，一定可以凝固的团结起来，打倒日本帝国主义！这是第一点感想。其次希望作家多多取材前线将士的英勇奋斗，与战区敌人的残暴，后方全民众动员的热烈，一定可以发扬举国同仇敌忾，加强战胜敌人的信心！第三，在今天抗战过程中，我们还负有建国的任务。文学家应分布各战场，各内地，更多接触内地的人民生活，同时要承继祖先遗下的优秀文艺传统。第四，不仅是对抗战文艺，民族文艺，即对世界文艺，也负有重大的责任。总理昭示我们，要我们迎头赶上，一定要能与世界进步的文艺联系起来。使我们的文艺在世界上也有辉煌的地位！"

中午12点，全体与会者去普海春聚餐。老舍在宴会上宣读了《中华全国文艺界抗敌协会宣言》,《宣言》指出，在短短二十年的新文艺运动史上，中国内忧外患，文艺界"向来本着不逃避不屈服的精神，以笔为武器，争先参加了抗敌工作"。现在，"对国内，我们必须喊出民族的危机，宣布暴日的罪状，造成全民族严肃的抗战情绪生活，以求持久的抵抗，争取最后的胜利。"《宣言》指出，"旷观世界，今日最伟大的事业，是剔除侵略的贼寇，维持和平；内察国情，今日最伟大的行动，是协力抗日，重整山河。"因此，《宣言》号召全国文艺工作者，"须负起自己的责任，而我们又必须在分工合作、各尽所长的原则下，倾尽个人的心血，完成这神圣的使命。"为达此目标，《宣言》呼吁全国的文艺工作者："必须把力量集聚到一处，筑起最坚固的联合营阵，放起一把正义之火，烧净了现存的卑污与狂暴。""我们必须杀开血路，齐心协力的反攻。我们必须有通盘筹妥的战略，把文艺的各部门配备起来，才能致胜。"(《中华全国文艺界抗敌协会宣言》,《文艺月刊》第9期，1938年4月1日。)

会议还通过了《中华全国文艺界抗敌协会简章》，包括定名、会址、会员等10项内容。并明确宣布："本会以联合全国文艺作家共同反对日本帝国主义的侵略，完成中国民族自由解放，建设中国民族革命的文艺，保障作家的权利为宗旨。"

此外，盛成还在宴席上用法语朗读了《告全世界文艺家书》，老向朗读向蒋委员长及抗敌将士的致电，孙师毅朗读致日本被压迫作家书。会议推举老舍、郭沫若、茅盾、巴金、田汉、沈从文、曹禺、丁玲、胡风、张天翼等45人为首届理事，周扬、罗烽、舒群、吴奚如等15人为候补理事，周恩来、于右任等为名誉理事。老舍任总务部主任，主持日常工作。会议还通过了请全国作家写士兵读物百种案、组织作家前线慰劳队及慰劳空军难民儿童案、组织全国文艺通讯网案、设立通俗文艺工作委员会案、向文化界捐献书报输送前线案、组织文艺周会案、创办机关志案等 8 项提案。后来，文协出版了机关刊物《抗战文艺》。文协于 1945 年 5 月停止活动。

萧军第一次到达延安，很快随“西北战地服务团”到达西安，在此与萧红离异，后经兰州去成都，任《新民报》副刊编辑，并积极参加抗日救亡活动。

巴金《激流三部曲》第二部《春》由上海开明书店出版。巴金在该书的《序言》中谈到这部小说时说：“我在阴郁沉闷的空气中做过不少的恶梦。这小说里也有着那些恶梦底的影子。我说过我在写历史。时代的确前进了。但年轻儿女底挣扎还是存在的。我为那些男女青年写下这部小说。”希望读者看到尾声里的那句话“春天是我们的”，暗示前途是光明的，未来是我们的。（巴金：《巴金全集》第 2 卷第 3 ~ 4 页，人民文学出版社 1986 年版）

四月

1 日，国民党军事委员会政治部第三厅在武汉成立，郭沫若任厅长。三厅下设五、六、七处，田汉任第六处处长。军委政治部第三厅还规定了艺术工作者必须遵循的五项信条：一、要提高政治军事的认识和训练；二、要磨练本身的技术，提高艺术水平；三、要以身作则，艺术风格与人格要保持一致；四、要努力使艺术大众化；五、艺术工作者要团结一心，协同一致，为争取抗战胜利服务。在中共领导下，三厅聚集了阳翰笙、胡愈之、田汉、洪深、冯乃超、郁达夫等一大批知名文化人。1938 年 10 月，因武汉撤守，辗转迁至重庆，但仍在极端困难的条件下继续进行斗争。后来由于国民党推行消极抗战、积极反共的政策，压迫日甚，进步力量被迫于 1940 年秋从中撤出。

1 日，孙陵、臧云远主编的《自由中国》（文艺月刊）在汉口创刊，由自由中国社发行。郭沫若为创刊号题词：“要建设自由的中国须得每一个中国人牺牲却自己的自由。每一个中国人把自己都奉献给祖国的解放。中国得到自由，则每一个中国人也得到自由了。”第二期发表了毛泽东为该刊的题词：“一切的爱国的人民团结起来，为自由的中国而斗争。”1938 年 6 月 20 日出至第 1 卷第 3 期后停刊。1940 年 11 月 1 日，该刊在桂林重新出版，孙陵任主编，刊号为新 1 卷第 1 期。1942 年 5 月 1 日出新 2 卷第 1、2 期合刊后终刊。后又于 1945 年 9 月在上海复刊，出半月刊两期后终刊。该刊初期具有进步倾向，周扬、田汉、艾思奇、刘白羽、潘梓年、郭沫若、杨朔、张天翼等大批著名作家都为其撰稿，还刊登过毛泽东的一首词。后来编者孙陵在政治上转向国民党，刊物倾向也因之发生变化。该刊在武汉期间，登载过茅盾等 97 人署名的《中华全国文艺界抗敌协会发起旨趣》和郭沫若、老舍等 9 人撰稿的《抗战以来文艺展望》特辑，发表有关抗战文艺的论文、小说、报告、速写和各地文化消息。曾发表艾芜的长篇小说《山野》（连载），黑丁的《军渡》，骆宾基的《吴非有》等，还有碧野、罗烽、沈从文的短篇小说，彭燕郊、邹荻帆、臧克家、戈茅的诗歌，巴金、绀弩、靳以的散文、杂文、报告等等。

6日，台儿庄战役胜利结束。中国军队在第五战区司令长官李宗仁将军的指挥下，在山东峰县台儿庄以优势兵力，包围进攻之敌日军第10师团，并击退临沂增援之敌，歼灭日军2万余人。台儿庄保卫战是抗战以来国民党正面战场取得的最大的胜利。

10日，为弥补边区艺术教育方面的欠缺，充分发挥艺术的“宣传鼓动与组织群众”的作用，中共创立的，以培养革命文艺干部为目的的综合性学校——鲁迅艺术学院在延安正式成立。发起人有毛泽东、周恩来、林伯渠、徐特立等7人。1940年后校名全称为“鲁迅艺术文学院”。建校初，领导机构“院务委员会”由沙可夫、周扬、艾思奇等人组成，此后，吴玉章、周扬先后任院长。1939年5月，“鲁艺”成立周年纪念时，毛泽东题词“抗日的现实主义，革命的浪漫主义”，1940年“鲁艺”二周年时又题写校名和“紧张、严肃、刻苦、虚心”的校训。“鲁艺”初设戏剧、音乐、美术三系，后又增设文学系，修业期限为二年，并有一个不分专业的普通科。附设机构有实验剧团、文学研究室、音乐工作团、美术工场。据统计，从1938年建院到1945年抗战胜利，延安“鲁艺”各系共培养各类文艺干部680余人（不含短期培训班），为发展革命文艺事业做出了重要贡献。1942年5月，延安文艺座谈会后，经过文艺整风运动，“鲁艺”创作了秧歌剧《兄妹开荒》，大型新歌剧《白毛女》等作品。

16日，《文艺阵地》（半月刊）在广州创刊，第1卷第9期起迁至香港。至第5卷改出《文阵丛刊》，凡2辑。自1941年1月第6卷起迁至重庆出版，改为月刊。1942年11月20日出至第7卷第4期被迫终刊。1943年11月至次年3月续出《文阵新辑》3辑。该刊初由茅盾主编，自第2卷第7期起，因茅盾去新疆，由楼适夷代行编务。自第6卷起组成编委会，成员有以群、艾青、沙汀、宋之的、章泯等。生活书店总经销。该刊《发刊词》说：“我们现阶段的文艺运动，一方面须要在各地多多建立战斗的单位，另一方面也需要一个比较集中的研究理论，讨论问题，切磋，观摩——而同时也是战斗的刊物。文艺阵地便是企图来适应这个需要的。”同时还指出了刊物的主导倾向和宗旨：“这阵地上，立一面大旗，大书‘拥护抗战到底，巩固抗战的统一战线’！这阵地上，将有各种各类的‘文艺兵’，在献出他们的心血；这阵地上将有各式各样的兵器，——只要是为了抗战，兵器的新式或旧式是不应该成为问题的。我们且以为祖传的旧兵器亟应加以拂拭或修改，使能发挥新的威力。”该刊发表的文学作品有张天翼的《华威先生》、姚雪垠的《差半车麦秸》、丁玲的《在医院中》、茅盾的《霜叶红似二月花》等；在理论上主张文艺必须服务于民族解放战争，强调文艺大众化，与“文协”提出的“文章下乡，文章入伍”的口号相呼应。

16日，张天翼的短篇讽刺小说《华威先生》在《文艺阵地》第1卷第1期上发表。作品引起广泛社会反响。

24日，林焕平发表文章对《华威先生》加以肯定，他说：“华威先生是一个实际工作不做，专门做救亡要人的典型。在抗战中有不少这种人，小说对这类人物进行讽刺是完全必要的。”（林焕平：《读〈文艺阵地〉》，《救亡日报》，1938年4月24日。）

5月10日，李育中发表文章对《华威先生》提出异议：“在紧张的革命行进和作生死决斗的时期，严肃与信心是异常需要的，接受幽默的余暇是太少了，何况幽默有时出了轨，会闹乱子的，伤害着严肃”，有人可能“把一些真正苦干的救亡工作者也错认作‘华威先生’。”（李育中：《幽默、严肃和爱——读张天翼的〈华威先生〉》，《救亡日报》，1938 年 5 月 10 日。）关于暴露与讽刺的论争由此展开。

随后茅盾发表了一系列文章参与论争。他在《论加强批评工作》中指出：“文艺作品不能只是反映了半面的‘现实’。抗战中随时发生的问题多得很呢，每一个问题都有它光明的一面以及黑暗的一面。如何而能克服了那黑暗的一面，或者为什么而终于不能克服那黑暗的一面；这才是必须描写出来的焦点。”（茅盾：《论加强批评工作》，《抗战文艺》第 2 卷第 1 期，1938 年 7 月 16 日。）在《八月的感想》中，茅盾说：“新的典型，已经（虽然不多）在作家笔下出现。‘华威先生’（张天翼《华威先生》，本刊一期）就是旧时代的渣滓而尚不甘渣滓自安的脚色”，同时对否定华威先生的言论作了批评，说如果因《华威先生》的某些“可议之处”而“作为反对丑恶描写的借口，那就是‘倒掉盆里的污水连盆里的孩子也一齐倒掉了’的笑话。”（茅盾：《八月的感想——抗战文艺一年的回顾》，《文艺阵地》第 1 卷第 9 期，1938 年 8 月 16 日。）而在《暴露与讽刺》一文中，他进一步指出“暴露与讽刺”仍旧需要，而且阐明“暴露与讽刺”的对象，辩明了“暴露与讽刺”和悲观主义者的诅咒的界限。（茅盾：《暴露与讽刺》，《文艺阵地》第 1 卷第 12 期，1938 年 10 月 1 日。）

由于《华威先生》曾被日本报刊翻译转载，于是有人认为“暴露黑暗就是帮助敌人”；又说这种文学会引起人们的悲观失望“于抗战有害”。其后国民党在其文艺政策中规定，“不专写社会的黑暗”。文艺界就这个问题在《抗战文艺》、《文艺阵地》、《七月》、《文艺月刊》及一些报刊上展开过论争。

17 日，“文协”派郁达夫、盛成去台儿庄慰劳，携“还我河山”锦旗一面和《告慰台儿庄胜利将士书》1 万份。

21 日，汉口文艺界在德明饭店招待英国诗人奥登和小说家伊栗伍特。二人畅谈了对中国抗战的观感，颂扬中国军民的战斗精神。奥登即席写了十四行诗《中国士兵》，田汉以旧诗一首和之。

26 日，《七月》召开座谈会，讨论关于旧形式的利用问题。胡风、艾青、绀弩、欧阳凡海、吴组缃等人出席座谈会。欧阳凡海等肯定了对旧形式的利用。他认为，要站在批判的立场上利用，所以在利用的同时“不能不包含有对旧形式改造的一个侧面”。“以前的新文化运动否定了旧形式，后来又回头来说要利用旧形式，是必然的现象，而不是开倒车。”艾青说：“我自己对于利用旧形式这一口号是取怀疑态度。如其为了宣传不得不利用旧形式，我们也应该有利用的界限。宣传与文学是不能混在一起说的。我们的文学革命已这么多年了，一开始，它就否定了旧形式，现在如果又把旧形式肯定了，将来不是又要重新来一次否定么？”吴奚如、鹿地亘等认为利用旧形式是为了政治宣传，“不是从文学的见地上出发”。吴组缃认为：“文学本身就是宣传的，文学和宣传不必分开来说，问题是宣传的对象。我们新文学作品所宣传的对象只是一般的知识分子。广大的知识落后的同胞，无法能被我们的作品所宣传，因此我们不得不使我们的文艺通俗化，以便能向他们宣传。”座谈记录以《宣传・文学・旧形式的利用》为题发表在《七月》第 3 集第 1 期上。

夏衍的报告文学《包身工》由广州离骚出版社出版。

捷克作家基希（E. E. Kish）的报告文学集《秘密的中国》由汉口天马书店出版。该书是作者来中国考察政治、经济和文化状况后写出的。1936年由周立波翻译、介绍给中国读者，1938年出版。周立波在《谈谈报告文学》一文中说，《秘密的中国》"描写了一·二八战争，描绘了上海和北平各种各样的社会群"。并称赞基希的作品"无疑是报告文学的一种模范"。（周立波：《谈谈报告文学》，《读书生活》第3卷第12期，1936年4月25日。）

阳翰笙的四幕剧《塞上风云》由汉口华中图书公司出版。

宋之的、陈白尘改编的五幕剧《民族万岁》由汉口上海杂志公司出版，列为"大时代文库"第六种。

五月

4日，中华全国文艺界抗敌协会会刊《抗战文艺》在汉口创刊。由中华全国文艺界抗敌协会抗战文艺编辑委员会编辑，编委会由当时文艺界抗日民族统一战线各方面的作家代表33人组成。该刊在《发刊词》中说明了刊物的创办背景和基本指导思想，认为：文艺是"中国民族解放斗争的疆场上""一位身经百战的勇士"，《抗战文艺》是在中华全国文艺界抗敌协会这一"基石"上树起的"一面进军的大旗"。为了巩固的国防，全国文艺工作者要"强固起自己阵营的团结"，清扫"小集团观念和门户之见"，把视线集中于"民族大敌"；要"把文艺运动和各部门的文化的艺术的活动做密切机动的配合"；要把文艺深入到"广大的抗战大众中去"。刊物的宗旨是推动抗日文艺运动的发展，"集合全国文艺工作者的巨大力量，成为全国文艺工作者的道标，使文艺这一坚强的武器，在神圣的抗战建国事业中肩负起它所应该肩负的责任！"

该刊联系和团结了散布在全国各地的大批作家、各种流派、各个方面的知名作家为其撰稿，发表了大量文学作品和理论文章。辟有会务报告、文艺简报、短论和每周论坛等专栏，报道文协活动和各地文艺活动与作家的消息，并就当时文艺界的某些现实问题发表议论。

1945年抗日战争胜利，"中华全国文艺界抗敌协会"改称"中华全国文艺协会"。《抗战文艺》于1946年5月出版第10卷第6期后改出《中国作家》（月刊）。《抗战文艺》是唯一贯穿整个抗日战争时期的全国性大型文艺期刊，采取创作与评论并重的方针；号召"文章下乡、文章入伍"；组织作家战地服务团、访问团进行抗日宣传；提倡文艺为抗日战争服务。在坚持抗战，反对投降；坚持团结，反对分裂；坚持进步，反对倒退；坚持民主，反对独裁的抗日民主运动中发挥了积极的作用。

5日，瞿秋白的遗作《乱弹及其他》由谢澹如负责在上海霞社出版。除瞿秋白和杨之华交托谢澹如保存的《乱弹》之外，另补入其他一些发表过的杂文，故命名为《乱弹及其他》。其中文章多写于1931年至1932年间，署名陈笑峰，大部分发表于当时的《北斗》月刊，总题为《笑峰乱弹》。为避开国民党注意，又改题为《水陆道场》，改署司马今，后由鲁迅编辑成集出版，包括《诗》、《小说》、《论中国文学革命》、《论大众文艺》、《论文辑存》、《译文补遗》等部分。

14 日，《抗战文艺》第 1 卷第 4 期发表茅盾、郁达夫、老舍等 18 人署名的《给周作人的一封公开信》，谴责他参加日本侵略者在北平召开的“更生中国文化座谈会”的叛国媚敌行为。信中写道：“去秋平津沦陷，文人相继南来，得知先生尚在故都。我们每听到暴敌摧残文化，仇害读书青年，便虑及先生的安危。更有些朋友，函电探问；接先生复书，知道决心在平死守。我们了解先生未能出走的困难，并希望先生作个文坛的苏武，境逆而节贞。可是，由最近敌国报章所载，惊悉先生竟参加敌寇在平召集的‘更生中国文化座谈会’：照片分明，言论具在，当非虚构。先生此举，实系背叛民族，屈膝事仇之恨事，凡我文艺界同人无一人不为先生惜，亦无一人不以此为耻。先生在中国文艺界曾有相当的建树，身为国立大学教授，复备受国家社会之优遇尊崇，而甘冒此天下之大不韪，贻文化界以叛国媚敌之羞，我们虽欲格外爱护，其如大义之所在，终不能因爱护而即昧却天良。我们觉得先生此种行动或非出于偶然，先生年来对中华民族的轻视与悲观，实为弃此就彼，认敌为友的基本原因。埋首图书，与世隔绝之人，每易患此精神异状之病，先生或且自喜态度之超然，深得无动于心之妙谛，但对素来爱读先生文学之青年，遗害正不知将至若何之程度。假若先生肯略察事实，就知道十个月来我民族的英勇抗战，已表现了可杀不可辱的伟大民族精神；同时，敌军到处奸杀抢劫，已表现出岛国文明是怎样的肤浅脆弱；文明野蛮之际于此判然，先生素日之所喜所恶，殊欠明允。民族生死关头，个人荣辱分际，有不可不详察熟虑，为先生告者。我们最后一次忠告先生，希望能幡然悔悟，急速离平，间道南来，参加抗敌建国工作，则国人因先生在文艺上过去之功绩，及今后之奋发自赎，不难重予以爱护。否则惟有一致声讨，公认先生为民族之大罪人，文化界之叛逆者，一念之差，忠邪千载，幸明辨之！”

15 日，中华全国戏剧界抗敌协会会报《戏剧新闻》在汉口创刊。该刊为周刊，逢周日下午出版，由吴漱予任主编，戏剧新闻编辑部编辑、发行部发行，第 6 期移至重庆，1939 年 1 月出完第 9 期后终刊。刊物以报道各地抗战戏剧创作和演出情况为主，同时发表少量论文。主要撰稿人有洪深、罗荪、田汉、张道藩、光未然、沙雁等。创刊号有张道藩写的《创刊之前》和洪深的《戏剧的突击》，说明刊物的宗旨和对当时剧运的意见。第五号刊载田汉的论文《第三期抗战与戏剧》，对前段时间的剧运做了评述。该刊在各地聘请了一批特约通讯员，撰写演剧特写、戏剧通讯、剧团调查、剧人访问、戏剧消息，还辟有戏剧列车专栏，刊载简短的剧运动态。

16 日，姚雪垠的短篇小说《差半车麦秸》在《文艺阵地》第 1 卷第 3 期上发表。茅盾在该期的《编后记》里对这部作品给予了很高的评价：“姚雪垠先生的《差半车麦秸》，碧野先生的《滹沱河之战》，在编者看来，是目前抗战文艺的优秀作品。”此后，茅盾又曾在多处提及这一作品，如在《八月的感想——抗战文艺一年的回顾》中说：“新的典型，已经（虽然不多）在作家笔下出现。……‘差半车麦秸’（姚雪垠：《差半车麦秸》的主人公的诨名）正是‘肩负着这个时代的阿脱拉斯型的人民的雄姿’。”（茅盾：《八月的感想——抗战文艺一年的回顾》，《文艺阵地》第 1 卷第 9 期，1938 年 8 月 16 日。）黄绳也评价说：“描写人物的新生，这是一个优秀的短篇”，但也有一个“小疵”，那就是“‘差半车麦秸’从被释放到加入游击队，这一天工夫内的心理上的痛苦的矛盾斗争，作者没有给它描写出来。”总体上说，“作品里描写一个人物的转变过程，也就是新生过程：从不了解抗战到了解抗战，从怨恨抗战到拥护抗战，从违背抗战利益到参加抗战斗争，从懦夫到战士英雄。这是很有意义很有价值的。这战士长成的描写，这真正民族战斗成员长成的描写，在抗战文艺的典型创造中，应该成为一个主流。”（黄绳：《抗战文艺的典型创造问题》，《文艺阵地》第3卷第6期，1938年7月11日。）

但路翎却对此表明了不同意见。他在《市侩主义底路线》中说：“姚雪垠先生底《差半车麦秸》，是抗战初期的有名的作品之一。但在现在看来，这是客观主义的，技巧的东西。它只是现象和印象底冷淡的，技巧的罗列。在抗战初期的那个普遍地热情蓬勃，充满着主观的欲望而无法深入现实的时期，这篇东西，和其他的两篇这一类的东西，就以它们的冷静而被注意了。虽然实际上那个时期的新生的热情，和这热情的发展，是耐不住，并且厌恶它们的，然而，因了文学界的社会姻缘，人们听不到热情的反对者底声音，它们就获得它们底成功了。在文学上，精神世界里面的冷静的权衡是需要的，它是以高度的热情为基础，为了战斗，所以有宏大的思想力。但这一类的作品，它底冷静是为了偷着走小路，它底冷静是旁观，玩弄技巧。这种没落的现象目前正迫害着我们底新文学，而它是打着各样的社会——革命底旗帜的。”路翎在文中还说：“差半车麦秸是没有生命的：真的生命，他应该活泼，激发那个队伍的热情，更多的是引起苦难的感觉，对于历史的严肃的心境和更强的战斗意志来。但队伍赏玩‘人物’，并且漠不关心。所以，和这个人物一样，这个队伍也是假造的，僵死的，它底目的和公式观念，是虚伪的。这是穿着客观主义底外衣的机会主义。这是空虚的知识分子底做假和投机。”“《差半车麦秸》，那态度，还是严肃的。但机会主义随着生活而进展了。所以，那些直到今天还据守着客观主义的营垒的作家们，就显得是‘笨拙的老实人’了。”（未民（路翎）：《市侩主义底路线》，《希望》第1卷第3期，1945年8月。）

22日，《新华日报》发表社论《抗战期中言论与出版的自由》。社论指出：“‘抗战之胜负，不仅取决于兵力，尤取决于民力。民力之发展与民权增进，相为因果’（中国国民党临时代表大会宣言民权主义）。”而“言论出版的自由，是增进民权的第一步，同时也就是发展民力的第一步。‘八·一三’抗战开始时，我国国民气的发扬，抗日民族统一战线的形成，不能不说是由于那时的言论出版获得比前较多的自由。……不幸近来各地发生不少不经法定手续查禁出售抗战书报的混乱现象，在本报上次关于查禁书报的社论中已详加叙述……亦许主张查禁书报的人，以为抗战是军事时期，不能容许人民有民权的自由，言论的自由。如果这样，那是违背中央意旨，违背领导抗战的最高统帅意旨的。”固然，“抗战期中必须要统一”，然而，“‘自由统一，似相反而相成，无自由则人民无自发的情绪以从事于同仇敌忾’（宣言）。用需要统一来做夺去人民自由的理由，实在没有懂得求得真正统一的正确道路。……凡支持抗战，加强抗战力量的言论，应当有完全的自由。我们要求抗战言论的完全自由！要求目前混乱状态的查禁书报迅速停止！要求抗战建国纲领，尤其是其中的第二十六条在最短时期促其实现！”

26 日，毛泽东发表《论持久战》。阐明持久战的总方针和抗日游击战争的战略地位以及人民战争的战略战术，对抗日战争的发展过程作出了科学的预测，驳斥了“亡国论”和“速胜论”以及轻视游击战争的错误思想。

端木蕻良长篇小说《大地的海》由生活书店出版。

碧野的报告文学集《北方的原野》由汉口上海杂志公司出版。列为“战地报告丛刊”之一。

六月

12 日，武汉会战开始，至 10 月 25 日结束。这是抗日战争时期，国民党军正面战场规模最大的一次战役。日军先后投入 35 万人的兵力，国民党军先后投入 110 万人的兵力，在长江南北千里战线上先后展开会战，进行大小战斗数百次，日军伤亡 10 余万人。10 月 25 日，武汉失守，抗日战争进入相持阶段。

15 日，由鲁迅先生纪念委员会编辑的《鲁迅全集》（20 卷本）在上海由鲁迅全集出版社出版。由于处于特殊时期，发行费用紧缺，因此刊行《鲁迅全集》的资金，主要靠发行预约筹集，同时也靠复社的资助。张宗麟主持出版工作，许广平、王任叔负责编校，黄幼雄、胡仲持负责出版，陈先明负责发行。共出了三个版本：甲种纪念本、乙种纪念本和普及本。编印全集的意义曾在《启示》中予以说明：“目的在扩大鲁迅精神的影响，唤醒国魂，以争取光明。”

全国文协自武汉迁往重庆。公木西渡黄河到延安。沙汀、何其芳等到延安。

臧克家诗集《从军行》由生活书店出版，收 1937 年至 1938 年所作诗 14 首，另有《自序》一篇。

柯仲平长诗《边区自卫军》发表于《解放》第 41 ~ 42 期。

周立波的报告文学集《晋察冀边区印象记》由汉口读书生活出版社出版。他在该书《序言》中说：“现在是同胞们磨剑使枪的时候，我不愿拿我的无力的文字来靡费读者的时间。但这时代太充满了印象和事实，哀伤和欢喜，我竟不能自禁地写了下面这些话，希望不全是无谓的空谈。把这本书献给晋察冀边区的战死者和负伤者。假使它有为读者一时喜悦的幸运，那是他们赋与的。他们的英灵和血，永远是中华民族的光华，和人世的骄傲。”（周立波：《周立波文集》第 4 卷第 5 页，上海文艺出版社 1984 年版）罗之扬在《晋察冀边区印象记》中说：“这本《印象记》里的大都只是‘庄严的工作’”，“当我读基希的《秘密的中国》时，曾期望着报告文学《战斗与自由的中国》之出现，《晋察冀边区印象记》可说就是这么一本作品。作者在晋察冀边区作了一个短期的旅行。从敌人封锁线的通过，我们预想是麻烦的事情，读了作者的描写，才知道并不如此。”（罗之扬：《晋察冀边区印象记》，《全民周报》第 2 卷第 5 号，1938 年 7 月 2 日。）

七月

国民党制定“战时图书杂志原稿审查办法”和“修正抗战期间图书杂志审查标

准”，并决定设立中央图书杂志审查委员会及各省图书杂志审查处，以加强对出版物的统制。

上海剧艺社在上海法租界成立。主要成员有阿英、于伶、顾仲彝、陈西禾、黄佐临、李健吾等。为能获准登记，该社以中法联谊会所属团体的名义发起并开展活动，先后在新光大戏院、璇宫大剧院、辣斐花园剧场举行定期公演。1940 年，由业余剧团改为职业演出团体。该社在中国共产党的领导下，创作和演出了一大批颇具影响力的剧目，如历史剧有阿英编写的《明末遗恨》、《海国英雄》、《洪宣娇》，于伶编写的《大明英烈传》；现代剧有于伶的《花溅泪》、《夜上海》，夏衍的《上海屋檐下》及曹禺的《北京人》等；翻译剧有罗曼·罗兰《爱与死的搏斗》，巴若莱《小学教员》等。1941 年 12 月 8 日，日本侵略者占领租界后，该社停止活动。1945 年冬恢复活动，上演过《戏剧春秋》、《升官图》、《孔雀胆》等。1948 年被迫解散。

荒煤、宋之的、舒群、罗烽合著的四幕剧《总动员》由汉口上海杂志公司出版，列入“抗战戏剧丛刊”。

八月

10 日，《新中华报》副刊《动员》刊载陕甘宁边区文协战歌社、西北战地服务团战地社联合发表的《街头诗歌运动宣言》。宣言以无名氏的短诗“高山有好木 / 平地有好花 / 人家有好女 / 莫钱别想他”为例，说“这实在是一首最大众不过的大众诗——它是穷情尽理的，深刻而明朗的，浅显而有含蓄的，它用了大众自己的言语，而又有大众的韵律。虽然很单调，但这正是大众中存在着的一种单调，是合于大众口味的。”“因为抗战的需要”，也因为“大城市已失去好几个，印刷，纸张更困难了”，我们展开这一大众街头诗歌（包括墙头诗）的运动，“目的不但在利用诗歌作战斗的武器”，也要“使诗歌走到真正的大众化的道路上去；不但要有知识的人参加抗战的大众诗歌运动，更要引起大众中的‘无名氏’也多多起来参加这运动。”目前，“新的，强大的内容是随着抗战一道丰富起来了。新的形式，只要是我们能适当地利用中国民族的，大众的及一部分外来的形式，它就能产生——‘利用’并不是单纯的模仿，抄袭或无条件的使用，而是恰如社会主义利用资本主义遗产及各民族形式一样，它含着选择，批判和高度的创造性。因此，我们看重这‘利用’。”“一句适当的标语，它可以指示某一时期的战斗行动，它也算得一首最有力的诗。但是，假使要我们情绪更来得丰富，内容更来得具体，而且可以使人容易了解的话，那末，一首抗战大众诗比一句政治标语，在某些地方，就更能发挥效力了。”因此“有名氏，无名氏的诗人们呵，不要让乡村的一堵墙，路傍的一片岩石，白白的空着，也不要让群众会上的空气呆板沉寂，写吧——抗战的，民族的，大众的！唱吧——抗战的，民族的，大众的！我们要在争取抗战胜利的这一大时代中，从全国各地展开伟大的抗战诗歌运动——而街头诗歌运动，我们认为就是使诗歌服务抗战，创造新大众诗歌的一条大道！”

延安战歌社和西北战地服务团在延安发起街头诗歌运动。他们发表了街头诗歌运动宣言，把大量的诗歌贴在街头，写在街头，给大众看，给大众读，在当时产生了很

大的影响。这不仅是要利用诗歌作战斗的武器，同时也是要在不断的实践中，把诗歌从学校里，课堂上，文人的会议席上，少数的知识分子中解放出来，真正实现大众化的一场运动。

因武汉沦陷，文协总会由武汉迁至陪都重庆。

罗淑短篇小说集《生人妻》由上海文化生活出版社出版，列入巴金主编的“文学丛刊”第五集。

九月

11 日，陕甘宁边区文艺界抗战协会（简称“文抗”）在延安成立。丁玲、林山、田间、成仿吾、沙汀、任白戈、周扬、何仲平、刘白羽以及各文艺团体代表为执行委员，1939 年 2 月创办机关刊物《文艺战线》月刊。1939 年 5 月 14 日在延安召开全体大会，为与全国文协取得密切联系，决定改名为“中华全国文艺界抗敌协会延安分会”，并选出成仿吾、周扬、萧三、丁玲、艾思奇、柯仲平、沙可夫、严文井等为理事。1940 年 4 月创办会刊《大众文艺》（其前身为《文艺突击》）。

17 日，“文协”出《抗战文艺·武汉特刊》第 1 号，内有《为“保卫大武汉一日”征稿启事》，号召大家积极写稿，为保卫武汉尽力。

24 日，政治部第三厅将各地来武汉的救亡演剧队和其他戏剧团体改组成 9 个抗敌演剧队和四个抗敌宣传队，分派到各个战区开展工作。

十月

8 日，《抗战文艺》随“文协”迁往重庆。本日复刊出版第 2 卷第 5 期。

10 日，毛泽东在中国共产党第六届中央委员会第六次全体会议上作《中国共产党在民族战争中的地位》的报告，指出：“使马克思主义在中国具体化，使之在其每一表现中带着必须有的中国特性，即是说，按照中国的特点去应用它，成为全党亟待了解并亟须解决的问题。洋八股必须废止，空洞抽象的调头必须少唱，教条主义必须休息，而代之以新鲜活泼的、为中国老百姓所喜闻乐见的中国作风和中国气派。把国际主义的内容和民族形式分离起来，是一点也不懂国际主义的人们的做法，我们队伍中存在着的一些严重的错误，是应该认真地克服的。”

16 日，《文艺突击》在延安创刊。1939 年 6 月 25 日出新第 1 卷第 2 期后终刊，共出 6 期。1939 年 5 月 25 日新第 1 卷第 1 期上发表《文艺界的精神总动员——代革新号创刊词》，指出《文艺突击》“革新的要点”：“它的革新的任务”，就在于要配合新的“国民精神总动员”，“今后，它将不是单纯登载文学作品的刊物，它将是延安，边区以及延安中心所能达到的地区的一切文学艺术工作的镜子。它将要反映这些区域里的文学、戏剧、音乐、美术各方面的文艺活动。要登载这各方面的作品，它要反映文艺界一切新的尝试，以及文艺的理论上和具体道路的探求上所进行的活动。它将要把讨论和批评当做最重要的一个项目，要不断地登载前线和民间文艺工作的各种报告，把经验教训集中起来，以供边区以至全国文艺工作者研究参考。”该刊撰稿人主要有杨松、艾思奇、萧三、柯仲平、马健翎、吴伯箫、雷加、周而复、严文井、卞之琳、刘白羽、何其芳等。新第1卷第1期刊有毛泽东为该刊的题词："发展抗战文学振奋军民争取最后胜利"。

19日，《新华日报》第四版发表了一系列"鲁迅先生逝世两周年纪念"的题词和文章。陶行知的题词为："百战争真理，两年死犹生。名著如秋月，照人造乾坤。"郭沫若发表《持久抗战中纪念鲁迅》一文，指出：在目前持久抗战中，要纪念鲁迅，就要发扬他"不屈不挠，和恶势力抗战到底"的精神，要扩展文艺的范围。如果人人都能发扬这种精神，"汉奸决不会产生"，"气馁现象决不会出现"，"暴日"终竟"溃灭"。田汉发表《鲁迅翁逝世二周年》，认为纪念鲁迅应该"以加紧文学界之救亡组织"来纪念，因为鲁迅是"重视文学界组织"的，他分析了当前文学界在抗战中存在的不利抗战的因素，指出了文艺界的缺点和弊端，介绍了鲁迅的伟大成就，号召文艺界同胞"加强团结"，使"抗战文艺深入民间"，只有这样做，才是鲁迅精神的真正继承者。周恩来题词指出："鲁迅先生之伟大，在于一贯的为真理正义而倔强奋斗，至死不屈，并在于从极其坚险困难的处境中，预见与确信有光明的将来。这种伟大，是我们今日坚持长期抗战，坚信最后胜利所必须发扬的民族精神。"同时，还发表了吴克坚的《纪念伟大的鲁迅先生》、将弼《并非照例》等文章，号召人们继承"鲁迅精神"，用鲁迅的这种"斗争精神"和"牺牲精神"来坚持我们民族的抗战。该报还出了纪念专版，发表了胡风、罗荪等人的悼念文章。

19日，巴人在《申报·自由谈》上发表《超越鲁迅——为鲁迅逝世二周年纪念作》的文章，提出要学习鲁迅的战斗精神。同时阿英以"鹰隼"为笔名在《译报·大家看》上发表《守成与发展》一文，说"鲁迅风杂感，现在真是风行一时"，"鲁迅有《门外文谈》，于是就有人写《扪虱谈》；有《无花的蔷薇》，就有人'抽抽乙乙'地作'碎感'；有'怒向刀丛觅小诗'的苍凉悲壮诗文，诸多鲁迅式的杂感，也便染上了六朝的悲凉气概。"他同时对"鲁迅风"杂文的风行提出异议，指出鲁迅那种"禁例森严期的迂回曲折"，已不适用于抗日统一战线时代。抗战一起，形势变了，新的杂文应该是"韧性战斗的精神，胜利的信念配合着一种巴尔底山的、突击的新形式，明快，直接，锋刃，适合着目前的需要"。次日，巴人即在《申报·自由谈》发表《有人在这里!》出来做出反应，坦然承认《扪虱谈》和《无花的蔷薇》以及"抽抽乙乙"的"碎感"之类的杂文是他写的。他认为这些杂文，"不是袭取鲁迅的，明眼人尽可以在这里比较一下……"，"我们今天还需要学习鲁迅，因为鲁迅的精神，还没有到被扬弃的阶段。"于是双方展开了论争，参加者也日渐增多，争论也不再仅限于杂文的形式、风格上，还涉及对鲁迅杂文和鲁迅精神的评价问题。

鉴于论争对抗日统一战线不利，中共上海地下文委负责人之一孙冶方遂在12月7日以孙一洲的名义在《译报周刊》发表《向上海文艺界呼吁》一文，要求文艺界战友停止论争，进一步学习鲁迅的文学遗产。同年底，由《译报》主笔钱纳水出面邀请巴人、阿英等45人召开文艺座谈会，并于会后在《文汇报·世纪风》、《译报·大家看》等处，发表由孔另镜、巴人等37人联名的《我们对于"鲁迅风"杂文问题的意见》，认为"只要把握住现阶段文艺的反日反汉奸的任务，无论'鲁迅风'或'非鲁迅风'

的杂文，都同样有存在的价值”，主张停止论争，一致对外。虽然仍有分歧，但求同存异。至此历时两个月的论争结束。这次论争虽时间不长，但在国内外有一定的影响。此后一部分坚持鲁迅风杂文的作家，于 1939 年 1 月在上海创办了《鲁迅风》杂志。

阳翰笙的四幕历史剧《李秀成之死》由汉口华中图书公司出版。列为“抗战戏剧丛书”之三。

十一月

上海《文献》杂志第 2 期（钱杏邨主编）以《鲁迅逝世周年纪念大会上的演说》为题，发表 1937 年毛泽东在鲁迅逝世周年纪念大会上的讲话记录稿。毛泽东说：“我们今天纪念鲁迅先生，首先要认识鲁迅先生，要懂得他在中国革命史中所占的地位。我们纪念他，不仅因为他的文章写得好，是一个伟大的文学家，而且因为他是一个民族解放的急先锋，给革命以很大的助力。他并不是中国共产党组织中的一人，然而他的思想、行动、著作，都是马克思主义的。他是党外的布尔什维克。尤其在他的晚年，表现了更年青的力量。他一贯地不屈不挠地与封建势力和帝国主义作坚决的斗争，在敌人压迫他、摧残他的恶劣的环境里，他忍受着，反抗着，正如陕北公学的同志们能够在这样坏的物质生活里勤谨地学习革命理论一样，是充满了艰苦斗争的精神的。”“鲁迅是从正在溃败的封建社会中出来的，但他会杀回马枪，朝着他所经历过来的腐败的社会进攻，朝着帝国主义的恶势力进攻。他用他那一支又泼辣，又幽默，又有力的笔，画出了黑暗势力的鬼脸，画出了丑恶的帝国主义的鬼脸，他简直是一个高等的画家。”

毛泽东在讲话中还概括了鲁迅的三个特点：“鲁迅先生的第一个特点，是他的政治远见。”他“看得远”“看得真”，“他在一九三六年就大胆地指出托派匪徒的危险倾向，现在的事实完全证明了他的见解是那样的准确，那样的清楚。”因此鲁迅先生“据我看要算是中国的第一等圣人”。“孔夫子是封建社会的圣人，鲁迅则是现代的圣人。”“鲁迅的第二个特点，就是他的斗争精神。”他“在黑暗与暴力的进袭中，是一株独立支持的大树，不是向两旁偏倒的小草。他看清了政治的方向，就向着一个目标奋勇地斗争下去，决不中途投降妥协。”鲁迅痛恨“不彻底的革命者”，“同这种人做斗争，随时教育着训练着他所领导下的文学青年，教他们坚决斗争，打先锋，开辟自己的路。”“鲁迅的第三个特点是他的牺牲精神。”他“一点也不畏惧敌人对于他的威胁、利诱与残害，他一点不避锋芒地把钢刀一样的笔刺向他所憎恨的一切。他往往是站在战士的血痕中，坚韧地反抗着、呼啸着前进。鲁迅是一个彻底的现实主义者，他丝毫不妥协，他具备坚决的心。……我们要学习鲁迅的这种精神，把它运用到全中国去。”最后总结说：“综合上述这几个特点，形成了一种伟大的‘鲁迅精神’。鲁迅的一生就贯穿了这种精神。所以，他在文艺上成了一个了不起的作家，在革命队伍中是一个很优秀的很老练的先锋分子。我们纪念鲁迅，就要学习鲁迅的精神，把它带到全国各地的抗战队伍中去，为中华民族的解放而奋斗！”

十二月

1日，梁实秋在重庆《中央日报》副刊《平明》上发表《编者的话》，称要想把一个副刊"编得使自己满意是很困难的"，因为这需要编者有"'拉稿'的能力"。"我的交游不广，所谓'文坛'我就根本不知其座落何处，至于'文坛'上谁是盟主，谁是大将，我更是茫然"，所以副刊的稿件将要靠"诸位读者"。来稿的"文字的性质并不拘定"，但"现在抗战高于一切，所以有人一下笔就忘不了抗战。我的意见稍为不同。于抗战有关的材料，我们最为欢迎，但是与抗战无关的材料，只要真实流畅，也是好的，不必勉强把抗战截搭上去。至于空洞的'抗战八股'，那是对谁都没有益处的。"

5日，重庆《大公报》发表罗荪的《"与抗战无关"》一文，批驳梁实秋《编者的话》中的"与抗战无关"论，由此引发了"与抗战无关"的一场论争。罗荪在文中指出："自抗战以来，（抗战八股之第一股）编副刊的朋友们，在投稿简例上，第一条大抵是：'凡有关抗战的各种作品……'这实在并非仅仅由于大家关心抗战这一点上，乃是这次的战争已然成为中华民族生死存亡的主要枢纽，它波及到的地方，已不仅限于通都大邑，它已扩大到中国底每一个纤微，影响之广，可以说是历史所无，在这种情况下，想令人紧闭了眼睛，装做看不见，几乎是不可能的事情。……某先生希望写文章的人，不必一定'一下笔就忘不了抗战'，尽可以找'与抗战无关的材料'，但又要求'要真实'。是的，一个忠实于现实的写作者，他是不应该也不能忘掉'真实'的，但在今日的中国，要使一个作者既忠于真实，又要找寻'与抗战无关的材料'，依我拙笨的想法也实在还不容易，除非他把'真实'丢开，硬关在自己的客厅里去幻想吧，然而假使此公原来是住在德国式的建筑里面，我想，他也不能不想到，即使是住房子，也还是与抗战有关的。闭了眼睛装瞎子，其实也并非易事。这个冷门怕是压空了的。在今日的中国，想找'与抗战无关'的材料，纵然不是奇迹，也真是超等天才了。"

6日，梁实秋在重庆《中央日报》发表《"与抗战无关"》，重申了他在《平明》上《编者的话》里的观点。他说："我已经明白的说'与抗战有关的材料，我们最为欢迎'，所以罗荪先生所挑剔的不过是说'一个作者既忠于真实而又要找寻与抗战无关的材料'是'不容易'而已。其实谁说'容易'来的？与抗战有关的材料，若要写得好，也是'不容易'的，据我看，只有两种文字写起来容易，那就是只知依附于某一种风气而摭拾一些名词而敷凑成篇的'抗战八股'，以及不负责任的攻击别人的说几句自以为俏皮的杂感文。……我相信人生中有许多东西可写，而那些材料不必限于'与抗战有关'的。……讲到我自己原来住的是什么样的房子，现在住的是什么样的房子，这是我个人的私事。……在理论上辩驳是有益的事，我也乐于参加，若涉及私人的无聊的攻击或恶意的挑拨，我不愿常常奉陪。"

10日，《抗战文艺》第3卷第2期"每周论坛"栏发表宋之的、姚蓬子、魏猛克等的一组文章，批驳梁实秋的"与抗战无关"论。宋之的在《谈'抗战八股'》中认为，"在我们看起来，没有一个人，没有一件事，在现在是'与抗战无关'的，不管是在前线流血，还是在后方'乱爱'，都不能说与抗战无关。所以我们中国人，现在所写的文字，都与抗战有关，是当然的事。"虽然"所写下发表的大抵是印象，是速写，没

经过琢磨，也没有时间去琢磨。热情淹没了人物，叙述多过于描写，距离所谓‘伟大的作品’的门槛还远得很。但材料是‘真实’的，人物是‘真实’的，生活是‘真实’的，情绪也是‘真实’的。虽然把握‘真实’的技巧有高下，但凡有所作，总向着一个方向，因为也只有一个方向。……但读者确实是感到益处的。他在这些速写里认识了抗战的一面，增强了抗战的决心。说是‘对谁都没有益处’，是武断。”

11 日，《国民公报》发表罗荪的《再论‘与抗战无关’》，对梁实秋的观点再次进行批驳。

11 日，《群众》杂志在重庆创刊，由潘梓年编辑并兼发行人，读书生活出版社总经销。该刊为周刊，逢星期六出版。设有社论、短评、编辑室等栏目，多发表政论性文章，主要撰稿人有周恩来、梓年、汉夫、吴敏、董必武等。次年 12 月移往重庆，抗战胜利后出上海版。1948 年 2 月 28 日被迫停刊。第 1 至 3 卷每卷出 25 期；第 4、5 卷每卷出 18 期；第 6 卷出 12 期；第 7 卷出 24 期；第 8 卷出 24 期。1947 年 1 月至 1949 年 10 月，该刊又出香港版第 1 至 3 卷共 43 期，一直坚持到广州解放。

20 日，茅盾携家人离开香港，取道河内、昆明、兰州等地前往新疆。此行系应新疆学院之邀，同行者有张仲实。

28 日，郁达夫应《星洲日报》之邀抵达新加坡，先暂住在蓝天酒楼，后迁往中鲁中保路 22 号。途中曾在香港和马尼拉等地短暂停留。郁达夫在新加坡担任《星洲日报》的早报副刊《晨星》和晚报副刊《繁星》的编辑。郁达夫主持下的《晨星》等副刊，以宣传抗日救亡、发动侨胞支援国内抗战为宗旨，经常发表中国作家茅盾、老舍、艾芜、适夷、柯灵、萧红、姚雪垠、许广平等人的作品，对促进国内和新加坡文艺界之间的交流起了重要作用。此外，还经常发表新加坡青年作家的稿件，培养了不少文学青年。

老舍代表“文协”起草给《中央日报》的公开信，对梁实秋 12 月 1 日在该报《平明》副刊《编者的话》中挑衅性的语言和有违抗战文艺宗旨的议论提出抗议，同时对梁实秋进行了严词批驳。信的内容如下：“径启者：自抗战以来，全国同胞莫不力求团结，共御外侮，以争取民族的自由生存。文艺界同人爱国不敢后人，故有中华全国文艺界抗敌协会之组织。总会成立已有八月，会员现有四百余人，并于各地分设支会，实为全国文艺界空前之大团结。过去数月工作，随时披露于会刊《抗战文艺》，并呈报中央党政各机关，无庸赘述。至全体会员之精诚团结，努力抗战工作，证以会务之日见发展，同人等之无所龃龉，与言论主张之一致，事实俱在，无可否认。会务进行，虽因人力财力之所限，未能尽合理想，但众志所归，蔚为文风，咸以正大态度，发为有关抗战之文字；未敢稍怀党派之见，以浪费笔墨；成见既蠲，团结益固，不得谓非文艺界之良好现象。乃本年十二月一日，贵报《平明》副刊，梁实秋先生之《编者的话》中，竟有不知文坛座落何处，大将盟主是谁等语，态度轻佻，出语儇薄，为抗战以来文艺刊物所仅见。值此民族生死关头，文艺者之天职在为真理而争辩，在为激发士气民气而写作，以共同争取最后胜利。文艺者宜先自问有否拥护抗战之热诚，与有否与文艺尽力抗战宣传之忠实表现，以自策自励。至若于抽象名词隶属于谁之争议，显然无关重要，故本会虽事实上代表全国文艺界，但决不为争取‘文坛座落’所在而

争辩，致引无谓之争论，有失宽大严肃之态度。本会全体会员相互策勉者，为本爱祖国爱民族之热诚，各尽全力，以建设文坛，文坛即在每个文艺者之良心上，其他则非所知。——副刊所载虽非军政要闻可比，但极端文字影响非浅，不可不慎。今日之事，团结唯恐不坚，何堪再事挑拨离间，如梁实秋先生所言者？贵报用人，权有所在，本会无从过问。梁实秋先生个人行为，有自由之权，本会也无从干涉。唯对于'文坛座落何处'等语之居心设词，实未敢一笑置之。在梁先生个人，容或因一时逞才，蔑视一切，暂忘团结之重要，独蹈文人相轻之陋习，本会不欲加以指斥。不过，此种玩弄笔墨之风气一开，则以文艺为儿戏者流，行将盈篇累牍争为交相谇诟之文字，破坏抗战以来一致对外之文风，有碍抗战文艺之发展，关系甚重；目前一切，必须与抗战有关，文艺为军民精神食粮，断难舍抗战而从事琐细之争辩；本会未便以缄默代宽大，贵报当有同感。谨此函陈，敬希本素来公正之精神，杜病弊于开始，抗战前途，实利赖焉。"（转引自文天行、王大明、廖全京编：《中华全国文艺界抗敌协会史料选编》，第281～282页，四川省社会科学院出版社1983年版）由于"文协"理事、国民党教育次长张道藩的干涉，此信未能发表。

陈衡哲散文集《衡哲散文集》由开明书店出版，收散文52篇，分为上、下两册。

1939年

一月

11日，《鲁迅风》在上海创刊，先后由金性尧、王任叔编辑，来小雍发行，中国文化服务社经售，从第14期起，改由金星书店经售。第1至第14期为周刊，自第15期起改为半月刊，1939年9月5日出至第19期停刊。

王任叔在《发刊词》中阐明办刊的缘由和宗旨："以政治家的立场，来估量鲁迅，毛泽东先生说他是'中国的第一等圣人'"，而且是"新中国的圣人"。"我们为文艺学徒，总觉得鲁迅先生是文坛的宗匠，处处值得我们取法。"鲁迅先生"所研究的学术范围之广博与精到，在今天，我们实在还没有找到第二个人"。"我们应该学习鲁迅先生的斗争精神"，但"更应该学习鲁迅先生的斗争精神所附丽的学术业绩"。因此，"沿着鲁迅先生所走过的，所指示的路走去，这是我们日夜殚思而企求着的……生在斗争时代，是无法逃避斗争的。探取鲁迅先生使用武器的奥秘，使用我们可能使用的武器，袭击当前的大敌；说我们这刊物有些'用意'那便是唯一的'用意'了"。由于该刊属上海沦陷时期的进步刊物，许多著名作家如郑振铎、巴金、柯灵、风子（唐弢）、应服群（林淡秋）、曹靖华、邵荃麟、成仿吾、景宋（许广平）等都曾为之撰稿，不少内地作家的书简也经由许广平交给该刊发表。所刊载的重要作品有《鲁迅先生书简》、郑振铎（源新）的《民族文话》、成仿吾的《纪念鲁迅》以及景宋（许广平）的《鲁迅先生日记》等等。

14日，"文协"成都分会正式成立。冯玉祥、老舍、李劼人等六十余人出席了成立大会。周文报告了筹备经过，冯玉祥代表总会致词，老舍报告总会情况，大会通过了数则重要提案。李劼人、周文、萧军等当选为理事。

分会会刊《笔阵》于26日创刊，由陈翔鹤、顾绶昌、萧军任常务编委，李劼人、罗念生、毛一波等8人担任编委。但这些人事安排并不固定，常因工作或其他原因时有变更。该刊于1944年5月5日终刊，前后经历约7年时间。《笔阵》停刊后，陈白尘主编的《艺坛》成为成都文艺界的喉舌，起到了文协成都分会机关刊物的作用，吸引了文艺界的大部分作家，大量刊登诗歌、小说、杂文、戏剧等多种形式的文艺作品。此外，成都分会还成立了小说、诗歌、戏剧理论、翻译、通俗文艺等研究组，每周举行座谈会一次分别研究，并撰文将研究所得在各种刊物上发表。

17日，钱玄同在北京病逝。

钱玄同（1887—1939）杂文家、学者。原名钱夏，字中季，号德潜、疑古、逸古、逸叟，自署疑古玄同。笔名有王敬轩、夏、浑然、无能子等。浙江吴兴人。1906年入日本早稻田大学文学系学习，课余与鲁迅同修章太炎的文字学，并在章太炎创办的《教育今语》上发表文章。1907年加入同盟会。1910年归国，先后在浙江海宁中学、嘉兴中学、湖州中学任教。辛亥革命后任浙江教育总署教育司科员。1913年9月到北京，在北京高等师范附中教国文，后升为高等师范学校国文系教授。1915年兼任北京大学中文系教授。1917年在《新青年》上发表了《寄陈独秀》、《寄胡适之》等通讯和文章，积极倡导文学革命，反对封建文化，产生了一定的影响。1918年任《新青年》编委，曾多次邀请鲁迅写稿，自己也撰文抨击封建文化，倡导新文化与新文学运动。同年写作的《〈尝试集〉序》，对于新诗的发展曾起过积极作用。1919年任教育部国语统一筹备会常驻干事，从此潜心于音韵学、文字学的研究，硕果累累。1923年参加创议成立国语罗马字拼音委员会，1928年任北平师范大学中文系主任、《中国大辞典》编纂处主任，继任中法大学、北平大学女子文理学院、清华大学教授。北平沦陷后，蛰居养病，拒绝伪聘。著有《文字学音篇》、《音韵学》、《国音沿革讲义》、《说文部首今读》以及《徐文长的故事》等。此外，还有大量杂文、散文散见于报刊。

芦焚短篇小说集《无名氏》由上海文化生活出版社出版，列为“少年读物小丛书”第一集。

二月

4日，重庆《新华日报》发表社论《加紧沦陷区域的文化工作》，指出随着“战区的扩大，沦陷的区域也增多”，“为了坚持持久抗战，为了争取抗战最后胜利”，“怎样把这些沦陷区变为前线”，“怎样在这些沦陷区建立抗日根据地，开展各种工作”，“怎样在这些沦陷区开展文化工作”实在是当前“非常重要的任务”。为此，社论“在原则上主张”：第一，“要使得文化工作与军事有密切的配合”，使配合“不仅仅要能适应于战事，并能积极的帮助军事的进展”；第二，要使“文化宣传的工作与组织工作相联系”，既要做好“宣传的工作”又要“将民众组织和训练起来”，让民众“积极参加抗战的工作”；第三，使“沦陷区的文化工作与敌寇的文化工作对立起来”，并“揭破敌人文化麻醉政策的阴谋，粉碎敌人所宣扬的‘王道文化’，使得一般群众不为敌人的政策所混淆”；第四，要“着重提高群众的民族意识和对于抗战的认识”，团结群众，使这些群众在敌人后方能“予敌人以严重打击”。社论指出，救亡敌后“急切需要大批的工作的人员，希望文化工作者和热心从事救亡工作的人”能“自动到各地方去，到敌人后方去，负起这种神圣的任务，来争取抗战的最后胜利。”

10日，中华全国戏剧界抗敌协会陕甘宁分会在延安成立，潘汉年、沙可夫任正副理事长。

16日，陕甘宁边区文艺界抗敌联合会（后改名为中华全国文艺界抗敌协会延安分会）机关刊物《文艺战线》（月刊）在延安创刊。由文艺战线社出版，夏衍发行，生活书店总经销。周扬任主编，编委有丁玲、艾思奇、成仿吾、沙汀、何其芳、周扬、柯仲平、刘白羽、夏衍等16人。刊物在延安编辑，但主要在国统区印销。

周扬在创刊号上发表《〈文艺战线〉：我们的态度》一文指出：“我们的愿望是：在战争的紧张情况下，集合大家的力量，在文艺的领域内来做一点切切实实于民族有益的工作”；“在共同的工作中，我们首先要培植民主主义的风气”；“我们对创作上的主张是以现实主义为依归”；“期盼着更多的作家到前线去，那里有吸取不尽的丰富材料正待艺术专门家的发掘”；要注意提高“修养”；“要以新内容来发展旧形式，从旧形式中不断地创造新的形式出来”；要努力促使“份量较重一点的作品产生”；要“有计划有系统地来开始一个理论的运动”等等。该刊辟有小说、论文、诗歌、通信等栏目，主要撰稿人除编委外，还有田间、萧三、严文井、康濯、雷芝等。第5期推出“艺术创作者论民族形式”专辑，主张革命文艺应向民族化、大众化方向发展，发表了冼星海、罗思、萧三、柯仲平、何其芳、沙汀等人撰写的文章。1940年2月16日出至第6期停刊。

“文协”总会举行小说座谈会，任务是对抗战以来的小说、报告文学等进行总结，并起草介绍到国外去的论文。负责人为欧阳山、徐盈、罗烽。出席本次会议的还有王平陵、谢冰莹、姚蓬子、欧阳山、草明等。

三月

12日，陕甘宁边区八路军三五九旅指战员，响应毛泽东“自己动手，丰衣足食”战胜经济困难的号召，执行朱德提倡的“屯垦政策”，开始屯垦南泥湾。

12日，“文协”长沙分会成立，由王亚平等负责。后因人数不足十人，按照会章的规定不能成立分会，便改名为“长沙全国文艺界抗敌协会通讯处”。

26日，“文协”香港分会在香港大学中文系正式成立。为适应环境，定名为“中华全国文艺界抗敌协会留港会员通讯处”。戴望舒、叶灵凤、楼适夷等为大会负责人。71人参加了会议，楼适夷、戴望舒、欧阳予倩、许地山等9人被选为干事。会报为《文艺周刊》。

茅盾抵达迪化（今乌鲁木齐）。在新疆期间，除了任教于新疆学院之外，还担任过新疆文化协会委员长。

邹荻帆以抗战为主要内容的诗集《尘土集》由文化生活出版社出版。

老舍长篇小说《骆驼祥子》由上海人间书屋出单行本。该作写于1936年夏，1936

年 9 月 16 日始在《宇宙风》第 25 期上连载，至 1937 年 10 月 1 日第 38 期登完。

叶圣陶在《骆驼祥子》连载期间发表短文《北平的洋车夫》，给《骆驼祥子》以很高的评价，他以小说第一章为例，主要从两个方面谈了老舍文章的风格，一是“尽量利用口头语言”，“从纯粹的口头语言出发，再进一步，在气势与声音上，在表现思想是否正确显明上费心，使文章不仅是口头语言，而且是精粹的口头语言。这就成为他的风格。”二是“幽默的趣味”，认为老舍幽默的可贵之处在于“不只是笑，不只是‘事事有趣’，从‘心怀宽大’这一点更可以达到悲天悯人的境界”。（圣陶：《老舍的〈北平的洋车夫〉》，《新少年》第 2 卷第 8 期，1936 年 10 月 25 日。）

毕树棠认为《骆驼祥子》显示出作家“技巧越发老练了”，“故事写得更真实了，性格表现得较复杂了”；称该作“写出了北平的真美”，“写出了各个人物的性格”；称赞小说幽默风格“用得很有分寸，恰切而合理”，北京下层土语写北京下层人们的事情，用得“实在正是写真，也就是巧，美”。（毕树棠：《骆驼祥子》，《宇宙风》（乙刊）第 5 期，1939 年 5 月 1 日。）

吉力则认为，“作者老舍先生用狮子搏兔的全力，来写被一般遗忘在社会角落里的人物，把一个每天和大家见面而为大家视若无睹的人物栩然若生显现在纸面上，读者将因此而第一次认识每天在马路上所要看到的人物。”（吉力：《谈〈骆驼祥子〉》，《鲁迅风》第 14 期，1939 年 5 月 20 日。）

丁玲《一年》集由生活书店出版。在该书序言《写在前边》中丁玲说：“这集子里都是一年的零碎，本来是替《西线生活》写几篇的，后来一看，还有几篇也可放在一道，另出一册。……不敢说是作品，只不过是替服务团记录一下罢了。所以仍只能作生活实录读。”（丁玲：《写在前边》，转引自袁良骏编：《中国现代作家作品研究资料丛书 · 丁玲研究资料》第 116 ~ 117 页，天津人民出版社 1982 年版）

四月

1 日，《宇宙风》（乙刊）刊登了题为《老舍先生最近巨著》的广告，称老舍的《骆驼祥子》是“近年来中国长篇小说的名篇”，是作者的“重头戏，好比谭叫天之唱定军山，是给行家看的”。

9 日，“文协”在重庆举行第一届年会。第二天，《新华日报》以《全国文协年会》为题报道了年会的情况。年会到会会员及来宾 150 多人。大会推定邵力子、叶楚伧、于右任、郭沫若等组成主席团。隆重的仪式后，总主席邵力子致开会辞，他说：“在抗战中，我们全国地无分南北，人无分老幼，团结在一起，为抗战而努力；同时，在抗战中，我们也锻炼和培养了新的力量，以求达到最后胜利的目的。到今天抗战已经有了二十一个月，我们得到的是：意志愈打愈团结，力量越战越坚固！文艺界也正在为此而努力，在工作中增长我们的团结，在战斗中壮大我们的力量。”

胡风代表大会宣读了致蒋介石委员长及前方抗战将士的电文及致全世界反法西斯作家的电文。电文说：“向世界控诉：东方法西斯强盗是如何的罪恶；也向反法西斯的战友们宣布：中华全民是为民族独立自由而战，为世界和平正义而战！中国的文艺工作者，将守住保卫文化、创造文化的岗位而勇敢战斗，和全世界爱好和平的朋友，反侵略的战士们，手携手地一齐向法西斯恶魔冲锋！”

此外，于右任也发表了讲话，他号召“中国文化人”：“拿起笔和纸——活生生的自动武器，成为钢铁一样的‘战士’！无所谓后方与前方，不论在敌后或外国，用我们的武器，把那些为敌人张目的恶魔和爪牙，帮助侵略的混蛋，一扫而光！”

郭沫若则认为，“要实现各位的指示及大家在文章中所企望的事，主要的还是在于物质条件，无论我们的精神如何充分，如无物质条件，也还难以实现。我们知道世界有许多国家都有他们的文艺政策，即以敌人日本，每年还要以三十万元的经费来培植他们的‘号筒作家’。中国的文艺家从来就在困苦艰难中生长的，就以现在这样一个空前的全国文艺家庞大的组织来说，仅有一千元的经费，实在是非常惭愧，也非常不够的。”接着，他提出一个更为具体的意见，“我们也不必一定如别国那样，只要把现在中宣部的五百元扩充到五千元，把政治部的五百元也扩充到五千元，那么就有了一万元的补助费，那我们的成绩必更可观了。组织前线工作队也不成问题了，出版条件也不致再如此感到拮据了。”最后他根据自己的写作经验指出：作家们要把写作当作“经常任务”，要“提高作家的冒险性，勇敢性”，要“拿起笔杆如同战士扛着枪杆一样地上前线去！”

老舍在会上报告了“文协”一年来的会务，而各部——总务部、组织部、研究部、出版部都对自己一年来的工作做了总结。这些总结分别以《总务部报告》、《组织概况》、《研究部报告》、《出版状况报告》为题，发表在第 4 卷第 1 期的《抗战文艺》上。姚蓬子宣读了会员对年会的提案：要求政府协助抗战文艺运动；确立文艺政策；组织文艺家战地工作队及后方视察团；设立战时文艺宣传机关，介绍作品出国；奖励作家生产伟大作品，加强文艺运动的成果；提拔和培养青年作家；收集抗战史料，编制抗战史；加强批判工作；规定 3 月 27 日（全国文协成立之日）为中华文艺节等等。最后通过了要求大会电请中央，迅速明令通缉叛徒汪精卫及其党羽的临时动议。会议还改选了第二届理事，当选者本埠有老舍、郭沫若、冯玉祥等 30 人，外地有茅盾、郁达夫、巴金、丁玲等 15 人。

15 日，“文协”第二届理事会在中国文艺社举行第一次会议，共 20 人出席。邵力子担任主席，选出叶楚伧、邵力子、张道藩、郭沫若、老舍、郑伯奇、胡风等 15 人为常务理事。公推老舍、华林为总务部正副主任，王平陵、老舍为组织部正副主任，胡风、郑伯奇为研究部正副主任。

15 日，《戏剧岗位》（月刊）在重庆创刊。由熊佛西主编，叶仲寅、王小涵编辑，重庆华中图书公司发行。1942 年 5 月终刊，共出 3 卷，每卷 6 期。

在该刊创刊号的《编辑后记》中说：“为着使全国的戏剧工作者有一个彼此交换意见和实践经验的场所，督促自己认真学习，并企图共同建立正确的演剧理论，我们不揣简陋的编印了这个月刊。”刊物“注重理论的探讨，技术的研究和剧本的创作。在剧本的选择中，我们决不是盲目的偶像崇拜者，而以剧本的内容和表现其内容的形式定为取舍标准，假如外来投稿不乏佳构的话，我们将尽量发表新人的作品。所谓‘旧瓶装新酒’的抗战旧型剧本，亦是我们需要的，如果可能，我们将每期揭载一篇。关于

这方面工作的诸种意见，我们亦不吝惜篇幅”；“注重批评和介绍，以期促进一般演剧水准的提高。……在‘每月座谈’中，我们准备每回谈几点小小的意见，也许不免偏见，但决不做恶意的人身攻击。外来投稿中有这方面的文字，亦所欢迎。”该刊主要发表剧本、戏剧理论、表演艺术、演出情况等方面的文章。撰稿人除编者外，还有张季纯、丁伯骝、田鲁、刘念渠、董每戡、茅盾、顾一樵、陈白尘、徐昌霖、陈鲤庭、宋之的、田禽、史东山、郑君里、欧阳凡海等。所刊载的较重要的理论文章有陈鲤庭的《演剧、形象、思想》、史东山的《关于艺术的政治任务》、顾一樵的《戏剧中的意识问题》、郑君里的《边疆民族演戏问题》等；剧本有熊佛西的《害群之书》、丁伯骝的《榴花季节》、宋之的的《微尘》、贺孟斧的《海啸》、周彦的《龙王庙》等；剧评有茅盾的《读〈北京人〉》，欧阳凡海的《从〈天国春秋〉谈到目前的演戏水准》等。此外，第 3 卷 5、6 期刊有郑君里、安娥、阳翰笙等 16 人参加的《如何建立现实主义的演剧体系》专题座谈会记录。

29 日，艾青《诗的散文美》发表于《广西日报》副刊《南方》。文章提倡作诗摆脱韵脚的羁绊。他说：“我们嫌恶诗里面的那种丑陋的散文，不管它是有韵与否；我们却酷爱诗里面的那种美好的散文，而它却常是首先就离弃了韵的羁绊的。”“以如何最能表达形象的语言，就是诗的语言。称为‘诗’的那文学样式，脚韵不能作为决定的因素，最主要的是在它是否有丰富的形象——任何好诗都是由于它所含有的形象而永垂不朽，却绝不会由于它有好音韵。”这是艾青从诗歌美学上对诗的散文美和怎样才算是好诗所作的一个具体说明。

31 日，《救亡日报》载：前自称第三种人的杜衡，近受卖国贼汪精卫指使，拟在香港出版《自由评论》，“文协”香港通讯处决议，对杜衡严加警告。

五月

4 日，“文协”昆明分会正式成立。该会是由昆明“文艺工作者抗敌座谈会”的原有组织自动向总会请求而列入分会之一，经由总会理事通过而成立。朱自清、杨振声、雷石榆等负责。从 70 余个会员中选出张克诚、刘惠之等为常务理事，冯素陶、唐登岷等为理事，主持一切日常工作。分会的定期刊物为《文化岗位》（半月刊）。

14 日，中华全国文艺界抗敌协会延安分会成立，选出周扬、丁玲、成仿吾、萧三等为理事。

端木蕻良长篇小说《科尔沁旗草原》由上海开明书店出版。该小说在发表之前，曾寄奉郑振铎审阅。郑振铎称赞：“这将是中国十几年来最长的一部小说，且在质地上也极好”，“这样的大著作，实在是使我喜而不寐的！对话方面，尤为漂亮，人物的描状也极深刻。近来提倡‘大众语’，这部小说里的人物所说的话，才是真正的大众语呢！出版后，预计必将可惊动一世耳目！”（端木蕻良：《致鲁迅》，转引自北京鲁迅博物馆、鲁迅研究室编：《鲁迅研究资料》第 5 辑第 149、150 页，天津人民出版社 1980 年版）

茅盾认为：“这是一部描写东北的封建地主如何发家又如何溃散的小说，写得很有气魄，而且文笔流畅，在当时的长篇小说中实属难得。”（茅盾:《我走过的道路（中）》，第368页，人民文学出版社1984年版）并把它推荐给开明书店出版。

端木蕻良在《关于〈科尔沁旗草原〉》中说：“我写出的很多，我采取电影底片的剪接的方法，我改削了很多，终于写成了现在的模样。上半是大草原的直截面，下半是他的横切面。上半可以表现出他不同年轮的历史，下半可以看出他的各方面的姿态，我觉得这样才能看得更真切些。我描写的是很缜密的，我剪接的是很粗鲁的，我觉得这是我应该作的。”（端木蕻良:《关于〈科尔沁旗草原〉》，《文艺新闻》第1卷第9期，1939年6月5日。）

王任叔也对该作大为赞赏：“这在我们读了，觉得像读了一首无尽长的叙事诗。作者的澎湃的热情与草原的苍莽而深厚的潜力，交响出一首‘中国的进行曲’。音乐的调子，彩色的丰姿，充满了每一篇幅。我们的作者，有一副包容这整个草原的胸壑，倾听着它的啜泣，怒吼，歌唱，哀叫；还倾听着它衰老的叹息，新生的血崩……我们作者是个小说家吗？不，他是拜伦式的诗人。”而对于该书的语言，则尤为赞许，称其“语言艺术的创造，超过了自有新文学以来的一切作品：大胆的，细密的，委婉的，粗鲁的，忧郁的，诗情的，放纵的，浩瀚的……包涵了存在于自然界与人间的所有的声音与色彩。”“由于它，中国的新文学，将如元曲之于中国过去文学那样，确定了方言给予文学的新生命。”（王任叔:《直立起来的〈科尔沁旗草原〉》，《巴人文艺论集》第164、172～173页，人民文学出版社1984年版）

陈白尘的剧本《乱世男女》由重庆上海杂志公司出版。在该书序言《我的欢喜》中，作者谈到写作《乱世男女》时的一些创作体会：一个作者可以允许他“在社交场合里跟大家撒点谎”，但在创作中“最大的快乐处”和“对人类最大的服务”就在于“浸沉在反映现实的创作过程中”，“忘了利害，无所顾忌，而无情地把一个赤裸裸的现实剥脱出来”。但在《乱世男女》这个剧本里，“我的快乐是被打了折扣的”，因为“对其中一部分人物，对不起他们，在他们身上撒了一些谎了，而我这一些谎，将使我终身感到苦痛”。不仅如此，还有人“把我误会做悲观主义者。理由是我在这里只有‘暴露’”。而“‘暴露’在某一限度内是不该被非议的。讳疾忌医，不是一个民族的美德，而一个夸大的，不知自己短处的民族的命运，只有灭亡！”“由于热爱着光明，而对黑暗痛加鞭挞的，是暴露；专意夸张黑暗去掩盖光明的，是悲观，是投降”。因为“我热爱着光明”，所以要“暴露”。（陈白尘:《我的欢喜》，转引自卜仲康编:《中国当代文学研究资料·陈白尘专集》第182、183、184页，江苏人民出版社1983年版）

雪峰在《论典型的创造——关于〈乱世男女〉的形象》（写于1940年3月9日）一文中认为，《乱世男女》在典型创造方面，“应该列入作为我们文艺发展的标帜的好作品的行列里去的，人们也都认为是好作品，已经有了定评”；但同时他也指出，我们目前的艺术创作“‘典型’的贫乏‘思想力’的灰白的原因”，在于“我们现在的典型创造是很少从社会的、世界的、历史的矛盾的根底上去找寻人物形象的特征，尤其不是放在社会的历史的思想形态的广大斗争中去展开人物的思想、感情和性格上一切特征的”。冯文接着以张天翼的《华威先生》和陈白尘的《乱世男女》为例，指出“陈白尘先生的《乱世男女》，情形虽更复杂，却也更明白。我们且先以作品而论罢，则

《乱世男女》所处理的这些给搅浮了起来的‘沉渣’是还只放在表面的对照上来展览的，这些沉渣不幸（或运气）被作家取了来示众，然而还是很运气（或不幸），这是被当作浮了起来的沉渣而被放过了，正如他们平日被当作沉渣而被放过了一样。而同时，真的战士，一被放在这样的矛盾的表面的对照上来，也就当然无法展示他的真面貌和灵魂了。我以为这才是《乱世男女》不能带来更高的典型和大的思想力的根本原因。但这只是就作品而论的，倘若我们进一步从作品去研究作者的创作过程，那么我们更懂得一件事，不是在我们看见作者的艺术天才的闪光的同时，即刻看见有一只看不见的手在限制他的创造的自由，结果，使作者调和起来了么？——我觉得作者所用的对照，仿佛是说‘有坏人但也有好人呀’，未始不是这种调和的反映。我们读了作者附在作品前面的题记，就更相信作者是处在被束缚的苦痛的矛盾的心理状态里的，而这作品的中心主题的不确定，未始不是这种影响的结果。”（雪峰：《论典型的创造》，《雪峰文集》第 2 卷第 47、48 页，人民文学出版社 1983 年版）

李广田的散文集《雀蓑集》由文化生活出版社出版。

六月

14 日，作家战地访问团在重庆生生花园举行出发仪式，周恩来、郭沫若、邵力子等致词勉励。该团团长王礼锡、副团长宋之的、团员李辉英、白朗、葛一虹、以群等一行 15 人于 18 日出发。

18 日，高尔基逝世三周年。重庆文化界举行纪念会。郭沫若题词曰：“朗诵《海燕歌》，就好像和高尔基见了面。纪念高尔基，最好是成为他所歌颂的海燕，不怕暴风雨，在黑暗当中确信着光明就在眼前！”同日，成都文化界在新剧院举行高尔基逝世三周年纪念会，全市各文化机关团体均参加，会后演出了根据高尔基小说改编的《母亲》和光未然创作的《武装宣传》，同时还放映了苏联影片《高尔基》。

七月

郑振铎、王任叔、孔另境主编的《大时代文艺丛书》由上海世界书局出版。内收小说《掠影集》（柯灵著）、《突围》（王行岩著）、《十人集》（郑振铎等著），散文《横眉集》（王任叔、孔另境等著）、《松涛集》（白曙等著）等。

《东南风》（半月刊）创刊，顾冷观编，上海联华广告公司发行，本年 9 月停刊。

《玫瑰》（半月刊）创刊，顾明道、赵苕狂编，上海玫瑰出版社发行，本年 8 月停刊，共出 4 期。

八月

26 日，王礼锡在洛阳逝世。

王礼锡（1901—1939），散文家，诗人，学者。又名王庶三，笔名有王抟金，Shelly Wang 等。1901 年 3 月生于江西安福县洲湖乡王屯村。7 岁丧父，自幼从祖父学

习诗文。1912 年进由叔祖父主持的复真高等小学学习。1918 年离开家乡，先后在吉安师范、抚州师范就读。毕业后，入南昌心远大学学习。之后做过报馆记者、中小学教师，并开始从事文艺创作。1927 年在南京军委会总政治部宣传处任职，与政治部副主任陈铭枢过从甚密。1928 年初到上海，任《中央日报》副刊《摩登》的编辑，后在南国艺术学院教书。同年秋赴北平任教师，与陆晶清相识。1929 年因受南京当局打击，离开北平，回到上海，在暨南大学任教。1931 年赴日本，与陆晶清结婚。同年夏返回上海，正式成立神州国光社编辑部，创办《读书杂志》，发起了"中国社会性质问题"的讨论。后因出版了不少社会科学和进步文艺作品而受到通缉，被迫于 1933 年 3 月远赴欧洲。是年冬返国参加反蒋的福建人民政府的活动，失败后再度去伦敦。曾到布鲁塞尔参加世界保障文化代表大会，两度去苏联游历，先后会见过高尔基和巴比塞。抗战爆发后，努力推行国际援华运动，曾任全英援华会副主席。1938 年 12 月回国。翌年初在重庆参加中华全国文艺界抗敌协会，当选为理事，是年 6 月，中国文协组织作家战地访问团，被推为团长，率团北上，途经川、陕、豫、晋，不幸在中条山病倒，于 8 月 26 日在洛阳逝世。著有散文集《海外杂笔》、《海外二笔》、《战时日记》，诗集《市声草》，论著《李长吉评传》，编订《中国社会史的论战》4 辑及其他译作。

沈从文著《湘西》由长沙文史丛书编辑部出版。李健吾对该书作出了高度评价："过去他的几本有人性的书，《边城》、《从文自传》、《湘行散记》，实际都是他献给故乡的一份一份的厚礼。他爱水，水在土里面流，也在他的字句之间流。文字原来就有感觉，山水再把美丽往感觉里送。这个生艺术气质的小苗子，好奇，好颜色，好自然里面所有的自然现象，然而心灵之中那样土头土脑，浪子在外，心却在家。也就是野蛮小苗子，爱唱歌，爱说故事，老的，荒唐的，佛经里的，现世内的，杀人的，调情的，忧郁而又淳朴的，说着那些保留在世纪的腼褶的说不尽的大小故事。那个最大的故事，他一直当做背景在烘托的，如今他索性用一本书说他一个尽情，就是这本《湘西》。风景不枯燥，人在里面活着，他不隐瞒，好坏全有份，湘西像一个人。我们需要有地方文学。它需要有力量，它是我们的基石，它帮我们相互了解，透破乡土的囿见，促成民主的精神的团结。"（李健吾：《李健吾创作评论选集》第 554 页，人民文学出版社 1984 年版）

何其芳《还乡日记》由良友复兴图书印刷公司出版。

九月

丁玲小说集《一天》由上海青年文化社出版，收短篇小说 5 篇。

于伶剧本《夜上海》由上海剧场艺术社出版。林淡秋在写于 1939 年 7 月 30 日的《关于〈夜上海〉》一文中认为："上海文艺界到今天还产生不出一部夜上海各方面的长篇作品。于伶先生最近写成的四幕剧《夜上海》总算多少弥补了这个并不很小的缺陷。""《夜上海》是一部相当结实的艺术品。两年来上海社会的善与恶，美与丑，爱与憎，哭与笑……，都在这里获得生动的表现。缺点是有的，值得讨论的地方是有的，但这并没有减损我对作者的敬佩，他在并不长的时间内，在生活和其他工作的重压下，

竟为我们描出了这么一幅巨大的现实的画卷。”“在作者创作发展过程中，《夜上海》确是一座出色的里程碑。它证明了作者更加扩大了自己的视野，手触更广大的现实，发掘更本质的斗争。这是优秀的现实主义作家的正路，希望我们的作者永远向这个方面发展！《夜上海》在‘夜上海’演出无疑的具有特殊的意义，广大的观众将从它获得宝贵的启示、警惕与鼓励！”（林淡秋：《关于〈夜上海〉》，《林淡秋选集》第 423 页，浙江文艺出版社 1983 年版）

于伶在《〈夜上海〉小序》中也表明自己对此剧的看法：“我接受友人们不满意的《夜上海》素材过多和头绪纷繁这说法。因为这不是一个完整的剧本，而是一堆题材的搜集和提供。演出者尽可以本其所要的取舍采用。”“我同意友人们指出的：《夜上海》缺少一般听说的戏剧性这意见，因为这是我练习编剧进程中的一次冒险。”“我承认友人们过奖的：《夜上海》富有暗示力、抒情味和亲切之感等褒词。因为这是国民孤愤迸出的夜的上海之讴歌，有咒，有颂。”

缪崇群散文集《废墟集》由文化生活出版社出版。

十月

1 日，《文艺新闻》（综合性文艺周刊）在上海创刊。蒋策编辑，文艺新闻社出版。1940 年 2 月 25 日出至第 11 期停刊。该刊在《发刊辞》中表明了刊物的基本取向：“我们愿意尽我们的能力，报道文艺界一切消息，以及作家艺术家们的生活动态；我们更愿意尽力表现这动乱的时代中的现实生活——尤其是‘孤岛’上的复杂的社会生活。”主要撰稿人有锡金、钟望阳、满涛、辛劳、何为、适夷、袁水拍、老舍、田汉、姚雪垠、端木蕻良、陈残云、萧军、景宋、韩北屏、吕剑、戈宝权等。第 3 期为《鲁迅先生逝世三周年纪念特辑》，其他各期除发表部分诗歌、小说、杂感等作品外，还以较多篇幅报道国内作家的生活和进步文艺运动，批判反动文艺思想。

2 日，“文协”桂林分会召开成立大会。大会通过了章程及组织文艺界战地访问团、开展通俗文艺运动、培养文艺青年、举办青年文艺奖等多种提案，并选举王鲁彦、欧阳予倩、艾芜等 25 人为理事，芦荻、杨晦等 15 人为候补理事。

5 日，叶紫在湖南病逝。

叶紫（1912—1939），小说家。原名余鹤林，又名余昭明、余繁、汤宠、余自强、杨镜清、阿芷、芷、叶子、阿芳、杨樱、柳七、黄德、辛卓佳等，“叶紫”是他发表成名作兼处女作《丰收》时用的笔名。湖南益阳人。1924 年到长沙岳云中学求学。1926 年湖南农民运动兴起时，到武汉军事学校三分校学习。1927 年“马日事变”后，参加过湖南农民运动的父亲和二姐惨遭反动派杀害，叶紫在其岳父掩护下化名汤宠逃离家乡，开始流浪生活。先后到过武汉、南京、安徽等地，学过道，当过兵，要过饭，做过苦力等，饱尝人世艰辛。1931 年到上海，参加党领导的革命活动，曾被逮捕。坐牢 8 个月后被营救出狱。1933 年春与陈企霞一道相继创办《无名》文艺旬刊和月刊。短篇小说《丰收》就发在《无名》文艺月刊的创刊号上，自此引起文坛注意。后经谭林通、胡楣介绍，加入中国左翼作家联盟，从此走上文学创作的道路。其作品主要以自

己的身世和经历为题材，反映大革命时期的农民运动和30年代的农民生活和斗争。1935年，短篇小说集《丰收》（收短篇小说6篇）由鲁迅作序，并列入“奴隶丛书”出版。1936年12月出版中篇小说《星》，1937年4月出版短篇小说集《山村一夜》，另有一些散见于报刊的小说、散文、评论。此外，还有已写成或编就但因种种原因未能出版的作品，如：长篇小说《离叛》，散文集《古渡头》、《叶紫散文集》和短篇小说集《奇闻集》等。

19日，“文协”等14个文化单位在重庆举行鲁迅逝世三周年纪念大会。邵力子担任主席，他说“鲁迅先生的死，是我们莫大的损失”，我们要将鲁迅先生的精神永远铭记在心，继承鲁迅先生的遗志。胡风、王平陵、陈绍禹等也分别做了演讲。到会的还有博古、董必武、吴玉章、叶剑英、叶挺、戈宝权以及各界群众千余人。

《新华日报》发表社论《纪念伟大的民族战士鲁迅先生》。文章首先指出：“‘中国的高尔基’——鲁迅先生的逝世，已是……三周年了。鲁迅先生不仅是我国文坛上的一位伟大的革命作家，不仅是我国思想界的一位急先锋，他还是为了争取中国人民的民族与社会解放的一位英勇战士。鲁迅先生一生的创造与生活之路，充满了和贯注了激烈的斗争和反抗的精神，他能够不断地随着时代的进步而前进，他并且是始终站在先进思潮的前头，成为我们每一个人在黑暗中的一张指示的明灯。”鲁迅先生“从‘五四’运动”时就“从事反对封建制度与宗法社会的斗争”，他用他“犀利的笔锋”，“鞭策的字句”，攻击“一切提倡复古，高呼卫道和拥护旧社会制度的人”，“具有一个伟大作家所应具有的品格和操守”。他“‘同现代的一切伟大作家——高尔基，罗曼罗兰，巴比塞等人一样，对于本国人民，对于人类，对于正义，对于真理，对于自由，对于光明——尤其是对于在现世界大部分领域内还最受剥削最受压迫的阶级，同时担负着解放全人类的历史使命的阶级——无产阶级，抱着无穷的热爱’（王明同志语），这也正是鲁迅先生人格的伟大之处。”鲁迅先生逝世了，“留给我们二十大卷的光辉的著作”，是“我国文学的无价之宝”。最重要的，鲁迅先生“是为了正视和改造人生”而创作。此外，鲁迅先生还“积极地参加社会活动”，“高高地举起反帝和争取民权与自由的大旗，为中国人民的民族与社会解放而斗争。”他的一生“是充满了‘视敌如仇’的斗争精神”的。

社论最后指出：“鲁迅先生是伟大的，鲁迅先生是不朽的。毛泽东同志曾告诉我们，鲁迅先生有政治的远见，有斗争的精神和牺牲的精神，这几个特点的综合，就形成了一种伟大的‘鲁迅精神’。当此纪念鲁迅先生逝世三周年时，我们每一个真诚的人，都应该继承‘鲁迅精神’的这种伟大传统，来坚持我们的民族抗战，这就是我们纪念这位伟大的民族战士的唯一的有效方法！”同期还发表了胡风的《鲁迅先生·日本·汪精卫》、欧阳山的《怎样纪念我们底巨人》、罗荪的《反虚伪的精神——纪念鲁迅先生的三周年忌》、潘梓年的《纪念为自由而奋斗的战士》等文章。

19日，香港《大公报》副刊《文艺》为纪念鲁迅逝世三周年，邀请在港文艺界人士许地山、刘思慕、郁风等21人参加座谈会，发起讨论民族文艺的内容与形式问题。25日，该报发表座谈会记录全文。

洪深的四幕剧《包得行》由重庆上海杂志公司出版。列为郑伯奇主编的“每月文库”一辑之五。书中有郑伯奇的《每月文库总序》和《附录》。

陈白尘的四幕剧《魔窟》（又名《新官上任》）由汉口生活书店出版。

十一月

6 日，《文艺战线》发表萧三的文章《论诗歌的民族形式》。文章指出“这十五六年来”，中国的“新诗”没有脱掉“矫揉造作”、“构造潦草”的毛病，这也是新诗的“最大缺点”，“具体的说，就是新诗的形式问题”。所以“中国的新诗直到现在还没有‘成形’——这是无可讳言的”。究其原因，萧三认为：“自从‘白话’战胜‘文言’以来，作新诗的一下子从古诗的各种形式和体裁‘解放’了出来，于是绝对‘自由’，你也‘尝试’，我也‘尝试’。结果，弄得毫无‘章法’，没有一个完全‘尝试’成功的，也就到现在还没有许多很好的诗。”另一方面，“‘五四’以来，介绍了一些西洋文艺到中国来。从古文‘解放’出来了的读者，受了对中国的旧文化旧文艺犯了‘左的’幼稚病地一概拒绝，鄙视的态度的影响，一时无所适从，于是拼命模仿，学习西洋文艺的作风，以为只要是‘洋货’便是好的。因而有少数的新诗人完全学西洋诗的作法。结果呢，中了‘洋八股’的毒，写出来的东西不合中国人的口味，不受一般读者的欢迎。”

文章还指出：“我们现在所处的战斗的时代，整个生活都是战斗的，是新的，我们需要大量的，新的，战斗的诗。而且这正是新诗找出路的机会。问题是，要怎样才能算是中国的新诗呢？我以为内容且不说，单就形式论，还是要中国民族形式的，民族感情的才是。”“就本文说，什么是诗歌的民族形式呢？我以为这问题有两个方面，即是说，发展诗歌的民族形式应根据两个源泉：一是中国几千年来文化里许多珍贵的遗产，离骚、诗、词、歌、赋、唐诗、元曲……二是广大民间所流行的民歌，山歌、歌谣、小调、弹词、大鼓词、戏曲……”毫无疑问，“我们不能一味盲从古代和民间的形式，它们都各自有其缺点，不完全通用于今天。我们要创造新的形式，如果有了新的内容，新的言语，新的意识、思想，新的社会，新的人，新的活动，但是怎样去创造新的形式呢？我以为也必得通过历史的和民间的形式。”文章最后特别强调：“有了好的内容之后，形式万不可不讲。内容问题解决之后，形式第一。没有形式的所谓‘诗’只是‘矫揉造作，构造潦草’的东西，或者是有韵的，或者是无韵的散文（其实散文小说也都讲究节调拍子的），而不是诗。诗要有诗味。诗而没有形式，诗味也就会表现不出来。”（萧三：《论诗歌的民族形式》，《萧三文集》第 288 ~ 293 页，新华出版社 1983 年版）

28 日，“文协”晋东南分会成立。李伯钊、刘白羽、荒煤、蒋弼、袁勃等 14 人当选为理事。

艾青诗集《他死在第二次》由重庆上海杂志公司出版。以后该诗集又分别出过几种不同的版本，分别是 1941 年第 2 版、1944 年第 3 版、1946 年 5 月版、1948 年 5 月版等。在该书 1944 年第 3 版的书后介绍中说：“这是艾青诗人的力作，原诗在《星座》发表时，万人争颂，誉为当代我国诗坛奇葩，本集且收有《吹号者》等篇，均为诗人的代表作品。当此诗坛混乱的今天，本集不但被目为纪念碑，而且是一块准确的指路碑。”（海涛、金汉编：《中国当代文学研究资料·艾青专集》第87页，江苏人民出版社1982年版）

穆旦在评论《他死在第二次》时说：从艾青的诗歌里所散发的“土地的气息”可以使我们“毫不错误地认出来”，“这些诗歌正是我们本土上的，而没有一个新诗人是比艾青更‘中国的’人。读着艾青的诗，有着和读惠特曼的诗一样的愉快。他的诗里充满着辽阔的阳光、温暖和生命的诱惑。如同惠特曼歌颂着新兴的美国一样，他在歌颂新生的中国。……这里，我们可以窥见那是怎样一种博大深厚的情感，怎样一颗火热的心在消溶着牺牲和痛苦的经验，而维系着诗人向上的力量。也就在这里，我们可以毫不客气地说，比着惠特曼那种中产阶级的盲目自足的情绪，诗人艾青是更进步更深沉的。”《他死在第二次》正是为那些“为着祖国做出可歌可泣的事迹”的战士们所作的“一首美丽的史诗”。“概括地说，这本诗集不算是黑暗面的暴露，而是光明的鼓舞。从这本诗里我们可以认出，诗人艾青正是新中国里一员健壮的歌手。他的诗会摇起你年青的精力，鼓舞你更欢快地朝着工作，朝着斗争，朝着光明。”（穆旦：《他死在第二次》，《大公报·文艺》（香港）第794号，1940年3月2日。）

冯玉奇的《孽海潮》由广益书局出版。

十二月

1日，《文艺阵地》第4卷第3号发表夏明的报导《叶紫之死》、适夷的《悼叶紫》等文和夏衍、艾芜、立波、奚如、戴望舒等15人联名发出的《为援助先生遗族募捐启事》。

《悼叶紫》对叶紫作出了高度评价：“与贫穷、饥饿、疾病以及现实生活的一切迫害和灾难，终其一生作着无气馁的斗争，而毕竟倒下来，直到他临死的一刻，他的手里还没有放松着自己的武器，像一个战士样壮烈地死去——这是我们的一位有才干的青年作家叶紫的死。”他“用着《丰收》，《星》……那样坚实的创作，把自己的生命献给了真实，献给了国民”，“而人们所报答他的却是寂寞冷淡以至高利贷，与买不起一个鸡蛋吃的生活，在这里我们不单看见了叶紫的惨痛的遭遇，也看见了我们国民文学的苦难的命运。几乎所有一切为保卫真实而战斗的我们的文艺工作者，无例外地都尝受着生活的灾难，而叶紫不过是代表的典型。”但是“真实的文学正要在这种灾难生活中产生出来！今日，在流血的战场，在崎岖的征道，在阴寒无火的亭子间，以致在肺痨患者的病床，不是正滋长着我们的文学么？”我们今天的文艺战士，“正因为担起了民族艰苦的职责，坚执着说述真实的有意义的生活，才尝受着不好的，惨痛的生活的。”因为他们知道文学事业也是“一种舍身的事业”，它的最后目标也是“有意义的生活与好的生活相一致的社会”，所以“他们能在惨痛中感得到牺牲的光荣，甚至像叶紫一样的悲壮凛烈的死去！”从各地捐助叶紫遗族的热烈运动中，我们看到的“不是小市民人道主义的廉价的同情，而是对文学事业这神圣工作的一般的真实的尊敬”。

1日，重庆《新民报》开始连载张恨水的长篇小说《八十一梦》，至1941年4月

25 日载完。作者采用“寓言十九，托之于梦”的手法，揭露了国民党统治下的黑暗。当局有关人士曾以“是否准备到息峰休息两年”之话进行威胁。陈铭德在 1941 年冬给《八十一梦》写的序言中说道：“《八十一梦》是恨水先生作品中一个新阶段。这个新阶段，冲破了旧时代旧小说之藩篱，展开了一个新局面。寓意之深远，含蓄之蕴藉，寄情之豪迈，每一个读者，必当和我一样，起了共鸣，起了同感。是抗战声中砭石，也是建国途上的南针。这种表现，还应该说，恨水先生不是‘有所为而为’，乃是他学养人格自然反映的结果。一个学养人格的作家，是不会与大时代脱节的。杜甫是千古诗宗，入蜀以后，才愈显其大气磅礴。我们对于恨水先生的小说也就是这样看法。在这大时代中当然要有一部作品产生，这个责任当然应由恨水先生担负。我们欣赏《八十一梦》的成功，因为如此，‘就不可说这是什么奇迹’。”（陈铭德：《〈八十一梦〉序》，《八十一梦》第 3 页，北岳文艺出版社 1993 年版）

宇文宙评论《八十一梦》时说：“巴尔扎克是把文学当做历史来看的，但这并没有过分。现在我读张恨水先生的《八十一梦》的时候，这种历史的现实感，也紧紧地缠住了我。”文章又说：“这是一本近于《西游记》、《镜花缘》的风格的小说。作者在自序中说：‘乃是思有的排解后方人士之苦闷，使读之者能露齿一哂而已。’然而这梦与幻想都为一种沉重的现实所压迫，真能对之能露齿一哂者，不是白痴，也就是‘得天独厚’的‘幸运儿’了。在《陈序》中说：‘这些梦是包含有他（作者）的愤慨、感情、还有其他的情绪。’作者在《楔子》中说：‘梦中的生难死别，未尝不是真实所反映的。’在《尾声》中更进一步补充说：‘我是现代人，我做的梦是现代人所能做的梦。’这就是梦与现实的距离。我们从这十四篇梦中，看到了作者的‘愤慨与感触’的所在。”当然，“除了这些愤慨和感触之外，也有作者理想的境界。但是这些境界，往往被深厚的悲愤和消极的情绪所笼罩了，那只是一瞬间的意境，一下子就被‘现实’所击碎。‘贪婪’和‘金钱’仍然是全书的主人翁。作为‘正义’和‘气节’的孤军，终于只是书中的副角，而时时为主人翁的巨掌所压倒。”由于作者“‘身处于梦的世界’中，为‘梦’的境界事实所困恼，虽有一个筋斗翻十万八千里的本领，也仍然脱不出这牛鬼蛇神的‘梦’境。作者之所以止于反映这些事物，而找不到更高的境界，其故在此。其对于五四运动的‘评价’，触到了值得针砭的某一部分事实，然而我们不能就此说作者也将进行的一部分有意的抹杀。病理学家有他悲天悯人的情绪，把疮疤残疾一一指出，这应不是扬丑，而是使人懂得警惕，懂得不讳言于求医。这就是作者在《八十一梦》中所发挥了的关心现实的观点所在。”并相信“作者必将从这‘悲愤与感触’中走出来，而达到为‘理想的境界’奋斗的目的。”（宇文宙：《梦与现实——读张恨水先生著〈八十一梦〉》，《新华日报》（重庆），1942 年 9 月 21 日。）

10 日至 15 日，香港《大公报·文艺》连续推出五辑专刊，讨论民族形式问题。

16 日，“文协”开会欢迎作家战地访问团归来，老舍、宋之的、姚蓬子谈了各处文艺工作情况。

26 日，《新华日报》发表《积极加强战地文化工作》的社论。社论从南北两路慰劳团及作家战地访问团返渝谈起，肯定了抗战以来战地文化工作“长足的进步”，但同时也指出：“由于战区的广大和交通的阻隔，就更显出我们战地文化工作还未做到理想地步。”“首先值得我们注意的，就是目前各战区正迫切需要加强文化宣传的工作和充实精神食粮的供给；更进而值得注意的，就是由于敌人在战地及沦陷区域实行其文化进攻政策，企图麻醉及愚化我战区及沦陷区的人民，这更有待我们发动文化宣传战，来粉碎敌人的阴谋。”

端木蕻良短篇小说集《风陵渡》由上海杂志公司出版。

丘东平的《第七连》由上海联华书店出版。

阳翰笙的四幕剧《前夜》由上海戏剧书店出版。列为“国防戏剧丛书”第三种。

1940 年

一月

3 日，《新华日报》召开欢迎会，欢迎参加慰劳团和作家战地访问团的老舍、宋之的等从前线归来，并征求大家对报纸创刊 2 周年的意见。

4 日，陕甘宁边区文化界救亡协会第一次代表大会开幕。500 余人出席了会议。吴玉章致开幕词。毛泽东在会上作了《新民主主义的政治与新民主主义的文化》的报告并为大会题词：“为建立中华民族的新文化而斗争！”“鲁迅的方向就是中华民族新文化的方向！”大会于 12 日结束，选举毛泽东、洛甫、周扬、丁玲等 90 余人为下届执委。毛泽东的报告发表在同年 2 月 15 日《中国文化》的创刊号上。同年 2 月 20 日在延安出版的《解放》第 98、98 期合刊登载时题目改为《新民主主义论》。

5 日，陕甘宁边区文化界救亡协会第一次代表大会在延安召开，洛甫作《抗战以来中华民族的新文化运动与今后任务》的报告。毛泽东到会发表演说，勉励文化工作者深入工农兵群众，为工农兵服务。

7 日，胡风写了《今天，我们底中心问题是什么？——其一：关于创作与生活的小感》一文。该文后来发表于《七月》第 5 集第 1 期。文章分四个部分：

一、“首先，要从逻辑公式的平面上跨过”。胡风认为，“对于典型底创造过程的理解，几年前曾经有过一些讨论，虽然那里面包含有不少的尚待纠正和尚待发展的成分，但现在的这些论点不但在本质上没有能从那超过一步，而且还在主要的地方表示了退却。”在胡风看来，无论是郑伯奇还是罗荪，他们的说法都“完全抛开了作家底对待对象（题材）的态度，作家的主观和对象的联结过程，作家底战斗意志和对象底发展法则的矛盾与统一的心理过程。”胡风认为，“依照他们二位底解释，创作过程就成了一种冷静的、‘精密’的、单纯的、逻辑思维的过程，新的现实主义所一再向作家要求的战斗意志底燃烧、情绪底饱满、站在比生活更高的地方等等，就弄得无影无踪，而所谓典型也就势必成为一种七拼八凑的、（不要因为鲁迅也用了七拼八凑这用语而得意罢！）图解式的、死的东西了。所谓‘客观主义’，是从这里来的，所谓‘枯燥空洞’，是从这里来的，所谓‘思想力底灰白’，是从这里来的，所谓‘艺术力底死灭’，也是从这里来的……。在现在的中国文坛，虽然一般地说，理论终于不过是纸上的理论，但如果我们想一想表现在创作态度上的某些倾向，批评家们对于某些作品的大胆的推荐，那隐藏在这种理论后面的问题就不难推测了。”所以，“要使艺术（文学）成为艺术（文学），要使艺术（文学）取得它应有的威力，作家就应该有毅力从‘逻辑公式的平面上’跨过。”

二、“从创作里追求创作与生活”。说到批评的任务，胡风认为，“批评应不止于‘作家和现实生活之关联’的一般论点，重要的是，要从具体作品底艺术评价里面去指出特定作家底失败是由于怎样地对生活‘采取一种旁观的、超脱的，漠不关心的态度’，或‘逃避生活，观照生活，或浅尝生活的’态度，特定作家底成功是由于怎样地‘站在改革生活的立场上去把握生活、深入生活’；批评不应止于提出哪些人物没有被写成‘不灭的典型’，重要的是，要分析地说明‘杀身成仁的官吏’、‘守节不屈的乡绅’、‘忠勇杀敌的士兵’、‘游击抗敌的民众’在创作上已经得到了怎样的表现，那些表现为什么还不能成为‘不灭的典型’。这才能具体地暴露作家底生活内容和客观现实的参差点和一致点，这才能具体地暴露创作活动底到达阶段，这才能使时代底要求寻找得到和文学底发展步伐连接起来的道路，只有这样得来的活的真理才能够真正理解历史进程中的、作为有血有肉的人的活的作家，使他们走上把创作和生活推进到更深刻的联结的道路。”

三、“生活、感觉、艺术的思维”。胡风说，我们并不反对“合理概念”，“思想概念是好的，但在文学上要有诚心有能力和生活结合，和感觉结合，和形象结合。或者说，以它为指引，通过感觉，深入生活，拥抱形象，创造出有新的思想内容的艺术生命。”

四、“抒情的发逐”。胡风批评了徐迟“放逐抒情”的观点，认为：“‘炸不死的精神’不过是一句‘感伤的’的叫喊而已……无论是抒情诗、叙事诗、报告诗、街头诗或者‘史诗’，虽然表现的方法各有不同，但在基本的原则上并不能两样，甚至就是小说、剧本、报告等，也依然不能离开这一艺术的道路。只有不能够这样的人才会躲进只是一个空壳子的‘炸不死的精神’一类抽象的概念里面。”

15 日，中国左翼作家联盟机关综合性文艺刊物《文学月报》在重庆创刊。初由端木蕻良主编，后由孔罗荪、戈宝权主编，16 开本，由读书出版社发行，至 1941 年 12 月出至第 3 卷第 3 期被迫停刊，共出 15 期。

该刊在《发刊词》中说明了办刊的宗旨和方针：为了进一步适应新形势下“民族革命战争的时代”的需要，因此《文学月报》的创刊，是为了为文学事业的建设“加进一块石基，一根木头”，“增强我们的文艺部队的力量”。在办刊中，不但希望“在新的理论建设中引导前进”，而且愿意展开“严肃的文艺批评工作”，要有计划地加强文艺的翻译工作，“将以广大的篇幅给予诗和画”，既继承传统诗画的长处，又介绍国际名作。其撰稿人除编者外主要有茅盾、欧阳山、宋之的、沙汀、碧野、力扬、葛一虹、老舍、何其芳、陈白尘等著名作家。刊物内容包括文艺理论、诗歌、小说、散文、剧本等，著译兼收。所载论文主要有罗荪《抗战文艺运动鸟瞰》、林焕平《抗战的现实主义与革命的浪漫主义》、姚雪垠《文艺反映论》、茅盾《关于‘民族形式’的通信》，小说主要有欧阳山《扯旗树》、罗烽《粮食》，诗歌有力扬《他们战斗在西班牙》、王亚平《血的斗笠》等。第 1 卷第 5 期为《文艺的民族形式问题特辑》，刊登座谈会记录和光未然的文章，第 2 卷第 3 期为《鲁迅逝世四周年特辑》，第 3 卷第 1 期刊载茅盾、胡风等参加的“作家的主观与艺术的客观性”专题“座谈笔录”。

23 日，汪精卫、梁鸿志、王克敏等在青岛会谈，26 日结束。在日本陆军的支持下，决定在南京建立伪中华民国国民政府。

24 日，方然的延安通讯《延安底文艺工作》在《新华日报》发表，该文从四个方面介绍了延安文艺工作的情况：一、文艺工作所受的重视。二、文艺工作者与组织。延安不仅有一些有名的作家，如丁玲、周扬、沙汀、何其芳等著名作家和理论家，在紧张地工作着，一些“无名的文学青年”，“对文艺工作也曾尽了极大的努力”。“文艺工作底组织，大的有：文化协会，鲁迅艺术学院，全国文艺界抗敌协会延安分会等”。“其余，小的文艺工作团体很多”，如抗战文艺工作团、诗歌总会、光明社等。三、工作的“基本原则是：抗战的、大众的；即不脱离政治，不脱离群众。”方文主要谈了七个方面的工作：1. 文艺工作者上前线。2. 出版：定期出版的刊物很多，内容“反映了×区模范作风，生产建设情形与发展工农群众文艺”，“培养了一些工农文艺工作者。”3. 壁报与街头诗：壁报与街头诗是极活跃的。凡是显眼的地方，到处都会看到。生动、通俗，尤其是街头诗，配合着宣传画，起了很大的宣传作用。4. 诗歌朗诵与讲演文学：诗歌朗诵“在这里是被注意的”，而演讲文学，“已成为一个发展口头文学，通俗小说朗读底运动了”。5. 理论研究：“研究文艺底一般理论，文学遗产，抗战文艺底发展动向，现阶段重要问题，建设新的文艺理论与文艺政策……”6. 利用旧形式：“文艺工作者，不论在理论或实践上都要强调注意这问题。”7. 组织文艺通讯网：“各个角落里，都散布着‘文艺研究小组’，并举行通讯竞赛。”四、文艺工作所面临的困难：因为交通困难及其他方面原因导致文化食粮缺乏及与其他地方文艺界联系困难、因为经济纸张及印刷困难导致印刷出版困难、大众文化水平较低、文艺工作者缺乏。

25 日，《戏剧与文学》月刊在上海创刊。于伶、戴平万编。共出 4 期。

27 日，为响应“文协”发动的“保障作家生活”运动，重庆《新蜀报》召开座谈会，就提高稿费、保障版税等问题交换意见，老舍、阳翰笙、葛一虹、罗荪等 20 余人到会。

31 日，朱德、彭德怀等致电蒋介石，反对汪精卫与日本订立卖国密约。

萧红与端木蕻良从重庆到香港。在香港期间，萧红创作了两部长篇小说《呼兰河传》和《马伯乐》，一部中篇小说《小城三月》，还有散文《给流亡异地的东北同胞书》、《九一八致弟弟书》，短篇小说《北中国》等等。

《独幕剧创作丛刊》由上海剧艺出版社出版。

二月

1 日，延安各界 3 万余人举行民众“讨汪”大会。毛泽东在会上发表了《团结一切抗日力量，反对反共顽固派》的演说。

4 日，《新华日报》发表社论《给文艺作家以实际帮助》，肯定了抗战以来文艺作家们取得的成绩，同时也指出了他们面临的困难。

社论指出：“目前文艺界同人的困难和痛苦，是无可讳言的事”，认为重庆文艺界同人的座谈会，对“如何保障作家生活”的讨论，“不仅反映重庆这一隅之地文艺作家的要求，同时也是反映全国文艺作家的要求。”同时社论指出：一、“必须提高文艺工作者的政治地位。”“在法律上保障文艺工作者言论出版自由和不受恶势力的袭击。”二、“必须给文艺作家以生活上的保障和改善，这里最主要的是一方面提高稿费版税，规定最低稿费版税标准；另方面要求政府予以有计划的实际帮助。”三、“政府和社会人士必须给文艺作家以提高自己作品水平的可能和工作上的便利。这里最主要的是给文艺作家较完备的公共图书馆的设置和建立奖金的制度，以及他们到各地工作交通上以及其他方面以便利。”最后指出：“‘文艺是时代的前驱，文艺是时代的反映，文艺是时代未来的希望’。爱护文艺作家，器重文艺作家，培养和提拔文艺作家，给文艺作家以实际的帮助，不仅是文艺界同人本身应该奋斗的事，而且也是‘发动民众，捍卫祖国’的伟大事业中不可分离的任务。”

6 日，“文协”成都分会举行年会，并改选理事。肖军、李劼人、沙汀、刘开渠、赵其文、肖蔓若、陶雄等当选为理事，毛一波、熊佛西、叶菲洛等当选为候补理事。

10 日，中共中央军委发出通知，要求各部队依据具体情况“自力更生、生产自救”，开展大生产运动，做到“一面战斗、一面生产、一面学习”。随后，八路军三五九旅在旅长王震的率领下，开赴南泥湾开展大生产运动。

11 日，“文协”桂林分会为纪念普希金逝世 103 周年在李子园青年会举行纪念会，林林、杨晦报告生平及著作。随即讨论了新诗的形式问题，计有中国诗传统之研究、“五四”以来的中国诗歌运动、目前的中国诗坛、新诗歌的主要倾向等。

同日，张恨水的小说《水浒新传》从 1940 年 2 月 11 日至 1941 年 12 月 27 日在上海《新闻报》上连载，受到欢迎和好评，章士钊特意写了一首七律送给张恨水以示祝贺。

15 日，综合性学术刊物《中国文化》在延安创刊，由中华文化社编辑、出版，新华书店发行。1941 年 8 月出完第 3 卷第 2、3 期合刊后终刊。前两卷各 6 期，共出 15 期。该刊文艺评论和文学创作占有一定篇幅，主要撰稿人有周扬、冼星海、萧三、沙汀、何其芳、胡蛮、荒煤、曹葆华、贾芝、丁玲、茅盾、何干之、柯仲平、立波、艾思奇、刘白羽、郭沫若、林默涵、王实味、艾青、欧阳山、张庚等。所载重要论文有周扬《对旧形式利用在文学上的一个看法》、胡蛮《鲁迅对中国民族文化与中国民族艺术的意见》、茅盾《论如何学习文学的民族形式》和《旧形式、民间形式和民族形式》、欧阳山《抗战以来的中国小说》、李伯钊《敌后文艺运动概况》、张庚《剧运的一些成绩和几个问题》、柯仲平《论中国民歌》等 20 余篇。作品有刘白羽、丁玲的小说，沙汀、葛陵的报告和何其芳、艾青等人的诗歌。

21 日，文协举办戏剧座谈会，围绕“对当前戏剧工作的意见与感想”主题展开讨论，胡风、臧云远、葛一虹等参加。

25 日，力扬作《关于诗的民族形式》，后发表在《文学月报》第 1 卷第 3 期上。力扬反对肖三《论诗歌的民族形式》中提出的诗要“成形”的理论。他说：“肖三先生把鲁迅先生等能够做得很好的古诗，以及有些做过新诗的人现在做起旧诗来，作为新诗必须有一个‘成形’的论据。我的意见是稍为不同的。”他着重谈了三点：第一，鲁迅有“深沉的古文根底”，而以诗歌“作为斗争武器的大众，都是不必要的”；第二，鲁迅的诗，如“惯于长夜过春时”，要能体味并非必须有“大学的国文程度不可”；第三，鲁迅“对于新诗并不主张有甚么规律”。

30日，《黄河》月刊在西安创刊，谢冰莹主编。西安新中国文化出版社出版发行。共出42期。

“文协”贵阳分会成立。

阿英的历史剧《碧血花》（又名《明末遗恨》）由上海国民书店初版。

三月

5日，蔡元培在香港病逝。

蔡元培（1868—1940），文学评论家，学者，教育家。原名蔡阿培，字鹤卿，后改为仲申，号鹤庼，后改为孑民，曾用笔名蔡民友、蔡振、周子馀、镠表、会稽山人，浙江绍兴人。17岁中秀才，22岁中举人，26岁中进士，被点为翰林院庶吉士，继而升为翰林院编修。后因有感于朝政腐败，辞官回浙江从事教育工作，在绍兴中西学堂、上海澄衷学校、南洋公学任职。1902年与章太炎发起组织中国教育会，创办爱国学社、爱国女校。1904年与陶成章等组织革命团体光复会，创办《苏报》、《警钟》等。翌年参加同盟会，任上海支会会长。1907年赴德国莱比锡大学研究哲学、美学、心理学、文学、文明史。1911年回国任南京临时政府教育总长，对教育进行改革。同年秋，因不满于袁世凯篡权，复去德国。次年又去法国考察教育，其间著有《石头记索引》。1917年任北大校长，宣传劳工神圣，主张“以美育代宗教”，坚持学术文艺自由方针，为新文化运动的有力支持者。1921年在美国考察期间，被纽约大学授予名誉哲学博士学位。1927年任国民党政府大学院院长，后改任中央研究院院长。1931年“九·一八”事变后主张抗日，与宋庆龄、鲁迅等组织中国民权保障同盟。文学著作除《石头记索引》外，生前未辑成集出版。建国后出版有《蔡元培美学文选》、《蔡元培选集》、《蔡元培全集》、《蔡元培遗文类抄》、《蔡元培先生全集》等。

11日，毛泽东在延安中国共产党高级干部会议上作《目前抗日统一战线中的策略问题》的报告，提出“发展进步势力，争取中间势力，孤立顽固势力”的抗日民族统一战线的策略总方针和对国民党顽固派斗争的有理、有利、有节的策略原则。

12日，汉奸汪精卫发表《和平建国宣言》要求“重庆方面抛弃成见，立即停战”。

13日，日本首相米内发表谈话称：对中国“新中央政府”之成立，“日政府不惜全力支持之”，昔日近卫首相所发表声明，提倡“善邻友好”、“共同防共”、“经济提携”三原则，帝国政府继承此种声明，作为日本政府及中国“新中央政府”共同建设“东亚新秩序”之具体方案。

15日，葛一虹在《文学月报》第1卷第3期发表《民族遗产与人类遗产》，他在文中说：“新的国粹主义却穿上了漂亮的外衣登了场。什么是新的国粹主义呢？抹杀五四以来的新文学上艰苦奋斗的劳绩，责难它不大众化和非民族化”，“而所谓大众化和民族形式的完成，只有到旧形式里找寻。或者认为这样的追求至少要‘以民间形式为

中心源泉'，为'主导契机'，等等。"作者指出："我们的'主导契机'或'中心源泉'，还是在于我们的科学的世界观和我们的现实主义的创作方法。"

16 日，孟辛（冯雪峰）在《文艺阵地》4 卷 10 期上发表《论两个诗人及诗的精神和形式》。艾青的诗集《北方》和《他死在第二次》及柯仲平的叙事诗《边区自卫军》和《平汉路工人破坏大队的产生》发表后曾引来一些是否"可以称得诗"的议论，本文即是对这一问题的回答。文章认为，"诗和一般艺术总是大众的精神的内在的产物"，从这个意义上说，艾青和柯仲平"在根本上就正和中国现代大众的精神结合着的，是本质上的诗人"。艾青的诗反映了"农村青年式的爱和理想"，"和农民大众结着精神上的联系"。但艾青的诗因受法国象征派的影响，对"诗的精神是会有损害的"。"至于柯仲平，则以更统一的和更清新的诗的形式，在体现着中国大众的新生的生命和精神"。

24 日，向林冰《论"民族形式"的中心源泉》发表于重庆《大公报》副刊《战线》。1940 年初，毛泽东同志的《新民主主义论》在延安《中国文化》上发表，文章进一步提出了"中国文化应有自己的形式，这就是民族形式。民族的形式，新民主主义的内容——这就是我们今天的新文化"。在论及民族文化遗产的继承问题时，指出应当"排泄其糟粕，吸收其精华"。向文是国统区开展民族形式问题讨论中较早的一篇文章。本文强调重视民间旧形式的利用，主张"应该在民间形式中发现民族形式的中心源泉"。他认为"民间形式的批判地运用，是创造民族形式的起点，而民族形式的完成，则是运用民间形式的归宿"，"所以民间形式成为创造民族形式的'主流'"。同时，他对新文艺则采取较多的否定，认为是畸形发展的都市的产物。它只能"分别的采入于民间形式中，以丰富民间形式自身"。

24 日，重庆各界举行蔡元培追悼大会。蒋介石主祭。毛泽东、董必武送了挽联。国内各地举行了追悼会。

27 日，《新蜀报》刊载向林冰《国粹主义"简释"》，重申了民间形式是民族形式中心源泉的观点，反对被指责为新的国粹主义，还驳斥了葛一虹"我们的'主导契机'或是'中心源泉'，还是在于我们的科学的世界观和我们的现实主义的创作方法"的观点，说"这简直是在做梦"！

30 日，汪伪"中央政府"在南京宣告成立。汪精卫为"行政院长"兼"代国民政府主席"，褚民宜为外交部长兼行政院副院长。汪伪政府在日本的扶植下成立后，即参加了德、意、日三国同盟，以"和平反共建国"为口号，组织伪军、配合日军进攻中共领导的抗日根据地。

郁达夫在香港《大风》旬刊上发表了记载他和妻子王映霞感情裂痕的文章《毁家诗纪》，引起了王映霞的不满，加剧了两人的情感危机。作为对郁达夫的回答，王也在《大风》旬刊上发表了给编者的三封信以及给郁达夫的一封信，以澄清两人之间的一些事情。但这些书信的内容和郁达夫的文章有较大出入。不久，两人正式离婚。

老舍、宋之的创作的戏剧《国家至上》（四幕剧）发表于《抗战文艺》6 卷 1、2 期。

曹禺、宋之的创作的戏剧《黑字二十八》（原名《全民总动员》）由重庆正中书局发行。

萧红的短篇小说集《旷野的呼喊》由重庆上海杂志公司出版。包括《黄河》、《朦胧的期待》、《旷野的呼喊》、《逃难》、《山下》、《莲花池》、《孩子的讲演》七篇。

四月

1日，林同济、陈铨、雷宗海等主办的《战国策》综合性半月刊在昆明创刊，从第6期起未按时出刊，该刊在出了17期（15、16期合刊）后于1941年7月停刊。

《代发刊词》称："本社同人，鉴于国势危殆，非提倡及研讨战国时代之'大政治'（High Politics）无以自存自强。而'大政治'例循'唯实政治'（Real Politics）及'尚力政治'（Power Politics）。'大政治'而发生作用，端赖实际政治之阐发，与乎'力'之组织，'力'之驯服，'力'之运用。本刊有如一'交响曲'（Symphony），以'大政治'为'力母题'（Leitmotif），抱定非红非白，非左非右，民族至上，国家至上之主旨，向吾国在世界大政治角逐中取得胜利之途迈进。此中一切政论及其他文艺哲学作品，要不离此旨。"其主要撰稿人除编者外还有何永洁、沈从文、贺麟等。所载的较重要的文章有林同济《战国时代的重演》、《力！》、《学生运动的末路》，陈铨的《论英雄崇拜》、《尼采的道德观念》、《狂飙时代的德国文学》、《文学批评的新动向》以及剧本《野玫瑰》，雷宗海的《历时警觉性的时限》、《中外的春秋时代》等。

6日，《新华日报》第四版"桂林文艺界同人声讨汪逆"专栏中发表了《我们声讨汪逆！》一文，同时还发表了夏衍、艾芜等19人声讨汪逆的文章和诗。编者按语说："这是文艺界联合讨汪的第一声，我们希望这个运动，能普及到全国整个的文艺界中去吧！"艾芜在《把它当成一面镜子》中指出，我们要以汪伪为鉴，时时警醒自己，警惕"挑拨离间，破坏团结"，以免走上汪精卫充当"狗尾狐狸"的老路。夏衍则在《要表示我们的民族意志》一文中说，3月25日要成为"表示意志的日子"，我们要在"抗战、团结、进步"的大旗下"与日寇汉奸斗争到底"！在抗战与投降中没有"中立"，不愿投降的就要拿出"决心"、"力量"、"行动"，"没有实践"的言行"实际上帮了汪逆和敌人"。

10日，葛一虹在《新蜀报》发表《民族形式的中心源泉是在所谓"民间形式"吗？》一文，反对向林冰的民间形式是民族形式中心源泉的观点。

他在文中指出："'新事物发生在旧事物的胎内'，新事物的'抗战建国动力'是从旧事物里来的。但是新事物到底不是旧事物。表现旧事物是用了属于旧时事物的旧形式来表现的，表现新事物而用属于旧事物的旧形式是决不可能的。新事物它一定需要一个新鲜活泼的新形式，这个新形式是它本身所决定出来的，发展出来的，与'旧事物'的旧形式是绝然不相等的。"接着，葛一虹引用了伯林斯基的名言"只叫忠实地描写生活，那自然是民族的"，试图以此来说明新形式的合理性。他指出，"旧形式的顽强的存在，是中国封建社会长期停滞，以及半封建的旧经济与旧政治在中国尚占有着优势的反映。"所以，它虽然"习见常闻"，但实是"已濒于没落文化的垂亡时的回光返照"，"新社会的新兴势力正在蓬勃成长，作为封建残余的反映的旧形式"其死灭的命运是"无法逃避"的。它"习闻常见"，可是"并不新鲜活泼"。它的"不是大众生活的偶然道伴”一方面“反映着新中国未诞生以前的混乱现象”，一方面“说明人民大众文化水准的低落”。“旧形式只是旧形式……作着‘旧瓶装新酒运动是解决这一矛盾的法宝继承人’的论客是不了解历史的发展规律性的。”至于新文艺，虽然在“普遍性上不及旧形式”，但造成这种局面的原因却是“精神劳动与体力劳动长期分家以致造成一般人民大众知识程度低下的缘故”。因此，葛一虹认为，我们目前的迫切任务是“怎样提高大众的文化水准，而不是怎样放弃了已经获得的比旧形式进步与完整的新形式，降低水准的从大众欣赏形态的地方利用旧形式开始来做什么，而是继续五四以来新文艺艰苦斗争的道路，更坚决地站在已经获得的劳绩上，来完成表现我们新思想新感情的形式——民族形式”，而这样的形式才是“真正的新鲜活泼为老百姓喜见乐闻的中国作风与中国气派”。

14 日，文协在中苏友协举办马雅可夫斯基逝世 10 周年纪念会。胡风致词，臧云远报告生平，最后是诗朗诵。

15 日，《大众文艺》月刊在延安创刊。这是文协延安分会会刊。周文主编。共出 9 期。

21 日，《文学月报》就民族形式问题在重庆中苏文化协会举行座谈会。黄芝冈、叶以群、向林冰、光未然、胡绳、梅林、姚蓬子等出席，罗荪主持。

罗荪说：“目前在重庆所引起讨论的似乎尚只偏于一局部的问题，还没有更深入一步地来做一个整个的理解和研究。”希望通过这次座谈，使“问题的研讨得以推进一步”。

光未然认为，“五四”以来，“文艺大众化的任务并没有达到”，这是因为“没有解决民族形式的问题”，“没有把大众化和民族形式联系起来的缘故”。关于大众化，他认为“我们不要抽象的了解”，“大众有各色各样的大众，所以我们今后写东西的形式，要通过不同阶层的知识水准，创作各种不同的表现形式，而统一于总的民族形式中，但这其中有一个主导的力量，就是在民族革命中站在第一线作战的工农士兵大众”。

黄芝冈认为，民族形式“不能离开抗日的内容来谈”，对于民族形式概念的理解“不能断章取义”。

胡绳认为，一、“创造民族形式的问题必须和文艺史的发展和创作实践联系起来讨论”；二、民族形式里的“形式”应该是“广义”的，包括“言语、情感、题材以及文体、表现方法、叙述方法等等”；三、“形式和内容不能分离，决定民族形式的是民主的内容”；四、“农民的文艺形式”不能“自发的成长出完满的民族形式”；五、目前的民主主义“在形式上也要更接近于广大群众”；六、今日的民族形式是 1927 年后大众文艺形式的“补充”；七、“由近代市民层所创造的文艺形式是比从封建社会生活中所产生的文艺形式更为进步的”；八、创造民族形式“固然一方面还要接受外来的和旧有的文艺传统”，但一般来说，“比较地不注重封建统治者的文艺传统和没落的资本主义文化及其在中国的移植。而国外健康的写实主义文学与农民中的活泼有生气的文学形式则是可资取用的仓库”。

姚蓬子认为要注重“从民众生活中体验和学习”，主要是“学习技巧”，“一面要深入生活，一面要从优秀的文艺作品中学习表现的方法”。

此次座谈会的记录后来发表在6月15日出版的《文学月报》第1卷第5期“文艺的民族形式问题特辑”上。

25日，《现代文艺》（月刊）在福建永安创刊。初署改进出版社编辑，实为王西彦主编，第4卷起由靳以主编，改进出版社发行。1942年12月25日出完6卷3期后终刊，每卷6期，共出33期。

该刊的《发刊词》说：“抗战以来，我们的文艺已经大大地提高了它的素质”，但还存在着缺点，“首先，我们的抗战文艺运动还没有普遍地建立起战斗单位”，“其次，在新的文艺战士的培养这一点上，广大的东南也需要有一个文艺园地来供给他们垦植”，“现代文艺的创刊，虽不敢说是企图解决上述的全部缺点，但我们抱着‘雪里送炭’的苦心，想以微薄的力量，尽可能的补救于万一”。该刊登载各种体裁的作品，辟有短论、诗选、小说、杂感、散文、速写、研究等栏目，主要撰稿人除编者外，还有葛琴、艾青、唐弢、巴金、司马文森、易巩、彭燕郊、郭风、荃麟、黎烈文、谷斯范、田涛、许天虹、姚奔、曾卓、艾芜、绿原、张天翼、欧阳凡海等。所载的重要论文有文龙的《文艺大众化的核心问题》，张天翼的《关于文艺的民族形式》、中篇小说有荃麟的《英雄》、王西彦的《意外》、蒂克《秦淑的悲哀》，翻译的长篇小说有匈牙利霍尔发斯《第三帝国的兵士》，S. 褚威格《马来亚的狂人》，长诗有邹荻帆的《草原交响乐》等。

25日，《新蜀报》发表方白的《民族形式的“中心源泉”不在“民间形式”吗?》。他对葛一虹《民族形式的中心源泉是在所谓“民间形式”吗?》一文中的观点“不敢苟同”，并“提出若干疑问”。具体有：第一，反对葛一虹“旧形式没有法子逃避其死灭的命运”，认为在“半封建半殖民地的文化状态下的文艺形式”“有两种契机，有两种可能的前途”；第二，针对“葛先生认为‘五四以来的我们的新文艺’便是‘主流’”，他说“这种移植形式”“是动力，不是主力”；第三，反对“葛先生对大众‘需要’的看法，认为这种说法太过笼统。

碧野《灯笼哨》发表于《文学月报》第1卷第4期。

王统照的诗集《江南曲》由文化生活出版社出版。列为“文学丛刊”第六集之一。收诗14首，写于1937年至1938年。在《自序》中，王统照说：“这集中的分行文字都是滞留在江南这片土地上时所写出的记忆与兴感。”

老舍的话剧《残雾》由商务印书馆出版。

五月

4日，西北青年救国联合会、中华民族解放先锋队、陕甘宁边区青年救国联合会、晋西北青年救国联合会、山东青年救国联合会等10个组织联合上书蒋介石，要求坚持团结抗战，反对分裂磨擦。

7日，向林冰在《新蜀报》发表《民间文艺的新生——再论民族形式的中心源泉之二》，论述了他与葛一虹在这个问题上的分歧。他概括指出葛一虹的观点为：“（一）民间文艺中存在着两种对立的契机两种可能的前途是不可能的。（二）向林冰将只有一

种契机的民间文艺的支配因素降低为从属因素，甚或倒置了其间的相互关系，因而导出了错误的说法。（三）民间文艺只有一个死灭的前途。（四）社会发展到民主制度的时候，民间文艺也只有成为历史博物馆的陈列品。（五）向林冰不了解科学的世界观及历史的规律性。”而他则认为：“（一）民间文艺是在自己的内部存在着两个对立的契机或两个可能的前途的矛盾的统一体。（二）正因为民间文艺中存在着两个对立的契机，所以才能有所‘降低’与‘倒置’，而且这种‘降低’与‘倒置’正是在旧质胎内促进新质产生的前提条件。（三）由于抗战建国要终结过去农民起义的反复失败而使之成为民主革命的动力之一，所以民间文艺过去的反复夭亡过程亦必终结，并在科学的世界观和现实主义的指导之下而生长为民主革命的文艺，即民间文艺的新生。（四）在民主革命现阶段上所提起的民族形式的建造，应以民间文艺形式的批判的运用为中心。（五）葛一虹不了解科学的世界观及历史发展的规律。”

15 日，艾芜的小说《纺车复活的时候》发表于《文学月报》1 卷 5 期。

20 日，向林冰完成《新兴文艺的发展与民间文艺的高扬——再论民族形式中心源泉之三》。文章说：“新兴文艺运动是中国人民大众反帝反封建政治斗争的一环，是中国社会变革过程上前进力量的一个表现形态，是以内在的变革契机为根据，以先进国世界文化为条件，通过文艺的形象而争取移植性文化的中国化的变革运动的一翼。因此，它只有正确的配合着民族文艺遗产的批判改造运动（外在条件通过内部根据的矛盾而运动），只有绝对的信赖人民大众的文艺创作力与欣赏力对于变革动力的依靠与从属是完成历史创造的前提，然后才能遂行其合理的发展。”

26 日，茅盾由新疆迪化辗转抵达延安。在延安留居近五个月，参加了“文协”分会组织的活动，并在“鲁艺”讲课。

31 日，郭沫若写了《“民族形式”商兑》，后发表在 6 月 9 日、10 日的重庆《大公报》上。郭沫若的文章分四个部分：

一、“凡是世界上适合自己的最进步的东西，无论是精神的或物质的，我们都须得尽量的摄取。”只要“经过我们本民族自己的创造，便自然的赋与了‘中国气派’和‘中国作风’，也就是所谓‘民族形式’”。

二、“中国的文艺”，因为多种原因，“一时未能尽夺旧文艺之席而代之”，“这是事实”，“在目前要动员大众，教育大众，为方便计，我们当然是任何旧有的形式都可以利用之。不仅民间形式当利用，就是非民间的士大夫形式也当利用。用鼓词、弹词、民歌、章回小说来写抗日的内容固好，用五言、七言、长短句、四六体来写抗日的内容，亦未尝不可。……但为鼓舞大多数人起见，我们不得不把更多的使用价值，放在民间形式上面。这也是一时的权变，并不是把新文艺的历史和价值完全抹煞了，也并不是认定民族形式应由民间形式再出发，而以之为中心源泉——这是不必要，而且也不可能的。”

三、“封建社会产生出了各种的民间形式，同时也就注定了各种的民间形式必随封建制度之消逝而消逝。”我们利用民间形式去“教育民众，宣传民众，民众获得了这种精神，结局是要抛弃那形式的”。何况，“民间形式的利用，始终是教育问题，宣传问题，那和文艺创造的本身是另外一回事。……文艺的本道也只应该朝着精进的一条路上走，通俗课本，民众读物之类，本来是教育家或政治工作人员的业务，不过我们的文艺作家在本格的文艺创作之外，要来从事教育宣传，我们是极端欢迎的。”郭沫若特别指出，“文艺究竟要通俗到怎样的程度才可以合格，本没有一定的标准”，但“不可把民众当成阿木林，当成未开化的原始种族。民众只是大多数不认识字，不大懂得一些莫测高深的新名词，新术语而已”，“只要一经指点，在非绝对专门的范围之内，没有不可以了解的东西。”

四、对于新文艺，“最大的令人不能满意之处，是应时代要求而生的新文艺未能切实把握时代精神，反映现实生活。”“第二个令人不能满意的缺点”是“用意遣词的过求欧化”。要想祛除新文艺的这些积弊，“专靠几个空洞的口号是不济事的，主要的是要那些病源的祛除。要怎么来祛除病源呢？是要作家投入大众的当中，亲历大众的生活，学习大众的言语，体验大众的要求，表扬大众的使命。作家的生活能够办到这样，作品必能发挥反映现实的机能，形式便自然能够大众化的。”

文章最后指出，“我们既要求民族的形式，就必须要有现实的内容”。号召作家“深入生活吧，从这儿汲取出创作的源泉来。切实的反映现实吧，采用民众自己的言语加以陶冶，用以写民众的生活、要求、使命。”

于伶的五幕剧《女儿国》由上海国民书店出版，作于1940年1月。书中收入了《我做了一个梦》、《由〈女儿国〉谈起》、吴仞之的《导演读后感》等文。

魏如晦（阿英）的三幕剧《五姊妹》由上海亚星书店出版。列为“学校剧丛刊”之二。

六月

8日，穆时英去世。穆时英（1912—1940），小说家。笔名伐扬、匿名子。浙江慈溪人。出生于资产阶级家庭，后随父到上海。念中学时读了大量文学作品。后进上海光华大学，潜心研究国外新的文艺流派，对20年代在日本兴起的新感觉主义尤为欣赏，对以后创作产生很大影响。1929年开始在《新文艺》杂志上发表小说，受到该刊编辑施蛰存的重视。其早期作品多反映劳动人民的苦难生活和反抗精神，后来自觉运用新感觉主义创作方法，风格独特，30年代曾风靡一时。1933年参加国民党图书杂志审查委员会。1935年与叶灵凤合编《文艺画报》。抗战时期在汪伪政府中任职，完全脱离文学界。1940年6月8日被人击毙于上海福州路。著有小说集《南北极》、《公墓》、《白金女体塑像》和《圣处女的感情》等。

9日，《新华日报》在一心花园召开座谈会，讨论民族形式问题。以群、蓬子、黑丁、戈宝权、臧云远、葛一虹等18人参加，潘梓年主持。

葛一虹认为在“伟大的民族战争中”民族形式“不仅仅是形式问题，而是把抗战的生活很现实很具体的描写出来的问题”，语言问题固然重要，但“不是中心问题”，中心问题是“生活的内容”。艾青认为，民族形式“和中国化是一个意思，所谓中国化是科学化的现代语，是表现某时某刻所发现的现实。”民族形式的发展“不是从天上掉下来的，而是一时一刻也没有离开中国社会的发展的”。沙汀同意艾青的观点，认为

“中国的民族形式是不能离开现实主义”的，应该把形式看成“现实主义的口号”，“对于旧东西，应该是从过去的历史或好的语汇上，去采取利用，语言重要，但最主要的是创作方法”。理想的民族形式应该是“能为一般大众所接受所享受的”。光未然认为民族形式必然包含“新鲜活泼的老百姓所喜闻乐见的中国作风与中国气派”，但“二十年来的新文艺，所走的道路是不够的”，既不能全盘抹杀其功绩，也不能否认它的缺点。要解决文艺大众化问题，一方面要“扫除文盲，普及教育工作”，另一方面作家必须认识到“中国文化的根本问题是民间问题，读者的对象应该是广大的民众”。

最后，潘梓年在会上做了总结发言，他主要谈了六个方面的内容。其中的第五点，即“新文艺运动与通俗化、大众化运动”的关系尤为重要。他认为，新文艺运动与大众化运动各有千秋：“通俗化大众化运动主要是一个教育问题，而新文艺运动则是提高中国文艺水平的问题，虽然两者之间有许多的方面，很亲密的关系，但决不能在它们中间画上一个等号。”因此，“我们自然不能武断的说，一定要通俗的作品才是最好的文艺作品，但也不能说最好的文艺作品一定不能通俗。从理论上说，我们不能说通俗文艺是降低了艺术性的作品”；“从事实来说”，中国古代很多杰作都很通俗。同时，潘梓年还批驳了向林冰所谓的“先要提高大众知识，或扫除文盲然后再建立大众文艺”的“等待主义”的观点。

座谈会纪要以及潘梓年的长篇发言于 7 月 4 日、5 日在《新华日报》发表。

10 日，《新华日报》推出“屈原纪念特刊”，发表了郭沫若的《革命诗人屈原》、臧云远的《屈原艺术的发展和评价》、戈茅的《关于屈原》三篇文章，纪念这位伟大的爱国诗人逝世 2218 周年。

18 日，“中苏友协”、“文协”等 11 个文化团体举行盛大茶会，纪念高尔基逝世四周年，参加者 300 余人。《新华日报》发表社论《纪念高尔基 学习高尔基》，指出：高尔基的逝世“不但是苏联的损失，而且是全世界一切有正义感的人的损失”。“高尔基之所以伟大和被全世界人士景仰和纪念”，是因为他是“无产阶级艺术最伟大的代表者”。他的作品不仅“代表劳动群众说话，代表他们迫切的要求”，“暴露社会现实的丑态”，而且“要求改变现实，改造现实使其前进，并指示出前进的方向与道路”，“与社会生活和劳动群众利益血肉相关联”。他“所追求的真理，已经在苏联胜利地实现了”，这就给高尔基作品在全世界人士中“以极大的威信和信心”。此外，高尔基还是“一个革命实行家”，“对于中国人民解放事业，具有极大的热烈的同情”，他“痛恨帝国主义对中国人民的压迫”，“对中国民族和社会解放的胜利，抱有极大的自信心”，并说“中俄两国人民，应该兄弟般亲密联合”。他在 1934 年各国作家联合发表的“反对日寇侵略中国的抗议书”中呼吁“反抗日寇侵略中国”，要求“给中国的笔友兄弟们以言论出版的自由”。如今，中苏两国六万万三千万人民已“‘兄弟’般的亲密联合”，这是“高尔基一生的愿望，中苏两国人民的愿望，全世界进步人士的愿望”。“我们纪念高尔基，我们同时怀念与高尔基心心相印的鲁迅”，“高尔基的一生奋斗，是丰富的，艰苦的，英勇的，坚定的，同时也是胜利的”。因此，“我们纪念高尔基，我们更应该学习高尔基!”同期，还发表了臧云远《战斗的美学观》、力扬《高尔基与诗歌》、戈茅《风景画和风俗画》以及潘梓年的《“沉默”了的战士》等纪念文章。是日，桂林也举

行纪念会，欧阳予倩主持，百余人到会。

20日，由田汉主持的关于戏剧民族形式的讨论会在重庆纯阳洞一心饭店举行。阳翰笙、葛一虹、光未然、陈白尘、黄芝冈等参加。在阳翰笙对文艺界的一般情形做了概括之后，葛一虹回顾了关于民族形式问题的论争，批评了向林冰民族形式的中心源泉是民间文艺的观点，认为这是“要抹杀中国的新文艺艰苦奋斗的劳绩”。黄芝冈则对潘梓年在《新华日报》召开的民族形式座谈会上的发言提出了反对意见。他认为，不能把民族形式单看作是“一种新文艺的手法或体裁”，而应该注意“它的波澜壮阔的内容，血淋淋的现实。我们只有根据这才能寻出文艺的新形式。梓年先生却强调语言问题”。“民族语言虽是民族精神传统的一部分，但不能认为‘只有这个民族自己的语言’才‘能够表达得出一个民族的生活状态，生活情形’”。

艾青的抒情长诗《向太阳》由香港海燕书店出版。列为胡风主编的“七月文丛”之一。

林语堂的长篇小说《京华烟云》（中译本，张振玉译）由东风书店出版。林语堂在该书《著者序》中说：“本书对现代中国人的生活，既非维护其完美，亦非揭发其罪恶。因此与新近甚多‘黑幕’小说迥乎不同。既非对旧式生活进赞同，亦非为新式生活做辩解。只是叙述当代中国男女如何成长，如何过活，如何爱，如何恨，如何争吵，如何宽恕，如何受难，如何感受，如何养成某些生活习惯，如何形成某些思维方式，尤其是在此谋事在人、成事在天的尘世生活里，如何适应其生活环境而已。”

巴金的《激流三部曲》第三部《秋》由上海开明书店出版。巴金在《秋》的序言中说：“并没有一个永久的秋天。秋天过去了，春天就会来了。”（选自《秋·序》开明书店1940年4月出版。）

萧红的散文集《萧红散文》由重庆大时代书局出版。内收《一天》、《皮球》、《三个无聊的人》等散文17篇。

七月

7日，延安八路军总部公布：八路军正规部队已由3年前的4万多人发展到近50万人，开创了包括将近1亿人口的解放区和游击区，共产党员由战前的4万余人发展到80万人，抗击的日军达40万人。

8日，周恩来为冼星海题词：“为抗战发出怒吼，为大众谱出呼声。”

10日，向林冰写成《关于民族形式问题敬质郭沫若先生》。作者在文章中对郭沫若的《“民族形式”商兑》提出异议。全文分为四个部分：习见常闻，喜闻乐见；所谓“经”与“权”的问题；“变文”与一般民间文艺的来源问题；“好多朋友定会惊讶”的民间文艺评价。该文发表在8月6日到21日的《大公报》上。

25日，全国“文协”晋察冀边区分会成立。成仿吾、邓拓、沙可夫、田间、周而复等当选为执行委员，并推沙可夫、田间、魏巍、邵子南、康濯五人为常委，沙可夫为主任。1942年6月21日至25日，该会召开会员大会改选领导机构，选举沙可夫、萧克、成仿吾、田间、孙犁、邓康、邵子南、钱丹辉、王大刚等17人为理事。沙可夫、田间分别任正、副主任。该会设立了鲁迅研究会和鲁迅文学奖金，并多次评选获奖作品。先后出版《晋察冀艺术》（周刊，与兄弟协会共同编辑，附属《晋察冀日报》发行）、《晋察冀文艺》（油印刊）、《文艺小丛书》（《文学修养》6 册、《怎样写诗》10 册）等书刊。在组织建立模范村剧团，开展连队戏剧运动，组织讨论民族形式问题等方面做了大量工作，对晋察冀边区抗战文艺运动的开展起了很大的推动作用。

萧红的散文《回忆鲁迅先生》由重庆妇女生活书店出单行本。除《回忆鲁迅先生》一文外，还附有许寿裳的《鲁迅的生活》和景宋（许广平）的《鲁迅和青年们》两篇文章。

茅盾、楼适夷主编的《文艺丛刊》由生活书店出版。

李金发（后改由卢森）主编的《文坛月刊》在广东韶关创刊，文协广东分会发行。

八月

1 日，“文协”桂林分会与中华木刻界抗敌协会联合举办暑期文艺写作研究班，为期 1 个月，并免收学费，旨在推广战时文艺研究，扩大文艺影响。欧阳予倩主讲《怎样建立新戏剧》、艾芜主讲《世界几个名作家写作法研究》、周钢鸣主讲《文艺写作的任务》、鲁彦主讲《短篇小说研究》、夏衍主讲《剧作随谈》、聂绀弩主讲《语文问题及语文运动》、孟超主讲《临时演讲》。

同日，《宇宙风》乙刊 27 期刊出“鲁迅特辑”，纪念鲁迅 60 诞辰。

同日，《诗与散文》月刊在昆明创刊，并同时成立诗与散文社。闻一多为月刊题词，高寒（楚图南）、巴金等对社团给予与很大支持。1946 年停刊。

3 日，为纪念鲁迅诞辰 60 周年，《新华日报》发表社论《我们怎样来纪念鲁迅先生?》，文章指出，为了纪念鲁迅先生，“我们就要继承他创作的光荣传统和他一生所抱的为民族、为人民和为求进步而斗争的精神。”“我们就要加强进行新民主主义的文化运动。”此外，该报还发表了戈宝权、潘梓年、罗荪、葛一虹等人的纪念文章。

20 日，八路军在华北敌后战场发动“百团大战”。这次大规模战役共调集 105 个团参战。从 8 月 20 日起至 12 月 5 日结束，历经大小战斗 1820 余次。毙伤日伪军 25800 余人，俘虏大批伪军和日军，破坏铁路 940 多里、公路 3000 多里，车站、桥梁、隧洞 260 多处，八路军伤亡 17000 多人。

同日，《野草》月刊在桂林创刊。该刊由秦似向夏衍提议，由夏衍约请聂绀弩、孟超、宋云彬等组成编委会，夏衍任主编。《野草》办刊方法学习鲁迅的《准风月谈》和《花边文学》，在“软性”文章中藏着讽刺的“骨头”。毛泽东曾“嘱人每期寄他两份”，周恩来两次派人传达他对刊物的意见，莫斯科出版的《国际文学》曾专文介绍《野草》。

该刊在《野草（代发刊语）》中说明了办刊的背景和刊物的宗旨：“我们虽然自称善于憧憬光明，却同时也善于忘怀灾难。前线和敌占区正在一枪一弹搏击敌人，在后方倒有人穷奢极乐，豪华郁丽，坐汽车上馆子，运私货发大财，口里说的是抗战建国，心里想的甚至手里做的却可以是抗战建家。”在谈到为什么以“野草”为名时，文章说："野火烧不尽，春风吹又生。""弄一点笔墨，比起正在用血去淤塞侵略者的枪口，用生命去争取民族的自由的一大群青年人，正如培·阿根所说，是'以花边去比喻枪炮了'，然而'英伦的雾'以至'美国人的狗'一类的东西正大量地在印，这事实又教育了我们，即使同是花边，也还有硬软好坏的分别，有的只准备给太太们做裙带，有的却可以给战旗做镶嵌。"

该刊主要发表短小精悍的杂文和时评，兼刊登短篇创作、评论和翻译作品。主要撰稿人除编者外，还有郭沫若、茅盾、柳亚子、胡愈之、叶以群、艾芜、何家槐、荃麟、林林、葛琴、周钢鸣等。1943 年 6 月 1 日出版第 6 卷第 5 期后被迫停刊，共出 29 期。1946 年 10 月 1 日于香港复刊，续出第一号。1949 又改出《野草新辑》。

28 日，《新华日报》发表"文协"致全世界作家书，痛斥日寇暴行。文章说：日机"大肆轰炸，夜以继日，重庆市内市外火光冲天，延续数日，闹市家宅，尽成灰烬，被难灾民，露宿街衢，似此摧残文化，违反人道，破坏公法，诚灭绝人性的兽行，为全人类之公敌"，并希望全世界作家予以"谴责与制裁"。

31 日，王独清病逝。

王独清（1898—1940），诗人。原名王诚，号笃卿。曾用名张云。笔名斗勤、秦佬、青侯等。陕西长安人。"五四"前曾任西安《秦镜日报》、上海《救国日报》编辑，因言论激烈，不为当局所容，遂去日本留学。五四运动爆发后回到上海。1920 年留学法国，漫游意大利、瑞士。1922 年起常在《创造季刊》上发表诗作。1926 年回国，经郑伯奇介绍加入创造社，负责编辑《创造月刊》。同年去广州任广东大学教授，后为文学院院长，并且出版第一部诗集。1927 年任创造社常务理事。大革命失败后去上海，任上海艺术大学教务长。1930 年主编《展开》月刊。抗战爆发后回陕西。1940 年病逝。著有诗集《圣母像前》、《死前》、《威尼斯》、《埃及人》、《11DEC》、《锻炼》、《凌乱章》，小说集《暗云》，剧本《杨贵妃之死》，自传《我在欧洲的生活》，翻译作品有《独清译诗集》、《新生》（诗集，意大利但丁著）、《新月集》（诗集，印度泰戈尔著）等。

冯雪峰论文集《鲁迅论及其他》由桂林充实社出版。1946 年的增订本，改名为《过来的时代》。

邹荻帆的《木厂》（长诗）由文化生活出版社出版。

由《新华日报》华北分馆出版的《中国人》（周报）创刊。该刊是由中共中央北方局宣传部决定于晋冀豫边区创立的对敌占区的宣传刊物，16 开，每期 4 版，前 3 版为要闻言论等，第 4 版为文艺副刊《大家看》，由赵树理担任该版编辑，同时也是主要撰稿人。该刊大约持续了两年，出版约四五十期。副刊每次发四五篇稿件，共发表各种形式的作品约 200 多篇，基本由编者自己撰写，包括小说、故事、杂文、鼓词、唱剧、寓言、民谣、童话、日记、书信、有韵话、随感录等。其中有些形式，如有韵话等，是作者的创造。主要作品有《"你索"寓言》，古体诗《避者》、《乞丐歌》，章回小说《再生录》、《李克仁妙计留如意》等。

袁俊的五幕剧《小城故事》由文化生活出版社出版，列为"袁俊戏剧集"之一。

陆蠡散文集《囚绿记》由上海文化生活出版社出版。列为巴金主编的"文学丛刊"

第六集之一。有《序》。收写于1938年至1940年的散文9篇。

九月

1日，延安诗歌会会刊《新诗歌》创刊。油印本，创刊号署战歌社和山脉文学社合编，第二编起正式以新诗歌会名义编印，实际主持编印者为萧三、刘御、公木、海棱等人。约1941年终刊，出了7期左右。该刊致力于诗歌的大众化和民族化工作，提倡群众性的街头诗和朗诵诗，主要发表诗歌作品和诗运研讨文章。现存5期，共发表诗歌86首，译诗4首，诗运活动报导及研讨文章3篇，撰稿人除编者外，还有郭小川、柯仲平、孙剑冰、朱子奇、陆荆、罗夫等，第4期发表了朱德的诗《过太行口占》及董必武、叶剑英、郭沫若、田汉的和诗。

6日，茅盾完成《旧形式、民间形式与民族形式》一文。文章从五个方面分析了向林冰的错误所在：第一，“大众自己所创造者，其形式并不尽善尽美，而经过了庙堂中人沾手以后的更进步的形式，也并不为大众所歧视；所以，如果我国固有的文艺形式而有所可取，或不应不有所取，那么，一切旧形式皆当有份，不应只推崇民间形式，甚至应该多取民间形式以外的旧形式，因为他们在形式上，确是更进步的。”第二，向先生的中心源泉论，表面上虽似欲建立民族形式，实际上却是延长了应该被淘汰的封建社会文艺形式的寿命。”第三，“旧形式或民间形式，自然有一些特征……这些特征实在都是封建社会经济的产物，乃中外各国封建文艺所共有，决非中国民族所独具。如果有人认为这些便是‘民族的’，于是要在这些上面建立起什么民族形式来，或在这些之中导引出民族形式来，那就不免是大笑话了。”第四，“我们不承认民间形式可作民族形式的中心源泉，因为大体上民间形式只是封建社会所产生的落后的文艺形式，但是我们也承认民间形式中的某些部分……可以作为建立民族形式的参考，或作为民族形式的滋养料之一。”

茅盾最后指出，我们相信“代替过去那种地方的民族的闭塞与自足”，“从许多民族的地方的文学里”必将“产生出一种世界文学来”，“这种世界性的文学艺术并不是抛弃了现有各民族文艺的成果而凭空建立起来的，恰恰相反，这是以同一伟大理想但是不同的社会现实为内容的各民族形式的文艺各自高度发展之后，互相影响溶化而得的结果；是故民族文学之更高的发展，适为世界文学之产生奠定了基础。”“新中国文艺的民族形式的建立，是一件艰巨而久长的工作，要吸收过去民族文艺的优秀的传统，更要学习外国古典文艺以及新现实主义的伟大作品的典范，要继续发展五四以来的优秀作风，更要深入于今日的民族现实，提炼熔铸其新鲜活泼的素质。……我们和向林冰先生的论争，就因为他的主张不但是向后退的复古的路线，而且有‘导引’民族形式入于庸俗化与廉价化的危险，并有文艺界中散布‘抄小路’、‘占便宜’的倾向的危险！”该文后发表于1940年9月25日《中国文化》第2卷第1期。

15日，茅盾《关于“民族形式”的通信》发表于《文学月报》2卷1、2期合刊。本文批评了向林冰等关于以民间形式为中心源泉的观点，指出其把“五四”新文学看作完全不适应与“中国土壤”的错误，同时也批评了那种以为“新文艺不能深入大众，主要在于形式”而与内容无关的观点，强调指出应当重视民族形式的内容，不能脱离内容来谈形式问题，更不能只顾形式，“内容便无论怎样都行”。

国民党以改组政治部为名，撤消第三厅。

艾青《树》发表于《诗》月刊第2卷第1期，收《旷野》集。

艾青诗集《旷野》由重庆生活书店出版。

宋之的完成《鞭》（五幕剧，后改名为《雾重庆》），本年11月由重庆生活书店出版。

十月

8日，《新蜀报》举行座谈会，讨论“从三年来的文艺作品看抗战胜利的前途”。田汉、黄芝冈、沙汀、罗荪、叶以群、华林、陆晶清、葛一虹、宋之的、姚蓬子等22人应邀出席。会上总结了武汉会战以前抗战文艺的情形：“作家都抱着一种天真的兴奋的情绪，歌唱胜利，憧憬光明”。武汉失守后，作家才“逐渐看清了抗战的胜利决不会廉价地获得，于是批判地来描写光明，同时也暴露黑暗”，当然，“暴露黑暗是为了消灭黑暗，作家的根本观念依然是乐观的积极的，和抗战初期并没有改变”。最后指出摆在作家面前的任务“是如何更深入的去观察现实把握现实，如何从光明和黑暗的交织中去正确理解光明，理解黑暗”。

10日，茅盾应周恩来之邀，离开延安，11月下旬到达重庆。

19日，“文协”、中苏文化协会、中国文艺社、国际反侵略中国分会等12个团体在重庆巴蜀小学广场举行鲁迅逝世4周年纪念大会，周恩来、冯焕章、沈钧儒、郭沫若、陈访先等300余人出席了大会。

大会筹划出版纪念特刊，由文协负责编辑、出版。特刊包含了景宋、郭沫若、王平陵、沙汀、以群等人的纪念文章。

主席冯焕章在致辞中指出：鲁迅先生是在极其困难的生活中获得伟大成功的；他留过洋，但他“说中国话，做中国事”；他举起反封建的大旗，绝不妥协屈服地战斗到底；他无情地揭破旧社会旧面具，对于青年却总是指出一条光明的道路。冯焕章指出了鲁迅的伟大精神主要有三个特点：“第一便是‘真’，他对于大众，对于国家民族，从来不说半句假话”。“第二便是‘硬’字”，无论是日常生活还是事业，他都有着一种硬碰硬的态度，“真正做到了‘威武不能屈，富贵不能淫，贫贱不能移’的地步，而硬干到底的精神。”“第三便是‘韧’字，他的战斗精神是越失败越来劲，越困难越战斗”，韧战到底。

胡风在报告了鲁迅的生平后，也概括了鲁迅精神的主要方面：“第一是爱民众的精神”。“第二是坚决的精神，他在任何艰难困苦的情形底下，都是战斗到底的。”“第三是自信的精神，他在任何场合上，都有坚决的自信。”郭沫若则表示希望有更多的“鲁迅”在中国生长起来。

当晚，“文协”又在一心饭店举行聚餐会，到会50余人，老舍主持，周恩来在会上作了讲话。沈钧儒则亲切回忆了与鲁迅30年的友谊，说：“鲁迅的为人是温和可亲，

所以他爱友人，爱人群，爱一切进步的人类。”

同日，《新华日报》“文艺之页”设立了悼念鲁迅逝世4周年专版，发表了社论《悼念青年的导师鲁迅先生》、叶剑英的《我也来悼念鲁迅》、茅盾的《纪念鲁迅先生》、丁玲的《开会之于鲁迅》、冯玉祥的《纪念鲁迅》、陈烟桥的《鲁迅怎样指导青年木刻家》等文。

同日，延安举行鲁迅逝世4周年纪念大会。大会发表了《宣言》，并决定组织鲁迅研究委员会。

20日，“文协”在中苏文化协会举行鲁迅逝世4周年纪念晚会。胡风主持。先由常任侠朗诵《这样的战士》以活跃气氛，接着由老舍、阳翰笙、潘孑农、黄芝冈、蓬子等做了简短的发言，然后由老舍朗诵《阿Q正传》第二章《优胜略记》，常任侠朗诵《野草》中的《复仇》一诗。最后由胡风做了总结。

27日，“文协”举行诗歌晚会，50余人出席，胡风主席、老舍、常任侠朗诵了诗歌，艾青就3年来的抗战诗歌运动发表了意见。

由丁玲、舒群等发起和组织的文艺月会在延安成立。主要成员有周文、雪幕、周扬、塞克、荒煤、黄既、李雷、陈企霞、洛克、高阳等。为了提高文艺创作兴趣，展开文艺讨论空气，曾举行多次讨论会，1941年1月创办《文艺月报》，除登载文艺作品外，经常发表一些月会讨论提纲和意见。

曹禺剧本《蜕变》由长沙商务印书馆出版。

曹禺在《关于〈蜕变〉二字》一文中这样解释剧名的由来：“自然”的“蜕变”“这样排定下那不可避免的铁律：只有忍痛蜕掉那一层腐旧的躯壳，新的愉快的生命才能降生。”在抗战的大变动中，“我们对于新的生命应无限量地拿出勇敢来护持，培植；对那旧的恶的，应毫不吝惜，绝无顾忌地加以指责，怒骂，掊击，以至不惜运用各种势力来压禁，直到这帮人，这种有毒的意识死净为止。”“戏的关键还是在我们民族在抗战中一种‘蜕’旧‘变’新的气象。这题目就是本戏的主题。”（曹禺：《关于〈蜕变〉二字》，《蜕变》，文化生活出版社，1947年9月3版。）

巴金在《〈蜕变〉后记》中说：“它到我眼前时，剧中人物和故事已经成了各处知识分子谈话的资料了。我摊开油印稿本在昆明西城角寄寓的电灯下一口气读完了《蜕变》，我忘记了夜色，忘记了疲倦，我心里充满快乐，我眼前闪烁着光亮。作者的确给我们带来了希望。”“《雷雨》是这样地感动过我，《日出》和《原野》也是。现在读《蜕变》我也禁不住泪水浮出眼腔。但我可以说这泪水里面已没有悲哀的成分了。这剧本抓住了我的灵魂。我是被感动，我惭愧，我感激，我看到了大的希望，我得着大的勇气。”“现在我很高兴地把《蜕变》介绍给读者，让希望亮在每个人面前。”（巴金：《〈蜕变〉后记》，《蜕变》，文化生活出版社，1947年9月。）

谷虹认为，“《蜕变》是曹禺创作路上的一块新的纪程碑”，“概括地说，《蜕变》还是我们抗战中最成功的一部作品。虽然它还存在着一些缺点，但并不足以损害其艺术价值。”“它显示给我们以抗战前途的光明面，在观众心中燃起了强烈的希望的火花。整部作品里交织着强烈的爱和憎，使观众为之愤激，为之感奋。”“而且在技术上，我们抗战中的许多剧作，还没有出于其右者。”（谷虹：《曹禺的〈蜕变〉》，《现代文艺》

第4卷第3期，1941年12月。）

但胡风却对《蜕变》提出了不同意见。他说："在《蜕变》里面，作者曹禺正面送出了肯定的人物，这并不是说他在别的作品里面没有肯定的人物，但只有在这里，他底肯定人物才站在作品构成的中心里面，才正面地全面地和现实的政治要求结合，或者说，向现实的政治要求突进。作者底艺术追求终于和人民底愿望所寄付的政治要求直接地相应，这就构成了这个剧本底最基本的要因。"但"我们有权利指出这个剧本底反现实主义的方向，但我们也尊重作者底竟至抛弃了现实主义的热情，以及由这热情诞生的创造的气魄。"在《蜕变》中，主人公"她"的崇高人格"临空而上"，"离开了大地"，"实际上并没有走进历史的行程"，作者"天真地把一个大团圆赠给了观众"，这是一个"不能够挽回"的致命点。所以"梦，也是好的，因为它是希望的变形。但从梦里醒来以后，我们应该保存的仅仅是它给我们的势力和它被洗净过的心灵，用这来更坚强地对待赤裸裸的现实的人生。"（胡风：《〈蜕变〉一解》，《文学创作》第1卷第6期，1943年4月。）

巴人专著《论鲁迅的杂文》由上海远东书店出版。本书分：一、序说，二、鲁迅思想发展的三个时期，三、鲁迅杂文的形式与风格，四、鲁迅的思想方法，五、战斗文学的提倡，六、附录。这是上海"孤岛"时期出版的较有影响的研究鲁迅杂文的思想和艺术的理论专著。该书对鲁迅杂文的思维形式的分析，对鲁迅杂文如何继承发展中国传统散文的质素的论述等方面，较前辈研究者均有新的开拓。

夏丏尊《平屋杂文》由知行书局出版。

十一月

1日，国民党在三厅改组后成立政治部"文化工作委员会"，改任郭沫若为该会主任，阳翰笙为副主任。又将原三厅领导的10个抗敌演剧队分别划归各战区政治部领导。郭沫若在12月7日举行的招待会上说："'文工会'内分国际、文艺研究组和对敌工作组。希望所有笔杆一致对外，将来更是一致建国，抗战就是伟大的新文化运动，盼望大家担负起这个伟大的担子。"

同日，《戏剧春秋》月刊在桂林创刊。由田汉任主编兼发行人，欧阳予倩、夏衍、杜宣、许之乔编辑。先后由桂林白虹书店、桂林集美书店出版。该刊是反映和推进当时进步戏剧运动的主要刊物。撰稿人除编者外，还有华嘉、宋之的、吴晓邦、赵明、天蓝、郭沫若、洪深、熊佛西、荃麟、茅盾、胡风等。

该刊在《发刊词》中说明了办刊的原因和方针：戏剧是"最好的抗战宣传的武器"，我们的戏剧运动在抗战中曾起过巨大的作用，但也存在缺陷，"首先是戏剧理论的贫乏"，其次是适合形式发展的"剧本的恐慌"，三是"联系与领导的缺乏"。鉴于此，《戏剧春秋》要"整理介绍一些适合我们抗战需要的戏剧理论"；"对于目下所有的剧作，要依着一个实际抗战戏剧工作者的见地尽批评介绍之劳"；要每期"发表几个剧本"；注重"各方戏剧工作者的实际报告"和"足以使我们思索兴奋欢喜的各种通信"。

该刊所载论文主要有夏衍《戏剧抗战三年间》、田汉《关于抗战戏剧改进的报告》、郭沫若《戏剧运动的展开》等，剧作有欧阳予倩的《战地鸳鸯》、夏衍《冬夜》、洪深《回到祖国》、田汉《岳飞》（新年剧）、郭沫若《高渐离》等；译著有瞿秋白的《拉辛论》、宗玮译《莎士比亚新论》、章泯译《交流》（司坦尼斯拉夫斯基）、焦菊隐译《哈姆雷特在法兰西剧院》等。此外，还有该刊召开的“戏剧的民族形式问题座谈会”和“历史剧问题座谈会”纪录。先后出有《戏剧的民族形式问题》、《莎士比亚逝世三二五年纪念》、《戏剧节》、《历史剧问题》等特辑。

2 日，戏剧春秋社在重庆天官府街举行戏剧的民族形式问题座谈会。郭沫若、阳翰笙、杜国庠、胡风、老舍、茅盾、洪深、郑伯奇、常任侠、田汉、盛家伦等 30 人参加了座谈会。郭沫若说：“追求适合新内容的新的民族形式，无非是到达世界文学的一个过程。”他认为：“将来的世界形式当然应以社会主义为内容，今天苏联的文艺不过是过渡期的文艺，所以是‘社会主义的内容，民族的形式’。这因各民族狭隘的特异的生活习惯、风俗、传统等一时不易扫掉。这些特异性或因经济基础或因交通关系而存在，到了新的社会当然可以渐次消灭或减少。而各民族间的共同性必然加强。当然，大同中还容许少异，这不仅男女性别或人种的肤色不可变易而已。但过去因贫富悬殊而引起世界观的悬隔，对事物的看法以及感情的悬殊，这些悬殊决定了文艺在社会阶级间的特异性，在新社会的新文艺中大约是不会再有了。”茅盾的发言除了重申在《旧形式、民间形式与民族形式》一文中所谈到的民族形式与经济基础有关的观点外，还指出：“我们为建立中国的民族形式要紧的是深入今日的中国的民族现实。比如我们要写中国农民必须是其声音笑貌、忧愁、烦恼、争论时的手势等完全是中国农民的，而不是外国农民的。”田汉谈到话剧的民族形式问题，他说：我们的话剧或歌剧现在都在追求着一种形式，这种形式必须回答两个问题：一、“在革命的实践上能组织鼓动更广泛的民众”。二、“在创作方法上能配合日益波澜的生活内容”。这一种形式我们叫它民族形式。盛家伦在谈到新民族歌剧之音乐改造问题时，主要指出了两点：“乐器西洋化，形式中国化！”

同日，戏剧春秋社在桂林也召开了戏剧的民族形式问题座谈会。

10 日，老舍、胡风、章泯、黄芝冈、葛一虹、应云卫、王平陵等 60 余人举行戏剧晚会，胡风任主席，讨论题为《怎样表现主题与怎样创造人物》。

24 日，“文协”举行诗歌晚会，参与者达 70 余人，由艾青任主席，会议讨论了诗的语言问题。老舍、徐迟、长虹、任钧、王平陵等人发了言，艾青、光未然、常任侠朗诵了诗歌。

30 日，汪伪中华民国政府与日本政府在南京签订《日汪基本关系条约及附属秘密协约》。其主要内容是：规定双方共同“防共”、“反共”，日军可以驻扎在蒙疆、华北及其他特定区域；双方紧密合作开发中国资源，中国领土向日本全部开放；双方在外交方面“相互合作”等。该条约是汪精卫集团出卖中国利益的契约。

沙汀《随军散记》由知识出版社出版。

柯灵《市楼独唱》由上海北社出版。

十二月

1 日，沙汀的小说《在其香居的茶馆里》发表于《抗战文艺》6 卷 4 期。

同日，“文协”举行戏剧晚会，胡风主持，议题为“怎样发扬戏剧上的现实主义”。

同日，《戏剧春秋》1 卷 2 期刊出“戏剧的民族形式问题特辑”，发表茅盾、易庸等有关的论文。

7 日，“文协”在中法比瑞同学会举行茶话会，欢迎新近来渝的茅盾、巴金、冰心、徐迟等作家。周恩来、郭沫若、老舍、吴文藻、田汉等 70 余人到会。大家彼此之间进行了密切的交谈，并表示要为抗战而奋斗。

9 日，《新华日报》刊载“文协”讨汪通电，怒斥汪精卫罪大恶极，要求大家口诛笔伐，讨汪除奸。

15 日，“文协”、国际反侵略分会等八团体举行联合晚会。会上演奏了《黄河大合唱》。

19 日，《新华日报》报道：“文协”受贵阳《中央日报》、宜昌《武汉日报》之托，征求、评选抗战长篇小说。“文协”在《抗战文艺》第 4 卷第 3、4 期合刊上发布了征文通告：“征十万字以上的创作小说”，题材限于以下几类：“（一）前线的战斗形式，或（二）沦陷区域的生活动态，或（三）后方生产建设的进展过程。”“中选者受奖金一千元”，“收稿期本年十月底截止”。最后，S. M. 的《南京》，陈瘦竹的《春雷》获奖。

27 日，“文协”于张家花园召开理事会，讨论了下届理事改选及在明年三月号《抗战文艺》上发表各部会务报告等多种问题。

巴金的长篇小说《火》第一部由上海开明书店出版。第二、三部先后于 1941 年 1 月和 1945 年 7 月由该店出版。

巴金在《火》的后记中说道：“我写这小说，不仅想发散我的热情，宣泄我的悲愤，并且想鼓舞别人的勇气，巩固别人的信仰。我还想使人从一些简单的年轻人的活动里看出黎明中国的希望。老实说，我想写一本宣传的东西。”他在晚年的回忆录中又重申了这一创作意图：“我想写的也只是打击敌人的东西，也只是向群众宣传的东西，换句话说，也就是为当时斗争服务的东西。”“《火》是为了唤起读者抗战的热情而写的，《火》是为了倾吐我的爱憎而写的。”（巴金：《关于〈火〉——创作回忆录之七》，香港《文汇报》，1980 年 2 月 24 日。）

杨刚在香港《文艺青年》杂志撰文，针对一部分文学青年专写怀乡病等所谓“新式风花雪月”的散文写作倾向提出批评，随后，《大公报》副刊等报刊也发表了许地山、林焕平、孙钢等的批评文章，展开了热烈讨论。

柯仲平的叙事长诗《平汉路工人破坏大队》由读书生活出版社于本年出版。

1941 年

一月

1 日，延安文艺月会会报《文艺月报》创刊。萧军、舒群等先后担任编辑。终刊时间不详，今存 17 期中的最后一期为 1942 年 9 月 1 日出版。各期篇幅不一，少则 4 版，多至 30 版。该报贯彻文艺月会“提高文艺创作兴趣，展开文艺讨论空气”的宗旨，大体上每期有一个中心，针对延安的文艺现象发表一篇重要评论文章。发表的作品包括小说、诗歌、杂文、剧本等，著译兼收。主要撰稿人有何其芳、荒煤、丁玲、萧军、陈企霞、雷加、又然、草明、艾青、刘白羽、魏东明、雪苇、高阳、罗烽、郭小川、晋驼、冯牧、逯斐、曹葆华、黄既、江东、韦君宜等。该刊还注意报导当时延安文艺界活动的情况和消息，如“文艺月会”成立经过、纲领草案及工作会议纪录，文艺小组的活动动态，“星期文艺学园”的缘起、讲课题目及讲课人姓名、学员名单和作品，“延安鲁迅研究会”的活动纪要等。

6 日，皖南事变爆发。在安徽泾县茂林地区，按命令北移的新四军突遭国民党军队 7 个师 8 万余人的包围袭击。新四军部队英勇奋战七昼夜，终因寡不敌众，弹尽粮绝，除约 2000 余人突出重围外，一部被打散，大部壮烈牺牲或被俘。军长叶挺在和国民党谈判时被扣押，政治部主任袁国平牺牲，副军长项英、参谋长周子昆在突围中被叛徒杀害。

8 日，《七月》召开座谈会，讨论“作家的主观与艺术的客观性”问题。茅盾、胡风、戈宝权、以群、罗荪、宋之的、艾青等 14 人参加。

11 日，周恩来就新四军被围一事向国民党代表张冲提出抗议，并指示《新华日报》揭露国民党袭击新四军的事件。

12 日，“文协”桂林分会召开民族形式问题讨论会。讨论民族形式之提出、提出中心源泉之经过、构成民族形式的基本条件等问题，周钢鸣、艾芜等在会上发了言。

15 日，鲁迅研究会成立大会在延安文化俱乐部举行。基本成员有丁玲、周文、周扬、周立波、舒群及学术界艾思奇、陈伯达、范文澜等。萧军写有《鲁迅研究会成立经过》(《中国文化》2 卷 6 期)。

17 日，蒋介石以国民政府军事委员会名义宣布新四军为“叛军”，取消其番号。军长叶挺被“革职”，交“军法审判”。

18 日，中共中央发言人发表谈话，揭露蒋介石制造“皖南事变”的真相和摧残人民抗日力量的罪行。宋庆龄、何香凝等联名致电斥责蒋介石，指出今后应绝对停止以武力攻击共产党，必须停止弹压共产党的行动。

同日，国民党新闻检查机关扣压《新华日报》关于皖南事变真相的报道和评论文章，报纸开了“天窗”。凌晨，周恩来挥笔写了“千古奇冤，江南一叶；同室操戈，相煎何急!”的挽诗刊在开“天窗”的版面上。

宋之的等组织的“旅港剧人协会”成立，演出《雾重庆》、《心防》、《马门教授》等剧。

《奔流文艺丛刊》在上海创刊。这是“孤岛”时期以丛刊形式出版的期刊之一。1941 年 7 月出至第 6 辑，该辑《编后》说“自下一辑即七辑起，在取稿范围上将有一点变动”。今仅见前 6 辑。上海奔流文艺丛刊社编辑、出版。第 1 至 6 辑分别题名《决》、《阔》、《渊》、《泛》、《沸》、《激》。内容包括论文、小说、诗歌、报告、速写、短论等。撰稿人有袁水拍、柳青、臧克家、骆宾基、司马文森、石灵、柯灵、宋扬、蒋天佐、锡金、何为、方晓白、田青、吴岩等。所载论文有蒋天佐的《论民族形式与阶级形式》、陈烟桥的《新兴木刻的创作谈》，小说有何为的《大地的脉息》、柳青的《二等兵》、臧克家的《天下第一乐事》，散文有司马文森的《南方之歌》、叶素的《朱亚之》，报告文学有骆宾基的《后方》，剧本有石灵的《在天堂的门外》，短论有锡金的《谈诗小札》、列车的《诗谈》等。

《文艺工作》杂志由大东书局出版。郭沫若、阳翰笙等任编委。

《西南文艺》月刊在昆明创刊。文协昆明分会编辑。

巴金的《火》第二部（长篇小说）由开明书店出版。

吴祖缃的长篇小说《鸭嘴涝》连载于《抗战文艺》第7卷第1、2、3期合刊。

萧红的长篇小说《马伯乐》由重庆大时代书局出版。萧红开始酝酿这部作品是在1939年的重庆，1940年春在香港动笔，次年秋因病重辍笔。1941年大时代出版社出版了《马伯乐》（第一部）单行本，约10万字。第二部自1941年2月起在香港《时代批评》半月刊上连载15期，计9章。约8万字。第九章结束时标明："第九章完。全文未完。"

二月

5日，洪深全家三人服毒自杀。遗书说："一切都无办法，政治、事业、家庭、经济，如此艰难，不如且归去。"幸郭沫若闻讯偕医生前往抢救，始免于难。此事经《新蜀报》等公诸社会，引起广大读者关注。

10日，文化工作委员会主编的《七天文艺》创刊，为《新蜀报》副刊之一。此刊共出130多期，1944年10月终刊。

26日，冯雪峰在浙江义乌被国民党逮捕，囚系上饶集中营。后经周恩来、董必武等多方营救，1943年夏始出狱。

29日，老舍代表"文协"首次捐献劳军款500元。

许地山《铁鱼底鳃》发表于《大风》84期。

魏如晦（阿英）的四幕历史剧《海国英雄》由上海国民书店出版。列为"新艺戏剧丛书"之三。

陈白尘根据艾芜的小说改编的三幕剧《秋收》由桂林上海杂志公司出版。列为宋之的主编的"戏剧丛书之三"。

徐訏的五幕剧《月光曲》由夜窗书屋出版。

三月

1日，陈企霞在延安《文艺月报》3期发表《旧故事的新感想》，批评何其芳在一次关于诗的报告中有关诗的主题的论述，何其芳在本刊4期以《给陈企霞同志的一封信》为题，反驳了陈的批评。

12日，晋察冀边区文艺界各协会致电全国文艺界，为洪深自杀事件抗议国民党当局摧残文化。

19 日，中国民主政团同盟在重庆成立。左舜生为总书记，黄炎培为中央常委会主席，张澜等为执行委员。该同盟的前身是统一建国同志会。其政治纲领是：贯彻抗日主张，实践民主精神，结束党治等。后在香港创办《光明报》。1944 年，改名为中国民主同盟。

20 日，茅盾的《戏剧的民族形式问题》发表于《抗战文艺》第 7 卷第 2、3 期合刊。

27 日，“文协”举行三周年成立纪念大会，老舍、胡风、巴金、阳翰笙、姚蓬子、华林等 50 余人出席会议。

29 日，茅盾作《抗战期间中国文艺运动的发展》。他在文中谈了随着战争形势的发展，文艺中心的变化：“事实上，今天的中国文坛已经形成了好几个中心点，重庆是一个，桂林、延安、昆明、金华，乃至上海，也都是其中之一。”他还谈了文艺队伍的变化：“中国的前进的文艺的后备军，是在大量地产生了，培养了，这是中国抗战文艺运动中最光辉的一页，而且也是最主要的特征。”此外，作者还说“我们的文艺的内容与形式问题，也就提到了一个新的阶段”，并且指出：“中国作家所必须反映者，正是这样的抗战的现实。”“至于形式问题，由从前的‘大众化’，而更进一阶段，即所谓‘民族形式’。”此文后发表于《中苏文化》第 3、4 期合刊。

“文协”为响应文化界出钱劳军运动，在《新蜀报》营业部义卖郭沫若、老舍、田汉等作家字画，所得款项全部交劳军委员会。据 20 日出版的《抗战文艺》第 7 卷第 2、3 期合刊报道，“卖字运动”是从 2 月 21 日开始，到 3 月 11 日结束，前后时间为 18 天。该运动的标语是：“文协出纸，作家出力，请诸公出钱。”

冰心的《谢冰心代表作》（综合集）由上海三通书局出版。

丁西林的《等太太回来的时候》（戏剧）由重庆正中书局出版。

阿英的三幕剧《不夜城》由上海剧艺出版社出版。

四月

13 日，老舍在中法比瑞同学会为 500 名听众演讲《怎样学习文艺》。

15 日，《杂文丛刊》创刊于上海。以杂文为主的不定期文学刊物。杂文社编辑发行。同年 11 月 16 日终刊。共出版 9 期。前 6 期称《杂文丛刊》，各以一古代利剑为刊名：1941 年 4 月 15 日第 1 辑《鱼藏》；5 月 6 日第 2 辑《干将》；5 月 28 日第 3 辑《莫邪》；6 月 18 日第 4 辑《湛卢》；8 月 8 日第 5 辑《纯钧》；9 月 3 日第 6 辑《巨阙》。后 3 期称《棘林蔓草》，各以一生命力强韧的植物为刊名：约 1941 年 10 月第一分册《紫荆》，第 2 分册《菖蒲》；11 月 16 日第 3 分册《水莽》。刊物的主要编辑和撰稿人是倾向革命与进步的暨南大学文科学生，如钱景雪（笔名鹿非马、秦再政、钱节、铁镒）、王兴华（笔名王卓武）、吴弦远（笔名吴绍彦、孔锵、俞夷）、李澍恩（笔名穆子沁、陶弃、许三嘘、祁翔遥、陶之瑶）等人；王任叔（一士）、唐弢（风子）、柯灵（丁一之）、孔另境（东方曦）、陆象贤（列车）等也经常为之写稿。内容多为坚持抗日救国，无情揭露汉奸丑行，批评国民党当局的反共立场，注重繁荣杂文创作，推进杂文理论研究，是继《鲁迅风》后又一有影响的战斗杂文刊物。

20日，茅盾在《中苏文化》8卷3、4期上发表《抗战期间中国文艺运动的发展》。作者概括抗战前后文艺运动的不同是：抗战以前，文艺活动主要集中在一二大都市里，文艺的群众基础主要是小市民知识分子，文坛上新人的出现屈指可数。抗战以后这种状况发生了巨大变化。文章认为，根据新的形式，文艺界应当着手培养大批文艺干部，开展“通讯员”运动和文艺干部训练所等。进而“文艺的内容与形式问题，也就提到了一个新的阶段”。

26日，“文协”筹办的在渝各界文化团体联欢晚会在广东酒家举行，200余人到会，老舍在会上诵了《阿Q正传》中的片段，后冯玉祥也朗诵了新作。

27日，文化工作委员会在重庆抗建堂举行文艺演讲会，总题为《文艺创作方法论》。老舍、孙伏园、郭沫若分别讲小说、散文、诗歌创作问题。

老舍的话剧《面子问题》由重庆正中书局出版。

五月

1日，晋察冀边区的大型文化艺术综合刊物《五十年代》创刊。“它的内容的份量和延安的《中国文化》大致相同，可说是全国有数的进步、充实的刊物。”（引自1941年7月5日《晋察冀日报》）第1期载成仿吾的《代发刊词》，克夫译《列宁与文学遗产问题》，田间长诗《铁的子弟兵》，何干之的《鲁迅的方向》及何洛的《易卜生在中国》等。

同日，胡风编的《民族形式讨论集》出版，共收29篇文章和两个座谈会记录。编者将文章分为十一组：第一组是提出问题，第二组是关于旧形式的作用，第三组是各部门创作者的意见，第四组是戏剧民族化论文，第五组是关于“中心源泉”论的前哨战，第六组是对五四新文艺传统的评价，第七组是“中心源泉”论者的大规模反攻，第八组是对于“中心源泉”论的批评及“中心源泉”论者的反批评，第九组是各展开详细见解的两篇论文，第十组是两个座谈会记录，第十一组是从大众文化方面对“中心源泉”论的再批评。

9日至14日，晋察冀边区文、音、美、剧各协会及文化俱乐部召开民族形式问题座谈会。到会文艺界人士及各文艺团体代表共150余人。推选成仿吾、常青、沙可夫、杨朔、何干之、周巍峙、金肇野、汪洋、陈山等9人为主席团。沙可夫致开幕词，常青致闭幕词。讨论内容：一、旧形式的估价及其利用；二、五四以来新文艺的估价；三、民族形式的创造；四、社会价值与艺术价值。会议期间联大文工团演出果戈里的《巡按》，西战团演出田汉改编的《复活》，抗敌剧社演出曹禺的《雷雨》。

15日，“民族形式”座谈会后，边区文协即召集文艺工作者在文化俱乐部举行创作会议。杨朔、田间、金肇野、孙犁等到会。会议由田间主持。最后决定成立文学创作会，推杨朔、田间、周而复为委员，并发表《文学创作会纲领》。

17日，茅盾长篇小说《腐蚀》在香港《大众生活》（韬奋主编）开始连载（新1

至20号）。单行本于本年10月由上海华夏书店出版。李伯钊评论说：“茅盾先生的中篇《腐蚀》，是一篇国民党特务罪恶有力的控诉书。为此，《腐蚀》在国民党统治区被禁绝出版与发行了。作者以细腻动人笔调，解剖特务分子的灵魂，暴露其丑无比的黑暗罪恶，任何富有生命的男女，一经中了‘特毒’，必被糟踏成一无生气的行尸走肉。”（李伯钊：《读〈腐蚀〉》，延安《解放日报》，1946年8月18日。）

20日，滕固去世。

滕固（1901—1941），小说家，字若渠。江苏宝山人。出生于书香门第，自幼学习古代诗文。在上海美术专门学校毕业后即赴日本留学。曾参加文学研究会，又与创造社早期成员关系密切。1924年获东洋大学文学学士学位后回国，在上海美专任教。1926年和邵洵美等组织吼狮社，出版《吼狮》及《金屋》杂志，被视为唯美派。1930年赴德国留学，1932年获柏林大学哲学博士学位。回国后曾任中山大学教授、国立艺术学院院长等职。著有短篇小说集《迷宫》、《外遇》，中篇小说《银杏之果》、《睡莲》，论著《唯美派的文学》、《中国美术小史》、《唐宋绘画史》等。

31日，延安新诗会与文化俱乐部召开座谈会纪念屈原，齐燕铭、范文澜、萧三、艾青等在会上讲话，与会者一致赞同成立屈原研究会，并重新翻译屈原作品。

韬奋主编《大众生活》周刊出版，茅盾、金仲华、乔木等为编委。

萧红长篇小说《呼兰河传》由重庆上海杂志公司出版。茅盾在评论文章中认为，也许有人会说，《呼兰河传》没有贯穿全书的线索，故事和人物都是零零碎碎，都是片断的，因而“不是一部小说”；“好像是自传，却又不完全像自传”。“我却觉得正因为不完全像自传，所以更好，更有意义”；“不像是一部严格意义的小说”，但在这“不像”之外，有一些比“像”一部小说更为“诱人”些的东西：“它是一篇叙事诗，一幅多采的风土画，一串凄婉的歌谣。”茅盾说，萧红写《呼兰河传》时的心境是寂寞的，“这一心情投射在《呼兰河传》上的暗影不但见之于全书的情调，也见之于思想部分，这是可以惋惜的”。（茅盾：《论萧红的〈呼兰河传〉》，《文艺生活》第10期。）

卢焚（芦焚）散文集《上海手札》由上海文化生活出版社出版。列为文季社编“文季丛书”之十二。

六月

1日，茅盾在《文学月报》编辑部召开的“作家的主观与艺术的客观”座谈会上发言，发表于《文学月报》第3卷第1期。

17日，《文艺新哨》在桂林创刊，由徐西东、吴凤楼、罗洛汀等编。该刊出至第2卷第2期，至1942年10月15日终刊。

20日，丁玲小说《我在霞村的时候》发表于《中国文化》3卷1期。

22日，《诗创作》杂志在桂林大华饭店招待全市诗歌工作者，20余人参加，李文钊主持，讨论了诗歌的倾向问题，还商定要定期开座谈会，研究中外名诗人、名诗作。

艾青的叙事长诗《火把》由重庆文化生活出版社1941年6月出版。该诗作于1940年，约1000行，分18章，采用自由体。

郁达夫小说集《郁达夫代表作》由上海三通书局出版。

张恨水小说《夜深沉》由上海三友书社出版。

张恨水小说《如此江山》由成都百新书店出版。

老舍小说集《老字号》由东北奉天盛京书店出版。

熊佛西的三幕剧《世界公敌》由重庆青年出版社出版，列为“中央青年剧社剧本创作选”第七种。有何浩若的《序》。

巴金散文集《无题》由桂林文化生活出版社出版。

白朗散文集《西行散记》由重庆商务印书馆出版。

林语堂散文集《语堂文存》由上海林氏出版社出版。

林语堂散文集《进行集》由上海风雨社出版。

七月

1 日，萧红小说《小城三月》发表于香港《时代文学》1 卷 2 期。1948 年 1 月由香港海洋书屋出版单行本。列为“万人丛书”之一。

7 日，香港《华商报》全文刊登郭沫若、许地山、茅盾、巴金、夏衍、胡风、景宋（许广平）写给萧伯纳、罗曼·罗兰、托马斯·曼、赛珍珠、海明威等 30 多位欧美作家的一封信，呼吁世界民主力量大团结，建立国际反法西斯联合阵线。

11 日，《新华日报》发表郭沫若、沈钧儒、茅盾、郁达夫等 264 人具名的《中国文化界致苏联科学院会员书》，响应其“一致起来反对文化与科学最恶毒的敌人——法西斯强盗”的通电，表明中国的文化工作者们“真挚而热烈的响应你们的号召，我们要英勇地并肩作战，扑灭人类的公敌——法西斯强盗，维持人类的正义，争取世界的和平。”

17 日，《解放日报》从本日起分三天连载周扬的《文学与生活漫谈》（之一、之二、之三）。在《文学与生活漫谈》（之一）中，周扬论述了生活与文学的关系，他说：“文学从生活中产生，离了生活，就不能有文学。然而文学和生活到底是两个东西；在创作过程上讲，还是互相矛盾互相斗争的两极。”

在《文学与生活漫谈》（之二），周扬提出作家应当深入生活体验生活，他说：“一个创作者必须更广泛地，多方面地，而且更深入地，即是在一种日常生活上去和人接触……带一本笔记簿在身上，不只为记人物的行状，写他的阶级身份说明书，而更重要的是随时记下你所瞥见的每个不同的个性所闪露出来的特有的动作言语和姿势。”

在《文学与生活漫谈》（之三）中，周扬谈了创作自由的问题，他说：“不要因为哪个作家说了一两句延安不好的话（而且并不是说整个延安），就以为是他在反对着我们了。这时候，只有反省和正当的解释是必要的……这些都不应当提到原则的问题上去。而且在延安的作家几乎都和革命结有血缘的……”“自然过去的题材也是可以而且应该写的……在题材、样式、手法等等上必需容许最广泛的范围。在延安，创作自由的口号应当变成一种实际。”

22 日，周木斋去世。周木斋（1910—1941），散文家。原名周朴。笔名不齐、吉光、辨微、振闻、犹太等。江苏武进人。出生于世代书香门第，祖父是清朝举人。小学毕业后，考入江苏省立一中。1927 年进入无锡国学专门学校。1931 年毕业，任上海大东书局编辑并开始从事写作，其作品发表在《太白》、《芒种》、《涛声》、《教育与社会》以及《申报》副刊、《自由谈》上。1934 年为上海《大晚报》编社会新闻，同时任该报文艺副刊《火炬》编辑。1936 年参加中国文艺家协会。抗战爆发后蛰居“孤岛”，从事文化战线的救亡工作，主编《导报》副刊《早茶》并为各报章杂志撰写杂文。1941 年 7 月 22 日在贫病交迫中逝世。著有杂文集《消长集》、《消长新集》以及《新中国政治史》（香港一般书店卢豫冬主编的“新现实丛书”之一）等。

24 日，日军向苏北盐阜区发动“扫荡”，“鲁艺”华中分院教导主任、作家丘东平及戏剧家许晴在战斗中牺牲。学员数十人同时遇难。

丘东平（1910—1941），小说家。原名丘谭月。曾用名丘谭业，字席珍、硕珍。广东海丰人。1928 年参加广东海陆丰起义。起义失败后，在香港上海等地做劳工小贩。1932 年参加过上海“一・二八”战争，同年开始发表小说。1935 至 1936 年去香港、日本。1937 年加入中国共产党。抗战开始后奔赴抗战前线。1938 年加入新四军。1940 年在苏北任“鲁艺”华中分院教导主任，后主持中华全国文艺界抗敌协会华中分会工作。1941 年战斗中牺牲。丘东平是胡风主持的《七月》作家之一。著有小说集《长夏城之战》、《沉郁的梅冷城》、《一个连长的战斗遭遇》、《茅山下》和报告文学《第七连》等。

25 日，老舍在《中苏文化》9 卷 1 期发表《文章入伍，文章下乡》。“文章入伍，文章下乡”的口号是在中华全国文艺界抗敌协会成立大会时被提出来的。文章认为，口号的提出是鉴于这样一种认识：文艺要在“抗战中去多尽斗争的责任”。然而由于文盲的众多，因此，“精神的食粮必须普遍的送到战壕内与乡村中”。

《诗创作》月刊在桂林创刊。1943 年 3 月出至第 19 期终刊。胡危舟、阳太阳编辑。诗创作社出版。发表诗歌、诗论、作家作品研究、译文、译诗等。撰稿人有郑思、姚奔、茅盾、郭沫若、胡风、郭小川、田汉、田间、曾卓、王亚平、伍禾、穆木天、韩北屏、孟超、臧克家、胡危舟、鸥外鸥、邹绿芷、魏巍、黄药眠、方然、任钧、伍辛、陈迩冬、史轮、高岗、力扬、朱维基、厂民、公木、谷风、侯唯动、麦青等。除载有许多短诗外，还出过“长诗专号”，其中刊有田间的《她也要杀人》、艾青的《赌博》、徐迟的《一代一代又一代》、曾卓的《重庆》、臧克家的《范筑先》、光未然的《午夜雷声》、辛劳的《战马》等。第 6 期辟有“祝福郭沫若诗人”专栏，由田汉、宋云彬、孟超、韩北屏、胡危舟撰文。此外还有黄绳的《论孙钿及其歌唱》、郭沫若的《关于歌德》、田间的《关于泥土》等作家作品评论。第 7 期为“翻译专号”，介绍了国外一些著名诗人及作品。第 15 期为“诗论专号”，刊有胡风的《涉及诗学的若干问题》、茅盾的《“诗论”管窥》、黄药眠的《论诗底美、诗底形象》以及力扬、伍禾、静闻、胡危舟、达史等人的论文。

季孟（师陀）小说《无望村的馆主》由上海开明书店出版。

于伶的五幕历史剧《大明英烈传》由上海杂志公司出版。列为郑伯奇主编的“每月文库”二辑之五。

八月

3 日，文协延安分会召开会员大会，总结分会建立三年来的工作。三年来，分会出版了《大众文艺》、《中国文化》等杂志；向华北敌后根据地派出五次文工团等。《中国文化》3 卷 2、3 期合刊报道了大会的情况。

4 日，许地山在香港病逝。

许地山（1893—1941）小说家、散文家、学者。名赞堃，号地山。笔名落华生。原籍福建龙溪，生于台湾。1910 年毕业于广东随宦学堂。1911 年任漳州福建省立第二师范学校教员。1913 年赴缅甸仰光中华学校教书。1915 年回国，翌年任教于漳州华英中学。1917 年暑假后考入北京燕京大学文学院学习。1919 年与郑振铎、瞿秋白、耿济之等共同编辑《新社会旬刊》并投身于“五四”运动。1920 年毕业于燕京大学文学院，旋入该校神学院学习，研究宗教。1921 年参与发起成立文学研究会，同年在改革后的《小说月报》第一期发表第一篇小说。1922 年神学院毕业，留作助教。1923 年赴美国哥伦比亚大学留学，1924 年 9 月转入英国牛津大学，1926 年毕业。1927 年回燕京大学教书。1935 年任香港大学中国文学教授，对该校文科教学改革颇有贡献。抗战爆发后致力于抗战救亡活动。1939 年参与发起成立中华全国“文协”香港分会，任分会理事兼总务。主要作品有短篇小说集《缀网劳蛛》、《危巢坠简》、《解放者》、《春桃》，散文集《空山灵雨》、《杂感集》等。另有专著《印度文学》、《道教史》（上）。

12 日至 14 日，《解放日报》连载周扬论鲁迅初期思想和文学观的论文《精神界之战士》，这是为纪念鲁迅诞生 60 周年而作的。文中说鲁迅“期待中的‘精神界之战士’，正是鲁迅自己”。他“企图以文艺来改变中国人的精神，这样来挽救中国”。“反抗凡庸，反抗流俗，这就是他社会批评，文化批评的基本，他作为文学战士的最初姿态。”周扬认为，“鲁迅不是一个尼采主义者（即使在初期），正如早期的高尔基不是一样。……在他们还没有能够在革命群众中觅见自己的同盟者的时候，就只能在强有力的常常是孤独的个人身上去寻找大胆的不顾一切反抗世俗的力量，这大概就是误解的来由。”“他是同时主张文学表现人生而又作人生教科书的。……这在鲁迅是那么巧妙而又合适地调和。他初期的浪漫主义正燃烧了改革现实的热情，而他后来的现实主义也充满了对现实未来的眺望，只是后来他在思想和艺术上更成熟，他的现实主义便发展到了最高度，为中国新民主主义文学奠下了坚牢而不可摇动的基石。”

15 日，《文史杂志》第 1 卷第 8 期发表老舍的《怎样写小说》。老舍在文章中认为：“大多数的小说里都有一个故事，所以我们想要写小说，似乎也该先找个故事。”“创造人物是小说家的第一项任务。把一件复杂热闹的事写得很清楚，而没有创造出人来，那至多也不过是一篇优秀的报告，并不能成为小说。”“我们应先选取平凡的故事，因为这足以使我们对事事注意，而养成对事事都探求其隐藏着的真理的习惯。有了这个习惯，我们既可以不愁没有东西好写，而且可以免除了低级趣味。”

上海三通书局出版了《丁玲代表作》（小说集）、《巴金代表作》（综合集）、《叶绍钧代表作》（综合集）、《田汉代表作》（综合集）。

丁玲的短篇小说《在医院中》在《文艺阵地》第 7 卷第 1 期发表。

魏如晦（阿英）的五幕历史剧《洪宣娇》由上海国民书店出版。

靳以的散文集《遥远的城》由成都文化生活出版社出版。列为靳以主编的“烽火文丛”之一。

九月

1 日，茅盾主编的《笔谈》在香港创刊，系半月刊，文艺性的综合刊物。同年 12 月 1 日终刊。共出 7 期。茅盾主编。社长兼发行人为曹克安。星群书店总经售。《征稿简约》说：“每期约四万字。经常供给的，是一些短小精悍的文字，庄谐并收，辛甘兼备，也谈天说地，也画龙画虎。也有创作，也有翻译。”发表游记或地方印象、人物志以及遗闻轶事、杂感随笔、读书札记、书报春秋、文艺作品（诗歌、小说、戏曲、报告）、时论拔萃等。几乎每期都有茅盾的文章，如《大地山河》、《国粹与扶箕的迷信》、《一件历史公案》、《最理想的人性》、《开荒》等。连载过柳亚子的《羿楼日札》。此外，陈此生、张铁生、于毅夫、胡绳、胡风、杨刚、叶以群、凤子、骆宾基、林焕平等经常撰稿，柳无忌、戈宝权、郑安娜、孙源等提供译文，胡考、丁聪等亦常作画。

12 日，《文艺生活》月刊在桂林创刊。（一说 1941 年 9 月 15 日创刊于桂林。）1943 年 7 月 15 日出满 3 卷后停刊。司马文森主编。文献出版社出版。1946 年 1 月 1 日又出光复版第 1 号。1948 年 1 月出至第 18 号停刊。由司马文森、陈残云编辑，文艺生活社出版。为避免国民党当局的查禁，1948 年 2 月迁至香港出海外版第 1 期并附出副刊。1949 年 6 月 20 日出至第 15 期停刊。建国后迁广州续出穗新 1 号至 6 号。前后共出 59 期和副刊 3 期。16 开本。发表文艺各门类稿件，著译兼收。主要撰稿人除编者外，有孟超、荃麟、周钢鸣、田汉、伍禾、黄药眠、绿原、绀弩、郭沫若、高士其、韩北屏、穆木天、夏衍、沙汀、田涛、曾卓、周而复、艾芜、碧野、梅林、彭慧、孟昌、欧阳凡海、欧阳予倩、杜埃等。所载以小说为多，长篇有司马文森的《雨季》；中篇有华嘉的《江边》，黄药眠的《古老师和他的太太》，司马文森的《一个家庭的故事》、《王英和李俊》、《宋国宪》，孔厥、袁静的《血尸案》等；短篇有艾芜、荃麟、碧野等人的作品 60 多篇。剧本有夏衍的《法西斯细菌》和田汉的《秋声赋》等，还先后出了 3 个独幕剧专号。

16 日，《解放日报》副刊《文艺》创刊，丁玲主编。1942 年 3 月 11 出至 100 期，曾连续三天出“百期特刊”。101 期起改由舒群主编。出至 111 期停刊。

《开明文史丛书》由上海开明书店陆续出版。共收朱维之《中国文艺思潮史略》、钱钟书《谈艺录》等 29 部。

艾青《诗论》由桂林三户图书社出版。

艾芜小说《山野》发表于《自由中国》新 1 卷 3 ~6 期、新 2 卷 2 期。

十月

5日，新中国剧社在桂林成立。主要成员先后有：洪深、田汉、欧阳予倩、瞿白音、杜宣、石联星、汪巩、严恭、刁光覃、凌琯如、费克、朱琳、许秉铎、苏茵、王天栋、梁明、白璐、陆滨、石炎、高博、周伟、张友良、岳勋烈、熊伟、蒋锐、王逸、李孔昶、胡重华等近70人。该社致力于话剧的创作和演出，曾在桂林、衡阳、长沙、湘潭、柳州、昆明、台湾、上海等地公演50余次，编演话剧30余个、活报剧10余个，其中有《大地回春》、《秋声赋》、《再会吧，香港》、《重庆二十四小时》、《海国英雄》、《黄白丹青》、《女子公寓》、《金玉满堂》、《戏剧春秋》、《怒吼吧，桂林!》、《无条件投降》、《蜕变》、《家》、《草莽英雄》、《鸡鸣早看天》、《牛郎织女》、《风雪夜归人》、《桃花扇》、《陈圆圆》、《国家至上》、《郑成功》、《日出》、《悬崖之恋》以及翻译剧《大雷雨》、《钦差大臣》等。曾组织歌咏队，创作演出歌曲多首。1944年在欧阳予倩领导下参与筹备西南第一届戏剧展览会。同年夏撤离桂林，在柳州曾一度改编为四战区长官部直属的怀远剧团。1945年春恢复社名，再撤到昆明。抗战胜利后，社员发生分化。1946年秋，离昆明，经上海到台湾。1947年因台湾人民“二·二八”起义提前返回上海。同年秋，在国民党压迫下，因无剧场演出而解散。

19日，“文协”等团体在抗建堂举行鲁迅逝世5周年纪念大会。《新华日报》出纪念专刊，以《鲁迅先生与新文化运动》为题，发表毛泽东在《新民主主义论》中关于鲁迅的论述：“而鲁迅，就是这个文化新军的最伟大与最英勇的旗手。鲁迅是中国文化革命的主将，他不但是伟大的文学家，而且是伟大的思想家与伟大的革命家。鲁迅的骨头是最硬的，他没有丝毫的奴颜与媚骨，这是殖民地半殖民地人民最可宝贵的性格。鲁迅是在文化战线上，代表全民族的大多数，向敌人冲锋陷阵的最正确、最勇敢、最坚定、最忠实、最热诚的空前的民族英雄。鲁迅的方向，就是中华民族新文化的方向。”

同日，延安各界在中央大礼堂举行鲁迅逝世5周年纪念大会。萧军主持，萧三、丁玲等讲话。

24日，《北京人》由中央青年剧社在重庆抗建堂首次公演。导演张骏祥，由张瑞芳饰演愫方。其他演员有：吕恩、方琯德、耿震、沈扬、江村、赵蕴如、张雁、刘厚生等。舞台监督杨村彬。《新华日报》登载了此剧的演出广告，其中写道：

具有柴霍甫的作风
对古旧衰老的社会
唱出最后的挽歌
以写实主义手法
从行将毁灭的废墟
绘出新生的光明

27日，《新华日报》发表冯玉祥、郭沫若、田汉、冰心、老舍等150人署名的《中国诗歌界致苏联诗人及苏联人民书》，指斥“希特勒和他的匪帮是一切罪恶的化身”，主张共同“伸张人类正义，保卫人类幸福的伟大事业”，“打击人类中的丑类——那东方西方的野兽”。

由原诗歌会（一说原诗歌总会）改组而成的延安新诗歌会成立。负责人萧三、柯仲平，主要成员还有林山、公木、刘御、朱子奇、陈山、高敏夫等。该社致力于诗歌大众化、民族化建设，提倡街头诗和朗诵诗运动，曾油印出版会刊《新诗歌》，多次举办诗歌朗诵会、讨论会和纪念屈原、马雅可夫斯基的群众集会，帮助和指导业余诗歌作者，开展群众性的诗歌活动。1942 年因会员参加整风运动而停止活动。

《诗垦地》诗歌丛刊在重庆创刊，至 1944 年底刊行 6 辑。诗垦地社编辑，邹荻帆、姚奔等主编。时代印刷出版社发行。审稿人除编者外，还有曾卓、冀汸、绿原、桑汀、柳南、云天、张芒、阿垅、张帆、赵蔚青等。6 辑分别题名《黎明的林子》、《枷锁与剑》、《春的跃动》、《高原流响》、《滚珠集》和《白色花》。第二辑辟有“反法西斯特辑”。第五辑刊载较多篇幅的论文，如胡风谈田间的《一个诗人的历程》、冀汸的《今天的长诗》以及徐迟、袁水拍的文章。另自 1942 年 2 月 2 日起至 1943 年 5 月 29 日止，在重庆《国民公报》刊出《诗垦地》副刊，大约每周 1 期，计有 25 期。

徐迟新诗集《最强音》由白虹书店发行。收诗 13 首。作者在《〈最强音〉增订本跋》中说：第一首《最强音》写就，“立刻在八百人的听众前面朗诵。我已经抛弃纯诗（pure poetry），相信诗歌是人民的武器，我抛弃了印刷品诗，相信诗必须传达，朗诵。”

鲁迅先生纪念委员会编《鲁迅三十年集》（共 30 册）由上海鲁迅全集出版社出版。

茅盾的长篇小说《腐蚀》由华夏书店出版印行。

夏衍剧本《心防》由桂林新知书店出版。

夏衍在《〈心防〉后记》中说明了创作该剧的背景：“也许由于感情上的反驳，也许是由于计划上的分工，或者也说，由于一种三年来不断地在心里起伏着的对于在上海苦斗着的朋友们的感慕与忧戚，我把场面要放在战斗者们的一面。”“上海文化人有的在阳光下做人，有的在阴暗中做鼠，对于那些耗子的面目，我自问也还认识的清楚，过去十年中，一直到今天，也许可以说，一部分精力也还是支付在对于这些耗子的斗争中，这些恼人的小动物变化多端，神出鬼没，一忽儿钻进来，一会儿逃出去，蛇躲藏在人们不注意的角落，用他刻毒的牙齿，破坏着人们辛苦建造起来的东西。”（夏衍：《〈心防〉后记》，《野草》，1940 年 9 月第 1 卷第 2 期。）

欧阳予倩的五幕历史剧《忠王李秀成》由桂林文化供应社出版。

陈诠剧本《野玫瑰》开始在《文史杂志》连载（第 1 卷第 6 ~ 8 期）。翌年 4 月由商务印书馆出版单行本。该剧受到了进步文化界的批判。

丰子恺《子恺近作散文集》由成都普益书店出版。

林语堂散文集《雅人雅事》由上海一流书店出版。

十一月

1 日，何其芳、周立波、严文井等在延安鲁艺组织文学社团“草叶社”，并出版双月刊《草叶》。

10 日，《抗战文艺》第 7 卷第 4、5 期合刊出版，内载：郭沫若从事文艺创作即将 25 年，阳翰笙、孙师毅、老舍、姚蓬子等数十人为其“二十五年来在新文艺运动上之艰苦战斗与巨大贡献”将发起举行纪念会。

15 日，《谷雨》双月刊在延安创刊，文协延安分会编辑出版。艾青、萧军、舒群轮流任编务。共出 6 期。丁玲小说《在医院中时》发表于《谷雨》创刊号。

16 日，重庆文化界为郭沫若 50 寿辰和创作生活 25 周年，在中苏文化协会举行盛大茶话会。周恩来、冯玉祥、老舍在会上讲话。桂林、延安、香港等地先后举行庆祝活动。《新华日报》发表周恩来写的代论《我要说的话》，并出纪念特刊。在《我要说的话》中，周恩来说："郭沫若创作生活二十五年，也就是新文化运动的二十五年。……鲁迅是新文化运动的导师，郭沫若便是新文化运动的主将。"文章评论说郭沫若和鲁迅各人自有千秋，郭沫若的"前途还很远大，……我祝他前进，永远的前进，更带着我们大家一道前进！"

同日，茅盾在《华商报》发表《为祖国珍重！——祝郭沫若先生五十生辰》，以祝贺郭沫若五十寿辰和从事文学创作 25 周年。

22 日，文化工作委员会召开欢迎会，欢迎从昆明讲学归来的老舍，老舍对西南文艺状况作了详尽的说明。

抗战剧社在延安第一届艺术节上演出大型话剧《母亲》后，一些专业剧社又相继演出了《复活》、《日出》、《大雷雨》等。由此引发了关于"演大戏"的论争。

陈瘦竹小说《春雷》由重庆华中图书公司出版。

姚雪垠的中篇小说《牛全德与红萝卜》在《抗战文艺》第 7 卷第 4、5 期合刊发表。

郭沫若的历史剧《棠棣之花》开始在重庆上演，观众反应强烈，在短短两个月内，这出戏应各界要求三度公演，上座之盛打破任何演出之记录，连演四五十场。

老舍的三幕剧《大地龙蛇》由重庆国民图书出版社出版。

丁西林的四幕戏剧《妙峰山》由桂林戏剧春秋月刊社出版。

散文集《欧美印象》（林语堂、老舍等）由上海风社出版。

十二月

3 日，《战国》创刊，附设于重庆的《大公报》，为理论性周刊。1942 年 7 月 1 日出至第 31 期终刊。该刊系林同济、陈铨等继《战国策》杂志停刊后创办的刊物，其内容、性质和主要撰稿人均与《战国策》相同。载有林同济的《从战国重演到形态历史观》、《寄语中国艺术人》（署名独及）、《民族主义与二十世纪》，陈铨的《指环与正义》、《政治理想与理想政治》、《再论英雄崇拜》、《民族文学运动》，雷海宗的《历史的形态》、《三个文化体系的形态》、《独具二周的中国文化》等。该刊与《战国策》宣扬的法西斯主义理论，受到进步文化界的批评。

7 日，日本偷袭珍珠港，次日，英美对日、德意对美正式宣战，太平洋战争爆发。

同日，《新华日报》出《棠棣之花》剧评专页，由周恩来题写刊头，载有欧阳凡海的《论历史剧》、章罂的《从〈棠棣之花〉谈到评历史剧》、舜瑶的《正义的赞诗、壮丽的画图！》，高度评价了《棠棣之花》取得的成就。

9 日，中国政府发表《对日宣战通告》，正式对日宣战。同时，发表《对德意宣战布告》，宣布从本日午夜12时起，中国对德意志、意大利两国立于战争地位，所有一切条约、协定、合同，有涉及中德或中意间之关系者，一律废止。同日，蒋介石分别照会罗斯福、邱吉尔、斯大林，建议由中、美、英、苏、荷5国订立联盟作战计划，由美国领导执行，得到了罗斯福、邱吉尔的积极赞同。

10日，延安诗会成立。出席成立大会的新老诗人50余人，选举艾青、高长虹、艾思奇、柯仲平、萧三、何其芳、天蓝等为理事。出版会刊《诗刊》。主要从事诗歌创作和外国诗歌理论及作品的介绍。

同日，碧野小说《乌兰不浪的夜祭》发表于《文学月报》3卷2、3期合刊。

14日，延安文艺界举行丘东平追悼会。艾青、丁玲、高长虹、荒煤等70余人参加。欧阳山作《东平底生平和艺术》的报告。

19日，林庚白去世。林庚白（1898—1941），诗人、散文家。原名林学衡，字浚南，号愚公。笔名孑楼主人、摩登和尚等。福建闽侯人。毕业于北京大学。先后任中国大学、俄文专修馆法学教授，国民党南京市政府参事和立法院立法委员等职。为新南社成员，与柳亚子等友善，常相唱和。1941年12月去香港，19日在九龙天文台道口被日军枪杀。著有散文《孑楼随笔》，诗集《庚白诗存》、《丽白楼诗存》等。

25日，日寇占领香港，香港文艺工作者多数陆续返回内地。

李金发的诗文合集《异国情调》由商务印书馆出版。收诗12首，论文2篇，杂文12篇，小说3篇，散文2篇。

曹禺剧本《北京人》由重庆文化生活出版社出版。

胡风评论说：“平面地看，《北京人》是对于封建社会的挽歌和对于一种新的生活的向往。然而，在我们的感受上，作者的挽歌是唱得那么凄伤，那么沉痛，我们可以毫不踌躇地说，有些地方是达到了艺术的（我是在它原来的意义上写下这个形容词的）境界。但他在挽歌当中终于向往了的那‘一种新的生活’，却使我们感到飘忽，渺茫，好像是在痛苦的重压下面累透了的人，一个仅仅为了安慰那痛苦的梦。所以，作者愈是把他的梦染上浓烈的色彩，我们就愈觉得那梦和现实远离，好像是两种不能粘在一起的东西，被勉强缚在一起了。”“……然而我们虽然也要求梦，但我们更要求由现实到梦的道路。如果仅仅是一个梦，那作者就向我们提出了实例：一方面，他只好送出‘象征’式的‘北京人’和袁氏父女，另一方面，他不得不摆脱了和这种家庭相纠缠着的一些触手，如像这种家庭应有的和封建社会的牵连着的血缘，和新起的资本主义势力（隔壁的‘暴发户’）的更复杂的纠葛，以及和无论怎样解释，这事件都是应该发生在抗战前几年的北平的这个有生力量的时代激流的交涉……”（胡风：《〈北京人〉速写——为了介绍〈北京人〉的演出》，《胡风评论集》（中），第379～381页，人民文学出版社1984年5月北京第1版。）

茅盾说：“曾家一家人的无色彩的贫血的生活，就像一个槌子，将打击了观众的心灵，使他们颤栗，当然亦将促起他们猛省，用更深刻一点的眼光来看看他们周围的社会和人生。不，决不能估低《北京人》的价值，估低它的社会意义。”（茅盾：《读〈北京人〉》，香港《大公报·〈北京人〉公演特辑》，1941年12月9日。）

陈白尘的五幕剧《大地回春》由桂林文化供应社出版。

钱钟书散文集《写在人生边上》由上海开明书店出版。

1942 年

一月

9 日，茅盾离开香港，在东江纵队的保护下，转移去内地，到达桂林后，借住于邵荃麟处。同行者有孔德沚、以群、邹韬奋等人。

14 日，老舍主持召开诗歌座谈会。姚蓬子、安娥、任钧、方殷、柳倩、王亚平等出席，座谈新诗的艺术表现等问题。

15 日，《文艺杂志》在桂林创刊。综合性文学月刊。1944 年 3 月 1 日出至第 3 卷 3 期停刊。王鲁彦主编（1943 年王病逝后曾由端木蕻良接编）。大地图书公司出版。16 开本。1945 年 5 月为纪念王鲁彦，在重庆复刊。同年 9 月出至新 1 卷 3 期终刊。荃麟主编，人生出版社发行。前后共出 18 期。以发表文学创作为主，兼收译文。主要作者有郭沫若、茅盾、冯乃超、巴金、老舍、刘白羽、沙汀、周而复、骆宾基、张天翼、曹靖华、芦焚、冯雪峰、靳以、姚奔、艾芜、姚雪垠、鲁彦、易巩、胡风、李广田、公木、以群、孟十还等。除刊登短篇小说和短诗、散文外，还发表了多部中、长篇小说，如艾芜的《故乡》、端木蕻良的《科尔沁旗草原》（第二部）、沙汀的《奈何天》、骆宾基的《少年》、巴金的《还魂草》、易巩的《杉寮村》、王西彦的《风雪》、胡明树的《娜娜珂》等，所载剧本有老舍的《大地龙蛇》、李健吾的《草莽》、袁俊的《美国总统号》、以群的《姊妹》以及多种译作，童话有张天翼的《金鸭帝国》，长诗有玉杲的《大渡河的支流》，论文有冯雪峰的《什么是艺术力及其他》等。

19 日，梁实秋在《中央周报》4 卷 24 期上发表了《文学的堕落》。文章着重讲了近代文学堕落的问题。他认为“文学的题材应该是以人性描写为中心”，而人的基本情感是永远不变的，“无须另在奇异处寻求刺激”，而“过度的发展个性，从偏僻处取材，以期震世骇俗，这就是使文学堕落的一个原因”。文章还认为，“感官享乐的过度放纵”和“晦涩”是文学堕落的主要现象。文章进而论及象征主义，说“象征”是艺术中的要素，但象征主义“向心灵的幽隐处的开拓，侈谈灵魂，妄肆创造，结果是陷入神秘而不可解”。产生象征主义的原因，主要是由于近代科学的发达，于是有些文学家以为文学领域缩小，“直缩到所谓‘灵魂’的幽隐的角落里去”。因此，“有意的晦涩乃是一种不健全的心理反应”。文章认为西洋文学的传入是有益的刺激，但诸如唯美主义，象征主义文学在西洋将成为陈迹，“何必再在中国还魂”？

22 日，萧红在香港病逝。

萧红（1911—1942），女，小说家。原名张乃莹。笔名悄吟、田娣、玲玲、荣子、小鹅等。黑龙江呼兰人。1929 年入哈尔滨第一女子中学读书，喜爱进步文学。1930 年为反抗父亲包办婚姻逃往北平，后又因未婚夫的欺骗、抛弃而被困于哈尔滨的一个小旅馆里。1932 年得萧军救助，摆脱困境。1934 年与萧军经青岛到上海，同鲁迅相识，过从甚密。1935 年 8 月，其长篇小说《生死场》由鲁迅写序并帮助出版，引起文坛轰动。1936 年去日本养病，1937 年初回国。抗战爆发后到武汉。1938 年去临汾山西民族革命大学任教。不久随西北战地服务团去西安并与萧军离婚。后经武汉辗转到重庆，积极从事写作。皖南事变后到香港。1941 年底香港沦陷时已身染重病。1942 年 2 月 22 日在香港病逝。主要作品有短篇小说集《牛车上》、《旷野的呼喊》、《小城三月》、《跋涉》（与萧军合著），长篇小说《生死场》、《马伯乐》、《呼兰河传》，散文集《商市街》、《桥》、《回忆鲁迅先生》等。

24 日，郭沫若的五幕历史剧《屈原》开始在《中央日报 · 中央副刊》上连载。本年 3 月由重庆文林出版社出版。

孙伏园撰文赞扬该剧，说它是一篇“新正气歌”，剧本表现的“是中国精神，杀身成仁的精神，牺牲了生命以换取精神的独立自由的精神”。（孙伏园：《读剧本〈屈原〉》，《中央日报》1942 年 2 月 7 日。）

刘遽然则称赞说《屈原》的根本价值是“从屈原那种爱国舍身的高尚思想和坚毅不拔的卓越人格上，给予目前在为复兴抗战而奋斗的中华儿女一番宝贵的教训和楷模”。（刘遽然：《评〈屈原〉的剧作与演出》，《中央日报》1942 年 5 月 17 日。）

周务耕也写文章高度赞誉《屈原》，他说：“在考证上是怎样的正确与精深，在笔力上是怎样的博大与浑融；而感情丰富，激越，如崩山倒海的气势，真可推为千古不朽的名著，置之世界名著如荷马之《伊里亚特》与《奥地赛》，歌德之《浮士德》，莎士比亚之《哈姆雷特》之中，亦毫无逊色……”（周务耕：《从剧作〈屈原〉想起》，《文艺生活》1942 年第 2 期。）

艾青的诗集《北方》由文化生活出版社出版，列为“文学丛刊”第七集。收有包括《我爱这土地》、《雪落在中国的土地上》等诗 16 首。艾青在《序》中说：“我是酷爱朴素的，这种爱好，使我的情感毫无遮蔽，而我又对自已这种毫无遮蔽的情感激起了愉悦。”“在今日，如果真能由它而激起一点种族的哀感，不平，愤懑和对于土地的眷念之情，该是我的快乐吧。”

老舍的话剧《大地龙蛇》连载于《文艺杂志》第 1 卷第 1、2 期。

巴金散文集《龙 · 虎 · 狗》由上海文化生活出版社出版。除《序》外，收散文 23 篇，附录一篇。巴金在《序》中说：“我有的是激情，有的是爱憎。……我是掏出心跟读者见面。”

二月

4 日，日军逼近新加坡。郁达夫、胡愈之、王任叔、汪金丁等离开新加坡，向苏门答腊内地撤退。

7 日，国民党中央文化运动委员会联合重庆 36 个机关团体举办的“国家总动员文化界宣传周”（2 月 7 日至 15 日，分别为文艺日、电影戏剧日、音乐日、美术日、科学日、新闻日、国际文化日、宗教日）开幕典礼在中央广播大厦举行。主席为潘公展，冯玉祥、陈立夫等讲话。另“文协”在中央广播电台举办广播讲座及诗歌朗诵，参加者有老舍、姚蓬子、王平陵、常任侠、安娥等。

同日，《新华日报》还发表了社论《论文化界的动员》。文章说：“国家总动员，首先由文化界开始，从今天到十五日已定为文化界宣传周。”“平心检讨一下过去文化界的活动，不论在新闻方面也好，文艺方面也好，理论方面也好，教育方面也好，工作者本身，不能说热情不够，努力不够”，“然而，文化界动员宣传的工作做得远不充分，这也是事实；需要再百倍的加强，这也是当务之急。”

8 日，文协邀文艺界人士座谈“如何加强文艺界总动员”。内容涉及如何在抗战形势下集中精力创作，作家的生活保证等。

12 日，“文协”桂林分会召开理事会，决定由田汉、李文钊、欧阳予倩等筹组“文协”受难同志救济委员会及议定提高稿酬等问题。

17 日，王实味在《谷雨》第 1 卷第 4 期发表《政治家、艺术家》一文。王实味在文章中辨析了政治家和艺术家不同的使命，认为“我们底革命事业有两方面：改造社会制度和改造人——人底灵魂。政治家，是革命的战略策略家，是革命力量的团结、组织、推动和领导者，他的任务偏重于改造社会制度。艺术家，是‘灵魂底工程师’，他底任务偏重于改造人底灵魂（心、精神、思想、意识——在这里是一个东西）。”而人灵魂中的肮脏黑暗，“乃是社会制度底不合理所产生；在社会制度没有根本改造以前，人底灵魂底根本改造是不可能的。社会制度底改造过程，也就是人底灵魂底改造过程，前者为后者扩展领域，后者使前者加速完成。政治家底工作与艺术家底工作是相辅相依的。”因此，“政治家主要是革命底物质力量底指挥者，艺术家主要是革命底精神力量底激发者。前者往往是冷静的沉着的人物，善于进行实际斗争去消除肮脏和黑暗，实现纯洁和光明；后者却往往更热情更敏感，善于揭破肮脏和黑暗，指示纯洁和光明，从精神上充实革命的战斗力。”但政治家和艺术家的弱点也往往从这些优点中产生：“为着胜利地攻击敌人、联合友军、壮大自己，政治家必须熟谙人情事故，精通手段方法，善能纵横捭阖。在为革命事业而使用它们的时候，它们织成最美丽绚烂的‘革命底艺术’，但除非真正伟大的政治家，总不免多少要为自己的名誉、地位、利益也使用它们，使革命受到损害。在这里，我们要求猫的利爪只用以捕耗子，不用来攫鸡雏。这里划着政治家与政客底分界线。对于那种无能捕耗子擅长攫鸡雏的猫，我们更须严防。至于一般艺术家底弱点，主要是骄傲、偏狭、孤僻，不善团结自己底队伍，甚至，互相轻藐，互相倾轧。在这里，我们要求灵魂底工程师首先把自己底灵魂，改造成为纯洁光明。清除自己灵魂中的肮脏黑暗，是一个艰难痛苦的过程，但它是走向伟大的必经道路。”王实味认为，由于革命战士也是从旧中国产生出来的，这就已经使“我们底灵魂不能免地要带着肮脏和黑暗。当前的革命性质，又决定我们除掉与农民及城市小资产阶级作同盟军以外，更必须携带其他更落后的阶级阶层一路走，并在一定程度内向它们让步，这就使我们要沾染上更多的肮脏和黑暗。艺术家改造灵魂的工作，因而也就更重要、更艰苦、更迫切。大胆地但适当地揭破一切肮脏和黑暗，清洗他们，这与歌颂光明同样重要，甚至更重要。……揭破清洗工作不止是消极的，因为黑暗消灭，光明自然增长。有人以为革命艺术家只应‘枪口向外’，如揭露自己的弱点，便予敌人以攻击的间隙——这是短视的见解。我们底阵营今天已经壮大得不怕揭露自己的弱点，但它还不够坚强巩固；正确地使用自我批评，正是使它坚强巩固的必要手段。至于那些反共特务机关中的民族霸贼，即令我们实际没有任何弱点，他们也会造谣诬蔑；他们倒更希望我们讳疾忌医，使黑暗更加扩大。”王实味在文末呼吁艺术家：“更好地肩负起改造灵魂的伟大任务罢，首先针对着我们自己和我们底阵营进行工作；特别在中国，人底灵魂改造对社会制度改造有更大的反作用，它不仅决定革命成功底迟速，也关系革命事业底成败。”

郭沫若创作五幕历史剧《虎符》，同年10月由重庆群益出版社出版。

陈铨的《野玫瑰》开始在重庆演出，3月23日《新华日报》发表对《野玫瑰》的批评文章。

三月

9日，《解放日报》副刊《文艺》栏发表丁玲的《三八节有感》。在《三八节有感》一文中，丁玲指出“‘妇女’这两个字，将在什么时代才不被重视，不需要特别的被提出呢?”“延安的妇女是比中国其他地方的妇女幸福的。……然而延安的女同志却仍不能免除那种幸运：不管在什么场合都最能作为有兴趣的问题被谈起。而且各种各样的女同志都可以得到她应得的非议。这些责难似乎都是严重而确当的。”“女同志的结婚永远使人注意，而不会使人满意的。……这同一切的理论都无关，同一切主义思想也无关，同一切开会演说也无关。然而这都是人人知道，人人不说，而且在做着的现实。”“离婚的问题也是一样。……而离婚的口实，一定是女同志的落后。……她们在没有结婚前都抱着有凌云的志向，和刻苦的斗争生活，她们在生理的要求和‘彼此帮助’的蜜语之下结婚了，于是她们被逼着做了操劳的回到家庭的娜拉。……一个有了工作能力的女人，而还能牺牲自己的事业去做为一个贤妻良母的时候……她必然也逃不出‘落后’的悲剧。”“我却更懂得女人的痛苦。……所以我是拿着很大的宽容来看一切被沦为女犯的人的。而且我更希望男子们尤其是有地位的男子，和女人本身都把这些女人的过错看得与社会有联系些。少发空议论，多谈实际的问题，使理论与实际不脱节，在每个共产党员的修身上都对自己负责些就好了。”“然而我们也不能不对女同志们，尤其是在延安的女同志有些小小的企望。”“所以女人要取得平等，得首先强己。”

11日，艾青在《解放日报》发表《了解作家，尊重作家》，他在文中说：“作家是一个民族或一个阶级的感觉器官，思想神经，或是智慧的瞳孔。”“文艺的确是没有什么看得见的用处的。”“但是人类还会思索，还有感觉……”他还要求大家尊重作家：“作家除了自由写作之外，不要求其他的特权。……只有给艺术创作以自由独立的精神，艺术才能对社会改革的事业起推进的作用。”“尊重作家先要了解他的作品。作家在他作为作家的时候，不希求在他作品以外的什么尊重。”

12日，罗烽在《解放日报》发表《还是杂文的时代》。他说“在边区——光明的边区，有人说‘杂文的时代过去了’，……因为不见杂文，同时也就不见可怕的黑暗和使人呕心的恶毒的脓疮……但事实常常是不如希望那末圆满的，……”“深明历史演变的人，总是说几千年传统下来的陈腐的思想行为，一时不容易清除的，于是，有些机智的人士，就乘机躲进那‘一时不易’的罅隙里去享受自己……另有一类人，虽然他

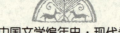

也躲在罅隙里，而他的念念有辞，却是一篇堂皇富丽灿烂夺目的讲演。”“想到此，常常忆起鲁迅先生。……现在能启用这种武器的，实在不多。然而如今还是杂文的时代。”“《文艺》编者丁玲同志曾企图使它复活过，虽然《文艺》上也发挥它的力量，只是嫌它太弱了一些。作为一个读者，我希望今后的《文艺》变成一把使人战栗，同时也使人喜悦的短剑。”

15日，郭沫若在重庆《创作》1卷1期上发表《今天创作的道路》。创造社当初提出文艺是“本着内心的要求以图个性的发展”的主张曾被视为“为艺术而艺术”，“直到今天，在好些人的‘文坛回顾’里面”，还在沿用这种见解。文章认为，“无论任何能发生价值的活动没有不是本着内心的要求”的。同时，“无论任何艺术，没有不是为人生的”，问题只是所为的人生是为极大多数人，还是极少数人；是为“极短暂的目前，还是为长久的永远”。为极短暂的目前，“就如迎合低级趣味的一般的通俗文艺”，“假如是为极大多数人极长久的永远享受，便是深入浅出，体现着永恒的真理，而又平易近人，始终是极新鲜、极明朗、极健康、极有力的那种作品”，可算作“理想的极致”。

20日，老舍、赵铭彝、徐霞村等创办的《文坛》在重庆创刊。

23日，王实味在《解放日报》发表《野百合花》。文章指出“为了民族底利益，我们并不愿再算阶级仇恨的旧帐。我们是真正大公无私的。我们甚至尽一切力量拖曳着旧中国底代表者同我们一路走向光明。可是，在拖曳的过程中，旧中国的肮脏污秽也就沾染了我们自己，散布细菌，传染疾病。”“我曾不止十次二十次地从李芬同志底影子汲取力量，生活的力量和战斗的力量。这次偶然想到她，使我决心要写一些杂文。野百合花就是它们底总标题。这有两方面的含义：第一，这种花是延安山野间最美丽的野花，用以献给那圣洁的影子；其次，据说这花与一般百合花同样有着鳞状球茎，吃起来味虽略带苦涩，不似一般百合花那样香甜可口，但却有更大的药用价值——未知确否。”“说等级制度是合理的人，大约有以下几种道理：（一）根据‘各尽所能，各取所值’的原则，负责任更大的人应该多享受一点；（二）三三制政府不久就要实行薪给制，待遇自然有等差；（三）苏联也有等级制。”“这些理由，我认为都有商量余地。关于一，我们今天还在艰难困苦的革命过程中，……因此无论谁，似乎都还谈不到‘取值’和‘享受’：相反，负责任更大的人，倒更应该表现与下层同甘苦（……）的精神，使下层对他有衷心的爱，这才能产生真正的铁一般的团结。……关于二，三三制政府的薪给制，也不应有太大的等差；对非党人员可稍优待，党员还是应该保持艰苦奋斗的优良传统，以感动更多的党外人士来与我们合作。关于三，恕我冒昧，我请这种‘言必称希腊’的‘大师’闭嘴。”“我并非平均主义者，但衣分三色，食分五等，却实在不见得必要与合理……一切应该依合理与必要的原则来解决。……另一方面有些颇为健康的‘大人物’，作非常不必要不合理的‘享受’，以致下对上感觉他们是异类……这是叫人想来不能不有些‘不安’的。”

张恨水小说《八十一梦》由南京新民报社出版。

周作人散文集《药味集》由新民印书馆出版。

四月

3 日，中华剧艺社公演郭沫若的历史剧《屈原》，陈鲤庭导演，金山、张瑞芳等演出。《新华日报》出版《屈原公演特刊》，发表郭沫若的《屈原与厘雅王》。郭沫若在文中对徐迟关于《屈原》的来信提出的批评建议进行了回答，说明了自己的创作过程。文章说："那剧本实在是 Spontaneous 地写出的，产生得相当快，……自己实在轻松了好几天，……这就是所谓自我陶醉，我是很知道的。""不过照我看来，屈原一定是时常醉的，他不必陶醉于酒，而必陶醉于他的诗。""好些朋友都说《屈原》有些莎士比亚的风味，更有的说像《罕默雷特》。……拿性格悲剧的一点来说，……也好像有点像，然而主题的性质和主人公的性格是完全不同的。……在主题上前者较后者要积极，而在性格上后者却较前者更坚毅。……关于屈原的精神建树，可惜我在剧本里面没有表现得充分。虽然多少勉强得一点，婵娟的存在似乎是可以认为屈原辞赋的象征的，她是道义美的形象化。"郭沫若还对徐迟表示感谢："多谢你，承你指出《屈原》与《厘雅王》的相似。……的确是有些相似，……我很惭愧，像这《厘雅王》……我却是第一次才阅读的。"认为两者"的确是有些相像，同样的是临到了要发狂的境界，同样的以自然元素拟人而向之发泄愤懑，同样的在怨天恨人，骂神骂鬼。……假如我是读过，而且读得很熟，那我的《屈原》恐怕是写不出来的。……好在屈原的雷电独白和厘雅王的也有一些很大的不同，便是屈原是与雷电同化了，而厘雅王依然保持着异化的地位，屈原把自然力与神鬼分化了，而厘雅王则依然浑化，屈原主持自己的坚毅，厘雅则自承衰老……"针对徐迟提出的修改建议，郭沫若表示"你为我开列出的两种方案，也可以说是药剂都很好，照你所指示的那样写去，或者会把屈原写得更'崇高'一些。但要请你原谅我，我觉得假如要照着那样修改的时候，恐怕非把全剧另作一遍不可。……即灌注在这最末一景。屈原是抒情的，不过是壮美而非优美，但并不是怎么哲学的。……因此，写他时不敢过分的清新。向雷电泄愤一景本来就是从'天问'篇得出来的暗示，……我是存心使他所受的侮辱更加到最深度，澈底蹂躏诗人的自尊的魂。这样逐渐迭进到雷电独白。""雷电场面在舞台上的效果，有时也有相反的时候。《厘雅王》似乎便是一例。""这次演出，从演员导演以至一切工作人员都很用心，……就靠着朋友们的献身的努力，你所担心的事情，我相信是不会有的。他们一定'能消化了屈原的人与诗'，比我所能消化的更澈底，而使我剧本中所曾有的缺点得到补正。"

8 日，萧军在《解放日报》发表《论同志之"爱"与"耐"》。详细分析了"爱"与"耐"的关系，他说："'爱'和'耐'是分不开的，只有真正的爱，才有真正的耐，反过来说也应该如此。""题外写几句：……此外也还有这样的，在血和铁底试炼中，偶尔软弱了，做下了一点使革命的尊严受到损失的人，而后仍然回到革命队伍来战斗，……我是尊敬他们，……他们终究是被'试炼'过了。""'浪子回家'不是很可贵的么，何况他们也还并不是浪子。"

10 日，艾青在《文艺阵地》6 卷 4 期上发表《论抗战以来的中国新诗——〈朴素的歌〉序》。《朴素的歌》收了卞之琳、何其芳、方敬、韩北屏、力扬、田间、贾芝、戴望舒等新诗人的六七十首诗，文章对诗人与诗作了简要地评述，指出，抗战以来的新诗，由于现实生活的巨变而赋予其“新的主题和新的素材”，并“繁生了无数的新的语汇，新的词藻，新的样式和新的风格”。文章认为，由于诗晚会、诗朗诵、街头诗等样式的提倡推行，“中国新诗和读者的关系”更密切了。文章也提出了新诗存在的缺点，指出，一些诗人不是从生活中而是从流行读物里去寻找题材与语言，表现出“创造力的贫弱”；一些诗人则利用自己的“技术上的一点小成就”，极力铺张和掩饰空虚，使其作品只是“一些流行的概念的思想”和“伪装的情感”。

13日，陆蠡在上海被日本特务机关逮捕，约在7月21日牺牲。

陆蠡（1908—1942）散文家、翻译家。原名陆考源，字圣泉。笔名陆敏、卢蠡、大角等。浙江天台人。1920年入基督教蕙兰中学读书，后转入之江大学附中。1926年考入之江大学，后转入劳动大学机械系。1929年毕业。1930年后在杭州和福建泉州中学任教，1935年到上海任文化生活出版社编辑。1942年，因该社出版爱国小说《前夕》（靳以著）和刊物《文学丛刊》被日本侵略者查封而被捕。在狱中坚贞不屈，酷刑致死，年仅35岁。创作以散文见长。著有散文集《海星》、《竹刀》、《囚绿记》、《江南春》（与人合著），译有《罗亭》、《烟》、《鲁滨逊漂流记》、《寓言诗》、《希腊神话》等。

16日，《解放日报》发表周扬的《唯物主义的美学——介绍车尔尼舍夫斯基的〈美学〉》。文章概述了车尔尼舍夫斯基一生的伟大功绩与崇高地位，然后具体评述了车尔尼舍夫斯基的美学思想。文章说：“他的美学见解虽也反映了费尔巴哈哲学的消极的直观的特点，但那并不妨碍他的整个人生观世界观的革命的性质。而且常常是一种奇异地矛盾的情形……他的美学之可贵处，不但在于它是澈底地唯物的，也在于它充满了深刻的辩证的要素。它在许多地方和马克思主义完全吻合的。”“‘美是生活’，这就是车尔尼舍夫斯基美学的根本命题。”

24日，《新蜀报》报道陈铨剧本《野玫瑰》获教育部奖后，重庆、桂林等地报刊纷纷撰文对该剧展开批评。由石凌鹤起草、一百多人签名的倡议书，反对为该剧授奖。国民党宣传部长张道藩、潘公展召开座谈会坚持《野玫瑰》是一出好戏。

胡风诗集《为祖国而歌》由桂林海燕书店出版。

臧克家诗集《向祖国》由桂林三户图书社出版。

巴金小说集《还魂草》由重庆文化生活出版社出版。

郭沫若的四幕历史剧《孔雀胆》发表于《文艺创作》第1卷第6期。

田汉的五幕话剧《秋声赋》在《文艺生活》第2卷第2至6期发表，1944年1月由桂林文人出版社出版。

陈铨戏剧《野玫瑰》由重庆商务印书馆出版。

陈白尘的五幕喜剧《结婚进行曲》由重庆作家书屋出版。

孙伏园散文集《鲁迅先生二三事》由重庆作家书屋出版。

郭沫若散文集《蒲剑集》由重庆文学书店出版。

五月

1 日下午，延安文艺界在“文抗”作家俱乐部举行萧红追悼会，参加者有文抗、边区文协、草叶社、谷雨社、解放日报文艺栏、部队文艺社及鲁艺等团体，作家及文化艺术工作者丁玲、萧军、舒群、艾思奇、周文、立波、塞克、何其芳、艾青、罗烽、柯仲平、白朗、陈企霞、公木等，共约 50 人。丁玲致开会词，萧军、舒群、周文、何其芳、刘白羽等讲话。（《解放日报》1942 年 5 月 3 日星期日第二版）

2 日，毛泽东主持召开文艺界座谈会，并在会上发表讲话。即《在延安文艺座谈会上的讲话》的《引言》部分。

毛泽东在讲话中谈到了“立场问题，态度问题，对象问题，工作问题和学习问题”。要求文艺工作者“站在无产阶级的和人民大众的立场”，针对不同的对象，既要歌颂又要暴露，并且要“学习马列主义和学习社会。……马列主义是一切革命者都应该学习的科学，文艺工作者不能是例外。此外还要学习社会，就是要研究社会上的各个阶级，它们的相互关系和个别状况，他们的面貌和他们的心理。只有把这些弄清楚了，我们的文艺才能有丰富的内容和正确的方向。”（《解放日报》1942 年 10 月 19 日星期二第一版）

13 日，陈铨在《大公报》副刊《战国》第 24 期发表《民族文学运动》。20 日又在该刊第 25 期发表《民族文学运动的意义》，鼓吹“民族文学”。

15 日，艾青在延安《解放日报》上发表《我对于目前文艺上几个问题的意见》。关于“文艺和政治”的关系，文章认为，“文艺应该服从政治”，但文艺不是政治的“附庸物”，“文艺和政治的高度的结合，表现在文艺作品的高度的真实性上”，因为愈是真实性的作品，“愈是和一定时代的进步的政治方向一致”。文章还就“作者的立场和态度”、“写什么”、“怎么写”、“作家的团结”、“文艺工作的领导”等问题发表了看法。

20 日，《解放日报》重新发表鲁迅的《对于左翼作家联盟的意见》（为 1930 年 3 月 2 日鲁迅在左翼作家联盟成立大会上的讲演）。编者说：“其中对于左翼作家与知识分子的针砭，对于文艺战线的任务，都是说得很正确的，至今完全有用。”

23 日，毛泽东在文艺座谈会上发表讲话。即《在延安文艺座谈会上的讲话》的《结论》部分。讲话围绕五个问题展开。（一）关于文艺是为什么人的问题。他说：“现阶段的中国新文化，是无产阶级领导的人民大众的反帝反封建的文化。真正人民大众的东西，现在一定是无产阶级领导的……”“我们的文艺，第一是为着工农兵，第二才是为着小资产阶级。”（二）文艺应当“努力于提高呢，还是努力于普及呢?”他说：“对于人民，第一步最严重最中心的任务是普及工作，而不是提高工作。”“但是普及工作与提高工作是不能截然分开的。……人民要求普及，跟着也就要求提高，要求逐年逐月地提高。在这里，普及是人民的普及，提高也是人民的提高，……是在普及基础上的提高。这种提高，为普及所决定，同时又给普及以指导。……所以我们的提高，是在普及基础上的提高，我们的普及，是在提高指导下的普及。”（三）关于“党内关系的问题，党的文艺工作与党的整个工作的关系问题”和“文艺界统一战线问题”。他说：“党的文艺工作，在党的整个革命工作中的位置，是确定了的，摆好了的。……文艺是从属于政治的，但又反转来给伟大影响于政治。”“再说文艺界的统一战线问题。

……党的文艺工作者，首先应该在抗日这一点上与党外的一切文学家艺术家（……）团结起来。其次，应该在民主一点上团结起来，……再其次，应该在文艺界的特殊问题——艺术作风一点上团结起来。”（四）关于文艺批评的标准问题。毛泽东说：“文艺批评有两个标准，一个是政治标准，一个是艺术标准。按照政治标准来说，一切利于抗战团结的，鼓励群众同心同德的，反对倒退，促成进步的东西，都是好的或较好的；……按照艺术标准来说，一切艺术性较高的，是好的，或较好的，艺术性较低的，则是坏的，或较坏的。”“又是政治标准，又是艺术标准，这两者的关系怎么样呢？……无论什么样的阶级社会与无论什么阶级社会中各别阶级，总是以政治标准放在第一位，以艺术标准放在第二位的。”（五）提出延安文艺界思想混乱，需要进行整风运动。他说：“我们延安文艺界中存在着上述种种问题，……说明这样一个事实，就是文艺界中还严重地存在着三风不正的东西，同志们中间还有很多的唯心论、洋教条、空想、空谈、轻视实践、脱离群众等等的缺点，需要一个切实的严肃的整风运动。”“因为思想上有许多问题，我们有许多同志也就不大能真正区别根据地和非根据地，并由此弄出许多错误。……到了根据地，就是到了中国历史几千年来空前未有的工农兵和人民大众当权的朝代，我们周围的人物，我们宣传的对象，完全不同了。……因此我们必须和新的群众相结合，不能有任何迟疑。”（《解放日报》1943 年 10 月 19 日星期二第 1 版、第 2 版、第 4 版）

27 日，陈独秀在四川江津病逝。

陈独秀（1879—1942），文艺理论家。原名陈庆同。曾用名陈乾生。字重甫、仲甫，号实庵。笔名只眼、陈由己、三爱、撒翁、顽石、陈仲、陈仲子、熙州仲子等。安徽怀宁人，晚清秀才。1897 年入杭州求是书院读书。1898 年赴日本留学。1902 年归国。翌年在安徽组织爱国社，在上海创办《国民日报》。1912 年任安徽省政府秘书长。1915 年在上海创办《青年杂志》（1916 年改名为《新青年》），大力宣传科学与民主，首张文学革命大旗，撰写《敬告青年》、《文学革命论》等文，影响深远。1916 年受聘为北京大学教授，次年任文科学长。1918 年与李大钊创办《每周评论》，宣传新文化与马克思主义。1919 年五四运动时为精神领袖之一。同年 6 月被当局逮捕，出狱后赴沪。1920 年组织共产主义小组。1921 年被选为中国共产党总书记，1922 年赴莫斯科参加共产国际第四次代表大会。第一次国内革命战争时期因犯右倾机会主义路线错误，于 1927 年的“八七”会议上被撤消总书记一职，1929 年被开除出党。1932 年 10 月在上海被国民党政府逮捕，抗战开始后被释放。1942 年 5 月病逝于四川江津。著有《独秀文存》（4 卷）。

30 日，毛泽东来到“鲁艺”讲话。号召学员参加到工农兵群众的生活斗争中去，融入广大劳动人民。

冯至诗集《十四行集》由桂林明日社出版。收诗 27 首。1949 年 1 月再版时，增加《序》一篇，并附录诗四首。《序》说明《十四行集》的创作动机，是为了“留下一些感谢的纪念……，于是从历史上不朽的人物到无名的村童农妇，从远方的千古的名城到山坡上的飞虫小草，从个人的一段生活到许多人共同的遭遇，凡是和我的生命发生深切关连的，对于每件事物我都写出一首诗。”

卞之琳诗集《十年诗草》由桂林明日社出版。除《题记》外，收1930年至1939年间所作四部诗集中的78首。其中选收《音尘集》中的诗18首，《音尘集外》的诗18首，《装饰集》中的全部诗作20首，《慰劳信集》中的全部诗作共22首。诗集扉页题词为“纪念徐志摩”。朱自清评论该诗集时说：卞之琳“是在微细的琐屑的事物里发现了诗”，他“是最努力创造并输入诗的形式的人，《十年诗草》里存着的自由诗很少，大部分是种种形式的试验，他的实验可以说是成功的。他的自由诗也写得紧凑，不太参差，也见出感觉的敏锐来。”

老舍的长诗《剑北篇》由重庆文艺奖助金管理委员会出版。列为“抗战文艺丛书”第一种。书中有《自序》和附录《与友人函》。全诗约6000行，分27节。长诗满怀爱国热情，艺术上新旧形式并用。老舍在《自序》中说：“草此诗时，文艺界对‘民族形式’问题，讨论甚烈，故用韵设词，多取法旧规，为新旧相融实验。”

茅盾散文集《茅盾自选集》由桂林天马书店出版。

六月

9日，《解放日报》刊出批判王实味专页，发表范文澜《论王实味同志的思想意识》、陈道《“艺术家”的“野百合花”》、伯钊《继〈读《野百合花》有感〉之后》(6月9日、10日连载）等文。

范文澜在《论王实味同志的思想意识》一文中说：“因为王实味同志有着这样顽强的小资产阶级的立场，所以从他的言语行动中实际上处处表现反党的动机。”范文认为，《野百合花》充分证明了王实味的敌人本性：“革命模范根据地的延安，在作者烘云托月的手法下，引起读者强烈的反感，感觉到延安是一群骄奢淫佚毫无心肝的陈叔宝们在尽量享受革命的果实，多么可憎的一群陈叔宝们啊！”范文在概括《野百合花》的实质时说，《野百合花》就是“企图号召某些落后的青年起来反对党，破坏党，使中国共产党改造成为适合王实味同志所幻想的宗派，而他高高在上当一名‘大头子’。”

伯钊在《继〈读《野百合花》有感〉之后》中认为“《野百合花》作者的立场，同无产阶级党的立场是对立的，是错误的，……”“不错，延安工作中确是存在着许多弱点，……作者把延安描写成黑暗腐化不堪，忘怀斗争，歌舞升平的模样。是否现实？是值得研究的！”“《野百合花》作者的思想方法是有问题的，他对延安的认识是全凭主观的感觉‘想当然’就胡下结论。……盼望作者能对自己的创作立场给以清算，检查自己，改正自己，教育别人。”

陈道在《“艺术家”的“野百合花”》中也对王实味的观点进行批判，认为“作者忽视了意识形态对人类的改造作用要在一定的历史条件下才能生效”，不能“教条地搬弄‘艺术家是灵魂的工程师’这句名言”。“作者应该勇敢地以日后的努力洗赎自己的罪戾，他首先必须从他的思想意识里拔除错误的根苗——整顿三风是作者的对症良方。”

10日，《解放日报》发表燎荧的《“人……在艰苦中成长”——评丁玲同志底〈在医院中时〉》。文章批评作者“为了表现他底人物”，“过分地使这个医院黑暗起来”，这是个“使人灰心堕落的”故事。文章认为，小说主人公陆萍从非无产阶级的队伍走进无产阶级的队伍中来，理应当把她“当作改造过程来描写”，但由于作者“对于他底主人公的本身的缺点底消极的态度”，并“借着主人公底感觉来描写了她底周围的人物”，因而这是“非常有害的客观主义的描写”，“是被部分的现实（现象）所俘虏了”。

12 日，《新华日报》转载延安《解放日报》5 月 11 日发表的萧军《对于当前文艺诸问题底我见》，这是萧军听了《在延安文艺座谈会上的讲话》的《引言》后写的感想。文中介绍了《引言》的主要内容。转载时省略了原文的最后一部分《补充几个问题》。

13 日至 18 日，延安文艺界 40 余人召开座谈会，批判王实味思想。会议通过建议“文抗”开除王实味会籍等多项提案。

15 日，《抗战文艺》第 7 卷第 6 期出“纪念郭沫若先生创作生活二十五周年”特辑和“鲁迅先生逝世六周年”特辑。并发表冯乃超、鹿地亘等的一组文章及郭沫若的《五十简谱》。

25 日，谷虹在《现代文艺》5 卷 3 期上发表《有毒的〈野玫瑰〉》。文章认为，《野玫瑰》虽是“描写中国反间谍工作人员和汉奸的斗争的故事”，但剧本却在替汉奸们找理论根据，“把汉奸王立民写成一个意志坚强的英雄，而把我们的反间谍人员写成了只会谈恋爱的架空人物”。剧本“在意识上，它散布汉奸理论”，“在戏剧艺术方面，它助长了颓废的、伤感的、浪漫蒂克的恶劣倾向”。

30 日，《新华日报》发表戈茅《什么是“民族文学运动”?》（作于6 月 26 日），批评陈铨的《民族文学运动》、《民族文学运动的意义》等文的观点。作者在文中说：“陈铨先生虽然口里说着‘民族文学运动’，然而却不知道抗战文艺，就正是中国民族解放斗争的英雄史诗的真实的文学表现；而且抗战文艺运动，也就正是继承了五四以来的新文学的历史传统，更向前发展的中国新文学运动，陈铨先生居然无视了这一点，实令人大惑不解。”

茅盾的中篇小说《劫后拾遗》由桂林学艺出版社出版。

阳翰笙的六幕历史剧《天国春秋》在《抗战文艺》第 7 卷第 6 期，第 8 卷第 1、2 期合刊、第 3 期上连载。上海群益出版社 1946 年 3 月出版。列为“群益历史剧丛”之七。

老舍的五幕话剧《归去来兮》在《新蜀报》10 日至 29 日发表，1943 年 2 月由作家书屋出版。

七月

2 日，重庆《新蜀报》发表《〈野玫瑰〉自辩》。文章辑录了西南联大剧团公演《野玫瑰》时出的特刊中剧作者陈铨及演员的一些言论。陈铨认为，据意大利诗人但丁说，战争、爱情、道德是文学上最合宜的题材，“《野玫瑰》就是想把三种题材，联合表现出来”。汪雨（王立民扮演者）认为，写汉奸，并非都要写成有个一定脸谱的曹操式人物，观众一看则想跳上台去杀掉他或大喊“打倒汉奸”，“我们应该寻出汉奸的最基本的病症”，“‘个人主义’无疑的即是那病症”。王立民“不惜牺牲国家、民族的利益而求满足个人的幻想”，即是个人主义在作祟；但他遇到夏燕华、刘云樵等的“民族主义”，“结果是灭亡了”。

8 日，文化工作委员会假中苏文化协会举行抗战五周年纪念晚会，在渝文化界人士到会百余人。梁寒操任主席并致开幕词，姚蓬子报告抗战五年来的文艺工作。晚会上作家们围绕关于抗战文艺及“我是如何离开北平的”发言。会后方殷朗诵《卢沟晓月》、殷野朗诵《保卫卢沟桥》，此外还表演了大鼓、歌咏等节目。

14 日，田汉在桂林七星岩主持召开关于历史剧问题座谈会。会议就历史剧的范畴、体裁、语言及历史真实与艺术真实的关系等问题展开讨论。茅盾、欧阳予倩、柳亚子、于伶、胡风等人出席。

19 日，文化工作委员会举行文化讲座，胡风主讲《论对于文艺的几种流行见解》。

28 日至 29 日，《解放日报》发表周扬的《王实味的文艺观与我们的文艺观》，在批判王实味文艺观的基础上研究了当前文艺中的具体问题。他在文章中说：“他（指王实味——编者注）的文艺观点有它托洛斯基主义的渊源，又和当前文艺上的一些问题极有联系，对他的观点加以揭发、驳斥，是十分必要的事情。反对王实味的思想，在文学领域内，就是要反对他在这领域上的托洛斯基主义，就是要为马列主义的文学理论斗争。”“我们和王实味在文艺问题上的一切分歧，都可以归结为一个问题，即艺术应不应当为大众。……托洛斯基王实味都不主张艺术为无产阶级大众与人民大众服务，都主张艺术是为抽象的人类服务，是表现抽象的人性的，而其实则是真真实实地为了剥削阶级与黑暗势力服务，他们根本不信任大众在文化艺术上的创造能力。……他们之把艺术和政治分离，实质上就是把艺术和大众分离了的原故。我们要遵守文学上的列宁主义的原则：‘文学应当成为党的文学’，……‘艺术是属于民众的’……这就是我们在文学艺术上的立场，观点和方针。”

中国艺术剧社在重庆成立，夏衍、司徒慧敏、金山、宋之的等创办。

秦瘦竹小说《秋海棠》由上海金城图书公司出版。

郭沫若的五幕历史剧《棠棣之花》由重庆作家书屋出版。

郭沫若在《我怎样写〈棠棣之花〉》中说：“写历史剧并不是写历史，这种初步的原则，是用不着阐述的。剧作家的任务是在把握历史的精神而不必为历史的事实所束缚。剧作家有他创作上的自由，他可以推翻历史的成案，对于既成事实加以新的解释，新的阐发，而具体地把真实的古代精神翻译到现代。”“历史剧作家不必一定是考古学家，古代的事物愈古是愈难于考证的。绝对的写实，不仅是不可能，而且也不合理，假使以绝对的写实为理想，则艺术部门中的绘画雕塑早就该毁灭，因为已经有照相术发明了。”（郭沫若：《我怎样写〈棠棣之花〉》，郭沫若著、王锦厚校，第 166 ~ 167 页，《〈棠棣之花〉汇校本》，湖南人民出版社 1985 年 7 月第 1 版。）据郭沫若自述，此剧的创作有歌德、莎士比亚的影响，创作过程中还受到了五卅惨案的激发。

熊佛西戏剧集《佛西抗战剧集》由重庆华中图书公司出版。内收：独幕话剧《囤积》、《搜查》、《人与傀儡》、《无名小卒》和三幕话剧《中华民族的子孙》。

李健吾戏剧集《健吾戏剧集第二集》由重庆文化生活出版社出版。内收：三幕话剧《这不过是春天》、《梁允达》；独幕话剧《一个没有登记的同志》。

八月

13日，诗人蒲风病逝于苏皖边区根据地的安徽天长县。

蒲风（1911—1942），原名黄日华。曾用名黄飘霞，黄蒲芳。笔名黄风等。广东梅县人。1927年加入共青团，开始写诗。后赴印尼东爪哇，与友人合编《狂风》。1930年回上海，入中国公学中文系读书。1932年加入左联与杨骚、穆木天、任钧等发起成立中国诗歌会。1933年创办和编辑《新诗歌》，提倡诗歌大众化运动。1934年出版第一部诗集。同年冬赴日本，与友人创办《诗歌》和《新诗歌》刊物。1936年回国。在青岛与王亚平等创办《青岛诗歌》。1937年初去汕头，主编《星华日报》副刊《黎明》，编辑《厦门诗歌》。同年8月到广州，组织广州诗歌会，编辑《中国诗歌》。1938年在广州加入中国共产党。1940年去新四军皖南军部，随军转战华东各地。1942年病逝。著有诗集《茫茫夜》、《六月流火》、《生活》、《钢铁的歌唱》、《摇篮歌》、《抗战三部曲》、《可怜虫》、《取火者颂》、《在我们的旗帜下》、《黑陋的角落》，诗论集《现代中国诗坛》、《抗战诗歌讲话》等。

25日，茅盾的长篇小说《霜叶红似二月花》开始在《文艺阵地》连载（第7卷第1~4期）。

田汉在谈到这部小说时说："……照书名来说，十月间枫叶快要脱落的时候，主要的还是写中国旧社会的没落层。如同赵剥皮之流，当时是被革命的对象，又是在这时还相当得势。这就是'红于二月花'的意思。到底是'停车坐爱枫林晚'。对革命运动有更多障碍的，不但是以高利贷为剥削手段的赵剥皮之流的封建地主，即是王伯申，这些民族资产阶级，对农民犯的罪过亦不可饶恕的。……至于接触到技术问题。我看，第一，这本小说看出中国化的痕迹，在老小说中常见的用语，这些为广泛的读者群众所熟悉的传说的好处，这本小说很好的运用过来。第二，关于人物的环境呀，心理呀，看来都很熟悉，看完一章，闭起眼睛就仿佛看见这些人物的活动。第三，关于作品的成功，我们不必自己来说谁伟大谁不伟大。今天我们要鼓吹的是今天什么局势，要求作者能够回答这个问题。这部作品不是一个家庭悲剧，现在把写家庭悲剧当作避难所，意义太小了。"（1943年10月20日下午1时在蜀腴川菜馆举行关于茅盾作品《霜叶红似二月花》的座谈会，这是田汉在会上的发言。摘自王由、政之的《〈霜叶红似二月花〉第一部座谈纪录》，原载《自学》第2卷第1期总七期，1944年2月1日。）

吴组缃认为："若问，茅盾先生作品底特点何在？笔者打算简括地这样回答，就是：取材方面，具有丰富的时代意义，敏锐的社会科学者的眼光；气魄格局雄大；表现则明快而有力。他不止把这剧变中的时代社会底面目与趋势指陈出来，让人们了解，认识，而且有力地鼓舞着推动着人们参加到这时代与社会中来，不作一个袖手旁观者。""以上所说，我们姑且假定没有说错。那么，笔者现在推举先生最近出版的这部长篇《霜叶红似二月花》。"

李长之则认为："单就这第一部论，似乎要旨在写资本主义和农村社会之初期冲突（冲突也就包括一种蜕变）。因为中国社会中又多了流氓这个成分，于是这冲突和蜕变中又有了另一种特质，……在钱良材的感慨里，使我们想到易卜生所写的《国民公敌》。""至于叫人不满意的地方，则不能不说：第一，这小说在写时间和空间的特质上，缺乏明确，甚而有些错乱。""第二，我感觉书中的人物在性格上有些雷同，这就是大都太耽于幻想，似乎在神经上都太脆弱。""第三，口语的不纯粹，更增加了书中地方性的不明确。""第四，有些说明，似乎露出了反而觉得浅。"（吴组缃、李长之：《霜叶红似二月花》，原载《时与潮文艺》3 卷 4 期，1944 年 6 月 15 日。）

力扬的诗歌《射虎者及其家族》发表于《文艺阵地》第 7 卷第 1 期。

邵荃麟的短篇小说集《英雄》由桂林文化供应社出版。

丁玲的小说《在医院中》发表于《文艺阵地》第 7 卷第 1 期。

九月

1 日，国民党文化运动委员会主办的《文化先锋》创刊于重庆，发表张道藩的《我们所需要的文艺政策》，提出以创作"三民主义"的"民族文艺"为中心的文艺政策。《文化先锋》为综合性文化刊物。自 5 卷 24 期起迁南京。1948 年 9 月出至 9 卷 7 期。原为周刊，后改半月刊。李辰冬编辑，张道藩发行。该刊为国民党宣传部、文化运动委员会机关刊物，所载文艺方面的文章，有张道藩、梁实秋先后在 1 卷 1 期和 8 期发表的《我们所需要的文艺政策》和《关于"文艺政策"》等。

同日，沈从文作《文学运动的重造》。他在文章中说："谈及文学运动分析它的得失时，有两件事值得我们特别注意：第一是民国十五年后这个运动最先和上海商业资本结了缘，新文学作品成为大老板商品之一种。第二是时间稍后这个运动又与政治派别发生了关系，文学作家又成为在朝在野工具之一部。"他主张应该"努力把它从'商场'和'官场'解放出来，再度成为'学术'一部门，则亡羊补牢，时间虽晚还不算太晚"。此文后发表于《文艺先锋》第 1 卷第 2 期上。

9 日，"文协"成都分会在青年会开会欢迎来到成都的老舍、冯玉祥，60 余人到会。会上老舍报告了"文协"的工作，分会负责人也谈了分会的情形。

同日，《解放日报》发表周扬的《艺术教育的改造问题——鲁艺学风总结报告之理论部分：对鲁艺教育的一个检讨与自我批评》。论述了在艺术教育中的主观主义和教条主义的问题。他说："鲁艺的教育，从方针到实施，贯串了主观主义和教条主义。理论与实际，所学与所用的脱节，在这里主要表现在提高与普及，艺术性与革命性的分离上。""这一切都是由于我们对现实主义的理解的错误，……新的革命的现实主义……应当具有两个最显著的特点，一个是它是以马克思主义的世界观为基础，……再一个是它应当是以大众，即工农兵为主要的对象。"

15 日，综合性文学月刊《文学创作》在桂林创刊。1944 年 6 月 15 日终刊。第 1 卷 6 期，第 2 卷 5 期，第 3 卷 2 期，共出 13 期。熊佛西、萧铁等编辑，自第 1 卷 4 期起由熊佛西编辑。文学创作社发行。16 开本。辟有小说、论文、诗、散文随笔、剧本、简评、专题研究等栏目。主要撰稿人有茅盾、艾芜、沈从文、臧克家、柳亚子、田汉、司马文森、张天翼、胡风、老舍、端木蕻良、熊佛西、朱光潜、路翎、荃麟、李广田、欧阳予倩、碧野、骆宾基、蒋牧良、伍禾、素华等。所载论文有老舍的《如何接受文学遗产》，朱自清的《诗的趋势》，胡风的《创作现实一席谈》；短篇小说有茅盾的《耶稣之死》、《列那与吉地》、《虚惊》、《委屈》、《过年》、《船上》，端木蕻良的《早春》、《琴》、《前夜》，沈从文的《大帮船拢码头时》、《乡居》，艾芜的《花园中》、《穿破衣服的人》；中篇小说有素华的《中国儿女》；剧本有田汉的《新会缘桥》、《黄金时代》，郭沫若的《孔雀胆》，老舍等人的《王老虎》，熊佛西的《袁世凯》等；还有臧克家、徐讦、伍禾、任钧等人的诗歌。1 卷 6 期为《戏剧专号》，除发表《孔雀胆》等 6 部剧本外，还有以群等写的《1942 渝、桂各战区剧运评述》。

20 日，“文协”桂林分会召开理事会，讨论会务，推定胡风、李文钊、胡危舟负责起草出版合同，与出版界交涉。

穆木天诗集《新的旅途》由文座出版社出版。列为郑伯奇主编的“创作丛书”之一。收入诗作 19 首，另有郑伯奇的《创作丛书总序》1 篇。

沙汀短篇小说集《磁力》由桂林三户图书社出版，列为艾芜主编的“文学丛书”之一，收短篇小说 5 部。

十月

1 日，晋冀鲁豫边区政府发布关于减租减息的布告称：减租减息的目的是为改善广大人民生活，发扬抗战生产的积极性和加强各阶层人民的团结。

10 日，文学双月刊《青年文艺》在桂林创刊。出至 1 卷 6 期后于 1944 年 12 月迁重庆，卷期另起。1945 年 2 月出完新 1 卷 6 期后终刊。葛琴主编。白虹书店发行。该刊注意培养文学新人，刊载文学知识，介绍一些作家的写作经验，讨论文艺创作上的问题，也刊登一些作家、作品评论文章。辟有小说、诗选、作品研究、名著选释、习作、信箱、作家研究、青年文会等栏目。撰稿人有茅盾、郭沫若、端木蕻良、绀弩、胡风、荃麟、青苗、穆木天、方然、葛琴、艾芜、骆宾基、艾青、梅志、徐迟、袁水拍、白桦、刘白羽、彭慧、张天翼、吴伯箫、草明、苏金伞、宋云彬、陈白尘、何其芳、臧克家、司马文森、胡仲持等。所刊论文有茅盾的《谈人物描写》、《杂谈文艺现象》，郭沫若的《民主与文艺》，艾芜的《略谈果戈里描写人物》；小说有绀弩的《盐》，艾芜的《花落时节》，彭慧的《四姑娘的喜事》，骆宾基的《周启之老爷》；诗歌有何其芳的《都市》，艾青的《村庄》和梅志长篇童话诗《小面人求仙记》；剧本有宋之的的《春寒》，陈白尘的《艺术部队》；散文有茅盾的《风雪华家岭》，何家槐的《浓黑的悲凉》；作品研究有胡风的《论曹禺底〈北京人〉》，荃麟的《关于〈阿 Q 正传〉》，麦青的《萧红的〈呼兰河传〉》等。

11 日，“文协”假中国文艺社举行茶会，商讨提高作家稿费及版税办法。华林主持，张道藩、张静庐等发言。最后推定叶以群、陈白尘、梅林拟订条文。28 日，“文协”理事会通过《保障作家稿费版权意见书》。

15 日，文艺月刊《人间世》在桂林创刊。1944 年 5 月出至 2 卷 1 期时因桂林撤退而停刊。共出 7 期。初由封凤子编辑，他离桂后由周钢鸣、马国亮接编。人世间社发行，16 开本。抗战胜利后，于 1947 年 3 月 20 日在上海复刊，卷期另起。1948 年 8 月出第 13 期后终刊。由凤子、丁聪、马国亮、李嘉编辑，利群书报社发行。32 开本。在桂林出的战时版，多刊载散文、杂文，撰稿人有茅盾、郭沫若、田汉、胡风、凤子、章泯、周钢鸣、骆宾基、沈从文、李广田、以群、艾芜、司马文森、柳青、朱自清、萧红、何家槐、巴金、宋云彬、端木蕻良等。所载论文有胡风的《抗日民族战争与新文艺传统》，小说有骆宾基的《幼年》、艾芜的《毛道人》、司马文森的《落日》、周钢鸣的《浮沉》，剧本有章泯的《苦恋》等。上海复刊后其篇辐与作者队伍都有所扩大，发表小说、诗歌、通讯、特写、报告、杂文、剧本、绘画、译文等。袁水拍（马凡陀）、徐迟、丁玲、吴祖光、吴组缃、臧克家、欧阳予倩、碧野、郑振铎、姚雪垠、冯雪峰、袁鹰、许寿裳、赵超构、顾一樵等为其撰稿。第 5 期为闻一多的“周年祭”，发表了郭沫若、凤子、流金的文章和闻氏手迹。还曾发表汪巩创作的揭露国民党经济崩溃、金元券贬值的讽刺喜剧《万元大钞》，引起较大的反响。

16 日至 17 日，《解放日报》连载何其芳的《论文学教育》（9 月 27 日写完），检查“鲁艺”文学系教育上的问题。他在文章中说：“教育的目的必须明确而具体地服从政治的要求。这是我们的教育的基本特点之一。”“在整风以前我们却做得很差。”“整风运动和毛泽东同志在延安文艺界座谈会上的结论给了我很大的教育。……我们今天应该有一个文艺上的热烈的运动，一个承前启后的运动，使文学艺术开始有一个新的气象，……都需要所有文艺界的同志紧紧团结在为工农兵这个目的之下一起来做。”

19 日，《新华日报》发表社论《科学 · 民主 · 继续前进——鲁迅先生逝世六周年纪念》。社论说：“‘将旧社会的病根暴露出来’，催人留心，设法加以治疗’——他，就是在六年前的今天逝世了的中国新文化的奠基者，伟大的思想家、文豪和战士的鲁迅先生。”“半世纪来，赛先生和德先生在中国，正和我们伟大的民族先行者一样，‘依然在沙漠上走来走去’！巨眼的思想家是早就看清了这种阻挠新中国诞生的主要障碍了，……枪毙中国人民心里的阿 Q，肃清‘中学为体西学为用’的精神文明，……从真实的意义上说，鲁迅才真是中山先生的最忠实的协力者，最有力的发言人。”“文协”原定该晚在中苏文化协会举行纪念会，临时受阻。次日《新华日报》在《鲁迅祭日》题下，用两句话作报道：“纪念会因故未开 参加者默然引退。”

30 日，茅盾的《“诗论”管窥》发表于《诗创作》第 15 期。文章围绕诗坛上关心的“长诗”与“小诗”问题，探讨了中国诗歌的起源和发展，并指出：“元白以后中国叙事诗之说故事写人物的任务终于不得不移让给小说，正是文学各部门形式随着社会演变而产生而发展的自然结果”。文章还指出：“‘长诗’比‘小诗’难写，这是我的看法；然而‘长诗’之有伟大的前途，当无疑义。”

郭沫若历史剧《虎符》由重庆群益出版社出版。

于伶剧本《长夜行》由桂林新知识书店出版。

姚雪垠中篇小说《牛全德与红萝卜》由重庆文座出版社出版。

阳翰笙创作五幕话剧《草莽英雄》，1946 年 2 月由群益出版社出版。

郭沫若的五幕历史剧《高渐离》以《筑》为题在《戏剧春秋》第2卷第4期发表。

十一月

7日，茅盾与宋之的、黄药眠等联名发表《致世界作家书》，提议组织反法西斯作家同盟。

15日，刘盛亚的中篇小说《小母亲》开始在《抗战文艺》第8卷第1期发表，到第2期载完。

同日，邵荃麟在《青年文艺》1卷2期上发表《〈北京人〉与〈布雷曹夫〉》。文章旨在通过对曹禺的剧本《北京人》和高尔基的剧本《布雷曹夫》（今译《布利乔夫》）对主题的表现与题材的处理作比较研究，以求得“对现实主义创作方法的理解”。文章认为，《北京人》的矛盾冲突“只是孤立地局限在一家庭之中”，没有把人物的矛盾“更大胆的和整个社会的矛盾状势联系起来”，表现出“主题孤立化与人物性格单纯化”的缺陷。而《布雷曹夫》中的“主人公生活，从不与他们的阶层分开，并且还要显示他们的社会根源”。但是，尽管这样，《北京人》在中国文学界中无疑是个成功的剧本，不是“一般公式主义的作品所能望其项背的”。

20日，《文艺阵地》7卷4期刊出“苏联文学特辑”，发表戈宝权、铁弦、贾芝等一组译作和研究论文。

21日，老舍为妇女辅导院讲《妇女与文艺》，鼓励妇女从事文艺工作。

同日，叶挺在重庆渣滓洞监狱中写下了著名的《囚歌》。诗稿由他夫人李秀文带出监狱，经由郭沫若转交中共中央。

23日，《新华日报》发表卓别林编导主演的影片《大独裁者》评论专辑。

《苏联文艺》在上海创刊。这是当时我国唯一专载苏联文艺作品的刊物。

邹荻帆诗集《青空与林》由重庆建国书店出版。列为“文艺新集”之一。

于伶的四幕剧《长夜行》由桂林远方书店出版。

十二月

5日，夏衍的五幕六场话剧《法西斯细菌》在《文艺生活》第3卷第3期发表。1944年6月以《第七号风球》为名，由重庆文聿出版社出版。夏衍谈到这部剧的创作时说：“我决定了把一个善良的细菌学者作为我们悲剧里的英雄，同时，把我的企图集注在《老鼠·虱子和历史》这本书上的结语：‘伤寒还没有死，也许，它还要续存几个世纪，只要人类的愚蠢和野蛮能给它有活动的机会。’野蛮和愚蠢是什么？有常识的读者可以想到：贫穷，牢狱和战争。——这一切，都和法西斯主义有着不可分的关联。”（夏衍：《老鼠·虱子和历史——〈法西斯细菌〉代跋之一》，原载《法西斯细菌》，1946年1月开明书店出版，作于1942年10月17上演之日。）

12日，《新华日报》刊登“文协”《保障作家稿费版权意见书》，并发表《保障作家合法权益》短评。短评说：“抗战以来，靠卖文度日的作家们，生活困苦万状，而社会上只听到责怪作家们为什么不能产生伟大作品的，却少听到同情作家困难的，重视作家最低限度生活维持的。”“作家合法权益的保障是万分应该的，提高稿费版税皆有必要。但同时除了几家有后盾的大出版商外，目前大多数出版业也切身感到痛苦很深，也要代为筹谋。他们的痛苦，中心倒并非版税稿费提高，而是出版与行销上的不容易。”

18 日，《新华日报》发表谷軒的短文《保障作家权益》，指出作家“不仅生活没有保障，而写作出版的自由亦常常受到阻碍”。

29 日，中国艺术剧社在重庆成立。主要负责人为于伶、金山、宋之的、司徒慧敏等。

30 日，文化界为洪深 50 寿辰在重庆百龄餐厅举行茶会，到沈钧儒、郭沫若、茅盾、老舍等 300 余人，老舍任主席，郭沫若致词。次日《新华日报》、《新蜀报》等报发表郭沫若、茅盾等人的贺词与文章。茅盾在《祝洪深先生》中说：“在京戏和文明戏的夹缝中露头角，争得了存在，有今天那样的阵容，那样的成就，这不是一件小事，这都是话剧界无数才人毅力斗争的结果；然而，二十年前《少奶奶的扇子》的一个老观众同时却也不能忘记洪深先生！”“二十多年来，……在每一变化的阶段，洪深先生的热情和他的艺术家的风度总是一个宝贵的力量。”（《新华日报》1942 年 12 月 31 日星期四第四版。）

臧克家的叙事长诗《古树的花朵》由东方书店出版。该诗写于 1941 年，全诗长约 5000 行。作者在《序》中谈到自己创作风格的某些变化时说：“写长诗特别需要气魄和组织力。为了紧张的场面叫起来的不羁的情感，为了使气势不受窒息，字句就不能太局促于谨严的韵律和韵脚下了。因此，在格调上，这个诗篇也就有些不同。同时，意识和材料也在压迫着我试探改变自己的风格，使它更恢廓些。”

臧克家等编的《东方文艺丛书》由重庆东方书社出版。

巴金主编的《现代长篇小说丛书》由文化生活出版社出版。

曹禺根据巴金同名小说改编的话剧《家》由重庆文化生活出版社出版。

1943 年

一月

1 日，郭沫若、茅盾、老舍、田汉、邓初民、翦伯赞、郑伯奇、冯乃超、阳翰笙、夏衍、于立群、姚蓬子、洪深等文艺、文化界人士 50 人为沈衡山（沈钧儒）祝寿，作《沈衡山先生七十寿辰》，后该文载于 3 日《新华日报》。

9 日，怒吼剧社在重庆国泰戏院演出《安魂曲》（贝勒·巴拉兹编剧，焦菊隐译），导演张骏祥。曹禺主演莫扎特。张瑞芳饰演玛露霞。沈扬、赵蕴如、路曦、耿震、施超、冼群、邓葳等参加了演出。演出十分圆满。李健吾看了演出后说：“曹禺不仅表现了一个音乐家莫扎特的形象，而且，表现了一个受难者的灵魂。……在莫扎特这个人物中，他注入了自己的感受与体验，注入了自己的生命与灵魂，水乳交融地流泻着，迸发着。是这样的，他使这个人物有了深度。”（刘念渠：《唤醒人类为幸福搏斗——评

〈安魂曲〉和它的演出》，《十三年间》，新文艺出版社1957年版）

19日，《新华日报》载：洪深、茅盾、老舍等为张静庐从事出版活动25周年发起纪念征文征画活动。

20日，《文化先锋》第1卷第20期推出“文艺政策讨论特辑”（上），发表了陈铨的《柏拉图的文艺政策》、赵友培的《我们需要“文艺政策”——兼评张梁两先生关于本问题的意见》、夏贯中的《读张先生的“文艺政策”》和该杂志社的《关于文艺政策的再答辩》。第21期又出了“文艺政策讨论特辑”（下），发表了王梦鸥的《戴老光眼镜读文艺政策》、常任侠的《关于“文艺政策”的补充》和丁伯骝译的《社会对于艺术家的责任》。

《戏剧月刊》在重庆创刊，郁文哉、凌鹤、贺孟斧、陈白尘、曹禺、赵铭彝、陈鲤庭、张骏祥、潘孑农9人为编委。在创刊号的“本报特刊稿件预告”中，有曹禺的三幕剧《三人行》，有田汉、熊佛西、洪深、夏衍、郭沫若、凌鹤、曹禺、陈白尘8人的《作剧经验谈》，但在以后各期中，却未见《三人行》刊出。1944年4月停刊。

北平《艺术与生活》32期刊登袁笑星的文章《由“呐喊”谈到乡土文学的兴起》，指出华北沦陷区文艺陷于色情和灰色，“应当肃清题材而一新面目”，还建议多刊登一些乡土文学。文章引起广泛影响，不少刊物编排了专辑，不少文艺团体举办座谈会。

张天翼小说集《速写三篇》由重庆文化生活出版社出版。小说集除收有作者的代表作《华威先生》外，还收了《谭九先生在工作》和《新生》。

沈从文散文《沈从文自传》由上海中央书店出版。

臧克家散文集《我的诗生活》由重庆学习生活社出版。

二月

16日，《新华日报》副刊开始陆续发表杨华的“文艺时论”，批评陈铨、沈从文、梁实秋的文艺观，直至2月27日结束，共发表了《关于文学底民族性》、《文学底“商业性”和“政治性”》、《文学与真实》、《“抄袭”论和“奉命”论》、《“拿货色来看”和“文学贫困”论》五篇文章。他批评了陈铨提出的抗战爆发“正是民族文学应运而生的时候”，指出这种文学“早在十年前就已‘应运而生’了”，揭示了民族文学的谬误。他批评了沈从文希望文学从“从商场和官场解放出来”，强调作家应在作品中表现政治见解。他批评了梁实秋文艺“与抗战无关”、文艺脱离政治的偏见，肯定了文艺与抗战的密切关系。

19日，曹禺应邀赴上清寺储汇大楼重庆储汇局同人进修服务社讲演，李家安记录，题为《悲剧的精神》。曹禺之所以要选定这个讲题，是因为“我见到我们这个民族，一向都是在平和中庸之道中活着的，平时就不喜爱极端，自然也不喜爱悲剧。我们晓得哪个人不想避开眼前困难，以谋他的升发之道，最低限度他也可在小我范围中求得他的安乐，反正依着一种平坦不偏不倚的路向前进就是了。”因而，他认为应当提倡悲剧精神，必须抛去个人利益关系，抛开小我，增强反抗意志。他提出：“真正能代表中国民族性格的悲剧还没产生。如果把一般哭哭啼啼的这套玩意儿认作是中国的‘悲剧’，那么中国话剧界倒是一个真正的大悲剧了。”他还谈了对中国传统文化的看法，认为“中国文化太好讲究超脱了”；追求的是“一切怡然自得”，“可是现在这个时代怎能妄想那些享乐呢！”讲演发表于《储汇服务》第25期，后转载于《半月文萃》第2卷第2期。

延安春节期间举行盛大秧歌演出。“鲁艺”演出的《兄妹开荒》，被认为是文艺整风后产生的第一个优秀秧歌剧。

老舍小说集《黑白李》由大连满天书局出版。

巴人散文集《边风录》由重庆读书出版社出版。

何其芳散文集《还乡记》由桂林工作社出版。

茅盾散文集《白杨礼赞》由桂林柔草社出版。陈伯吹评论《白杨礼赞》说：“茅盾同志的《白杨礼赞》是一篇美丽的诗样的散文。”“与其说《白杨礼赞》的诗的美丽的情调逗人喜爱，毋宁说主要是因为它的思想内容的深刻动人。”“《白杨礼赞》的这巨大的感染力量，也就是所谓文艺的永久价值吧，然而这也只有思想性和艺术性高度结合的作品才能够这样吧。”“作家把他的作品从一幅朴素的鲜明的风景画描绘成勇敢战斗的祖国的风貌。”（原载《文艺学习》，1955年第7期。）

老舍的五幕剧《归去来兮》由重庆作家书屋出版。列入“当代文学丛书”。

宋之的五幕剧《祖国在呼唤》由桂林远方书店出版。

三月

10日，中共中央文委与中央组织部召开党的文艺工作者会议。凯丰、陈云、刘少奇、博古、李卓然等在会上讲话。会议贯彻《在延安文艺座谈会上的讲话》指出的方向，号召文艺工作者深入到群众中去。

22日，中共中央文委召开会议，讨论戏剧运动的方针问题。会议确定边区和各抗日根据地剧运总方针是：为战争、生产、教育服务。决定中央文委与西北局文委合组一个戏剧工作委员会，周扬、柯仲平任正副主任。

27日，“文协”在重庆文化会堂举行成立五周年纪念会及第五届年会，到会者百余人。大会通过救济贫病作家等多项议案，并改选理、监事。《新华日报》发表社论《祝“文协”成立五周年》和郭沫若文章《新文艺的使命——纪念文协五周年》。

《祝“文协”成立五周年》一文指出：“‘文协’的健在与健斗表征了我们抗战文艺的发皇与战时文艺力量的发展和扩大。……我们的作家不能不以更关切更怛恻的心肠去贴近了人民的心情与生活。”文章肯定了五年来文艺工作者的成绩，又指出：“但是，在我们面前，还展开着一个长期而多难的将来。……提高全民族文化水准，改造全民族性格习俗，这是比疆场上的战争更艰巨，更需要长期努力的斗争。”

郭沫若在《新文艺的使命——纪念文协五周年》一文中说：“抗战以来在中国文艺界最值得纪念的事，便是‘中国文艺界抗敌协会’的结成。一切从事于文笔艺术工作者，……都一致地团结起来，……这是文艺作家们的大团结，这在中国的现代史上无疑地是一个空前的现象。”“我们敬愿克服种种的困难，加紧反法西斯的斗争，增强对于敌伪的憎恨，提高文艺作品的质量，促进国家力量的动员，巩固作家团结与民族团结的阵容，以争取民族解放与人类解放的胜利。这些是新文艺所负的使命，也就是文协所应负的使命。我们敬以这些使命的逐步完成来作为对于文协的庆贺。”

28日，《解放日报》发表凯丰的讲话《关于文艺工作者下乡的问题》。他在文章中说：“经过文艺座谈会和整风运动，许多党员文艺工作者也有了进步，有了改变。”“下乡为了什么呢？是为了文艺真正为工农兵服务，反映他们的生活和工作，……这次文艺工作者下乡的目的，就是要解决以前还未解决的问题，文艺工作者与实际结合，文艺与工农兵结合这两个大问题。”“我们的希望就是这次真正能够解决以前还没有解决的问题，使文艺工作者与实际结合，文艺与工农兵结合，把我们已经开始的新文艺运动方针推向前进。”

29日，《解放日报》发表陈云的讲话《关于党的文艺工作者的两个倾向问题》。他在文章中说：“讲讲我们做文艺工作的同志们中的两个倾向，或者说两个缺点，……一个是特殊，一个是自大。”“我们认为凡是对群众对革命有必要的工作，都同样有价值，……一定要求特殊，……这是后退的要求。”“要特殊，就因为自大，要反对特殊，就要进一步反对自大。”“我们不要把文艺的地位一般的估计过高，同时对自己个人在文艺上的地位更不要估计过高。……一个人的成就，要靠群众的判断和历史的考验，……这种自大的人，就因为不知道这个危险，所以自己不求进步，也不求旁人的帮助。……我们做文艺工作的同志也应该照实际办事，能够说老实话，听老实话，……”

巴人作《论巴金的〈家〉的三部曲》（后编入桂林文丛出版社出版的《论巴金的〈家〉〈春〉〈秋〉及其他》。作者充分肯定巴金继承发扬“五四”文学革命的传统，坚持反帝反封建的民主主义的政治要求和为被侮辱被损害者呼号的现实主义原则，认为“巴金是中国文坛上伟大的存在”。但本文也尖锐地指出了巴金从思想到艺术所存在的一定的局限。本文共分“巴金的世界”、“《家》三部曲的主题和故事”、“中国的家庭是怎样崩落的”、“《家》三部曲的真实性”、“巴金的创作方法”和“最后的话”等六部分。

路翎的中篇小说《饥饿的郭素娥》由桂林生活出版社出版，列为胡风主编的“七月新丛”。

胡风为之作序，说：“郭素娥，是这封建古国的又一种女人，肉体的饥饿不但不能从祖传的礼教良方得到麻痹，倒是产生了更强的精神的饥饿，饥饿于彻底的解放，饥饿于坚强的人性。她用原始的强悍碰击了这社会的铁壁，作为代价，她悲惨地献出了生命。”并且认为路翎这篇小说“替新文学的主题开拓了疆土”。

邵荃麟读了这篇小说后，认为小说“充满着一种那么强烈的生命力，一种人类灵魂里的呼声，这种呼声似乎是深沉而微弱的，然而却叫出了在旧传统磨难下的中国人的痛苦，苦闷与原始的反抗，而且也暗示了新的觉醒的最初过程。”关于小说的语言，他则认为：“作者所使用的语言，有时似乎太冗琐一点，有些地方因为着色太浓，反而看不清楚。”（邵荃麟：《饥饿的郭素娥》，载《青年文艺》1944年第1卷第6期。）

刘西渭（李健吾）则认为这篇小说具有自然主义风格，他说：“我们翻开《饥饿的郭素娥》恍如当着高揭自然主义的左拉 Emaile Zola 的理论，我们不期而在远迢迢的中国为他找到一个不及门的弟子。”（刘西渭：《三个中篇》，《文艺复兴》1946 年第 2 卷第 1 期。）

吴组缃的长篇小说《鸭嘴涝》由重庆文艺奖助金管理委员会出版部出版。

老舍评论这部作品时说：“组缃先生最会写大场面。他会把同一事件下的许许多多人（例如大家看对台戏、或打群架……）都一一描写出来；以形容，以口气，以服装，描写出每个人的个性及对此同一事件的看法——把这些不同的看法汇拢，便见出那社会的经济，文化的形态来。在《鸭嘴涝》中，他仍用此手法。他叫我们看到不少活生生的人，也看见一个活的社会。在他所描写的那些人中，他把力量都放在鸭嘴涝的乡人身上；因为不详写这些人，则鸭嘴涝之为鸭嘴涝便不会显明了。对外来的人，他没用同等的力气去写；有的只一笔带过，不便累赘。因此，人物中有重有轻，未能个个出色。可是，对一部不很长的小说，或者也只好这么办，否则宾主不分，大家挤在一处，谁也动弹不得矣。书中关于抗战的理论与见解，都很平常。但是这点平平无奇的议论正好同乡民们的知识水准配合，也就显着不太泛泛。我真希望组缃先生能把鸭嘴涝居民的礼教与生活力量写得更深厚强烈一些，或者到然而一大转的时候——由怕战争到敢抗战——才显着更自然而有力。在文字方面，他极努力于利用口语。虽然他感到多少的苦痛与困难，虽然自己还不满意，可是已经给我以最大的欣悦。专从文字上说，已足使我爱不释手！词汇，声调，歇后语，谚语，都使我念了一遍，再念一遍。借着这些有魔力的活生生的话语，我不单看到，而且听到鸭嘴涝的人们怎样不安，不服气与不肯投降。组缃先生教乡民自己发出那最大的变动与期望。书的末尾似乎弱了一些，可是我知道鸭嘴涝还有下回分解，我渴望他赶快把后半再写出来。”（老舍：《读〈鸭嘴涝〉》，载 1943 年 6 月 18 日《时事新报》。）

四月

1 日，“文协”召开理事会，选出老舍、徐霞村、王平陵、胡风、姚蓬子五人为常务理事，老舍、徐霞村为总务组正副组长，王平陵、陈纪滢为组织组正副组长，胡风、姚雪垠为研究组正副组长，姚蓬子、叶以群为出版组正副组长，梅林为秘书。

18 日，《家》由中国艺术剧社争得首演权，在重庆公演。导演章泯，金山饰演觉新，张瑞芳饰演瑞珏，其他演员有凌琯如、舒强、沙蒙等。公演前，曹禺曾说：“哪个剧团演这个戏都可以，但瑞珏这个角色非由张瑞芳演不可。”因为他觉得，瑞珏这个角色是由剧校出身的演员所演不出来的。演出盛况空前，连演三个月。

20 日，“文协”桂林分会庆祝成立五周年，由田汉任主席，百余人到会。田汉报告了分会五年来所取得的工作成就，熊佛西、许之乔等讲了话。

24 日，由中苏文协主持，中华剧艺社在重庆国泰剧院演出夏衍改编的话剧《复活》。

25 日，《解放日报》发表社论《从春节宣传看文艺的新方向》，文章指出：“去年五月党中央召集了文艺座谈会后，文艺界开始向着新的方向转变。毛泽东同志的结论，为这运动提示了明确的方针。”“我们的文艺工作者已开始走上毛泽东同志所指出的正

确的道路。但同时还应该说，我们的方向仅只是开始。我们只是开始努力使文艺从知识分子的小圈子里走向工农兵群众；就整个文艺界来说，正如凯丰同志在党的文艺工作者会议上所指出的，文艺与实际的结合、文艺与工农兵的结合的问题，还没有得到真正的解决，因此我们的文艺工作中还有着许多缺点，……为着解决这些问题，首先就需要我们的文艺工作者下更大的决心，深入到实际工作中和工农兵群众中去，去熟悉他们的生活、情感和语言，去帮助他们中间的艺术活动的普遍发展，并在这个基础上去进一步提高自己的创作质量。为着达到这样的目的，文艺界同志们的下乡工作，是有重大意义的。……我们相信，文艺工作者在这个方针的指导之下，一定能够在不久的将来，得到比这一次春节宣传更为美满的成就。”

同日，《解放日报》开始连载王大化、李波、路由集体编剧，路由写词、安波配曲的街头秧歌剧《兄妹开荒》，至26日连载完毕。

郭沫若在《戏剧月报》1卷4期上发表《历史·史剧·现实》。文章认为“历史研究力求其真实而不怕伤乎琐碎”，史剧创作则注重构成而务求完整；如果说前者是“实事求是”，后者就是“失事求似”。文章指出，“史剧既以历史为题材，也不能完全违背历史的事实”，“大抵在大关节目上，非有绝对正确的研究”，但史剧家毕竟不是创造“历史”，而是在“创造剧本”。

沈从文小说集《春灯集》由桂林开明书店出版。

茅盾散文集《见闻杂记》由桂林文光书店出版，列为“文光文丛”之一。茅盾于1940年5月离开新疆迪化，经兰州、西安，于5月末到达延安；同年10月，自延安到重庆，1941年2月自重庆经桂林抵香港。本书记叙了这次行程中的见闻，读者从中“可以看到二十九年冬至三十年春，大后方自南到北，从都市以至乡村，生活正在起着如何的变化”。(茅盾：《见闻杂记·后记》。)

朱自清散文集《伦敦杂记》由上海开明书店出版。除《自序》外，收散文9篇。系朱自清1931年至1932年旅欧时在伦敦7个月的生活记述。《自序》说：“写这些篇杂记时，我还是抱着写欧游杂记的态度，就是避免‘我’的出现。……为此只能老老实实写出所见所闻。”

五月

15日，综合性文艺月刊《艺丛》创刊，孟超任主编，但只出了两期就告终。

同日，茅盾的《从思想到技巧》发表于重庆《储汇服务》第26期。

28日，“文协”桂林分会召开理事会，重订稿费标准，规定各种著译文稿发表费为每千字一斗米。

茅盾小说《霜叶红似二月花》由桂林华华书店出版。

赵树理完成了短篇小说《小二黑结婚》。

周扬在评论赵树理的创作时说：“《小二黑结婚》写的是一个农村中恋爱的故事。……作者是在这里讴歌自由恋爱的胜利吗？不是的！他是在讴歌新社会的胜利（只有在这种社会里，农民才能享受自由恋爱的正当权利），讴歌农民的胜利（他们开始掌握自己的命运，懂得为更好的命运斗争），讴歌农民中开明、进步的因素对愚昧、落后、迷信等等因素的胜利，最后也最关重要，讴歌农民对封建恶霸势力的胜利。”“作者是现实主义的，他不能把一个人物写成一个晚上就完全变了样子，像有些作者写人物转变那样；他只是着重写了环境的力量，他虽没有告诉你他的人物转变得怎样，但却叫你不能不相信他们的转变。”“作者在描写人物的时候所使用的方法和语言也是非常特殊的。他往往不从正面来写，而从人物的举止行动在别人身上所发生的效果反衬出来。”“我们可以看出作者在作任何叙述描写时都是用群众的语言，而这些语言是充满了何等的魅力呵！这种魅力是只有从生活中，从群众中才能取得的。”“他一贯努力于通俗化的工作；……他竭力使自己的作品写得为大众所懂得。他不满意于新文艺和群众脱离的状态。他在创作上有自己的路线和主张。同时他对于群众的生活是熟悉的。因此他的成功并不是偶然的。这正是他实践了毛泽东同志文艺方向的结果。……这些决不是普通的通俗故事，而是真正的艺术品，它们把艺术性和大众性相当高度地结合起来了。”（周扬：《论赵树理的创作》，原载 1946 年 8 月 26 日《解放日报》。）

沙汀的长篇小说《淘金记》由重庆文化生活出版社出版。在给叶以群的信中，沙汀说：“我看见一批士绅，他们的确被抗战弄兴奋了，但是他们落下来的地方却不再是抗战，不是怎样为祖国效劳，倒在如何谋利。……于是我想：抗战在后方把人们的私欲，更煽旺了。”“我只集中在这一点写：为了满足随涨的私欲，在一批恶棍中展开着怎样一种斗争。”（1942 年 6 月 30 日《文坛》第 5 期）

李长之认为“《淘金记》里几乎没有一个地方可以叫人不满”。“作者在《淘金记》里是更严肃地执行着写实主义的任务：他对于各式各色的人物一无爱憎，他们各有优点，也如他们各有缺点。那些对话，都是深入地从那些人物的灵魂里掘发出来的，这和叙述着他们的行动的文章很不同，显然后者是在另一个世界里，只有这样，才见出作者是冷冷然的严肃的旁观者。他没有特意的讥讽，可是就是这样，也许已经是做到了上乘的讥讽家的能事。——假若许我鲁莽地比方，我们仿佛是被引入果戈里的世界中了，虽然在幽默以及故意刻画上（那是果戈里的特色）还略觉不似。可是也许因此，他比果戈里的写实精神更纯粹些呢。”（李长之：《〈淘金记〉〈奇异的旅程〉》，载 1944 年 10 月 15 日《时与潮文艺》第 4 卷第 2 期。）

路翎也对《淘金记》作了评论，他说：“沙汀先生的小说《淘金记》，是一本有着某种成就的书。这成就，是指作者的对于生活（文学素材）的某一些限度的忠实，和从这忠实产生的某些关于农村生活的图画的朴素而言。然而，《淘金记》的内容，它所包容的生活和追求，应该是更为深刻而热辣的，作者却仅仅走到现象为止，在现象的结构上播弄着他的人物。”“《淘金记》里面的机智的卖弄兴趣主义，作者在每一节描写里都好像在说：‘你看这多有趣啊！’——这里面的人物性格的概念化，这里面的思想力的灰白和追求力的微弱，以及从兴趣主义来的对于人物的无故的嘲弄，都是从对生活的客观态度来的，虽然，作者的观察的才能，使他写出了某一限度的农村生活的现象。这种作品，是典型的客观主义的作品。”（冰菱（路翎）：《〈淘金记〉》，载 1945 年 12 月《希望》第 1 集第 4 期。）

六月

4日，叶圣陶自成都到桂林，茅盾与孔德沚到叶圣陶处探望。当晚，茅盾又与宋云彬等设宴招待叶圣陶。

7日，第三届诗人节开幕。中央文化运动委员会与“文协”在文化会堂联合举行文艺晚会。到会有张道藩、胡风、姚蓬子、宋之的、夏衍等60余人。晚会还通过了以“文协”名义向鄂西前线将士的致敬电。《新华日报》出诗歌专页，发表了艾青的《吴满有》长诗的节选及《附记》和郭沫若的诗歌《鞋袜劳军》。

20日，“文协”桂林分会召开文艺刊物编辑会议，由熊佛西主持，议定原则三项：遵循总会提出的稿酬为每千字一斗米；暂定七、八月每千字八十元，九月后按平均米价为准；稿件看清样后即付稿酬。

《中原》季刊在重庆创刊（一说1943年6月创刊于重庆）。文艺理论刊物。1945年10月终刊。第1卷出4期，第2卷出2期，共6期。郭沫若主编。群益出版社发行。16开本。主要刊载中外古今文学研究文章，著译兼收。撰稿人有蔡仪、阳翰笙、茅盾、陆侃如、冯沅君、舒芜、郭沫若、蒯伯赞、郑伯奇、艾芜、闻一多、冶秋、刘白羽、沙汀、严文井、徐迟、力扬、冯亦代、丁易、柳无忌等。载有蔡仪的《艺术的主观性与客观性》、《艺术的内容与形式》、《论艺术的本质》，阳翰笙的《关于契诃夫的戏剧创作》，茅盾的《论所谓“生活三度”》，徐迟的《美国诗歌的传统》，蒯伯赞的《清代宫廷戏剧考》，项黎的《论艺术态度与生活态度》，于潮的《论生活态度与现实主义》、《方生未死之间》，郭沫若的《论曹植》、《儒家八派的检讨》、《由周代农事诗论到周代社会》等。

臧克家诗集《泥土的歌》由桂林今日文艺社出版。

王亚平诗集《生活的瑶曲》由重庆未林出版社出版。

茅盾小说集《耶稣之死》由重庆作家书屋出版。

谢冰莹小说集《冰莹近作自选集》由湖南蓝田书报合作社出版。

沈从文散文集《云南看云集》由重庆国民图书出版社出版。

七月

1日，由孙陵主编的《文学杂志》月刊在桂林创刊。

同日，《艺文杂志》在北平创刊。艺文杂志编辑部编辑，艺文社出版。日华合办的新民印书馆总发行。艺文社社长为周作人。1945年5月1日出至3卷4、5期合刊后停刊。

同日，茅盾在《文学创作》2卷3期上发表小说《委屈》。

7日，陈铨主编的《民族文学》在重庆创刊，出到第1卷第5期，1944年1月停刊。

16日，《群众》第8卷第11期出版，“民族化问题讨论特辑”占了许多篇幅，刊登了劲秋的《略谈创造新的中国气派与中国作风》、瀚若的《关于中国作风与中国气派》、华岗的《我们应该怎样来表现中国气派与中国作风》、余约的《我们还要大胆的摄取》、任广的《正还有待于创造》、卓芬的《怎样接受中国的文化遗产》等。

23 日，中央图书杂志审查委员会规定：从 8 月 1 日起，凡中央机关及文化团体出版不公开发售的中、英文刊物，不论适合免审规定与否，一律将原稿送重庆市图书杂志审查处审查，核发审查证或免审证。

25 日，赵树理在《晋绥日报》副刊 7 月 25 日至 8 月 13 日上连载小说《李有才板话》。

31 日，《群众》第 8 卷第 12 期出版，内有“民族化讨论特辑（二）”，刊登了沈友谷的《论中国民族的新文化的建立》、远庸的《论中国作风与中国气派》、谷溪的《创造新风气》、黄磷的《民族化和接受文化遗产》等。

鲁藜的诗集《醒来的时候》由桂林希望出版社出版，为《七月诗丛》第 1 辑之一。

沈从文小说集《黑凤集》由桂林开明书店出版。

茅盾散文集《茅盾随笔》由桂林文人出版社出版。

老舍、宋之的合著的四幕剧《国家至上》由汉口南方印书馆出版。

八月

10 日，《解放日报》新书出版消息：“鲁艺”秧歌队编辑的《新秧歌集》（收《兄妹开荒》、《春天里》等 30 支新秧歌）及高尔基著《苏联的文学》（曹靖华译），均由华北书店出版。并称后者“是一本具有全世界性的崭新的文学简明教程”，是“今天中国从事新民主主义文艺建设的每个同志应用以学习的规范”。

13 日，茅盾的《暑期随笔》发表于《国讯》第 343 期。

15 日，《新华日报》发表社论《为抗建文化着想》，指出物价上涨，作家生活贫苦，要求“提高稿费、保障剧作税、设法改善作家生活”，并“治标兼治本”，从速解决实际困难。

桂林国民党政府封闭《文学月报》、《音乐与艺术》等刊物，9 月又封闭了《文艺生活》、《文艺杂志》、《创作月刊》等刊物。

冰心的《冰心小说集》由上海开明书店出版。

九月

7 日，应云卫四十寿辰。洪深、孟君谋、马彦祥、潘孑农等发起，于中央青年剧社举行纪念茶会，到会有剧作家、导演、舞台工作者、演员等五六十人。主席洪深报告了中国话剧运动草创时期的困难情形及应云卫起的积极作用。潘孑农、凌鹤等对初期剧运作了怀旧追述。

10 日，张爱玲小说《倾城之恋》发表于《杂志》11 卷 6 期。

15 日，骆宾基小说《北望园的春天》发表于《文学创作》2 卷 4 期。

20 日，为纪念《新华日报·副刊》发刊一周年，茅盾在《新华日报》发表《一点零碎的意见》。

华北作家协会编的《华北文艺丛书》出版。至 1945 年 6 月，共出版有张金寿的小说集《京西集》、闻国新的长篇小说《蓉蓉》、梅娘的小说《蟹》、关永吉的小说集《风网船》等9种。

曹禺应中央大学中文系邀请，在该校开设戏剧概论课。

罗家伦新诗集《疾风》由商务印书馆出版。收诗29首、军歌10首，写于1922年至1938年。

沈从文小说集《边城》由桂林开明书店出版。

男士（冰心）小说集《关于女人》由天地出版社出版。

赵树理的小说《小二黑结婚》由华北新华书店出版。

冯至散文集《山水》由重庆国民图书出版社出版。列为“文艺丛书”之一。后由上海文化生活出版社于1947年5月出版增订本。

丰子恺的《教师日记》由重庆崇德书店出版。

十月

1日，《万象》杂志戏剧专号发表20多篇文章，有论文、导演讲座、名剧介绍、剧坛消息、座谈纪要等。

10日，中华全国戏剧界抗敌协会桂林分会在广西剧场庆祝第五届戏剧节。欧阳予倩主持，省艺术馆戏剧部、新中国剧社、剧宣四队和五队、中兴湘剧团等参加。大会强调要认清国际形势，不要用戏剧粉饰太平，要通过戏剧鼓舞抗战必胜信心，把艺术献给抗战。

17日，“文协”在中国文艺社约请文艺界人士座谈稿费问题。文艺工作者许多靠稿费维持生活，但每千字的稿酬，比每千字的排工低得多，所以生活十分清苦。座谈会通过会商决定仿效桂林“千字斗米”的办法，发表费为每千字一斗米；卖版权按照发表费“千字斗米”再加一倍，未发表的照“千字斗米”加倍后再加一倍发表费。版税抽15%，再版时抽20%。

19日，鲁迅逝世7周年，《新华日报》出纪念专刊。

同日，《解放日报》全文发表毛泽东《在延安文艺座谈会上的讲话》。编者说：“今天是鲁迅先生逝世七周年纪念。我们特发表毛泽东同志一九四二年五月在延安文艺座谈会上的讲话，以纪念这位中国文化革命的最伟大与最英勇的旗手。”

20日，中共中央总学委发出通知，规定毛泽东的《在延安文艺座谈会上的讲话》为整风学习的必读文件，并为今后干部必修的一课。

同日，《新华日报》发表社论《论治标与治本——如何解除文化工作者的苦闷》。社论说：“我们绝不讳言我们文化工作者的清苦，我们更衷心地期待着文化工作者生活的改善，但，我们却不能同意，以为物质生活上的困顿就是唯一使我们文化工作者感到苦痛的原因。”社论指出，“文化出版事业陷于困顿的原因”，是“别有所在”，期待解除“文化管制”。

李广田的《沉思的诗——论冯至的〈十四行集〉》发表于《明日文艺》1期。“在平凡中发见了最深的东西的，是最好的诗人”，文章认为，冯至就是那种诗人。关于

“十四行体”，文章认为，这一外来形式“由于它的层层上升而又下降，渐渐集中而又渐渐解开，以及它的错综而又整齐，它的韵法之穿来而又插去”，“这本来是最宜于表现沉思的诗的”。而冯至又能运用得“自然”、“妥帖”、“委婉而尽致”。

茅盾主编的《国讯文艺丛书》由重庆国讯书店出版。至 1948 年 3 月，共出版冼群的《飞花曲》、杨村彬的《光绪亲政记》等 6 种。

赵树理的中篇小说《李有才板话》开始在《群众》第 7 卷第 13 期连载，至第 13 卷第 3 期连载完毕。

沙汀的中篇小说《奇异的旅程》由重庆当今出版社出版，列入“当今文艺丛书”。

十一月

8 日，《解放日报》发表中宣部 7 日作出的《中共中央宣传部关于执行党的文艺政策的决定》。决定说：“毛泽东同志《在延安文艺座谈会上的讲话》规定了党对现阶段中国文艺运动的基本方向。”

9 日，《新华日报》发表萧曙的《作家生活与文化出版事业》。文章指出，不仅作家生活困难，正直的出版，也“几乎没有一家不叫苦连天”。作者认为，提高稿费、版税只是治标的问题。“最重要的问题，乃在政府重新考虑目前的文化政策，铲除目前文化出版事业发展中的各种障碍。”此外，“开放民众运动”，这不但“有助于作家生活的改善，而且社会其他部门也因之得到改革，直接间接都与作者生活有极大裨益。”

10 日，张爱玲小说《金锁记》发表于上海《杂志》12 卷 2、3 期。

11 日，《戏剧时代》在重庆创刊。1944 年 10 月出至第 6 期终刊。编委会由洪深、吴祖光、马彦祥、焦菊隐、刘念渠组成。重庆中央青年剧社出版。该刊致力于以下几方面的工作：1. 讨论怎样建立正规的、严肃的演剧风气及提高演剧水准；2. 怎样更广泛而深入地推进乡村演剧工作；3. 旧形式的运用、整理及新形式的追求；4. 国际戏剧文化的动态及重要理论的介绍与研究；5. 国内剧坛动态的报道及重要公演的纪录与批判。撰稿人有陈鲤庭、夏衍、洪深、李健吾等。载有夏衍的《论正规化——现阶段剧运答客问》、洪深的《论如何导演业余演员》、陈鲤庭的《表演的舞台技术》和李健吾的四幕剧《喜相逢》等。

22 日，中、美、英三国首脑蒋介石、罗斯福、邱吉尔在开罗举行会议，26 日结束。该会议签署了《中美英三国开罗宣言》。主要内容是：宣布三大盟国此次进行战争的目的，在于制止及惩罚日本之侵略，三国决不为自身图利，亦无拓展领土之意；三国之宗旨是剥夺日本自第一次世界大战后在太平洋所夺得或占领的一切岛屿，使日本窃取的中国领土归还中国，并决定在相当期间使朝鲜自由独立等。

28 日，《文学创作》在桂林举行座谈会，田汉任主席，欧阳予倩、邵荃麟、熊佛西、周钢鸣、司马文森、芦荻、孟超、胡危舟等人到会。会议主要展望战后中国文艺，田汉还谈了国内外政治形势和抗战文艺的发展。

田间诗集《给战斗者》由桂林希望社出版。

闻一多在谈到田间的诗歌创作时说：“新诗的历史，打头不是没有一阵朴质而健康的鼓的声律与情绪，接着依然是‘靡靡之音’的传统，在舶来品的商标的伪装之下，支配了不少的年月。疲困与衰竭的半音，似乎比历史上任何时期都变本加厉的风行着。”而田间的诗歌却“没有‘弦外之音’，没有‘绕梁三日’的余韵，没有半音，没有玩任何‘花头’，只是一句句朴质，干脆，真诚的话，（多么有斤两的话！）简短而坚实的句子，就是一声声的‘鼓点’，单调，但是响亮而沉重，打入你耳中，打在你心上。”这种鼓点一般的诗歌“整肃，庄严，雄壮，刚毅和粗暴，急躁，阴郁，深沉……鼓是男性的，原始男性的，它蕴藏着整个原始男性的神秘。它是最原始的乐器，也是最原始的生命情调的喘息。如果鼓的声律是音乐的生命，鼓的情绪便是生命的音乐。音乐不能离鼓的声律而存在，生命也不能离鼓的情绪而存在。”尽管田间的诗“都不算成功的诗”，但“它所成就的那点，却是诗的先决条件——那便是生活欲，积极的，绝对的生活欲。它摆脱了一切诗艺的传统手法，不排解，也不粉饰，不抚慰，也不麻醉，它不是那捧着你在幻想中上升的迷魂音乐。它只是一片沉着的鼓声，鼓舞你爱，鼓动你恨，鼓励你活着，用最高限度的热与力活着，在这大地上。”因此，闻一多将田间誉为“时代的鼓手”。并呼吁“当这民族历史行程的大拐弯中，我们得一鼓作气来渡过危机，完成大业。这是一个需要鼓手的时代，让我们期待着更多的‘时代的鼓手’出现。至于琴师，乃是第二步的需要，而且目前我们有的是绝妙的琴师。”（闻一多：《时代的鼓手》，《生活导报周年纪念文集》1943 年 11 月。）

夏衍、宋之的、于伶合著的五幕剧《戏剧春秋》由重庆未林出版社出版。有《献辞》和《后记——我们赞颂我们的英雄》。

十二月

1 日，端木蕻良在《文学创作》2 卷 5 期上发表《论艾青》。文章认为“中国‘五四’运动给诗的最大改变，是形式的改变”。文章指出，例如歌德、拜伦、雪莱、普希金和莎士比亚的诗在外国被认为是旧诗，但译过来后却成了“新诗”；同样，中国传统的格律诗在改变了其形式以后，也具有了“新诗”的质素。文章认为，“只有在自由诗的创作过程中所产生出来的诗，才是新诗。这样的分别才能影响中国人对于新诗的正确观念”。而“艾青是运用新形式来写诗的一个成功的诗人”。

15 日，夏丏尊、章锡琛及赵景深夫人李希同等被日本宪兵司令部逮捕。

20 日，茅盾的《杂谈思想与技巧，学习与经验》在《文学修养》第 2 卷第 2 期发表。

25 日，《新华日报》发表社论《如何接受文化遗产》。

30 日，“文协”与中国文艺社在文化会堂举行辞年恳谈会，一百多人到会，孙伏园任主席，胡风主持会议。常任侠、冯雪峰、阳翰笙等围绕“一年来文艺成果的感想”发表了意见。

日伪政权召开“决战文艺大会”，关东军报道部部长谷川宇一在会上作《战争与文学》报告，同年还设立“大东亚文学者赏”。

陕甘宁边区召开文教大会，着重讨论“开展群众的文艺运动”问题。周扬作了总结报告。

潘公展主持图书杂志审查委员会，在成都、桂林、昆明、贵阳等地设分会。该委员会颁布的《取缔剧本一览表》中，列有郭沫若、阳翰笙、夏衍等人的160多种剧本。

图书杂志委员会发出“训令”，要求各有关机构自1944年1月起，将所辖区出版的戏剧方面的图书、杂志、报刊所刊登之剧人消息或论文，包括剧情说明书、广告等，广为搜集，每月汇报。同年7月与9月两次发布修正条例，规定“送审须知”。

冯雪峰的《真实之歌》由重庆作家书屋出版。集中所收诗歌是作者被囚于上饶集中营时所写，后经散落而留下来的部分。

赵树理小说集《李有才板话》由华北新华书店出版。

冯牧在评论这部作品时说：“自文艺座谈会以后，解放区的文艺运动开始有了一个新的面貌，以工农兵，尤其是以农民为对象的创作（包括创作给工农兵看和反映工农兵生活的），大批的涌现，……在小说中也能够获得群众如此喜爱的作品，实在寥寥可数。《李有才板话》的出现实在是在这种缺陷中一个极其可喜的开端，在小说中创立了一个模范。”“当我们现在还罕有那种从各方面来深刻地反映我们解放区的生活，尤其是农民的翻身斗争的小说的时候，无疑地，《李有才板话》是我们极可珍贵的收获，是我们正在茁壮成长着的人民文艺的杰出成果。”（冯牧：《人民文艺的杰出成果——推荐〈李有才板话〉》，原载1946年6月23日《解放日报》。）

郭沫若称赞《李有才板话》是“杰出的短篇”（郭沫若：《〈板话〉及其他》，原载1946年8月16日《文汇报》。）

周扬则认为：“作者在这里正确地处理了农村斗争的主题，写出了斗争的曲折与复杂性，写出了农村中的各种人物：地主，农民，包括积极的，中间的与落后的；两种类型的工作干部。他没有把人物与行动简单化；没有只写胜利，不写困难，只写光明的一面，不写阴暗的一面。他的笔是那样轻松，那样充满幽默，同样又是那样严肃，那样热情。光明的，新生的东西始终是他作品的支配一切的因素。”指出赵树理作品人物的创造和语言的创造两方面的特点，特别值得研究、学习。“‘文艺座谈会’以后，艺术各部门都达到了重要的收获，开创了新的局面。赵树理同志的作品是文学创作上的一个重要收获，是毛泽东文艺思想在创作上实践的一个胜利。”（周扬：《论赵树理的创作》，原载1946年8月26日《解放日报》。）

茅盾评论说：“《李有才板话》是一部新形式的小说（这是和章回体的《吕梁英雄传》不同的）；然而这是大众化的作品。所谓“大众化”，可以从下列诸点得到证明：第一、作者是站在人民立场写这题材的，他的爱憎分明，情绪热烈，他是人民中的一员而不是旁观者，而他之所以能如此，无非因为他是不但生活在人民中，而且是和人民一同工作一同斗争；第二、他笔下的农民是道地的农民，不是穿上农民服装的知识分子，一些知识分子那种‘多愁善感’、‘耽于空想’的脾气，在作者笔下的农民身上是没有的；第三、书中人物的对话是活生生的口语，人物的动作也是农民型的；第四、作者并没有多费笔墨刻画人物的个性，只从斗争（就是书中故事的发展）中表现了人物的个性；第五、在若干需要描写的地方（背景或人物）作者往往用了一段‘快板’，简洁，有力，而多风趣，——这也许是作者为要照顾到他这小说的题名‘李有才板话'，但是，我们试一猜想，当这篇小说在农民群中朗诵的时候，这些'快板'对于听众情绪上将发生如何强烈的感应，便知道作者这一新鲜的手法不是没有深刻的用心的。""无疑的，这是标志了向大众化的前进的一步，这也是标志了进向民族形式的一步，虽然我不敢说，这就是民族形式了。"（茅盾：《关于〈李有才板话〉》，原载《群众》第12卷第10期，1946年9月出版。）

张恨水的长篇小说《丹凤街》由重庆教育书店出版。

冰心的诗集《冰心诗集》由开明书店出版。收入冰心1921年至1931年所作诗，包括《繁星》、《春水》和未结集的单篇诗作，以及作者《自序》和巴金的《〈冰心著作集〉后记》。

郭沫若的四幕历史剧《孔雀胆》由重庆群益出版社出版。

1944年

一月

1日，《新华日报》以整版篇幅，在《毛泽东同志对文艺问题的意见》的总题下，分三篇文章摘要介绍了《在延安文艺座谈会上的讲话》的基本论点，其中有《文艺上的为群众和如何为群众的问题》、《文艺的普及和提高》以及《文艺和政治》。编者在附言中指出："毛泽东同志在延安文艺座谈会上曾发表过两次讲话，有系统地说明了目前文艺和文艺运动上的根本问题。原文不可能全部发表，只好提要介绍一下。在这三篇文章中，关于普及与提高问题的一篇，全部是毛泽东同志的原文，另外两篇中加引号的也都是他的原文。原文全部共两万余字，此地所节录出来的自然只能是传达出其中若干基本的论点。"这是毛泽东的延安文艺座谈会的讲话思想在国统区的公开发表 。

同日，《当代文艺》在桂林创刊。同年5月6日出至1卷第5、6期合刊后终刊。熊佛西主编。桂林当代文艺社出版。编者在《卷头语》中说："创刊伊始，我们不愿空立诺言，愿以将来的行动来表示我们现在的意旨。我们是文艺爱好者，誓以文艺报国——以文艺为武器，争取我们的胜利，完成我们建国的心理建设。"文章还说"胜利的曙光已照耀在眼前"，"本社同仁愿与全国作家读者共同奋勉，发挥文艺的功能，争取民族国家的自由独立。"辟有论文、小说、散文、随笔、报告、诗歌、剧本等专栏。著译兼收，撰稿人有郭沫若、茅盾、丰子恺、艾芜、田汉等人。

9日，毛泽东观看了延安平剧院新编历史剧《逼上梁山》的演出，随后写信给杨绍萱和齐燕铭。毛泽东在信中说："看了你们的戏，你们做了很好的工作，我向你们致谢，并请代向演员同志们致谢！历史是人民创造的，但在旧戏舞台上（在一切离开人民的旧文学旧艺术上）人民却成了渣滓，由老爷太太少爷小姐们统治着舞台，这种历史的颠倒，现在由你们再颠倒过来，恢复了历史的面目，从此旧剧开了新生面，所以值得庆贺。郭沫若在历史话剧方面做了很好的工作，你们则在旧剧方面做了此种工作。你们这个开端将是旧剧革命的划时期的开端，我想到这一点就十分高兴，希望你们多编多演，蔚成风气，推向全国去！"（按：此信后来发表于《人民日报》1982年5月23日。）

同日，《时与潮文艺》2卷5期刊登“小国作家短篇译丛”专辑。

20日，老舍的长篇小说《火葬》开始连载于《文艺先锋》第4卷第1期，至6月20日第4卷第6期连载完毕。

25日至28日春节期间，延安掀起新秧歌演出的高潮，《解放日报》连日报道。报道说：“春节到了，延安春节宣传文艺活动盛况空前，延安许多机关、学校都在积极排演各种秧歌戏剧，准备参加春节宣传。随便走进哪一个机关或学校，都可以听到锣鼓和歌唱声，热闹的情形，真是空前未有。”报道还分别介绍了“杨家岭”、“中央党校”、“留政”、“王家坪”、“西北党校”、“保安处”、“清凉山”等地开展活动的情况。

张爱玲小说《连环套》发表于《万象》第7~12期。

杨绛的戏剧《称心如意》由上海世界书局出版。列入孔另境主编的“剧本丛刊”第一集。

孟度在《关于杨绛的话（剧作家论之一）》的文章中说：“尤其在《称心如意》中她写李君玉的三对舅父母和她的舅公。活泼有趣，各尽其妙，然而同时其中已隐寓世态炎凉，人情甘苦之滋味。作者观察人间诸相，别有慧眼，描写人物性格，亦独具女性之敏感，能超乎现实以上，又深入现实之中，仿佛对于事事物物无显著之爱憎，而又是关心她周遭的形形色色，都寄于相当的同情，静观有得，沾沾自喜，于世间之熙攘、纷争一概以温和、清新的嘲讽加以覆被，如春风，亦如朝阳。”“《称心如意》是以李君玉一人为线索而贯穿其他几个家庭的戏。有人嫌它不够集中而散漫，其实都是多余的话。以推动剧情的发展来讲，这样的一条主线下来，真是自然而且生动。那些嫌它散漫、不集中的先生，大概看惯了英美目前的客观喜剧，觉得除了在客厅的四堵墙中间是不可能再发生喜剧的了！我真要劝他们多去看看外国古典的喜剧，尤其是法国的。”（孟度：《关于杨绛的话（剧作家论之一）》，《杂志》月刊第15卷第2期，1944年5月10日。）

鲁思的四幕剧《十字街头》由世界书局出版。该剧根据沈西苓同名电影改编，列入孔令境主编的“剧本丛刊”。

田汉的五幕剧《秋声赋》由桂林人文出版社出版。

周作人散文集《药堂杂文》由北京新民印书馆出版。

二月

15日，“剧协”在重庆文化会堂开会庆祝戏剧节。郭沫若、夏衍、洪深等200多人出席。《新华日报》发表社论《抗战戏剧到人民中去！——庆祝三十三年度戏剧节》。社论提出了“归于现实，归于人民”的口号，反对那种戏剧“脱离广大人民，游离抗战现实，而渐次趋向于卑俗娱乐和高蹈自喜的倾向”。社论号召“用更大的决心来扭转我们剧运的危机”。该报还出了纪念特刊，刊登了郭沫若的《戏剧与民众》，夏衍的《我们要在困难中进行》、焦菊隐的《扩展戏剧抗战的领域》、史东山的《今日戏剧的命运》、梅令宜的《发扬新戏剧的优良传统》等文章。

同日，“西南第一届戏剧展览会”在桂林广西省立艺术馆新厦开幕，至5月19日闭幕。总计到会的有不同剧种的团队33个。除演出外，还举办了资料展览。1944年2月15日的《力报》上有《西南第一届戏剧展览会开幕启事》，文章说："敬启者：西南各省市戏剧工作者，鉴于戏剧发展至今日之阶段，益应加紧团结，互相研讨，以及观摩切磋之效，几经集议，于本年戏剧节日，在桂林举行西南第一届戏剧展览会，筹备以来，荷蒙各地首长加意匡扶，社会人士热心赞助，工作得以顺利进行。今各地参加团体已陆续到达，爰订于二月十五日下午三时，假座桂西路广西省立一书馆大礼堂，举行开幕典礼。"

同日该报还发表了荃麟的《一点希望和一点意见》，作者认为："这次大会名义上虽然是展览，然而最重要的意义恐怕还是从这次盛大的展览中间，去认识和评价这几年来戏剧运动发展的成果，去接受抗战戏剧运动中的经验和教训，和从这里去重新肯定今后戏剧运动的方针和方向，以及研究戏剧艺术上各种问题吧。"作者还说："在一个文化落后的国家里，戏剧往往是一种最有力的启蒙形式。""话剧产生以后，无疑成为新戏剧运动中的主要形式，然而由于它初期局限在知识阶级圈子中间，它的发展并不顶快，影响也并不顶大。伟大的抗战要解决这个问题了。抗战把戏剧和人民大众接近起来，通过戏剧，人民的文化水准提高了，民众运动展开了；同时，也是通过人民大众，戏剧本身和戏剧运动获得最快的进步和最广泛的展开了。"

16日，桂林《大公报》发表了一篇介绍西南剧展的文章，标题为《盛会盛举盛况空前——西南剧展开幕》，其中有三个部分，分别为"欧阳予倩报告筹备经过"、"张道藩致词"和"田汉演说"。同年3月17日至20日，《力报》记者撰写了《参观戏剧资料展览》的文章，介绍记者所看到的资料展览的情况。

23日，延安各机关、学校、团体的八个秧歌队在杨家岭会演，剧目有《红军万岁》、《牛永贵挂彩》等，中央负责同志大多前往观看。会演被认为是文艺座谈会以来，延安新文艺运动成果的一次检阅。

28日，"文协"桂林分会为欢迎剧展团队举行茶话会，田汉任主席，百余人参加。田汉、李文钊、欧阳予倩、熊佛西、周钢鸣、邵荃麟等相继讲话。

林语堂散文集《语堂杂文》由桂林国风书店出版。

李广田散文集《灌木集》由桂林开明书店出版。

三月

10日，张爱玲小说《花凋》发表于《杂志》12卷6期。

19日，郭沫若的文章《甲申三百年祭》开始在《新华日报》连载，连载日期为3月19日至3月22日。该文论述了明末农民起义的经验教训，并引用大量的历史文献，论述了崇祯皇帝和李自成的失败。

同年11月21日，毛泽东写信给郭沫若，信中说："沫若兄：大示读悉。奖饰过分，十分不敢当；但当努力学习，以副故人期望。武昌分手后，成天在工作堆里，没有读书钻研机会，故对于你的成就，觉得羡慕。你的《甲申三百年祭》，我们把它当作整风文件看待。小胜即骄傲，大胜更骄傲，一次又一次吃亏，如何避免此种毛病，实

在值得注意。倘能经过大手笔写一篇太平军经验，会是很有益的；但不敢作正式提议，恐怕太累你。最近看了《反正前后》，和我那时在湖南经历的，几乎一模一样，不成熟的资产阶级革命，那样的结局是不可避免的。此次抗日战争，应该是成熟了的吧，国际条件是很好的，国内靠我们努力。我虽然兢兢业业，生怕出岔子，但说不定岔子从什么地方跑来；你看到了什么错误缺点，希望随时示知。你的史论、史剧有大益于中国人民，只嫌其少，不嫌其多，精神决不会白费的，希望继续努力。”（此信后发表于 1979 年 1 月 1 日的《人民日报》）

同日，“文协”桂林分会召开会员大会，田汉主席，百余人参加。田汉作《一年来文协工作的检讨》的报告，李文钊作一年来文协的工作报告。会议通过了多种提案，改选了理事，当选者为田汉、欧阳予倩、艾芜、李文钊等 21 人，王鲁彦等 5 人当选为候补理事。

21 日，《解放日报》发表周扬的《表现新的群众的时代——看了春节秧歌以后》。周扬在文中指出：“这些节目都是新的内容，反映了边区的实际生活，反映了生产和战斗，劳动的主题取得了它在新艺术中应有的地位。”文章以毛泽东《在延安文艺座谈会上的讲话》的精神为指导思想，对秧歌剧从主题内容到表演形式，以及创方法上都作了详细的论述。作者认为秧歌剧应在旧的形式上要创新，反映新的内容，“写生产的最多，也最受群众的欢迎”，“我以为以边区老百姓生活为题材的秧歌剧必须用方言写和演”，并认为“要做好秧歌除了向老百姓学习之外再没有别的办法”。文章的最后对秧歌剧的问题提出了几点看法。

27 日，《新华日报》载：“文协”桂林分会因作家生活更困难，开会讨论增加稿费问题，决定每千字发表费提高到 120 元。

老舍小说集《贫血集》由文聿出版社出版。收《不成问题的问题》、《恋》、《小木头人》、《八太爷》等 5 篇短篇小说。

丁玲小说集《我在霞村的时候》由胡风代为编辑，在桂林远方书店出版，其中收录小说《新的信念》、《县长家庭》、《入住》、《我在霞村的时候》、《秋收的一天》、《压碎的心》、《夜》等抗战前期的 7 篇创作。

骆宾基在评价其中的《新的信念》时说：“作者又塑造了一个农村老妇有着倔强灵魂的塑像。那灵魂是早已经锈蚀的，在大风浪的冲击之下，开始剥落，开始透明，开始带着锈蚀斑痕而发光了。”在谈到《夜》这篇作品的时候，骆宾基认为：“《夜》是一篇完整的，有光润的作品，正如一颗透明的带着一点微瑕的玉珠。由于这乌黑是透明的，读者就会像戴着墨镜一样，走入作者所布置的星夜的境界，那在这境界中展开何明华的幽暗的家庭生活，是清清楚楚现在读者的眼前。”（骆宾基：《大风暴中的人物——评丁玲〈我在霞村的时候〉》，《抗战文艺》第 9 卷第 5、6 期合刊，1944 年 12 月。）

冯雪峰则评论道：“《新的信念》，不免使读者感到有革命浪漫主义的色彩。……这革命浪漫主义恰正就是最真实不过的战斗的现实。倘不是生在这样的战斗世界中，我想就很难把握这浪漫谛克的战斗现实罢，而现在作者把握住了，我以为这也是革命现实主义的一个胜利。”“《我在霞村的时候》，作者所探究的一个‘灵魂’，原是一个并不深奥的，平常而不过有少许特征的灵魂罢了；但是非常的革命的展开和非常事件的遭遇下，这在落后的穷乡僻壤中的小女子的灵魂，却展开出了她的丰富和有光芒的伟大。这灵魂遭受着破坏和极大的损伤，但就在被破坏的和损伤中展开她的像反射于沙漠上面似的那种光，清水似的清，刚刚被暴风刮过了以后的沙地似的那般广；而从她身内又不断地在生长出新的东西来，那可是更非庸庸俗俗和温温暾暾的人们所再难挨近去的新的力量和新的生命。贞贞自然还只在向远大发展的开始中，但她过去和现在的一切都是真实的，她的新的巨大的成长也是可以确定的，作者也以她的把握力使我们这样相信贞贞和革命。”“《夜》，我觉得是最成功的一篇，仅仅四五千字的一个短篇，把在过渡期中的一个意识世界，完满地表现出来了。体贴而透视，深细而简洁，朴素而优美。新的人民的世界和人民的新的生活意识，是切切实实地在从变换旧的中间生长着的。”（冯雪峰：《从〈梦珂〉到〈夜〉》，《中国作家》第1卷第2期，1948年1月。）

《当代文艺》第1卷第3期发表黄药眠的诗《重来》、蹇先艾的短篇小说《爱》和艾芜的中篇小说《我的旅伴》。

陈白尘作《岁寒图》（三幕剧），1945年2月由重庆群益出版社出版。

何其芳评论《岁寒图》时说：“这是一种奇冤，一种控诉，一种像火种一样可以燃烧起来的公愤。凡是旧社会里被压迫者，被虐待者，他都可以从这个黎竹荪身上感到他的命运，感到他的悲苦、挣扎和愤怒。这个矛盾（好人得不到好报）越扩大，越加深，旧社会的可憎的面目就越清楚，打到观众心上的艺术力量就越沉重。这个戏就是这样获取了它的观众的共鸣的。”“不管作者的原意怎样，这个戏最后仍然是无情地暴露了旧社会的黑暗。”何其芳也谈到了这部戏剧的不足之处，他说：“然而，这个题材本身的自然发展，却把问题带得更远，超出了作者的原意的范围之处，以至最后竟不可能停留在仅仅对于忠贞自守者的赞扬了。”“这个结尾的比较模糊与无力，除了由于检查制度的限制而外，作者对这样一个题材的看法和处理也是一个决定的原因。依照这个题材的自然发展，作者原来的主题不得不扩大或者甚至变换。事实上这个戏在作者笔下已经变了，变成了写一个不问政治，只是在自己的业务中埋头苦干的专家怎样经过了残酷的现实的打击，终于觉醒起来。这个自然而然的变换是合乎客观真实的。”（何其芳：《评〈岁寒图〉》，《何其芳文集》，人民文学出版社1983年9月。）

袁俊的戏剧《万世师表》由发表于《诗与潮文艺》3卷1、2期。

郭沫若的历史剧《南冠草》（五幕历史剧）由重庆群益出版社出版。

四月

1日，由桂林迁到重庆的《青年文艺》新1卷第1期出版。《革新献词》说：“《青年》原是一个注重灌输文学知识、推荐新人作品的刊物。这方针，我们还是照旧坚持，我们总是愿望热诚而虚心地为新人更多地做一点服务。然而，为着对新人们寄以更高的期望，我们决定把选稿水准略略提高。”文章还说：“我们的目标是非常单纯的，既无远大的幻想，亦无惊人的企图，只想脚踏实地地按部就班，在可能的范围之内，以

农夫底辛勤和耕牛的努力，为年青的中国新文艺贡献一点力量！”又说：“这窄小的地盘，不是任何人底私产，而是一切忠诚于文艺的工作者底交谊室。是一切具有年青的精神的文艺者（当然大家也在内）底竞技场，是种种色色年青而健康的文艺花果底培植地！”

8 日，周扬在《解放日报》发表《马克思主义与文艺——〈马克思主义与文艺〉序言》。文章介绍了毛泽东文艺思想与马克思主义文艺思想的关系。作者写道：“毛泽东同志的‘在延安文艺座谈会上的讲话’给革命文艺指示了新方向，这个讲话是这个革命文学史、思想史上的一个划时代的文献，是马克思主义文艺科学与文艺政策的最通俗化、具体化的一个概括，因此又是马克思主义文艺科学与文艺政策最好的课本。本书是企图根据这个讲话的精神来编纂的。这个讲话构成了本书的重要内容，也是它的指导的线索。从本书当中，我们可以看到毛泽东同志这个讲话一方面很好地说明了马克思、恩格斯、列宁等人的文艺思想，另一方面，他们的文艺思想又恰好证实了毛泽东同志文艺理论的正确。”

16 日，“文协”在文运会举行 6 周年纪念会，到 150 余人，邵力子任主席。老舍报告会务，略述了“文协”的会务情况。胡风在会上宣读了《文艺工作底发展及其努力方向》。该文从客观实际和主观战斗精神的关系出发，回顾了抗战文艺的发展，特别指出了“主观战斗精神的衰落”：“我们看到了对于生活的追随的态度”，“我们看到了对于生活的做假态度”，“我们看到了对于生活的卖笑态度”。文章强调：“文艺家底人格力量。文艺家的战斗要求”；“对于生活的深入和献身”；“用具体的努力开发广大人民的文化生活”；“促进新作家底出现和成长”。

《新华日报》发表了社论《祝“文协”成立六周年》，指出：“抗战已经快七年，而我们的文艺运动却沉滞在黯云低迷的状况之下”，“现在我们的文艺作家们，局促在后方的小天地之中，被阻塞了和人民大众接触的路子，出版事业濒于窒息，文艺不当作整个抗日战争的一环而被视为‘娱乐’的手段，于是风花雪月的风气抬头，消闲猎奇、谈狐说鬼的‘文艺’继起，文艺变成了少数人茶余酒后的消遣，健康而有益于抗战的文艺反而受了阻抑与冷遇”。社论最后说：“但是今天，我们还是衷心地祝福和珍重着这个文艺工作者们的节日，春已酣，反法西斯战争胜利的日子已经近了，我们祝祷着全国文艺工作者的奋斗。”

17 日，重庆文艺界在百龄餐厅举行茶会，祝贺老舍创作 20 周年。邵力子任主席，郭沫若、茅盾、沈钧儒等相继致辞。成都、昆明等地“文协”分会也集会纪念。

茅盾在评价老舍的贡献时说：“如果没有老舍先生的任劳任怨，这一件大事——抗战的文艺家的大团结，恐怕不能那样顺利迅速地完成，而且恐怕也不能艰难困苦地支撑到今天了。”“七年以来，老舍先生为‘文协’耗费的精神时间，已属不少，然而他的创作活动始终没有放松。他的创作的范围是扩大了，他从小说而剧本，而长诗，而在运用旧形式方面，他亦作了光辉的贡献。”“艰辛地从事于文艺创作二十年之久的老舍先生，他的对于民族祖国的挚爱和热望，他的正义感，他的对于生活的严肃，正以有增无减的毅力和活力，为抗战文艺贡献了他的卓越的才华，而病魔亦无奈他何！”“在文艺界同人庆祝老舍创作活动二十年纪念的今天，我们对于老舍先生的为文艺为民族的神圣解放事业而献身的努力，表示无上的敬意，我们期待着他的更伟大的贡献，同时我们亦祷祝他的沉着坚毅的精神和意志终将战胜一切——连病魔也在内，领导着‘文协’走上更加团结更加开阔的坦道！”（茅盾：《光辉工作二十年的老舍先生》，载《抗战文艺》第9卷第3、4期合刊，1944年9月。）

同日，《新华日报》为祝贺老舍创作20周年发表短评《作家的创作生活》。文章说：“他在抗战七年来为文艺届团结所尽的力量是值得人们永远追忆的，他又曾为了实际的需要而尝试运用各种文艺形式（包括民间文艺形式），这对所谓既成的作家是很难能的事。他曾屡次为文艺界生活的困难而向社会呼吁，但他同时又斩钉截铁地说：‘尽管贫穷，我们要咬紧牙关忍受，要保持清高，不可变节’。”同时，该报还出了纪念特刊，载有茅盾的《光辉工作二十年的老舍先生》、郭沫若的《文章入冠》、胡风的《在文协第六届年会的时候祝老舍先生创作二十年》。

20日，“文协”桂林分会庆祝总会成立6周年，到千余人，主席田汉。柳亚子、欧阳予倩、熊佛西、邵荃麟、许幸之等人进行了演讲。柳亚子要求把“抗战、团结、民主”作为文艺创作的三大目标。欧阳予倩说：光明应该歌颂，黑暗也要暴露。

废名、开元《水边》由北平新民印书馆出版。

郁茹的中篇小说《遥远的爱》由自强出版社出版。

沈从文散文集《湘西》由开明书店出版。除《题记》外，收散文9篇。原载香港《大公报》副刊《文艺》。《题记》说：“这本小书只能说是湘西沅水流域的杂记，书名用《沅水流域识小录》似乎还切题一点。”

吴祖光的五幕话剧《风雪夜归人》由新联出版公司出版。

五月

3日，重庆文化界在百龄餐厅举行茶会，到孙伏园、曹禺、潘孑农等50余人，商讨关于言论出版自由等问题。与会者一致要求取消新闻图书杂志及戏剧演出审查制度。当场推定沈志远等6人，负责整理起草《重庆文化界为言论出版自由告全国同胞书》和《呈中国国民党十二中全会请愿书》。后来这两个文件在重庆因当局封锁，未能发表，但在大后方各地已引起重大反响。

8日，巴金和萧珊在贵阳郊外的“花溪小憩”结婚。他们是月初从桂林出发至贵阳的。中旬，巴金送萧珊到四川旅行。开始创作中篇小说《憩园》。

10日，张爱玲小说《红玫瑰与白玫瑰》发表于《杂志》13卷第2～4期。

16日，张恨水50寿辰。重庆新闻界、文艺界拟举行茶会，以表庆祝。然而张恨水不愿接受，于15日返南泉。《新华日报》发表短评《张恨水先生创作三十年》，指出：“我们不仅要为恨水先生个人致祝，同时还要为中国文坛向这位从遥远的过程，迂徐而踏实地走向现实主义道路的艺人，致热烈的敬意。”他的作品“在主题上尽管迂回曲折，而题材却是最接近于现实的；由于恨水先生的正义感与丰富的热情，他的作品也无不以同情弱小，反抗强暴为主要的‘题目’”。

19日，西南第一届戏剧展览会在广西艺术馆隆重闭幕。李济深、黄朴心、阮毅成、

欧阳予倩、田汉、柳亚子等千余人参加。田汉作了抗战殉难剧人生平的报告，要求社会对剧人生活给予关怀。

28 日，桂林文艺界举行茶话会庆祝柳亚子 58 岁寿辰，一百多人出席。田汉致祝寿词。

同日，重庆文化界人士在郭沫若寓所聚会，听取从延安来渝的何其芳、刘白羽报告贯彻《在延安文艺座谈会上的讲话》精神和延安文艺整风情况以及解放区文艺现状等。

30 日，《新华日报》发表了张健的《再谈“尊重作家”》。文章着重论述了政治与文艺的关系，针对有人说毛泽东同志要求艺术要服从政治的指示是要剥夺作家的自由的观点，作者认为这种说法是错误的，作家服从的只是“自己阶级的政治要求，而并非说所有的作家都应该服从一个阶级、一个党”。

30 日，周扬在《新华日报》上发表《马克思主义与文艺——〈马克思与文艺〉序言》，连载于 5 月 30 日，5 月 31 日，6 月 1 日，其中分为“劳动创造文化”、“思想与劳动的分离”、“资产阶级文艺的发展”、“新的文艺要为劳动者服务”、“我们在过去的所没有解决的问题”、“小资产阶级文学家的缺点”、“学习群众的语言”、“改造感情的重要”、“普及放在第一位”、“描写新的人物新的世界”等部分。

袁水拍的诗《婚歌与葬歌》，发表在《当代文艺》1 卷 5、6 期合刊。

沙汀的中篇小说《奇异的旅程》由重庆当今出版社出版。

老舍小说《火葬》由晨光出版公司初版。

路翎的中篇小说《蜗牛在荆棘上》发表于《文艺创作》第 3 卷第 1 期。

艾芜短篇小说集《秋收》由重庆读书出版社出版，收 1939 年至 1941 年所写短篇小说 8 篇。

六月

6 日，美英盟军在法国诺曼底实施战略性登陆作战，开辟欧洲第二战场。

同日，“文协”发出《向全世界反法西斯作家致敬电》，电称：“在今天，伟大的民主的阵营用雷霆万钧的力量向法西斯的元凶希特勒德国开始了最后的致命打击的六月六日，我们，全中国的为民族的彻底解放，为民主的彻底胜利而奋斗的作家们，在激动狂热的情绪里面，向你们表示兄弟的关怀，向你们致送战友的敬礼!”电文还说：“在人类历史上，战斗的目标只有一个，所以，你们的胜利，就是我们的胜利。法西斯德国的崩溃就是法西斯日本崩溃的前奏，欧洲人民的解放就是亚洲人民的解放枢纽。在战斗要求上，工作的道路彼此相连，我们要用艰苦的斗争来响应你们的艰苦的斗争，要汲取你们的斗争经验，要学习你们的斗争精神，要配得上被称为你们的战友，为民族的彻底解放和民主的彻底实现而不在任何困难面前却步。击溃法西斯德国！击溃法西斯日本！彻底廓清法西斯主义的文化毒素!”（《向全世界反法西斯作家致敬电》，载 1944 年 6 月 8 日《新华日报》第二版。）

20 日、21 日、23 日，《解放日报》连载独幕剧《把眼光放远点》（冀中火线剧社

集体创作，胡丹佛执笔）。

周扬在1944年9月5日的《解放日报》上发表了《〈把眼光放远一点〉序》，周扬在序言中说："《把眼光放远一点》是敌后所创造的一个剧本，一个反映敌后人民生活和斗争的独幕剧。当它由从前方回来的西战团第一次在延安演出的时候，它立刻得到了它的观众，取得了大家的好评。这是一个好剧本，以它所描写的内容的新鲜和它的意识的力量，以及它的大众性和艺术性的结合程度来说，它在抗战以来所产生的剧本中，算得是最特出的，非常优秀的一个。""这个剧本充分地表现了它的现实主义的特色。它用轻松的喜剧形式传达了严肃的斗争的故事，通过一个农民兄弟的家庭反映出了敌后人民的精神世界，他们必然要走的斗争的道路。各种矛盾集中着，而一切矛盾都是用斗争来解决。这里行动盖过了一切：没有长篇大论，语言是精炼的。性格从行动中显示出来。""自然，这个剧本所反映的只是我们在敌后遭受挫折的一个时期中的现象，并且是带些消极因素的现象，虽则作者正是从这一个侧面来反映了革命力量的根深蒂固，它的强大和不可摧毁。从去年到现在，我们在敌后是又大大发展了，多少惊天动地的斗争的故事，英雄的事迹等待着艺术上的反映呵。比起现实的丰富和飞跃进展来，这个剧本是不能完全满足我们的要求的。它是一件艺术品，但还只是一件小小的艺术品。它在它所选择的题材范围是已经尽了艺术表现的能事；作者的风格和才华已经显露出来，不能不叫我们惊叹。作者以及其他正在前方或新从前方回来的戏剧工作者们，我们有理由希望你们能给我们更多更好的东西啊，甚至那称得起'伟大作品'的东西！"

22日，第十八集团军参谋长叶剑英招待中外记者西北参观团，介绍中国抗战情况。指出：中共领导的武装力量抗击了全部侵华日军的64.5%、伪军的95%，在敌后创建了晋察冀、苏北、山东等一亿人口的15个根据地。

25日，重庆文化界假文化工作委员会开会庆祝诗人节。胡风、臧克家、王亚平、臧云远等50余人到会。何其芳报告华北敌后诗歌活动，戈宝权讲苏联的抗战诗歌，柳倩等朗诵诗歌。《新华日报》发表臧克家的《吊古，自吊》、王亚平的诗歌《遥向汨罗吊屈原》、张西曼的诗歌《发扬屈原救国精神》。

臧克家在文中赞扬了屈原的高洁志向，并说："在今日的诗人同样有高尚的政治理想——民主与自由；同样有献身民族的意志，也同样有高洁的人格与爽朗的胸怀。可是，在精神上，多少诗人却作了刖足的献宝者！把整个灵肉交给了国家，但，还须双手捧着自已的一颗血淋淋的心到处求人辨认。""今天，诗人节，诗人们吊罢古人，更该自吊、自发、自奋！"

同日，《解放日报》发表了丁玲的报告文学《田保霖》。

罗荪的短篇小说集《寂寞》由重庆美学出版社出版。

黄药眠的短篇小说《小山城夜话》发表在《文学创作》3卷2期。

碧野的长篇小说《风砂之恋》由重庆群益出版社出版。

七月

2 日，柳州文化界扩大动员抗战宣传工作委员会在柳侯公园举行“一切为前方”诗歌朗诵夜会。

8 日，郭沫若、张申府、邓初民、茅盾、沈志远、夏衍、金山、宋之的、司徒慧敏、叶以群等联名致电广西党政军及教育与文化界，响应桂林文化界发动的保卫东南运动，要求采取民主办法，组织人力物力，保卫东南。

15 日，“文协”发起援助贫病作家基金筹募活动，“文协”在《发起筹募援助贫病作家基金缘起》中说：“敬启者：抗战七年，文艺界同人坚守岗位，为抗战之宣传，勖军民从忠勇，未曾少懈。近三年来，生活倍加艰苦，稿酬日益低微，于是因贫而病，更病而更贫，或呻吟于病榻，或惨死于异乡，卧病则全家断炊，死亡则妻小同弃。政府当局虽屡屡垂念，时赐援助，而一时之计，为克转死为生，且粥少僧多，亦难广厦尽庇。苟乃任其自生自灭，则文艺种子渐绝，而民族精神之损失或且大于个人之毁灭，因特发起筹募，援助贫病作家基金，由本会组织委员会妥为保管，专作会员福利设施之用，一元不薄，百万非奢，爱好文艺者必乐为输将！捐款祈交重庆张家花园六十五号本会，或重庆各报换取收据；自即日起至十月三十一日截止。中华全国文艺界抗敌协会总会。”

同日，《新华日报》发表郭沫若《契诃夫在东方》、戈宝权《契诃夫的作品在中国》的文章以纪念契诃夫逝世 40 周年。

24 日，邹韬奋在上海病逝。

邹韬奋（1895—1944），原名思润，祖籍江西余江。出生在福建永安。1921 年大学毕业后至 1931 年，负责《生活》周刊和《时事新报》副刊编务。1932 年 7 月，建立生活书店。次年加入中国民权保障同盟，当选为执行委员。这期间，他写了《小言论》和《韬奋漫笔》等杂文集。1933 年 7 月因受迫害流亡国外，先后写了《萍踪寄语》、《萍踪忆语》4 本游记随笔，这是 30 年代新闻性散文中少有的佳作。1935 年 8 月，邹韬奋由美归国，创办《大众生活》周刊，不久被封。1936 年奔走于港沪之间，积极鼓动抗日，年底遭逮捕。出狱后，上海沦陷，前往武汉继续参加救国活动。国民党政府聘他为国民参议员。1941 年 2 月，邹韬奋辞去国民参议员职务，出走香港，并恢复《大众生活》周刊。香港沦陷后，邹韬奋曾到苏北解放区参观访问。1943 年写下《对国事的呼吁》一文，表达了对蒋介石实行反动政策的愤慨。不久患病去世。邹韬奋是一年前由苏北解放区秘密回沪治病的。

10 月 7 日，《解放日报》发表社论《悼念邹韬奋先生》及《中共中央电唁邹韬奋先生家属》等文章。11 月 22 日，《解放日报》副刊以“邹韬奋先生逝世纪念特刊”刊出毛泽东的题词：“热爱人民，真诚地为人民服务，鞠躬尽瘁，死而后已，这就是邹韬奋先生的精神。这就是他之所以感动人的地方。”同时还刊出朱德、陈毅、吴玉章、陈伯达等人的题词和纪念文章。

同日，《新华日报》发表朱涛、石怀池的文章，对碧野的小说《风砂之恋》提出批评。认为碧野塑造的人物是“一些飘忽的影子”，布局不够严谨，揭示生活不够深刻。碧野读了这两篇文章后，写信给编辑部，《新华日报》以《〈风砂之恋〉作者对于批评者的答复》为题全文发表了这封来信，除解说及反批评外，还对二人的批评表示谢意。

29 日，《新华日报》载："文协"成都分会为响应总会募集援助贫病作家基金的号召，召开了理事会，通过以下决议：一、成都全体"文协"成员写文章在各报副刊指定日期发表，捐出稿费；二、排印捐册请各会友捐募；三、稿子性质随意，创作翻译均可。

苏青小说《结婚十年》由上海天地出版社出版。

八月

15 日，张爱玲小说集《传奇》由上海杂志社出版，收入《金锁记》、《倾城之恋》、《茉莉香片》、《沉香屑——第二炉香》、《琉璃瓦》、《心经》、《年轻的时候》、《花凋》、《封锁》等 10 篇中短篇小说。1946 年 11 月上海山河图书出版公司版增补了《留情》、《鸿鸾喜》、《红玫瑰与白玫瑰》、《等》、《桂花蒸·阿小悲秋》、《中国的日夜》等6 篇。1946 年 11 月上海图书杂志公司出《传奇》增订本，书前有《有几句话同读者说》，为她的"汉奸嫌疑的问题"作了辩白。

傅雷在评论《金锁记》的时候指出，"情欲（Passion）的作用，很少像在这件作品里那么重要。从表面看，曹七巧不过是遗老家庭里一种牺牲品，没落的宗法社会里微末不足道的渣滓。但命运偏偏要教渣滓当续命汤，不但要做儿女的母亲，还要做她媳妇的婆婆，——把旁人的命运交在她手里。……在姜家的环境里，固然当姨奶奶也未必有好收场，但黄金欲不至被刺激得那么高涨，恋爱欲也就不至压得那么厉害。她的心理变态，即使有，也不至病入膏肓，扯上那么多的人替她殉葬。然而最基本的悲剧因素还不在此。她是担当不起情欲的人，情欲在她心中偏偏来得嚣张。已经把一种情欲压倒了，缠死心地来服侍病人，偏偏那情欲死灰复燃，要求它的那份权利。爱情在一个人身上不得满足，便需要三四个人的幸福与生命来抵偿。可怕的报复！'儿子女儿恨毒了她'，至亲骨肉都给'她沉重的枷角劈杀了'，连她心爱的男人也跟她'仇人似的'；她的惨史写成故事时，也还得给不相干的群众义愤填胸地咒骂几句。悲剧变成了丑史，血泪变成了罪状；还有什么更悲惨的？"

在艺术上，傅雷认为《金锁记》也达到了相当的高度。他将《金锁记》的艺术特点概括为下列几点："第一是作者的心理分析，并不采用冗长的独白或枯索繁琐的解剖，她利用暗示，把动作、言语、心理三者打成一片。""第二是作者的节略法（racconrci）的运用，……这是电影的手法：空间与时间，模模糊糊淡下去了，又隐隐约约浮上来了。巧妙的转调技术！""第三是作者的风格。这原是首先引起读者注意和赞美的部分。外表的美永远比内在的美容易发见。何况是那么色彩鲜明，收得住，泼得出的文章！新旧文字的糅和，新旧意境的交错，在本篇里正是恰到好处。"（迅雨傅雷：《论张爱玲的小说》，《万象》1944 年第 5 期。）

苏青评论张爱玲的作品时说："她的小说滋味醇厚，像花雕酒那样陈而香。""它的鲜明色彩，又如一幅图画，对于颜色的渲染，就连最好的图画也赶不上，也许人间本无颜色，而张女士真可以说是一个'仙才'了。"（苏青：《〈传奇〉集评茶会记》，《杂志》月刊第 13 卷第 6 号，1944 年 9 月。）

19 日，陈大悲去世。

陈大悲（1887—1944），剧作家。原名陈听奕。笔名蛹公等。浙江杭县人。早年在上海读书，1908 年考入苏州东吴大学，加入文明戏班和春柳社。后去北京，提倡爱美剧。1921 年夏和沈雁冰、欧阳予倩、汪仲贤、熊佛西、郑振铎等组织民众戏剧社，年底又发起组织北京实验剧社，从事剧本创作和戏剧理论研究。1922 年民众剧社改为中华戏剧社，与蒲伯英接办《戏剧》月刊，合办人艺戏剧专门学校，任教务长。1928 年到南京国民政府外交部任职并参加戏剧演出。1935 年组织上海乐剧院。次年去南京组织新华剧社。1940 年曾在南京汪精卫伪政府外交部任职，后去武汉组织话剧团。主要作品有剧本《良心》、《说不出》、《爱国贼》、《忠孝家庭》、《父亲的儿子》、《王三碧血》、《幽兰女士》、《张四太太》、《英雄与美人》、《西施》，论著《爱美的戏剧》、《戏剧 ABC》。

20 日，王鲁彦在逃难中病逝于桂林。

王鲁彦（1901—1944），小说家，原名王衡，又名返我。浙江镇海人。1918 年，离开家乡到上海，进入一家日本在华资本的洋行当学徒，业余时间在“环球补习夜校”学习。1920 年受“五四”思潮影响，在北京参加了李大钊、蔡元培等创办的工读互助团。1923 年夏到长沙，在平民大学、周南女学和第一师范教书并开始创作。1926 年出版了第一个小说集《柚子》。1927 年到武汉，任《民国日报》的副刊编辑。1928 年春到南京，在国民党政府国际宣传部任世界语翻译。1930 年到厦门为《民钟日报》编副刊，并且在集美中学兼课。1934 年曾到陕西教书，翌年底离职返上海。1937 年抗日战争爆发以后，偕同全家人到了湖南醴陵。1938 年初在长沙编《抗战日报》副刊。同年夏到武汉，在军委会政治部任职。1940 年赴柳州师范学校教书。翌年返桂林，参加全国“文协”的组织工作，编辑《文艺杂志》。1943 年流浪到湖南茶陵，贫病交加。第二年返桂林后病逝。主要作品有短篇小说集《柚子》、《黄金》、《屋顶下》、《伤兵旅馆》、《我们的喇叭》，中长篇小说《野火》，散文集《旅人的心》、《鲁彦散文集》。译有《世界短篇小说集》、《犹太小说集》、《显克微之小说集》等。

26 日，《新华日报》发表中共中央宣传部《关于执行党的文艺政策的决定》，指出“毛泽东同志《在延安文艺座谈会上的讲话》规定了党对于现阶段中国文艺运动的基本方针。全党都应该研究这个文件，以便对于文艺的理论与实际问题获得一致的正确认识，纠正过去各种错误的认识。全党的文艺工作者都应该研究和实行这个文件的指示，克服过去思想中、工作中、作品中存在的各种偏向。以便把党的方针贯彻到一切文艺部门中去，使文艺更好地服务于民族与人民的解放事业，并使文艺事业本身得到更好的发展。”

张秀中去世。张秀中（1905—1944），诗人、翻译家。原名张毓坤。曾用笔名草川未雨，荒村寒烟等。河北定兴人。1921 年考入保定育德中学法文班学习。1923 年与谢采江等人组织“海音文艺社”，开办海音书局。1930 年 5 月加入中国共产党。1931 年初，任北平东城区委宣传部长，不久，加入北平“左联”。同年底调任中共河北省委“交通”、秘书，后任副秘书长，参加省委党刊《北方红旗》和北平“左联”机关刊物《文学前哨》的编辑工作。1932 年兼任北平“左联”党团书记。1933 年任中共北平市委宣传部长。1934 年 5 月被捕。1937 年获释。1940 年后任太行区文联秘书、常委、《华北文艺》编委等职。著有诗集《晓风》、《清晨》、《动的宇宙》、论著《中国新诗坛的昨日今日和明日》，另有译著《莫泊桑的诗》等。

中共中央宣传部、总政治部通知各级党委和各级政治部，翻印郭沫若《甲申三百年祭》和苏联高涅楚克的剧本《前线》，组织干部学习讨论。

艾青的诗集《愿春天早点来》由桂林诗艺社出版。本书后改名《黎明的通知》。

张爱玲小说《倾城之恋》由上海杂志社出版。

艾芜的中篇小说《一天的活动》发表于《青年文艺》第 1、2 期。

阳翰笙的戏剧《天国春秋》由重庆群益出版社出版。

九月

11 日，桂林发布强迫疏散令，并限三天内全部撤离。桂林之文艺活动即全部停止。

17 日，“文协”昆明分会为响应总会提出的募集援助贫病作家基金号召，召开全体会员大会，决定了募集援助贫病作家基金办法 11 项；并改选了理事，闻一多、徐梦麟、李何林、高寒、常任侠、凌鹤、光未然等 21 人当选。

24 日，昆明文化界和文艺界部分人士举行关于文艺的民主问题座谈会。光未然、楚图南、章泯、李何林、尚钺、吕剑、李公朴等出席。光未然作《民主运动的新时期和文艺运动的新发展》的发言。会上大家对文艺与民主问题进行了认真讨论，认为“政治上不民主，文艺便得不到顺利的发展”，“民主主义文艺运动，就是反封建、反假民主的文艺运动”，“必须坚持现实主义的创作方法和文艺批评”，“必须培养大批文艺干部”，“必须和人民群众结合”。闻一多会后发表了意见。

29 日至 30 日，为援助贫病作家募款，宋庆龄连续举办两天晚会。晚会中设有一项节目为抽奖，奖品是郭沫若、茅盾、老舍、孙伏园、曹禺、巴金、雪峰等人的著作。晚会捐款共计八十万元。

30 日，《群众》第 9 卷第 18 期出版，内有文艺问题特辑，刊有郭沫若的《谢陈代新》、何其芳的《关于艺术群众化问题》、刘白羽的《新的艺术，新的群众》、戈宝权译的《论文学中的人民性问题》（上）、锥耳的《评吴组缃的〈鸭嘴涝〉》，陆定一的《读〈向吴满有看齐〉有感》，此外，还有秧歌剧《牛永贵受伤》。

力扬诗集《我底竖琴》由诗文学社出版。列为“诗文学社丛书”之一。

曾卓诗集《门》由诗文学社出版。

周作人散文集《秉烛后读》由北平新民印书馆出版。

十月

1 日，重庆各界在银社隆重举行邹韬奋追悼会。到会 800 余人。黄炎培主祭，沈钧儒报告生平，郭沫若、邵力子、邓初民等相继致辞。

10 日，《文艺春秋》在上海创刊，范泉主编。该刊为文学刊物，1949 年 4 月出至第 8 卷 3 期终刊。初为丛刊，共出 5 辑，依次题名为《两年》、《星花》、《春雷》、《朝

霞》、《黎明》。自 2 卷 1 期（1945 年 12 月 15 日）起改为月刊。上海永祥印书馆出版。

11 日，陕甘宁边区文教大会开幕。出席会议代表 450 多人。朱德、吴玉章、徐特立等出席并讲话。12 日周扬在陕甘宁边区文教大会上作文艺部门的总结报告，谈开展边区群众新文艺运动的方针及一些具体问题。11 月 16 日，文教大会闭幕。大会通过《关于发展群众艺术的决定》。

15 日，李长之《评〈淘金记〉、〈奇异的旅程〉》发表于《时与潮文艺》4 卷 2 期。《淘金记》和《奇异的旅程》都是沙汀的作品。文章认为，《奇异的旅程》是一个失败之作，比起《淘金记》便"那样不足道"。文章认为，"近代中国小说的发展，大部分是写实的，写实中又大半是写农村的，鲁迅先生的《阿 Q 正传》已开其端"。而《淘金记》"是我们仅见的乡土文学中之最上乘收获了"。

19 日，鲁迅逝世八周年，在宋庆龄、茅盾、沈钧儒等主持下，重庆文化界在百龄餐厅举行纪念会，到百余人。会上，沈钧儒、胡风等人发表了演讲。据《新华日报》报道："茶会在艰苦环境中举行，在混乱中散会"。同日，云南大学学生自治会和西南联大五文艺团体在昆明联合举行鲁迅逝世纪念大会。闻一多、朱自清、李何林等到会演讲。大家特别强调的是鲁迅的战斗精神。

20 日，"文协"召开常务理事会，商讨关于援助作家和展开文艺工作，决定紧急援助法和通常援助法，以及举办文艺奖金、翻译作品出国、文学顾问、建造作家宿舍等文艺事业开展之问题。并议定会刊稿费暂定为每千字二百元，再由出版者负责一百元，共三百元。

30 日，毛泽东在陕甘宁边区文教大会上作《文化工作中的统一战线》的演讲。

巴金中篇小说《憩园》由重庆文化生活出版社出版。

1944 年 11 月 15 日的《诗与潮文艺》第 4 卷第 3 期《书评副刊》上有署名"长之"的介绍文章。作者将巴金和陀思妥耶夫斯基作了一番比较后说："我平常有这样一个感觉，觉得巴金先生的小说有点像朵斯退益夫斯基。因为第一，他们同样有着一颗同情而苦痛的心；第二，他们同样偏重于写人们的心灵，而不太像托尔斯泰那样着力于写人物的外表。"文章分析了《憩园》中的故事情节和人物形象，称巴金和陀思妥耶夫斯基"他们的相同之处，除了技巧和作风外，最显著是人道主义的浓厚色彩。他们的同情心之大，也几乎可以相比拼"。不同之处在于"朵斯退益夫斯基常常在作品里鞭打主人公的灵魂，而且鞭打的很毒，这便使人读了毛骨悚然，阴森森地，然而能探发人心灵的深处。巴金的作品却即虽写悲惨，也仍有些暖意，像微寒的初春。"文章认为"这也许是因为国民性之异所致吧"……"在中国现代小说中，在大部分是写实主义底之外，巴金之理想主义底色彩，可说几乎是唯一的。这都是我们应该予以重视处。"文章也分析了这部作品的不足之处，认为"它的内容犹如它的色调，太轻易，太流畅，有些滑过的光景，缺乏的是曲折，是深，是含蓄，它让读者读去，几乎一无停留，一无钻探，一无掩卷而思的崎岖。再则他的小说中自我表现太多。多得使读者厌倦，而达到未可能唤起共鸣的程度。作者心肠之热，我们只有敬爱，可是在写时何妨稍微把自己再遮掩一下，让读者自己有感悟，岂不艺术效果更大些么？"

无名氏小说《塔里的女人》（长篇）由时代生活出版社出版。

无名氏小说《海艳》由无名书屋出版。列为卜少夫主编的“无名丛刊”第三种。

十一月

1日，《高原》（月刊）在西安创刊。1945年5月1日出第3期后停刊，1946年1月出革新号，仅出了3期（同年3月）又停刊。高原出版社编辑。李贻燕发行。16开本。主要撰稿人有郑伯奇、孙艺秋、臧克家、彭燕郊、苏金伞等。

5日，潘公展、张道藩等发起的“中国著作人协会”成立。张道藩报告了筹备经过，梁寒操致词。夏衍率一些革命作家参加了会议。洪深在会上批评了国民党图书审查制度，并要求通过决议，予以取消。宣布选举理事时，夏衍首先退出会场，随后另有人相继退出。

7日，美国总统罗斯福私人代表赫尔利抵达延安。10日，毛泽东和赫尔利在《延安协定草案》上签字。其主要内容是：成立各党各派、无党派团体和人士组成的联合政府，由所有抗日军队的代表组成联合军事委员会，实行民主改革，承认所有党派的合法地位等。

13日，文化工作委员会宴请周恩来、王若飞、张晓梅等。参加的有艾芜、沙汀、夏衍等百余人。宴后周恩来应郭沫若之请，谈延安情况以及时局和国共谈判的问题。

23日，《新华日报》以《解放区新民主主义文化统一战线方针》为题，摘要发表了毛泽东在边区文教大会上的讲演。毛泽东指出：“统一战线的原则有两个：第一个是团结，第二个是批评、教育和改造。在统一战线中，投降主义是错误的，对别人采取排斥和鄙弃态度的宗派主义也是错误的。我们的任务是联合一切可用的旧知识分子、旧艺人、旧医生，而帮助、感化和改造他们。”还指出：“一切知识分子，一定要抛弃脱离群众的恶习，以鞠躬尽瘁的精神献身人民，与工农紧密结合；而工农干部亦应重视和信任这种革命的知识分子。”编者在按语中说：“毛主席十月三十日出席边区文教大会，在千多听众面前，宣布了解放区新民主主义文化运动中的统一战线方针。在他的讲演中，他解决了文化工作的重要性，中国新民主主义文化的社会基础，文化统一战线的必要，知识分子与工农群众互相结合的必要，群众的需要与自愿应该是工作中的两个基本原则等问题。”

25日，“文协”在中国文艺社举行茶会，欢迎湘桂撤退来渝会友。艾芜、邵荃麟等报告沿途情况及湘桂文艺工作者的现况。

闻一多的理论文章《新诗的前途》在《天下文章》第2卷第4期发表。闻一多在文中说：“太多‘诗’的诗，和所谓‘纯诗’者，将来恐怕只能以一种类似解嘲与抱歉的姿态，为极少数人存在着。在一个小说戏剧的时代，诗得尽量采取小说戏剧的态度，和用小说戏剧的技巧，才能获得广大的读众。”“每一时代有一时代的主潮，小说的波澜总得跟着主潮的方向推进，跟不上的只好留在港汊里干死完事。”“让我们的文学更彻底的向小说戏剧发展，等于说要我们死心塌地走人家的路。这是一个‘受’的勇气的测验，也是我们能否继续做自己文化的主人的测验。”“过去记录里有未来的风色，历史已给我们指示方向——‘受’的方向，如今得的只是勇气，更多的勇气啊！”

冯文炳《谈新诗》在北平新民印书馆出版。《谈新诗》是作者三四十年代在北大任教时写的讲义。抗战胜利后，作者重返北大任教，续编了后四章。《谈新诗》论及的诗人有胡适、沈尹默、鲁迅、周作人、俞平伯、李金发、冰心、“湖畔诗人”、郭沫若、臧克家、冯至、林庚及自己的创作。

艾青诗集《雪里钻》由重庆新群出版社出版。

老舍小说《惶惑》发表于《扫荡报》11 月 10 日至 1945 年 9 月 2 日。《惶惑》是长篇小说《四世同堂》的第一部（第二部《偷生》，第三部《饥荒》），后于 1946 年 11 月由上海晨光出版公司出版。

《冰心佳作选集》（综合卷）由上海书局出版。

吴祖光的五幕历史剧《正气歌》由开明书店出版。列为“吴祖光戏剧集”之一。

冯雪峰的散文集《乡风与市风》由作家书屋出版。

十二月

8 日，《解放日报》发表方冰的诗《三月的夜》。

16 日，“文协”举行茶会，欢迎由于湘桂战役失利而陆续来重庆的作家文人，计有宋云彬、彭燕郊、严杰人、华嘉、伍禾等人。老舍致欢迎词，宋云彬等报告旅途艰苦情况。

20 日，萧蔓若主编《文学新报》（半月刊）创刊。共出 8 期。

31 日，“文协”发表《为宣布结束募集援助贫病作家基金运动公启》。《公启》回顾了从 7 月至 12 月底的募集援助贫病作家基金运动的情况，并说“希望在广大社会的支持和监督之下，在一切作家的努力和合作之下，这次运动的成果将使新文艺得到大大的营养，争取到进一步的发扬。”

《中国文学》月刊在重庆创刊。

苏联出版《中国小说》一册，收茅盾、老舍、萧红、姚雪垠、端木蕻良等六人的作品。

臧克家诗集《十年诗选》由重庆现代出版社出版。收 1934 年至 1943 年所作诗 70 首，另有《自序》一篇。该书系作者 40 周岁纪念选集。所收诗作从《烙印》、《罪恶的黑手》、《泥土的歌》等八部诗集中选出，其中，《烙印》和《泥土的歌》两部诗集中的作品入选最多。在《自序》中，臧克家回顾了自己十年来的生活、思想和创作道路，称“我把整个心，整个爱，交给了乡村、农民”，“比起歌颂新的来，我比较更合适暴露旧的”。

1946 年 12 月 1 日出版的《文艺复兴》2 卷 5 期上有劳辛的长篇书评，作者分为几个小标题来评价《十年诗选》。第一部分“战争的进行曲”中，称臧克家的诗是“战斗的交响曲”，“这是人民的吼声；这是战斗的高歌”。

第二部分为“农村风景画”，劳辛说：“这一本诗选里面《泥土之歌》所占的份量相当的多。”“诗人以最大的温情来热爱他们所熟知素念的农村人民。他歌唱他们的生活——他们的愿望和情感。这种人类的温情充分地流泻在诗人的作品里。”

第三部分为“田园诗的情调”，劳辛说“在《十年诗选》里所选的《泥土之歌》里的几首诗，无论其风格与情趣都和他以前的作品不尽相同。虽则在选择上仍不免有些旧词汇的缺陷，但从大体上说都是相当地纯熟和独特。如《静》、《遥望》和《暴风雨》等篇的意境都非常明朗与宁静，几乎有点像六朝时代的诗人所摄取的一样。”

第四部分为“诗的道路”，劳辛说：“臧克家先生诗作可说是到了炉火纯青的地步了，他的诗的素材的处理手腕都能从辐射中流于一个焦点。”“旧的词义都是代表封建性的东西，用它来表现新时代的情感与意义有点不大恰当或缺乏现实感。”作者提出：“这是说创作要与感情的生活结合，如果只是在思想上存在一点点理论的认识却是很难产生出伟大的作品。”“末了，我们须提到的是，臧克家先生近来的诗作有了大的转变。他的新作充满了健康的色素和战斗的情感；而且无论是题材的选择还是词汇的运用方面都和以前的有了显著的差别。”

李广田论文集《诗的艺术》由开明书店出版。

夏衍的四幕话剧《离离草》由辽东建国书社出版。

夏衍的剧本《法西斯细菌》（改名《第七号风球》）由重庆文聿出版社出版。

张爱玲散文集《流言》由五洲书报社出版。

1945 年

一月

1 日，重庆诗歌工作者在文化工作者指导委员会举行新年诗歌座谈会。郭沫若、茅盾、戈宝权、何其芳、王亚平、袁水拍、徐迟、臧克家等百余人参加，冯乃超任主席。主席致辞说迎新年要加强团结，要争取民主。郭沫若、茅盾、何其芳等发表了演说。与会诗人还朗诵了诗作。

6 日，“文协”三台分会假东北大学礼堂举行成立大会，到会四五百人。会报为《文学期刊》，冯沅君主编，仅出一期。文学期刊编委会编辑。发表研究论著、诗歌、散文、小说。撰稿人有陆侃如、冯沅君等。

7 日，胡风主编的《希望》创刊号要目见报。《希望》杂志创刊于重庆。1946 年 10 月终刊。1 至 2 卷各 4 期，共出 8 期。希望月刊社发行。该刊系继《七月》停刊而创办，风格与《七月》一致，撰稿人主要是“七月派”作家。第 1 期刊有胡风的《置身在为民主的斗争里面》和舒芜的《论主观》两文，引起了关于现实主义和主观问题的一场长期的争论。

胡风在《置身在为民主的斗争里面》中强调了作家的主观作用，指出：“作家正是各自带着他底‘思想武装’深入人民，与人民结合的。”作家“和人民结合的过程，对于对象的体现和克服过程，就必然要转变为作家自己底分解和再建过程，这就出现了前面所提出的深刻的自我斗争。”“通过这样的自我斗争，一方面，对象才能够在血肉的感性表现里面涌进作家底艺术世界，把市侩的‘抒情主义’或公式主义驱逐出境。另一方面，作家底思想要求才能和对象底感性表现结合为一体，使市侩的‘现实主义’或客观主义只好在读者面前现出枯萎的原形。”胡风最后认为，坚持现实主义的斗争是抵抗市场上色情怪诞有闲趣味奴才道德的作品的武器，是为了伟大的民主斗争的手段，是民族永生的道路和文艺创造的源泉。并宣称："为了文艺，虽然也不仅仅是为了文艺，我们要为现实主义底前进和胜利而斗争！"

舒芜的《论主观》则力图从哲学史的角度说明主观问题，舒芜认为新哲学进入了"约瑟夫（按即斯大林——编者注）阶段"，"今天的哲学，除了其全部基本原则当然仍旧不变而外，主观这一范畴已被空前的提高到最主要的决定性的地位了。""人类的斗争历史，始终是以发扬主观作用为武器，并以实现主观作用为目的的。""人类的存在和运动不单是社会因素，然主观因素亦与社会因素不可分。……真正卡尔——约瑟夫的看法，则是正确的强调主观作用，其中间自自然然的就已经有机的统一了自然生命和社会因素，不必有所偏去偏取。"

这两篇文章在进步文艺界引起了广泛的争论。抗战胜利前后，进步文艺界以"过去和现在的检查及今后的工作"为题在重庆组织多次座谈会、漫谈会，对抗战以来进步文艺运动的成果及问题、文艺上现实主义问题广泛地交换了意见，对《论主观》一文中的观点有所批评。重庆《新华日报》召开的《清明前后》、《芳草天涯》两个剧本的座谈会上也涉及文艺创作的现实主义问题。在座谈、漫谈会后，不少评论家发表文章比较系统地阐明自己的观点。如茅盾发表了《八年来文艺工作的成果及倾向》（《文联》第 1 卷第 1 期，1946 年 1 月 5 日），冯雪峰发表了《论民主革命的文艺运动》（载《中原》、《文艺杂志》、《希望》、《文哨》联合特刊第 1 卷第 1、2 期合刊，1946 年 1 至 2 月），何其芳发表了《关于现实主义》（重庆《新华日报》，1946 年 2 月 13 日）和黄药眠发表的《论约瑟夫的外套》等等。随后，胡风把他在 1942 年以来发表的文章编成《在混乱里面》、《逆流的日子》两书先后出版，以表明他坚持自己的观点。另《泥土》、《呼吸》等刊物也发表不少文章，提出同胡风相类似的观点。在进步文艺阵营中，关于现实主义问题形成了两军对垒的阵势，从对"客观主义"不同意见的阐述，进入到关于现实主义理论问题的研讨。关于此问题的讨论，成为建国后批判"胡风反革命集团"的重要历史背景。

10 日，骆宾基、丰村在四川丰都被国民党逮捕。经"文协"营救，于 2 月中旬获释。

13 日，延安群英大会举行发奖典礼。文艺界获个人甲等奖者有艾青、杨绍萱、姚仲明、周而复等 16 人，获个人乙等奖者有贺敬之等 19 人，获团体奖者有西北战地服务团、延安平剧院等。

14 日，散文家缪崇群病逝。

缪崇群（1907—1945），江苏泰县人。早年留学日本，曾向《语丝》、《奔流》等刊物投稿。1931 年回国后担任过文学杂志的编辑，1932 年去北京。1935 年到上海从事写作。抗战爆发后，辗转流徙到桂林，后转往重庆，1945 年在贫病交迫中死去。主要作品有散文集《夏虫集》、《废墟集》、《碑下随笔》、《寄健康人》，短篇小说集《归客与鸟》等。

15 日，《艺文志》月刊在重庆创刊，聂绀弩编辑，祁曙南为发行人。重庆文化供应社总经售。

25 日《新华日报》出《追悼罗曼·罗兰特辑》，刊载戈宝权的《罗曼·罗兰的生活与思想的道路》、严杰人的《呼吸英雄的气息》等文，以及王亚平的诗《欧罗巴，民主的巨星陨落了》。

25 日，冯乃超在渝主持召开座谈会。会上，茅盾等对舒芜的《论主观》一文提出了批评。

27 日，中国远征军与中国驻印度军队在芒友会师。

“文协”赣州分会成立，负责人为王西彦、李白凤、朱洁夫等。

李蔚初的诗集《绿叶集》由绿叶诗社出版，收诗 29 首，另有《后记》。

郭沫若的《羽书集》（重庆版）由重庆群益出版社出版，收 1937 年至 1941 年间抗战初期的论著，连序共 59 篇。《羽书集》1941 年 11 月曾由香港孟夏书店出版，不久日寇占领了香港，版被毁，故此版流传很少。

穆旦诗集《探险队》由昆明崇文印书馆出版。列为“文聚丛书”之一。收 1937 年至 1941 年诗作 25 首。

长风的短篇小说集《底下层》由南京艺湖社出版，列为“艺湖丛书”第一集。

沈从文小说《长河》由昆明文聚社出版。

杨绛的《弄真成假》由上海世界书局出版。

1944 年 5 月 10 日，孟度在《杂志》第 15 卷第 2 期上发表《关于杨绛的话（剧作家论之一）》，文章中说：“我说杨绛先生是天生的喜剧作家，那是一点也不过分的话。因为她好与她笔下的人物开玩笑，而且善于开玩笑，处处不失温柔、敦厚之旨，这也许是作者有幽默的天性吧。由此亦可见她胸襟的冲淡与阔大。然而隐藏在这幽默与嘲讽的后面，我们看到的是作者的严肃与悲哀，这在她的第二部喜剧《弄真成假》里面表现的比较明显。”“李健吾先生对于《弄真成假》有如下的意见，假如中国有喜剧，真正的风俗喜剧，我不想夸张地说，但是我坚持地说，在现代中国文学里面，《弄真成假》将是第二道纪程碑。有人一定嫌我过甚其辞，我们不妨过些年回头来看，是否我的偏见具有正确的预感。第一道纪程碑属诸丁西林，人所共知，第二道我们将欢欢喜喜地指出，乃是杨绛女士。”“这段意见真是说的畅酣淋漓，痛快之至。”“对于李氏的意见，我除了同意之外，尚有几点补充。”“在《弄真成假》中如果我们能够体味到中国气派的机智和幽默，如果我们能够感到中国民族灵魂的博大和精深，那就得归功于作者采用了大量的灵活、丰富，富于表情的中国民间语言。鲁迅先生创造了民元时候某种雇农的典型阿 Q，杨绛先生又创造了现代中国某种平民老妇人典型周大妈。”“除了生活经验的丰富以外，杨绛先生又是具有无比的超特的想象和无比的深厚的慈悲的。”

叶圣陶散文集《西川集》由重庆文光书店出版。收散文 20 篇，另有《自序》1 篇。作者说：“取名《西川集》，用以记写作的地点。作品内容包括时论杂感、教育短论等等。”

宋之的戏剧《春寒》由重庆未林出版社出版。

二月

7 日，郭沫若、茅盾等出席中国民主同盟欢迎来渝文化工作者茶话会。茶话会决定将提出对目前时局的看法，并当场决定共推七人起草具体意见。22 日，力扬、郭沫若、茅盾等数百名文化科学技术工作者与知名人士一道，共同发表《文化界对时局进言》。

15 日，全国“剧协”在文运会召开戏剧节纪念大会，到会四百余人。张道藩任主席并报告本届大会筹备经过，继由邵力子、黄少谷等讲演。下午二时，同乐大会在青年馆举行，表演各种戏剧、歌咏、杂耍等，到会二千余人，盛况空前。剧宣九队的民间歌舞，博得极大好评。翌日，《新华日报》发表短评《戏剧的生路》，指出：“戏剧节有戏剧工作者慨然叹道：话剧演出成本每在百万以上。剧本，是外国名剧；演员，最整齐；灯光效果道具，化了很大的代价。”“然而，结果是失败了!”“那么，如何办呢?”“方向是有的：陕甘宁边区和敌后的戏剧进农村，许多宣传队的戏剧上前线，他们早已开辟了一条广阔无垠的道路。”“但是有人会不许戏剧进农村，有人会不许戏剧上前线。这是一个严重的前提。只要大家认清了这个前提，合力争取，世界才可以改造，铁门才能够打开。”“戏剧的生路只有一条：是争取民主!”

同日，上海戏剧界在卡尔登戏院举行纪念戏剧节大会并进行会员临时登记，曹禺、夏衍、于伶、熊佛西、宋之的、吴祖光等500多人参加。

22 日，由郭沫若起草，312 人署名的《文化界对时局进言》在《新华日报》发表，强烈要求国民党政府实行民主，文中提出“内部未能团结，政治贪墨成风，财政日趋竭蹙，人民尚待动员，军事急期改进，文化教育受着重重扼制，每况愈下，以致无力阻止敌寇的进侵，更无力配合盟军的反攻，在目前全世界战略接近胜利的阶段，而我们竟快要成为新时代的落伍者。全国的人民都在焦虑，全世界的盟友都在期待，我们处在万目睽睽的局势当中，无论如何是应当改弦易辙的时候了。”郭沫若等人提出了两大纲领：“一、由国民政府立即召集全国各党派所推选之公正人士组织一临时紧急会议，商讨应付目前时局的战时政治纲领，使内政、外交、财政、经济、教育、文化等均能有改进的依据，以作为国民会议的前驱。二、由临时紧急会议推选干练人士组织一战时全国一致政府，以推进战时政治纲领，使内政、外交、经济、教育、文化等均能与目前战事配合。以上二大纲领实为实现民主的必要步骤，政府既决心还政于民，且不愿人民空言民主，向宜采取此项步骤，使人民有实际参与政治的机会，共挽目前的危机。”在两大纲领之后则提出了六项具体主张：“一、审查检阅制度除有关军事机密者外不应再行存在，凡一切限制人民活动之法令皆应废除，使人民应享有的集会结社言论出版演出等之自由及早恢复。二、取消一切党化教育之设施，使学术研究与文化运动之自由得到充分的保障。三、停止特务活动，切实保障人民之身体自由，并释放一切政治犯及爱国青年。四，废除一切军事上对内相克的政策，枪口一致对外，集中所有力量从事反攻。五、严惩一切贪赃枉法之狡猾官吏及囤积居奇之特殊商人，使国家财富集中于有用之生产与用度。以上诸大端如能早日见诸实施，则军事形势必能稳定，反攻基础必能更有把握了。”文章最后说：“我们热切地希望，希望全国人士敞开胸襟，把专制时代的一切陈根腐蒂打扫干净，贡献出无限的诚意、热情、勇气、睿智，迎接我们民主胜利的光明前途。”在此进言上签名的有郭沫若、老舍、胡风、曹禺、茅盾、徐悲鸿、陶行知等等。

25日，沙汀小说《堪察加小景》发表于《青年文艺》1卷6期。

何其芳诗集《预言》由重庆文化生活出版社出版。列为“文季丛书”之十九。收1931年至1937年所作诗34首。

布德的长篇小说《海恋》由重庆新文艺出版社出版。

延安平剧院新编历史剧《三打祝家庄》开始公演。由该院编导室任贵林、魏晨旭、李纶等集体创作。

三月

10日，《贵州日报》出《新垒》副刊，蹇先艾主编。1946年9月终刊，共出了111期。

同日，张爱玲小说《创世纪》发表于《杂志》14卷6期，15卷1、2期。称“《创世纪》与《金锁记》有相似之气氛，其必为广大读者所重视，殆无疑义”。

12日，昆明文化界潘光旦、闻一多、罗隆基、李公朴、吴晗、费孝通等342人联名发表《关于挽救当前危局的主张》。要求国民党立即召开各民主党派参加的国是会议，以通过宪法，施行宪政，由国是会议选举产生举国一致的民主联合政府；解散特务组织，释放政治犯，保障人民一切自由；改组国家最高统帅部，以统一全国军事指挥。

18日，重庆文化界在“文工会”开会，庆祝王亚平创作15周年。郭沫若、胡风、臧云远等出席。

25日，重庆文化界举行罗曼·罗兰追悼大会，郭沫若代表“文协”致悼词。《新华日报》出《悼念罗曼·罗兰》专刊，发表了郭沫若的《和平之光——罗曼·罗兰挽歌》(诗)、胡风的《向罗曼·罗兰致敬》、陈学昭的《悼念罗曼·罗兰》。此外还载有“文协”的《悼念罗曼·罗兰》，文中说：“罗兰先生，你是一位人生的成功者，你现在虽然休息了，可你是永远存在着的。你不仅是法兰西民族的夸耀，欧罗巴的夸耀，而是全世界人类的夸耀。你的一生，在精神生产上的多方面的努力，对于人类的贡献非常的宏大，人类是永远的纪念着你的。你将和历史上各个民族各个时代的伟大的灵魂们，像天空中的星群一样，永远在我们人类的头上照耀。”“但是，罗兰先生，伟大的人类爱的使徒，你请安息吧。上升的要不断自求上升了，下降的要求不断地使它下降，我们要以法兰西民族为模范，要以一切为了人类解放而英勇地战斗着的同盟民族为模范，我们要不避任何的艰险力趋向一切的光明，不避任何的艰险尽力和黑暗、愚昧、残忍、凶暴的压迫势力、法西斯蒂，现世界的魔鬼，搏斗！我们中国是绝对不会灭亡的，人类是必然要得到解放的，法西斯魔鬼们是必然要消灭的!”“罗兰先生，请你安息吧。我们中国的文艺工作者们，更一定要以你为模范，要像你一样，把‘身后的桥梁’完全斩断，不断地前进，决不回头，像你一样始终走着民主的大道，把自己的根须深深插进黑土里面去，从人民大众吸收充分的营养，再从黑土里面生长出来。我们一定要依照你宝贵的指示：‘每天早上，我们都得把新的工作担当起来，把前一天开始的斗争继续下去。”(《悼念罗曼·罗兰》，载《抗战文艺》第10卷，第2、3期合刊，1945 年 6 月。）

30 日，由郭沫若主持的文化工作委员会被国民党政府下令解散。

31 日，《新华日报》刊载了文化工作委员会被解散的消息，并加了编者按："郭沫若先生于七七抗战爆发后，自日本只身逃归祖国，领导战时抗敌宣传工作。于民国二十七年任政治部第三厅厅长，二十九年解职，复奉命成立文化工作委员会，该会委员，计有阳翰笙、李侠公、茅盾、杜国庠、沈志远、胡风、老舍、洪深、田汉、张志让、孙伏园、冯乃超等，都是文化界知名人士。几年以来，该会在郭先生领导下，对于抗战文化，贡献宏伟，驰名友邦朝野。这次突被解散，闻着颇感惊异。"同日，文化工作委员会被解散的消息发表后，各方人士表示震惊和关切，纷纷去郭沫若处拜访慰问。

桂涛声的新诗、歌词集《金丝鸟》由西安大陆图书杂志出版公司出版。收诗歌 16 首，另有《自叙》一篇。《自叙》说："这十六首诗歌，就是作者在这突变的大时代中，热情与灵感交流起来的呐喊。"

丁景唐的诗集《星底梦》由诗歌丛刊社出版，列为"诗歌丛书"第一册，收诗 28 首（包括《代序》诗），另有穆逊的《星底梦读后》和祝无量的《青春的歌手》。祝无量说："诗人的情感的波动有时候还或多或少的带着难以捉摸的悲哀"，诗作"善于刻划，善于运用色彩"。

赵树理的《孟祥英翻身》由华北新华书店出版，后发表于 1946 年 12 月《东北文艺》创刊号。

茅盾的短篇小说集《委屈》由重庆建国书店出版印行，列入"星火文丛"，收短篇小说 5 篇。

沙里的长篇小说《土》由北京新民印书馆出版，列为"新进作家集"第九集。

洪深的三幕剧《女人女人》（又名《多福多寿多男子》）由重庆华中图书公司出版。

四月

1 日，文化工作委员会为纪念七周年举行聚餐会，沈钧儒、蒴伯赞等百余人参加。餐后开恳谈会，与会人士对文化工作委员会予以高度评价，对国民党解散文化工作委员会表示强烈抗议。

8 日，重庆各党派及文化界人士欢宴郭沫若及"文工会"成员。到会的有沈钧儒、柳亚子、董必武、王若飞等百余人。郭沫若在答词中表示：一息尚存，"我仍要做一个民主、文化、文艺的小兵"，"五十四年唯一死，鸿毛泰岱早安排"。

23 日，中国共产党第七次全国代表大会在延安开幕，6 月 11 日闭幕。大会通过了《关于政治报告的决议案》、《关于军事报告的决议案》和新党章，确立了打败侵略者、建设新中国的政治路线，规定了毛泽东思想为全党一切工作的指导思想，选举了以毛泽东为首的新的中央委员会。

25 日，朱德在中共七大作《论解放区战场》的军事报告。报告总结了中共领导武装斗争的经验，特别是抗日战争时期的经验；阐明了中共的军事路线就是人民战争的路线；提出了八路军、新四军的战略任务是：逐步实现从游击战争向正规战争的战略转变，以迎接抗日大反攻。

开元的诗集《思念集》由汉口大楚报社出版。

沙汀长篇小说《困兽记》由重庆新地社出版。

渥丹的文章《〈困兽记〉读后感》说："我们的作者沙汀先生，用着和这些青年们，同样悲愤、忧郁、深沉的情感写出了长篇《困兽记》。""仿佛这是一个悲剧。""以近几年知识分子的活动作为主题的。而故事展开底土地，仍是作者所熟悉的川西北农村社会。全篇语言、生活习惯都是和这农村社会分不开的。这不但并不损伤知识分子之为知识分子，而且使得他们更是有血有肉的人物，也更为突出了他们底传统和阶层性。"文章对小说的内容、结构和人物都进行了详细的分析，作者认为："《困兽记》底成功，在于作者对主题的发挥，人物描写之深刻细腻，以及语言运用的确切，增加人物身份之明确性等。由此可以看出沙汀先生对于文艺工作，多么切实，多么认真。"（渥丹：《〈困兽记〉读后感》，《新华日报》1945 年 6 月 13 日。）

芦蕻在《沙汀的〈困兽记〉》一文中评论道："我想，对于这些人物出路的安排，是和作者对于农村生活和农民力量的认识相关的；像作者在其整个创作中所显示的一样，对于大后方的农村，具有丰富的知识和透彻的理解，但这只限于农村的上层或者是农村的知识分子。""较之于《淘金记》，在人物形象上，《困兽记》也许还没有前者的栩栩如生；我想，这是因为在新文艺创作的领域里，对于这些乡村食血者的面貌，《淘金记》是作了很精湛的剥露；对于一些长期生活在城市里的善良的知识分子，这种阴森可怖是往往难于置信的，正因为在自己的知识以外，通过作者的艺术形象力，这些食血者的狰狞面貌就更容易深中人心。""《困兽记》的成功是因为他写出了这一个时代知识分子们共同的抑郁、愤怒、苦闷、追求，作者所写的虽然是一个乡村，但是这不是一个乡村，而是大后方知识分子生活的缩影。作者沙汀没有为着猎取市场的销路，迎合那些疲乏透了的小市民的胃口而放弃了对于自己的艺术水准的坚持。他保持着一贯的'拘谨'和喜欢在'一个狭小的范围内看的更深一点，更久一点'的生活方式，创作方式。他保持着语言运用上的成功，但他并没有炫奇，没有卖弄；他细致的刻画人物，尤其是对于情绪变异的把握，但他没有刻意的去写一些与人物性格与情节发展无关的多余的片段。"（芦蕻：《沙汀的〈困兽记〉》，《文艺复兴》1947 年第 3 卷第 5 期。）

王西彦的长篇小说《村野恋人》由重庆良友复兴图书印刷公司出版，列为赵家璧主编的"良友文学丛书新编"第四种。

司马文森的长篇小说《人的希望》由重庆联益出版社出版，1947 年 1 月由香港智源书店再版。

茅盾的中篇小说《第一阶段的故事》由重庆亚洲图书社出版。

袁昌英的随笔集《行年四十》由成都商务印书馆出版，列为"现代文艺丛书"之一，收随笔 10 篇。

"鲁艺"集体创作的新歌剧《白毛女》（贺敬之、丁毅执笔，马可等作曲）在中共第七次代表大会上演出。

五月

4 日，根据“文协”第六届年会以 5 月 4 日为文艺节的决定，“文协”发布《为纪念文艺节公启》。是日，“文协”成立七周年和第一届文艺节庆祝会在重庆文化会堂合并举行，到会的有文艺界及各方面人士邵力子、郭沫若、茅盾、老舍、张恨水、孙伏园等百余人。大会由邵力子任主席，郭沫若、王芸生讲话，老舍作会务报告。会上通过与世界作家加强联系，要求切实保障人权，保障作家身体自由与写作自由等提案数起。《为纪念文艺节公启》指出“文艺是人民的心灵的声音，文艺节的纪念应该放在人民的争取民主生活的伟大的斗争目标上面”，“特别着重在和人民的解放要求的结合这一点上，使新文艺能够真正争取到广泛的发展和伟大的前途”。《抗战文艺》出版《文协成立七周年并庆祝第一届文艺节纪念特刊》，载老舍、郭沫若、茅盾等人文章，主题是文艺与民主问题，强调文艺应配合当前民主运动。文艺节当天，昆明、成都等地“文协”分会均举行了大规模的纪念会。

同日，《文哨》（月刊）在重庆创刊，叶以群主编。同年 10 月 1 日，出至 1 卷 3 期停刊。建国书局出版。16 开本。辟有短评、小说、诗、速写、读书录等专栏，著译兼收。主要撰稿人有郭沫若、茅盾、夏衍，徐迟、艾芜、刘白羽等人。

5 日，为庆祝文艺节，“文协”在重庆青年馆举办文艺欣赏会，到数百人。孙伏园主持，徐迟朗诵鲁迅的《狂人日记》，胡风作文艺报告，报告的中心是以五四以来的文艺发展的各个时期的情况，说明要继承“五四”的民主与科学的传统，必须在人民大众里面生根，必须与人民大众结合起来，这样才能将五四的传统发扬光大。

15 日，《解放日报》发表孙犁小说《荷花淀纪事——白洋淀纪事之一》。方纪在《一个有风格的作家——读孙犁同志的〈白洋淀纪事〉》中谈到对这篇小说的独特印象：“那时我正在延安《解放日报》当副刊编辑，读到《荷花淀》的原稿时，我差不多跳起来了，还记得当时在编辑部里的议论——大家把它看成一个将要产生好作品的信号。”“那正是延安文艺座谈会以后，又经过整风，不少人下去了，开始写新人——这是一个转折点；但多半还用的是旧方法……这就使《荷花淀》无论从题材的新鲜、语言的新鲜和表现方法的新鲜上，在当时的创作中显得别开生面。”（《新港》1959 年第 4 期）

20 日至 21 日，《解放日报》副刊连载方纪以整风、生产运动中知识分子思想改造为题材的小说《纺车的力量》。小说曾引起不同意见的讨论。

何其芳诗集《夜歌》由重庆诗文学社出版。收 1938 年至 1942 年所作诗 32 首，另有《后记》一篇。

臧克家的诗集《生命的秋天》由重庆建国书店出版。

废名的诗文合集《招隐集》由汉口大楚报社出版，列为“南北丛书”之一，收诗 15 首，文 8 篇。

艾芜的中篇小说《江上行》发表在《文哨》1、2 期。

袁静、孔厥的中篇小说《血尸案》由中原新华书店出版。

艾芜的短篇小说集《童年的故事》由重庆建国书店出版，列为“星火文丛”。

苏青散文集《浣锦记》由上海天地出版社出版。

吴祖光的三幕剧《少年游》由重庆开明书店出版。列为“吴祖光戏剧集”之一。书中有作者《序》。

六月

2日，《解放日报》发表周扬为话剧《同志，你走错了路!》（姚仲明、陈波儿等集体创作）写的序言《关于政策与艺术》。

文章以毛泽东文艺座谈会上讲话为指导思想，全面评价了这部话剧。在谈到政策与艺术的关系时，周扬写道：“《同志，你走错了路》，是一个优秀的，具有深刻教育意义的政治剧本。它的价值是在：第一，从内容上说，它第一次在艺术作品中反映了我们党和八路军的内部生活及其思想斗争，处理了党内反倾向斗争的严重主题，反对了阶级投降主义，也即是反对了民族投降主义，表扬了阶级气节，也即是表扬了民族气节，它有歌颂，也有自我批评。正是这些内容，使得这个剧本虽有它的缺点，却获得了惊心动魄的效果。其次，从形式上来说，它突破了从来舞台语言、动作的某些旧形式，相当地克服了过去话剧所常犯的洋八股与学生腔的毛病，而代之以虽然比较单纯甚至粗糙，但却生动活泼的工农干部本色的语言与形象。在这一点上，工农干部的演员同志的努力起了特别重大的作用。这些就是这个作品的主要价值，它的成就。若问这个成就是怎样得来的呢？我想这主要是由于艺术工作者与实际工作者、工农干部在艺术行动上的合作，由于艺术与政治思想政策思想的结合。”

周扬认为，“自文艺座谈会以后，艺术创作活动上的一个显著的特点是它与当前的各种革命实际政策的开始结合，这是文艺新方向的重要标志之一。艺术反映政治，在解放区来说，具体地就是反映各种政策在人民中实行的过程与结果。”周扬在文中也反对了创作上的公式主义，他说：“文艺工作者对于政策决不能只是一种概念上的，甚至条文式的了解，他们必须熟悉人民的实际生活情况，政策本身就是从实际生活出发，并给实际生活以决定影响的；必须熟悉各种不同阶层、不同性格的人们对于这些政策的种种心理反应，懂得政策的成功在哪里，执行中的困难、缺点又在哪里，文艺工作者本人最好就是这些政策之执行者。这样，政策思想才会通过他的亲身经验而具体化，丰富化，变成有血有肉的东西。”周扬最后讨论了艺术工作者与实际工作者、工农干部在艺术上的合作问题。他认为，“没有这个合作，这个戏的成功也是不可能的。陈波儿同志在这个工作中有了很好的贡献，且又表现了十分虚心的态度；她在《集体导演的经验》一文中所提供的经验是宝贵的。这种合作方式既是集体创作，又是集体学习。对于艺术工作者与实际工作者、工农干部都是学习；对于前者，学习的意义更大。这给了一个很好的机会学习工农与工农干部的语言与情感。文艺工作者表现新的、工农的人物，一个最麻烦的问题，就是常常自觉或不自觉地用小资产阶级知识分子的语言情感去表现工农。要在艺术作品中完全摆脱‘学生腔’、‘洋八股’，并不是那么容易的事。这除了要求文艺工作者深入群众生活，向工农群众直接学习以外，与工农干部在艺术工作中合作，从这合作中向他们学习，是一个比较容易行，而又有效的方法。《同志，你走错了路!》的集体创作的主要意义就在这里。它应当成为目前重要的创作方式之一，自然不是唯一的方式。”

5 日，马烽、西戎合著长篇小说《吕梁英雄传》在晋绥的《大众报》开始连载。原名是《民兵英雄传》。全文用 1 年 4 个月的时间载完。

8 日，中苏文化协会、“文协”、“剧协”三团体假文化沙龙举行欢送大会，欢送郭沫若赴苏参加苏联科学院成立 220 周年庆典。茅盾代表“文协”致词，说郭沫若是代表中国人民、是以人民大使、文化大使的身份赴苏的。他希望郭沫若把中国人民为民主而奋斗的精神传语世界，并希望带回值得学习的经验。次日，郭沫若乘飞机离渝。

14 日，“文协”昆明分会等 15 团体在云南大学致公堂联合举行盛大晚会，庆祝诗人节。闻一多、田汉等演讲，光未然、冯至等朗诵诗歌。

同日，《新华日报》出版诗歌专页，发表臧克家的《向黑暗的“黑心”刺去——谈政治讽刺诗》、王亚平的《诗人，为新民主而斗争!》、P 译的《欧洲抗战诗二首》、力扬的《诗人·人民》、长虹的《边区是我们的家乡》。

臧克家在《向黑暗的“黑心”刺去——谈政治讽刺诗》一文中说：“在今天，不会再有诗人怕‘政治’玷污了他的诗句吧。我觉得，在今天，不但要求诗要带政治讽刺性，还要进一步要求政治讽刺诗。因为，在光明与黑暗交界的当口，光明越见光明，而黑暗也就越显得黑暗。”“讽刺不是要聪明，也不是说漂亮话。看的真，感得切，恨得透，坚决，尖锐，厉害，这样情形下产生的诗，才有力。力从诗人传给诗，从诗传给群众。”在谈到如何作政治讽刺诗时，臧克家说：“政治讽刺诗为什么会成为空洞的观念和口号呢？因为：写政治讽刺诗的人，还不够政治化，换换说法，还没有把真情交给政治事件，立在一旁的人，不但看不清事件的中心，他的感情也溶化不了这事件的。”“诗不产于观念，而产于通过观念的情感。政治事件不是诗，通过这事件表现出来的诗人的情感、思想的，才是诗。当这事件变成诗以后，它已经不是它的原形，简直可以说是：诗人心中的政治事件了。这样，你可以不必怕概念化、口号化的危险，这一些，当诗人以丰盛的热情赋给它们时，它们便成了生命力充沛的生命体了。这样，你可以不必怕政治事件过眼即逝的‘暂时性’，因为，当诗人以生命给它们时，它们便永远不死的了。”“当眼前没有光明可以歌颂时，把火一样的诗句投向包围了我们的黑暗叫它燃烧去吧!”

6 日，郭沫若等发起“茅盾五十寿辰、创作二十五周年纪念”。24 日，重庆文化界在西南实业大厦集会，隆重庆祝茅盾 50 寿辰，到各界人士七八百人。沈钧儒主持并致贺词。《新华日报》发表社论《中国文艺工作者的路程》。文章概述了茅盾在文艺上走过的道路，还说：“五十岁正是壮年，在目前这伟大壮阔的大时代中，茅盾先生的创作活动也达到了圆熟的境地。回顾一下五四以来的同时代文化工作者，我们觉得中国新文艺运动中有茅盾先生这么一位历久弥坚、永远年青、永远前进的主将，是深深地值得骄傲的。”此外，还发表了王若飞的《中国文化界的光荣 中国知识分子的光荣——祝茅盾先生五十寿日》，追述了茅盾所走过的路程和贡献，指出：“他所走的方向，为中国民族解放中国人民大众解放服务的方向，是一切中国优秀的知识分子应走的方向。”茅盾写《回顾》一文，发表于当日的《新华日报》。为庆祝茅盾50寿辰，《新华日报》除了专页，还发表了叶圣陶作《略谈雁冰兄的文学工作》，张恨水作《一段旅途的回忆》，吴组缃作《为中国现实主义文学祝贺》，以及柳亚子的诗《祝茅盾先生五十双寿》。

25日，昆明文艺界在文艺沙龙庆祝茅盾创作25周年暨50寿辰，李公朴、闻一多、田汉、吴晗、光未然、邵荃麟、吕剑、李广田等20余人到会。大家对茅盾给予了高度的评价。翌日昆明《扫荡报·扫荡副刊》发表了纪念茅盾创作25周年暨50寿辰的文章。

中苏文艺联络社成立，茅盾、以群、徐迟等主持。这个社的主要任务是沟通中外文化、联络各地作家、介绍各方稿件、交换文化信息资源。

艾青的诗集《献给乡村的诗》由昆明北门出版社出版。

王平陵的新诗、散文、杂文合集《副产品》由商务印书馆出版。收诗9首，散文8篇，杂文17篇，另有《短序——副产品》。

臧克家诗集《民主的海洋》由重庆世界编译所出版。

七月

5日，《文哨》1卷2期辟“欧战胜利纪念特辑”，包括“战时法兰西文艺”、“战时苏联文艺”；1卷3期又辟“抗日战争胜利纪念特辑”。

7日，中共中央发表纪念抗战八周年文章，号召解放区军队、游击队、民兵和人民自卫队向敌占区发动广泛的进攻，扩大解放区，缩小沦陷区；加强进行整训，增强战斗力，准备配合同盟国军队反攻，收复一切失地。

同日，昆明文化届举行文艺检讨会。总结抗战以来的文艺、文化工作。闻一多、李公朴、田汉、潘光旦等30余人出席。

17日，《解放日报》副刊发表了关于《白毛女》的“书面座谈”。

郭有的文章标题为《适时生动的阶级教育》，他在文章中说：“这是旧社会农民被压迫的情形，也是新社会解救农民的情形。”“这是对于压迫在中国广大农民身上的‘封建主义大山’的控诉，道出了人民大众民主民生的要求，并指出如何为实现其民主民生的要求而斗争！”

张增的文章题目为《谈新歌剧》，他说：“《白毛女》是以歌剧的形式演出的……它不是旧戏的照抄，不是西洋歌剧的模仿；它和秧歌剧有唱有白有情节相似，有着浓厚的歌话剧成分。两三年来的秧歌运动和《白毛女》的演出证明这种歌剧是适于表现丰富生活及深刻思想的好形式。”“剧里的歌曲都是大众熟悉和爱听的民间戏曲调子”，“歌词也是民间风味的，有着民间诗歌的简洁、形象、深刻感情。曲调和歌词的情调是一致的。”“剧的音乐伴奏也是新鲜的，为此用了大批中国乐器。”“也用了西洋乐器”。“所有这些，无论是付予歌剧以浓厚话剧成分，无论是适当运用、改造并创作民间歌曲，无论是中外乐器大规模配合伴奏，无论是舞台装置的简单而有特色，都是很有成效的，是突破既成形式的创造，这创造，给了我们创作新歌剧的经验，增加了我们创

作新歌剧的信心和勇气。”

张彧、萧蔚的文章是《“放手动员”还不够》，文章中说：“对于这样感动人的而且富有教育意义的作品，我愿作进一步的苛求。”“戏的最末一场。关于黄世仁及其罪恶家庭的判决和群众对于黄世仁之流仇恨情绪的处理，是不妥当的。”作者认为：“据我的经验，长久被压抑的阶级仇恨……暴发起来的时候，群众的愤怒，真像是烈火加油，是无法阻止的。群众这时的行动是‘粗暴’和‘可怕’的（这种‘粗暴’和‘可怕’是正当的，也是需要的，无此不能反抗封建势力），而戏里写减租大会的场面是怎样的呢？群众一走近黄世仁、穆仁智，就被区村干部挡回去了。我们出身农民和大家同命运的工作同志，在这时是不会这样冷静的，何况这又是他们几个挡也挡不住的呢？显然，群众愤怒的火，是作者有意压抑的。这种压抑是不合理的。在这种场合，黄世仁及穆仁智不挨打是不可能的。”“黄世仁被判枪决是大快人心的正当处置。但是，出主意的老妖精不但没有受到处罚，连会也没有到。黄世仁多年害人作恶的同谋及帮凶穆仁智被处三年徒刑，也是太轻了。喜儿被黄世仁害得家破人亡，她有权取得黄世仁的廿亩地、十石粮、五间房，而别的被黄世仁害死的人的老账，却连个交代都没有，这些，群众都不会如戏里所写是那样满足和高兴的，而经验又告诉我们这些问题如不能适当解决，群众是不能普遍发动或是很好发动的。”

关于《白毛女》的“书面座谈会”也刊出了一些批评意见，标题为《几个问题》。张彧提出的问题是：“末后两幕写抗日民主政府发动群众减租减息，向封建恶霸黄世仁作斗争，是颇为概念化的。”郭有则说：“究竟是为了什么呢？山洞生活写得那么多，减租斗争写得那么简单，农民写得那么落后，开明士绅的突然出现。无疑，疏忽之处是会有的，开明士绅的突然出场可能就是这样。《白毛女》是根据传说写成的，传说中关于山洞生活的反复描述，戏是受到了影响的，剧里出现三场生活就是证明。从前三幕乡村生活所描写的成功看来作者是熟悉旧社会农村生活的，作者让穆仁智把喜儿简便带走，显然，是作者过急要把她以后悲惨生活介绍给观众的结果。新社会农民生活的描写和不久以前同一戏剧演出的‘粮食’等三个独幕剧对于敌后农村洋溢着真实生活的描写是不同的。三个独幕剧的演出是该剧团在敌后工作数年的原西战团负责的。这两处作风不同的敌后农村的描写，说明了《白毛女》的作者对新社会农村不够了解。鲁艺工作团有不少从敌后来的同志，延安有很多在产生‘白毛女’传说的地方工作的同志，如果很好的向他们领教、学习、和他们合作，《白毛女》是能够修改得很完整的。”

贺敬之、丁毅执笔的歌剧《白毛女》由鲁艺工作团演出。

茅盾在评论该剧时说：“《白毛女》是歌颂了农民大翻身的中国第一部歌剧……《白毛女》写于抗战时期。这指出了民族统一战线如何被反动的地主阶级所破坏、所危害，从而这又指明了胜利以后反动的地主阶级，实行美帝国主义的意旨，用残酷的内战来答复人民的民主要求，正和他们在抗战时期的卖国行为是一模一样的。”“今天的更为壮大的人民力量一定也能把民族的民主的解放战争进行到最后胜利。”“《白毛女》是民族形式的歌剧，醉心于西欧形式的歌剧的人们也许以为《白毛女》还不够‘格’，也许以为它还不能作为未来中国歌剧的奠基石，甚至或许以为这是非驴非马的东西，虽有宣传的效果，而无艺术的价值。当然，谁要是肯定地认为《白毛女》的形式将是中国新歌剧一定不易的形式，那是武断的看法。《白毛女》的音乐主要是运用北方民歌，这是为了适合观众（广大人民）的乐艺的水准。而这也是《白毛女》在北方受欢迎（指形式方面）的原因之一。这一种作法，将来会发展演变到怎样的地步，此时不易断言。并且我也相信将来中国新歌剧的最完美的形式中，或许仅有中国民间歌曲的主题，而不会像《白毛女》的音乐那种直接用了民间歌曲（虽然仍有改变）。然而在今天，我们毫不迟疑称扬《白毛女》是中国第一部歌剧。我以为这比中国的旧戏更有资格承受这名称——中国式的歌剧。”（茅盾：《赞颂〈白毛女〉》，香港《华商报》副刊《热风》，1948 年 5 月 29 日。）

26 日，中、美、英三国政府签署发表《中美英三国促令日本投降之波茨坦公告》（简称《波茨坦公告》）。苏联对日宣战后，也在公告上签字。该公告主要内容是：通告日本政府立即宣布所有日本武装部队无条件投降，否则日本即将迅速完全毁灭；盟国接受日本投降的条件是对日本领土实行占领，铲除日本军国主义，解除日本军队的武装，惩办战争罪犯，禁止军需工业等。

郭风的新诗集《木偶戏》出版，列为“现代文艺丛刊”三辑之五，改进出版社出版，收诗 11 首。

苏雪林小说集《蝉蜕集》由重庆商务印书馆出版。收《回光》、《蝉蜕》、《黄石斋在金陵狱》、《偷头》、《秀峰夜话》、《王秃子》等反映明末抗清题材的历史小说 7 篇。

巴金的《火》第三部由开明书店出版。短篇小说集《小人故事》由文化生活出版社出版。

苏青小说《饮食男女》由上海天地出版社出版。

姚仲明、陈波儿等集体创作的戏剧《同志，你走错了路》发表于《解放日报》。

茅盾《时间的纪录》由重庆良友复兴图书印刷公司出版。

八月

3 日，《新华日报》报道：茅盾文艺奖开始征文，以反映农村生活的短篇小说、速写、报告为限。要求文长五千字左右，不得超过一万字。时间为本年十月底止。聘定老舍、靳以、杨晦、冯乃超、冯雪峰、邵荃麟、叶以群等 7 人为评委。《文哨》、《文艺》二杂志代收征文。

6 日，茅盾的五幕剧《清明前后》连载于重庆的《大公晚报》。

8 日，苏联宣布对日作战。

同日，散文家、教育家、学者谢六逸逝世。

谢六逸（1898—1945），原名谢广燊，贵州贵阳人。1920 年赴日本留学，1921 年加入文学研究会，1924 年毕业于早稻田大学。回国后任商务印书馆编辑，中国公学理科学长兼中国文学系主任、教授，暨南大学教授，复旦大学中国文学系及新闻系主任等。1936 年任上海《立报》副刊《言林》编辑。1937 年主编《国民周刊》、《文学旬刊》，创办《趣味周刊》。抗战爆发后，与蹇先艾等人组织中华全国文艺界抗敌协会贵阳分会，主编《中央日报》文艺副刊，创办交通书局。著有散文集《水沫集》、《茶话集》、《文坛逸话》，文学史专著《日本文学》、《西洋小说发达史》等。

9 日，毛泽东发表《对日寇的最后一战》声明，指出对日作战已处在最后阶段，号召八路军、新四军及其他人民军队，对于一切不愿投降的侵略者及其走狗实行广泛地进攻，扩大解放区，缩小沦陷区。

10 日，八路军总部朱德总司令连续发布受降及对日展开全面反攻的命令。命令华北、华中、华南各解放区部队迅速前进，收缴敌伪武装，接受日本投降，并令冀热辽、晋察冀、晋绥边区部队，迅速深入东北，配合苏军收复东北。

12 日，麦克阿瑟以远东盟军总司令名义，对日本政府和中国战区的日军发布命令，只能向蒋介石政府及其军队投降，不得向中共领导的军队缴械。

13 日，第十八集团军总司令朱德、副总司令彭德怀致电蒋介石，拒绝其发布要中共领导的抗日武装“就地驻防待命”、不准受降的命令。指出：这一命令违背中华民族的民族利益，仅仅有利于日本侵略者及其汉奸们。

同日，“文协”在会所举行庆祝抗战胜利欢谈会。与会者一致要求战后言论、著作、出版的自由。几乎一致的意见是：要求立即废除战时图书杂志审查条件，立即发还八年来被审查机关扣检的文稿。大家还讨论了卖国投敌的文化汉奸问题，并随即成立了附逆文化人调查委员会，推孙伏园、徐迟、于伶三人负责调查罪行，以便从严惩处。

14 日，日本政府正式宣布无条件投降，中国的抗日战争取得最后胜利。

15 日，日本天皇裕仁以广播“终战诏书”形式，向公众宣布无条件投降。

20 日，苏联红军占领沈阳、吉林、哈尔滨。日本关东军被全部解除武装。至此，日本帝国对我国东北 14 年的殖民统治宣告结束。

22 日，“文协”成立的“附逆文化人调查委员会”举行首次会议。以“中华全国文艺界抗敌协会总会”的名义发表了《关于调查附逆文化人的决议》。《决议》为：“中华全国文艺界抗敌协会总会曾于‘八·一三’举行晚会，成立‘附逆文化人调查委员会’，推老舍、孙伏园、巴金、姚蓬子、夏衍、于伶、曹靖华、靳以、梅林、叶以群、张骏祥、徐迟、邵荃麟、黄芝冈、徐蔚南、马燕祥、赵家璧、史东山等 18 人为委员，负责调查附逆文化人。该委员会于 22 日开首次会议，决议：凡担任伪文化官、主编和出版书报杂志，以及著述为伪方的宣传品，从事伪教育文化工作，伪特务文化人员，在敌伪控制下的文化机关团体中工作和其他不洁人物，都在附逆文化人范围之内。同时决议处理附逆文化人办法如下：（一）公布姓名及其罪行；（二）拒绝其加入作家团体和其他文化团体；（三）将附逆文化人名单通知出版界，拒绝为其出版书刊；（四）凡学校、报馆、杂志社等等，一律拒绝其参加；（五）编印附逆文化人的罪行录（姓名、著作、罪状），分发全国及海外文化团体；（六）要求政府逮捕并公开审判。”（该《决议》发表于 1946 年 5 月 4 日《抗战文艺》第 10 卷第 6 期。）

24 日，延安文艺界集会，欢送“延安文艺工作团”前往各解放区工作，到会百余人。丁玲致开会词。周恩来、彭真、林伯渠等到会讲话。该团分为一、二两团，分别由舒群、艾青率领。

25日，中共中央发表《对于目前时局的宣言》。要求国民党政府实行以下的紧急措施，以奠定今后和平建设的基础：一、承认解放区的民选政府和抗日军队，撤退包围与进攻解放区的军队，以便立即实现和平，避免内战；二、划定八路军、新四军及华南抗日纵队接受日军投降的地区，并给予他们以参加处置日军的一切工作的权利，以昭公允；三、严惩汉奸，解散伪军；四、公平合理地整编军队，办理复员等。

28日，中国共产党毛泽东主席赴重庆与国民党蒋介石谈判。

29日，郁达夫在苏门答腊巴爷公务遭秘密绑架。后有消息说，郁达夫系于9月17日被日本宪兵秘密杀害。

郁达夫（1896—1945），小说家。浙江富阳人，原名郁文，幼名荫生，达夫为其表字，后即以字行。3岁丧父，7岁入私塾受启蒙教育。后到嘉兴、杭州等地中学求学。由于聪颖好学，读了不少唐诗宋词和小说杂剧，少时已有中国古典文学的深厚基础。1911年起开始大量创作旧体诗，并向报刊投稿。1912年考入之江大学预科，不及半年，因参加学潮被校方开除。1913年9月由长兄带至日本留学，广泛涉猎了中外文学和哲学著作。1914年7月入东京第一高等学校预科，后开始尝试小说创作。饱受屈辱和歧视的异国生活，激发了他的爱国热忱，也使他忧伤、愤世。他从研究经济学转而走上文学创作的道路。1920年春，与成仿吾、张资平商议成立一个文学团体，创办一种新文学的刊物。暑假回国与富阳孙荃结婚。1921年6月，与郭沫若、成仿吾、张资平等人成立了新文学团体创造社。7月底，他将原已写就的《沉沦》、《银灰色的死》、《南迁》汇为第一本小说集，加上《自序》，交由上海泰东图书局，出版了新文学最早的白话短篇小说集《沉沦》，以其“惊人的取材、大胆的描写”震动了文坛。1922年3月毕业于东京帝国大学经济部，7月结束十年留学生活回国。回国后参加编辑《创造》季刊、《创造周报》等刊物。1923年10月，应聘赴北京大学任统计学讲师，至1924年底离职。1925年初，赴武昌师范大学任文科教授，同年11月离职至沪。1926年2月回上海参加创造社活动，3月后赴广州，任广东大学（后改名为中山大学）文科教授，同年11月离职，12月返沪后主持创造社出版部工作，主编《创造月刊》、《洪水》半月刊，发表了《小说论》、《戏剧论》等大量文艺论著。1927年1月，发表《广州事情》，公开揭露和抨击广东政府的黑暗，引起创造社内部的争论。8月声明退出创造社。1927年6月，与王映霞订婚，半年后与王结婚。1928年春经钱杏邨介绍，秘密加入太阳社，6月与鲁迅合编《奔流》月刊，9月主编《大众文艺》。1930年中国自由运动大同盟成立，为发起人之一，并参加中国左翼作家联盟。1932年12月，小说《迟桂花》发表。1933年初加入中国民权保障同盟，被选为上海分会执行委员。在白色恐怖威慑下由上海移居杭州，徜徉于浙、皖等地的山水之间，写有不少文笔优美的游记。1936年任福建省府参议，后兼任公报室主任。随着抗日救亡运动的高涨，郁达夫的爱国热情又被唤起，投入抗战的时代洪流，1938年3月，赴武汉参加国民政府军委政治部第三厅作抗日宣传工作，奔赴前线慰劳抗日将士，任中华全国文艺界抗敌协会理事。1938年12月底赴新加坡，从事报刊编辑和抗日救亡工作，翌年1月主编《星洲日报》等报刊副刊，写了大量政论、短评、杂感和旧体诗词。1940年3月与王映霞离婚。1942年日军进逼新加坡，与胡愈之、王任叔等人撤退至苏门答腊西部的小镇巴爷公务，化名赵廉隐居下来。不久，当地日本宪兵部强迫他去当翻译，郁达夫暗中保护和营救了不少当地志士和华侨，并获悉了日本宪兵部许多秘密罪行。1943 年 9 月与印尼华侨何丽有在巴东结婚。1945 年日本投降后被日本宪兵秘密杀害。1952 年，中央人民政府追认为“为民族解放殉难的烈士”，并在他的家乡建亭纪念。

郁达夫一生著述宏富。1928 年起，郁达夫陆续自编《达夫全集》出版，其后还有《达夫自选集》、《屐痕处处》、《达夫日记》、《达夫游记》、《闲书》、《郁达夫诗词抄》、《郁达夫文集》以及《达夫所译短篇集》等。郁达夫的创作风格独特，成就卓著，尤以小说和散文最为著称，影响广泛。其中以短篇小说《沉沦》、《采石矶》、《春风沉醉的晚上》、《薄奠》、《迟桂花》，中篇小说《迷羊》、《她是一个弱女子》和《出奔》等最为著名。小说多以失意落魄的青年知识分子作为描写对象，往往大胆地进行自我暴露，富于浪漫主义的感伤气息，笔调洒脱自然，语言清新优美，具有强烈的主观抒情色彩。他的散文直抒胸臆，毫无隐饰地表现了一个富有才情的知识分子在动乱社会里的苦闷心情，写得清新秀丽，富有气势和神韵，与他的小说一样，具有直率、热情、明丽、酣畅的风格。

关于郁达夫的创作，沈从文曾在 1931 年 4 月 30 日的《文艺月刊》第 2 卷第 4 期上发表《论中国创作小说》，文章中说：“郁达夫，以衰弱的病态的情感，怀着卑小的可怜的神情，写成了他的《沉沦》。这一来，却写出了所有年青人为那故事而眩目的忧郁了。”“多数的读者，由郁达夫作品，认识了自己的脸色与环境。作者一枝富有才情的笔，却使每一个作品，在组织上即或完全略忽，也仍然非常动人。”“一个端重的对生存不儿戏的男子，他却不能嘲笑郁达夫。放肆的无所忌惮的为生活有所喊叫。到现在却成了一个可嘲笑的愚行，因为时代带走了一切陈腐，新的方向据说个人应当牺牲。然而展览苦闷由个人转为群众，十年来新的成就，是还无人能及郁达夫的。说明自己，分析自己，刻划自己，作品所提出的一点纠纷处，正是国内大多数青年心中所感到的纠纷处。郁达夫因为新的生活使他沉默了，然而作品提出的问题，说到的苦闷，却依然存在于中国多数年青人生活里，一时不会失去的。”“感伤的气氛，使作者在自己的作品上，写到放荡无节制的颓废里，作为苦闷的解决，关于这一点，暗示到读者，给年青人在生活方面，生活态度有大影响，这影响，便是‘同情’于《沉沦》上人物的‘悲哀’，也同时‘同意’于《沉沦》上人物的‘任性’，这便是作者从作品上发生的不良结果，虽为时较后，用‘大众文学’‘农民文学’作呼号，却没有多少补救的。作者所长是那种自白的诚恳，虽不免夸张，却毫不矜持，又能处置文字，运用词藻，在作品上那种神经质的人格混合美恶，揉杂爱憎，不完全处，缺憾处，乃反而正是给人十分尊敬处。”

苏雪林在 1934 年 9 月 1 日的《文艺月刊》上发表了《郁达夫论》，则完全否定了郁达夫的创作。文章说：“郁氏的作品，所表现的思想都是一贯的，那就是所谓的‘性欲’的问题。”“不过郁氏虽爱谈性欲问题，而他所表现的性的苦闷，都带着强烈的病态，即所谓‘色情狂’（Satyriasis）倾向者是，这是郁氏自己写照而不是一般人的相貌。”“此外则‘自我主义’（Egotism）‘感受主义’（Sentimentalism）和‘颓废色彩’，也是构成郁氏作品的原素。”“郁氏虽号为颓废派作家，但并没有西洋颓废派的技巧，不过利用那些与传统思想和固有道德相冲突的思想，激动读者神经，以此获得人的注意罢了。”“有人骂他的作品为‘卖淫文学’，我觉得这句话是不为过甚的。”在谈到郁达夫作品的时候，她指出了郁达夫作品的缺点，“第一他的作品不知注重结构，所以有人呼之为‘生活的断片’”，“郁氏作品不讲结构，原也不算什么奇怪，但篇篇如此却也讨厌，更显得作者对文字缺乏安排组织的天才。现在中国文艺新趋势又讲究客观描写，排斥第一人称，对结构也重视起来了。所以郁氏那些散漫松懈首尾不分的作品，渐渐已有淘汰的倾向。”“第二，句法单调也是郁氏作品最大的毛病，单调（Monotonc）与简洁（Consise）单纯（Simple）的体裁是大有分别的。”“郁氏的文字比之旧小说更为单调，其价值如何，可想而知了。”“第三，小说人物的行动没有心理学上的根据，这又是郁氏作品的最大缺点。”“郁氏本来是个除了自己实生活就写不出东西来的人，又是喜欢乱发牢骚的人，其作品成了这样怪现象，我尚不引为奇，我所以引以为奇的居然还有一部分盲目批评家，替他捧场，称赞他善能表现现代青年困于经济和情欲的苦闷。”

1946年9月30日的《人物杂志》第3期发表郭沫若的《论郁达夫》。这是一篇悼念郁达夫的文章。文中深切怀念了郁达夫，并对郁达夫之死表示了极大的愤怒。郭沫若说：“假使是在别的国家，不要说像达夫这样在文学史上不能磨灭的人物，就是普通一个公民，国家都要发动她的威力来清查一个水落石出的。我现在只好一个人在这儿作些安慰自己的狂想。假使达夫确实是遭受了苏门答腊的日本宪兵的屠杀，单只这一点我们就可以要求把日本的昭和天皇拿来上绞刑台！英国的加莱尔说过‘英国宁肯失掉印度，不愿失掉莎士比亚’；我们今天失掉了郁达夫，我们应该要日本的全部法西斯头子偿命！……实在的，在这几年中日本人所给予我们的损失，实在是太大了。但就我们所知道的范围内，在我们的朋辈中，怕应该以达夫的牺牲为最惨酷的吧。达夫的母亲，在往年富春失守时，她不肯逃亡，便在故乡饿死了。达夫的胞兄郁华（曼陀）先生，名画家郁风的父亲，在上海为伪组织所暗杀。夫人王映霞离了婚，已经和别的先生结合。儿子呢？听说小的两个在家乡，大的一个郁飞是靠着父执的资助，前几天飞往上海去了。自己呢？准定是遭了毒手。这真真是不折不扣的‘妻离子散，家破人亡’！达夫的遭遇为什么竟要有这样的酷烈！我要哭，但我没有眼泪。我要控诉，向着谁呢？遍地都是圣贤豪杰，谁能了解这样不惜自我卑贱以身饲虎的人呢？不愿再多说话了。达夫，假使你真是死了，那也好，免得你看见这愈来愈神圣化了的世界，增加你的悲哀。”郭沫若在《再谈郁达夫》一文中则说：“然而达夫是完成了一个有光辉的特异的人格的。鲁迅的韧，闻一多的刚，郁达夫的卑己自慕，我认为是文坛的三绝。”（郭沫若：《再谈郁达夫》，《文讯》月刊第7卷5期，1947年11月15。）

胡愈之在1946年香港咫尺书屋出版的《郁达夫的流亡和失踪》中，回顾了郁达夫的最后一段人生历程，并且对他的历史功绩有这样的评价：“从达夫一生在文艺上的造诣以及他在沦陷时期的言论行动来看，我不能不承认他有他的伟大。他的伟大就是因为他是一个天才的诗人，一个人文主义者，也是一个真正的爱国主义者。”“诗人的气质使他倾向于用感情支配行动，对朋友，对同胞，甚至对敌人，他都是用感情来支配一切的。由于这种情感的支配，使他痛恨法西斯敌人，使他向落后的同胞，作团结御侮的说教。”“作为一个诗人与理想主义者的郁达夫，是‘五四’巨匠之一。他永远忠实于‘五四’，没有背叛过‘五四’。”“达夫死了，他的一生是一篇富丽悲壮的诗史，他不能用他自己的笔来写这篇伟大诗史，是中国文艺界一笔大大的损失！”

29 日，中苏文化协会举行茶会，欢迎参加苏联科学院 220 周年纪念归来的郭沫若与丁燮林二人。到会百余人，邵力子主持。

30 日，“文协”在西南实业大厦举行茶会，欢迎郭沫若、丁燮林访苏归来。

同日的《新华日报》发表徐迟的诗《毛泽东颂》。

31 日，孙犁的小说《芦花荡》发表于《解放日报》。

艾芜的短篇小说集《锻炼》由重庆华美书屋出版。

高植的长篇小说《中学时代》由重庆大东书店出版。

阳翰笙戏剧《天国春秋》由重庆群益出版社出版。

周作人的散文集《立春以前》由太平书局出版，收散文 26 篇。

九月

2 日，日本投降签字仪式在美舰“密苏里”号上举行。日本外相重光葵和参谋总长梅津美治郎正式在无条件投降书上签字。该投降书的签署标志着第二次世界大战和太平洋战争的正式结束。

同日，“文协”拟定《为庆祝胜利告国人书》，向为抗战做出牺牲和贡献的军民群众致敬，并要求建立一个体现团结、民主、和平三大目标的国家。文中说：“现在战争结束了，但这决不是中华民族中国人民的解放和新生的功成事毕，而是中国人民开始跨进了创造光明的民族事业的第一道门。要能够执行这样的伟大事业，首先得彻底地消灭日本法西斯的武装机构和它的社会基础，得认真地改造混乱而贫困的中国的现实状况，而这就是非得依靠全国人民的力量和信心，非得一个体现团结、民主、和平三大目标的国家不能够完成。”（《为庆祝胜利告国人书》，载于《抗战文艺》第 10 卷第 6 期。）

3 日，毛泽东为《新华日报》题词：庆祝抗日胜利，中华民族解放万岁！

8 日，唐弢、柯灵主编的《周报》在上海创刊。《周报》创刊号刊出的《创刊词》中宣称：“加强团结，实行民主，这是本刊的使命。”1945 年 12 月 1 日，昆明学生集会反对国民党发动内战，被军警打死打伤数十人。国民党当局企图封锁这一消息，《周报》以《血的控诉》为题，载文披露了事实的真相。激起各界人士的强烈反响。次年夏，国民党发动了全面内战，对蒋管区的民主运动加紧镇压，《周报》针锋相对地发表了不少文章予以抨击，号召人民团结起来反对国民党的法西斯统治。由于《周报》反映了人民的心声，文章切中时弊，受到读者的欢迎，发行量很快达到万册以上，并在南京、杭州、广州等地设立了代销点，由此受到了国民党当局的迫害。次年 8 月 24 日，《周报》被迫停刊。最后一册为 49、50 两期合刊，刊登了唐弢、柯灵署名的休刊词《暂别读者》，还刊登了马叙伦的《〈周报〉总有再会的日子》，茅盾的《〈周报〉何罪?》，巴金的《封和禁》，周予同的《让〈周报〉背负十字架吧?》，叶圣陶的《什么道理?》，郭沫若的《自由在我》等文章。上海杂志界联谊会发表了抗议《周报》被迫停刊的宣言。

25日，《新华日报》报道："文协"致函慰问沦陷时期在上海坚持战斗的文艺界人士；并请许景宋、郑振铎、李健吾负责调查当地文化汉奸。"文协"又去函香港慰问戴望舒，并托其调查附逆文化人。

文化出版界发动"拒检运动"，自动取消国民党的新闻杂志审查制度。重庆、成都、昆明一些文化新闻团体相继发表声明，不再送审。

成都文化界集会。李劼人、姚雪垠、陈白尘等248人联名发表《成都文化界对时局的呼吁》，要求"民主统一"，"和平建国"。

《文艺杂志》主编邵荃麟发表《在伟大的胜利面前》一文，表达了国统区文艺工作者在新时期的目标和决心："首先，作为我们当前迫切任务的，便是为彻底消灭法西斯汉奸和打击一切反人民反民主的思想而斗争。这在主观方面是要求文艺的战斗与人民的战斗更密切结合，而在客观方面一个迫切要求，即是言论出版创作研究的自由。……其次，从文艺工作本身来说，我们应该更肩负起国民精神代言人的职责，更深广地去反映和倾诉今天人民的愿望和表达人民的意志。这就要求每个作家更勇敢地投身于现实斗争，加强自己的战斗力量。"

流沙的新诗集《山城散曲》由文学社出版，收诗49首。

星裴的新诗集《五月的石榴花》由春秋出版社出版。

周而复的短篇小说集《第四十三粒子弹》由重庆世界编译所出版，收短篇小说8篇。

艾芜的中篇小说《江上行》在《文哨》1、2期连载，由重庆新群出版社出版，列为"文哨丛刊"之一。

于逢的长篇小说《冶炼》由重庆北门出版社出版。

何其芳散文集《星火集》由重庆群益出版社出版。

郭沫若的《十批判书》由重庆群益出版社出版。

郭沫若的散文集《波》由重庆群益出版社出版，为"郭沫若文集之九"，内收1941年至1945年间的作品20篇。

十月

2日，《新华日报》载：昆明文化界提出六项主张：一、当局宣布十月一日起废除新闻检查制度，必须做到"彻底"二字；二、取消中央社的新闻垄断政策，民营通讯社和报馆有自由采访、收发新闻和翻译新闻的自由权利；三、人民有经营通讯社和创办报纸杂志、印行书籍的绝对自由；四、取消邮电书报检查，一切信息和出版品的流通，不受任何限制和阻挠；五、保障民营出版机构，取消以命令强迫接受印检、废止纸张的垄断和囤积独占、减低邮包寄资、优先协办民营文化事业复员；六、尊重文化人的人身自由、言论自由、保证人民有批评以及反对政府的权利。

9日，《文萃》（周刊）在上海创刊。该刊为综合性周刊。1947年6月出至2卷31

期停刊。共出 81 期。期间，于 1947 年 4 月起改名《文萃丛刊》，共出 9 辑，即《文萃》周刊第 2 卷 23 至 31 期。《文萃丛刊》又自第 3 辑起改名《文艺出版社丛书》，第 8 辑起再改名《华萃丛书》。上海文萃社编辑发行。文艺方面主要撰稿人有郭沫若、夏衍、何干之、景宋、闻一多等等。

10 日，国共双方经过 43 天谈判，国民党被迫表示同意和平建国的基本方针，并签署了《国共代表会议纪要》（即“双十协定”），但不久，蒋介石即撕毁了协定，挑起了内战。

13 日，《民主》（周刊）创刊。编辑先后有蒋天佐、郑森禹、艾寒松等。发行人王丰年。生活书店出版，主要撰稿人有郑振铎、周建人、郭沫若、吴晗、沈钧儒。同年 12 月 8 号出版的第 9 期刊登了郑振铎写的《我们的抗议》一文，抗议国民党当局没收《民主》、《周报》等进步刊物。同年 12 月 29 日出版的第 12 期，刊登了郑振铎、马叙伦等 61 人签名的《给美国人民的公开信》，呼吁美国人民支持中国人民反对蒋介石发动内战，为此遭到国民党政府的仇视。1946 年 10 月《民主》被国民党当局查禁。同年 10 月 31 日，《民主》周刊出版休刊号，郑振铎、吴晗、柳亚子等撰文，对查禁《民主》表示抗议。该刊休刊启事指出：“《民主》是永远封禁不了的，本刊终有再和读者见面的一日！”共出 54 期。

14 日，中华全国文艺界抗敌协会召开理监事联席会议，商讨改名问题。决定从本年双十节（10 月 10 日）起，正式改称“中华全国文艺界协会”，简称仍为“文协”。工作方面，除了商讨筹办文艺界复员事宜外，还商讨了要本着团结全国作家精神，发展文艺事业，保障著作权益，以期对新中国的建设有所贡献。

19 日，重庆文化界集会纪念鲁迅逝世 9 周年。出席者有冯玉祥、邵力子、郭沫若、柳亚子、老舍、叶圣陶等 500 余人。周恩来到会讲话。

20 日，《新文化》（半月刊）在上海创刊，周建人出面登记，谢吉然为发起人，方行任编辑。次年 11 月起由艾寒编辑，丁之翔负责出版、发行等工作。设有国内与国际时事述评、专论、随笔、小品、人物述评、各地通讯等栏目。撰稿人有郭沫若、周建人、郑振铎、茅盾、叶以群、周而复等。刊头采用鲁迅手迹，创刊号和第 2 期上转载了毛泽东在延安文艺座谈会上的讲话引言和结论部分，这是在上海第一次公开发表毛泽东的延安文艺座谈会讲话。

21 日，“文协”在重庆张家花园举行会员联欢晚会，到郭沫若、叶圣陶、巴金等五六十人。老舍主持晚会，他报告了开会目的：为中华全国文艺界抗敌协会和改名问题商讨有关事宜，商讨正在准备中的复原问题。周恩来应邀到会介绍延安文艺活动情况。

30 日，著名音乐家冼星海在莫斯科逝世。

冼星海（1905—1945），作曲家，音乐教育家。曾用名黄训、孔宇，祖籍广东番禺，出身于澳门贫苦船工家庭。1918 年考入岭南大学附中学习小提琴。在广州岭南大学附中半工半读时，就参加乐队并担任小提琴、单簧管演奏员，还担任指挥。1926 年，先后就读于北京大学音乐传习所、国立艺术专科学校音乐系，选修小提琴。1928 年，入上海音乐专科音乐学校，学习小提琴、钢琴。此期间，发表有《普遍的音乐》等音乐评论。1929 年夏因参加学潮被迫退学后赴巴黎勤工俭学，从丹第（V. D1NDY）学提琴、杜卡斯（Paul Dukas）学作曲理论与作曲，1931 年考入巴黎国立音乐学院肖拉·康托鲁姆作曲班。留学期间，创作有《风》、《游子吟》、《d 小调小提琴奏鸣曲》、《中国古诗》等十余件作品。1935 年毕业回国，积极投入抗战歌曲创作和救亡音乐活动，创作大量群众歌曲，并为进步电影《壮志凌云》、《青年进行曲》及话剧《复活》、《大雷雨》等作曲。后参加上海救亡演剧二队，并赴武汉与张曙一起负责开展救亡歌咏运动。1935 年到 1938 年，创作有《救国军歌》、《只怕不抵抗》、《游击军歌》、《路是我们开》、《茫茫的西伯利亚》、《莫提起》、《黄河之恋》、《热血》、《夜半歌声》、《拉犁歌》、《祖国的孩子们》、《到敌人后方去》、《在太行山上》等大量各种题材、各种类型的声乐作品。1938 年任延安鲁迅文学艺术学院音乐系主任，并在延安女子大学兼课。在延安鲁迅艺术学院任音乐系主任时，为光未然创作的“黄河大合唱”的歌词谱曲，写下了《黄河大合唱》这部名垂青史的音乐名作。并创作有《生产大合唱》等著名作品。1940 年赴苏联留学；次年苏联卫国战争爆发后，无法回国，因生活艰苦，疾病缠身，于 1945 年 10 月 30 日病逝于莫斯科克里姆林宫医院。年仅 40 岁。

俞传铭的诗集《诗三十》由北望出版社出版，收诗 39 首。

丘东平小说《茅山下》由大连大众书店出版。

艾明之的长篇小说《上海二十四小时》由重庆自强出版社出版，列为“新绿从辑”第四种。

陈瘦竹的短篇小说集《奇女行》由重庆商务印书馆出版，收短篇小说 5 篇。

夏衍的五幕剧《芳草天涯》由美学出版社出版。

洪深的三幕话剧《鸡鸣早看天》由华中图书公司出版。

茅盾戏剧《清明前后》由重庆开明书店出版。

陈白尘的话剧《升官图》完成于 1945 年 10 月，自 1946 年旧政协会议后首次公演开始，先后演出将近二百场，成为几年来戏院卖座最佳的一个剧本。因为尖锐而辛辣地揭露了国民党反动官僚政治的内幕，剧本终于被迫停演。

十一月

3 日，郭沫若的《在鲁迅逝世九周年纪念会上讲话》发表于《周报》第 9 期。

10 日，《新华日报》召开座谈会，讨论重庆最近演出的两部话剧——茅盾的《清明前后》和夏衍的《芳草天涯》。11 月 28 日该报发表了座谈记录摘要。讨论主要涉及到两个问题：一是对《清明前后》和《芳草天涯》的评价，另外则是对有关政治性与艺术性的看法。

署名为“C”的评论者在发言中说：“这个剧本（编者注：指《清明前后》）是不是标语口号呢？是不是没有中心呢？我的答案都是否定的。虽然，这个戏有许多地方还可以写得更好些，不过真理是具体的，我们的批评也必须首先从目前整个戏剧界与整个文艺界的具体情况出发，在这种具体情况下，这个剧的产生和演出，无疑是首先值得庆贺的。”“今天后方所要反对的主要倾向，究竟是标语口号的倾向，还是非政治的倾向？有人以为主要的倾向是标语口号，公式主义，我以为这种批评本身，就正是一种标语口号或公式主义的批评，因为它只知道反公式主义的公式，而不知道今天严重地普遍地泛滥于文艺界的倾向，乃是更有害的非政治的倾向（这是常识的说法，当然它根本上还是一种政治的倾向）。有一些人正在用反公式主义掩盖反马克思主义，——反马克思成了合法的，马克思主义成了非法的，这个非法的思想已此调不弹久矣！有些人说生活就是政治，自然，广义的说，一切生活都离开不了政治，但因此就把政治还原为非政治的日常琐事，把阶级斗争还原为个人对个人的态度，否则就派定为公式主义，客观主义，教条主义，却是非常危险的。假如说《清明前后》是公式主义，我们宁可多有一些这种所谓的‘公式主义’而不愿有所谓的‘非公式主义’的《芳草天涯》或其他莫名其妙的让人糊涂而不让人清醒的东西。”

“这里再说一说《芳草天涯》吧。这个戏不能说没有提出问题，它是提出了一个共同工作者的恋爱纠纷问题，《何为》（列宁和季米特洛夫都很受感动的一本书）的下半就是写了这个题目，而且写得很成功。《芳草天涯》在细节上也许胜过《何为》，但是它却不能给人以感动的鼓舞的力量，因为提出问题的作者本身还在矛盾之中，身在‘天涯’，心怀‘芳草’，欲斩马谡，含泪踟蹰，而又企图表现自己已经解决了这个矛盾，这样它就不能不失败了。自然作者在作品中是有了感情的，但是人的感情有种种，并不是一切感情都值得向观众宣传的，而这个剧中的感情便是接近那不值得宣传的一种，有人或者说这就是刻划这种不能解决的人间悲剧或知识分子弱点的作品，我不敢同意这个说法。人间‘最大的悲剧’不是所谓‘床笫间的悲剧’，而知识分子之表现为‘弱者’的地方，也不在‘床笫间’，而是在社会斗争中间。可以说，《芳草天涯》正是一个非政治倾向的作品，和《清明前后》恰成对照。”

10 日，沈子馥主编《月刊》在上海创刊，综合性刊物，1946 年 12 月出至 2 卷 4 期终刊。先后由上海权威出版社和生生图书公司出版。文艺方面的作者有范泉、沈子复、许幸之、熊佛西、冯至、茅盾等人。发表文艺理论、作家传记、文艺报道、小说、诗歌、剧本杂感等。

14 日，重庆《新民报》“晚刊”第二版副刊上以《毛词·沁园春》为题发表了毛泽东的《咏雪》词，引起巨大反响。《大公报》转载该词，另有十余种报刊发表了对该词的步韵唱和之作。国民党中央宣传部因此事申斥《新民报》主管，认为这是为共产党“张目”，向共产党“投降”。

20 日，《晋察冀日报》开始选载孙犁的小说《白洋淀纪事》，计有《荷花淀》、《芦花荡》、《麦收》等。

23 日，《新华日报》发表郭沫若、茅盾、老舍等 17 人联名致美国援华会作者委员会委员赛珍珠及全美作家的信函，请求美国朋友尽力阻止美国卷入中国内战。

同日，《新华日报》载：上海文化界发表宣言，反对国民党当局压迫人民自由，要求废止收复区的新闻检查制度，要求实现言论出版自由。签名者有于伶、李健吾、周坚韧、许广平、曹聚仁、葛一虹、赵景琛等 91 人。

胡风评论集《在混乱里面》由重庆作家书屋出版。

程铮的诗集《憧憬集》由商务印书馆出版，收诗 21 首，另有《后记》。

许幸之的新诗集《万里长城》由上海联合出版社发行，收1936年至1939年所作诗12首。

李辉英的长篇小说《松花江上》由重庆建国书店出版。

艾芜的短篇小说集《童年的故事》由重庆建国书店出版。

路翎长篇小说《财主底儿女们》（上卷）由重庆希望社出版。

洪深的三幕剧《鸡鸣早看天》由汉口华中图书公司出版。

十二月

1日，昆明学生争和平、争民主的斗争遭到国民党当局镇压，师生4人死难。各地声援“一二·一”运动，掀起全国规模的反蒋斗争。9日，重庆各界举行追悼大会，郭沫若作诗《祭昆明四烈士》。23日，“文协”延安分会召集盛大座谈会，声援国统区文化界和平民主运动。

7日，解放区妇联主席蔡畅、副主席邓颖超致电国际妇联，要求制止美帝国主义者武装干涉中国内政的政策。

26日，《新华日报》发表荃麟的《略论文艺的政治倾向》，反对非政治倾向和抽象的“主观战斗精神”。作者首先提出了政治与文艺的关系，“更具体地说，公式主义与非政治的倾向问题”是“当前文艺与戏剧运动上一个主要问题。”作者在文中引用了恩格斯致哈克里斯女士和敏·考茨基的两封信，试图说明：“我们的艺术家要有明确的思想方向和立场，而且把这些放到实际斗争中去发展，才能使我们的主观精神达到饱满有力，因此无论艺术家或艺术，政治倾向的强调仍是首要；只有在强调政治倾向这个前提下去强调主观与客观紧密的结合，才能使我们对于客观紧密的结合，才能使我们对于现实获得正确的认识，才能使现实主义获得其坚实的基础。”文章还涉及到了对《清明前后》的评价：“《清明前后》我想是目前许多戏剧中间一个比较有政治倾向的剧本。在这一意义上，这剧本是应该被肯定的，而这种肯定对于今天戏剧运动上是有必要的。但这并不是说《清明前后》在我们所要求的现实主义的艺术上，已经达到了全部被肯定的程度，或是说它是‘政治与艺术统一’的代表作品。我想就是作者自己也并不希望作这样高的评价罢。《清明前后》也不仅在技术上有不足的地方，即在对内容的认识上，也有把握得不够的地方，这些都是可以指出。说它是公式主义的作品是不对的，但是也不必讳言某些地方仍有公式主义成分的存在，这一切我们可以向作者要求其向更高发展，而把肯定其政治倾向这一点意义（特别对今天戏剧运动上这种肯定的意义）抹煞掉了，把它应有的社会价值抹煞掉了，那是不公平的。”

27日，重庆《民主新周刊》、《中原》、《文艺杂志》、《文哨》、《希望》等17家杂志发表声明，抗议23日重庆市无理查禁《自由导报》。

罗洪的短篇小说集《活路》由上海万叶书店出版，列入“万叶文艺新辑”，收短篇小说10篇。

蒋牧良的短篇小说集《十年》由长沙求知书店出版，列为“求知文学丛书”之一。

巴金的短篇小说集《小人小事》由上海文化生活出版社出版，列为巴金主编的

“文学丛刊”第八集。除《后记》外，收短篇小说5篇。

司马文森的中篇小说集《妖妇》由重庆新陆出版社出版，收中篇小说2篇。

张恨水的长篇小说《虎贲万岁》由上海百新书店出版。

丰村的长篇小说《烦恼的年代》由重庆骆驼社出版，列入“骆驼文艺丛书”。

柯蓝小说《洋铁桶的故事》由冀中新华书店出版。

姚雪垠的长篇小说《春暖花开的时候》（三册）由现代出版社出版。

李健吾改编的剧本《金小玉》上海演出轰动一时，为此，他曾被日本宪兵逮捕，后为校友保出。该剧次年由万叶出版书店出版。

1946 年

一月

1 日，《文艺生活》复刊。《文艺生活》1941 年9 月15 日于桂林创刊。1943 年7 月15 日在出满了3 卷后停刊。司马文森编辑，文献出版社出版。1946 年1 月1 日出版光复版第一号。1948 年1 月出至第18 号停刊。由司马文森、陈残云编辑，文艺生活社出版。为避免国民党当局的查禁，1948 年2 月迁至香港出海外版第1 期并附出副刊。1949 年6 月20 日出至第15 期停刊。建国后迁广州，续出穗新1 号至6 号。前后共出59 期和副刊3 期。16 开本。发表文艺各门类稿件、著译兼收。撰稿人除编者外还有孟超、荃麟、周钢鸣、田汉、伍禾、黄药眠、绿原等等。

5 日，中外文艺联络社机关刊物《文联》在上海创刊。茅盾、以群主编，同年6 月10 日出第7 期后终刊。永祥印书馆发行。16 开本。创刊号发表茅盾的《发刊词》说：“这一个小小的期刊只想做到下列几件事：报道国内外的文艺活动乃至一般文化活动的概况；介绍国内外出版的新书——主要是新文艺的；发表同人对于当前文化——文艺运动，以及文化——文艺活动中具体问题的意见，同时并愿尽可能刊登通讯讨论，以及文化——文艺界友人对于本刊言论的商榷和批评”，“亦将尽可能刊登短篇‘报告’，‘小说’以及诗歌、杂文、漫画、木刻等等”，以完成“（一）报导，（二）批评介绍，（三）联络，（四）交换意见的基本任务”。出版7 期以后编者认为未能达到理想的目的，遂停刊。主要撰稿人除编者外，还有夏衍、徐迟、袁水拍、艾芜、雪峰、臧克家、杨刚等人。

8 日，晋察冀边区文化界举行茶话会欢迎周扬、丁玲、萧三、萧军、沙可夫等陆续由延安来到张家口的文艺工作者。成仿吾致欢迎词，康濯、张非等介绍边区文艺运动情况。

9 日，沙汀的短篇小说《黄老师》发表于《新华日报》。

10 日，《文艺复兴》（月刊）在上海创刊，1947 年11 月1 日出至4 卷2 期终刊，共出20 期。后于1948 年9 月、12 月和1949 年8 月另出《中国文学研究号》上、中、下册。郑振铎、李健吾主编。文艺复兴社出版发行。编者承续《小说月报》、《文学》的风格，提倡为人民实现民主而写作。郑振铎在《发刊词》中称：“我们都是在敌伪统治之下，经过‘窒塞’，受过不能痛快的发表自己的写作的人。我们愿意在今日痛痛快快的写出心头要说的话，要舒畅的情绪。我们将不再受到任何虎视眈眈地监视，我们将不再恐惧任何时候会降到身上的桎梏与逮捕。我们将大声疾呼着，为中国的文艺复兴而工作！”郑振铎在文中回顾了自晚清以来的社会现实及文艺状况，提出：“抗战胜利，我们的文艺复兴开始了；洗荡了过去的邪毒，创立着一个新的局势。我们不仅要继承五四运动以来未完的工作，我们还应该更积极的努力于今后的文艺复兴的使命；我们不仅要为写作而写作，我们还觉得应该配合整个新的中国的动向，为民主，绝大多数的民众而写作。”“本刊愿意尽自己的一部分的力量，为新的中国而工作，为中国的文艺复兴而工作，为民主的实现而工作。”主要撰稿人有郑振铎、巴金、钱钟书、茅盾、李广田、靳以、臧克家、曹禺、艾芜等。巴金的《第四病室》和《寒夜》、钱钟书的《围城》、李广田的《引力》等中长篇小说，曹禺的《桥》、杨绛的《风絮》等剧本均在该刊连载。该刊还分别出了纪念和研究鲁迅、闻一多的专刊和《抗战八年死难作家纪念》特辑。

10日，巴金的中篇小说《第四病室》发表于《文艺复兴》第1期。1月，又由上海良友复兴图书公司出版。

14日，徐悲鸿与廖静文举行结婚典礼。1945年12月31日徐悲鸿与蒋碧薇办理离婚签字手续。

19日，同盟国授权远东盟军最高统帅颁布特别通告，由中、美、苏、英等11国组成远东国际法庭，在东京审判日本战犯。

20日，《新华日报》报道：茅盾、巴金、胡风、冯雪峰、曹靖华等50余人发表致政治协商会议各委员意见书，要求“结束一党专政，制定和平建国纲领，在民主原则上重选国民代表大会代表，草拟宪法等措施”，“废止文化统治政策，确立民主的文化建设政策”。电影戏剧界洪深、阳翰笙、曹禺等50余人也发表同上的意见书，要求废除对戏剧电影的一切审查制度，确立剧影事业在国内自由发展的国策。

同日，“文协”为老舍、曹禺应美国国务院之邀请即将赴美举行欢送酒会，到会者有茅盾、巴金、阳翰笙等50余人。茅盾任主席并致欢送词。

22日，东北文化协会假中苏文化协会举行萧红逝世四周年纪念会。郭沫若、茅盾、冯雪峰、胡风、潘梓年、聂绀弩、骆宾基等八、九十人到会。

何其芳的《评〈芳草天涯〉》发表于《中原、希望、文哨联刊》1卷1期。文章认为，夏衍的剧作都是“与当前的政治斗争结合着的”，而“《芳草天涯》的确还是作者第一次以写恋爱为主的作品”，而剧作“提出的问题意义并不很大”。文章认为，剧作反映的“尊重别人的爱情或者幸福，不惜牺牲自己的观点”，其实质“不过是宣传个人的爱情或者幸福是很神圣和重要而已”；既然个人的爱情幸福如此神圣，那么夺取别人的固然“犯罪”，牺牲自己何曾不严重而可悲？“我们常常在资本主义文学的著作中遇到对于这种恋爱观的描写与歌颂”。文章指出，造成写“小事情”的原因与反动统治集团几年来摧残文化的政策有关；作者慢慢地习惯于这种束缚，不自觉地减弱了他的战斗的勇气。

《新文学》（半月刊）在上海创刊，孔另境主编，同年5月出第4期后终刊。上海权威出版社出版，撰稿人有钟望阳、朱维基、以群、蓬子、艾芜、徐迟等。创作与评论兼收。

《中国文学》月刊创刊于北平，同年8月1日出第3期后终刊。北平中国文学社编辑、发行。主要撰稿人及作品有郭沫若及其《论郁达夫》、茅盾及其《近年来介绍的外国文学》、田汉及其《为民主诗歌而战》、李广田及其《人民的文学》等。

葛琴的短篇小说集《一个被迫害的女人》由上海中华书局出版，收40年代所写短篇小说7篇。

骆宾基的短篇小说集《北望园的春天》由上海星群出版公司出版，收短篇小说10篇。

艾芜的长篇小说《丰饶的原野》由重庆自强出版社出版。

老舍的长篇小说《四世同堂》第一部《惶惑》由上海良友图书印刷公司出版。

赵树理的长篇小说《李家庄的变迁》由华北新华书店出版。后连载于1947年12月18日至1948年3月6日的《东北日报》。

茅盾在评论《李家庄的变迁》时说："赵树理先生是在血淋淋的斗争生活中经验过来的，而这经验的告白就是小说《李家庄的变迁》。""赵树理先生不是无所用心地来描写山村的变迁的。他的爱憎极为强烈而分明。他站在人民的立场，他不讳言农民的落后性，然而他和小资产阶级意识极浓厚的知识分子所不同者，即不因农民之落后性而否定了农民之坚强的民族意识及其恩仇分明的斗争精神。在斗争中，农民是不但能够克服了落后性，而且发挥出创造的才能。这一真理，许多作家可以在理智上承受，但很少作家能够从作品中赋以形象，最大的原因还是在于他们不曾投身于这样斗争的实生活，而赵树理先生则不但投身于这样的斗争，而且是抱了向民众学习的诚心的。""《李家庄的变迁》不但是表现解放区生活的一部成功的小说，并且也是'整风'以后文艺作品所达到的高度水准之一例证。这一部优秀的作品表示了'整风'运动对于一个文艺工作者在思想和技巧的修养上会有怎样深厚的影响。"茅盾在评价这部作品的技巧时说："用一句话来品评，就是已经做到了大众化。没有浮泛的堆砌，没有纤巧的雕琢，朴质而醇厚，是这部书技巧方面很值得称道的成功。这是走向民族形式的一个里程碑……赵树理先生的这种技巧的获得，我想也别无秘密，就因为他是生活在人民中，工作在人民中，而且是向人民学习，善于吸收人民的生动素朴而富于形象化的语言之精华罢了。"（茅盾：《论赵树理的小说》，《文萃》第2卷第10期，1946年12月12日。）

周扬在谈到这部作品时说："《李家庄的变迁》虽只写的一个村子的事情，但却衬托了十多年来山西政治的背景，涉及了抗战期间山西发生的许多重要事件，包含了历史的和现实的政治的内容；可以看出作者在这里有很大的企图。和作者的企图相比，这篇作品就还没有达到它所应有的完成的程度，还不及《小二黑结婚》与《李有才板话》在它们各自范围之内所完成的。它们似乎是更完整，更精练。但是就作品的规模和包含的内容来说，《李家庄的变迁》自有它的为别的两篇作品所不可及的地方。"（周扬：《论赵树理的创作》，《解放日报》，1946年8月26日。）

林语堂的长篇小说《庭园的悲剧》和《秋之歌》（为《京华烟云》之二、三）由上海春秋社出版，原著用英文写成。中文译本译者有郑陀、应元杰。

袁俊的四幕剧《万世师表》由上海文化生活出版社出版。列为“袁俊戏剧集”之四。

二月

10日，重庆各界人士近万群众在校场口举行庆祝政治协商会议成功大会。国民党特务组织暴徒破坏大会，大打出手，郭沫若、李公朴、施复亮等及到会群众多人被殴伤，酿成校场口事件。广大人民群众极为愤慨。翌日，《解放日报》发表社论《校场口暴行》，控诉了国民党的罪行，社论指出：“没有坚决的不懈的奋斗，人民所受的痛苦就要延长下去。‘提高信心，准备曲折，联合起来，努力奋斗’，敬以此十六字，作为一切为和平民主、团结统一奋斗的人们的座右铭。”

12日，“文协”致书郭沫若，向文化界劳工界新闻界受伤之人表示诚挚的慰问，该文后载于14日的《新华日报》。13日，《中原》、《希望》、《文哨》、《文艺》四杂志致函慰问校场口事件中被打伤的郭沫若、施复亮、李公朴等人。

13日，何其芳在《新华日报》发表《关于现实主义》一文。全文共分三个部分：“（一）今天大后方的文艺上的中心问题到底在哪里?”“（二）从创作过程说到对《清明前后》的估价。”“（三）批评一个作品是否可以从政治性与艺术性这两方面来考察。”文章批驳了C君和王戎关于剧本《芳草天涯》和《清明前后》的观点，文章认为：“为人民群众尽了多少力，还可能增强多少，如何增强，这才是今天大后方的文艺上的中心问题。……中国的人民的痛苦和要求在文艺上还反映很不够广，很不够深，而新文艺所能达到的群众圈子也还很不够大。在过去，或由于历史条件的限制，或由于客观环境的压迫，大后方的作家还不可能更加紧密地与人民群众结合，但在今后，民主的条件将要经过我们的努力奋斗而逐渐获得了，而文艺与群众结合又已经在中国一些民主地区成为一种思想上与实际行动上的巨大运动，则新文艺如何首先在内容上其次在形式上更适合广大群众的要求就是一个异常重要的问题了。”文章概括说：“所以我认为今天的现实主义要向前发展，并不是简单地强调现实主义就够了，必须提出新的明确的方向，必须提出新的具体的内容。而这方向与内容也并不简单地强调什么‘主观精神与客观事物紧密的结合’，首先是在内容上更广阔，更深入的反映人民的要求，并尽可能合乎人民的观点，科学的观点，其次是在形式上更中国化，更丰富，从高级到低级，从新的到旧的，都是一律加以适当的承认，改造或提高，把艺术的群众圈子十倍地以至百倍地扩大开来。”

何其芳认为：“要达到这样的目的，我们的思想首先要来一个改变。我们要对于自己是否已经获得了人民大众的立场、观点和方法加以反省，我们才可以尽可能尽心地到人民大众中去学习。我们要对于自己的艺术思想是否已经完全符合人民大众的要求和利益加以反省，我们才可能使自己的作品更群众化，使自己的理论更科学。”文中何其芳还肯定了茅盾的戏剧，他认为《清明前后》虽有问题，但“这又何损于它在一个重要的关头，恰当其时地喊出了广大人民的呼声呢?”并以鲁迅先生的文艺批评为例，称：“鲁迅先生的这些看法也就正是毛泽东同志所主张的文艺批评，他把政治标准放在第一位，艺术标准放在第二位，对于政治性高但艺术性即使还比较弱的作品，他也是给以衷心的欢迎。”

15 日，重庆戏剧界同仁为庆祝戏剧节和欢迎田汉举行盛大集会。郭沫若、田汉、茅盾、陶行知、胡风、阳翰笙等百余人到会。

同日，李广田小说《引力》发表于《文艺复兴》1 卷 2 期~2 卷 2 期。

18 日，“文协”上海分会举行欢送、欢迎会。欢送老舍、曹禺赴美讲学，欢迎最近从内地来上海的作家们。老舍、曹禺、夏衍、戈宝权、葛一虹、郑振铎、宋之的、吴祖光、叶以群、叶圣陶、许广平、施蛰存等 70 多人参加。

21 日，剧作家吴祖光和吕恩在上海梅龙镇酒家举行婚礼。到者有叶圣陶、老舍、曹禺、许广平等。

25 日，钱钟书的长篇小说《围城》连载于《文艺复兴》第 1 卷第 2 至 6 期。第 2 卷第 1、2 期和第 4 至 6 期。

同日，从本日开始至 4 月 22 日，中华剧艺社在重庆公演陈白尘的剧作《升官图》。丁易题词祝贺。4 月 7 日，中共代表团王若飞等 21 人观看了演出。

师陀的短篇小说《三个小人物》发表于《文艺复兴》第 1 卷第 2 期。

杨朔短篇小说集《大旗》由新华书店晋察冀分店出版。

梅林的短篇小说集《疯狂》由上海新丰出版公司出版，收短篇小说 7 篇。

沙汀的短篇小说集《播种者》由上海华夏书店出版，收短篇小说 11 篇。

沙汀短篇小说集《磁力》由桂林三户图书社出版社。列为艾芜主编的“文学丛书”之一，收短篇小说 5 部。

老舍的短篇小说集《东海巴山集》由上海新丰出版公司出版。

艾芜的短篇小说集《我的旅伴》由上海华夏书店出版，收短篇小说 2 篇。

于伶的四幕剧《女子公寓》由上海国民书店出版。

曹禺的多幕剧《桥》发表于《文艺复兴》第 1 卷，第 3、4、5 期，因赴美讲学只发表两幕。

吴天根据茅盾同名小说改编的七场话剧《子夜》，由上海永祥印书馆出版。

阳翰笙的五幕历史剧《草莽英雄》由重庆群益出版社出版。

以群的《抗战以来的报告文学》收入《南京的虐杀》作为代序，由作家书屋出版。

三月

1 日，《北方文化》（半月刊）在张家口创刊，为大型综合性文化刊物，同年 8 月终刊。共出 2 卷，每卷 6 期。第 1 卷由成仿吾、张如心主编，陈企霞编辑；第 2 卷由成仿吾、沙可夫主编，编委有周扬、萧三、萧军等。张家口北方文化社出版。文艺方面的撰稿人有丁玲、萧军、萧三、艾青、贺敬之等。所载小说有丁玲的《我在霞村的时候》，诗歌有艾青的《欢呼》、《人民的歌》等。

2 日，洪深时任复旦大学教授，因仗义执言制止学生非法行动，被少数暴徒殴打。文化界极为愤慨，郭沫若、茅盾等二十几位文艺界人士共同写信慰问洪深。4 日，《新

华日报》刊出《郭沫若茅盾等慰问洪深教授》。

4日，根据中美文化交流计划，老舍、曹禺应美国国务院邀请赴美讲学，于本日离开上海。行前重庆“文协”和上海“文协”分别举行欢送会。

24日，茅盾由渝赴港，路过广州，在“文协”港粤分会等团体欢迎会上，作《和平、民主、建设阶段的文艺工作》的报告。此报告署名“茅盾”发表于《文艺生活》第4期。报告指出：“国际需要和平，中国老百姓需要和平”，“但仅有和平还不够”，“民主是今天全中国老百姓的一致要求”，“有了和平，民主，才可以谈到建设，这不是短时间的事”。“文艺运动与民主运动是不可分的。民主运动有赖于文艺，文艺运动亦有赖于民主。文艺运动不能脱离民主运动，今天的文艺工作者不能藉口于‘我是用笔来服务于民主’而深居简出，关门做‘民主运动’，他还应当走到群众中间，参加人民的每一项争民主、争自由的斗争。”

周而复主编的《北方文丛》由香港海洋书屋出版，共3辑17种。

晋冀鲁豫边区的《文艺杂志》创刊，太行文联编辑发行。1947年12月1日出至4卷4期终刊。共出22期。发表反映解放区现实斗争和新生活、新思想的文艺作品和评论。

绿原的长诗《给天真的乐观主义者们》发表于《七月》第1集第3期。

韦长明的诗集《春天一株草》由国民图书公司出版，列为“东北文学丛书”之七。除《后记》外，收诗70首。

阳翰笙的六幕历史剧《天国春秋》由上海群益出版社出版，列为“群益历史剧丛”之七。

李健吾根据巴金同名小说改编的三幕剧《秋》，由上海文化生活出版社出版。

萧乾的报告文学集《南德的暮秋》由上海文化生活出版社出版。

郭沫若的《苏联纪行》由上海中苏文化协会研究委员会出版。

四月

8日，在重庆出席国共谈判和政治协商会议的中共代表王若飞、秦邦宪和刚获释的原新四军军长叶挺以及中共中央职工委员邓发等乘飞机回延安途中，在山西省兴县的黑茶山失事，不幸殉难。

9日，蒋介石秘密接见美国记者，表示他已决心消灭共产党，说：“现在只看美国的态度如何。”

15日，香港文化界公宴最近来港的茅盾。出席者有刘思慕、萨空了、廖沫沙等。

23日，夏丏尊在上海病逝。

夏丏尊（1886—1946），中国文学学者，文学家，翻译家，浙江上虞人。名铸，字勉旃，号闷庵，后改名丏尊。1901年考中秀才。1905年东赴日本留学，考入东京高等工业学校。1907年回国。1908年任杭州浙江两级师范学堂通译助教。五四新文化运动中，推行革新语文教育。1920年到长沙湖南第一师范任教。1921年起先后在家乡、上海从事教育工作，并从事翻译和文学创作。1921年，加入文学研究会。1926年创办开明书店，任董事。次年任上海暨南大学中文系主任。1930 年创办《中学生》杂志。1936 年 6 月被选为中国文艺家协会主席。1937 年创办《月报》杂志，任社长，同时任上海文化界救亡协会机关报《救亡日报》编委。抗战期间因病留居上海，任上海南屏女中教员。1943 年底被日本宪兵司令部拘捕，遭受严重摧残，后经日本友人内山完造营救出狱。抗战胜利后，被选为中华全国文艺家协会上海分会理事。主要作品有散文集《平屋杂文》；论著有《文章作法》、《阅读与写作》、《文章讲话》、《文艺论 ABC》、《生活与文学》、《现代世界文学大纲》等；译有《南传大藏经》、《社会主义与进化论》等。

24 日，“文协”张家口分会正式成立。丁玲、沙可夫、吕骥等 23 人当选理事。

艾青的诗集《反法西斯》由上海读书出版社出版。收 1938 年至 1942 年诗 31 首，另有《后记》一篇。

郭铁的叙事长诗《乡村的烽火》由西安克兴印书馆出版，文艺社发行。

绿原的长诗《终点又是一个起点》发表于《七月》第 1 集第 4 期。第二部诗集《集合》由希望社出版。

艾青的叙事长诗《吴满有》由作家书屋出版社出版，列为周而复主编“北方文丛”之一。写于 1943 年，有《附记》一则。

刘白羽的短篇小说集《成长》由台湾新创造出版社出版，列入黄荣灿主编的“新创造文艺丛书”第一辑。

朱雷的中篇小说《山城的雾季》由华夏文化事业出版社出版，列入“文艺创作丛书”。

靳以的中篇小说《春草》由上海文化生活出版社出版，列为“文学丛刊”第三集，收短篇小说 7 篇。

马烽、西戎的长篇小说《吕梁英雄传》上册由晋绥边区吕梁文化教育出版社出版。

周文在 1946 年 6 月 28 日的《抗战日报》上发表了《〈吕梁英雄传〉序》。文章说：“《吕梁英雄传》，是一部反映敌后抗日人民战争的很好的通俗作品。自从在《晋绥大众报》上连载以来，就在农村中、部队中、工厂中、机关学校中，得到颇为广大的读者的喜爱。许多来信，都充满着对这部作品的热爱和感激。”“这部作品能够引起这样的热爱，不是偶然的，首先是它的内容现实、真实、生动、丰富，写的都是‘咱老百姓的事情’，而且就是‘咱们晋绥边区的眼前面的事情’。”“边区的读者们，在八年抗战中，大都亲身体验过书中所写的那些斗争，虽然情况各有不同，但是斗争的体验是相同的，书中的英雄，就多是读者自己，或者是为读者所熟悉的亲友。读者和本书的关系，就是一种血缘的关系。读者从它更认识了自己，更把自己的斗争经验和思想系统化，更肯定了自己并把自己提高一步。它的这么被热爱，道理就很明白了。”“这部作品，作者把自己在实际工作中所体验的，和日常所积累的材料，以及武委会、抗联等等机关团体所供给的材料，特别是从第四届群英大会上吸取的一部分材料，加以综合、提炼，把某些英雄较突出的特点和生动的事迹，加以集中表现，因此，就使读者从这部作品里，能够更清楚了解敌后抗日人民战争的实质，了解解放区的人民是怎样打败敌人的。因此，它就颇具有历史意义和价值。”“应当指出，作者不仅是写出了战争的过程，更重要的，是写出了英雄们的如何觉醒，如何成长——就是写出了人民是如何组织起来，翻身起来，如何壮大起来。”“还应当指出的是：作者所写的这些英雄故事，真实反映了在战争、生产、民主等建设中，以及各方面的关系中，人民所具体体现的各种政策，并在这些政策指导之下所发挥的各种创造，因此，故事的发展，英雄的活动和成长，就更真实、更生动、更富有感人力量和教育意义。”“这部作品，就已经在《晋绥大众报》上发表的四十几回看来，在技术上还不是圆满，在人物的创造上，在某些场面的描写上，还有缺点，但我不想在这里加以评论，因为本书还没有写完，作者已决定在出版单行本之前，还要大力修改。应当指出的是，作者组织材料的能力，熟悉群众生活、语汇的本领，以及对大众化通俗化的努力，是值得我们学习的。”

茅盾说：“本书是用‘章回体’写的。然而作者对于‘章回体’的传统作风有所扬弃。……作者在功力上自然比张先生（指张恨水——编者注）略逊一筹。不过，书中对白的纯用方言，却是值得称道的一个优点。这就大大地补救了人物描写粗疏的毛病，而这粗疏的毛病主要是由于广大读者的水准，故文字力求简易通俗，但简易通俗是一事，而刻画细腻是又一事，两者并不相妨而实相成，为了前者而牺牲后者，未免是得不偿失了。同样的原因，作者对于每一场面的氛围的描写亦嫌不够。这两点，可说是本书的美中不足。”（茅盾：《关于〈吕梁英雄传〉》，《中华论坛》第2卷第1期，1946年9月1日出版。）

王西彦的长篇小说《古屋》由上海文化出版社出版，列入巴金主编的“文学丛刊”第八集。

陈白尘的三幕讽刺喜剧《升官图》由重庆群益出版社出版。

阿英的五幕历史剧《李闯王》由华中新华书店出版。

巴金的散文集《旅途杂记》由上海万叶书店出版。巴金在前记中写道：“现在德日投降、上海光复以后，我回到这个被敌骑践踏了八年的土地，见到一些久别的友人，我的笨拙的口舌不能传达我感激的心情，更不能叙说我这五年的经历。我只好求助于我这管秃笔，让它老老实实的对朋友们讲几段我的生活的故事。”

五月

4日，中共中央发出了《关于土地问题的指示》（即《五四指示》），把抗日战争时期减租减息的政策改变为没收地主土地归农民所有的政策，这标志着中国共产党土地政策的重要改变。到1947年2月，解放区已有2/3的地区解决了土地问题。

同日，“文协”在重庆抗建堂开会庆祝抗战胜利后的第一个文艺节，田汉、巴金、周文、沙汀等300余人到会。阳翰笙主持并做报告，郭沫若发表讲演。大会对8年来的文艺进行总结，由艾芜、臧克家、杨晦分别就小说、诗歌、文艺理论作报告。同日，“文协”发表《纪念第二届“五四”文艺节告全国文艺工作者》，指出“为人民大众服务，实现和平民主的要求，这应是我们的基本原则”。同日，“文协”上海分会为纪念文艺节假辣斐大戏院举行文艺欣赏会，到会有宋庆龄、郑振铎、许广平等。

同日，《抗战文艺》第 10 卷第 6 期终刊号上发表了文协总会的“为庆祝胜利告国人书”、“关于调查附逆文化人的决议”、“慰问上海文艺界书”，茅盾等人的“陪都文艺界致政治协商会议各会员书”，还发表了文协总会“改名启事”，并刊登了“第二届‘五四’文艺节特辑”。此后《抗战文艺》易名为《中国作家》。

同日，师陀的短篇小说集《果园城记》由上海出版公司出版。该小说集收 18 部短篇小说。这些作品反映了中原小镇“果园城”在逐渐衰败时各色小人物的命运。夏志清在《中国现代小说史》中说：“《果园城记》的十八篇素描虽无悲剧力量，但却有鲁迅在《呐喊》及《彷徨》中所表现的讽刺与同情。”“师陀却故意选择这些典型来做例子，无非是要说明一点……表面上时代虽在转变中，但却仍有许多地方，许多人在滞留不变的。书中真正的主角是城镇本身。”（夏志清：《中国现代小说史》，香港友联出版有限公司 1979 年版）

12 日，上海戏剧界联合会开会，出席者有中电剧团等 17 个单位，计有代表田汉、于伶、吴祖光等四十余人，内容是反对当局倒行逆施的“艺员登记”。

臧克家诗集《宝贝儿》由上海万叶书店出版。收诗 17 首，另有《编者献辞》和《刺向黑暗的黑心——代序》。多为政治讽刺诗。

艾青的诗集《他死在第二次》由上海杂志公司出版。

彭燕郊的诗集《第一次爱》由桂林山水出版社出版，收诗 13 首，另有《后记》。

海涛的新诗集《自从鞭炮放了后》列为“浪花文艺丛书”之三，昆明大陆书店出版，收诗 35 首，均为政治讽刺诗。

邵荃麟的短篇小说集《宿店》由新知书店出版，收短篇小说 6 篇。

端木蕻良的长篇小说《新都花絮》由上海知识出版社出版。

风子的长篇小说《无声的歌女》由上海正言出版社出版。

张恨水的长篇小说《到农村去》由上海联华图书有限公司出版，列为“小说丛书”之一。

夏衍的戏剧《愁城记》由开明书店出版。

郭沫若的历史剧《筑》（又名《高渐离》）由上海群益出版社出版。

六月

1 日，热河省文联的文艺月刊《热潮》创刊。徐懋庸、方纪主编。

同日，茅盾的《人民的文艺——在香港文化界欢迎晚会上的演讲》发表于《鲁迅文艺》第 1 卷第 3 期。

5 日，胡适从美国归国，此次留美，自 1937 年 9 月 26 日赴美，时经 8 年 8 个月。9 月 5 日抵达上海。

10 日，袁水拍在《文联》1 卷 7 期发表《通俗诗歌的创作》。文章认为，抗战以来涌现的大量民谣，“反映着老百姓自己的生活，道出他们的痛苦和愤怒”，这些歌谣的内容“超越旧时代的风俗习惯”，跳出了“无郎无姐不成歌”的旧模式，表现了“非常严肃的迫切的题材”。诗人应该向人民学习民谣，“从这里可以发现一条人民诗歌的大路”。

22 日，毛泽东发表声明，抗议《美国军事援华法案》。反对美国政府继续以出售、交换、租借、赠送或让渡等方式，将军火交给中国的国民党独裁政府，要求美国政府立即停止与收回对华的一切军事援助，立即撤回在华全部美军。

25 日，《中原、文艺杂志、希望、文哨联合特刊》在重庆创刊。这是抗战胜利复员期间几家杂志迁移停刊时联合出版的临时特刊。

詹碧遥的新诗集《中华颂》由龙岩振成印刷社印刷（发行人朱冰轮），文阁书店、大成书店经售。

钱钟书的短篇小说集《人·兽·鬼》由上海开明书店出版。收《上帝的梦》、《猫》、《灵感》和《纪念》等短篇小说四篇。

刘白羽短篇小说集《幸福》由上海新群社出版。

碧野的长篇小说《没有花的春天》由重庆建国书店出版。

吴祖光的散文集《后台朋友》由上海出版公司出版，收散文 25 篇。

七月

1 日，《文艺复兴》1 月号刊登“抗战八年死难作家纪念”专辑，发表悼念萧红、许地山、王鲁彦、陆蠡等死难作家的文章。

11 日，著名民主人士李公朴在云南昆明被国民党特务暗杀。

15 日，闻一多在昆明出席李公朴追悼大会，发表《最后一次的讲演》后，在回家的途中被国民党特务暗杀。

闻一多（1899—1946），诗人、学者、民主战士，湖北浠水人。原名闻亦多，又名闻家骅，号友三。笔名闻多、风叶、夕夕、H·S·L 等。自幼爱好古典诗词和美术。1912 年考入北京清华学校，喜读中国古代诗集、诗话、史书、笔记等。1916 年开始在《清华周刊》上发表系列读书笔记，总称《二月庐漫记》，同时创作旧体诗。在校时曾任《清华周刊》编辑、《清华年报》图画总编辑等。五四运动中，积极参加学生运动，被选为全国学联代表，出席在上海召开的全国学生联合会。1920 年起开始写作和发表新诗，同年 4 月，发表第一篇白话文《旅客式的学生》。同年 9 月，发表第一首新诗《西岸》。1921 年 11 月与梁实秋等人发起成立清华文学社，次年 3 月，写成《律诗底研究》，开始系统地研究新诗格律化理论。1922 年 7 月赴美国，进芝加哥大学学习美术，年底出版与梁实秋合著的《冬夜草儿评论》。1923 年 9 月出版第一部诗集《红烛》。1925 年参加留学生组织的以国家主义为宗旨的大江学会。同年 5 月回国，任北京艺术专科学校教务长。1926 年与徐志摩编《晨报副镌》，倡导新格律诗，发表了著名论文《诗的格律》。1927 年 4 月任武汉北伐军总政治部艺术股股长，仅一月便辞职。同年秋任南京第四中山大学外文系主任。1928 年 3 月在《新月》杂志列名编辑，次年辞职。1928 年 1 月出版第二本诗集《死水》。1928 年秋任国立武汉大学文学院院长兼中文系主任，从此致力于研究中国古典文学。1930 年深秋去山东任青岛大学文学院院长兼国文系主任。1932 年 8 月回北平任清华大学国文系教授。1938 年清华并入西南联大，随校至昆明。1943 年后，积极投身抗日运动和反独裁、争民主的斗争。1944 年加人中国民主同盟，1945 年任中国民主同盟中央执行委员。著有诗集《红烛》、《死水》，论著甚丰，在学术上，他广泛研究祖国的文化遗产，著有《神话与诗》、《唐诗杂论》、《古典新义》、《楚辞补校》等专著，有《闻一多全集》和大量手稿行世。主要著作收集在《闻一多全集》中，共 4 册 8 集，1948 年 8 月由开明书店出版。

郭沫若在《〈闻一多全集〉序》（1948 年 8 月开明书店出版）中对闻一多的治学和为人都给予了高度评价。郭文首先表达了对于闻一多英年早逝的遗憾，他说："从这整个的遗稿上便给了我一个这样的印象：一棵茁壮的向日葵刚刚才开出灿烂的黄花，便被人连根拔掉，毁了"，"闻一多先生的大才未尽，实在是一件千古的恨事。他假如不遭暗害，对于民主运动不用说还可以作更大的努力，就在学问研究上也必然会有更大的贡献的。"在谈到闻一多的学术成就时，郭沫若说："一多对于文化遗产的整理工作，内容很广泛，但他所致力的对象是秦以前和唐代的诗与诗人。关于秦以前的东西除掉一部分的神话传说的再建之外，他对于周易，诗经，庄子，楚辞这四种古籍实实在在下了惊人的很大的工夫。就他所已取得的成就而言，我自己是这样感觉着，他那眼光的犀利，考索的赅博，立说的新颖而翔实，不仅是前无古人，恐怕还要后无来者的。""闻先生治理古代文献的态度，……是承继了清代朴学大师们的考据方法，而益之以近代人的科学的致密。为了证成一种假说，他不惜耐烦地小心地翻遍群书。为了读破一种古籍，他不惜在多方面作苦心的彻底的准备。这正是朴学所强调的实事求是的精神，一多是把这种精神彻底地实践了。唯其这样，所以才能有他所留下的这样丰富的成绩。但他的彻底处并不是仅仅适用于考据，他把考据这种工夫仅是认为手段，而不是认为究极的目的的。"在谈到闻一多的治学目的时，郭沫若说："闻先生不是这样的糊涂虫，他虽然在古代文献里游泳，但他不是作为鱼而游泳，而是作为鱼雷而游泳的。他是为了要批判历史而研究历史，为了要扬弃古代而钻进古代里去刳它的肠肚的。他有目的地钻了进去，没有忘失目的地又钻了出来，这是那些古籍中的鱼们所根本不能想望的事。"郭沫若最后说："闻一多毫无疑问是永生了。他真正是'求仁得仁'，他不仅在做学问上获得了人民意识，而在做人上更保障了人民意识的确切获得。……假如在一多获得了人民意识之后，再多活得十年，让他在事业上，在学问上，更多地为人民服务，人民的收获想来也不会更微末的吧？在他把文化史的批判工作的准备刚好完成，正有充分的资格来担当批判过去，创造将来的时候，却没有让他用笔来完成他的使命，而是用血来完成了，不能过分矫情的说，这不是重大的损失。"

朱自清说："闻一多先生在昆明惨遭暗杀，激起全国的悲愤。这是民主运动的损失，又是中国学术的大损失。""大家都知道闻先生是一位诗人。他的《红烛》，尤其他的《死水》，读过的人很多。这些集子的特色之一，是那些爱国诗。在抗战以前他也许是唯一的爱国新诗人。这里可以看出他对文学的态度。新文学运动以来，许多作者都认识了文学的政治性和社会性而有所表现，可是闻先生认识得特别亲切，表现得特别强烈。""他并不忽略语言的技巧"，"他是提倡诗的新格律的人，也是创造诗的新格律的人。他创造自己的诗的语言，并且创造自己的散文的语言。"（朱自清：《中国学术界的大损失——悼念闻一多先生》，《文艺复兴》2 卷 1 期，1946 年。）

17日，李公朴、闻一多被害的消息传出后，举国震惊。延安《解放日报》发表社论《杀人犯统治——论闻一多先生遇害》。社论中说："李公朴先生的血迹亦未干，另一位和平民主战士——中国青年运动的导师、第一流的诗人、名教授闻一多先生，又惨遭蒋记特务的乱枪射击，殒殁在昆明的街头。""李公朴、闻一多先生的被害，相隔不过三天，这表示蒋介石统治集团的恐怖步骤是如何迫促。蒋介石的一双血手正对其统治区内的和平民主人士大肆进行血腥的屠杀，另一双血手则向解放区进行疯狂的内战。全国人民应当清楚认识李闻二先生的被害是蒋介石全国规模的屠杀计划的信号，应当以千百倍地加强全国爱国主义的大团结，来粉粹这个计划。"社论最后说，希望"美国当局立即停止对蒋介石杀人犯政府的任何援助，撤回军事援蒋法案。撤回驻华美海陆空军"。

19日，郭沫若、茅盾、洪深、叶圣陶、周坚韧、郑振铎、许广平、田汉、胡玉枝、曹靖华、巴金等13人致电联合国人权委员会，强烈控诉与揭露国民党杀害李公朴、闻一多二位先生的滔天罪行。电文载于1946年7月23日《新华日报》。

毛泽东、朱德向闻一多家属发去唁电。在南京的中共代表团向国民党提出抗议书，周恩来对中外记者发表谈话，严厉谴责国民党的法西斯暴行。翌日，周恩来又在上海寓所举行记者招待会。同日，"文协"向闻一多家属发去唁电。21日，"文协"在上海花旗银行开临时大会，讨论李闻事件。叶圣陶主持，郭沫若、茅盾、洪深、田汉等10余人发言。通过对国人宣言、对外国作家呼吁书等。28日，重庆各界6000余人举行追悼李公朴 、闻一多大会。《新华日报》发表社论《才不过是一个开始》。文章说："李闻二先生都是伟大的爱国主义者。""李闻二先生的爱国主义又并不是空洞的抽象的爱国主义。他们知道，最受到半殖民地的中国的苦难者是广大的下层人民，而中国的反动派集团都是与帝国主义相勾结以至为帝国主义所豢养的，因此他们的爱国主义就又表现为对下层人民的深厚的同情。他们又知道，由于上述的缘故，只有广大的中国人民才是真正爱国的，并真正有力量能够争到中国的独立，而中国的反动派却是软骨头，不能寄与他们以任何希望的，因此它们的文化工作道路与政治道路就又选择了与人民大众相结合的道路。"最后社论总结道："在这样的意义上，的确是一个李公朴倒下了，还会有千千万万的李公朴，一个闻一多被暗杀了，还会有千千万万的闻一多的。这些成千上万的中华民族的优秀儿女，将要继承着李闻二先生的伟大的爱国主义精神，将要继续走着李闻二先生的与人民大众相结合的道路，把悲恸变为力量，从黑暗中争取光明，一直奋斗到中国得到了全国的独立和平与民主。"

25日，著名民主战士、教育家陶行知逝世。

陶行知（1891—1946），诗人、教育家。笔名陶知行、何日平。安徽歙县人。1909年考入南京汇文书院文科。1910年升入金陵大学文学系。1914年毕业，赴美留学，入伊力诺大学攻读市政。1915年获政治硕士学位。同年转入哥伦比亚大学专攻教育。1917年获该校"都市学务总监资格"文凭，回国后任南京高等师范学校专任教员，此年任代教务主任。1919年参加南京各界声援五四运动活动。1920年任中华教育社总干事。1922年开始诗歌创作。同年任东南大学教授、教育系主任。1923年与晏阳初等组织中华平民教育促进会并任安徽公学校长。1924年筹办《平民周刊》，组织平民文学

委员会并编辑平民文学书刊。1927 年与人创办晓庄师范学校。1928 年接受圣约翰大学博士学位。1932 年创办山海公学团，出版《生活教育》半月刊，创办国难教育社。1935 年赴欧美 26 国考察，宣传抗日救国。1938 年回国。1939 年创办育才学校。1946 年创办社会大学。著有《知行诗歌集》、《陶行知全集》。

冀晋区文联成立，负责人田间、曼晴等。并创刊大型综合性文化刊物《新群众》，田间主编，创刊号载有田间的长诗《戎冠秀》。

无名氏的长篇小说《北极风情画》列为卜少夫主编的“无名丛书”第一种，由西安无名书屋出版。

八月

5 日，由张家口鲁迅学会主编的《鲁迅学刊》创刊，附刊于《晋察冀日报》。第一期载有萧军的《“鲁迅学会”的过去、现在和将来》及何干之等人的文章。

24 日，《晋察冀日报》以《谈解放区文艺》为题，发表郭沫若致“北方的朋友们”及陆定一的两封信。信中高度评价了解放区文艺创作。

26 日，周扬在《解放日报》发表《论赵树理的创作》。文章认为，农村题材和农民形象是“五四”新文学极为关注的创作领域，但由于时代和作家主客观条件的局限，这一领域还未得到充分和深刻的反应。尤其是以解放区生活为代表的新人物和新世界，更是近于空白。而“赵树理同志的作品就在一定程度上满足了这个要求”。本文从人物塑造和作品的语言等方面，具体阐述了赵树理在小说艺术的民族化、大众化方面所作出的贡献。此文后收入周扬的文艺论文集《表现新的群众的时代》。

胡考的叙事长诗《灾难》由山东新华书店出版。

丁玲的《丁玲代表作选》（综合卷）由上海全球书店出版。

罗丹的短篇小说集《南沙壶之夜》由大连日报社出版。

林淡秋的短篇小说集《雪》由上海民声书店出版。

黄药眠的短篇小说集《暗影》由香港中国出版社出版。

巴金长篇小说《寒夜》开始在《文艺复兴》连载（第 2 卷第 1 至 6 期）。

沙汀的中篇小说《闯关》由上海星群出版社出版，列入以群主编的“新群文艺丛书”。作品原名《奇异的旅程》，二者内容完全相同。

老舍中篇小说《我这一辈子》由上海惠群出版社出版。

九月

1 日，《观察》杂志（周刊）在上海创刊，主编为储安平，其基本立场是“我们除大体上代表着一般自由思想分子，并替善良的广大人民说话以外，我们背后并无任何组织。我们对于政府、执政党、反对党，都将作毫无偏袒的评论”，“是发表政论而不从事政治斗争的刊物”。该刊刊登过一些对国民党不满的文章，也发表过反对中国共产党的言论，宣传走第三条道路。该刊对国民党统治区反对美蒋的学生运动采取某种程度的同情态度，但又认为学生容易偏激冲动。由于刊载了对国民党政治不满的言论，

1948年12月24日被国民党当局查禁。出至4卷218期。

5日，《人间》月刊创刊于上海。同年12月出至1卷4期后更名为《创世纪》，1947年6月出1期后终刊。署人间出版社编辑、发行，实为沈从文主编。发表文艺理论、诗歌、小说、剧本、散文、随笔、书评等各类文字，著译兼收。系纯文艺的同人刊物，要求自由创作。

20日，《文艺丛刊》创刊于香港，同年12月出第2辑后终刊。中华全国文艺协会粤港分会编辑。新加坡南洋出版社、香港新民主主义出版社及国内各大书店经售。内容包括文艺评论、作家与作品、小说、诗歌、散文、短剧等。撰稿人均为中华全国文艺协会粤港分会会员，有陈残云、黄药眠、吕剑、司马文森等。

22日至24日，李季的长诗《王贵与李香香》在《解放日报》副刊连载。同年11月太岳新华书店出版单行本。

郭沫若在为香港版的《王贵与李香香》所作的序言中说到："中国目前是人民翻身的时候，同时也可以说是文学翻身的时候。""人民几乎自有史以来，在贵族奴役下过着牛马的生活，文学也是在贵族奴役下过着倡优的生活。""近百年来，中国文学虽然也逐渐地在企图翻身，但终因人民的意识的未能彻底，尽管文言变为白话，而白话又成为新式的文言。一部分新文人们搔首弄姿或怡神旷意，不是比起旧式的倡优来更加顽固乃至无耻吗？因此在人生实践上堕落到汉奸或反动派的泥沼里的，正是大有人在。""无识的贫乏与形式的修饰，可以说有必然的因果。凡是贫于意或生命者，为求掩饰其贫乏，必然尽力追求修饰的形式。所谓'以艰深文其浅陋'正是这种心理的一斑。假使让我说得更广泛一些，无宁是'以媚妩文其丑恶'。说得更显眼一些，便是贫血的人爱打胭脂。""意识健全，生命力丰富，所发挥出的形式必然是自然而健康。这也是无上的美，它无须乎矫揉造作。这是天足与缠足之异，缠足在今天，谁还能加以'金莲'的赞美呢?""今天在解放区之外的'金莲'文艺依然占着支配势力，大家在这种积习之下一时转不过来，而解放区的文艺确实是到了天足的阶段了。这儿有意识的美，生命的美，因而也就有形式上的充分的自然与健康美。""解放区的艺术品，我看见过好些优秀的木刻、剪纸、窗花。用文字表现的我看见过《李有才板话》、《李家庄的变迁》、《吕梁英雄传》、《白毛女》等等，今天我又看见了这首长诗《王贵与李香香》。我一律看出了天足的美，看出了文学的大翻身。这些正是由人民意识中发展出来的人民文艺，正是今天和明天的文艺。""欣赏惯了'金莲'的人或许对于这样的诗会掉头不顾吧。那可用不着勉强，随他去。""或许也有人会说：'这有什么稀奇！从前的弹词或大鼓书，有的比这更要完美一点。'那也说得差不多。但这儿所不同的是新的意识与新的形式的一个有机的存在。""形式固然是重要的，但更重要的是人民意识。这个意识的获得并不必限于解放区。然而学习这样的形式却必须限于人民意识的获得。""中国的目前是人民翻身的时候，同时也是文艺翻身的时候，这儿的这首诗，便是响亮的信号。"（注：此文系郭沫若先生为香港版的《王贵与李香香》所作的序言，转自《论〈王贵与李香香〉》，周韦编，1950年7月1日上海杂志公司刊行。）

冯雪峰的诗集《灵山歌》由作家书屋出版。收诗17首，均选自《真实之歌》。

田间的叙事长诗《戎冠秀》由哈尔滨东北画报社出版。

高长虹的新诗集《延安集》在张家口出版，收诗10首，写于1942年至1945年。

方徨的叙事长诗《红日初升》由山东新华书店出版。内封副标题为《写劳动英雄郑信的事迹》。

司马文森的短篇小说集《危城记》由香港文生出版社出版，收短篇小说4篇。

靳以的短篇小说《生存》发表在《文艺复兴》2卷2期。

茅盾小说集《茅盾代表作选》由上海全球书店出版。

十月

15日，《文艺春秋》3卷4期刊登“纪念鲁迅逝世十周年特辑”，发表孔另境、陈烟桥、范泉、小田岳夫等人的文章，以及以“要是鲁迅先生还活着”为题，发表萧乾、刘西渭、施蛰存、茅盾、安娥等15人的感想文章。

19日，“文协”、中苏文化协会等12个文化团体，在上海辣斐大戏院举行鲁迅逝世10周年纪念大会。郭沫若、沈钧儒、茅盾、叶圣陶及各界人士400余人到会，邵力子主持，周恩来发表演说，号召大家学习鲁迅、闻一多，以“横眉冷对千夫指，俯首甘为孺子牛”的精神，为“争取独立、和平、民主、统一的新中国而斗争”，并预言“人民的世纪到了”。

同日，许广平编《鲁迅书简》由上海鲁迅全集出版社出版。

中共中央在总结解放区土地改革经验的基础上，制定了《中国土地法大纲》，在解放区掀起了更为广泛的土地改革运动。

唐弢编《鲁迅全集补遗》由上海出版公司出版。

杜运燮的《诗四十首》由文化生活出版社出版。

袁水拍的诗歌《马凡陀的山歌》由生活书店出版。1948年又出版了《马凡陀的山歌续集》。

赵树理小说《福贵》发表于《太岳文化》创刊号。

骆宾基的长篇小说《姜步畏家史》第二部《少年》（又名《氤氲》）在《清明月刊》发表。

徐昌霖的长篇小说《工程师的传奇》由上海建国书店出版，列为“当今文艺丛书”之一。

蹇先艾的长篇小说《古城儿女》由上海万叶书店出版，列入钱君陶主编的“万叶文艺新辑”。

戏剧《白毛女》，鲁迅艺术文学院集体创作，贺敬之、丁毅执笔，由冀南书店出版。

丁玲散文集《陕北杂记》由希望书店出版。

十一月

5日，茅盾应苏联对外文化协会邀请赴苏访问，于本日乘船离沪。

老舍的长篇小说《四世同堂》第二部《偷生》由上海晨光出版公司出版。

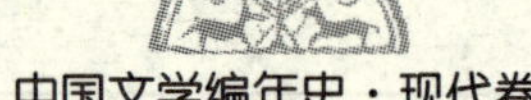

宗鲁评论这部小说："老舍的这部创作，可以作为中国革命过程中小资产阶级知识分子底意识形态的剖示和刻画，这和高尔基的《四十年代》描写俄国革命前夜的知识分子底心理动态，有着相似的创作意图。""本书中场景的转换，作者处处以北平底风习的细腻的描写来开始，使小说带着浓厚的乡土感。把小市民层在异族人暴力侵凌之下对祖国的传统文化底渴想，珍爱，强烈地表达是老舍小说所具有风格底特点之一。""老舍本来想把祁老人这一家族作为激变中的中国近代史的反映这一愿望是失败的，祁瑞宣的形象，却是唱出了困之于封建经济狭隘的伦理观念的重负下的小资产阶级渐趋没落的哀歌。"（1947 年 2 月 21 日上海《大公报》）

李季的诗《王贵与李香香》由太岳新华书店出版。

赵家璧主编的《晨光文学丛书》由上海晨光出版公司出版，丛书收老舍《四世同堂》、巴金的《寒夜》、钱钟书《围城》、李广田的《引力》等 39 部。

徐讦的长篇小说《风萧萧》由怀正文化出版社出版。

巴金等的小说集《现代创作小说精选》由上海经纬书局出版。

冰心小说集《冰心代表作》、茅盾小说集《茅盾代表作》、郭沫若散文集《沫若代表作》（第一辑）由上海全球书店出版。

徐讦小说集《阿剌伯海的女神》由夜宿书屋出版。

熊佛西的长篇小说《铁苗》由上海华华书店出版。

吴祖光作三幕七场剧《捉鬼传》，次年 4 月由开明书店出版。

郭沫若散文集《南京印象》由上海群益出版社出版。

许地山的《杂感集》由商务印书馆出版，系作者遗稿的辑录，由作者夫人周俟松编辑。收文章 15 篇。

十二月

21 日，剧作家王大化逝世。

王大化（1919—1946），山东省潍县人（今潍坊市），生于 1919 年 5 月 16 日，他的小学和初中时代是在济南度过的。1935 年考入李大钊创办的北平艺文中学，积极参加了"一二·九"学生运动和青年救亡运动组织——民族解放先锋队。第二年加入共产主义青年团，同年 4 月加入中国共产党。

抗日战争爆发后，他曾撰写剧本《八百壮士》，与刘岘创作《抗战版画》，宣传抗日。1938 年为萧军的长篇小说《八月的乡村》刻了插图，还创作了《列宁像》、《鲁迅像》、《风雪中行军》、《二万五千里长征》、《日寇暴行——腹部取子》等木刻作品。1939 年初冬，到延安入马列学院学习，后调入鲁迅艺术文学院任教。1942 年 5 月 2 日，他在杨家岭聆听了毛主席在延安文艺座谈会上的讲话后，受到极大鼓舞。1943 年他和李波、杨路由、安波等创作了秧歌剧《兄妹开荒》。不久，他和水华、马可、王家乙等，创作和演出了《赵富贵自新》、《张丕模锄奸》、《二流子变英雄》等秧歌剧，多幕剧《惯匪周子山》和话剧《前线》，轰动了陕甘宁边区。1944 年冬，因在秧歌改革上的突出贡献，被评为陕甘宁边区"甲等文教英雄"。1944 年冬到 1945 年春，延安鲁迅艺术文学学院为了向党的“七大”献礼，集体创作大型民族歌剧《白毛女》，他和贺敬之、舒强、丁毅一道创作歌词；又和马可探讨《白毛女》的配乐。日本投降后，他在沈阳组成“东北文艺工作团”。其间，编写了《东北人民大翻身》、《祖国的土地》、《我们的乡村》；导演了《把眼光放远点》、《血泪仇》等；编辑了《新音乐》、《介绍黄河大合唱》、《音乐八一五》、《关于曹禺先生》和木刻《血泪仇》等作品。1946 年 12 月 21 日，他率领创作组从齐齐哈尔赴讷河一带深入生活，途中不幸坠车遇难，时年 27 岁。

《人民戏剧》文艺月刊创刊于佳木斯。中华全国文艺界协会东北分会戏剧会刊，由人民戏剧社出版，东北书店发行。1947 年 3 月出第 3、4 期合刊后休刊，此为第 1 卷。1949 年 6 月因全国剧协创办《人民戏剧》而终刊。塞克主编，编委有白桦、王震之等 12 人。撰稿人主要为编委。

黄宁婴的新诗集《民主短简》由文生出版社出版。

叶绍钧小说集《叶绍钧代表作》、老舍小说集《老舍杰作集》由上海全球书店出版。

康濯短篇小说《灾难的明天》由大连大众书店出版。

路翎中篇小说《蜗牛在荆棘上》和短篇小说集《求爱》由上海海燕书店分别出版。《求爱》列入胡风主编的“七月文丛”之一。收短篇小说 23 篇。

李广田的短篇小说集《金坛子》由上海文化生活出版社出版，列入巴金主编的“文学丛刊”第八辑。

万叶书店钱君匋出版了《子恺漫画选》，这是丰子恺第一本彩色漫画册。内容从历次展览会的作品中精选。

巴金等的散文集《名家幽默小品文精选》由上海经纬书局出版。

1947 年

一月

1 日，上海交通大学等 20 多个学校的学生 4 万余人，举行游行示威，要求美国军队撤出中国，并组成上海市学生抗议驻华美军暴行联合会。从 1 日至 6 日，杭州大中学校、天津南开大学、北洋大学、南京中央大学、金陵大学、广州中山大学、开封河南大学、重庆大中学校、武汉大中学校等，也发生学生游行、集会。

27 日，郭沫若作《拙劣的犯罪》，对沈从文关于创造社的论述加以批驳。

晋冀鲁豫边区文联编辑出版的《平原文艺》（月刊）创刊。1947 年 12 月终刊，共出 2 卷，每卷 6 期。

谢冰莹小说《女兵十年》由上海北新书局出版。这是作者的自传体小说。

赵树理的短篇小说集《福贵》由华北新华书店出版。

孔厥的短篇小说集《受苦人》由上海海燕书店出版，列入胡风主编的“七月文丛”第一辑，收短篇小说 13 篇。

陈残云的中篇小说《南洋伯还乡》由香港南侨编译社出版。

沙汀小说集《呼嚎》由上海新群出版社出版。

丁易的长篇小说《过渡》由知识出版社出版。

洪深的三幕剧《人之初》由上海正中书局出版。列入国立编译馆主编的“青年守则剧本”。

郭沫若散文集《我的结婚》由上海新益书局出版。

二月

1 日，《文潮》第 2 卷第 5 期报道，20 日，“老舍在美国费城国际学生总会发表演说，并以英文撰剧本一种，在美上演。又应哈佛大学远东历史系教授费正清博士及中文系主任之约，参观该大学。”

5 日，茅盾应邀参加苏联对外文化协会的欢迎宴会，4 月 5 日离开莫斯科，25 日到达上海。

28 日，重庆《新华日报》被国民党当局勒令停刊，本日出最后一期。《新华日报》是中国共产党在国民党统治区所办的唯一公开出版的大型机关报，1938 年 1 月 11 日在武汉创刊，1938 年 10 月 25 日武汉失陷后，《新华日报》迁至重庆。1947 年 2 月 28 日，国民党关闭了和谈之门，并强制封闭了《新华日报》。《新华日报》第一任董事长是当时任中共中央长江局书记的王明。潘梓年自 1937 年 10 月由党中央营救出狱后，就一直担任《新华日报》的社长职务。第一任总编辑为华岗。1939 年秋天，华岗因故离开《新华日报》。改由熊瑾玎出任《新华日报》的总经理。《新华日报》创办于第二次国共合作初期，当时，中华民族与日本侵略者的矛盾上升为主要矛盾。因此，宣传争取民族生存、独立，抗日救国就是《新华日报》办报的宗旨：“本报愿为前方将士在浴血苦斗中，一切可歌可泣的伟大史记之忠实的报道者记载者；本报愿为一切受残暴的日寇蹂躏的同胞之痛苦的呼吁者描述者；本报愿为后方民众支持抗战之鼓动者倡导者。”（《新华日报》1938 年 1 月 11 日）《新华日报》还表示愿与一切抗日救国的战士互勉，将自己变成抗日的个人、党派团体的共同喉舌。其副刊创办于 1942 年“九一八”纪念日，以宣传解放区的文艺政策、指导国统区的文艺创作为己任。

田间的长诗《她也要杀人》由海燕书店出版。列为胡风主编的“七月文丛”之一。作于 1938 年，是一首长达 600 余行的叙事诗。

拾风的长篇小说《飘零》由上海华华书店出版。

林语堂的长篇小说《风声鹤唳》由上海林氏出版公司出版，原著用英文写成，由徐诚斌译成中文。

向烽的中篇小说《残破的灵魂》由重庆西林出版社出版。

李劼人短篇小说集《好人家》收入《现代文学丛刊》，由中华书局出版。

丁西林《西林独幕话剧集》由上海文化生活出版社出版。

林柯根据巴金同名小说改编的四幕剧《春》由上海文化生活出版社出版。

三月

2 日，耿济之病逝于重庆。

耿济之（1899—1947），原名耿匡，上海人，文学家，翻译家。1918 年在北平俄文专修馆学习，开始翻译俄国文学作品。同年与郑振铎相识，成为挚友。1919 年底，参与筹备文学研究会，为发起人之一，并任会计干事。1922 年被派往苏联，曾会见过高尔基等苏联著名作家。1937 年因病回国，抗战期间，留居上海，隐姓埋名，闭门译书。1947 年脑溢血逝世。1918 年发表第一篇译文为托尔斯泰的《旅客夜谭》（即《克莱采尔奏鸣曲》），译过俄国苏联许多著名作家作品，如托尔斯泰的《论艺术》、《复活》，屠格涅夫的《父与子》，果戈理《疯人日记》，陀斯妥耶夫斯基的《卡拉马助夫兄弟们》、《白痴》、《死屋手记》，高尔基的《高尔基作品选》等，著作有《俄国四大文学家》等。

2 日，大众文艺作家、战地记者钱毅牺牲。

钱毅（1925—1947），安徽芜湖人，著名文学家阿英（钱杏邨）的长子。他生于芜湖，1928 年随家迁居上海，1941 年底日本占领上海后，转入苏北根据地。1944 年，调进刚创刊不久的《盐阜大众》报任编辑，后任副主编，在反击国民党军队对解放区的进攻中被捕牺牲。1943 年起致力于大众文艺。著有《海洋神话与传说》、《怎样写》、《大众诗歌》。1980 年，其遗稿被辑为《钱毅的书》出版。

13 日至 26 日，中共晋察冀中央局宣传部召开边区文艺界座谈会，交流延安文艺座谈会以后文艺工作者下乡入伍的经验，并初步总结边区提出《穷人乐》方向以来乡村文艺运动的经验。到会者有丁玲、艾青、田间、康濯、周巍峙等 20 余人，周扬主持。会议历时半月。《晋察冀日报》4 月 25 日发表了中央局根据座谈会讨论意见作出的《关于文艺工作的三个决定》。26 日，又发表周扬的《谈文艺问题——在边区文艺座谈会上的发言》。

许杰的短篇小说集《别扭集》由上海开明书店出版，列入“开明文学书刊”。

茅盾的小说《霜叶红似二月花》由上海光华出版社印行。

巴金长篇小说《寒夜》由上海晨光出版公司出版。《寒夜》是巴金的最后一部长篇小说，也是其小说创作中时代感和现实感较强的一部作品。这部作品的诞生，标志着巴金在现实主义艺术探索中所达到的最高成就。“《寒夜》是这样一部杰作，它触及到人们内心世界深处，是真理的片断、生活侧面和爱情与绝望的呼喊。”（载法国《世界报》1978 年 5 月 5 日，转引自《国外社会科学》1978 年第 5 期。）

艾明之的长篇小说《雾城秋》由上海新群出版社出版。

茅盾的散文集《生活之一页》由上海新群出版社出版，列为“新群文艺小丛书”之一。

散文集《文人画像》由上海晨光出版公司出版。作者有林语堂、苏雪林、曹聚仁、味橄（钱歌川）、温源宁、郑朝宗、老向（王向辰）、大华烈士（简又文）、刘大杰、许钦文、赵景深、沈从文、老舍等著。编者《序言》称：“这里选辑了三十个短篇，作者俱属名家，被写的对象都是中国新文学运动发生前后文坛艺坛上几个重要的角色。”描写对象有严几道、林琴南、章太炎、辜鸿铭、王静安、黄公度、齐白石、胡适之、刘复、吴宓、徐志摩、李叔同、冯友兰、孙伏园、刘大白、徐悲鸿、老舍、郁达夫等。

四月

28 日，郭沫若在上海寓所为近日访苏归来的茅盾夫妇举行“洗尘小集”。应邀出席的有郑振铎、洪深、熊佛西、叶圣陶、沈钧儒等文化界人士二三十人。

王实味被杀害。

王实味（1906—1947），杂文家、小说家。原名王诗薇。笔名实味、诗味、叔翰等。河南潢川人。1923 年中学毕业，考入河南留美预备学校。1925 年考入北京大学文科预科。后去南京，开始发表小说。1930 年到上海，主要从事翻译。1933 年回河南任教。1937 年赴延安，先在鲁迅艺术文学院任教，后任马列学院编译室特别研究员。1942 年因写《野百合花》等文章受到批判。翌年又因“托派”、“反党集团”案被捕。1947 年 4 月在国民党胡宗南军队进攻延安时，被错误处决。1992 年公安部予以平反，并发给其家属抚恤金。著有小说散文集《休息》、《野百合花》、《政治家·艺术家》、《毁灭的精神》等。

臧克家诗集《生命的零度》由上海新群出版社出版。收集的几乎都是政治抒情诗。

白夫（章荣圭）新诗集《白夫诗集》出版，收诗 28 首。

陶行知的新诗集《行知诗歌集》出版，收 1918 年至 1946 年所作诗 577 首，前有作者传略，后有郭沫若的《校后记》。郭沫若说：“他的诗体的解放是在解放区作家之前，他真可以说是独开风气之先。”“没有十分解放的诗体，在这全集中也有，那是用旧体诗词的体裁歌写个人感情的，那些作品多是早期的东西。”

庄涌的诗集《突围令》由上海海燕书店出版。收诗 9 首，写于 1938 年至 1939 年，均为抗日诗歌。

东平的短篇小说集《茅山下》由香港海洋书店出版，列入周而复主编的“北方文丛”第二辑。

杨力短篇小说集《人生赋》由上海海燕书店出版，列入胡风主编的“七月文丛”。

老舍的短篇小说集《微神集》由上海晨光出版公司出版，收短篇小说 17 篇。

艾芜的长篇小说《故乡》由上海自强出版社出版。该作共分六部，五十余万言。1940 年在桂林开始写作，1941 年 9 月在香港《华商报》开始连载。后香港沦陷，原稿被炮火所毁，直至 1945 年才在重庆完成。

孙陵的长篇小说《大风雪》由上海万叶书店出版，列入“万叶文艺新辑”。

赵清阁的长篇小说《艺灵魂》由上海艺海书店出版。

吴祖光戏剧《捉鬼记》由上海开明书店出版。

孙犁小说散文集《荷花淀》由香港海洋书屋出版，列为周而复主编的“北方文丛”第二辑。

萧乾的报告文学集《人生采访》由上海文化生活出版社出版，收报告文学 36 篇。

五月

4 日，萧军主编的《文化报》在哈尔滨创刊。1948 年 11 月 2 日被迫停刊。出了正版72期，增刊8期，共计80期。此报开始五天出一次，每次印一两千份，内容大都是报导文化、文艺活动的消息和刊登一些短文，彩色套版。中间因萧军参加“土地改革”而停刊，后又复刊。内容有较大扩充。除报导文化、文艺活动的消息外，适当增加了一些文学作品，最高印数达七八千份。

5日，上海《大公报》发表由萧乾执笔的社论文章《中国文艺往哪里走?》。

文章开篇便谈到了文艺发展方向的问题：“昨天是全国文艺节。五四文学革命的元勋胡适之先生在本报曾向读者诸君追忆那伟大运动的盛况及其背景。佳节庆过，我们今天愿与诸君谈谈五四运动对于……中国文艺的影响，从而探索一下中国文学今后应走的途径。”在谈到三十年来文艺的状况时，社论认为，文艺最重要的就是要民主：“过去卅年来，中国文坛可说是一连串的论战：有的是派与派争，如‘语丝’与‘现代’，有的是针对着问题，如‘艺术为艺术’还是‘艺术为人生’。那些论战，看来似是浪费，然而却一面代表当时作家对事的不苟，一面由派别主张之不同，也可以表征中国文坛盛极一时的民主。近来有些批评家对于与自己脾胃不合的作品，不就文论文来指摘作品缺点，而动辄以‘富有毒素’或‘反动落伍’的罪名来抨击摧残。在国家患着贫血，国人患着神经衰弱的今日，这现象是大可原谅的。我们希望政治走上民主大道，我们对于文坛也寄以民主的期望。民主的含义尽管不同，但有一个不可缺少的要素，那便是容许与自己意见或作风不同者的存在。民主的自由有其限度，文学的自由自然也有其限度。以内容说，战前亲日战后亲法西斯的作品应该摈弃，提倡吸毒或歌颂内战的也不应容纳，但在‘法定’范围内，作家正如公民，应有其写作的自由，批评家不宜横加侵犯。这是说，纪念五四，我们应革除只准一种作品存在的观念，而在文艺欣赏上，应学习民主的雅量。”而“对于作家，除了发诸肺腑的同情以外，我们只能在无助的心情下加以安慰。古人说，诗穷则工。中国今日可说穷到家了。我们并不相信穷是创作的条件。反之，我们认为它是写作的障碍。然而各国历史上的黑暗时代，都还有其杰作。十九世纪帝俄的社会并不比我们的好，然而却产生了陀思妥耶夫斯基，托尔斯泰等大师……。作家只要真具有悲天悯人的大无畏精神，便就永有写作的马达。应抨击的黑暗势力，自然要百折不挠的抨击下去。但一个有理想，站得住的作家，绝不宜受党派风气的左右，而能根据社会与艺术的良知，勇敢而不畏艰苦地创作。文学家与其他人类同样有一颗心，对于不平一定要鸣，对于黑暗自然要攻击，但文学家之所以异于其他以笔墨为职业的人，正因为他的笔是重情感，重想象，比较具有永久性的。”

文章最后则对全国文艺的发展提出了新的希望：“今日已不是争执鸡生蛋或蛋生鸡的时候了。今日已不是《现代》战《语丝》,《创造》对《新月》的时候了。中国文学革命了二十八年，世界张手向我们要现货，要够得上世界水准的伟作。庆祝完文艺佳节，我们一面要求负责或关心中国文化的国人，为祖先为子孙，替窒息而枯涸的文坛开条生路，想法增加作品的销路，保障其著作版权，减少官方登记检查的留难，一面希望全国文艺工作者把方向转到积极上，把笔放到作品上，以知其不可为而为之的精神，写下这一辈中国人民的希望与悲哀，遭际与奋斗，使文坛由一片战场而变为花圃：在那里，平民化的向日葵与贵族化的芝兰可以并肩而立。五四是中国民主运动的一股主力。敬祝中国文坛永不失掉这份民主精神！”

《穆旦诗集》由作者自印出版。收入1939年至1945年的诗作66首，附录王佐良《一个中国诗人》一文。王佐良在文中说：作者“最善于表达中国知识分子的受折磨而又折磨人的心情”，“在普遍的单薄之中，他的组织和联想的丰富有点近乎冒犯别人了”，“他的奇幻都是新式的。那些不灵活的中国字在他的手里给揉着，操纵着，……他有许多人家所想不到的排列与组合”。

许杰的短篇小说集《胜利以后》由上海黄河出版社出版，列为“文丛”之一，收短篇小说4篇。

施济美的短篇小说集《凤仪图》由上海大众出版社出版。

王平陵的短篇小说集《湖滨秋色》由上海商务印书馆出版，收短篇小说9篇。

姚雪垠的长篇小说《长夜》由上海怀正文化社出版。

钱钟书的长篇小说《围城》由上海晨光出版公司出版。这也是作者唯一的一部长篇小说。解放前曾三版发行，颇为当时评论界所推崇，且引起过争论。作者在序言中说道：“在这本书里，我想写现代中国某一部分社会，某一类人物。写这类人，我没忘记他们是人类，只是人类，具有无毛两足动物的基本根性。”（《文艺复兴》第2卷第6期，1947年1月1日。）

1947年8月19日上海的《大公报》发表了署名“屏溪”的评论文章。文章说：“人物性格的刻画，一般来讲是成功的。作者笔下的那辈留学生、大学教授、女博士以及其他不容易归类的角色，都被心理地描写出了他们或她们潜意识领域的秘密，写出了他或她的长处及瑕疵。从这些人物的活动上，一幅现社会某个寓落的世态也给发掘了，如同他们的欢乐、希望和悲哀。”“有人对这本书鼓掌也许还因为文字铺展的技巧。每一况喻，都如珠玑似地射着晶莹的光芒，使读者不敢逼视而又不得不鄘上去，不相干的引典，砌在枝刺毕备的岩缝里，则又不觉得不撣采撷，于是在庸凡的尘寰剪影里挤满了拊掇不尽的花果，随意地熟坠每一行，每一章。”“但作者并未重他的故事。他的故事只是一种纾延文字的手段，牧童吹着狡猾的竹笛，只使得韵律生动、可人，对于唱的内容可并未介意。因此，在衡量整篇的价格时便费踌躇了。……固然作者也给我们窥睨到了片面的现实，但这些已褪了彩的霞霭实不必留恋，作者用在这些方面的讽语未免慷慨得有些浪费了。”（屏溪：《〈围城〉读后》，上海《大公报》1947年8月19日。）

彭斐在评论《围城》时说：“《围城》之妙，该是妙在作者钱钟书先生的超人机智，和他那五车的才学，以及透过那重机智的冷嘲热讽的笔调上，纵观全书，内容丰富精彩，写得极轻快活泼，淋漓尽致，在目迷神眩之余，读者们往往捉摸不到全书的主题，忽略了故事的进展，甚至记不起人物的性格，只是被动地随着作者的嬉笑怒骂而前进，及至读完全书，在我们的印象中，却只记得一个人，一件事，这便是作者钱钟书本人，和他的聪明风趣。”文章在分析了方鸿渐、苏文纨和孙柔嘉等人物后说：“讲完了故事与角色，最后应该提到的便是全书的文字之美，换句话说，也就是《围城》这本小说的独特卓越的风格。”“且说《围城》一书，故事尽管很简单，人物也未见复杂，然而我想读过的诸君没有一个人会不承认，这本书很有份量，也很能引人入

胜；不管各人的批评是赞美还是责难，《围城》之能给读者一个很深的印象，乃是一个不争的事实。至于它的能够引人入胜，令人不忍释手的理由，一般说……大概只有一项，就是作者的穿插，以及穿插中所表演的幽默风趣和机智。”“钱钟书的文字，清丽美好，又颇洗练流畅，书中有好几段绘声绘影，有几段有情有景。”“其实进一步看清凉畅快这四个字，正好来形容《围城》这本小说”，“钱钟书先生的生龙活虎笔调”、“雅谈不俗的笑料”就是“一阵让人清醒的狂雨”。（彭斐：《〈围城〉评介》，《文艺先锋》半月刊第 11 卷第 3 期，1947 年 10 月。）

唐湜在《师陀的〈结婚〉》一文中也谈到《围城》。他说：“三十年的长篇小说的发展中，茅盾先生的《子夜》和钱钟书先生的《围城》似乎是比较有代表意义的。《子夜》的结构是史诗式的，《围城》似乎也是的……《围城》很像十八世纪英法的小说，如高尔斯密们的作品。一付健强者的风度与太丰富了的比喻与机智会使我们放不下书，可是，也正是因为作者太爱自己出场，潇洒的谈吐就不能不成为小说进展的绊脚石，结果是一盘散沙，草草收场。”（唐湜：《师陀的〈结婚〉》，《文讯》月刊第 8 卷第 3 期，1948 年 3 月 15 日。）

也有评论者谈到了《围城》所受的外国文学的影响，如林海的《〈围城〉与 Tom Jones》一文就比较了《围城》与《Tom Jones》的相似性。他说：“这儿只打算挑出一部性质跟它最近似的小说来比较，这就是十八世纪英国小说家亨利·菲尔丁（Henry Fielding）的杰作《汤姆·琼斯传》（Tom Jones）。”作者认为，“钱钟书与菲尔丁至少有两点相同：第一，他们都是天生的讽刺家或幽默家，揭发虚伪和嘲笑愚昧是他们最擅长的同时也最愿意干的事情；第二，他们都不是妙手空空的作家，肚子里有的是书卷，同时又都不赞成‘别材非学’的主张，所以连做小说也还要掉些书袋。这两点，前者决定内容，后者决定外表，他们作品的‘质’与‘形’可由此推知了。”“菲尔丁在《汤姆·琼斯传》的开卷第一章里，以饮食为喻，声明他要奉献给读者的佳肴只有——人性。说得明白点，他在那本小说里唯一要做的，是忠实地刻画人生。钱先生虽不曾公然拈出揭发人性的宗旨，但它的《围城》却更彻底地是一部人性大观。”“正由于宗旨相同，这两书的‘口气’（Tone）便也不谋而合。”“《围城》和《汤姆·琼斯传》同样是以幽默讽刺的笔调来写的，这笔调渗透全书，成了一种不可须臾离的原质”，“这两位作家稍微有些不同。菲尔丁虽好讽刺，却并不悲观。”“钱先生则是个彻底的悲观家，‘讽刺之外，唯有‘感伤’。”在谈到小说体裁时，作者认为：“这两部作品都是所谓恶汉体的小说（The Picaresque novel）。这派小说有个特点，便是不大注重故事，因而也无所谓结构。”“钱钟书和菲尔丁之根本相通处，这两位小说家有个共同的信念，便是题材无关紧要，要紧的是处理这题材的手腕。”“关于写作的方法，菲尔丁和钱钟书……都是诗人的技巧。”

“以上是就二书相同之点来作比较。假如还要进一步地去讨论他们的互异之点，那我们可以简单地说《汤姆·琼斯传》中的事实多于议论；《围城》刚刚相反，议论多于事实。这分别是植根于两位作家生活经验广狭的不同。菲尔丁的经验比较丰富，所以他的作品虽也一样的以‘批评人生’为主要目的，却多少总带‘表现人生’的倾向，尽管把来自多方面的事实填塞进去。钱先生所见的人生似乎不多，于是他更珍惜这仅有的一点点经验，要把它蒸熟、煮烂，用诗人的神经来感觉它，用哲学家的头脑来思考它。其结果，事实不能仅仅是事实，而必须配上一连串的议论。这议论由三方面表达出来：作者的解释，人物的对话，主人翁的自我分析。说到这里，不由的令人想出一个新的名词：'学人之小说'。"（林海：《〈围城〉与 Tom Jones》，《观察》周刊第5卷第14期，1948年11月27日。）

冯至散文集《山水》由上海文化生活出版社出版。《山水》由13篇散文组成，属于抗战后期的只有8篇，作者在集中自白说："至于这小册子所写的，都不是世人所倡的名胜。""真实的造化之工却在平凡的原野上，一棵树的姿态，一株草的生长，一只鸟的飞翔，这里边含无限的永恒的美。所谓探奇访胜，不过是人的一种好奇心，……我爱树下水滨明心见性的思想者，却不爱访奇探胜的奇士。"

司马文森的报告文学集《尚仲衣教授》由香港文生出版社出版。

施蛰存的散文、诗合集《待旦录》由怀正文化社出版，列为刘以鬯主编的"怀正文艺丛书"之四。

六月

1日，沈从文小说《巧秀和冬生》发表于《文学杂志》2卷1期。

杜若、芥子等15人的新诗、散文、戏剧、小说合集《钩梦集》由长城出版社出版。由臧克家作《序》。《序》说："这是一个声音，一个从生命力迸发出来的战斗和对于祖国恋念的喁喁的声音。"

周而复的短篇小说集《高原短曲》由香港海洋书屋出版。

臧克家的短篇小说集《挂红》由上海读书出版社出版，收短篇小说10篇。

师陀的长篇小说《结婚》由上海晨光出版公司出版。

唐湜评论说："新文学运动以来，真正的长篇小说（Novel）实在产生得很少，大部分长篇在结构上（Plot）都只能说是短篇与中篇的延长，因为在严格的意义上，长篇不能只是一个或几个有暗示性的场面的连贯与扩大，它必须是一个大建筑，包括一个主体的完整性与一个根茎叶花的各如其份的匀和。""三十年来的长篇小说的发展中，茅盾先生的《子夜》与钱钟书先生的《围城》似乎是比较有代表意义的。《子夜》的结构是史诗式的，《围城》似乎也是的。但《子夜》太多特写的新闻镜头，像由许多短篇拼凑起来的，而茅盾先生对人物性格的联结与推展所构成的画面也没有给予一种统一又巨大的精神动力，……因而《子夜》就不能不陷于新闻主义的支离又概念化的境地。《围城》很像十八世纪英法的小说，……可是也正因为作者太爱自己出场，潇洒的谈吐就不能不成为小说进展的绊脚石，结果是一盘散沙，草草收场。"而《结婚》这部长篇小说，在唐湜看来虽然"在成就上与规模上都不如《子夜》与《围城》，但却是一个奇异而更繁杂的混合，一个更草率的东西，比作者所作的任何东西都更缺乏和谐与完整，却又是一个新的起点：失败是成功之母。"唐湜分析了小说主人公胡去恶形象，认为他只是一个"软骨病患者，一个过去时代的幽灵"。唐湜指出，"作者的落后的生活态度与世界观的具体观念跟他的现实的题材，市侩主义的都市的矛盾，这使他走向巴尔扎克式的悲剧：作为主题诗的浪漫又纯洁的传奇与作为散文题材的市侩主义的氛围的不能和谐地形成艺术的完整的悲剧。到处可以看到诗人的力不从心的挣扎。而他又没有巴尔扎克那样巨大的浪漫的热情来克服，压倒一切障碍，于是，改组派小足式的叙述便到处发现，这多么可悲，这不仅是胡去恶的悲剧，而竟更是现代的牧歌诗人的悲剧。而这又形成了风格上的零乱与不够沉潜凝练与结构上的更可怕的不调和与不完整，而更因此，人物的具象的个性便也黯淡了，他们只成了肤浅的象征，不能有太实际的意味，许多过火的描写与谈吐，与缺乏深厚的力，使人起了在潜水里游泳的感觉。”尽管唐湜对师陀的作品多有指责，但他也相信，《结婚》“在中国目前贫乏的文坛上，这到底还是可喜的收获。而在作者自己，更是一个新的起点，一个进步的蜕变，一次新的拥抱，拥抱新的视野与题材。”（唐湜：《师陀的〈结婚〉》，《文讯》第8卷第3期，1948年3月15日。）

熊佛西的长篇小说《铁花》由上海怀正出版社出版，列为刘以鬯主编的“怀正文艺丛书”之一。

李广田的长篇小说《引力》由上海晨光出版公司出版，列为赵家璧主编的“晨光文学丛书”第二十五种。

秦牧的杂文、历史小说合集《秦牧杂文》由上海开明书店出版，收杂文18篇，历史小说7篇。

七月

1日，中共冀中区党委宣传部发出《关于土改复查中开展文艺创作的号召》，冀中区文艺工作者响应号召，王林、方纪、秦兆阳、孙犁、胡苏等分赴各地参加土改。

20日，胡适的论文《两种根本不同的政党》在当时许多报纸上登载。

臧克家、曹辛之、林宏合作组织星群出版公司，出版《诗创造》月刊，主编《创造诗丛》，共12种。《诗创造》为32开本。月出一辑。各辑另有题名，如《丑角的世界》、《箭在弦上》、《黎明的企望》、《祝寿歌》等。着重刊登强烈地反映现实的作品。撰稿人有方敬、臧克家、戴望舒、袁水拍等。除发表众多诗作外，还刊载诗歌理论和批评文章。第12辑为《诗论专号》，刊有袁可嘉的《新诗戏剧化》、陈敬容的《和方敬谈诗》等文章。

王佐良在《文学杂志》2卷2期上发表《一个中国新诗人》。本文评价的是一位后来被批评界称之为“九叶诗派”的年轻诗人穆旦。文章认为穆旦“多少与国立西南联大有关”，受了“艾里奥脱（艾略特）与奥登”的影响，“以纯粹的抒情著称”，“人家把他看作左派”，不过他“并不依附任何政治意识”。

柳青长篇小说《种谷记》由上海光华书店出版。1950年1月4日下午四时，在上海的锦江餐馆召开了《种谷记》座谈会，参加会议的有巴金、李健吾、周而复、冯雪峰、叶以群、魏金枝等。李健吾认为：“作者一丝不苟，现实主义充满在这本书中，写得很踏实，可看出作者很会写文章。”许杰认为：“我看完后，总的感觉是沉闷，无大波澜，人物不突出，故事也不曲折。以题材讲，也只是一个短篇小说的题材。”“我怀疑作者是受了西洋小说细腻描写的影响的，所以有些使人家不愿看下去的感觉。”冯雪峰的评价是：“我认为这部小说的价值，是在于它把当时共产党抗日根据地陕北的一个村庄的面貌，介绍给我们，介绍得非常精确和非常详细。”“我觉得，这部小说，虽然在创作的方法上我以为有值得讨论的地方，但仍有它并不小的价值，我们决不能因为写的方法上的问题而抹杀它。我们耐心的细读它，对我们仍是有益的。”（《小说》3卷4期）

许地山遗著《危巢坠简》由商务印书馆出版。《危巢坠简》是大革命以后以至抗战前期之间的作品，共14篇，是作者的第二部短篇小说集。集中有《春桃》、《铁鱼底鳃》等名篇。

杨绛的四幕剧《风絮》由上海出版公司出版。

路翎作四幕悲剧《云雀》，次年11月由上海希望出版社出版。

八月

晋冀鲁豫文艺工作者座谈会上，陈荒煤作《向赵树理的方向迈进》的发言。

朱自清的诗论《诗言志辨》由上海开明书店出版。

李一痕的诗集《谎言》由中国出版社出版，列为“中国新诗写作研究会丛书”之一。收诗20首，另有《题词》和《后记》。

巴金的小说《怀念》由上海开明书店出版。作者在“前记”中讲：“我称这本小说为《怀念》，读者可以看见满溢在字里行间的‘怀’和‘念’。我每一想起我在这些年中间失去的几位好友，我就无法压抑着烧心熬骨的怀念。在寂寞痛苦的没有办法的时候，我就写下了这些怀念的文章来。”

戴夫的中篇小说《不可征服的人们》由佳木斯东北书店出版。

欧阳山小说《高干大》由华北新华书店出版。

吴祖光的三幕剧《嫦娥奔月》由上海开明书店出版。剧作采用嫦娥奔月的神话故事赋予现实的社会内容。如同作者说的：“‘射日’是抗暴的象征，而‘奔月’是争自由的象征；这其中的经过，又是多么适当地足以代表进步与反动的斗争。”（《嫦娥奔月·序》）

九月

15日，艾芜小说《石青嫂子》发表于《文艺春秋》5卷3期。

刘洪叙事长诗《艾艾翻身曲》由大众书店出版，列为“大众文艺丛书”之一。

鲁藜的诗集《锻炼》由海燕书店出版，列为胡风主编的“七月诗丛”之一，收1940年至1944年所作叙事长诗4首。

臧云远的诗集《清道夫和白果树》由春草诗社出版，上海群海联合发行所经售。收1944年至1945年所作诗22首，另有《后记》。

康濯小说《我的两家房东》收入《解放区短篇创作选》（作者还有丁玲、孙犁、康濯、刘白羽等，周扬编）。由东北书店出版。冯乃超认为，不少描写农民的作品常把农民写成“是宿命地活着”，“千篇一律的愁眉苦脸”，然而《我的两家房东》的作者，“生活在变革中的农村社会里面，并且参加着改革的工作”，因而使作者“比较容易发现农民身上积极的特点，被解放了的特点”，在小说中显示出萌芽着的“新的道德，新的标准，和新的爱情观念”，“已经放出新现实主义的胜利的信号了”。(《评〈我的两家房东〉》，《大众文艺丛刊》第 2 辑《人民与文艺》。)

郭沫若的小说集《地下的笑声》由上海海燕书店出版。书前有《序》，收中短篇小说 23 篇，为作者此前所作小说的总汇。

高寒（楚图南）的杂文集《刁斗集》由贵阳文通书局出版，收杂文 34 篇。

吴祖光的四幕剧《林冲夜奔》由上海开明书店出版。列入“吴祖光戏剧集”之一。

无名氏的散文集《火烧的都门》由上海真善美图书出版公司出版，收散文 27 篇。

十月

1 日，中华全国文艺界协会会刊《中国作家》季刊在上海创刊。叶圣陶主编，老舍发行。该刊是中华全国文艺界抗敌协会由渝迁沪，并改名为中华全国文艺界协会后的会刊，是继《抗战文艺》停刊而创办的综合性文艺刊物。刊载文艺论文、评介、小说、散文、诗歌等。主要撰稿人有朱自清、胡风、郭沫若、郑振铎、巴金、冯雪峰、魏金枝、沙汀、冯至、路翎等。

2 日，冯雪峰编《丁玲文集》并作《后记》。《后记》曾以《从〈梦珂〉到〈夜〉》为题先在 1948 年 1 月出版的《中国作家》季刊第 1 卷第 2 期上发表，后收入《论文集(第一卷)》。《后记》对丁玲的 7 篇文章，进行了细致分析。

冯雪峰在后记中说：“这七篇（《梦珂》、《莎菲女士的日记》、《水》、《新的信念》、《人伍》、《我在霞村的时候》、《夜》），照年代先后的程序读起来，读者也可以得到关于作者的一个大致的轮廓，明白作者所经过来的奋斗与创作的路程的。例如《梦珂》，是作者开笔第一篇小说，作于一九二七年，闪耀着作者的不平凡的文艺才分，惹起广泛读者的注意，却也更透明地反射着那时代的新的知识少女的苦闷及其向前追求的力量，逼迫着读者的。第二篇问世的《莎菲女士的日记》，是《梦珂》的一个发展，艺术手段也高得很远了；但这发展，同时也就是一个不能再前进的顶点，面临着一个危机了。那就是从《梦珂》开始，现在达到了一个感伤主义了，而这感伤主义又是由绝望和空虚所构成的。”谈到作品《水》，冯雪峰认为：“《水》，以艺术对现实对象的深度和艺术的精湛而论，反而不及以前的《莎菲女士的日记》，当然更不及后来她的一些更坚实的作品。它的不满人意的地方，照我看来，是在于以概念的向往代替了对人民大众的苦难与斗争生活的真实的肉搏及带血带肉的塑像，以站在岸上似的兴奋的热情和赞颂代替了那真正在水深火热的生死斗争中的痛苦和愤怒的感觉与感情，而不能借这一幅巨大的群众斗争的油画心惊肉跳的被人民的力量所感动。这作品是有些公式化的，同时也显见作者的生活和斗争经验都还远远的不深不广。”“但我们可以当作作者创作发展上的一个过渡来看，把它当作她的一个新的起点。她的那种对人民的向往，当作作家的一种前进的倾向看是正确的，她的热情也是诚恳的。”“所以《水》依然是作者发展上的一个标志，同时也是我们新文艺发展的一个小小的标志。”至于《夜》，冯雪峰这样评价：“《夜》，我觉得是最成功的一篇，仅仅四五千字的一个短篇，把在过渡期中的一个意识世界，完满的表现出来了。体贴而透视，深细而简洁，朴素而优美，新的人民的世界和人民的新的生活意识，是切切实实地在从变换旧的中间生长着的。”

同日，韦君宜小说《三个朋友》发表于《人民日报》。

10日，黄谷柳的长篇小说《虾球传》在香港《华商报》副刊开始连载。小说按照夏衍的建议，参照章回小说形式，以利报刊连载。《虾球传》共三部：《春风秋雨》、《白云珠海》和《山长水远》。茅盾在全国第一次文代会议上曾举《虾球传》来说明抗战胜利前后几年间民主运动激流中小说方面的新的成绩，说它“从城市市民现实生活的表现中激发了读者的不满、反抗与追求新的前途的情绪”，而且在风格上“打破了‘五四’传统形式的限制而力求向民族形式与大众化的方向发展”。这部作品通过流浪无产者少年儿童虾球的经历，描写了香港、国统区和游击区的各种动态，产生了广泛的宣传教育的作用。茅盾说：“一九四八年，在华南最受读者欢迎的小说，恐怕第一要数《虾球传》第一二部了。”（茅盾：《在反动压迫下斗争和发展的革命文艺》）1949年春，在香港《大众文艺丛刊》和《文汇报》等报刊上，曾展开关于“虾球问题”的讨论。楼适夷、周钢鸣等写过文章。

《文艺丛刊》创刊于上海，1948年7月终刊，共出六集。范泉编辑。先后由上海文艺出版社和中原出版社发行，为不定期刊物。每期另有题名，依次为《脚印》、《呼唤》、《边地》、《雪花》、《人间》和《残夜》。刊有丁易、巴金、孔另境、王西彦、田涛、李广田、谷斯范、茅盾、范泉、徐迟、陈白尘、臧克家、黎烈文、戴望舒等人的作品和文章。

赵清阁主编的现代中国女作家专集《无题集》由上海晨光出版社出版。收冰心、凤子、袁昌英、冯沅君、罗洪、谢冰莹、苏雪林、陆晶清、陆小曼、沉樱、王莹等女作家的短篇小说。

周扬等著《论文艺工作》由求实社出版。收有《马克思主义与文艺》等三篇，陈云的《关于党的文艺工作者的两个倾向问题》等。

臧克家主编的“创造诗丛”由上海星群出版社出版。包括：方平的《随风而去》、吴越的《最后的星》、唐湜的《骚动的城》、索开的《歌手乌卜兰》、沈明的《沙漠》、黎先耀的《夜路》、李搏程的《婴儿的诞生》、康定的《掘火者》、苏金伞的《地层下》和杭约赫的《噩梦录》等。每本诗集均有臧克家所写的序文。

黄药眠的长诗《桂林底撤退》由群力书店印行，列为“南方诗丛”之一。

玉杲的叙事长诗《大渡河支流》由建文书店出版。冯雪峰的《序》说：“这悲剧本身注定这家庭和这阶级是绝望的，并且必须由革命去毁灭的。”“由于诗人之全心的贯注，诗的高度的到达，这成为一篇很珍贵而重要的史诗。”

刘白羽的短篇小说集《勇敢的人》由佳木斯东北书店出版。收短篇小说9篇。

肖群的短篇小说集《盐巴客》由上海大众出版社出版，列入“大众文艺丛刊”第二种。

冯雪峰的小说集《今寓言》由上海作家书屋出版。所选寓言为1946年12月至

1947 年 7 月在上海所写，共 65 篇。

鲁迅先生纪念委员会编《鲁迅三十年集》（综合集）由上海鲁迅全集出版社出版。

十一月

17 日，老舍的《海外书简》发表在香港的《华商报》上。本文系同月 2 日老舍在纽约写给楼适夷的信。信中简述了老舍在纽约一年来的工作、生活概况，对美国戏剧、电影不景气，物价飞涨等发表了感慨："去年同曹禺到各处跑跑，开开眼界。今年，剩下我一个人，打不起精神再去乱跑，于是就闷坐斗室，天天多吧少吧写一点——《四世同堂》的第三部。""没有享受，没有朋友闲谈，没有茶喝。于是就没有诗兴与文思。写了半年多，《四世》的三部只成了十万字！这是地道受洋罪！"

唐湜在《文艺复兴》4 卷 2 期发表《路翎与他的〈求爱〉》。文章认为"路翎无疑的是目前最有才能的，想象力最丰富而又全心充满着火焰似的热情的小说家之一"。他的小说有着"美丽又温柔的人性的跃动"。

王亚平的新诗集《中国，母亲的土地啊》由海丰出版公司出版。列为"新丰文丛"之一，

萧野的诗集《战斗的韩江》由人间书屋出版，列为"人间诗丛"之一，收诗 11 首。

陈容子的诗集《昨夜的祝福》由广州文海出版社出版，列为"文海诗丛"之一，收诗 23 首。

方冰的长诗《柴堡》由大连光华书店出版。

罗烽的短篇小说集《故乡集》由上海光华书店出版，收短篇小说 10 篇。

草明的短篇小说集《今天》由哈尔滨光华书局出版。除《后记》外，收短篇小说 11 篇。

田涛的长篇小说《边外》由上海怀正文化社出版，列为刘以鬯主编的"怀正文艺丛书"之五。

十二月

周立波小说《暴风骤雨》从 1947 年 12 月始至 1948 年 1 月在哈尔滨的《东北日报》上发表。

施蛰存的短篇小说集《四喜子的生意》由上海博文书店出版，收短篇小说 9 篇。

蹇先艾的短篇小说集《四川绅士和湖南女伶》由上海博文书店出版，收短篇小说 10 篇。

柯蓝的中篇小说《红旗呼啦啦飘》由香港海洋书屋出版，列入周而复主编的"北方文丛"第三辑。

碧野的长篇小说《湛蓝的海》由上海新新出版社出版。

唐弢散文集《识小录》由上海出版公司出版。收杂文 44 篇，另有《序》、《后记》各一篇。《序》说："清初，徐树丕以清朝遗民，曾有《识小录》之作，又自号曰'活

埋庵主人'，我生于民国，无须远攀古人，俗话说：'不贤识小'，袭用旧名，正是对自己的一种鞭策，也以抗议三十年来，身所经历的活埋式的环境。”集中多为文坛评论和社会批评，以剖析灵魂为主。

郭沫若的散文杂文集《沸羹集》、《天地玄黄》由上海大孚出版公司出版。

1948 年

一月

5 日，香港“文协”分会举行新年团聚大会，欢迎由大陆来港的文化人。郭沫若、茅盾、柳亚子等讲话。

8 日，上海《大公报》发表社评《自由主义者的信念》。

22 日，香港《华商报》发表胡绳《为谁“填土”？为谁“工作”？——斥大公报关于所谓“自由主义”的言论》。

朱光潜的《现代中国文学》发表于《文学杂志》第 2 卷第 8 期。

臧克家诗集《冬天》由上海耕耘出版社出版。

冯雪峰新诗、杂文、寓言选集《雪峰文集》由上海春明书店出版。包括新诗 6 首，杂文 33 篇，寓言 20 篇，列为《现代作家文丛》第 10 集，冯雪峰在 1947 年 9 月 27 日写的《小序》中说：“我写的东西，不仅数量很少，并且大部分都是因社会和政治现象而发的一些小议论和感想，现在就尽量挑选其中和时事关系较远的那些。”该文后收入选集。

毕彦的新诗集《今夜的祝福》由静流出版社出版。

辛笛的诗集《手掌集》由上海星群出版社出版。内收写于 1933 年至 1946 年的诗 46 首，另有《后记》一篇。诗作分《珠贝篇》、《异域篇》和《手掌篇》三篇。

马荫隐的诗集《旗号》由香港嘉华有限公司印刷，生活书店总经销。收诗 4 首，另有《跋》。

康玖琼的长诗集《蜜夜曲》由重庆文华出版社出版，收抒情长诗 4 首。

艾芜长篇小说《山野》由上海文化生活出版社出版。

师陀的长篇小说《马兰》由上海文化生活出版社出版，列为巴金主编的“现代长篇小说丛刊”第十二种。

萧红的中篇小说《小城三月》由香港海洋书屋出版，列为“万人丛书”之一。

周而复的短篇小说集《翻身的年月》由香港海洋书屋出版，列入周而复主编的“北方文丛”第三辑，收短篇小说集 3 篇，分别是《八月的白洋淀》、《山谷里的春天》、《海上的遭遇》。

郑定文的短篇小说集《大姊》由上海文化生活出版社出版，列入巴金主编的“文学丛刊”第九集。收短篇小说 12 篇。

吴奚如的短篇小说集《卑贱者底灵魂》由上海潮锋出版社出版。

丰村的短篇小说集《望八里家》由上海大城文化事业公司出版。

宋之的的剧本集《群猴》（又名《人与畜》）由哈尔滨光华书店出版。

秋云的散文集《浮沉》由香港人间书屋出版，列为“人间文丛”之一，收散文 18 篇。

二月

15 日，毛泽东为中共中央起草了《新解放区土地改革要点》，对新解放区的土改政策作了许多明确的规定。解放区的土地改革运动有了深入的发展，到 1948 年下半年，解放区大约有 1 亿农民分得了土地。

18 日，许寿裳在台北遇害。

许寿裳（1883—1948），散文家、学者。字季黻，号上遂。浙江绍兴人。1902 年赴日本留学，入东京高等师范学校读书，与周树人结识。1903 年主编《浙江潮》。辛亥革命后，应蔡元培之邀出任南京临时政府教育部参事兼译学馆教授。1917 年任江西省教育厅厅长。后在国立北京女子高等师范学校、中山大学、中央研究院、北平女子大学、西北联大等处供职。1946 年往台湾，曾任省编译馆馆长、台湾大学国文系主任等职。著有《鲁迅的思想与生活》、《亡友鲁迅印象记》、《中国文字学》、《俞樾传》、《章炳麟传》等。

唐湜论文《诗的新生代》发表于《诗创造》第 8 期。

戴望舒诗集《灾难的岁月》由上海星群出版社出版。《灾难的岁月》收入戴望舒 1934 年至 1945 年间的诗作 25 首。其中有《狱中题壁》、《我用残损的手掌》、《偶成》等名篇。

穆旦诗集《旗》由上海文化生活出版社出版。

路翎长篇小说《财主底儿女们》下卷由上海希望社出版。

许钦文的短篇小说集《风筝》由上海怀正文化社出版，列为“怀正文艺丛书”之六。

丰村的短篇小说集《灵魂的受难》由上海大成文化事业公司出版。

顾仲彝的四幕神话剧《八仙外传》由上海世界书局出版。

阮章竞的歌剧《赤叶河》由太行山群众书店出版。

靳以的散文集《人世百图》由上海文化生活出版社出版，列为“文学丛刊”第九集之一，收散文 48 篇。

黄药眠的散文集《抒情小品》由香港文艺出版社出版。

三月

1 日，邵荃麟、冯乃超编辑的文艺理论性刊物《大众文艺丛刊》在香港创刊。《大众文艺丛刊》第一辑“文艺的新的方向”在香港出版。发表了由邵荃麟执笔的《对于当前文艺运动的意见》、郭沫若的《斥反动文艺》以及胡绳的《评路翎的短篇小说》等重要文章。该刊系不定期的文艺理论刊物，从 1948 年 3 月到 1949 年 3 月，共出六辑。六辑名称分别为《文艺的新方向》（1948 年 3 月出版）、《人民与文艺》（1948 年 5 月出版）、《论文艺统一战线》（1948 年 7 月出版）、《论批评》（一名《鲁迅的道路》，

1948年9月出版)、《论主观问题》(一名《怎样写诗》，1948年12月出版)、《新形势与文艺》(一名《论电影》，1949年3月出版)。该刊的主要撰稿人有邵荃麟、冯乃超、夏衍、林默涵、胡绳等，另郭沫若、茅盾、周立波等也有文章。1949年6月，北平新中国书局将六辑中的主要论文辑为《〈大众文艺丛刊〉批评论文选集》一书出版。

郭沫若的《斥反动文艺》一文，把所谓的“反动文艺”分为红、黄、蓝、白、黑五种，对黄色读物以及沈从文、朱光潜的文学活动进行了严厉的批判。

郭沫若在文章开篇分析了当时文坛存在的各种反动文学，他说：“今天是人民的革命势力与反人民的反革命势力作短兵相接的时候，衡定是非善恶的标准非常鲜明。凡是有利于人民解放的革命战争的，便是善，便是正动；反之，便是恶，便是非，便是对革命的反动。我们今天来衡论文艺也就是立在这个标准上的。所谓反动文艺，就是不利于人民解放战争的那种作品、倾向和提倡。大体地说，是有两种类型，一种是封建性的，另一种是买办性的。今天的反动势力——国家垄断资本主义，是集封建与买办之大成，他们是全面武装，武装到了牙齿了。文艺是宣传的利器，在这一方面不用说也早已全面动员‘戡乱’了。因此，在反动文艺这一个大网篮里面，倒真是五花八门，红黄蓝白黑，色色俱全的。”在解释各类“反动文学”时，郭沫若说：“什么是红？我在这儿只想说桃红色的红。作文字上的裸体画，甚至写文字上的春宫，如沈从文的《摘星录》，《看云录》及某些‘作家’自鸣得意的新式《金瓶梅》，尽管他们有着怎样的借口，说屈原的离骚咏美人香草，索罗门的雅歌也作女体的颂扬，但他们存心不良，意在蛊惑读者，软化人们的斗争情绪，是毫无疑问的。特别是沈从文，他一直是有意识的作为反动派而活动着。在抗战初期全民族对日寇争生死存亡的时候，他高唱着‘与抗战无关’论；在抗战后期作家们正加强团结争取民主的时候，他又喊出‘反对作家从政’；今天人民正‘用革命战争反对反革命战争’，也正是凤凰毁灭自己，从火里再生的时候，他又装起一个悲天悯人的面孔，谥之为‘民族自杀悲剧’，把我国的爱国青年学生斥为‘比醉人酒徒还难招架的冲撞大群中小猴儿心性的十万道童’，而企图在‘报纸副刊’上进行其和革命‘游离’的新第三方面，所谓‘第四组织’。(这些话见所作《一种新希望》，登在去年十月二十一日的《益世报》。)这位看云摘星的风流小生，你看他的抱负多大，他不是存心要做一个摩登文素臣吗？”“什么是白？这是一批无色而其实杂色的货色，有属于封建型的，也有属于买办型的。无色的白，在光学上讲来是诸色的混成，文艺上的无色派事实上是各种颜色都杂在里面的。当然有的是天真的白，但也有的是伪装的白。故在这儿可以有桃红色的沈从文，蓝色的朱光潜，黄色的方块报，最后还有我将要说出的黑色的萧乾。别种货色的反动作家，伪装成白色，固然是反动之尤，而无心的天真者流，自以为虽不革命，也不反革命，无党无派，不左不右，而正位乎其中，然而狡猾的反动派在全面动员‘戡乱’之下对他们却乐得利用。自己伪装为白色固然是利用，让天真者作为花瓶，甚至拉一两位‘前进者’来伪装‘前进’，是尤其恶劣的利用。在这儿，我倒有一个或许会被认为十分偏激的见解，‘前进者’固不用说，天真者的作家们，在今天最好不要敷衍或顾忌反动势力而写，写了也决不要在反动或伪自由主义报刊上发表。敌人正想利用你的天真，你又何苦让自己去给人家当伪自由主义的幌子呢？我们在这里还可以区别出有些无色者之流入于御

用是出于因袭旧套，和另一批因循苟合者稍有不同。前者因客观传统的束缚而无力自拔，后者却因主观意识的薄弱而和光同尘。那一批和光同尘者流，说不定还会自诩聪明，所谓‘明哲保身’，然而要当心，老兄们已经在‘曲线戡乱’了。”

郭沫若在文末动员文艺工作者和“反动文艺”作坚决的斗争：“今天是人民革命势力与反人民革命势力作为短兵相接的时候。反人民的势力既动员了一切的御用文艺来全面‘戡乱’，人民的势力当然有权利来斥责御用文艺为反动。但我们也并不想不分轻重，不论主从，而给以全面的打击。我们今天主要的对象是蓝色的、黑色的、桃红色的这一批‘作家’，他们的文艺政策（伪装白色，利用黄色等包含在内），文艺理论，文艺作品，我们是要毫不容情地举行大反攻。我们今天号召读者，和这些人们绝缘，不和他们合作，并劝朋友不合作。……我们也知道一味消极地打击不能够消灭所打击的对象。我们要消灭产生这种对象的基础。我们真正作主的一天，一切反人民的现象也就自行消灭了。我们同时也要用积极地创造来代替我们所消灭的东西。我们文艺取得优胜的一天，反人民文艺也就自行消灭了。凡是为人民服务，有正义感的朋友们，都请拿起你们的笔杆来参加这一阵线上的大反攻吧!”

由邵荃麟执笔《对于当前文艺运动的意见》一文说：“反动的文艺思想影响，在中国可谓极微弱的，早已为群众所唾弃，在反动统治直接支持之下，它们仍然不断的出现，或化装而露面。对于这些我们必须揭露它的毒害性，而予以彻底打击。在这里，首先是美帝国主义对中国的直接文化侵略。这中间，有麻醉广大市民的美国黄色的电影，有鲁斯系杂志所介绍过来的黄色艺术，特别是最近美国所宣布的文化援华计划，是种深谋远虑的阴谋。这一切必须为我们所揭露和打击。其次，也是更主要的，是地主大资产阶级的帮凶和帮闲文艺。这中间有朱光潜、梁实秋、沈从文之流的‘为艺术而艺术论’，有顾一樵的‘文艺的复兴论’，以及易君左、萧乾、张道藩之流一切莫明其妙的怪论。”“不久前，连沈从文之流，也来配合四大家族的和平阴谋，鼓吹新第三方面的活动了（《一种新希望》，见《益世报》）。以一个攻击艺术家干政治的人，也鬼鬼祟祟干这些浑水摸鱼的勾当，它的荒谬是不堪一击的。但我们决不能因其脆弱而放松对他们的抨击。因为他们是甘为反动统治的代言人的。再次，是那种黄色的买办文艺。这中间，有色情的，恶劣趣味的，鸳鸯蝴蝶的，宣传西方没落思想的，它们是帝国主义官僚买办的帮闲文艺，然而却具有麻痹城市小市民意识的恶毒作用。它们一方面作为半殖民地的意识形态而存在，一方面也是反动统治的恶劣宣传者。在色情与无聊文字中间夹杂一些反共反苏的宣传，国民党的机关报刊中就充满这一类的黄色文艺。这些反动文艺思想，它们共同的目的，即是企图掩遮今天统治阶级崩溃的命运，麻醉人民的反抗意识，宣传反共反苏，反人民翻身，毫无疑义是应该列为我们直接打击的敌人。”

5 日，中共西北局召开陕甘宁边区文艺工作者座谈会，讨论一年来的边区文学活动以及今后如何配合解放大西北战争的问题。张季纯、马健翎、李季等 40 多人参加会议，习仲勋在会上讲话。

周立波的长篇小说《暴风骤雨》上卷由佳木斯东北书店出版，下卷次年 5 月出版。小说于 1951 年获得斯大林文学奖三等奖。作者称这部作品受到了毛泽东“延安文艺座谈会讲话”的影响：“毛主席在延安文艺座谈会讲话以后，新文艺的方向明确了，文艺的源泉明确地给指出来了。”（周立波：《〈暴风骤雨〉是怎样写的?》，《东北日报》1948 年 5 月 29 日。）

本年 6 月 22 日，《东北日报》发表《〈暴风骤雨〉座谈会记录摘要》。与会者普遍认为，这是一部好作品，认为过去的作品“对反派人物都写得很突出”，但这篇小说“正面人物写得很好”。小说“掌握比较丰富的东北农民语言”，比起他过去作品是“一个大大的进步”。小说的缺点是写人物“略嫌不够集中，刻画还不够深刻”，布置人物太多，太均匀，没有着重在一两个人身上，因此读后留不下一个强烈的印象。

《中国诗坛》丛刊创刊于香港，1949 年 5 月出第三辑后终刊。中国诗坛社编辑、发行。第一辑题名《最前哨》，第二辑题名《黑奴船》，第三辑题名《生产四季花》。

朱光潜《诗论》由上海正中书局出版。

冻山的长诗《逼上梁山》由香港诗歌出版社出版。有黄药眠的《序》，《序》中说：“这是中华全国文艺协会香港分会主办的暑期文艺竞赛里，中选的一篇诗作”，“它反映当前的农民大众的斗争的情绪”。“这首诗是有模仿《王贵与李香香》的痕迹的”。

新林的诗集《荒谷》由上海星群出版社出版。

陈学昭的长篇小说《工作着是美丽的》由佳木斯东北书店出版。

丰村的长篇小说《大地的城》由上海新丰出版公司出版，列入“新丰文丛”。

刘白羽短篇小说《政治委员》由佳木斯东北书店出版。

四月

屈义林的诗集《桥》由重庆说文社出版，收长诗 3 首。

刘盛亚的长篇小说《夜雾》、田涛的短篇小说集《灾魂》、吴岩的短篇小说集《株守》、卢静的中篇小说《夜莺曲》分别由上海文化生活出版社出版，列为巴金主编的“文学丛刊”。

沈寂的中篇小说《盐场》由上海怀正文化社出版，列入“怀正中篇小说丛书”。

菡子的短篇小说集《群像》由大连光华书局出版，收短篇小说 4 篇。

茅盾《苏联见闻录》由上海开明书店出版。作品以散文的笔调记录作者在苏联的见闻感触。书分两部分，第一部分是作者在四个多月中所写的日记，偏重于记述苏联文化艺术方面的情形，这和苏联对外文化协会为他布置的参观游览节目是有关系的；但其中也有许多描写景物和抒写感触的部分，并不单纯是记事。此外，茅盾还把比较长的片断材料写成了每篇独立的文字，如《海参崴印象》、《关于真理报》等，共有三十多篇，编为第二部分，也都是细致绵密的散文笔法。

赵景深的随笔集《文坛忆旧》由上海北新书局出版。

五月

1 日，中共中央主席毛泽东致电中国国民党革命委员会主席李济深、中国民主同盟中央常委沈钧儒，提出先行召开新的政治协商会议，希望民革、民盟与中共共策进行。

中国共产党的号召，当即得到民革、民盟和其他民主党派、各人民团体、海外华侨团体、无党派民主人士的热烈响应。从 8 月起，各方面代表陆续到达解放区，与中共代表共同进行新政协的筹备工作。

5 日，郭沫若作论文《关于历史剧》，谈历史剧的范围、历史及其现状。认为历史剧就是“把过去的事迹作为题材的戏剧”，以及古代的神话、民间传说等为题材的戏剧，广义的说，“凡是旧时代的戏剧，无论中国的或外国的，可以说都是历史剧”。剧作家如能采取新现实主义的观点，通过剧本揭示历史的真实，并以此为镜子反映现实，同样能起积极作用。因此，“写当前的题材并不一定是现实的，写过去的题材也并不一定就是不现实的，主要是要看你是否把握这个发展的必然性这个真实。”（载新加坡《风下》周刊 1948 年 5 月 22 日第 127 期，又载《海燕文丛》第一辑。）

周扬主持编辑解放区文艺作品选集《中国人民文艺丛书》。柯仲平、欧阳山、赵树理、康濯、陈涌等先后参加编辑工作。这套丛书后来在北京、上海等地陆续出版。

《大众文艺丛刊》2 辑《人民与文艺》上发表胡绳的《评姚雪垠的几本小说》。文章认为《牛全德和红萝卜》与《春暖花开的时候》尽管写到抗战初期的农村游击队与青年救亡运动，然而小说中人物性格不是从现实中概括、提炼出来的，作者只是“欣赏者，描画着”抽象的人物性格，然后把他们“装置在历史现实的框子中”。

《文艺工作》月刊创刊于上海，仅出 1 期。孙陵编辑兼发行。上海文艺工作社出版，五洲书报社经售，32 开本。发表论文、小说、诗歌、剧本、散文、杂文等。撰稿人有王统照、巴金、姚雪垠、臧克家、季羡林等。

《大众文艺丛刊》2 辑“人民与文艺”发表乔木（乔冠华）的《文艺创作与主观》、邵荃麟的《论主观问题》等文，开展了又一次对胡风的批判。

绿子的新诗集《听了马号的音响》由重庆作家杂志社出版，列为“作家杂志文丛”之一。除《后记》外，收诗 21 首，写于 1945 年至 1948 年。

唐湜的长诗《英雄的草原》由星群出版社出版。列为“森林诗丛”之一。该诗作于 1944 年至 1945 年。分为《草原的梦》、《波浪，波浪》和《宇宙的孩子》三部。

唐祈新诗集《诗第一册》由上海星群出版社出版，列为“森林诗丛”之一。

王采的新诗集《你在那儿》由上海中兴出版社出版。除《自序》和《后记》外，收诗 10 首。《自序》说：“诗的本身，就应该是一个人对人生热烈追求的精神状态的高度升华”，“形式主义或公式主义，只是产生‘伪造’文艺作品的唯一温床”。

流沙的诗集《青色的焰火》由重庆时代出版社出版，收诗 69 首，另有诗论《诗与诗人》一篇。

辛劳的长诗《捧血者》、方敬的诗集《受难者的短曲》、唐祈的诗集《诗·第一册》、陈敬容的诗集《交响集》、田地的新诗集《风景》分别由上海星群出版社出版，列为“森林诗丛”。

金帆的诗集《野火集》由人间书屋出版，列为“人间诗丛”之一。收诗 13 首，另有作者《前记》和郭沫若《序》。郭沫若的《序》中说：诗作是“有真的生活和真的感情被记录着的真的诗”。

施济美的短篇小说集《鬼月》由上海大地出版社出版。

朱平军的长篇小说《一个苦儿努力记》由上海国光书店出版。

谷斯范的长篇小说《新桃花扇》由新纪元出版社出版。

艾芜的自叙传《我的青年时代》由上海开明书店出版，列为“开明文学新刊”之一。

曹禺剧本《艳阳天》由上海文化生活出版社出版。

李广田的散文集《日边随笔》由上海文化生活出版社出版，列为巴金主编的“文学丛刊”第九集之一，收作品16篇。

朱自清散文集《论雅俗共赏》由上海观察社出版。书中主要论述了文艺的立场问题。作者在《序言》中写道：“所谓现代的立场，按我的了解，可以说就是‘雅俗共赏’的立场，也可以说是偏重俗人或常人的立场，也可以说是近于人民的立场。书中各篇论文都在朝着这个方向说话。《论雅俗共赏》放在第一篇，并且用作书名，用意也在此。”

六月

2日，抗敌剧社到西柏坡为中共中央演出歌剧《不要杀他》、《喜相逢》等，周恩来、朱德观看演出。翌日，周恩来接见剧团全体人员，并作讲话。

12日，北平各大学教授、教师费孝通、许德珩、吴晗等437人联合发表《为反对美国扶日致司徒雷登书》，抗议美国政府违反《波茨坦协议》，扶植日本军国主义。

18日，朱自清等北平各大学教授联名发表宣言，抗议美国扶植日本，表示宁愿饿死，拒绝领取“美援”面粉。

《中国新诗》丛刊创刊于上海，同年10月终刊，共出5集。除第一集署方敬、唐湜等编辑外，余皆署中国新诗社编，上海森林出版社发行。各集依次命名《时间与旗》、《黎明乐队》、《收获期》、《生命被审判》和《最初的蜜》。辟有诗选、诗论、译诗、诗人研究等栏目。主要撰稿人有郑敏、穆旦、方敬、杭约赫、陈敬容、袁水拍、袁可嘉、卞之琳、刘西渭、冯至。第四集有“纪念朱自清先生”特集。

黄宁婴的叙事长诗《溃退》由香港人间书屋出版，列为“人间诗丛”之一。

郑思的诗集《夜的抒情》由草莽社出版。收1943年至1947年所作诗22首，另有陈闲《序》一篇。《序》中说，诗作“是作者对当时大后方沉闷的气氛的感受的结晶”，“夜气如磐，作者抵抗夜气的是将心献给太阳”。

王西彦的长篇小说《寻梦者》由上海中原出版社出版。

刘白羽短篇小说集《无敌三勇士》由佳木斯东北书店出版。

七月

1日，《小说》（月刊）在香港创刊。1949年6月1日终刊。共出2卷，各6期。初署小说编委会编，编委为茅盾、巴人、葛琴、周而复、以群、楼适夷、孟超、蒋牧良。自第3期起由靳以编辑。先后由香港小说月刊社、上海国光书店、商务印书馆出版、发行。该刊以发表小说为主，自第2卷起增辟“时代剪影”和“写作研究”专栏。

撰稿人除编委外，还有郭沫若、冯乃超、李广田、刘白羽、丁玲、沙汀等。共发表短篇小说50篇，报告文学7篇，连载周而复的长篇小说《白求恩大夫》和《燕宿崖》，以及《暴风骤雨》的第一章《挫折》。此外，该刊还发表了艾芜的长篇小说《一个女人的悲剧》，郭沫若、成仿吾的回忆录以及一些小说评论文章。

《文艺工作》半月刊创刊于成都，同年9月出第6期后终刊，工作社主编，古振华发行。撰稿人有靳以、萧乾、朱自清、巴金等。

方敬的新诗集《行吟的歌》列为巴金主编的“文学丛刊”之一，由文化生活出版社出版，收诗32首，写于1940年至1945年。

侯唯动的新诗集《红头巾》由东北书店牡丹江分店印行。收叙事诗2首。

田野新诗集《天灯在看你》由中国青年作家月刊社出版，收诗34首。分5辑：第一辑《苦难曲》8首，第二辑《真挚的声音》8首，第三辑《火箭篇》5首，第四辑《杜鹃花》8首，第五辑《小草集》5首，另有《扉页小语》一篇。《扉页小语》说：“这集子里：有我给魔鬼痛击”，“有我和丑恶格斗，失败了，吹响起号角，呼唤爱真理的大众起来战斗。有我为苦难流的眼泪，给悲愤的心一个慰藉”。采用自由体。

林维仁的新诗集《在新开的路上》，列为“南极文丛”第一辑，上海南极出版社出版，收诗22首。

侯唯动的叙事长诗《黄河西岸的鹰形地带》由东北书店牡丹江分店出版。写于1945年，有《前记》一篇。

沙汀长篇小说《还乡记》由上海文化生活出版社出版。

黄谷柳的长篇小说《虾球传》由香港新民主出版社出版。

艾芜的短篇小说集《烟雾》由上海中原出版社出版，收短篇小说6篇。

无名氏的散文集《沉思试验》由上海真善美图书出版公司出版。

八月

6日，朱光潜在《周论》2卷4期上发表《自由主义与文艺》。文章认为，从生理学与心理学上看，每个人都应当无牵无碍地发展他的“性所固有”，“以求达到一种健康状态”。在文艺领域维护自由主义，其内涵包括：“文艺应自由，意思是说它能自由”，“艺术底活动主要是自由的活动”，“这自由性充分表现了人性的尊严”。由此，作者得出结论：艺术“应有自由地生展，不应受压抑或摧残”。

8日，晋察冀边区文联与晋冀豫鲁边区文联在石家庄联合召开文艺工作者会议。至8月19日闭幕。会议决定两边区文联合并，成立华北文艺界协会。周扬、沙可夫、赵树理等21人当选理事，萧三、李伯钊分任理事会正副主任。并决定出版《华北文艺》月刊，由欧阳山、陈企霞、康濯负责编辑。

12日，朱自清在北平病逝。

朱自清（1898—1948），诗人、散文家、学者。原名自华，号实秋，后改名自清，字佩弦。祖籍浙江绍兴，生于江苏东海。1916年毕业于江苏省立八中并考入北京大学哲学系。1919年开始发表新诗。1920年大学毕业后曾任浙江省立一师、吴淞中国公学中学部等校国文教员。“五四”时期加入新潮社、平民教育讲演团和文学研究会。1922年初，与叶圣陶、刘延陵等创办《诗》月刊。1923年发表长诗《毁灭》。1924年发表《桨声灯影里的秦淮河》等散文名篇。1925年任清华大学中文系教授。1931年游学英伦，漫游欧陆。翌年返国，任清华大学中文系主任。1935年参加了“一二·九”运动。抗战爆发后，任长沙临时大学和西南联合大学中文系主任。1938年参加中华全国文艺界抗敌协会，被选为理事。著有诗文集《踪迹》，散文集《背影》、《你我》、《欧游杂记》、《伦敦杂记》，诗集《雪朝》（与文学研究会同人合著），文艺论著《新诗杂话》、《经典常谈》、《标准与尺度》、《论雅俗共赏》、《诗言志辩》、《语文零拾》、《朱自清文集》，编辑《中国新文学大系·诗集》等。1948年在《抗议美国扶日政策并拒绝领取美援面粉宣言》上签字。毛泽东对朱自清的评价是：“朱自清一身重病，宁可饿死，不领美国的‘救济粮’。……他们表现了我们民族的英雄气概。”（毛泽东：《别了，司徒雷登》，《毛泽东选集》第4卷，第1495～1496页，人民出版社1991年6月第2版。）

15日，陕甘宁边区文化协会主办的《群众文艺》（月刊）在延安创刊。1949年8月印第11、12期合刊后停刊。停刊号上的《编完第一卷》指出：“按着毛主席的文艺方针，服务于伟大的人民解放战争”，这是该刊始终坚持的宗旨。刊物的突出特点是重视文艺的普及。除小说、剧本、诗歌外，鼓书、快板、秧歌剧等民间艺术样式占大量篇幅。创作内容偏重反映人民军队的战斗生活，同时设有“工厂文艺”专栏刊工业题材作品，全国第一次文学艺术工作者代表大会后自动停刊。主要撰稿人有胡采、林杉、韩起祥、杜鹏程、戈壁舟、乔连川等。

25日，郭沫若的抗日战争回忆录《洪波曲》在香港《华商报·茶亭》连载，至12月5日止。

整理闻一多先生遗著委员会编辑的《闻一多全集》（共4卷）由上海开明书店出版。编辑者朱自清、郭沫若、吴晗、叶圣陶等。朱自清生前主持其事。

由哈尔滨《生活报》发动，东北文艺界展开了对萧军及其《文化报》的批判。1946年萧军从延安到哈尔滨主编《文化报》时，曾发表文章批评过1947年夏季创刊的《生活报》。《生活报》于26日发表了社论《斥“文化报”的谬论》，批判了《文化报》8月15日发表的三篇文章。称《文化报》“已经完全堕落到偏狭的民族主义里面去了”，并且“分明是站在反人民的立场上的”。自这篇社论发表后，《生活报》连续发表了8篇社论和多篇文章，对萧军及其《文化报》进行了批判。

萧军于同年9月1日在《文化报》第56期发表了《“古潭里的声音”之一——驳〈生活报〉的胡说》，反驳《生活报》对他和《文化报》的批判。9月5日，萧军又在《“古潭里的声音”之二——驳〈生活报〉的胡说》一文中指出，《生活报》对他的批判，是一种“随便诬陷”，是一种“阴险的企图和恶劣的作风”。认为《生活报》判定他“反苏”、“站在反人民的立场上”，其企图不外是：一，“离间共产党和萧军的关系”；二，“挑拨苏联人民和萧军的友情”；三，“企图打击、消灭……萧军在群众中的一点小小的较好的影响”。但是，“这完全是浪费！”因为，“我和中国共产党已经有了二十多年的血肉联系”。最后，萧军质问《生活报》：“究竟我在何时何地反过人民、反过共产党、反过苏联……?”并指责《生活报》:“血口喷人,拟大兴‘文字狱’、‘诬告反坐’之类,也应有例可援。”(萧军:《“古潭里的声音”之二——驳〈生活报〉的胡说》,《文化报》1948 年 9 月 5 日。)在双方论争的过程中,由于中共中央东北局做出了对萧军不利的结论,萧军最终停办了《文化报》。

朱光潜的论文《自由主义与文艺》发表于《周论》2 卷 4 期。

姚江滨的新诗集《归来》由上海中国文艺出版社主编,镇江江南印书馆印行。收写于 1944 年至 1947 年的诗 27 首,另有《前记》、《附记》各一篇,附录《谈诗的创造》。分五辑:《归来集》6 首,《招魂集》3 首,《寒流集》13 首,《太阳沟集》2 首,《三江村集》3 首。

艾青的诗集《黎明的通知》由上海文化供应社出版,收 1939 年至 1942 年所作诗 33 首,均为抒情诗。

邵荃麟的短篇小说集《英雄》由文化供应社出版,列入“文学创作丛刊”。

王统照的短篇小说集《银龙集》由上海文化生活出版社出版,列为“文季丛书”之二十三。

胡明树的中篇小说《江文清的口袋》由香港南国书店出版,列入胡明树主编的“南国袖珍文艺丛书”。

沈从文的长篇小说《长河》由上海开明书店出版。《长河》创作于 1939 到 1942 年,据题记中说,小说本来要写 4 卷,但最终只有第 1 卷问世。夏志清在《中国现代小说史》中说“《长河》已经超越了作者最早期的另一本小说《边城》”,“《长河》最能够充分体现沈从文艺术天才的的各个方面”。沈从文的表侄,画家黄永玉说:“我让《长河》深深地吸引住的是从文表叔文体中酝酿着新的变格。他写小说不再光是为了有教养的外省人和文字、文体行家甚至他聪明的学生了。我发现这是他与故乡父老子弟秉烛夜谈的第一本知心的书。一个重要的开端。”“为什么浅尝辄止了呢?它应该是《战争与和平》那么厚的一部东西的啊!照湘西人本分的看法,这是一部最像湘西人的书,可惜太短。”(巴金、黄永玉等著:《长河不尽流——怀念沈从文先生》,第 452 页,长沙:湖南文艺出版社,1989 年。)

丁玲的散文特写集《陕北风光》由新华书店东北总分店出版,收作品 7 篇,分别为《三日杂记》、《袁广发》、《民间艺人李卜》、《田保霖》、《二十把板斧》、《十八个》和《记砖窑湾骡马大会》。

九月

9 日,茅盾小说《锻炼》开始在香港《文汇报》上连载,至 12 月 29 日止。

12 日,辽沈战役开始,东北野战军先后分路奔袭北宁路。到 10 月 1 日,切断了北宁路,一部分主力进抵锦州城下。10 月 10 日,由华北国民党军组成的“东进兵团”自锦西向通往锦州的要隘塔山发起猛攻。10 月 9 日起,东北野战军发起对锦州的攻击。经过激战,于 15 日攻克该城,全歼守敌 10 万余人。随后,被长期围困在长春的国民党第六十军于 10 月 17 日起义,新编第七军也放下武器投诚。21 日,长春宣告和平解放。

11月2日，直下沈阳、营口。辽沈战役至此胜利结束。东北全境宣告解放。在辽沈战役中，人民解放军以伤亡69万人的代价歼灭国民党精锐部队47．2万余人。

茅盾的论文《论鲁迅的小说》，于10月1日发表于《小说》第1卷第4期。该文是茅盾对鲁迅小说创作的综论，内容涉及了鲁迅的人道主义思想、现实主义精神等重要问题。

文章认为，从鲁迅思想发展的道路看来，1927年前后是一个转折点，“我们不妨以此为分界而称为前期后期，那么，鲁迅的小说百分之九十九是在前期完成的，而《狂人日记》有点像是他的小说作品的总序言。《狂人日记》是寓言式的短篇。惟其是寓言式，故形象之美为警句所盖掩；但是因此也使得主题绝不含糊而战斗性异常强烈。在这一点上，即使说《狂人日记》是中国革命文学进军的宣言或者也不算怎样过分罢？表现在《狂人日记》内的基本思想是：一、猛烈反对‘人吃人’的社会制度，二、在这样的社会中，人人互吃，可是‘心思很不一样，一种是以为从来如此，应该吃的，一种是知道不该吃，可是仍然要吃，又怕别人说破他’，三、‘将来是容不得吃人的人，……没有吃过人的孩子，或者还有？救救孩子。’他深恶痛恨那‘人吃人’的社会制度，他寄希望于遥远的将来；但是，‘将来是容不得吃人’的人，到底是怎样的一种人呢？他属望于‘孩子’——年青的下一代。这显然不是从阶级论去回答问题的。”

茅盾认为，“前期”的鲁迅是站在人道主义的立场来控诉这“人吃人”的社会制度的。而且，鲁迅和高尔基的人道主义是相同的：“鲁迅所谓‘人性’，和高尔基所谓‘人的尊严’在我看来是意义等同的。……高尔基痛恨那些消极的浪漫派用欣赏的态度描写人的不幸和痛苦……鲁迅亦然。他的作品中屡次抨击那些以别人的痛苦为娱乐资料的行为；他从不板起了‘不把人当人’的面孔去谴责那些呻吟挣扎在生活底层的‘像人’的人，——例如孔乙己；他更在《一件小事》中正面宣示了人性的伟大。而此所谓‘人性’也就是他后来明白指出的无产阶级的人性。和高尔基的人道主义一样，鲁迅的人道主义（人性的恢复）不同于西欧的旧人道主义，当然更不同于流俗的所谓人道主义；用高尔基的话，这就是在充分认识‘人的价值，人的庄严，人的力量’之下建成了新一代人的教养和成长。鲁迅曾说到的‘改革国民性’，也可作如是解。”

茅盾的文章接着分析了鲁迅前期的小说创作，认为鲁迅的小说和巴尔扎克、狄更斯、托尔斯泰的“批判的现实主义”是一致的。据此，茅盾说：“鲁迅的小说是中国的社会主义的现实主义文学的先驱。”

在分析《呐喊》和《彷徨》时，茅盾认为这两部集子主要是批判“人吃人”的社会制度的。这两本集子“颇可看出鲁迅当时的心情和意念”。而鲁迅上下求索的结果，便是以为“惟新兴的无产者才有将来”。茅盾在文章中进一步说，把《呐喊》和《彷徨》“与其……归到社会主义的现实主义名下，毋宁把它们归入于批判的现实主义罢？而且这样做，也未必对于鲁迅的光荣有所损罢？”而且，在茅盾看来，鲁迅的现实主义和巴尔扎克等人的现实主义也有所不同。鲁迅现实主义的思想立场，就是“鲁迅的人道主义”。茅盾说：“他对于‘人’的观念，就是中国俗语中最深刻而有力的一句抗议：‘不能把人不当人’。他想象一个没有被旧社会‘吃人’的教条所歪曲玷污了的人，在《狂人日记》中他称这样的人为‘真人’。因此，我们有理由说：《呐喊》与《彷徨》

即使没有显明地指示未来，而只是批判现在，但它们和西欧的‘批判的现实主义’文学还是有本质上的不同的。它是比巴尔扎克他们的‘批判的现实主义’更富于战斗性，更富于启示性的。”

在谈到鲁迅的具体作品时，茅盾认为，“从《狂人日记》到《离婚》（从一九一八年到一九二五年），不但表示了鲁迅思想发展的道路，也表示了他的艺术成熟的阶段。《祝福》，《伤逝》，《离婚》等篇，所达到的艺术的高峰，我以为是超过了《阿Q正传》的。如果把《药》和《离婚》比较研究，无论是就形象的生动而多采，人物的典型性，结构的有机性，乃至对话的如同其声，我觉得《离婚》更胜于《药》。鲁迅自说：‘但既然是呐喊，则当然须听将令的了，所以我往往不恤用了曲笔，在《药》的瑜儿的坟上平空添上一个花环。’然而并不用了这样‘曲笔’的《离婚》，对于读者的启发和鼓舞却更为深远。”“在《呐喊》集中，幽默情调较居主要的作品似乎更胜于沉痛的作品，《孔乙己》给读者的印象更深于《明天》。至于《阿Q正传》，它的逼人的光辉宁在于思想的深度，固当别论。在《彷徨》集中，我却以为沉痛的作品在艺术上比《呐喊》集中的同类作品达到了更高的阶段，《祝福》和《伤逝》所引起的情绪远比《药》和《明天》为痛切。这样的比较是我的观感，也许不一定对。可是若就艺术的成熟一般而论，鲁迅的小说后期者尤胜于前期者，这说法大体上我相信是不错的。一九二七年以后，鲁迅不写小说了，——除了几篇《故事新编》。那时他用以进行思想斗争的武器是杂感，这是大家都知道的。为什么他不再写小说？他曾经说笑话道：‘老调子已经唱完。’当然他的忙于写杂感是一个主要原因。在当时思想斗争的需要上，杂感是比小说更有力。但也不能不承认这事实：鲁迅在那时没有接触新鲜生活的自由。至于旧材料，为《呐喊》和《彷徨》所有者，即他觉得已经写够了。他曾经有意以辛亥革命为背景写一长篇，可是紧张的思想斗争要求他用最大部分时间去写杂感，他这计划终于没有实现。在反映中国的历史阶段这一点而言，这损失暂时是无从补救了。”

胡风的文艺思想论集《论现实主义的路》由青林社出版。分“从实际出发”与“环绕着一个理论问题”两部分。对1935年至1945年间文艺思想演变发展的过程，作了较系统的阐述，并从理论上加以总结，批评了主观公式主义和客观主义的倾向，肯定了现实主义的原则及其实践道路。

金近的儿童诗歌集《小毛的生活》由上海光华书店出版，收1946年至1948年诗作76首。

郭沫若新旧体诗合集《蜩螗集》（附《战声集》）由群益出版社出版。收入1939年至1947年诗作41首。其中新诗18首，旧体诗词21首，古诗今译2首，另有《序》。郭沫若在《序》中说：“这些诗可以和《沸羹集》、《天地玄黄》参看。作为诗并没有什么价值，权且作为不完整的时代记录而已。”

丁玲的长篇小说《太阳照在桑干河上》由东北光华书店出版。小说是丁玲以农村斗争为题材的第一部长篇小说，出版后引起很大反响。苏联《旗帜》杂志很快连载了小说，本年，莫斯科外国文学出版社出版了小说的俄译本。1951年获得斯大林文学奖二等奖。丁玲自己评价说：“我描写了土地改革是如何在一个村子里进行的，这个村子是如何成功地斗倒地主，村里的人们又是如何在土改过程中成长起来的。”（丁玲：《作者的话》，《太阳照在桑干河上》俄译本前言。）

冯雪峰评论说："像《太阳照在桑干河上》这作品，对于我们所以是一个重要的收获，就不仅因为它是几部写土地改革的作品中更为优秀的一部，在一定的高度上反映了土地改革，而且还因为这标记着我们文学的一定的成长的缘故。""我认为这一部具有创造性的作品，是一部相当辉煌地反映了土地改革的、带来了一定高度的真实性的、史诗似的作品；同时，这是我们社会主义现实主义的在现实的比较显著的一个胜利，这就是它在我们文学发展上的意义！""这部作品的这个现实主义的成就，主要地表现在这几点上：第一，从对于人民的生活与斗争的深入的观察、体验与研究出发，对于社会能够在复杂和深广的基础上进行具体的和比较全面的分析，而排斥那从概念（不管那一类概念）出发以及概念化的道路。第二，从写真实的生活和社会的要求出发，对社会的内在的矛盾斗争的复杂关系进行具体的分析，同时也这样地分析人的思想与行动及相互关系，以写真实的人，从而奠定了现实主义的典型创造的基础。第三，艺术的表现能力已达到相当优秀的程度。"（冯雪峰：《〈太阳照在桑干河上〉在我们文学发展上的意义》，《文艺报》1952年第10期。）

老舍小说集《月牙集》由晨光出版社出版。

聂绀弩的杂文集《关于知识分子》由上海潮锋出版社出版，列为"文学者丛刊"之四，收杂文20篇。

胡绳等著的文艺评论与作品合集《鲁迅的道路》由文艺出版社出版。除《编后》外，收小说3篇，诗7首，故事4篇，论文5篇。

十月

9日，"文协"港粤分会在香港六国饭店礼堂举行了"鲁迅先生逝世12周年祭"，茅盾任大会主席。

19日，《文艺月报》创刊于吉林，1949年6月1日出第4期后终刊。文艺月报社编辑，编委有吴伯箫、又然、公木等。吉林文艺协会出版，东北书店吉林分店发行。该刊是在东北解放后创刊的，力图为文艺青年开辟一片园地。

《文学杂志》3卷5期刊登了"朱自清先生纪念专辑"，发表浦江清、朱光潜、冯友兰、俞平伯等一组纪念文章，还有杨振生、林庚、王瑶等关于朱自清创作研究及朱自清的一部分遗作。

根据党的指示，在香港的生活、读书、新知三家书店合并为三联书店，准备迁入解放区。周恩来指定邵荃麟、胡绳具体领导筹备工作。在成立大会上，指派他俩代表党组织表示祝贺。

夏葵的新诗集《饮马河之歌》由吉林大众印刷厂印刷，东北书店吉林分店经售。收1945年至1948年所作诗14首（包括《代序》诗），附录《创作之路》文一篇。

东北鲁迅文艺学院在沈阳恢复建校，定名为鲁迅文艺学院。

未冉的新诗集《诅咒之歌》由哈尔滨光华书店出版，收诗18首，另有芳山的代序《读未冉诗记感》。

丁图的诗集《消息》由上海南极出版社出版，列为“南极文丛”之一，收诗 15 首。

赵树理的小说《邪不压正》于 13 日至 22 日在华北解放区《人民日报》上连载。

田涛的长篇小说《流亡图》由上海晨光出版公司出版，列为赵家璧主编的“晨光文学丛书”第 28 种。

王西彦的短篇小说集《人性杀戮》由上海怀正文化社出版，列为刘以鬯主编的“怀正文艺丛书”第十种。

陈学昭的短篇小说集《新柜中缘》由哈尔滨光华书局出版，收短篇小说 14 篇。

聂绀弩的散文集《沉吟》由文化供应社出版，列为“文学创作丛刊”之一，收散文 18 篇。

十一月

1 日，《平原》（半月刊）创刊，冀鲁豫边区文联主办。由总店设在山东菏泽的冀鲁豫新华书店发行。该刊系《平原文艺》、《新地》、《冀鲁豫画报》三个刊物合并而成。刊物常设栏目有文化消息、文艺创作、科学常识、文化教育等。最初刊物被定位为“综合性的通俗刊物”，由于宣传不够、稿件不多等原因，前两期都是编委撰写的文章。从第 3 期起，明确刊物的性质为“以群众性的文学创作、理论研究、活动信息为主，文教工作为辅的文联刊物”。为发动群众踊跃投稿，《平原》第 3 期专门发出征文启事。在第 9 期上则刊登了受到冀鲁豫文联奖励的群众创作的小说、剧本、唱词等文艺作品名。

6 日，淮海战役开始，到 1949 年 1 月 10 日结束，分三个阶段。淮海战役中，人民解放军经过 66 天紧张艰苦的战斗，以伤亡 11 万余人的代价，歼灭国民党军 55.5 万人，使长江以北的华东、中原地区基本上获得解放。

12 日，远东国际军事法庭宣判日本战犯前满洲特务机关长土肥原贤二、前首相东条英机、前陆相板垣征四郎、广田弘毅、南京大屠杀主犯松井石根等 7 人死刑；日本战犯荒木贞夫等 16 人无期徒刑。

23 日，郭沫若等秘密乘船离开香港，前往东北解放区。

同日，华北解放区《人民日报》发表社论《有计划有步骤地进行旧剧改革》。社论将旧剧分为“有利”、“无害”和“有害”三部分，提出了改革旧剧的主张。

29 日，平津战役开始。从 12 月 22 日起，人民解放军按照中共中央军委先打两头、后取中间的原则，首先攻克西线的新保安、张家口，在东线，1949 年 1 月 15 日，全歼天津国民党守军 13 万余人，解放天津。经过解放军和中共北平地下党的耐心工作，1 月 31 日，北平和平解放，平津战役胜利结束。平津战役历时 64 天，人民解放军以 3.9 万人的伤亡为代价，歼灭和改编国民党军队 52 万余人，使华北地区除太原、大同、新乡等少数据点及绥远西部一隅之地外，全部获得解放。

沈从文、冯之、朱光潜、废名等北大教授座谈“今日文艺的方向”，谈话纪录载于 11 月 14 日的天津《大公报》上。

李洪辛的叙事长诗《奴隶国王的来客》由上海文通书局出版。

刘艺亭的叙事长诗《苦尽甜来》由冀南新华书店出版。

陈敬容的诗集《盈盈集》由文化生活出版社出版，列为“文学丛刊”之一。收1935年至1945年所作诗71首。

李白凤的短篇小说集《马和放马的人》、艾芜的长篇小说《山野》、李健吾的散文集《切梦刀》分别由上海文化生活出版社出版，列入巴金主编的“文学丛刊”第十集。

艾芜的长篇小说《乡愁》、王西彦的长篇小说《神的失落》分别由上海中兴出版社出版，列为“中兴文丛”第四种。

秦牧的中篇小说《贱货》由香港南国书店出版，列入胡明树主编的“南国袖珍文艺丛书”第一辑。

李健吾的五幕剧《青春》由上海文化生活出版社出版。

十二月

30日，新华社1949年新年献词《将革命进行到底》中指出：在全国范围内推翻国民党的反动统治，在全国范围内建立人民共和国，这是中国人民、中国共产党、中国一切民主党派和人民团体1949年的主要任务。针对美帝国主义和国内反动派正在筹划“和谈”和“划江而治”以及在革命阵营内部制造“反对派”的反革命伎俩，新年献词指出：“已经有了充分经验的中国人民及其总参谋部中国共产党，一定会像粉碎敌人的军事进攻一样，粉碎敌人的政治阴谋，把伟大的人民解放战争进行到底。”新年献词向中外庄严宣告：“1949年中国人民解放军将向长江以南进军，将要获得比1948年更加伟大的胜利。”

31日，茅盾、洪深等秘密乘船离开香港，前往东北解放区。

《大众文艺丛刊》第5辑发表邵荃麟《论主观问题》，继续批判主观论者的观点。

力扬的长诗《射虎者》由新诗歌社出版，列为“新诗歌丛书”之一。诗集附有沙鸥的《后记》。

丁耶叙事长诗《外祖父的天下》由正风出版社出版。

沙鸥的新诗集《百丑图》，列为“新诗歌丛书”之一，新诗歌社出版，收诗歌11首，另有《后记》一篇，均为讽刺诗。

钟辛的新诗集《江南的旅行》由正风出版社出版，收诗26首，写于1944年至1948年，另有《后记》一篇，附录《论诗二题》。《后记》说：“这个年代虽然果真也令你忧郁。但毕竟是美丽的，伟大的，需要你去看重和去爱着的！”

疾风的诗集《秋星》由宁波春风社出版。除《写在前面》一文外，收诗53首。

老舍的剧本集《老舍戏剧集》由上海晨光出版公司出版，列为赵家璧主编的“晨光文学丛书”第29种。收《残雾》、《面子问题》、《王家镇》和《忠烈图》剧本四部。

鲁迅先生纪念委员会编《鲁迅全集》（综合卷）由上海鲁迅全集出版社出版。

1949年

一月

6 日，胡风离香港北上，3 月 26 日到达北平，参加文代会筹备工作。在第一次文代会上，他当选为主席团成员和文联委员。8 月 4 日南下上海，参加上海文代会筹备工作，9 月返回北平，参加第一届政协会议，当选为全国政协委员。10 月 1 日参加开国大典。

26 日，国民党军事法庭在上海宣判日本侵华战争罪犯冈村宁次无罪，于 31 日将包括他在内的 260 名战犯遣返日本。

31 日，北平宣告和平解放。

苏金伞的诗集《窗外》由文化生活出版社出版，列为“文季丛书”之二十四，收诗 16 首。

王了一（王力）的随笔集《龙虫并雕斋琐语》由观察社出版，收随笔 63 篇。

傅又新的随笔集《军中归讯》由文光书店出版，收书信 24 封，随笔 5 篇，日记 2 篇，另有叶圣陶、茅盾的《序》各一篇和作者的《付印题记》。叶圣陶说：“从这本书里，可以见到一个青年成长过来的经历，也可以见到他写作方面逐渐进步的经历。”茅盾说：“视工作即生活者，在工作中感受必深。而又对生活认真，便会有问题发生，而且要求解答。可巧他那多变而复杂的真实生活又可以提供他解答。这样，就造就了他的认识过程。《军中归讯》就是这样的认识过程的表现。我所以觉得它的意义重大。”

王辛笛的读书笔记《夜读书记》由上海森林出版社出版，收读书札记 10 篇。

莫洛编著的人物传记《陨落的星辰》由上海人间书屋出版。书中记载了文学家、理论家、批评家、音乐家、哲学家、演员、政论家、经济学家、史学家、科学家、教育家、律师等 138 人的小传，记载了他们的业绩。

二月

严辰随军进入北平，在文化接管委员会审查旧影片。第一次文代会筹备期间，他任大会会刊《文艺报》编委，会后，他任《人民文学》编辑部主任。

茅盾抵达北平，参加筹备政协会议和文代会，当选为文联副主席和文协主席。

周而复的长篇小说《白求恩大夫》由上海知识出版社出版。

罗西（欧阳山）的长篇小说《爱之奔流》由上海光华书店出版。

白朗的短篇小说集《牛四的故事》由哈尔滨光华书店出版。

杜埃的短篇小说集《在吕宋平原》由香港人间书屋出版。列入“人间文艺”。

赵树理的短篇小说集《福贵》由中原新华书店出版，收短篇小说 3 篇。

三月

22 日，来自解放区和国统区的作家、艺术家，在北平解放后第一次聚会。鉴于全国“文协”多数理、监事已到达北平，议决“文协”自即日起迁北平办公。同时发起组织全国文学艺术界联合会，商讨全国第一届文代会的筹备工作。郭沫若、茅盾、周扬、叶圣陶、郑振铎、田汉、欧阳予倩、冯乃超、洪深、赵树理、刘白羽等42人组成筹备委员会。郭沫若任筹委会主任，茅盾、周扬任副主任，沙可夫任秘书长。

24日，孙犁的小说《嘱咐》在《进步日报》上发表。

29日，以郭沫若为团长，刘宁一、马寅初为副团长的出席世界和平大会中国代表团离开北平出发。行前，周恩来亲为治装，以壮行色。世界和平大会于4月20日在巴黎和布拉格同时开幕，中国代表团参加布拉格会议。

赵树理当选为拥护世界和平大会成员，因故未去。7月，当选为文联常委，文协常委，全国戏剧改进会（筹备）委员、曲艺改进会（筹备）副主任。

柯仲平去北平参加第一次文代会筹委会。在文代会上，他作了《把我们的文艺工作提高一步》的发言，并当选为文协副主席。

赵家璧主编的《晨光世界文学丛书》由上海晨光出版公司出版。收冯亦代译的《现代美国文艺思潮》等19种。

邵荃麟的论文《新形势下文艺运动上的几个问题》发表于《大众文艺丛刊》第6辑。

青勃的新诗集《巨人的脚下》列为“中兴诗丛”第五集，由中兴出版社出版，收诗42首。

杭约赫的长诗《复活的土地》由上海森林出版社出版。

碧野的短篇小说集《奴隶的花果》由上海新丰出版公司出版。

师田手的短篇小说集《燃烧》由上海新中国书局出版，收短篇小说10篇。

艾芜的中篇小说《一个女人的悲剧》由上海新中国图书局出版。

韩希梁的长篇报告文学《飞兵在沂蒙山上》由华中新华书店出版。

四月

1日，周而复小说《燕宿崖》在《小说》2卷4期上开始连载。

2日，《中共中央东北局关于萧军问题的决议》发表于《东北日报》。

该决议认为：“东北进步文艺界最近进行了对于萧军的反动思想的批判。中国共产党中央东北局认为这种批判是必要的，是应该加以支持的。萧军的反动思想不是一个偶然的现象。萧军是鲁迅先生所指出的中国文艺界中‘才子加流氓’一型的人物之一……是一个自私自利的、惯于采取两面手法和敲诈手段的、无原则的野心家。”决议认为：萧军“用言论来诽谤人民政府，诬蔑土地改革，反对人民解放战争，挑拨中苏友谊。”针对萧军的“错误”，东北局做出了如下的决定：“一、在党内外展开对于萧军反动思想和其他类似的反动思想的批判，以便在党内驱逐小资产阶极的、资产阶级的和地主阶级的思想影响；在党外帮助青年知识分子纠正同类错误观点。二、加强对于文艺工作的领导，加强党的文艺工作者的马克思列宁主义的修养，在文艺界提倡严正的相互批评和自我批评，反对无原则的‘团结’和无原则的‘争论’，为提高文艺作品的思想性和艺术性而奋斗。三、停止对萧军文学活动的物质方面的帮助。”1980年4月21日中共北京市委组织部、宣传部《关于萧军同志问题的复查结论》对这一“决定”

已予以纠正。

3 日，中国共产党和各民主党派领袖毛泽东、李济深、沈钧儒、章伯钧等发表联合声明，反对美、英、法、意、荷、比、挪、丹、冰、加、卢、葡等 12 国政府签署《北大西洋公约》。

23 日，人民解放军占领南京，国民党政权覆灭。

王亚平被调至北平任《人民日报》文艺版主编、大众文艺创作研究会副主席。

张志民的新诗集《天晴了》由读者书店出版，收诗 4 首，另有《序》及萧三《我读了一首好诗》各一篇。《序》说：“我的《王九诉苦》、《死不着》、《野女儿》等诗就是在与农民一起吃糠饼子的生活里写出来的。我发现到他们新颖的言语，他们喜欢的格调，我以他们的话记录了他们的斗争、生活”，“因为其中数首，都是写农民在共产党领导下推翻了这笼罩于中国天空数千年的封建统治，天晴了，故取于最后《欢喜》之诗上的一句，定名为《天晴了》。”

丁玲参加东北文艺座谈会，作《批判萧军错误思想》等文章。

李白凤的新诗集《北风辞》由潮锋出版社出版，收诗 18 首。

金军的诗集《碑》由潮锋出版社出版，列为“新诗人丛书”之一。收 1944 年至 1945 年所作诗 23 首。

艾峰著、葛田编的诗集《活在人民心里》自费出版，岭南铸字印刷厂承印，收诗 25 首。

赵树理的小说《传家宝》发表于 19 日至 22 日《人民日报》。

阿湛的短篇小说集《远近》由上海文化生活出版社出版，列入巴金主编的“文学丛刊”第十集。

汪曾祺的短篇小说集《邂逅集》由上海文化生活出版社出版，列为巴金主编的“文学丛刊”第十集，收短篇小说 8 篇，分别是《老鲁》、《艺术家》、《戴车匠》、《邂逅》、《复仇》、《落魄》、《囚犯》、《鸡鸭名家》。

陆地的中篇小说《生死斗争》由东北书店出版，列入“文学战线创作丛书”。

刘盛亚的中篇小说《地狱门》由上海春秋出版社出版，列入“春秋文库”。

林蒲的中篇小说《苦旱》由上海文化生活出版社出版，列入巴金主编的“文学丛刊”第十集。

肖群的长篇小说《海洋·土地·生命》由上海春秋社出版，列入“春秋文库”。

茅盾的散文集《杂谈苏联》由上海致用书店出版，除《后记》外，收见闻录 58 篇。

五月

1 日，阮章竞的长诗《漳河水》发表于《太行文艺》第 1 期。写于 1949 年 3 月的《漳河水》，是继《王贵与李香香》之后，采用民歌形式写成的又一部影响较大的长篇叙事诗。

24 日，夏衍到北平后，又奉命南下至丹阳新四军军部。27 日随军进入上海，任军管会文管会副主任。离北平前，周恩来对他说，到上海后一定要先去梅兰芳、周信芳、袁雪芬那里登门拜访，不要叫他们到机关来谈话。因为他们在群众中的影响要比你们搞话剧的人大得多。

周而复奉命率香港文艺界人士100多人并郭沫若家属去北平。他不久随三野进入上海，任华东局统战部秘书长等职。

《文艺报》（周报）创刊于北平。同年7月出至第13期停刊，由文艺报编辑委员会编辑、发行。9月复刊，成为全国文联机关刊物，改为半月刊，卷期另起。中华全国文学艺术界联合会文艺报编辑委员会编辑，新华书店出版兼发行。

《文艺劳动》创刊于北平，1949年11月出至1卷6期终刊。文艺劳动社编辑，北京中外出版社出版。发表论文、小说、散文、诗歌、剧本、介绍文章等。撰稿人有王朝闻、康濯、秦兆阳、孙犁、艾青、碧野等。

《文学战线》2卷3期刊出“工人创作特辑”。

田间长篇叙事诗《赶车传》，列为“中国人民文艺丛书”之一，由新华书店出版。

新诗选集《东方红》中国人民文艺丛书社选编，列为“中国人民文艺丛书”之一，新华书店出版，收解放区工农兵诗歌53首。

史纽斯（邹荻帆）的诗集《总攻击令》由上海新群出版社出版，收诗11首。

阮章竞、张志民的诗集《圈套》由新华书店出版，列为“中国人民文艺丛书”之一。收阮章竞诗3首，张志民诗2首。

孔阙、袁静合著长篇小说《新儿女英雄传》开始在《人民日报》连载。8月在冀南新华书店出版单行本。

欧阳山的长篇小说《高干大》由北京新华书店出版。《高干大》是作者在毛泽东《在延安文艺座谈会上的讲话》的指导下完成的一部长篇小说。冯雪峰在《欧阳山的〈高干大〉》中评价道：“我觉得，这是一部很好的小说。当我读完它以后，第一个感觉，是认为这部小说一定能够在我们群众工作上发生很实际的好的影响。这对于农村的工作者——尤其新解放区的农村工作者，益处大约还要更大。我想，我们是很可以负责任的把它介绍给新解放区的工作干部和一般读者们的。”“这部小说写了一个农民共产党员——高生亮（即高干大，干大即干爹），他为人民的福利而忘我的工作着、战斗着；写得很真切，很感动人。高干大这个人所有高贵的品质和为公的精神，都是从切实地为农民的生活改善而献身的一点上出发的，一句话：他是毛泽东的‘共产党人为人民服务’的无数的活的形象之一。”冯雪峰在文中也提到了《高干大》所存在的缺陷：“我有这样的感觉：仿佛他不是一株生在旷野间的树，而是一株砍伐了的、并已经当作木材用了的树。”最后，冯雪峰作了总结：“《高干大》这部小说，是分明负起了政策的任务而得到了成功的作品；这就是一个证明，关照政策——党性的具体反映之一——并不妨碍作品的生机。……对于广大的读者，我希望先注意这部作品的价值，不要忽视我们所已经达到的成就。”（《雪峰文集》，人民文学出版社，1985年。）

周立波长篇小说《暴风骤雨》下卷由东北书店出版。

草明的长篇小说《原动力》由天津新华书店出版。

王希坚的长篇章回小说《地覆天翻记》由新华书店出版，列入“中国人民文艺丛书”。

周而复的五幕剧《子弟兵》由香港新中国书店出版。

阮章竞的戏剧《赤叶河》由新华书店出版。

刘沧浪、陈怀皑、陈森等集体创作，鲁煤执笔的《红旗歌》（戏剧）由天津新华书店出版。

刘白羽散文集《光明照耀着沈阳》由北平新华书店出版。

六月

2 日，青岛解放，山东分局负责人给王统照送去一些面粉以表示慰问。7 月，他出席第一次文代会，当选为文联委员、文协理事。会议期间受到毛泽东的接见，周恩来为他亲笔题字。他也当场赋诗。会后，他回山东大学任文学系主任、教授。

同日，阳翰笙在《文艺报》5 期上发表《略论国统区三年来的电影运动》。文章概括总结了抗战胜利后三年来国统区的进步电影事业的面貌，总结了国统区进步电影事业在对敌斗争和内部建设方面的成功经验，同时将三年来的电影事业和自 30 年代开始的进步电影传统，以及翘首可待的新中国电影事业联系起来加以考察，具有理论意义。

18 日，上海戏剧电影工作者协会成立，陈白尘任主席。11 月，上海电影制片厂成立，于伶任厂长，陈白尘任艺术委员会主任。

26 日，赵树理的创作谈《也算经验》在《人民日报》上发表。赵树理就小说创作的取材、主题和语言三个方面谈了自己的经验。关于取材问题，作者强调材料与“经历”的关系，由于自己尽和某些人物“打交道”，并“参与”某些事件，因此材料来了，“想不拾也躲不开”。这说明了解群众、熟悉生活的重要性。关于主题，作者说：“我在做群众工作的过程中，遇到了非解决不可而又不是轻易能解决的问题，往往就变成所要写的主题。”这个观点成了赵树理作为一个“问题小说”作家的主要佐证。“问题小说”早在“五四”时期就有人提出过。当时是为了要摆脱小说作为“闲书”的地位，强化其社会职能。而赵树理更强调作家反映问题的敏感性、及时性。

傅雷从昆明去香港，他应邀为第一次文代会代表，因故未出席。

巴金收到周恩来邀他出席文代会的电报。巴金当选为文联常委、文协委员。会上，有人叫巴金上台讲话，巴金躲开了。事后他说：我不会讲话，站在讲台上我讲不出一个字。我有过这样的经验。因此我不愿拿我的缺点再去折磨别人。

何达著、朱自清选编的新诗集《我们开会》由上海中兴出版社出版，列为“中兴诗丛”之六。收诗 52 首，另有朱自清序《今天的诗》和作者后记《给读者》。朱自清在《序》中说：“这些朗诵诗没有‘我’，有‘我们’，没有中心，有集团。”作者说：“开始，我模仿徐志摩，郭沫若，然后是臧克家，然后是浦风，……到桂林，艾青先生纠正过我的方向，在昆明，几乎每一首诗，都经过闻一多先生的指点。”

马凡陀（袁水拍）的诗集《解放山歌》由上海星群出版社出版。收 1948 年至 1949 年所作诗 24 首。

楼栖的叙事长诗《鸳鸯子》由人间书屋出版，列为“人间诗丛”之一。

刘白羽的短篇小说集《龙烟村纪事》由上海中兴出版社出版，列为“中兴文丛”之五。

刘白羽小说集《战火纷飞》由北平新华书店出版。

默涵的杂文集《狮和龙》由香港人间书屋出版，列为“人间文丛”之一，收杂文43篇。

参考文献

一、报刊杂志类：

1.《大共和日报》
2.《中华教育界》
3.《临时政府公报》
4.《中华民国公报》
5.《民立报》
6.《越社丛刊》
7.《民权报》(后改为《民权素》)
8.《中华民报》
9.《民国新闻》
10.《申报》
11.《新闻报》
12.《时报》
13.《天铎报》
14.《中华新报》
15.《太平洋报》
16.《新世界》
17.《真相画报》
18.《中国同盟会杂志》
19.《生活杂志》
20.《小说月报》
21.《孔教会杂志》
22.《爱国白话报》
23.《独立周报》
24.《文艺俱乐部》
25.《女子白话旬报》(后改称《女子白话报》)
26.《亚东丛报》
27.《南社丛刻》
28.《民誓杂志》
29.《中国学报》
30.《庸言》
31.《读书》
32.《不忍》
33.《教育部编纂处月刊》
34.《文史杂志》
35.《言治》
36.《说报》
37.《大同周报》
38.《杂文》
39.《国民月刊》
40.《平报》
41.《自由杂志》
42.《法政学报》
43.《游戏杂志》
44.《绍兴县教育会月刊》
45.《雅言》
46.《中华小说界》(续出《中华新小说界》)
47.《绍兴教育会月刊》
48.《浙江兵事杂志》
49.《小说丛报》

50.《甲寅杂志》
51.《消闲钟》
52.《国民杂志》
53.《礼拜六》
54.《戏剧新闻》
55.《国学丛刊》
56.《文艺杂志》
57.《夏星》
58.《学生杂志》（原名为《学生月刊》）
59.《国学》
60.《快活林》（原名《庄谐杂录》，后又改名《新园林》）
61.《余兴》
62.《俳优杂志》
63.《共和杂志》
64.《学术丛编》
65.《小说海》
66.《妇女杂志》
67.《大中华》
68.《双星杂志》（后改为《文星杂志》）
69.《戏剧丛报》
70.《小说新报》（该刊由《小说丛报》蜕化而来）
71.《国学杂志》
72.《光华学报》
73.《神州日报》
74.《小说大观》
75.《通俗杂志》
76.《新中华报》
77.《青年杂志》（1916年9月1日更名《新青年》）
78.《新中华》
79.《大夏丛刊》
80.《复旦》
81.《民国日报》
82.《春声》
83.《民彝杂志》
84.《民铎》
85.《晨钟报》（1918年12月改名为《晨报》）
86.《新世界报》（1919年6月17日至1920年2月5日改名为《药风日刊》）
87.《小说画报》
88.《艺文杂志》
89.《学生周刊》
90.《文艺丛刊》（后更名为《创世纪》）
91.《东方杂志》
92.《留美学生季报》
93.《每周评论》
94.《新潮》
95.《公言报》
96.《国故》
97.《新教育》
98.《星期评论》
99.《湘江评论》
100.《少年中国》
101.《国民公报》
102.《新生活》
103.《星期评论》
104.《曙光》
105.《新社会》
106.《星期日》
107.《北京大学学生周刊》
108.《时事新报》
109.《燕京大学季刊》
110.《改造》
111.《新文学史料》
112.《创造季刊》
113.《海外新声》
114.《创造》
115.《文学周报》（初名《文学旬刊》，曾用名《文学周刊》）
116.《戏剧》

117.《学衡》
118.《诗》
119.《儿童世界》
120.《努力周报》
121.《一般》
122.《读书杂志》
123.《浅草》
124.《创造周报》
125.《创造日》
126.《文学》
127.《中国青年》
128.《南国》
129.《洪水》
130.《语丝》
131.《现代评论》
132.《艺林》
133.《莽原》
134.《京报》
135.《生活》
136.《沉钟》
137.《独立评论》
138.《创造月刊》
139.《北新》
140.《狂飙周刊》
141.《民众旬刊》
142.《太阳月刊》(曾用名:《时代文艺》、《新流月刊》、《拓荒者》)
143.《未名》
144.《文化批判》
145.《新月》
146.《文化战线》
147.《无轨列车》
148.《我们》
149.《奔流》
150.《大众文艺》
151.《白华》
152.《朝花周刊》
153.《现代文化》
154.《海风周报》
155.《金屋月刊》
156.《红黑》
157.《人间》
158.《新流》(后改为《拓荒者》)
159.《新流月报》
160.《列宁青年》
161.《南国月刊》
162.《南国周刊》
163.《新文艺》
164.《新思潮》
165.《萌芽月刊》(后改名《新地月刊》)
166.《拓荒者》
167.《艺术月刊》(又名《沙仑》)
168.《巴尔底山》
169.《文艺新闻》
170.《骆驼草》
171.《前锋周报》
172.《展开》
173.《文艺月刊》
174.《文化月报》(后改名《世界文化》)
175.《诗刊》
176.《文学导报》
177.《十字街头》
178.《文化评论》
179.《国际文学》(前身《世界革命文学》)
180.《现代》
181.《北斗》
182.《文学月报》
183.《论语》
184.《小说月刊》
185.《无名文艺》
186.《新诗歌》
187.《艺术新闻》
188.《世界日报》

189.《中国论坛》
190.《文学杂志》
191.《红色中华》
192.《大公报》
193.《文学季刊》
194.《国闻周报》
195.《太白》
196.《春光》
197.《民族文艺》（后改名为《国民文学》）
198.《人间世》
199.《译文》
200.《文学新地》
201.《大晚报》
202.《水星》
203.《芒种》
204.《东流》
205.《文化生活丛刊》
206.《文学丛刊》
207.《宇宙风》
208.《自由评论》
209.《海燕》
210.《新文化》
211.《文学丛报》
212.《生活知识》
213.《作家》
214.《文学界》
215.《光明》
216.《民报》
217.《现实文学》
218.《中流》
219.《诗歌杂志》
220.《新诗》
221.《海风》
222.《文丛》
223.《戏剧时代》
224.《文艺阵地》
225.《新演剧》
226.《救亡日报》（后改名《建国日报》）
227.《呐喊》（后改名《烽火》）
228.《战地》
229.《中国诗坛》（其前身为《广州诗坛》）
230.《七月》
231.《时调》
232.《抗战戏剧》
233.《群众》
234.《抗到底》
235.《新华日报》
236.《抗战日报》
237.《弹花》
238.《新民报》
239.《自由中国》
240.《抗战文艺》（后改出《中国作家》）
241.《文艺突击》
242.《文献》
243.《中央日报》
244.《鲁迅风》
245.《笔阵》
246.《文艺战线》
247.《戏剧岗位》
248.《戏剧与文学》
249.《新蜀报》
250.《黄河》
251.《大风》
252.《战国策》
253.《现代文艺》
254.《文坛月刊》
255.《诗与散文》
256.《野草》
257.《中国人》
258.《戏剧春秋》
259.《文艺月报》
260.《奔流文艺丛刊》

261.《文艺工作》
262.《西南文艺》
263.《解放日报》
264.《中苏文化》
265.《五十年代》
266.《大众生活》
267.《文艺新哨》
268.《中国文化》
269.《时代文学》
270.《华商报》
271.《青年文艺》
272.《诗创作》
273.《笔谈》
274.《文艺生活》
275.《诗垦地》
276.《草叶》
277.《谷雨》
278.《中央周报》
279.《创作》
280.《文艺》
281.《文坛》
282.《文化先锋》
283.《文学创作》
284.《诗与潮文艺》
285.《苏联文艺》
286.《戏剧月刊》
287.《艺术与生活》
288.《戏剧月报》
289.《中原》
290.《民族文学》
291.《国讯》
292.《杂志》
293.《万象》
294.《明日文艺》
295.《文汇报》
296.《当代文艺》
297.《人民日报》
298.《文艺先锋》
299.《文艺创作》
300.《文艺春秋》
301.《高原》
302.《天下文章》
303.《扫荡报》
304.《文学新报》
305.《中国文学》
306.《文艺复兴》
307.《文学期刊》
308.《希望》
309.《大众报》
310.《文哨》
311.《人物杂志》
312.《周报》
313.《文萃》
314.《民主》
315.《月刊》
316.《晋察冀日报》
317.《民主新周刊》
318.《文联》
319.《新文学》
320.《东北日报》
321.《北方文化》
322.《热潮》
323.《鲁迅文艺》
324.《新群众》
325.《鲁迅学刊》
326.《观察》
327.《太岳文化》
328.《清明月刊》
329.《人民戏剧》
230.《平原文艺》
331.《文潮》
332.《文化报》
333.《文讯》
334.《诗创造》
335.《小说》
336.《大众文艺丛刊》

337.《中国新诗》
338.《华北文艺》
339.《群众文艺》
340.《生活报》
341.《周论》
342.《文艺报》
343.《平原》
344.《人民文学》
345.《进步日报》
346.《太行文艺》
347.《文艺劳动》
348.《文学战线》

二、著作类：

1. 梁启超：《饮冰室诗话》，人民文学出版社 1959 年版。
2. 郭沫若编：《历史人物》第 212 页，人民文学出版社 1979 年版。
3. 郑振铎：《文艺论争集》，上海良友图书公司 1935 年版。
4. 叶德均：《戏曲小说丛考》，中华书局 1979 年版。
5. 孙文：《孙中山选集》，人民出版社 1981 年版。
6. 柳亚子编：《曼殊全集》，上海北新书局 1928 年版。
7. 《中国话剧运动 50 年史料集》，中国戏剧出版社 1985 年版。
8. 陆耀东、孙党伯、唐达晖主编：《中国现代文学大辞典》，高等教育出版社 1998 年版。
9. 胡适：《胡适文存》，亚东图书馆 1921 年版。
10. 芮和师、范伯群、郑学弢、徐斯年、袁沧洲编：《鸳鸯蝴蝶派文学资料》（上、下册），福建人民出版社 1984 年版。
11. 鲁迅博物馆、鲁迅研究室编：《鲁迅年谱》（增订本），人民文学出版社 1981 年版。
12. 范伯群主编：《中国近现代通俗文学史》，江苏教育出版．社 1999 年版。
13. 李大钊：《李大钊文集》，人民文学出版社 1984 年版。
14. 曹伯言、季维龙编著：《胡适年谱》，安徽教育出版社 1986 年版。
15. 王继权、童炜钢编：《郭沫若年谱》，江苏人民出版社 1983 年版。
16. 袁景华：《章士钊先生年谱》，吉林人民出版社 2001 年版。
17. 郑方泽编：《中国近代文学史事编年》，吉林人民出版社 1983 年版。
18. 万树玉：《茅盾年谱》，浙江文艺出版社 1986 年版。
19. 黄炎培：《八十年来》，文史资料出版社 1982 年版。
20. 鲁迅：《鲁迅佚文集》，四川人民出版社 1979 年版。
21. 胡适：《胡适书信集》，北京大学出版社 1996 年版。
22. 鲁迅：《鲁迅全集》，人民文学出版社 1981 年版。
23. 贺炳铨编：《新文学家传记·朱湘自传》，上海旭光社 1934 年版。
24. 赵家璧主编：《中国新文学大系》，上海良友图书印刷公司 1935 年版。
25. 巴金：《巴金全集》，人民文学出版社 1993 年版。
26. 朱湘：《中书集》，上海生活书店 1934 年版。

27. 张菊香主编：《周作人年谱》，南开大学出版社1985年版。

28. 郁云：《郁达夫传》，福建人民出版社1984年版。

29. 李霖编：《郭沫若评传》，上海时代书局1932年版。

30. 李涤镜、顾一樵、梁实秋等著：《短篇小说作法》，北京共和印刷局1921年版。

31. 周作人：《永日集》，北新书局1929年版。

32. 郭沫若、宗白华、田寿昌［田汉］：《三叶集》，上海书店1982年版。

33. 郁达夫：《郁达夫文集》，花城出版社1982年版。

34. 李希同：《冰心论》，北新书局1932年版。

35. 周俟松、杜汝淼编：《许地山研究集》，南京大学出版社1989年版。

36. 徐静波：《梁实秋——传统的复归》，复旦大学出版社1992年版。

37. 朱自清：《读〈湖畔〉诗集》，《朱自清全集》，江苏人民出版社1996年版。

38. 冯光廉、刘增人编：《王统照研究资料》，宁夏人民出版社1983年版。

39. 李金发：《异国情调》，商务印书馆1941年版。

40. 范伯群编：《冰心研究资料》，北京出版社1984年版。

41. 闻一多：《闻一多全集》，湖北人民出版社1993年版。

42. 田汉：《田汉文集》，中国戏剧出版社1983年版。

43. 鲁迅：《鲁迅杂感选集》，上海青光书局1933年版。

44. 刘炎生：《徐志摩评传》，暨南大学出版社1995年版。

45. 马德俊：《蒋光慈传》，安徽人民出版社2001年版。

46. 止庵：《苦雨斋识小》，东方出版社2002年版。

47. 孙中田、查国华编：《茅盾研究资料》，中国社会科学出版社1983年版。

48. 袁良骏编：《丁玲研究资料》，天津人民出版社1982年版。

49. 《现代中国女作家》，北新书局1931年版。

50. 苏雪林：《中国二三十年代作家》，《苏雪林文集》第3卷，安徽文艺出版社1996年版。

51. 余英时：《重寻胡适历程》，广西师范大学出版社2004年版。

52. 陈冰夷、王政明编：《萧三文集》，北京图书馆出版社1996年版。

53. 唐金海、孔海珠编：《中国当代文学研究资料·茅盾专集》，福建人民出版社1985年版。

54. 范伯群：《中国近现代通俗文学史》，江苏教育出版社1999年版。

55. 巴金：《巴金选集》，四川人民出版社1982年版。

56. 瞿秋白：《瞿秋白文集》，人民文学出版社1953年版。

57. 茅盾：《我走过的道路》，人民文学出版社1984年版。

58. 茅盾：《茅盾文艺杂论集》，上海文艺出版社1981年版。

59. 沈阳师范学院中文系现代文学教研室编：《中国当代文学研究资料臧克家专集》，1979年版。

60. 戴望舒：《戴望舒诗集》，四川人民出版社1981年版。

61. 茅盾：《茅盾全集》，人民文学出版社1991年版。

62. 王兴平、刘思久、陆文璧编：《中国当代文学研究资料·曹禺研究专集》，海峡文艺出版社 1985 年版。

63. 贾植芳等编：《中国当代文学研究资料·巴金专集》，江苏人民出版社 1981 年版。

64. 李健吾：《咀华集》，人民文学出版社 2001 年版。

65. 徐懋庸：《徐懋庸选集》，四川人民出版社 1984 年版。

66. 胡风：《胡风回忆录》，人民文学出版社 1993 年版。

67. 林语堂：《林语堂选集》，中国广播电视出版社 1990 年版。

68. 何其芳：《何其芳文集》，人民文学出版社 1983 年版。

69. 唐弢：《识小录》，上海出版公司 1947 年版。

人名索引

A

艾　青 309，354，362，367，370，373，374，380，381，397，403，404，409，411，414，416，418，422，423，425，427，431，432，433，435，438，439，441，443，446，447，454，464，468，482，485，487，496，500，514，515，517，527，547，556，558

艾　芜 209，273，284，295，309，315，318，319，322，331，332，347，348，360，375，379，391，401，404，412，414，415，419，420，427，428，435，436，440，454，455，464，470，473，474，477，482，484，493，494，503，504，508，509，510，511，513，517，528，534，538，544，545，552，554

B

巴　金 85，106，207，213，238，263，264，277，284，295，300，305，312，315，318，319，320，323，324，327，330，331，332，336，338，340，342，348，349，353，354，356，358，360，361，363，366，370，379，380，387，392，396，414，418，419，421，423，426，428，429，432，435，440，441，446，455，457，460，470，476，482，483，498，499，504，505，509，510，514，516，520，521，524，525，527，534，535，536，538，539，542，543，544，545，547，552，555，557

巴　人 76，120，388，424，459，460，545，

王任叔 188，194，366，385，392，398，399，430，441，501

白　采 172，180

包天笑 23，39，56，166，349

碧　野 379，385，407，414，435，439，454，455，479，480，518，538，554，556

卞之琳 228，262，270，294，305，319，331，338，349，356，361，388，446，449，544

冰　心 32，76，92，93，105，108，111，112，115，122，123，141，148，149，152，160，163，172，173，198，218，225，268，300，304，305，315，321，322，349，426，429，436，465，466，470，485，524，536

卜少夫 484，521

无名氏 484，521，535，545

C

蔡和森 104，173，212

蔡元培1，2，3，4，9，17，38，44，45，53，54，56，60，63，74，76，80，81，84，

104，131，163，214，215，285，293，294，314，329，349，377，410，411，481，539
蔡孑民 59，82，83
曹葆华 293，409，427
曹靖华 100，179，185，186，270，272，280，287，392，440，465，499，510，520
曹聚仁 307，313，321，508，528
曹　禺 300，314，323，329，331，334，335，342，343，355，356，360，361，364，366，379，386，412，423，424，430，439，454，456，457，458，461，466，476，482，489，490，510，513，514，525，537，544
草　明 394，427，454，537，557
长　之 22，51，298，305，453，463，483
陈白尘 241，295，360，363，364，365，375，382，393，397，398，399，403，407，418，428，440，446，454，455，458，474，504，506，513，516，536，557
陈波儿 374，494，498
陈大悲 114，141，233，481
陈独秀 6，13，20，28，30，32，39，40，41，42，43，44，46，47，51，52，53，54，56，57，58，59，60，61，63，67，71，75，76，77，78，80，82，89，95，96，102，103，104，105，107，140，148，169，173，184，210，211，216，291，315，393，448
陈衡哲 62，73，106，321，392
陈　锦 103
陈敬容 533，544，552
陈梦家 228，262，270，308，338
陈其美 6，15
陈企霞 285，401，423，427，428，447，513，546
陈　铨 412，438，443，446，447，450，451，458，464
陈望道 89，104，105，107，201，237，240，270，274，278，279，295，314，318，322
陈炜谟 110，122，180，186，217
陈西滢 147，149，171，181，195，215，228，321，322，376
陈　源 171，254
西　滢 147，149，171，198，226
陈翔鹤 122，186，202，215，393
陈子展 246，314
成仿吾 42，110，112，115，117，125，135，139，145，148，155，156，158，162，164，165，167，186，191，205，206，210，216，218，220，221，222，223，224，226，229，231，254，267，292，333，377，387，392，394，397，418，430，500，509，513，545
程小青 33，37，48，113，166，279
程瞻庐 30，102，166，167
储安平 521
川　岛 167，169

D

戴望舒 179，191，212，218，223，233，234，235，238，241，247，268，277，295，329，331，338，349，357，361，394，404，446，504，533，536，539
邓　拓 418
邓中夏 90，157，159
丁　玲 213，222，226，235，238，239，240，258，261，268，269，273，274，275，278，290，293，294，316，318，338，354，356，363，366，367，377，379，380，387，394，395，396，397，400，406，408，409，423，427，431，435，436，438，439，443，444，447，450，453，455，473，478，500，509，514，515，521，524，527，535，545，547，550，555
丁文江 131，147，190
丁西林 158，171，173，182，429，438，

488, 527
杜国庠 295, 425, 491
杜　衡 191, 212, 218, 235, 277, 279, 296, 309, 331, 338, 397
　苏　汶 272, 277, 283, 284, 292, 302
杜鹏程 546
杜运燮 353, 523
端木蕻良 11, 295, 367, 368, 373, 374, 385, 397, 398, 401, 406, 407, 408, 440, 454, 455, 468, 485, 517

F

方玮德 324, 338
废　名 187, 219, 255, 271, 277, 280, 284, 305, 308, 313, 319, 361, 476, 494, 552
　冯文炳 175, 187, 219, 254, 271, 313, 485
丰子恺 108, 263, 295, 326, 359, 373, 377, 437, 466, 470
冯　铿 260, 261
冯　牧 427, 469
冯乃超 115, 191, 206, 220, 223, 224, 231, 232, 237, 240, 246, 252, 253, 254, 255, 374, 375, 376, 377, 378, 379, 440, 450, 457, 486, 488, 491, 498, 535, 540, 545, 554
冯雪峰 89, 130, 160, 216, 222, 231, 232, 234, 235, 244, 247, 249, 251, 254, 255, 261, 263, 268, 269, 272, 274, 277, 278, 279, 282, 284, 290, 294, 305, 340, 341, 344, 368, 398, 411, 420, 428, 440, 455, 468, 469, 474, 485, 487, 498, 510, 523, 534, 535, 537, 538, 550, 556
　雪　峰 160, 216, 222, 268, 269, 278, 290, 294, 368, 399, 440, 474, 482, 509, 534, 535, 538, 550, 556
冯沅君 170, 203, 207, 464, 486, 536
　淦女士 152, 164, 170, 207
　沅　君 226, 233, 486
冯　至 122, 147, 186, 212, 246, 255, 349, 448, 466, 467, 485, 495, 507, 532, 535, 544
傅东华 113, 209, 273, 295, 315, 318, 319
傅　雷 480, 557
傅斯年 70, 72, 74, 76, 80, 86, 104, 108

G

高长虹 179, 202, 203, 207, 439, 523
　长　虹 133, 196, 202, 203, 425, 495
高尔基 58, 247, 280, 300, 325, 328, 344, 363, 399, 400, 402, 417, 434, 456, 465, 524, 527, 548
高一涵 40, 62, 76, 92, 171, 215
戈宝权 401, 402, 407, 416, 419, 427, 435, 456, 478, 479, 482, 486, 488, 513
戈　茅 380, 417, 418, 450
葛　琴 277, 414, 420, 454, 511, 545
葛一虹 363, 399, 407, 408, 409, 410, 411, 412, 414, 415, 416, 418, 419, 422, 425, 508, 513
耿济之 94, 108, 113, 240, 434, 527
耿　匡 94, 115, 527
公　木 385, 421, 433, 437, 440, 447, 550
辜鸿铭 313, 528
顾颉刚 74, 76, 82, 169, 171, 199
顾明道 256, 399
顾仲彝 228, 386, 539
光未然 383, 399, 408, 413, 417, 418, 425, 433, 482, 495, 496, 506
郭沫若 12, 30, 38, 41, 42, 50, 54, 66, 71, 89, 90, 95, 98, 99, 103, 106, 107, 115, 116, 117, 125, 126, 128, 129, 133, 134, 135, 148, 149, 150, 156, 157, 159, 162, 164, 166, 167, 169, 170, 172, 175, 183, 186, 187, 188, 191, 196, 197, 198, 205, 206, 208,

209，210，213，215，216，221，223，224，225，226，229，231，233，252，253，255，263，266，273，281，282，314，322，323，325，335，345，346，347，349，354，365，366，369，374，376，377，378，379，388，395，396，399，409，415，416，417，418，420，421，422，424，425，426，428，429，430，432，433，435，436，438，440，441，443，444，445，446，447，450，451，454，455，456，457，458，459，460，462，464，469，470，471，472，473，474，475，476，477，479，482，483，484，485，486，488，489，490，491，493，495，500，502，503，504，505，506，507，508，510，511，512，513，514，517，519，520，521，522，523，524，525，526，528，535，538，540，541，543，544，545，546，550，551，554，556，558

郭绍虞 74，108，132，199，209

郭小川 421，427，433

H

韩侍桁 170，289，290

杭约赫 536，544，554

何其芳 2，294，300，319，331，338，347，356，360，361，362，365，375，385，388，394，400，407，408，409，427，428，437，439，446，447，454，455，459，474，477，478，482，486，487，490，493，504，510，512

贺敬之 487，493，497，514，523，525

洪灵菲 231，234，259，295

洪　深 84，142，164，173，234，241，252，277，282，295，318，326，329，344，345，359，361，365，371，379，383，403，424，425，428，429，436，457，458，465，467，471，484，491，506，508，510，514，520，526，528，552，554

胡　风 232，290，307，332，333，340，341，345，348，355，358，367，370，374，375，377，379，381，388，395，396，402，406，407，408，409，413，418，422，423，424，425，426，427，429，430，432，433，435，437，439，440，446，451，454，455，460，461，464，468，473，475，476，478，483，486，487，490，491，493，508，510，513，525，526，528，535，543，549，553

胡汉民 89，247

胡怀琛 101，102

胡寄尘 5，18，23，31，37，47，166

胡秋原 272，274，277，278，282，283，284，376

胡山源 147

胡　绳 326，413，435，538，540，543，550，551

胡　适 1，28，29，37，40，42，44，48，49，50，51，55，56，58，59，60，61，62，65，66，67，68，70，71，72，74，75，76，80，81，82，84，85，87，88，89，90，91，92，93，94，95，97，98，99，100，101，102，104，105，106，107，108，121，122，127，130，131，135，136，141，144，145，147，148，169，170，171，184，190，201，215，217，220，245，247，271，300，305，313，315，321，329，361，393，485，517，528，529，533

胡也频 171，219，231，234，235，238，239，240，244，249，257，259，260，261，278

胡愈之 82，122，183，207，270，273，295，314，376，379，420，441，501，502

荒　煤 333，340，342，347，360，386，403，409，423，427，439，534

黄谷柳 536，545

黄　侃 11, 23, 82, 83, 84, 179
黄　兴 1, 5, 11, 15, 16, 18
黄炎培 1, 54, 429, 483
黄药眠 191, 258, 433, 435, 456, 474, 478, 487, 509, 521, 522, 536, 539, 542
　药　眠 186, 433, 435
黄芝冈 336, 355, 413, 418, 422, 423, 425, 499

J

蹇先艾 76, 110, 115, 142, 162, 190, 194, 340, 474, 490, 499, 523, 538
蒋光慈 167, 170, 172, 173, 190, 191, 207, 215, 217, 221, 223, 226, 229, 230, 234, 238, 240, 249, 251, 253, 267
　蒋光赤 89, 159, 169, 173, 191, 279
蒋介石 174, 192, 197, 205, 208, 209, 210, 211, 213, 215, 231, 234, 243, 247, 276, 304, 308, 330, 353, 356, 364, 395, 408, 411, 414, 427, 439, 467, 479, 499, 500, 505, 514, 520
蒋牧良 375, 454, 509, 545
焦菊隐 150, 425, 457, 467, 472
锦　明 207
靳　以 305, 319, 331, 334, 340, 342, 360, 361, 380, 414, 435, 440, 446, 498, 499, 510, 515, 523, 539, 545

K

康白情 74, 90, 93, 104, 127, 128, 135
康有为 10, 11, 13, 14, 17, 18, 22, 23, 26, 36, 41, 50, 51, 69, 238, 344
康　濯 394, 418, 509, 525, 527, 535, 543, 546, 556
柯　灵 339, 391, 392, 399, 426, 428, 430, 503
柯仲平 179, 186, 201, 217, 220, 377, 385, 387, 388, 394, 409, 411, 421, 426, 437, 439, 447, 459, 543, 554

L

老　舍 20, 108, 111, 113, 168, 200, 209, 213, 231, 238, 244, 252, 280, 295, 296, 297, 298, 299, 300, 305, 312, 313, 318, 324, 326, 328, 348, 361, 365, 372, 375, 377, 378, 379, 383, 391, 392, 395, 396, 401, 405, 406, 407, 408, 411, 414, 423, 425, 426, 428, 429, 430, 432, 433, 434, 436, 438, 440, 441, 442, 444, 449, 450, 453, 454, 456, 457, 458, 459, 461, 465, 471, 473, 475, 476, 477, 482, 485, 490, 491, 493, 498, 499, 505, 507, 510, 511, 513, 514, 521, 524, 525, 526, 528, 535, 537, 550, 553
老　向 345, 371, 372, 376, 377, 378, 528
黎烈文 284, 287, 303, 318, 333, 340, 342, 348, 414, 536
李初梨 191, 220, 223, 224, 226, 230, 231, 237
李　达 115, 278
李大钊 7, 8, 15, 28, 36, 39, 40, 44, 48, 49, 50, 65, 71, 73, 75, 76, 82, 85, 86, 87, 89, 90, 91, 92, 96, 102, 103, 107, 131, 141, 161, 184, 210, 211, 293, 305, 448, 481, 524
李定夷 4, 27, 28, 30, 37, 77
李公朴 341, 354, 482, 490, 496, 512, 518, 520
李广田 294, 338, 342, 399, 440, 454, 455, 467, 472, 486, 496, 510, 511, 513, 524, 525, 533, 536, 544, 545
李涵秋 25, 30, 31, 34, 37, 260
李何林 247, 254, 482, 483
李　季 522, 524, 542
李霁野 179, 185, 223
李健吾 120, 142, 230, 277, 305, 319, 331, 336, 348, 357, 361, 386, 400,

440，452，458，461，467，488，504，508，509，510，514，534，552
刘西渭 308，334，356，358，461，523，544
李劼人 162，201，326，358，361，365，392，393，409，504，527
李金发 143，144，204，212，247，313，419，439，485
李立三 173，212，255
李叔同 4，5，6，528
李小峰 169，185，200，212
力　扬 407，409，418，433，446，453，464，482，489，495，552
丽　尼 324，331，332，333，340，348，360，363
梁启超 3，11，12，15，18，20，23，28，34，35，36，40，43，48，49，50，52，59，66，76，107，144，145，147，148，163，214，238，239
梁任公 41，42，59
梁实秋 40，112，127，128，141，144，149，156，160，173，191，192，193，194，199，203，215，228，232，244，245，246，252，255，331，390，391，440，453，458，518，541
梁遇春 254
梁宗岱 172，349
林淡秋 392，400，521
林　庚 281，305，485，550
林徽音 173
林默涵 409，540
林如稷 122，180，186
林　纾 12，16，20，21，23，34，36，38，59，60，63，80，82，84，168
林琴南 26，37，66，80，83，84，313，528
林语堂 169，179，189，201，232，237，254，269，280，285，312，322，329，369，370，418，432，437，438，472，512，526，528
凌叔华 171，173，178，226，228，300，321，361，376
刘白羽 295，331，360，379，387，388，394，403，409，427，440，447，454，464，477，482，493，515，518，535，537，542，545，554，557，558
刘半农 4，5，23，34，47，48，60，61，65，66，67，73，76，77，82，99，104，108，170，179，195，199，201，212，215，280，293，305，313，314，315，326
刘　复 66，179，196，313，314，528
刘大白 89，104，163，199，249，528
刘大杰 179，234，313，528
刘呐鸥 234，235，254
刘师培 12，23，82，83
柳亚子 4，5，6，7，11，12，14，16，18，26，62，63，64，278，281，284，420，435，439，451，454，476，477，491，496，505，538
楼适夷 235，274，300，374，375，376，380，394，419，536，537，545
适　夷 263，374，375，376，391，394，401，404
庐　隐 108，115，132，135，141，150，151，157，173，184，233，257，313，315
鲁　迅 3，4，6，8，12，13，15，18，20，24，28，30，33，35，36，40，41，47，52，54，58，64，65，69，70，71，72，74，75，76，81，83，85，86，88，89，92，95，102，103，104，106，107，111，112，114，115，116，117，120，123，125，131，132，136，140，145，147，152，153，154，155，158，160，161，162，163，164，165，166，167，168，169，170，171，173，175，176，177，178，179，180，181，182，183，184，185，186，

187，188，189，190，191，192，195，196，199，201，202，203，206，207，209，210，211，212，213，215，216，218，220，221，222，223，224，226，227，228，229，230，231，232，233，234，236，237，241，242，243，244，245，246，247，248，249，251，252，253，254，255，256，257，258，259，260，262，263，264，265，266，267，268，269，270，272，273，274，275，276，277，278，279，280，281，282，283，284，285，287，290，291，292，293，294，295，297，300，302，303，304，305，306，307，309，310，314，315，316，318，320，321，322，324，325，326，327，328，329，330，331，332，333，337，338，340，341，344，345，346，347，348，349，352，353，354，359，362，363，365，367，368，369，370，375，380，383，385，388，389，392，393，395，397，401，402，406，408，409，410，417，419，420，422，423，424，427，430，434，436，437，438，441，444，446，447，450，455，466，483，485，488，493，500，502，505，506，510，513，517，521，523，524，528，537，539，540，548，549，550，551，553，554

陆　蠡 348，421，446，518

陆小曼 147，219，233，279，536

路　翎 367，384，454，460，463，477，508，525，534，535，537，539，540

路易士 312，329，331，377

绿　原 367，414，435，437，509，514，515

罗　烽 347，375，377，379，386，394，407，427，443，447，537

罗黑芷 220

罗家伦 74，76，77，83，86，99，104，466

罗曼·罗兰 120，161，186，253，386，432，488，490

罗　荪 377，383，388，390，391，402，406，407，408，413，419，422，427，478

罗振玉 29，215

骆宾基 379，428，435，440，454，455，466，473，487，510，511，523

M

毛泽东 38，80，90，115，161，192，218，227，249，300，321，341，346，350，353，363，364，366，368，369，373，376，379，380，385，387，388，389，392，394，402，406，408，410，411，419，436，447，448，455，462，463，466，467，469，470，473，475，477，479，481，483，484，492，494，499，500，503，505，507，513，518，520，539，542，543，546，555，556，557

梅光迪 87，121，124，125

孟　超 230，246，267，326，364，419，433，435，462，468，509，545

穆　旦 68，404，488，530，533，539，544

穆木天 115，143，167，186，190，191，212，277，281，285，357，360，369，372，375，376，377，433，435，452，454

穆时英 247，276，277，315，416

N

倪贻德 160，164，167，186

聂绀弩 333，374，375，419，488，510，550，551

绀　弩 333，380，381，435，454

O

欧阳山 209，318，333，340，348，394，402，407，409，439，534，543，546，553，556

欧阳予倩 5，26，72，84，179，222，224，236，244，361，394，401，418，419，424，425，435，436，437，442，451，

454，455，466，467，472，473，476，477，481，554

P

潘公展 442，446，469，484
潘光旦 228，280，331，490，496
潘汉年 115，215，255，302，394
潘漠华 130，160，241，294，305
潘　训 164，305
潘梓年 201，293，372，379，391，402，416，417，418，419，510，526
梓　年 391，417，418
彭家煌 217，220，300
彭　康 191，220，223，224，232，236，248
蒲　风 175，281，313，325，331，347，354，357，366，452

Q

钱杏邨 158，162，173，217，218，221，223，227，228，230，234，235，237，238，246，250，251，252，253，254，256，267，272，274，278，279，294，368，389，500，527
阿　英 81，104，277，313，322，329，360，361，365，366，386，388，410，416，428，429，435，516，527
钱玄同 36，40，58，59，60，66，78，80，82，101，107，141，169，182，293，393
王敬轩 66，67，393
钱钟书 435，440，510，513，518，524，530，531，532
瞿秋白 7，41，94，115，137，141，161，165，166，173，189，195，207，212，213，216，232，263，265，268，272，273，274，277，278，283，284，285，287，288，292，293，306，318，321，325，353，382，425，434

R

饶孟侃 194，228，262，270
任叔永 48，49，87
柔　石 169，173，174，219，232，236，237，244，248，251，253，258，260，261，263，269，354
阮章竞 539，556，557

S

沙可夫 377，380，387，394，418，430，509，514，515，546，554
沙　汀 273，282，295，309，331，347，360，365，375，380，385，387，394，407，408，409，417，422，425，426，435，440，454，463，464，467，477，483，484，490，492，509，513，517，521，526，535，545
邵力子 12，44，89，339，365，373，375，378，395，396，399，402，475，483，489，493，503，505，523
邵荃麟 392，440，453，456，460，467，472，476，484，496，498，499，504，517，540，541，543，547，551，552，554
荃　麟 414，420，424，435，440，454，461，472，508，509，540
邵洵美 207，231，238，256，262，280，354，431
沈从文 124，149，159，171，172，199，219，228，235，237，238，239，240，241，245，259，260，261，270，276，277，278，281，292，295，300，301，302，304，305，306，307，308，313，315，316，317，318，319，321，322，330，331，332，334，338，340，341，342，350，351，354，355，356，357，360，361，366，379，380，400，412，453，454，455，458，462，464，465，466，476，488，501，522，525，528，532，540，541，547，552
沈钧儒 341，354，373，422，423，432，457，475，483，491，495，505，523，528，543，555

沈雁冰 20，85，89，97，98，99，100，103，105，106，107，108，109，111，112，113，114，115，116，117，118，120，122，124，126，131，132，133，134，135，138，139，141，145，153，156，157，160，161，178，181，183，192，206，209，212，215，216，217，220，368，481

茅 盾 7，49，50，93，109，110，112，114，120，124，147，155，166，172，173，174，177，184，202，204，213，216，217，218，220，223，226，230，233，234，237，242，243，244，245，250，251，253，254，256，260，268，271，273，274，275，276，277，278，279，280，284，285，286，287，289，290，292，294，295，303，307，310，314，315，316，318，319，322，329，331，333，337，338，340，341，342，343，344，346，347，348，349，351，352，354，357，358，364，366，370，378，379，380，381，383，391，394，396，397，398，407，409，415，419，420，421，422，423，424，425，426，427，429，430，431，432，433，435，437，438，439，440，449，450，451，452，454，455，456，457，458，459，462，464，465，466，467，468，469，470，475，476，479，482，483，485，486，487，488，489，490，491，493，495，496，497，498，504，505，506，507，509，510，511，513，514，516，517，520，523，524，526，527，528，531，532，536，538，540，542，545，548，549，550，552，553，554，555

沈尹默 40，54，65，66，82，104，180，182，305，485

师 陀 341，358，361，434，513，517，531，532，533，538

芦 焚 300，341，358，360，361，393，431，440

施蛰存 151，191，212，213，218，234，235，246，247，276，277，292，303，304，309，329，331，338，359，416，513，523，532，537

舒 芜 367，464，486，487，488

宋教仁 5，8，9，10，14，15

宋庆龄 178，285，293，294，300，313，349，353，354，410，427，482，483，517

宋云彬 78，419，433，454，455，464，485

宋之的 293，363，365，380，382，386，390，397，399，405，406，407，411，412，422，424，427，428，451，454，456，457，459，464，465，468，479，489，513，539

苏曼殊 5，6，7，18，19，26，28，38，39，40，53，69

苏 青 480，481，494，498

苏雪林 154，224，225，233，244，247，316，317，321，498，501，528，536

孙大雨 270，319，349

孙伏园 74，76，85，88，89，108，117，150，169，170，171，200，209，280，430，441，446，468，476，482，491，493，499，528

孙 犁 419，431，493，503，507，529，533，535，554，556

孙中山 1，3，4，5，9，10，11，14，15，17，19，30，43，44，47，62，63，88，89，98，107，121，141，151，161，170，174，177，188，209，215，239，241，344

T

台静农 179，185，215，223，237

谭嗣同 163

唐 祈 543，544

唐 湜 531，532，536，537，539，543，544

唐 弢 338, 341, 367, 392, 414, 430, 503, 523, 538
陶晶孙 167, 191, 246, 253
陶亢德 280, 329
陶行知 1, 388, 490, 513, 520, 528
滕 固 238, 431
田 汉 38, 49, 66, 90, 103, 104, 115, 116, 126, 131, 132, 142, 157, 161, 162, 172, 222, 223, 224, 237, 241, 244, 245, 255, 257, 263, 278, 279, 320, 321, 324, 332, 360, 361, 369, 371, 373, 374, 377, 379, 381, 383, 388, 401, 418, 421, 422, 424, 425, 426, 429, 430, 433, 435, 436, 442, 446, 451, 452, 454, 455, 457, 458, 461, 467, 470, 471, 472, 473, 476, 477, 491, 495, 496, 509, 511, 513, 516, 517, 520, 554
田 间 345, 347, 357, 367, 374, 387, 394, 418, 430, 431, 433, 437, 446, 468, 521, 523, 526, 527, 556

W

汪敬熙 74, 76, 81, 176
汪静之 130, 135, 136, 160, 176, 219, 221, 294
汪曾祺 555
汪仲贤 107, 114, 188, 481
王独清 115, 167, 186, 191, 210, 223, 231, 234, 248, 257, 259, 300, 420
王钝根 19, 21, 29, 64
王国维 12, 13, 29, 30, 42, 47, 64, 114, 214, 215, 313
　王静安 214, 528
王礼锡 274, 399, 400
王鲁彦 169, 177, 203, 204, 216, 361, 401, 440, 473, 481, 518
　鲁 彦 108, 177, 295, 331, 342, 349, 363, 419, 440, 481
王平陵 256, 258, 331, 375, 377, 378, 394, 396, 402, 422, 425, 442, 461, 496, 530
王实味 257, 409, 442, 444, 449, 450, 451, 528
王统照 94, 95, 108, 110, 115, 139, 142, 150, 151, 158, 162, 173, 176, 242, 295, 300, 317, 318, 322, 326, 338, 349, 354, 357, 360, 414, 543, 547, 557
王西彦 377, 414, 440, 488, 492, 516, 536, 545, 551, 552
王亚平 325, 326, 347, 354, 357, 394, 408, 433, 440, 452, 464, 478, 486, 488, 490, 495, 537, 555
王以仁 170, 173, 202, 204
王造时 228, 354
韦丛芜 179, 185
韦君宜 427, 536
韦素园 179, 185, 186, 203, 223, 279
魏金枝 179, 190, 277, 279, 347, 534, 535
温 流 357
闻一多 12, 127, 128, 150, 156, 160, 171, 173, 194, 197, 198, 224, 225, 228, 270, 271, 311, 419, 455, 464, 468, 482, 483, 484, 490, 495, 496, 502, 505, 510, 518, 519, 520, 523, 546, 558
吴伯箫 326, 388, 454, 550
吴 晗 490, 496, 505, 544, 546
吴 宓 121, 122, 137, 138, 176, 266, 289, 313, 528
吴双热 4, 19, 25, 26, 27, 29, 30, 37, 166
吴稚晖 52, 144, 148, 189, 211, 247
吴组缃 288, 295, 305, 306, 315, 331, 381, 428, 452, 453, 455, 461, 482, 496
吴祖光 455, 467, 476, 485, 489, 494, 513, 517, 518, 524, 528, 534, 535

X

夏丏尊 89，201，273，315，332，349，424，468，514，515
夏　衍 238，246，247，251，253，277，332，338，339，344，360，365，366，370，382，386，394，404，412，419，424，425，432，435，437，451，456，457，458，461，464，467，468，469，471，479，484，486，489，493，499，505，506，509，510，513，517，536，540，556
沈端先 237，238，247，251，253
夏曾佑 18，119，163
向林冰 411，412，413，414，415，417，418，421，422
萧楚女 157，159，211
萧　红 217，300，303，332，333，340，348，363，367，373，374，379，391，408，412，418，419，428，431，432，440，447，455，485，510，518，538
萧　军 295，300，303，327，331，333，340，360，367，379，393，401，427，436，438，441，445，447，450，509，514，521，524，529，546，547，554，555
田　军 327，328，333
萧　乾 300，322，340，342，357，360，514，523，529，541，545
萧　三 253，259，330，387，388，394，397，403，409，421，431，436，437，439，509，514，546，555
辛　白 99，104
辛　笛 345，538，553
辛　谷 345
熊佛西 114，162，173，199，330，339，360，361，396，397，409，424，432，452，454，458，461，464，468，470，472，476，481，489，507，524，528，533
徐　迟 329，354，361，407，425，426，433，437，445，454，455，464，486，493，496，499，503，509，511，536
徐　訏428，454，524
徐懋庸 307，321，326，340，343，344，347，352，365，517
徐霞村 213，234，235，238，247，444，461
徐玉诺 132，137
徐枕亚 4，19，23，25，26，27，29，45，48，166，260
徐志摩 71，76，147，150，155，163，171，185，186，194，195，198，200，215，216，219，224，228，233，255，262，267，268，270，271，279，313，315，320，321，322，330，340，449，518，528，558
许地山 43，94，95，108，110，112，124，137，168，173，174，184，259，293，394，402，426，428，432，434，518，524，534
落华生 174，184，259，295，322
许广平 165，168，180，201，203，206，218，280，287，293，349，350，352，363，385，391，392，419，432，508，513，517，520，523
许　杰 167，186，202，204，207，227，527，530，534
许钦文 76，162，179，196，201，208，223，236，242，528，539
许寿裳 24，25，30，36，40，70，165，181，419，455，539

Y

严　复 6，10，15，28，119，164
严几道26，66，120，313，528
严文井 387，388，394，437，464
阳翰笙 115，191，251，258，259，278，279，361，371，374，375，379，382，389，397，406，408，418，423，424，425，428，429，438，450，456，457，

464，468，469，482，491，503，510，513，514，517，557

杨　晦 186，366，401，409，498，517

杨　绛 471，488，510，534

杨　骚 170，281，313，356，363，452

杨绍萱 470，487

杨　朔 377，379，430，431，513

杨荫榆 180，181，182

杨振声 74，76，83，106，171，176，179，199，300，361，397

姚民哀 37，165，166，167，244，257

姚蓬子 235，268，390，394，396，405，413，414，422，429，438，440，442，451，457，461，464，499

蓬　子 238，416，423，461，511

姚雪垠 7，307，380，383，384，391，401，407，438，440，455，456，461，485，504，509，530，543

叶楚伧 5，39，44，63，89，395，396

叶公超 331，361

叶灵凤 23，115，167，186，201，223，227，264，277，394，416

叶圣陶 82，89，106，120，122，132，142，158，159，164，170，183，187，194，201，206，207，213，217，224，235，238，247，268，273，274，276，295，314，315，332，340，361，395，464，488，496，504，505，513，520，523，528，535，546，553，554

叶绍钧 66，74，76，81，82，108，113，126，137，159，172，173，201，220，233，240，242，243，246，270，295，307，316，318，322，338，349，435，525

圣　陶 29，126，158，164，201，207，246，342，395，464，553

叶　紫 213，277，285，294，315，318，322，331，361，401，404

以　群 351，380，399，413，416，420，422，427，435，440，454，455，461，463，479，493，496，498，499，505，509，511，513，521，534，545，551

叶以群413，420，422，435，455，461，463，479，493，498

殷　夫 212，223，231，260，261，262，330，337

应修人 130，160，294，305

应云卫 374，377，425，465

于　伶 365，386，400，401，408，416，434，451，456，457，468，489，499，508，513，517，557

俞平伯 74，86，104，108，120，122，127，132，146，161，162，164，170，172，199，225，233，255，280，290，322，345，361，485，550

郁达夫 30，38，47，66，71，104，115，117，118，119，125，126，131，134，135，148，149，151，157，159，167，171，172，175，179，186，190，191，201，202，204，205，206，207，208，212，213，215，216，219，220，224，230，231，232，233，234，235，236，242，253，270，273，274，277，278，280，281，284，290，292，293，294，295，309，313，314，316，318，322，326，329，338，354，376，379，381，383，391，396，411，432，441，500，501，502，511，528

袁可嘉 533，544

袁水拍 401，428，437，454，455，477，486，509，518，523，533，544，558

袁　鹰 455

恽代英 38，90，157，159，165

Z

臧克家 295，306，311，312，319，326，331，347，357，377，380，385，428，433，446，454，455，457，458，464，

478，484，485，486，494，495，496，509，510，517，528，532，533，536，538，543，558
臧云远 379，409，413，416，417，418，478，490，535
曾　朴 21，45，48
曾　卓 414，433，435，437，482
张爱玲 106，465，467，471，472，476，480，481，482，486，490
张道藩 339，371，373，377，383，392，396，446，453，455，464，472，484，489，541
张东荪 36，66，89，107，331
张恨水 260，290，405，409，432，445，470，476，493，496，509，516，517
张静庐 89，100，455，458
张君劢 36，147，148
张天翼 149，241，263，267，268，269，274，275，277，292，295，297，312，326，331，334，338，340，345，348，359，360，366，375，379，380，381，399，414，440，454，458
张闻天 90，165，188，282，321，353
张志民 555，556
张资平 9，115，125，131，167，179，186，191，209，220，241，242，266，316，500
章克标 238，280，294，301
章士钊 10，11，12，20，27，28，30，40，43，152，181，184，188，189，221，409
章太炎 1，3，11，17，22，23，24，25，26，30，36，49，344，393，410，528
章锡琛 35，201，280，468
章衣萍 136，170，179，221，280，313，314
赵家璧 84，199，272，284，304，329，363，492，499，524，533，551，553，554
赵景深 113，123，185，195，201，240，317，338，468，528，543
赵树理 420，463，465，466，467，469，491，511，512，521，523，526，534，543，546，551，554，555，557
赵元任 214，280
郑伯奇 90，115，148，151，159，167，186，191，199，214，221，226，237，246，252，270，274，278，279，309，329，340，361，396，403，406，420，425，434，454，457，464，484
郑　敏 544
郑振铎 66，94，95，107，108，112，113，114，115，116，120，122，126，128，132，133，134，135，137，141，145，153，158，161，162，163，164，170，171，180，183，184，185，194，199，207，213，235，237，240，286，293，295，300，305，312，315，318，319，320，324，325，329，331，334，363，366，392，397，399，434，455，481，504，505，510，513，517，520，527，528，535，554
郑正秋 18，19，26，54
钟敬文 143，254，269，322
周而复 357，388，418，431，435，440，487，504，505，514，515，528，529，532，534，538，545，553，554，556，557
周钢鸣 338，339，419，420，427，435，455，468，472，509，536
周立波 332，337，343，356，382，385，427，437，537，540，542，557
周全平 115，163，167，170，177，186，191，242，264
周瘦鹃 19，23，26，29，30，37，39，48，58，349
周　文 222，295，300，333，358，375，393，413，423，427，447，515，517
周扬 263，273，279，280，282，304，318，332，333，336，343，347，355，377，379，380，387，394，397，406，408，

409，423，427，432，434，446，451，453，459，463，469，473，475，477，478，483，494，509，511，514，521，527，535，536，543，546，554
周作人 3，11，20，21，22，23，24，43，58，63，66，68，69，73，74，75，76，79，80，81，84，89，92，93，97，99，102，103，104，107，108，110，111，114，118，119，120，125，129，130，132，135，136，137，141，143，144，148，155，156，165，169，175，176，180，181，182，187，188，189，195，199，201，212，218，219，223，233，236，244，248，255，277，280，282，290，292，309，313，322，329，331，349，360，361，383，445，464，471，482，485，503
朱光潜 305，321，330，342，343，357，360，361，454，538，540，541，542，545，547，550，552
朱经农 50，58
朱镜我 191，220，223，224，248，254，279
朱希祖 47，84，108
朱　湘 67，99，174，194，199，217，270，304，309，313，314，321
朱自清 74，81，108，120，122，127，130，132，135，144，146，160，162，164，172，200，209，216，236，293，295，300，318，322，329，338，357，397，449，454，455，462，483，519，534，535，544，545，546，550，558
宗白华 66，98，103，104，116，143，148，160
邹荻帆 360，380，395，414，420，437，456，556
邹韬奋 186，252，326，341，354，363，366，440，479，483
　韬　奋 363，431，479
左　明 245，377

后 记

本卷资料出处，除随文夹注者外，多已列入书后之参考文献，惟下列著述，在史实编年和作家生平及社团期刊的介绍方面，对其中的资料和所列之“年表”，参考、采录甚多，因篇幅体例限制，在正文中未一一详明，特专列于此，谨致竭诚感谢之意：

陆耀东、孙党伯、唐达晖主编：《中国现代文学大辞典》；

钱理群、温儒敏、吴福辉著：《中国现代文学三十年》；

谢冕主编、孟繁华副主编：“百年中国文学总系”之《1898：百年忧患》（谢冕著）、《1903：前夜的涌动》（程文超著）、《1921：谁主沉浮》（孔庆东著）、《1928：革命文学》（旷新年著）、《1942 年：走向民间》（李书磊著）、《1948：天地玄黄》（钱理群著）。

参加本卷资料采录整理、编纂核查工作的，除主编之外，主要有武汉大学硕士研究生：刘婕、吴艳、袁功勇、居森林、吴剑、谢淼、汤敏欢，博士研究生张赟和博士后叶君等。谨记其劳绩，并致感谢之意。

其他以各种方式对本卷编纂、出版，包括本项目的评审、结项工作给予帮助的人、事，不一一尽列，惟感激之情，莫敢或忘。

本卷主编谨识
丙戌年春月

图书在版编目（CIP）数据

中国文学编年史. 现代卷 / 陈文新主编；叶立文，於可训分册主编.
—长沙：湖南人民出版社，2006.9
ISBN 7-5438-4556-3

Ⅰ.中… Ⅱ.①陈…②叶…③於… Ⅲ.①文学史—编年史—中国—现代
Ⅳ.I209

中国版本图书馆 CIP 数据核字（2006）第 121971 号

中国文学编年史·现代卷

责任编辑：李建国　胡如虹　曹有鹏
　　　　　聂双武　邓胜文　张志红　杨　纯
主　　编：陈文新
书名题字：卢中南
装帧设计：陈　新
出　　版：湖南人民出版社
地　　址：长沙市营盘东路 3 号
市场营销：0731-2226732
网　　址：http://www.hnppp.com
邮　　编：410005
制　　作：湖南潇湘出版文化传播有限公司
电　　话：0731-2229693　2229692
印　　刷：中华商务联合印刷（广东）有限公司
经　　销：湖南省新华书店
版　　次：2006 年 9 月第 1 版第 1 次印刷
开　　本：787 × 1094　1/16
印　　张：38.75
字　　数：858,000
书　　号：ISBN 7-5438-4556-3/I·459
定　　价：288.00 元